CB062409

Os Pilares da Terra

Ken Follett

Os Pilares da Terra

Tradução de Paulo Azevedo

ROCCO

Título original
THE PILLARS OF THE EARTH

Copyright © 1989 *by* Ken Follett

Direitos para a língua portuguesa reservados
com exclusividade para o Brasil à
EDITORA ROCCO LTDA.
Rua Evaristo da Veiga, 65 – 11º andar
Passeio Corporate – Torre 1
20031-040 – Rio de Janeiro – RJ
Tel.: (21) 3525-2000 – Fax: (21) 3525-2001
rocco@rocco.com.br
www.rocco.com.br

Printed in Brazil/Impresso no Brasil

CIP-Brasil. Catalogação na fonte.
Sindicato Nacional dos Editores de Livros, RJ.

F724p	Follett, Ken
	Os pilares da terra / Ken Follett; tradução de Paulo Azevedo. – [1. ed.]. – Rio de Janeiro: Rocco, 2012.
	2 v. em 1
	Tradução de: The pillars of the earth
	Volumes publicados juntos
	ISBN 978-85-325-2769-1
	1. Catedrais – Projetos e construção – Ficção. 2. Grã-Bretanha – História – Stephen, 1135-1154 – Ficção. 3. Ficção inglesa. I. Azevedo, Paulo. II. Título.
12-2370	CDD–823
	CDU–821.111-3

A Marie-Claire,
menina dos meus olhos.

"Na noite de 25 de novembro de 1120, o White Ship *partiu para a Inglaterra e afundou na costa de Barfleur com toda a tripulação menos um homem... A embarcação era a última palavra em transporte marítimo, equipada com todos os recursos à disposição dos construtores navais daquele tempo... A notoriedade desse naufrágio deve-se ao grande número de pessoas notáveis a bordo; além do filho e herdeiro do rei, havia dois bastardos reais, diversos condes e barões, e a maioria da família real... Seu significado histórico é que deixou Henrique sem um herdeiro evidente... Sua consequência final foi a sucessão disputada e o período de anarquia que se seguiu à morte de Henrique."*

A. L. Poole, From Domesday book to Magna Carta.

Prólogo

1123

Os garotos chegaram cedo para o enforcamento.
Ainda estava escuro quando os primeiros três ou quatro esgueiraram-se para fora do galpão, silenciosos como gatos com suas botas de feltro. Uma fina camada de neve cobria a cidadezinha, lembrando uma nova demão de tinta, e suas pegadas foram as primeiras a macular a superfície perfeita. Escolheram seu caminho por entre a barafunda de casebres de madeira e ao longo das ruas de lama congelada até a praça do mercado, onde a forca estava à espera.

Os meninos desprezavam tudo o que os mais velhos valorizavam. Zombavam da beleza e faziam pouco da bondade. Caíam na risada à vista de um aleijado e ao encontrarem um animal ferido o apedrejavam até a morte. Vangloriavam-se dos ferimentos e exibiam as cicatrizes com orgulho, reservando especial admiração por mutilações: um garoto sem um dedo poderia ser o rei deles. Amavam a violência. Correriam milhas para ver sangue e nunca perdiam um enforcamento.

Um dos meninos urinou na base do cadafalso. Outro subiu os degraus, apertou o pescoço com os polegares e caiu bruscamente, contorcendo o rosto numa horrível paródia de estrangulamento: os outros gritaram de entusiasmo, e dois cachorros entraram correndo na praça, latindo. Um menininho começou a comer descuidadamente uma maçã; um dos mais velhos lhe deu um soco no nariz e tirou-lhe a fruta. O menininho aliviou seus sentimentos jogando uma pedra pontuda num cachorro, o que fez com que o animal voltasse por onde viera, uivando. Depois nada mais havia para fazer, e todos se agacharam no piso seco do pórtico da grande igreja, esperando que algo acontecesse.

Luzes de velas bruxuleavam por trás das venezianas das sólidas casas de madeira e pedra construídas em torno da praça, de comerciantes e artífices prósperos, enquanto as criadas de cozinha e os aprendizes acendiam o fogo, esquentavam a água e faziam mingau. A cor do céu passou de preto para cinza. Os habitantes da cidade saíam de casa, baixando a cabeça para passar nos portais, embrulhados em pesados mantos de lã grosseira, e, tremendo de frio, iam até o rio apanhar água.

Logo um grupo de rapazes – cavalariços, operários e aprendizes – entrou na praça, andando com atitude arrogante. Expulsaram os meninos do pórtico da igreja com sopapos e pontapés, depois se encostaram nos arcos de pedra trabalhada, coçando-se, cuspindo no chão e falando com estudada confiança sobre morte por enforcamento. Se ele tiver sorte, disse um, quebrará o pescoço assim que cair, uma morte rápida e sem dor; mas, se isso não acontecer, ele ficará pendurado ali, tornando-se vermelho, abrindo e fechando a boca como um peixe fora d'água, até morrer asfixiado. Outro afirmou que morrer assim pode levar o tempo necessário para um homem caminhar uma milha. Um terceiro retrucou que podia ser pior ainda, que já vira um enforcamento em que o pescoço do condenado passou de um pé de comprimento.

As velhas formaram um grupo no lado oposto da praça, o mais longe possível dos rapazes, que provavelmente gritariam comentários vulgares para suas avós. Elas sempre acordavam cedo, mesmo que já não tivessem bebês ou filhos pequenos com que se preocupar, e eram as primeiras a ter o fogo aceso e a casa varrida. Sua líder reconhecida, a robusta viúva Brewster, juntou-se a elas, rolando um barril de cerveja tão facilmente quanto uma criança rola seu arco. Antes que pudesse abri-lo, havia uma pequena multidão de fregueses esperando com jarros e baldes.

O meirinho do xerife abriu o portão principal, deixando entrar os camponeses que moravam no subúrbio, nas casas de meia-água encostadas na muralha da cidade. Uns traziam ovos, leite e manteiga fresca para vender, outros vinham para comprar cerveja ou pão, e havia os que ficavam na praça do mercado esperando o enforcamento.

De vez em quando as pessoas se empertigavam, como faz o precavido pardal, e levantavam os olhos para o castelo situado na colina que dominava a cidade. Viam fumaça se erguendo regularmente da cozinha, e o ocasional clarão de uma tocha por trás das seteiras da fortaleza de pedra. Depois, mais ou menos na hora em que o sol devia ter começado a nascer por trás da densa nuvem cinzenta que encobria o céu, abriram-se as enormes portas de madeira maciça do aposento construído sobre o portão da cidade e que servia de cárcere, e saiu um pequeno grupo. O xerife era o primeiro, montado num belo corcel negro, seguido por um carro de boi que trazia o prisioneiro amarrado. Atrás dele vinham três homens a cavalo, e, embora seus rostos não pudessem ser vistos daquela distância, suas roupas revelavam que eram um cavaleiro, um sacerdote e um monge. Dois homens armados encerravam a procissão.

Todos haviam estado na corte do condado, realizada na nave da igreja, no dia anterior. O sacerdote tinha apanhado o ladrão em flagrante delito; o monge identificara o cálice de prata como pertencente ao mosteiro; o cavaleiro era o lorde do ladrão e declarara que ele era um fugitivo; e o xerife o condenara à morte.

Enquanto eles desciam lentamente a colina, o resto da cidade reunia-se em torno da patíbulo. Entre os últimos a chegar estavam os cidadãos mais eminentes:

o açougueiro, o padeiro, dois ferreiros, o cuteleiro e o fabricante de flechas, todos com as mulheres.

A atitude da multidão era estranha. Em geral aquela gente gostava de enforcamentos. Em geral o prisioneiro era um ladrão, e todos odiavam os ladrões com a paixão das pessoas cujas posses foram duramente conquistadas. Com aquele criminoso, no entanto, era diferente. Ninguém sabia quem era ou de onde vinha. Não tomara nada deles, mas de um mosteiro situado a mais de vinte milhas de distância. E tinha roubado um cálice cravejado de pedras preciosas, uma coisa de tão grande valor que era virtualmente impossível de vender – nada parecido com roubar um presunto, uma faca nova ou um bom cinturão, cuja perda significaria prejuízo para alguém. Não podiam odiar um homem por um crime despropositado. Houve algumas zombarias e vaias quando o prisioneiro entrou na praça, mas sem grande entusiasmo, com exceção do demonstrado pelos garotos.

A maior parte dos habitantes da cidade não havia estado na corte, porque dias de julgamento não eram feriados e todos precisavam ganhar a vida, de modo que era a primeira vez que viam o ladrão. Era jovem, entre vinte e trinta anos, de altura e peso normais; por outro lado, porém, tinha uma aparência estranha. Sua pele era branca como a neve que se acumulava em cima dos telhados, os olhos, verdes, protuberantes e surpreendentemente luminosos, e o cabelo, da cor de uma cenoura. As moças o acharam feio; as velhas sentiram pena dele; os garotos riram até cair no chão.

O xerife era uma figura familiar, mas os outros três homens que tinham selado o destino do ladrão eram estranhos. O cavaleiro, um homem corpulento de cabelo louro, era claramente uma pessoa de alguma importância, pois montava um cavalo de batalha, um animal enorme que custava tanto quanto um carpinteiro ganhava em dez anos. O monge era muito mais velho, com uns cinquenta anos talvez, ou mais, um homem alto e magro que se sentava na sela curvado, como se a vida fosse para ele um fardo tedioso. O mais surpreendente era o sacerdote, um jovem de nariz afilado e cabelo preto escorrido, com hábito também preto e montando um garanhão castanho. Tinha um ar perigoso, alerta, como um gato preto que houvesse sentido o cheiro de uma ninhada de camundongos.

Um garotinho mirou cuidadosamente e cuspiu no prisioneiro. Tinha boa mira, pois atingiu-o bem no meio dos olhos. Ele rosnou uma praga e arremeteu contra o cuspidor, mas foi contido pelas cordas que o amarravam nas laterais do carro. O incidente não foi notável, a não ser pelo fato de ele ter falado francês normando, a língua dos lordes. Ele era bem-nascido então? Ou apenas estava muito longe de casa? Ninguém sabia.

O carro de boi parou ao pé do cadafalso. O auxiliar do xerife subiu com o baraço na mão. O prisioneiro começou a lutar. Os garotos vibraram – teriam ficado desapontados se ele permanecesse calmo. Os movimentos do homem eram contidos pelas cordas amarradas nos pulsos e tornozelos, mas ele sacudiu a cabeça de um lado para o outro, esquivando-se. Após um momento o meirinho, um homem enorme, recuou e lhe deu um soco no estômago. Ele se dobrou e a corda foi passada pelo seu pescoço. Depois de apertar o nó, o meirinho pulou para o chão e puxou a corda até esticá-la, amarrando a outra extremidade a um gancho na base do cadafalso.

Aquele foi o ponto crítico. Se o prisioneiro lutasse agora, só conseguiria morrer mais cedo.

Os soldados desamarraram as pernas do prisioneiro e o deixaram de pé sozinho no carro de boi, com as mãos amarradas nas costas. Fez-se silêncio na multidão.

Frequentemente havia uma perturbação naquela hora: a mãe do condenado tinha um ataque e desatava a berrar, ou sua mulher puxava de uma faca e corria, numa tentativa de última hora para salvá-lo. Às vezes o prisioneiro pedia perdão a Deus ou proferia pragas de gelar o sangue contra seus algozes. Os soldados ficaram dos dois lados do patíbulo, prontos para enfrentar qualquer incidente.

Foi então que o prisioneiro começou a cantar.

Tinha voz de tenor alta e muito pura. Os versos eram em francês, mas mesmo quem não podia entender a língua podia dizer, pela melodia pungente, que era uma canção de tristeza e privação.

> "A cotovia, apanhada na rede do caçador,
> Cantou mais doce que nunca,
> Como se a melodia do seu canto
> Pudesse voar e da rede fugir."

Enquanto cantava, olhava diretamente para alguém na multidão. Aos poucos formou-se um espaço em torno dessa pessoa, e todos puderam vê-la.

Era uma garota de cerca de quinze anos. Quando as pessoas olharam para ela perguntaram-se por que não a teriam notado antes. Seu cabelo castanho-escuro era comprido, grosso e farto, mostrando na testa larga o que chamam de bico de viúva. Tinha feições regulares e boca sensual, de lábios cheios. As velhas, reparando na sua cintura grossa e nos seios crescidos, concluíram que estava grávida e adivinharam que o prisioneiro era o pai da criança. Entretanto, todos os outros não notaram nada, exceto seus olhos. Não é que não fosse bonita, mas tinha olhos fundos, intensos e de uma espantosa cor dourada, tão luminosos e penetrantes que, ao fixarem uma pessoa, parecia a esta que conseguiam enxergar-lhe o coração, fazendo que desviasse os olhos com medo de que a jovem descobrisse seus segredos. Estava coberta de andrajos, e as lágrimas lhe corriam pelas faces sedosas.

O condutor do carro de bois olhou para o meirinho, à espera. Este olhou para o xerife, aguardando o gesto de cabeça. O jovem sacerdote de ar sinistro deu uma cotovelada no xerife, impaciente, mas este não lhe deu atenção. Deixou que o prisioneiro continuasse cantando. Houve uma pausa aflitiva enquanto a linda voz do homem feio mantinha a morte a distância.

> "Ao crepúsculo o caçador pegou sua presa,
> A cotovia jamais recuperou a liberdade.
> Todos os pássaros e homens certamente vão morrer,
> Mas canções podem viver para sempre."

Quando a canção terminou o xerife olhou para o seu auxiliar e assentiu com a cabeça. O meirinho gritou "Hup!" e fustigou o flanco do boi com um pedaço de corda. O carroceiro estalou seu chicote ao mesmo tempo. O boi adiantou-se, o prisioneiro cambaleou e, quando o animal puxou o carro, caiu no ar. A corda esticou e o pescoço do homem quebrou com um estalo.

Ouviu-se um grito e todos olharam para a garota.

Mas não foi ela quem gritou, e sim a mulher do cuteleiro, ao seu lado. No entanto, foi a garota a causa do grito. Ela havia mergulhado de joelhos na frente do cadafalso, com os braços esticados, a posição adotada para rogar uma praga. Todos recuaram, aterrorizados: sabiam que a praga de quem sofreu injustiça é particularmente efetiva, e todos suspeitavam que havia qualquer coisa de errado naquele enforcamento. Os meninos pequenos ficaram aterrorizados.

A garota voltou os hipnóticos olhos dourados sobre os três estranhos, o cavaleiro, o monge e o sacerdote. Depois proferiu sua praga, pronunciando as palavras terríveis em tom retumbante:

— Amaldiçoo vocês com a doença e o infortúnio, com a fome e a dor; sua casa será consumida pelo fogo, e seus filhos morrerão na forca; seus inimigos prosperarão, e vocês envelhecerão na tristeza e no remorso, e morrerão na podridão e na agonia... — À medida que pronunciava as últimas palavras, a garota enfiou a mão num saco que estava no chão ao seu lado e puxou um galo vivo. Apareceu uma faca na sua mão, surgida do nada, e com um único golpe ela cortou a cabeça da ave.

Enquanto o sangue ainda estava jorrando do pescoço cortado, ela atirou o galo degolado sobre o sacerdote de cabelo preto. Não chegou a alcançá-lo, porém o sangue espalhou-se nele, no monge e no cavaleiro, um de cada lado. Os três homens viraram-se enojados, mas o sangue borrifou em cada um deles, sujando-lhes o rosto e as roupas.

A garota voltou-se e saiu correndo.

A multidão abriu-se na sua frente e fechou-se nas suas costas. Por uns poucos momentos houve um pandemônio. Até que por fim o xerife conseguiu chamar a atenção dos soldados e, furioso, mandou que a perseguissem. Eles começaram a lutar para atravessar a multidão, empurrando brutalmente homens, mulheres e crianças, mas a garota desapareceu num abrir e fechar de olhos, e embora o xerife a procurasse, sabia que não a encontraria.

Ele se afastou, enojado. O cavaleiro, o monge e o sacerdote não tinham acompanhado a fuga da garota. Estavam ainda com os olhos fixos no patíbulo. O xerife seguiu-lhes a direção do olhar. O ladrão morto estava pendurado no laço da forca, o rosto jovem e pálido já ficando azulado; sob o corpo que balançava suavemente no ar, o galo sem cabeça, mas ainda não de todo morto, corria em círculos irregulares na neve manchada de sangue.

Parte um

1135-1136

Capítulo 1

Num vale largo, no sopé de uma encosta íngreme, ao lado de um regato de águas claras e borbulhantes, Tom estava construindo uma casa.

As paredes já estavam com três pés de altura e subiam depressa. Os dois pedreiros que Tom contratara trabalhavam disciplinadamente à luz do sol, as colheres de pedreiro fazendo *scrap*, *slap* e depois *tap*, *tap*, enquanto o servente suava sob o peso de grandes blocos de pedra. Alfred, o filho de Tom, estava preparando a massa, contando em voz alta enquanto colocava areia em cima de uma tábua. Havia também um carpinteiro, trabalhando numa bancada ao lado de Tom – modelava cuidadosamente um pedaço de madeira com uma enxó.

Alfred tinha catorze anos, e quase a mesma altura de Tom, que era uma cabeça mais alto que a maioria dos homens. Seu filho estava com apenas algumas polegadas a menos, e continuava a crescer. Eles se pareciam, também; o cabelo de ambos era castanho-claro e os olhos esverdeados raiados de castanho. As pessoas diziam que formavam uma bonita dupla. A principal diferença entre eles era que Tom tinha barba ondulada castanha, ao passo que no rosto de Alfred havia apenas uma fina penugem loura. O cabelo do rapaz já tinha sido daquela cor, lembrou o pai afetuosamente. Agora que ele estava se tornando um homem, Tom desejava que se interessasse por seu trabalho, pois teria muito a aprender se quisesse ser pedreiro como o pai; até então, porém, Alfred se mostrara entediado e frustrado com os princípios da construção.

Quando a casa estivesse terminada, seria a mais luxuosa em muitas milhas. No andar térreo haveria apenas uma espaçosa galeria, para armazenagem, com o teto em abóbada, a fim de não pegar fogo. O salão, onde as pessoas realmente iriam morar, ficaria em cima, com acesso por uma escada externa, e sua altura dificultaria o ataque e facilitaria a defesa. Junto do salão haveria uma chaminé, para dar tiragem à fumaça. Aquilo era uma inovação radical: Tom só tinha visto uma única casa com chaminé, mas achara uma ideia tão boa que estava determinado a copiá-la. Em uma extremidade da casa, além do salão, haveria um quarto pequeno, que era o que filhas de conde exigiam então – por serem finas demais para dormir com os homens, as serviçais e os cães de caça. A cozinha seria um prédio separado, já que mais cedo ou mais tarde todas pegavam fogo, e não restava nada a fazer senão construí-las longe de tudo mais e tolerar a comida morna.

Tom estava fazendo o vão da porta. As vigas seriam arredondadas a fim de parecer colunas – um toque de distinção para os nobres recém-casados que iriam morar ali. Com o olho no gabarito de madeira que estava usando como guia, Tom ajustou a talhadeira de ferro obliquamente na pedra e golpeou-a com delicadeza, usando o grande martelo de madeira. Uma chuva de fragmentos caiu da superfície, deixando a forma um pouco mais redonda. Ele bateu de novo. Liso o bastante para uma catedral.

Tinha trabalhado em uma certa vez – Exeter. No princípio havia encarado aquele trabalho como outro qualquer. Sentira-se furioso e ressentido quando o mestre construtor advertira-o de que não estava correspondendo ao padrão desejado: sabia que era um pedreiro muito mais cuidadoso do que a média. Entretanto percebera depois que as paredes de uma catedral não precisavam ser apenas boas, mas perfeitas. Além de a catedral se destinar a Deus, a construção era tão grande que a menor obliquidade nas paredes, o mais ínfimo desvio do nivelamento absoluto, enfraqueceria fatalmente a estrutura. O ressentimento de Tom transformou-se em fascinação. A combinação de um prédio demasiado ambicioso com uma impiedosa atenção ao menor dos detalhes abriu-lhe os olhos para o prodígio do seu ofício. Aprendeu com o mestre de Exeter a importância da proporção, o simbolismo de vários números e as fórmulas quase mágicas para calcular a largura correta de uma parede ou o ângulo de um degrau numa escada espiralada. Essas coisas o cativaram. Ficou surpreso ao saber que muitos pedreiros as achavam incompreensíveis.

Após algum tempo Tom tornou-se o homem de confiança do mestre construtor, e foi quando começou a ver as deficiências dele. O homem era um grande artesão, mas um organizador incompetente. Ficava aturdido com os problemas de obter a quantidade certa de pedra para acompanhar o ritmo dos pedreiros, de verificar se o ferreiro tinha feito o número suficiente das ferramentas adequadas, de queimar cal e transportar areia para a argamassa, de derrubar árvores para os carpinteiros e de conseguir com a igreja dinheiro suficiente para pagar tudo.

Se houvesse ficado em Exeter até que o mestre construtor morresse, poderia ter-se tornado mestre também; porém, a assembleia que dirigia a igreja ficou sem dinheiro – em parte por causa do mau gerenciamento do mestre – e os artífices tiveram que se dispersar, procurando trabalho em outra parte. Ofereceram a Tom o posto de construtor do castelão de Exeter, reparando e aperfeiçoando as fortificações da cidade. Um trabalho para toda a vida, salvo algum acidente. Contudo Tom rejeitara a oferta, pois queria construir outra catedral.

Sua mulher, Agnes, jamais compreendera essa decisão. Podiam ter tido uma boa casa de pedra, criados e estábulos próprios, assim como carne na mesa em todas as refeições; nunca perdoara Tom por ter rejeitado a oportunidade. Não era capaz de compreender a atração irresistível de construir uma catedral: a absorvente complexidade de organização; o desafio intelectual dos cálculos; o tamanho puro e simples das paredes; a grandeza e beleza emocionantes do prédio acabado. Tendo provado uma vez desse vinho, nunca mais Tom se satisfez com menos.

Aquilo fora dez anos antes. Desde então não tinham se demorado em parte alguma por muito tempo. Nada além de projetar uma nova casa para o cabido de um mosteiro, trabalhar um ou dois anos num castelo, ou construir uma casa na cidade para um rico mercador; porém, assim que economizava o bastante, deixava tudo, e com mulher e filhos pegava a estrada, procurando outra catedral.

Ergueu os olhos da bancada e viu Agnes na orla do terreno onde se realizava a construção, segurando uma cesta de comida numa das mãos e apoiando uma grande jarra de cerveja no quadril oposto. Era meio-dia. Ele contemplou-a afetuosamente. Ninguém jamais a chamaria de bonita, mas seu rosto tinha força: testa larga, grandes olhos castanhos, nariz reto, queixo forte. O cabelo escuro e grosso era dividido ao meio e preso atrás. Era a alma irmã de Tom.

Agnes serviu cerveja para Tom e Alfred. Eles ficaram parados ali por um momento, os dois homens grandes e a mulher forte, bebendo cerveja em canecos de madeira, até que o quarto membro da família apareceu, saindo saltitante do campo de trigo: Martha, de sete anos e linda como um narciso – embora faltasse uma pétala, pois dois dentes de leite haviam caído. Ela correu para o pai, beijou sua barba poeirenta e pediu um gole de sua cerveja. Tom abraçou seu corpinho ossudo.

– Não beba demais, para não cair numa vala – disse ele. Ela saiu cambaleando num círculo, fingindo que estava embriagada.

Todos se sentaram na pilha de madeira. Agnes passou para Tom um naco de pão de trigo, uma fatia grossa de toucinho cozido e uma cebola. Ele deu uma mordida na carne e começou a descascar a cebola. Agnes deu comida às crianças e começou ela própria a comer também. Talvez, pensou Tom, tenha sido irresponsabilidade rejeitar aquele trabalho monótono em Exeter e sair procurando uma catedral para construir; mas sempre fui capaz de alimentar todos, a despeito da minha inquietude.

Ele apanhou sua faca no bolso da frente do avental de couro e cortou um pedaço da cebola, que comeu com uma fatia de pão. A cebola era doce mas picante.

– Estou com criança de novo – disse Agnes.

Tom parou de mastigar e encarou-a espantado. Uma sensação de deleite apossou-se dele. Sem saber o que dizer, limitou-se a sorrir tolamente. Após alguns momentos ela corou e disse:

– Não é nada assim tão surpreendente.

O marido abraçou-a.

— Ora, ora — disse, ainda sorrindo de prazer. — Um bebê para puxar minha barba. E eu que pensei que o próximo seria de Alfred.

— Não fique feliz demais — advertiu Agnes. — Não dá sorte falar na criança antes de ela nascer.

Tom assentiu com a cabeça. Agnes já tivera diversos abortos e uma criança nascida morta, além de uma garotinha, Matilda, que só vivera dois anos.

— Mesmo assim, eu gostaria que fosse um menino — disse ele. Alfred já está tão grande!... Quando deve nascer?

— Depois do Natal.

Tom começou a calcular. A estrutura da casa estaria terminada à época da primeira nevada, quando o trabalho de pedra teria que ser coberto com palha para ficar protegido no inverno. Os pedreiros gastariam os meses de frio cortando pedras para janelas, abóbadas, estruturas de portas e a lareira, enquanto o carpinteiro prepararia as tábuas para o assoalho, portas e persianas e Tom construiria o andaime para o trabalho no andar de cima. Na primavera eles fariam a abóbada do andar térreo, forrariam o piso do salão e montariam o telhado. O trabalho alimentaria a família até o domingo de Pentecostes, quando então o bebê já teria seis meses. Aí eles se mudariam.

— Ótimo — disse ele, contente. — Isto é ótimo. — E comeu outra fatia de cebola.

— E estou velha demais para ter filhos — disse Agnes. — Este tem que ser o último.

Tom pensou naquilo. Não estava certo da idade dela, em números, mas muitas mulheres tinham filhos naquela época da vida. No entanto, era verdade que sofriam mais à medida que ficavam mais velhas, e que os bebês não nasciam tão fortes. Sem dúvida Agnes estava com a razão. Mas como poderia ter certeza de que não conceberia de novo?, perguntou-se Tom. Só então percebeu como, e uma nuvem sombreou seu ensolarado estado de espírito.

— Posso conseguir um bom emprego, numa cidade — disse ele, tentando apaziguá-la. — Uma catedral, ou um palácio. Aí poderemos ter uma casa grande com chão de madeira e uma criada para ajudar você com o bebê.

— Pode ser — disse ela ceticamente, o rosto enrijecido. Não gostava daquela conversa de catedrais. Se Tom nunca tivesse trabalhado numa catedral, podia estar morando numa casa na cidade agora, com dinheiro economizado e enterrado sob a lareira, sem nada para preocupá-la.

Tom desviou o olhar e deu outra mordida no toucinho. Tinham o que celebrar, mas estavam em desarmonia. Sentiu-se deprimido. Mastigou a carne dura por um momento, depois ouviu um cavalo. Inclinou a cabeça para escutar. Um cavaleiro estava atravessando uma região cheia de árvores, vindo da direção da estrada, tomando um atalho e evitando a aldeia.

Um momento depois, um jovem montado num pônei aproximou-se a trote e desmontou. Parecia um escudeiro, uma espécie de cavaleiro aprendiz.

– O seu lorde está vindo aí – disse ele.

Tom ergueu-se.

– Está se referindo a lorde Percy?

Percy Hamleigh era um dos homens mais importantes do país. Possuía aquele vale e muitos outros, e estava pagando pela casa.

– O filho dele – disse o escudeiro.

– O jovem William. – O filho de Percy, William, iria ocupar aquela casa após seu casamento. Estava noivo de Lady Aliena, a filha do conde de Shiring.

– Ele mesmo – confirmou o escudeiro. – E está furioso.

O coração de Tom confrangeu-se. Quando tudo corria bem já era difícil tratar com o proprietário de uma casa em construção. Com um proprietário enfurecido era impossível.

– Por que ele está furioso?

– Sua noiva o rejeitou.

– A filha do conde?! – exclamou Tom, surpreso. Sentiu uma pontada de medo; naquele instante mesmo estivera pensando em como seu futuro era seguro. – Pensei que isso já estivesse resolvido.

– Todos nós pensamos, exceto Lady Aliena, ao que parece – disse o escudeiro. – No momento em que se encontrou com ele, disse que não o desposaria por nada deste mundo.

Tom franziu a testa, preocupado. Não queria que aquilo fosse verdade.

– Mas o rapaz não é feio, que me lembre.

– Como se isso fizesse qualquer diferença, na posição dela – disse Agnes. – Se as filhas de condes fossem autorizadas a se casar com quem bem entendessem, estaríamos recebendo ordens de menestréis ambulantes e dos fora da lei.

– A garota ainda pode mudar de ideia – disse Tom, esperançoso.

– Mudará, se a mãe lhe der uma surra de vara de marmelo – disse Agnes.

– A mãe dela está morta – disse o escudeiro.

Agnes balançou a cabeça, concordando.

– O que explica por que não sabe os fatos da vida. Mas não vejo por que razão o pai não possa obrigá-la.

– Parece que ele prometeu uma vez que nunca a obrigaria a desposar alguém que odiasse – disse o escudeiro.

– Uma promessa tola! – exclamou Tom, furioso. Como um homem poderoso poderia se prender ao capricho de uma garota daquele modo? O casamento dela poderia afetar alianças militares, as finanças baroniais... e até mesmo a construção desta casa.

– Ela tem um irmão – comentou o escudeiro –, de modo que não é tão importante com quem se case.

– Mesmo assim...

— E o conde é um homem inflexível — prosseguiu o escudeiro. — Não deixará de cumprir uma promessa, mesmo que tenha sido feita a uma criança. — Ele deu de ombros. — Pelo menos é o que dizem.

Tom olhou para as paredes de pedra, ainda baixas, da casa em construção. Até agora não economizara dinheiro bastante para manter a família no inverno, pensou com um calafrio.

— Talvez o rapaz encontre outra moça para compartilhar esta casa com ele. Tem todo o condado para escolher.

— Por Cristo, acho que é ele — disse Alfred, na sua voz dissonante de adolescente.

Seguindo o olhar do rapaz, todos se voltaram para o campo. Um cavalo vinha da aldeia a galope, levantando uma nuvem de pó e terra. O assombro de Alfred era justificado tanto pelo tamanho quanto pela velocidade do cavalo. Tom já vira animais assim, mas o garoto possivelmente não. Era um cavalo de batalha, com o lombo tão alto quanto o queixo de um homem e a largura proporcional. Aqueles cavalos de batalha não eram criados na Inglaterra; vinham do além-mar e eram extremamente caros.

O construtor deixou cair o resto do pão no bolso do avental, semicerrou os olhos para se proteger do sol e se virou para o campo. O cavalo estava com as orelhas viradas para trás e as narinas dilatadas, mas pareceu a Tom que sua cabeça estava bem erguida, sinal de que o cavaleiro não perdera totalmente o controle. Na verdade, quando se aproximou mais, o cavaleiro inclinou o tronco para trás e puxou as rédeas, e o grande animal pareceu reduzir um pouco a velocidade. Tom podia sentir agora o martelar dos cascos no solo, sob seus pés. Virou-se para Martha, pensando em pegá-la e pô-la a salvo. A mãe teve a mesma ideia. A menina, porém, não estava à vista em parte alguma.

— No trigal — disse Agnes, mas Tom já pensara nisso e estava atravessando o terreno da casa em largas passadas. Esquadrinhou o trigo ondulante com medo no coração, mas não conseguiu ver a criança.

A única coisa em que pôde pensar foi tentar reduzir a velocidade do cavalo. Passou para a trilha e começou a caminhar na direção do animal desembestado, com os braços abertos. O cavalo o viu, ergueu a cabeça para olhar melhor, e reduziu sensivelmente o ritmo do galope. Então, para horror de Tom, o cavaleiro o esporeou.

— Seu maldito tolo! — berrou Tom, embora o cavaleiro não pudesse ouvi-lo.

Foi quando Martha saiu do meio do trigal e apareceu na trilha, a alguns metros de Tom.

Por um momento ele ficou imóvel, em pânico. Depois se atirou para a frente, gritando e sacudindo os braços, mas aquele era um cavalo de batalha, treinado para acometer hordas ululantes, e não vacilou. Martha ficou no meio da trilha estreita, olhando espantada, imóvel, para o animal imenso que se lançava sobre ela. Houve um momento em que Tom percebeu, com desespero, que não poderia alcançá-la antes do cavalo. Ele se desviou para um lado, o braço tocando no trigo alto; no último instante o cavalo desviou-se para o outro lado. Um dos estribos chegou a roçar o cabelo fino de Martha; um casco deixou um buraco redondo no chão, junto do seu pezinho descalço; aí ele seguiu, atirando terra em ambos, e Tom pegou-a e apertou-a contra o peito palpitante.

Ficou imóvel por um momento, esmagado pelo alívio imenso, os membros fracos, interiormente arrasado. Aí então sentiu uma onda de ódio contra a irresponsabilidade daquele jovem estúpido no seu enorme cavalo de batalha. Ergueu os olhos, furioso. Lorde William estava parando o animal agora, sentado na sela com o tronco para trás, as pernas esticadas para a frente, puxando as rédeas. O cavalo desviou-se do local da obra. Sacudiu a cabeça e empinou, mas William permaneceu montado. E reduziu a velocidade para meio galope e depois trote, enquanto o conduzia numa volta larga.

Martha estava chorando. Tom entregou-a a Agnes e esperou por William. O jovem lorde era um sujeito alto e vigoroso, de cerca de vinte anos; tinha cabelo louro e olhos acanhados que faziam com que parecesse estar sempre fitando o sol. Usava uma túnica preta escura, calções justos também pretos e sapatos de couro com tiras entrecruzadas até os joelhos. Estava bem sentado na sela e não parecia nem um pouco perturbado com o que acontecera. *O garoto bobo nem mesmo sabe o que fez*, pensou Tom amargamente. *Eu gostaria de torcer-lhe o pescoço.*

William parou o cavalo em frente à pilha de madeira e olhou para os operários.

– Quem é o encarregado aqui? – perguntou.

Tom teve ímpetos de dizer *Se você tivesse ferido minha filhinha, eu o mataria*, mas conteve a raiva. Foi como engolir um sapo. Aproximou-se do cavalo e segurou o freio.

– Eu sou o construtor – disse tenso. – Meu nome é Tom.

– Esta casa não é mais necessária – disse William. – Dispense seus homens.

Era o que Tom receava. Mas agarrou-se à esperança de que William estava sendo impetuoso na sua raiva, e poderia ser persuadido a mudar de ideia. Com esforço, fez a voz parecer cordial e razoável.

– Mas tanto trabalho já foi feito! Por que perder o que gastou? Vai precisar da casa um dia.

– Não me diga como cuidar dos meus negócios, Tom Construtor – disse William. – Vocês todos estão dispensados. – Ele puxou uma das rédeas, mas Tom continuou segurando o freio. – Solte meu cavalo – ordenou William ameaçadoramente.

Tom engoliu em seco. Mais um momento e William tentaria puxar a cabeça do cavalo para cima. O construtor enfiou a mão no bolso do avental e tirou o resto do pão que estava comendo. Mostrou-o para o animal, que mergulhou a cabeça e deu uma mordida.

– Há mais para ser dito antes que se vá, milorde – retrucou conciliadormente.

— Solte meu cavalo, senão cortarei sua cabeça — disse William. Tom olhou diretamente para ele, procurando não demonstrar o medo que sentia. Era maior que William, mas isso não faria diferença se o jovem lorde desembainhasse a espada.

— Faça o que o lorde diz, marido — murmurou Agnes, temerosa.

Houve um silêncio de morte. Os outros trabalhadores ficaram imóveis como estátuas, observando. Ele sabia que a atitude prudente seria ceder. Mas por pouco o jovem não esmagara a filhinha de Tom, e isso o deixara furioso. Assim, foi com o coração disparado que ele disse:

— O senhor tem que nos pagar.

William puxou as rédeas, mas o construtor segurou o freio com força. Além disso, o cavalo estava distraído, metendo o focinho no bolso do avental de Tom, querendo mais comida.

— Solicite a meu pai os seus salários! — disse William, furiosamente.

Tom ouviu a voz do carpinteiro, aterrorizada:

— Faremos isto, milorde, agradecendo-lhe muito.

Covarde desgraçado, pensou Tom, mas ele próprio estava tremendo. Mesmo assim, obrigou-se a dizer:

— Se quiser nos dispensar, terá de nos pagar, conforme o costume. A casa de seu pai fica a dois dias de marcha daqui, e quando chegarmos lá poderemos não encontrá-lo.

— Homens têm morrido por menos que isso — disse William. Seu rosto ficou vermelho de raiva.

Com o canto do olho, Tom viu que o escudeiro empunhava a espada. Sabia que deveria desistir agora e humilhar-se, mas havia um obstinado nó de raiva no seu estômago, e assustado como estava não conseguiu obrigar-se a largar o freio do cavalo.

— Pague primeiro e depois me mate — disse imprudentemente. — Pode vir a ser enforcado ou não; mas morrerá, mais cedo ou mais tarde, e aí estarei no céu quando for para o inferno.

A expressão de escárnio congelou-se no rosto de William, que empalideceu. Tom ficou surpreso; o que havia assustado o rapaz? Não a referência ao enforcamento, certamente: na verdade não era nada provável que um lorde fosse enforcado pelo assassinato de um artesão. Teria se aterrorizado com o inferno?

Encararam-se por alguns momentos. Tom observou com assombro e alívio quando a expressão de raiva e desprezo de William se dissolveu, para ser substituída por uma ansiedade pânica. Por fim William pegou uma bolsa de couro no cinto e jogou-a para o seu escudeiro, dizendo:

— Pague a eles.

Nesse ponto, Tom forçou a sorte. Quando William puxou as rédeas de novo e o cavalo levantou a cabeça forte e andou de lado, deslocou-se junto, agarrado no freio, e disse:

— Uma semana de salário na dispensa, é este o costume. — Ouviu Agnes respirar fundo, logo às suas costas, e não teve dúvida de que ela o achava maluco, por prolongar o confronto. Mas prosseguiu, obstinadamente: — Isso significa seis pence para o servente, doze para o carpinteiro e cada um dos pedreiros, e vinte e quatro para mim. Sessenta e seis ao todo. — Ele era capaz de somar pennies mais depressa do que qualquer pessoa que conhecesse.

O escudeiro estava olhando indagadoramente para o seu senhor.

— Muito *bem* — disse William, com raiva.

Tom largou o freio e recuou.

William virou o cavalo e o esporeou com força. O animal saltou em frente, pegando a trilha que cortava o trigal.

Tom sentou-se subitamente na pilha de madeira. Perguntou-se o que tinha dado nele. Fora loucura desafiar lorde William daquele jeito. Sorte sua estar vivo.

O tropel do cavalo de batalha de William diminuiu de volume, transformando-se num trovão distante, e seu escudeiro esvaziou a bolsa em cima de uma mesa. Tom sentiu uma onda de triunfo, quando os pennies de prata rolaram à luz do sol. Fora loucura, mas dera certo: tinha garantido o pagamento justo para si próprio e para os homens que trabalhavam sob suas ordens.

— Até mesmo os lordes devem obedecer ao costume — disse, meio para si mesmo.

Agnes o ouviu.

— Só espero que você nunca venha a precisar de lorde William — disse amargamente.

Tom sorriu para a mulher. Era capaz de entender a grosseria, sabendo que tinha se assustado.

— Não se preocupe demais, senão nada lhe restará exceto leite azedo nos seios, quando o bebê nascer.

— Não serei capaz de alimentar nenhum de nós a menos que você arranje trabalho para o inverno.

— O inverno está muito longe — disse Tom.

2

Eles permaneceram na aldeia durante todo o verão. Mais tarde, vieram a considerar essa decisão como um erro terrível; na ocasião, porém, pareceu bastante sensato, pois Tom, Agnes e Alfred podiam ganhar um penny por dia cada um trabalhando no campo durante a colheita. Quando chegou o outono e tiveram que se mudar, possuíam um saco pesado de pennies de prata e um porco cevado.

Passaram a primeira noite na entrada coberta de uma igreja da aldeia, mas no segundo dia encontraram um convento e gozaram da hospitalidade dos monges. No terceiro dia viram-se no coração da floresta Chute, uma vasta área coberta de mato fechado e muitas árvores, numa estrada não muito mais larga que um carro de boi, com a luxuriante vegetação do verão morrendo entre os carvalhos de cada lado.

Tom carregava as ferramentas menores num saquinho e pendurara os martelos no cinto. Tinha o manto dobrado debaixo do braço esquerdo e o espigão de ferro na mão direita, usando-o como uma bengala. Sentia-se feliz por estar na estrada de novo. Seu próximo trabalho poderia ser na construção de uma catedral. Poderia tornar-se mestre pedreiro, permanecer ali o resto da vida, e construir uma igreja tão maravilhosa que lhe garantisse um lugar no céu.

Agnes levava as poucas coisas de casa que tinham dentro da panela que amarrara nas costas. Alfred carregava as ferramentas que usariam para construir uma nova casa em algum lugar: um machado, uma enxó, um serrote, um maneio pequeno, uma sovela para fazer buracos no couro e na madeira e uma pá. Martha era pequena demais para carregar qualquer coisa, exceto a tigela e a faca amarradas no cinto e o manto de inverno nas costas. Tinha, contudo, a obrigação de conduzir o porco até que pudessem vendê-lo num mercado.

Tom conservou-se atento em Agnes enquanto atravessavam aquela interminável floresta. Já passara da metade da gravidez, e carregava um peso considerável na barriga, assim como nas costas. Mas parecia incansável. Alfred também estava ótimo: naquela idade os garotos dispõem de mais energia que capacidade de usá-la. Só Martha se cansava. Suas perninhas finas eram feitas para as correrias dos seus brinquedos, não para as longas marchas, e a menina ficava constantemente para trás, fazendo com que os outros tivessem que parar e esperar por ela e pelo porco.

Enquanto caminhava, Tom pensava na catedral que construiria um dia. Começou, como sempre, imaginando uma passagem em arco. Era muito simples: dois pilares sustentando um semicírculo. Imaginou depois um segundo conjunto exatamente igual ao primeiro. Colocou os dois juntos, na sua cabeça, para formar uma passagem em arco. Depois acrescentou outro, e mais outro, muitos mais, até que tinha toda uma fileira, formando um túnel. Essa era a essência de um prédio, pois tinha um teto para não deixar entrar chuva e duas paredes para sustentar o teto. Uma igreja não passava de um túnel, com refinamentos.

Um túnel é escuro, de modo que os primeiros refinamentos são as janelas. Se a parede fosse bastante forte, poderia ter buracos. Os buracos seriam arredondados na parte de cima, com as laterais retas e um peitoril horizontal – da mesma forma que a arcada original. O emprego de formas similares para os arcos, janelas e portas era uma das coisas que faziam um edifício bonito. A regularidade era outra, e Tom visualizava doze janelas idênticas, espaçadas uniformemente, ao longo de cada parede do túnel.

Tom tentou visualizar as molduras das janelas, mas perdia a concentração a cada instante, porque achava que estava sendo observado. Era uma tolice, pensou, a menos que fosse, é claro, por estar sendo observado pelos pássaros, raposas, gatos, esquilos, ratos, camundongos, doninhas, arminhos e ratazanas que havia em grande número na floresta.

Sentaram-se perto de um córrego ao meio-dia. Beberam a água pura e comeram toucinho e maçãs apanhadas no chão da floresta.

De tarde Martha estava cansada. Em dado momento ficou umas cem jardas atrás deles. Parado, esperando que ela emparelhasse com o resto da família, Tom se lembrou de Alfred naquela idade. Era um menino bonito, de cabelos dourados, robusto e ousado. O afeto misturou-se com irritação ao ver Martha ralhando com o porco por ser tão vagaroso. Foi então que bem na frente dela surgiu um vulto vindo da floresta. O que aconteceu a seguir foi tão rápido que Tom mal pôde acreditar. O homem que aparecera tão de repente na estrada levantou um porrete acima do ombro. Um grito de horror subiu até a garganta de Tom, mas antes de se fazer ouvir o homem bateu com o porrete em Martha. Pegou em cheio do lado da cabeça, e Tom ouviu o barulho do golpe. Ela caiu no chão como uma boneca largada.

Quando Tom deu por si estava correndo na direção da menina, os pés batendo no chão com a força dos cascos do cavalo de batalha de William, querendo que suas pernas o levassem mais depressa. Enquanto corria, observava o que estava acontecendo, mas era como olhar para uma pintura no alto da parede de uma igreja, pois podia ver mas não havia nada que fosse capaz de fazer para modificá-la. O atacante era, indubitavelmente, um fora da lei. Baixo e atarracado, vestia uma túnica marrom e estava descalço. Encarou Tom por um instante, e este pôde ver que seu rosto era horrivelmente mutilado; os lábios haviam sido cortados, presumivelmente como punição de algum crime envolvendo mentiras, e sua boca era agora um repulsivo sorriso permanente, cercado por uma cicatriz retorcida. Aquela visão horrível teria detido Tom, não estivesse ele correndo para o corpinho de Martha jogado no chão.

O fora da lei desviou os olhos do construtor e voltou-se para o porco. Numa fração de segundo abaixou-se, agarrou-o, enfiou o animal aos gritos debaixo do braço e correu de volta para o emaranhado da floresta debaixo das árvores, levando consigo a única coisa de valor da família de Tom.

Tom ajoelhou-se ao lado de Martha. Pôs a mão enorme sobre o seu peitinho e sentiu as batidas do coração, firmes e fortes, fazendo desaparecer seu pior medo; mas os olhos dela estavam fechados e havia sangue vermelho no seu cabelo louro.

Agnes ajoelhou-se junto dele um momento depois. Sentiu o peito, o pulso e a testa de Martha e olhou duro para Tom.

— Ela viverá — disse, com a voz tensa. — Traga de volta aquele porco.

Tom soltou rapidamente o saco de ferramentas e jogou-o no chão. Com a mão esquerda pegou no cinto o martelo grande de cabeça de ferro. Ainda tinha o espigão na mão direita. Viu os arbustos amassados no caminho por onde o ladrão viera e fora embora, e ouviu os guinchos do porco, mais adiante. Mergulhou por entre a vegetação rasteira sob as árvores.

A trilha era fácil de seguir. O fora da lei era corpulento, corria com um porco que se debatia e deixava uma trilha larga, pisoteando flores, arbustos e pequenas árvores. Tom correu atrás dele, tomado de um desejo selvagem de pegar aquele homem e espancá-lo até que perdesse os sentidos. Passou por entre um renque de vidoeiros, arremessou-se por uma elevação abaixo e patinhou num charco até chegar a uma trilha estreita. Aí parou. O ladrão podia ter ido para a esquerda ou para a direita, só que não havia vegetação esmagada para mostrar o caminho; não obstante, Tom prestou atenção e ouviu o porco guinchando um pouco mais além, à esquerda. Ouviu também alguém correndo na floresta atrás dele — Alfred, presumivelmente. Foi atrás do seu porco.

O caminho o levou a uma descida, depois a uma curva acentuada e começou então a subir. Podia ouvir o porco claramente agora. Subiu correndo a elevação, respirando com dificuldade — tantos anos respirando pó de pedra tinham enfraquecido seus pulmões. De repente o caminho voltou a ser horizontal e ele viu o ladrão, a apenas umas vinte ou trinta jardas de distância, correndo como se o demônio o perseguisse. Tom redobrou os esforços e começou a reduzir a diferença. Tudo indicava que ia conseguir apanhar o fora da lei, se continuasse correndo, pois um homem com um porco não pode correr tão depressa quanto um homem sem nenhum. Mas agora seu peito doía. O ladrão estava a umas quinze jardas, talvez doze. Tom ergueu o espigão de ferro acima da cabeça, como uma lança. Mais perto um pouco e ele arremessaria. Onze jardas, dez...

Antes que o espigão pudesse sair da sua mão, ele percebeu, com o canto do olho, um rosto magro sob um gorro verde saindo do mato que ladeava a trilha. Era tarde demais para se desviar. Uma vara grossa foi atirada na sua frente, ele tropeçou nela, tal como fora a intenção de quem a jogara, e caiu no chão.

Tom deixou cair o espigão, mas conservou o martelo. Girou e levantou-se sobre um dos joelhos. Havia dois homens agora: o de gorro verde e um careca de barba branca. Os dois se precipitaram sobre ele.

O construtor ficou de pé e bateu com o martelo no homem de gorro verde. O sujeito procurou esquivar-se, mas o grande martelo de cabeça de ferro o atingiu no ombro com força, e ele deu um grito de agonia e se jogou ao chão, segurando o braço como se estivesse quebrado. Não houve tempo para levantar o martelo para outro golpe esmagador antes de o careca se aproximar, de modo que Tom enfiou a cabeça de ferro do instrumento na cara dele e cuspiu.

Os dois homens recuaram, com a mão nos ferimentos. Tom percebeu que não mais podiam lutar. Virou-se. O ladrão ainda estava correndo. Tom seguiu novamente atrás dele, ignorando a dor no peito. Entretanto, tinha vencido apenas algumas jardas quando ouviu uma voz familiar às suas costas.

Alfred.

Parou e olhou para trás.

Alfred estava lutando com os dois homens ao mesmo tempo, punhos e pés. Socou o de gorro verde na cabeça umas três ou quatro vezes, depois chutou as canelas do careca. Mas os dois pularam em cima dele e se aproximaram o mais possível, de modo que não pudesse dar socos ou pontapés que doessem. Tom hesitou, dividido entre caçar o porco e salvar o filho. Aí então o careca meteu o pé por trás da perna de Alfred e a puxou; quando o garoto caiu no chão os dois bandidos se lançaram sobre ele, dando-lhe uma saraivada de socos no rosto e no corpo.

Tom correu de volta. Arremeteu de corpo inteiro contra o careca, jogando-o no mato, depois virou-se e ergueu o martelo contra o homem de gorro verde. Ele já tinha sentido o peso do maneio antes e ainda estava usando apenas um braço. Esquivou-se do primeiro golpe, depois virou-se e mergulhou no mato antes que o construtor pudesse atacar de novo.

Tom virou-se e viu o careca correndo pela trilha. Olhou na direção oposta: o ladrão com o porco não estava à vista. Deixou escapar por entre os dentes uma praga amargurada e blasfema: o porco representava metade do que economizara no verão. Mergulhou no chão, respirando com dificuldade.

– Vencemos os três! – exclamou Alfred, entusiasmado. Tom olhou para ele.

– Mas levaram nosso porco – disse.

A raiva queimava seu estômago como sidra azeda. Tinham comprado o animal na primavera, assim que juntaram dinheiro suficiente, e passaram todo o verão engordando-o. Um porco gordo, que podia ser vendido por sessenta pence. Com umas poucas cabeças de repolho e um saco de grãos daria para alimentar a família durante todo o inverno e ainda sobraria para fazer um par de sapatos de couro e uma ou duas bolsas. Sua perda era uma catástrofe.

Tom olhou invejosamente para Alfred, que já se recuperara da corrida e da briga e aguardava impaciente. Quanto tempo faz, pensou, que eu era capaz de correr como o vento e de mal sentir o coração batendo mais depressa? Desde que eu era dessa idade... vinte anos. Vinte anos. Parecia ontem.

Levantou-se.

Passou o braço pelos ombros largos de Alfred quando fizeram o caminho de volta. O garoto ainda era mais baixo que o pai a largura da mão de um homem, mas logo iria alcançá-lo e, talvez, ultrapassá-lo. Espero que sua inteligência também cresça, pensou Tom, que disse:

– Qualquer um pode entrar numa briga, mas o homem sábio é o que sabe ficar de fora.

Alfred dirigiu-lhe um olhar inexpressivo.

Cruzaram o charco e começaram a subir a elevação que tinham descido antes, percorrendo ao contrário a trilha do criminoso. Enquanto se esforçavam para atravessar os vidoeiros, o pensamento de Tom voltou para Martha, e mais uma vez sentiu-se louco de raiva. O fora da lei batera nela à toa, pois não representava o menor perigo.

Tom apertou o passo e um momento depois emergia na estrada, junto com Alfred. Martha estava deitada no mesmo lugar, não tendo se movido. Seus olhos estavam fechados e o sangue secava no seu cabelo. Agnes estava ajoelhada ao lado da filha, e com ela, para a surpresa de Tom, havia outra mulher e um menino. Pensou que não era de admirar que tivesse se sentido observado o tempo todo: a floresta parecia estar fervilhando de gente. Inclinou-se e encostou a mão no tórax da menina novamente. Sua respiração era normal.

– Ela acordará logo – disse a estranha, num tom de voz autoritário. – Então vai vomitar. Depois ficará boa.

Tom fitou-a com curiosidade. Ela estava ajoelhada junto de Martha. Era bastante jovem, talvez uns doze anos menos que ele. Sua túnica curta de couro revelava pernas morenas e flexíveis. Tinha o rosto bonito, com o cabelo castanho-escuro formando um bico de viúva na testa. Tom sentiu uma pontada de desejo. Então ela ergueu os olhos para fitá-lo e ele estremeceu: seus olhos, intensos e fundos, eram de uma rara cor de mel, dourados, e imprimiam a seu rosto uma expressão mágica. Tom não teve dúvida de que ela sabia o que estava pensando.

Desviou os olhos para ocultar seu embaraço e encarou Agnes, que parecia estar ressentida.

– Onde está o porco? – perguntou ela.

– Havia dois outros bandidos – disse Tom.

– Nós batemos neles – interveio Alfred –, mas o que estava com o porco fugiu.

Agnes fez um jeito triste, mas não falou mais nada.

– Poderíamos levar a menina para a sombra, se tivermos cuidado – disse a estranha, levantando-se. E Tom viu que era muito baixa, no mínimo um pé menor que ele. Inclinou-se e pegou Martha no colo cuidadosamente. Seu corpinho de criança quase não pesava nada. Carregou-a algumas jardas ao longo da estrada e deitou-a sobre um gramado à sombra de um velho carvalho. Ainda estava totalmente desacordada.

Alfred recolhia as ferramentas que tinham se espalhado durante o tumulto. O filho da mulher estranha observava, de olhos arregalados e boca aberta, sem nada dizer. Devia ter uns três anos menos que Alfred, e seu aspecto era peculiar, sem nada da beleza sensual da mãe. Tinha pele muito clara, cabelo alaranjado tirante a ruivo e olhos azuis ligeiramente esbugalhados. Possuía a expressão alerta mas estúpida de uma pessoa obtusa, pensou Tom; o tipo da criança que morre cedo ou cresce para ser o idiota da aldeia. Alfred sentia-se visivelmente sem graça sob seu olhar fixo.

Enquanto Tom observava, a criança pegou o serrote da mão do rapaz, sem dizer nada, e examinou-o como se fosse uma coisa assombrosa. Alfred, ofendido pela descortesia, tomou-o de volta, ante a indiferença do menino.

— Jack! Comporte-se! — A estranha parecia embaraçada.

Tom fitou-a. O menino não parecia com ela de jeito nenhum.

— Você é a mãe dele? — perguntou.

— Sim. Meu nome é Ellen.

— Onde está seu marido?

— Morto.

Tom ficou surpreso.

— Está viajando sozinha? — disse incredulamente. A floresta era bastante perigosa para um homem como ele; uma mulher sozinha dificilmente teria esperanças de sobreviver.

— Não estamos viajando — disse Ellen. — Nós moramos na floresta.

Tom ficou chocado.

— Quer dizer que vocês são... — Ele parou, não querendo ofendê-la.

— Fora da lei — disse ela. — Sim. Você pensava que todos os fora da lei fossem como Faramond Boca Aberta, que roubou seu porco?

— Sim — disse Tom, embora o que quisesse dizer fosse *Nunca pensei que um fora da lei pudesse ser uma linda mulher*. Incapaz de conter a curiosidade, perguntou: — Qual foi o seu crime?

— Amaldiçoei um padre — disse ela, desviando o olhar.

Não pareceu a Tom um crime de grande monta, mas o padre podia ser muito poderoso, ou suscetível; ou talvez Ellen simplesmente não quisesse dizer a verdade.

Ele olhou para Martha. Um momento depois ela abriu os olhos. Estava confusa e um pouco assustada. Agnes ajoelhou-se ao seu lado.

— Você está bem — disse ela. — Está tudo bem.

Martha sentou-se e vomitou. Agnes abraçou-a até que os espasmos passaram. Tom ficou impressionado: a predição de Ellen se concretizara. Do mesmo modo, ela dissera que Martha ficaria boa, e presumivelmente também podia confiar nisso. Sentiu uma onda de alívio invadi-lo, e ficou um pouco surpreso com a força da sua emoção. Eu não ia tolerar a perda da minha filhinha, pensou, e teve que conter as lágrimas. Recebeu um olhar de compreensão de Ellen, e mais uma vez achou que aqueles olhos dourados podiam enxergar seu coração.

Ele quebrou um galho de carvalho, arrancou-lhe as folhas e usou-as para esfregar no rosto de Martha. Ela ainda estava pálida.

— Ela precisa descansar — disse Ellen. — Deixe que fique deitada pelo tempo que um homem leva para caminhar cinco quilômetros.

Tom deu uma olhada no sol. Ainda restava muita claridade pela frente. Acomodou-se para esperar. Agnes embalava Martha delicadamente. O menino Jack desviou sua atenção para Martha, fitando-a com a mesma intensidade idiota. Tom queria saber mais a respeito de Ellen. Perguntou-se se a jovem poderia ser persuadida a contar sua história. Não queria que ela fosse embora.

— Como foi que tudo veio a acontecer? — perguntou-lhe vagamente.

Ela o fitou direto nos olhos outra vez, e então começou a falar. Seu pai era cavaleiro, contou a eles; um homem alto, forte e violento que queria filhos homens com quem pudesse montar, caçar e lutar, companheiros para beber e farrear noite adentro com ele. Nesses assuntos foi o mais infeliz dos homens, pois nasceu Ellen, e logo depois sua esposa morreu; ele se casou de novo, mas sua segunda mulher era estéril. Com o tempo, veio a desprezar a madrasta de Ellen, e acabou por mandá-la embora. Devia ter sido um homem cruel, porém nunca parecera assim a Ellen, que o adorava e compartilhava seu desprezo pela segunda mulher. Quando a madrasta saiu, Ellen permaneceu, e cresceu numa casa que era quase que completamente masculina. Cortou o cabelo curto e passou a carregar uma espada, assim como aprendeu a não brigar com gatos ou velhos cães cegos. Na época em que estava com a idade de Martha, cuspia no chão, comia miolo de maçã e dava pontapés na barriga de um cavalo com tanta força que ele prendia a respiração, permitindo-lhe apertar a barrigueira mais um nó. Ela sabia que todos os homens que não fizessem parte do bando do pai eram chamados de chupa-pau, e todas as mulheres que não andassem com eles, rameiras de porcos, embora não estivesse bem segura do que aqueles insultos realmente significavam nem se importasse muito com eles.

Ouvindo a voz dela, na temperatura amena de uma tarde de outono, Tom fechou os olhos e imaginou-a como uma garota de peito chato e cara suja, sentada a uma mesa comprida com os truculentos companheiros do pai, bebendo cerveja forte, arrotando e cantando canções sobre batalhas, pilhagens e estupros, cavalos, castelos e virgens, até cair adormecida com a cabecinha apoiada na tábua áspera.

Se ao menos pudesse ter permanecido com o peito chato para sempre, teria sido feliz. Mas chegou a época em que os homens começaram a olhar para ela de modo diferente. Já não riam às gargalhadas quando dizia: "Saia do meu caminho senão cortarei fora suas bolas e as darei para os porcos." Alguns ficavam olhando, quando tirava a túnica de lá e se deitava para dormir com a camisa comprida, de linho, que usava por baixo. Quando urinavam no mato, viravam de costas para ela, o que nunca faziam antes.

Um dia ela viu o pai mergulhado numa conversa com o sacerdote da paróquia – um raro acontecimento –, e os dois ficavam olhando para ela o tempo todo, como se falassem a seu respeito. Na manhã seguinte seu pai lhe disse: "Vá com Henry e Everard e faça o que eles disserem." Depois deu um beijo na sua testa. Ellen perguntou-se que diabo tinha acontecido com ele – estava ficando mole com a idade? Selou seu corcel cinzento – recusava-se a montar um palafrém, mais adequado a senhoras, ou um pônei de criança – e partiu com os dois homens de armas.

Eles a levaram a um convento e a deixaram ali.

O local todo tremia, com suas pragas obscenas, enquanto os dois homens se afastavam. Ela esfaqueou a abadessa e voltou a pé para a casa do pai. Ele a mandou de volta, mãos e pés atados, e amarrada na sela de um jumento. Puseram-na de castigo numa cela até que o ferimento da abadessa sarou. Ali era frio, úmido e escuro como a noite, e havia água para beber mas nada para comer. Quando a deixaram sair da cela, mais uma vez voltou andando para casa. Seu pai a devolveu novamente, e então a açoitaram antes de a empurrarem na cela.

Acabaram por vencê-la, é claro, e Ellen vestiu o hábito de noviça, obedeceu às regras e aprendeu as orações, mesmo que no fundo do coração detestasse as freiras, desprezasse os santos e não acreditasse, em princípio, em nada que qualquer pessoa lhe dissesse a respeito de Deus. Mas aprendeu a ler e a escrever, passou a dominar a música, os números e o desenho, assim como acrescentou o latim ao francês e inglês falados na casa do seu pai.

A vida no convento, afinal, não foi tão ruim assim. Era uma comunidade de um único sexo, com suas regras e rituais peculiares, e isso era exatamente aquilo com que estava acostumada. Todas as freiras tinham que fazer algum trabalho físico, e Ellen foi designada para cuidar dos cavalos. Antes que se passasse muito tempo, já era a encarregada do estábulo.

A pobreza jamais a preocupou. A obediência não veio com facilidade, mas acabou vindo. A terceira regra, castidade, nunca a incomodou, embora de vez em quando, só para contrariar a abadessa, ela apresentasse uma ou outra das noviças aos prazeres do...

Agnes interrompeu a história de Ellen nesse ponto e, levando Martha, foi procurar um regato onde pudesse lavar o rosto da menina e limpar sua túnica. Levou Alfred também, como medida de proteção, embora dissesse que não ia se afastar a uma distância superior a um grito. Jack levantou-se para segui-los, mas Agnes disse-lhe firmemente que ficasse, e o menino pareceu compreender, pois sentou-se de novo. Tom observou que Agnes conseguiu levar os filhos para onde não mais pudessem ouvir aquela história ímpia e indecente, deixando Tom ouvi-la.

Um dia, prosseguiu Ellen, o palafrém da superiora mancou, quando ela estava ausente do convento há diversos dias. O priorado de Kingsbridge por acaso era perto, de modo que a abadessa pediu emprestado ao prior outro animal. De volta ao convento, disse a Ellen para devolver o cavalo emprestado e trazer o palafrém manco.

Ali, no estábulo do mosteiro, à vista da catedral em ruínas de Kingsbridge, Ellen conheceu um rapaz que parecia um cachorrinho que houvesse levado uma surra. Tinha a expressão alerta e a graciosidade de um filhote, mas era acovardado e assustado, como se toda a sua capacidade de brincar lhe tivesse sido arrancada a pancadas. Quando Ellen falou, ele não entendeu. Ela tentou latim, mas ele não era monge. Finalmente disse qualquer coisa em francês e, com o rosto iluminado de alegria, ele lhe respondeu na mesma língua.

Ellen nunca mais voltou ao convento.

Daquele dia em diante passou a viver na floresta, primeiro num abrigo rústico, feito de galhos e folhas, depois numa caverna seca. Não tinha esquecido as habilidades masculinas que aprendera na casa do pai: sabia caçar veados, pegar coelhos com armadilhas e abater cisnes com o arco; sabia limpar a caça, eviscerá-la e prepará-la; sabia inclusive retirar e curtir o couro e as peles para as suas roupas. Além de caça, ela se alimentava de frutas silvestres, nozes e verduras. Qualquer coisa de que precisasse – sal, tecidos de lã, um machado ou uma faca nova – tinha que roubar.

O pior foi quando Jack nasceu...

Mas e o francês? Tom teve vontade de perguntar se era ele o pai de Jack. E se era, quando morrera? E como? Mas pela cara de Ellen, sabia que ela não ia falar a respeito dessa parte de sua história, e como parecia ser do tipo que não podia ser persuadida a agir contra a própria vontade, ele guardou as perguntas para si.

Por essa época seu pai morrera e o bando se dispersara, de modo que Ellen não tinha parentes ou amigos neste mundo. Quando Jack estava para nascer, ela acendeu uma fogueira para ficar acesa a noite toda, na entrada da sua caverna. Tinha água e comida à mão, assim como o arco, as flechas e as facas, para afastar os lobos e cães selvagens, e até mesmo um pesado manto vermelho roubado de um bispo, para embrulhar o bebê. Só não estava preparada para o medo e a dor do parto, e por muito tempo pensou que fosse morrer. Não obstante, o bebê nasceu forte e saudável, e ela sobreviveu.

Ellen e Jack viveram uma vida simples e frugal durante os onze anos seguintes. A floresta lhes dava tudo de que necessitavam, desde que fossem cuidadosos para armazenar maçãs, nozes e carne de veado salgada o suficiente para passar os meses de inverno. Não raro Ellen pensava que, se não houvesse reis, lordes, bispos e xerifes, todo mundo poderia viver assim e ser perfeitamente feliz.

Tom perguntou-lhe então como se arranjava com os outros proscritos, homens como Faramond Boca Aberta. O que aconteceria se eles se aproximassem furtivamente de noite e tentassem estuprá-la?, perguntou-se ele, e o desejo despertou com o pensamento, embora jamais tivesse possuído uma mulher contra a vontade, nem mesmo sua esposa.

Os outros fora da lei tinham medo dela, disse Ellen, fitando-o com os luminosos olhos claros, e sabia a razão: eles pensavam que fosse uma feiticeira. Quanto às pessoas obedientes à lei que viajavam pela floresta, pessoas que sabiam que podiam roubar, estuprar e matar uma fora da lei sem medo de punição, Ellen simplesmente se escondia delas. Por que então não se escondera de Tom? Porque vira uma criança ferida e quisera ajudar. Ela própria tinha um filho.

Ellen ensinara a Jack tudo o que aprendera na casa do pai acerca de armas e caçadas. Depois lhe ensinara a ler e escrever e tudo mais que aprendera com as freiras: música e aritmética, francês e latim, desenho, até mesmo histórias da Bíblia. Finalmente, nas longas noites de inverno, transferira para ele o legado do francês, que sabia mais histórias, poemas e canções do que qualquer outra pessoa no mundo...

Tom não acreditou que Jack pudesse ler e escrever. Tom sabia escrever o nome, e um punhado de palavras como "pence", "jardas" e "alqueires"; e Agnes, sendo filha de um sacerdote, sabia mais, embora escrevesse lenta e laboriosamente, com a ponta da língua aparecendo no canto da boca; Alfred porém não sabia escrever uma única palavra, e mal era capaz de reconhecer o próprio nome; Martha não conseguia fazer nem isso. Seria possível que aquela criança idiota fosse mais alfabetizada do que toda a família de Tom?

Ellen disse a Jack para escrever qualquer coisa, e ele alisou a terra e rabiscou umas letras. Tom reconheceu a primeira palavra, "Alfred", mas não as outras, e sentiu-se um tolo; então ela o salvou, lendo em voz alta: "Alfred é maior que Jack." O menino desenhou rapidamente duas figuras, uma maior que a outra, e embora fossem desenhos esquemáticos, via-se que uma das figuras tinha os ombros largos e uma expressão um tanto bovina, enquanto a outra era pequena e sorridente. Tom, que tinha um certo talento para desenhar, ficou atônito com a força e simplicidade do desenho garatujado na terra.

Mas a criança parecia idiota.

Ellen ultimamente começara a perceber isso, confessou ela, adivinhando os pensamentos de Tom. Jack nunca tivera a companhia de outras crianças, ou, na verdade, de outros seres humanos, exceto a mãe, e o resultado era que estava crescendo como um animal selvagem. Apesar de tudo o que aprendera, não sabia lidar com as pessoas. Era por isso que estava ali em silêncio, que encarava fixamente os outros e apanhava o que queria.

Ao dizer isso, ela pareceu vulnerável pela primeira vez. Desapareceu seu ar de inexpugnável autossuficiência, e Tom a viu como uma mulher preocupada e mesmo desesperada. Pelo bem de Jack, ela precisava retornar à sociedade, mas como? Se fosse homem, poderia ter conseguido convencer algum lorde a lhe dar uma fazenda, sobretudo se mentisse de modo convincente e dissesse que estava voltando de uma peregrinação a Jerusalém ou a Santiago de Compostela. Havia algumas mulheres trabalhando na lavoura, mas invariavelmente eram viúvas com filhos crescidos. Nenhum lorde daria uma fazenda a uma mulher com um filho pequeno. Ninguém iria querer empregá-la para fazer qualquer tipo de trabalho, na cidade ou no campo; além disso, não tinha onde morar, e o trabalho não qualificado raramente era acompanhado por oferta de moradia. Ellen não tinha identidade.

Tom sentiu por ela. Dera à criança tudo o que podia, e não era o bastante. Mas ele era incapaz de ver uma saída para o seu dilema. Por mais bonita, determinada e formidável que fosse, estava destinada a passar o resto dos dias escondida na floresta com seu filho esquisito.

Agnes, Martha e Alfred voltaram. Tom olhou ansiosamente para a filha, mas pelo seu jeito a pior coisa que lhe acontecera fora ter o rosto esfregado. Durante algum tempo, o construtor ficara absorto nos problemas de Ellen, mas agora se lembrou da sua situação difícil: estava sem trabalho e seu porco havia sido roubado. A tarde estava acabando. Começou a recolher as coisas que tinham lhe restado.

— Aonde vocês estão indo? — perguntou Ellen.

— Winchester — disse Tom. Ali havia um castelo, um palácio, diversos mosteiros e, principalmente, uma catedral.

— Salisbury é mais perto — disse Ellen. — E da última vez em que estive lá a estavam reconstruindo... ampliando-a.

O coração de Tom deu um pulo. Era aquilo que estava procurando. Se ao menos pudesse arranjar um trabalho num projeto em andamento, acreditava que um dia conseguiria se tornar mestre construtor.

— Como se vai para Salisbury? — perguntou ele ansiosamente.

— No caminho que vocês vieram, uns cinco quilômetros ou pouco mais. Lembra-se de uma encruzilhada onde você pegou a trilha da esquerda?

— Sim, perto de um lago de água suja.

— Isso mesmo. A trilha da direita leva a Salisbury.

Eles se despediram. Agnes não gostara de Ellen, mas mesmo assim conseguiu dizer graciosamente:

— Muito obrigada por ter ajudado a tomar conta de Martha.

Ellen sorriu e pareceu ficar melancólica quando eles partiram. Quando já haviam caminhado alguns minutos, Tom olhou para trás. Ellen ainda os observava, de pé na estrada, pernas abertas, protegendo os olhos do sol com uma das mãos; o garoto esquisito estava ao seu lado. Tom acenou, e ela respondeu com outro aceno.

– Uma mulher interessante – comentou ele com a esposa.

Agnes nada disse.

– Aquele menino era *estranho* – disse Alfred.

Caminhavam no sol outonal de fim de tarde. Tom gostaria de saber como era Salisbury; nunca estivera ali. Sentiu-se excitado. Claro que seu sonho era construir uma catedral desde os alicerces, mas isso quase nunca acontecia: era muito mais comum encontrar uma velha edificação sendo melhorada, ampliada ou parcialmente reconstruída. Mas isso já seria bastante bom para ele, desde que lhe oferecesse a chance de ajudá-lo a um dia realizar seu objetivo.

– Por que aquele homem bateu em mim? – quis saber Martha.

– Porque queria roubar o nosso porco – respondeu Agnes.

– Devia ter um porco *dele* – disse Martha indignada, como se só agora percebesse que o fora da lei tinha feito algo errado.

O problema de Ellen estaria resolvido se ela tivesse uma profissão, pensou Tom. Um pedreiro, carpinteiro, tecelão ou curtidor não estaria na sua posição. Sempre poderia ir para a cidade e procurar trabalho. Havia poucas artífices.

– Ela precisa é de um marido – disse Tom em voz alta.

– Mas não vai ficar com o meu – disse Agnes rispidamente.

3

O dia em que perderam o porco foi também o último dia de temperatura amena. Passaram aquela noite num celeiro, e quando saíram pela manhã, o céu estava da cor de um teto de chumbo, e o vento frio trazia lufadas de chuva. Desembrulharam o manto de tecido espesso, feltrado, e o vestiram, apertando-o com força sob o queixo e puxando o capuz bem para a frente a fim de proteger o rosto da chuva. Puseram-se a caminho melancolicamente, quatro fantasmas taciturnos metidos no temporal, os tamancos de madeira espadanando água e lama ao longo da estrada cheia de poças.

Tom gostaria de saber como seria a Catedral de Salisbury. Em princípio, uma catedral era uma igreja como outra qualquer – simplesmente a igreja onde o bispo tem seu trono. Na prática, porém, as catedrais eram as igrejas maiores, mais ricas, mais grandiosas e elaboradas. Raramente um simples túnel com janelas. A maioria se compunha de três túneis, um alto flanqueado por dois menores, como cabeça e ombros, formando uma nave central com duas laterais. As paredes do lado do túnel central eram reduzidas a duas linhas de colunas ligadas por arcos, constituindo uma arcada. As duas naves menores eram usadas para procissões – que podiam ser espetaculares nas catedrais – e proporcionavam espaço para pequenas capelas dedicadas a santos da devoção particular dos crentes, o que atraía importantes doações extras. As catedrais eram os edifícios mais caros do mundo, muito mais do que palácios ou castelos, e tinham que ganhar o dinheiro que custavam.

Salisbury ficava mais perto do que Tom pensara. Por volta da metade da manhã, subiram uma elevação e encontraram do outro lado uma estrada que descia suavemente à frente deles, numa longa curva; e depois dos campos banhados pela chuva, erguendo-se sobre a planície como um barco num lago, viram a cidade fortificada de Salisbury, erigida sobre uma colina. Seus detalhes estavam velados pela chuva, mas Tom pôde distinguir diversas torres, quatro ou cinco, elevando-se bem acima dos muros da cidade. Seu ânimo revigorou-se à vista de tanto trabalho de pedra.

Um vento frio castigava a planície, congelando-lhes o rosto e as mãos, enquanto seguiam a estrada que se dirigia ao portão leste. Quatro estradas se encontravam ao sopé da colina, em meio a algumas casas dispersas, que davam a impressão de terem extravasado da cidade, e foi ali que a eles se juntaram outros viajantes, caminhando com os ombros encolhidos e a cabeça baixa, projetando-se do temporal para o abrigo das muralhas.

Na rampa que dava no portão encontraram um carro de boi com um carregamento de pedra – um sinal muito promissor para Tom. O carroceiro estava inclinado atrás do carro de madeira crua, empurrando com o ombro, acrescentando a própria força à da parelha de bois que subiam a rampa com muita dificuldade. Tom viu uma chance de fazer um amigo. Convidou Alfred com um aceno e os dois puseram os ombros na parte de trás do carro. As imensas rodas de madeira passaram com estrondo por uma ponte de vigas sobre um enorme fosso seco. Era impressionante aquele movimento de terra: a escavação da vala e o transporte da terra para construir a muralha deviam ter consumido centenas de homens, pensou Tom; era um trabalho muito maior que cavar os alicerces de uma catedral. A ponte sobre a vala tremeu e rangeu sob o peso do carro de boi e dos dois vigorosos animais que o puxavam.

A rampa acabou, e o carro deslocou-se com mais facilidade pelo caminho plano, quando se aproximaram do portão. O carroceiro endireitou-se, da mesma forma que Tom e Alfred.

– Fico-lhe muito agradecido – disse o carroceiro.

– Para que é a pedra? – perguntou Tom.

– Para a nova catedral.

– Nova? Ouvi dizer que estavam apenas aumentando a antiga.

O carroceiro assentiu com a cabeça.

— É o que diziam, dez anos atrás. Mas agora tem mais coisas novas do que velhas. Mais notícias boas.

— Quem é o mestre construtor?

— John de Shaftesbury, embora o bispo Roger tenha muito a ver com o projeto.

Aquilo era normal. Raramente os bispos deixavam os construtores fazer o trabalho sozinhos. Um dos problemas dos mestres construtores era frequentemente acalmar a imaginação febril dos clérigos e impor limites práticos às suas fantasias. Mas seria John de Shaftesbury quem contrataria os homens.

O carroceiro acenou com a cabeça na direção do saco de ferramentas de Tom.

— Pedreiro?

— Sim. Procurando trabalho.

— Pode ser que consiga — disse o carroceiro, com neutralidade. — Se não for na catedral, talvez no castelo.

— E quem governa o castelo?

— O mesmo Roger é bispo e castelão.

Claro, pensou Tom. Tinha ouvido falar do poderoso Roger de Salisbury, íntimo do rei durante muito tempo.

Eles atravessaram o portal e entraram na cidade. O lugar estava tão atulhado de construções, pessoas e animais que parecia em perigo de explodir e derrubar sua muralha circular, caindo dentro da vala. As casas de madeira erguiam-se uma do lado da outra, tão apertadas quanto espectadores de um enforcamento lutando por espaço. Cada pedaço de terra, por minúsculo que fosse, era utilizado para alguma coisa. Onde duas casas tinham sido construídas com uma passagem entre elas, alguém erguera uma habitação de meio tamanho, sem janelas porque a porta tomava quase toda a frente. Onde quer que o terreno fosse pequeno, até mesmo para a mais estreita das casas, havia uma banca para vender cerveja, pão ou maçãs; e se não houvesse espaço nem mesmo para isso, se ergueriam um estábulo, uma pocilga, uma esterqueira ou um barril de água.

A cidade era barulhenta, também. A chuva pouco fazia para amortecer o clamor das oficinas de artesãos, dos vendedores ambulantes apregoando suas mercadorias, das pessoas se cumprimentando, barganhando e discutindo, de animais relinchando, latindo e brigando.

— Que fedor é esse? — perguntou Martha, erguendo a voz acima do barulho.

Tom sorriu. Fazia uns dois anos que ela não entrava numa cidade.

— É o cheiro de gente — respondeu.

A rua era apenas um pouco mais larga do que o carro de boi, mas o carroceiro não quis deixar que os animais parassem, com medo de que não voltassem a andar novamente; assim, continuou batendo neles, ignorando todos os obstáculos, e os bois prosseguiram forçando o caminho por entre a multidão, empurrando para o lado, indiscriminadamente, tanto um cavaleiro montado num cavalo de batalha quanto um morador da floresta com um arco, um monge gordo num pônei, homens de armas, mendigos, donas de casa ou prostitutas.

O carro de boi veio a ficar atrás de um velho pastor que lutava para manter reunido um pequeno rebanho. Devia ser dia de mercado, pensou Tom. Quando o carro passou, uma das ovelhas entrou pela porta aberta de uma venda de cerveja, e num segundo todo o rebanho estava dentro da casa, em pânico, balindo e derrubando mesas, bancos e jarras de cerveja.

O chão que pisavam era um mar de lama e de lixo. Tom tinha a capacidade de observar, num relance, a queda da água da chuva num telhado, e a largura da calha necessária para fazer o escoamento; podia ver que toda a chuva que caía sobre os telhados daquela parte da cidade era drenada pela rua onde estavam. Num temporal forte mesmo, pensou, seria preciso um barco para atravessá-la.

À medida que se aproximavam do castelo na parte mais alta da colina, a rua se alargava. Ali havia casas de pedra, uma ou duas precisando de alguns reparos. Pertenciam a artesãos e comerciantes, que tinham suas lojas e oficinas no térreo e moravam no andar de cima. Examinando com o olhar de quem tinha prática aquilo que estava à venda, Tom podia afirmar que aquela era uma cidade próspera. Todo mundo precisa ter facas e panelas, mas só gente próspera compra xales bordados, cintos decorados e broches de prata.

Em frente ao castelo o carroceiro fez a parelha de bois virar à direita, e Tom e sua família o seguiram. A rua fazia uma curva de um quarto de círculo, rodeando as defesas do castelo. Passando por outro portão, deixaram o tumulto da cidade tão rapidamente quanto tinham entrado nele e ingressaram num tipo diferente de turbilhão: a diversidade agitada mas ordenada de uma área onde se erguia uma grande construção.

Estavam agora do lado de dentro do adro murado da catedral, que ocupava toda a quarta parte da cidade circular, a noroeste. Tom parou por um momento, observando. Só de ver, ouvir e cheirar aquilo ele se sentia emocionado como num dia de sol. Quando chegaram, à retaguarda do carro de boi, dois outros saíam, vazios. Em oficinas que se estendiam ao longo das paredes laterais da igreja, pedreiros podiam ser vistos esculpindo os blocos de pedra com seus cinzéis e grandes martelos de madeira, dando-lhes as formas que juntas resultariam em plintos, colunas, capitéis, fustes, arcobotantes, arcos, janelas, peitoris, pináculos e parapeitos. No meio do adro, bem longe das outras edificações, ficava a ferraria, cujo clarão do fogo era visível através do portal; o barulho metálico do martelo batendo na bigorna se espalhava pelo adro, enquanto o ferreiro fazia novas ferramentas para substituir as que os pedreiros iam gastando. Para a maioria das pessoas era uma cena de caos, mas Tom via um imenso e complexo mecanismo que ele ansiava por controlar. Sabia o que cada homem estava fazendo e podia ver instantaneamente até que ponto o trabalho tinha progredido. Estavam construindo a fachada leste.

Havia um andaime no lado leste, com uns oito ou nove metros de altura. Os pedreiros estavam na varanda, esperando que a chuva amainasse, mas os seus serventes subiam e desciam as escadas com pedras nos ombros. Mais acima, no vigamento da estrutura do telhado, estavam os encanadores, como aranhas rastejando numa gigantesca teia de madeira, prendendo folhas de chumbo nos pontos de junção das escoras e instalando os canos de escoamento e as calhas.

Tom percebeu que a construção, lamentavelmente, estava quase terminada. Se fosse contratado, o trabalho que restava ali não duraria mais que dois anos – não era tempo bastante para ascender à posição de mestre pedreiro, quanto mais de mestre construtor. Mesmo assim, aceitaria o emprego, pois o inverno estava chegando. Ele e a família poderiam sobreviver sem trabalho, caso ainda tivessem o porco. Mas sem ele, Tom precisava arranjar serviço.

Seguiram o carro de boi até o canto do adro onde as pedras estavam empilhadas. Os bois, agradecidamente, mergulharam a cabeça no bebedouro.

– Onde está o mestre construtor? – perguntou o carroceiro a um pedreiro que passava.

– No castelo – foi a resposta do pedreiro.

O carroceiro balançou a cabeça e virou-se para Tom.

– Você o encontrará no palácio do bispo, creio.

– Muito obrigado.

– Eu que agradeço.

Tom deixou o adro com Agnes e as crianças atrás. Refizeram seus passos pelas ruas apinhadas e estreitas até a frente do castelo. Ali havia outra vala seca e uma segunda imensa fortificação de terra que cercava a praça-forte. Atravessaram a ponte. Na casa da guarda, de um lado do portão, um homem corpulento de túnica de couro estava sentado, contemplando a chuva. Trazia uma espada. Tom dirigiu-se a ele:

– Bom-dia. Sou chamado de Tom Construtor. Quero falar com o mestre construtor, John de Shaftesbury.

– Está com o bispo – respondeu o guarda indiferentemente.

Eles entraram. Como a maioria dos castelos, aquele era uma coleção de edifícios de estilos diversos dentro de uma muralha de terra. O pátio ficava a cerca de cem jardas. Em posição oposta à do portão, do lado mais distante, estava a imponente fortaleza, a última cidadela em tempo de ataque, erguendo-se bastante acima das fortificações, a fim de ter boas condições de observação. À esquerda via-se um agrupamento de casas baixas, a maioria de madeira: um estábulo comprido, uma cozinha, uma padaria e diversos armazéns. Havia um poço no meio.

À direita, tomando quase toda a metade norte do conjunto, ficava uma grande casa de pedra que obviamente era o palácio. Era construído no mesmo estilo da nova catedral, com pequenos portais e janelas caracterizadas por terem a parte superior arredondada, e tinha dois andares. Era nova; na verdade, alguns pedreiros ainda estavam trabalhando num canto, aparentemente construindo uma torre. A despeito da chuva, havia muita gente no pátio, entrando ou saindo e correndo de uma construção para outra: homens de armas, sacerdotes, comerciantes, operários da obra e criados do palácio.

Tom podia ver diversas portas no palácio, todas abertas, a despeito da chuva. Não estava bem certo do que deveria fazer a seguir. Se o mestre construtor estava com o bispo, talvez não devesse interromper. Por outro lado, o bispo não era um rei, e Tom era um homem livre e um pedreiro em busca de trabalho legítimo, não um abjeto servo com alguma queixa. Decidiu ser ousado. Deixando Agnes e Martha, atravessou com Alfred o pátio lamacento e entrou pela porta mais próxima do palácio.

Os dois se viram numa pequena capela com o teto abobadado e uma janela na outra extremidade, por cima do altar. Perto da porta, um sacerdote estava sentado a uma mesa alta, escrevendo rapidamente em papel velino. Ele ergueu os olhos.

– Onde está o mestre John? – perguntou Tom bruscamente.

– Na sacristia – respondeu o sacerdote, indicando com a cabeça uma porta na parede lateral.

Tom não pediu para falar com o mestre. Achou que se agisse como se estivesse sendo esperado perderia menos tempo. Atravessou a capelinha com algumas passadas e entrou na sacristia.

Era uma câmara pequena e quadrada, iluminada por muitas velas. A maior parte do chão era tomada por uma caixa com areia, muito rasa. A areia fina tinha sido perfeitamente alisada com uma régua. Havia dois homens dentro da sacristia. Ambos olharam rapidamente para Tom e voltaram sua atenção para a areia. O bispo, um velho enrugado de olhos brilhantes, estava desenhando na areia com uma varinha pontuda. O mestre construtor, usando um avental de couro, o observava com ar paciente e expressão cética.

Tom aguardou em ansioso silêncio. Tinha que causar boa impressão; ser cortês, mas não servil, e demonstrar conhecimento sem ser presunçoso. Um mestre artesão deseja que os aprendizes sejam tão obedientes quanto talentosos. Tom sabia disso por sua própria experiência como empregador.

O bispo Roger estava esboçando um prédio de dois andares com grandes janelas dos três lados. Era um bom desenhista, fazendo linhas retas e perfeitos ângulos de noventa graus. Fez uma planta e uma vista lateral da casa. Tom pôde ver que jamais seria construída.

– Aí está – disse o bispo ao acabar.

— O que é? — perguntou John, virando-se para Tom.

Fingindo pensar que ele tivesse pedido sua opinião do desenho, disse:

— Não se pode ter janelas tão grandes assim numa cripta.

O bispo fitou-o irritado.

— É uma sala de estudos, não uma cripta.

— Cairá do mesmo modo.

— Ele tem razão — disse John.

— Mas é necessário ter luz para poder escrever.

John deu de ombros e virou-se para Tom.

— Quem é você?

— Meu nome é Tom e sou pedreiro.

— Foi o que pensei. O que o traz aqui?

— Estou procurando trabalho — respondeu, prendendo a respiração.

John sacudiu a cabeça imediatamente.

— Não posso empregar você.

O coração de Tom pareceu parar. Teve vontade de girar nos calcanhares, mas aguardou polidamente para ouvir as razões.

— Já estamos construindo aqui há dez anos — prosseguiu John. Muitos dos pedreiros já possuem casas na cidade. Estamos chegando ao fim, e agora tenho mais pedreiros na obra do que preciso na realidade.

Tom sabia que não havia esperanças, mas perguntou:

— E o palácio?

— A mesma coisa — disse John. — É onde estou usando os homens que sobram. Se não fosse por isso e pelos outros castelos do bispo Roger, eu já estaria dispensando pedreiros.

Tom assentiu com a cabeça. Em voz neutra, tentando não parecer desesperado, perguntou:

— Sabe de algum lugar onde haja trabalho?

— Estavam construindo no Mosteiro de Shaftesbury no início do ano. Talvez ainda estejam. Fica a um dia de viagem.

— Obrigado. — Tom virou-se para ir embora.

— Sinto muito — disse John, às suas costas. — Você parece um bom homem.

Ele afastou-se sem responder. Sentia-se deprimido. Permitira-se ter esperanças demais; não havia nada de raro em não haver trabalho. Mas ficara entusiasmado com a perspectiva de trabalhar novamente numa catedral. Agora podia ter de enfrentar uma muralha monótona, ou trabalhar numa casa feia para algum prateiro.

Endireitou os ombros e atravessou de novo o pátio do castelo, onde Agnes o aguardava com Martha. Nunca deixava que ela percebesse o desânimo que pudesse sentir. Sempre tentava dar a impressão de que tudo ia bem, que estava no controle da situação, e que não tinha muita importância se não houvesse trabalho no lugar, porque certamente encontraria algo na cidade seguinte, ou na outra. Sabia que se exibisse qualquer sinal de aflição ela insistiria para encontrar um lugar onde se estabelecessem, e ele não queria, a não ser que fosse numa cidade onde houvesse uma catedral a ser construída.

— Não há nada para mim aqui — disse para Agnes. — Vamos embora.

Ela ficou acabrunhada.

— Pensei que, com uma catedral e um palácio em construção, haveria lugar para mais um pedreiro.

— Ambas as obras estão quase terminadas — explicou Tom. — Eles já têm mais homens do que precisam.

A família atravessou a ponte levadiça e voltou às ruas apinhadas da cidade. Haviam entrado em Salisbury pelo portão leste, e sairiam agora pelo portão oeste, pois era a direção de Shaftesbury. Tom virou à direita, conduzindo-os através da parte da cidade que ainda não tinham visto.

Parou diante de uma casa de pedra seriamente necessitada de reparos. A argamassa usada na construção era muito ruim, e agora estava se esfarelando e caindo. A água que entrara pelos buracos, congelando, partira algumas pedras. Se ficasse assim mais um inverno o dano seria ainda pior. Tom decidiu mostrar aquilo ao proprietário.

A entrada do andar térreo era um arco amplo. A porta de madeira estava aberta, e no portal viu um artesão sentado com um martelo na mão direita e um furador na esquerda, gravando um desenho complexo numa sela de madeira colocada no banco à sua frente. No fundo Tom pôde ver depósitos de madeira e couro, e um garoto varrendo aparas.

— Bom-dia, mestre seleiro — disse ele.

O seleiro ergueu os olhos, classificou Tom como o tipo de homem que faria sua própria sela se precisasse de uma, e cumprimentou-o secamente com um gesto de cabeça.

— Sou construtor — prosseguiu Tom. — Vejo que está precisando de meus serviços.

— Por quê?

— Sua argamassa está se esfarelando, as pedras estão rachando e sua casa pode não durar outro inverno.

O seleiro sacudiu a cabeça.

— A cidade está cheia de pedreiros. Por que iria eu empregar um estranho?

— Muito bem. — Tom se virou. — Que Deus o proteja.

— Assim espero — disse o seleiro.

— Sujeito mal-educado — cochichou Agnes, quando se afastaram.

A rua dava numa praça onde funcionava um mercado. Ali, numa extensão de meio acre de lama, os camponeses das proximidades trocavam as poucas sobras que podiam ter de grão, leite ou ovos pelas coisas que precisavam e que não podiam fazer – panelas, relhas de arado, cordas e sal. Os mercados geralmente eram coloridos e um tanto turbulentos. Havia um bocado de discussões e regateios bem-humorados, pretensa rivalidade entre barraqueiros vizinhos, bolos baratos para as crianças, às vezes um menestrel ou um grupo de acrobatas, grande número de prostitutas muito pintadas, e às vezes um soldado aleijado com histórias dos desertos orientais e de enfurecidas hordas sarracenas. Os que faziam uma boa barganha com frequência sucumbiam à tentação de celebrar, e gozavam o lucro com uma cerveja forte, de modo que havia sempre uma atmosfera de desordem por volta do meio-dia. Outros perdiam suas moedas nos dados, o que podia acabar em briga. Mas agora, na manhã de um dia de chuva, com a safra do ano vendida ou armazenada, o mercado estava contido. Camponeses encharcados de chuva faziam barganhas taciturnas com barraqueiros que tremiam de frio, todos ansiosos por ir para casa e sentar diante de uma lareira.

A família de Tom forçou caminho por entre a multidão desconsolada, ignorando as lisonjas desanimadas do vendedor de salsichas e do amolador de facas. Já tinham quase acabado de atravessar a praça quando Tom viu seu porco.

Ficou tão surpreso que a princípio não pôde acreditar nos próprios olhos. Então Agnes disse entre os dentes:

– Tom! Olhe! – E ele soube que ela vira também.

Não havia a menor dúvida: o pedreiro conhecia aquele porco, tão bem quanto conhecia Alfred ou Martha. Estava sendo transportado, com perícia, por um homem com a pele rosada e a barriga grande de quem come toda a carne de que precisa e depois um pouco mais: um açougueiro, sem dúvida. Tanto Tom quanto Agnes pararam para encará-lo, e como bloquearam seu caminho, ele não pôde deixar de vê-los.

– Bem?! – exclamou, intrigado com aqueles olhares fixos e impaciente para passar.

Foi Martha quem quebrou o silêncio.

– É o nosso porco! – gritou excitadamente.

– É mesmo – confirmou Tom, olhando para o açougueiro de igual para igual.

Por um instante uma expressão furtiva cruzou o rosto do homem, e Tom percebeu que ele sabia que o porco fora roubado. Mas ele disse:

– Acabei de pagar cinquenta pence por este porco, o que faz com que seja meu.

– Seja quem for a pessoa a quem deu seu dinheiro, o porco não era dela. Sem dúvida foi por esse motivo que você pagou tão pouco. De quem o comprou?

— De um camponês.
— Você o conhecia?
— Não. Escute. Sou o açougueiro da guarnição. Não posso pedir a cada fazendeiro que me venda um porco ou uma vaca que traga doze homens a fim de jurar que o animal é dele, e que pode vendê-lo, se quiser.

O homem virou-se de lado como se fosse embora, mas Tom pegou-o pelo braço e o deteve. Por um momento o açougueiro ficou zangado, mas depois deu-se conta de que se se metesse numa briga teria de largar o porco e, se uma das pessoas da família de Tom conseguisse apanhá-lo, o equilíbrio do poder se modificaria e precisaria provar sua propriedade. Assim, ele se conteve e disse:

— Se quer fazer uma acusação, vá ao xerife.

Tom pensou na sugestão e abandonou-a. Não tinha provas. Em vez disso, perguntou:

— Como era o homem que lhe vendeu o meu porco?
— Como todo mundo — respondeu o açougueiro, com uma expressão velhaca.
— Ocultava a boca?
— Agora que estou pensando nisso, sim.
— Era um fora da lei, escondendo uma mutilação — disse Tom amarguradamente. — Suponho que não pensou nisso.
— Está chovendo demais! — protestou ele. — Todo mundo está embuçado.
— Basta que me diga há quanto tempo ele vendeu o porco e afastou-se.
— Ainda agora.
— E para onde foi?
— Para uma cervejaria, creio.
— A fim de gastar meu dinheiro — disse Tom, enojado. — Ande, suma daqui. Pode ser que seja roubado um dia, e então vai querer que não haja tanta gente ansiosa por comprar uma barganha sem fazer perguntas.

O açougueiro ficou zangado e hesitou, como se pensasse em replicar; mas pensou melhor e desapareceu.

— Por que deixou que ele fosse embora? — perguntou Agnes.
— Porque ele é conhecido aqui e eu não — disse Tom. — Se lutasse, iriam me considerar culpado. E como o porco não tem meu nome escrito no traseiro, quem pode dizer se é meu ou não?
— Mas todas as nossas economias...
— Ainda podemos pegar o dinheiro do porco — disse Tom. — Cale-se e deixe-me pensar. — A altercação com o açougueiro o enfurecera e ele aliviava a frustração falando asperamente com Agnes. Em algum lugar desta cidade há um homem sem lábios e com cinquenta pence de prata no bolso. Tudo o que temos a fazer é encontrá-lo e tirar o dinheiro dele.

— Certo — disse Agnes determinadamente.

— Você volta pelo caminho que viemos. Vá até o adro da catedral. Eu seguirei em frente e me aproximarei da catedral pelo outro lado. Depois retornaremos pela rua seguinte, e assim por diante. Se ele não estiver nas ruas, estará numa casa de cerveja. Quando o vir, fique perto e mande Martha me avisar. Levarei Alfred. Tente não deixar que o fora da lei a veja.

— Não se preocupe — disse Agnes, inflexível. — Quero aquele dinheiro para alimentar meus filhos.

Tom tocou no seu braço e sorriu.

— Você é uma leoa, Agnes.

Ela o fitou nos olhos por um momento e de repente, ficando na ponta dos pés, beijou-o na boca, rápida mas intensamente. Depois virou-se e atravessou de volta a praça do mercado, com Martha a reboque. Tom ficou olhando, preocupado com ela, a despeito de sua coragem; depois seguiu na direção oposta com Alfred.

O ladrão parecia pensar que estava perfeitamente seguro. Claro, quando roubara o porco, Tom estava se dirigindo para Winchester. Ele seguira na direção contrária, a fim de vender o porco em Salisbury. Mas a fora da lei Ellen dissera que a Catedral de Salisbury estava sendo reconstruída, fazendo com que Tom mudasse de plano e, inadvertidamente, descobrisse o ladrão. No entanto, como pensava que Tom nunca mais o veria, havia uma chance para pegá-lo desprevenido.

Foi caminhando lentamente ao longo da rua lamacenta, tentando parecer bem à vontade enquanto olhava as portas abertas. Queria ser o mais discreto possível, pois aquele episódio podia terminar em violência e não queria que as pessoas se lembrassem de um pedreiro alto fazendo uma busca na cidade. A maioria das casas eram choupanas de madeira, lama e telhado de colmo, com uma esteira no chão, uma lareira no meio e umas poucas peças de mobília feita em casa. Um barril e alguns bancos faziam uma cervejaria; uma cama num canto com uma cortina significava uma prostituta; um grupo barulhento em torno de uma mesa revelava um jogo de dados.

Uma mulher com os lábios pintados de vermelho desnudou os seios para ele, que sacudiu a cabeça e apressou o passo. Secretamente sentia-se atraído pela ideia de ir para a cama com uma estranha, à luz do dia e pagando, mas em toda a vida nunca experimentara isso.

Pensou mais uma vez em Ellen, a fora da lei. Havia alguma coisa intrigante nela também. Era muitíssimo atraente, mas aqueles olhos fundos e intensos intimidavam. Um convite feito por uma prostituta fez com que Tom se sentisse irritado por um momento, mas o encanto gerado pela lembrança de Ellen ainda não se dissolvera, e de repente ele teve ímpetos de correr de volta para a floresta e cair sobre ela.

Chegou ao adro da catedral sem ver o ladrão. Levantou os olhos para os encanadores, que prendiam o chumbo na estrutura triangular das vigas do telhado sobre a nave. Ainda não tinham começado a cobrir o telhado de meia-água das naves laterais da igreja, de modo que ainda era possível ver os meios arcos de apoio que conectavam a parte externa com a nave principal, escorando a metade de cima da construção. Ele os apontou para Alfred.

— Sem aqueles suportes, a parede da nave cederia e vergaria para fora, por causa do peso das abóbadas de pedra na parte de dentro — explicou. — Está vendo como os meios arcos se alinham com os contrafortes na parede da nave? Alinham-se também com os pilares da arcada da nave, no lado de dentro. E as janelas, com os arcos da arcada. Linhas fortes com linhas fortes, linhas fracas com linhas fracas.

Alfred deu a impressão de estar se sentindo frustrado e ressentido. Tom suspirou.

Viu Agnes vindo do lado oposto, e sua mente retornou ao problema imediato. O capuz de Agnes ocultava-lhe o rosto, mas ele reconheceu o queixo lançado para a frente, seu andar seguro. Operários de ombros largos afastavam-se para que passasse. Se ela esbarrasse no ladrão e houvesse uma briga, pensou ele, seria bem equilibrada.

— Você o viu? — quis saber ela.

— Não. E obviamente você tampouco. — Tom esperava que o ladrão não tivesse deixado a cidade. Certamente não iria sem antes gastar um pouco de dinheiro, que não tinha utilidade na floresta.

Agnes estava pensando a mesma coisa.

— Ele está aqui, em algum lugar. Vamos continuar procurando.

— Vamos voltar por ruas diferentes e nos encontrar no mercado.

Tom e Alfred refizeram seu caminho atravessando o adro e saíram pelo portão. A chuva encharcava-lhes o manto e por um segundo Tom pensou numa jarra de cerveja e numa tigela de caldo de carne, junto à lareira de uma cervejaria. Depois pensou em como trabalhara duro para comprar o porco, viu de novo o homem sem lábios brandindo o porrete na cabeça inocente de Martha, e sua cólera o aqueceu.

Era difícil procurar sistematicamente porque não havia ordem nas ruas. Elas ziguezagueavam, de acordo com o lugar onde as pessoas tinham construído suas casas, e havia muitas curvas acentuadas e becos sem saída. A única rua reta era a que levava do portão leste à ponte levadiça. Na sua primeira pesquisa, Tom ficara próximo das rampas do castelo. Dessa vez ele examinou as cercanias indo até a muralha da cidade e retornando ao interior. Ali estavam as casas mais pobres, as construções mais mal executadas e as prostitutas mais velhas. As cercanias da cidade ficavam num nível mais baixo que o centro, e assim o lixo da região mais rica descia com a água da chuva pelas ruas até se alojar na base da muralha. Algo similar parecia acontecer com as pessoas, pois aquele distrito tinha mais do que a cota justa de aleijados e mendigos, crianças famintas e mulheres machucadas, assim como de bêbados irremediáveis. Entretanto, não se via o homem sem lábios em parte alguma.

Por duas vezes Tom localizou um homem com o mesmo porte e aparência e aproximou-se dele, só para ver que tinha o rosto normal.

Terminou a busca no mercado, e ali estava Agnes esperando por ele impacientemente, o corpo tenso e os olhos faiscantes.

— Eu o achei! — disse entre os dentes.

Tom sentiu uma onda de excitação misturada com receio.

— Onde?

— Entrou numa locanda ali, perto do portão leste.

— Leve-me lá.

Eles rodearam o castelo até a ponte levadiça, desceram a rua reta até o portão leste, depois se meteram num labirinto de vielas ao pé da muralha. Tom viu a locanda um momento depois. Não era sequer uma casa, apenas um telheiro inclinado sobre quatro pilares, encostado à muralha, com um fogo alto na parte de trás, onde um carneiro girava num espeto e um caldeirão borbulhava. Era quase meio-dia e o lugar estava cheio de gente, na maioria homens. O cheiro da carne fez o estômago de Tom roncar. Ele esquadrinhou a pequena multidão com os olhos, com medo de que o proscrito tivesse ido embora durante o curto período de tempo que haviam gasto para chegar ali. Localizou-o imediatamente, sentado num banco um pouco afastado da multidão, comendo uma tigela de ensopado com uma colher e mantendo o xale na frente do rosto para esconder a boca.

Tom virou-se depressa para que o homem não o visse. Agora tinha que decidir como resolver aquilo. Estava furioso o bastante para derrubar o fora da lei com um soco e pegar sua bolsa. Mas a multidão não o deixaria fugir. Precisaria explicar-se, não só a quem estava ali, como também ao xerife. Tom estava dentro do seu direito, e o fato de o ladrão ser um fora da lei significava que não teria ninguém para testemunhar pela sua honestidade; enquanto Tom evidentemente era um homem respeitável e um pedreiro. Provar tudo isso, porém, levaria tempo, talvez semanas, se acontecesse de o xerife estar em outra parte do condado; e poderia ainda haver uma acusação de romper a paz do rei, se houvesse uma briga.

Não, seria mais sábio pegar o ladrão sozinho. Era possível que o homem não fosse passar a noite na cidade, pois não tinha casa ali e talvez não conseguisse hospedagem se não pudesse, de um modo qualquer, provar ser um homem respeitável. Assim sendo, precisava ir embora antes que os portões fechassem, ao cair da noite.

E havia apenas dois portões.

— Ele provavelmente voltará por onde veio — disse Tom dirigindo-se a Agnes. — Vou esperar lá fora, junto do portão leste. Alfred cuida do portão oeste. Você fica na cidade e vê o que o ladrão faz. Conserve Martha ao seu lado, mas não deixe que ele a veja. Se precisar mandar um recado para mim ou para Alfred, mande-o pela menina.

— Certo — concordou Agnes, tensa.

— O que devo fazer se o ladrão vier na minha direção? — perguntou Alfred, que parecia excitado.

— Nada — respondeu o pai com firmeza. — Veja que estrada ele segue e espere. Martha irá me buscar e cuidaremos dele juntos. — Alfred pareceu ficar desapontado, e Tom acrescentou: — Faça o que digo. Não quero perder meu filho, como também não quero perder meu porco.

Alfred aquiesceu, relutante.

— Vamos nos separar, antes que ele note nossa presença aqui. Vamos.

Tom saiu imediatamente, sem olhar para trás. Podia confiar em Agnes para levar a cabo o plano. Dirigiu-se rapidamente para o portão leste e deixou a cidade, atravessando a oscilante ponte de madeira onde empurrara o carro de boi naquela manhã. Bem na sua frente ficava a estrada de Winchester, no rumo leste, sempre reta, como um longo tapete desenrolado sobre colinas e vales. À esquerda, a estrada pela qual ele — e presumivelmente também o ladrão — tinha chegado a Salisbury, a Portway, fazia uma curva sobre uma colina e desaparecia. O ladrão certamente iria pela Portway.

Tom desceu a colina e passou pelas casas que se agrupavam na encruzilhada, tomando por fim a Portway. Precisava se esconder. Caminhou pela estrada, procurando um lugar adequado. Seguiu adiante umas duzentas jardas sem encontrar nada. Olhando para trás, viu que tinha ido muito longe: não podia mais distinguir as feições das pessoas na encruzilhada, de modo que não saberia se o homem sem lábios havia saído da cidade e tomado a estrada de Winchester. Examinou a paisagem novamente. A estrada era margeada de ambos os lados por valas, que teriam servido de esconderijo com tempo seco, mas que nesse dia estavam cheias de água. Logo depois de cada vala, a terra se amontoava. No campo, do lado sul da estrada, algumas vacas pastavam o restolho do capim. Tom notou que uma delas estava deitada na extremidade do pasto, uma elevação que dominava a estrada, e era parcialmente escondida pelo monte de terra que acompanhava a vala. Com um suspiro, refez os passos. Saltou a vala e deu um pontapé na vaca, que se levantou e foi embora. Deitou-se no lugar seco e quente que ela deixara. Puxou o capuz sobre o rosto e se acomodou para esperar, desejando que tivesse tido a ideia de comprar um pedaço de pão antes de sair da cidade.

Estava ansioso e um pouco assustado. O fora da lei era um homem menor que ele, mas seus movimentos eram rápidos e perversos, como demonstrara ao bater em Martha e roubar o porco. Tom tinha um pouco de medo de se machucar, mas se preocupava muito mais em ficar sem seu dinheiro.

Esperava que a mulher e a filha estivessem bem. Agnes podia se cuidar, ele sabia; e mesmo que o fora da lei a reconhecesse, o que poderia fazer? Ficaria apenas em guarda, mais nada.

De onde estava deitado, Tom podia ver as torres da catedral. Quisera ter tido um momento para dar uma olhada por dentro. Estava curioso acerca do tratamento dado às pilastras da arcada. Normalmente eram pilares grossos, com os arcos nascendo do topo de cada um deles: dois na direção norte e sul, para a ligação com os pilares vizinhos na arcada; e um na direção leste ou oeste, cruzando a nave lateral. O efeito não era bonito, pois havia algo não muito certo num arco que saía do topo de uma coluna redonda. Quando Tom construísse sua catedral, cada pilar seria um conjunto de colunas, com um arco saindo de cada uma delas – um arranjo elegantemente lógico. Começou a visualizar a decoração dos arcos. Formas geométricas eram as mais comuns – não se necessitava de muito talento para entalhar zigue-zague e losangos –, mas Tom gostava de folhagem, que emprestava suavidade e um toque de natureza à dura regularidade das pedras.

A catedral imaginária ocupou sua mente até o meio da tarde, quando viu o vulto esbelto e a cabeça loura de Martha atravessar a ponte saltitando e vir por entre as casas. Ela hesitou um pouco na encruzilhada, depois escolheu a estrada certa. Tom observou-a aproximando-se e viu quando franziu a testa, ao começar a perguntar-se onde ele poderia estar. Quando ela emparelhou com o lugar onde estava, chamou-a baixinho:

— Martha.

Ela deu um gritinho, então o viu e correu para ele, saltando por cima da vala.

— Mamãe mandou isto para você – disse, tirando uma coisa de dentro do manto.

Era uma torta quente de carne.

— Pela cruz, sua mãe é uma boa mulher! – disse Tom, dando uma grande mordida. Era feita com carne e cebolas, e tinha um gosto celestial.

Martha agachou-se ao lado de Tom sobre a grama.

— Isto é o que aconteceu ao homem que roubou o nosso porco – disse ela. Torceu o nariz e concentrou-se para lembrar o que haviam lhe dito para contar. Era tão doce que Tom chegou a perder o fôlego. – Ele saiu da locanda, encontrou uma dona com a cara pintada e foi para a casa dela. Nós esperamos do lado de fora.

Enquanto o fora da lei gastava o nosso dinheiro com uma prostituta, pensou Tom, amargurado.

— Continue.

— Ele não ficou muito tempo na casa da mulher, e quando saiu foi para uma cervejaria. Está lá agora. Não bebe muito, mas joga dados.

— Espero que ganhe — disse Tom, inflexível. — É só?

— É só.

— Você está com fome?

— Comi um bolinho.

— Você contou a Alfred tudo isso?

— Ainda não. Vou falar com ele agora.

— Diga para ele tentar ficar seco.

— Tentar ficar seco — repetiu ela. — É para falar antes ou depois do recado sobre o homem que roubou o nosso porco?

Não tinha importância, claro.

— Depois — disse Tom, já que a filha queria uma resposta definitiva. Sorriu para ela. — Você é uma menina esperta. Vá andando agora.

— Gosto desta brincadeira — disse ela. Acenou e partiu, as perninhas ágeis aparecendo por um segundo quando saltou elegantemente a vala e correu de volta para a cidade.

Tom observou-a com amor e também com raiva no coração. Ele e Agnes tinham trabalhado duro para ganhar o dinheiro destinado a alimentar as crianças, e ele seria capaz de matar para pegar de volta o que lhes tinham roubado.

Talvez o fora da lei estivesse pronto para matar também. Os fora da lei se encontravam fora da lei, como diz o nome: viviam em estado natural de violência. Aquela podia não ser a primeira vez que Faramond Boca Aberta atacara de surpresa uma de suas vítimas. Acima de tudo ele era perigoso.

A luz do dia começou a desaparecer surpreendentemente cedo, como acontecia às vezes nas tardes chuvosas de outono. Tom começou a se preocupar, sem saber se reconheceria o ladrão na chuva. À medida que caía a noite, o movimento de entrada e saída foi diminuindo, pois a maioria dos visitantes saíra a tempo de chegar a suas casas ao anoitecer. As luzes das velas e dos lampiões começaram a bruxulear nas casas mais altas da cidade e nas choças suburbanas. Tom perguntou-se, pessimista, se o ladrão poderia afinal ficar na cidade. Talvez tivesse amigos desonestos que o alojassem, mesmo sabendo que era um fora da lei. Talvez...

Nesse momento Tom viu um homem com um xale na boca.

Atravessava a ponte de madeira, com dois outros homens. Subitamente ocorreu ao construtor que os dois cúmplices do ladrão, o careca e o de gorro verde, podiam ter ido a Salisbury com ele. Não vira nenhum dos dois na cidade, mas os três podiam ter se separado por algum tempo e depois se reunido para a viagem de volta. Praguejou baixinho; não achava que pudesse enfrentar três homens. Mas o grupo se desfez ao se aproximar, e Tom percebeu com alívio que eles não estavam juntos, afinal.

Os dois primeiros eram pai e filho, dois camponeses com os olhos muito juntos e nariz recurvo. Tomaram a Portway, e o homem do xale os seguiu.

Tom estudou o andar do ladrão, que se aproximava. Infelizmente parecia sóbrio.

Olhando para a cidade, viu uma mulher e uma garota aparecerem na ponte: Agnes e Martha. Ficou assustado. Não tinha imaginado que elas estivessem presentes quando se defrontasse com o ladrão. Percebeu, contudo, que não dera instruções em contrário.

Ficou tenso quando todos tomaram a estrada, na sua direção. Tom era tão grande que a maioria das pessoas cediam, num confronto com ele; mas proscritos eram gente desesperada, e não havia como dizer o que aconteceria numa briga.

Os dois camponeses passaram, bem-humorados, conversando a respeito de cavalos. Tom tirou o martelo de cabeça de ferro do cinto e o empunhou com a mão direita. Odiava ladrões, que não trabalhavam, mas tiravam o pão das pessoas de bem. Não teria escrúpulos em bater naquele com o seu martelo.

O ladrão pareceu andar mais devagar quando se aproximou, quase como se pressentisse o perigo. Tom esperou que estivesse a umas quatro ou cinco jardas de distância – perto demais para fugir, longe demais para passar correndo. Então rolou por cima do monte, saltou a vala e parou na frente dele.

O homem ficou imóvel, olhando para Tom.

– Que é isto? – perguntou nervosamente.

Não me reconhece, pensou Tom.

– Você roubou meu porco ontem e hoje vendeu para o açougueiro.

– Eu nunca...

– Não negue – interrompeu o construtor. – Basta que me dê o dinheiro que recebeu pelo porco e não o machucarei.

Por um momento Tom pensou que ele fosse fazer exatamente isso. Teve uma sensação de anticlímax quando o homem hesitou. De repente ele girou nos calcanhares e correu... para bater direto em Agnes.

Ele não tinha ainda impulso bastante para derrubá-la – e ela não era mulher de ser derrubada com facilidade – e os dois vacilaram, colocando-se alternadamente na frente um do outro, de lado a lado, numa dança desajeitada. Até que percebeu que ela estava deliberadamente obstruindo a sua passagem e a empurrou para um lado. A mulher esticou a perna quando ele passou. Seu pé meteu-se entre os joelhos do ladrão e os dois caíram juntos. O coração de Tom estava na boca quando correu para o lado dela. O ladrão se levantava com um joelho sobre as costas de Agnes. Tom agarrou-o pelo pescoço e arrancou-o de cima dela. Puxou-o para o lado da estrada, antes que pudesse recuperar o equilíbrio, e jogou-o dentro da vala.

A mulher levantou-se. Martha correu para ela. Tom perguntou rapidamente:

– Tudo bem?

– Sim – respondeu Agnes.

Os dois camponeses pararam e se viraram para observar a cena, curiosos para descobrir o que estaria acontecendo. O ladrão estava de joelhos na vala.

– Ele é um fora da lei – gritou Agnes, para evitar qualquer possível interferência. – Roubou nosso porco.

Os camponeses nada disseram, mas esperaram para ver o que aconteceria em seguida.

Tom dirigiu-se ao ladrão novamente.

– Dê-me o dinheiro e deixarei que se vá.

O homem saltou da vala com uma faca na mão, rápido como um rato, e atirou-se contra o pescoço de Tom. Agnes gritou. Tom esquivou-se. A faca faiscou na frente do seu rosto e Tom sentiu uma dor ardente no queixo.

Ele recuou e brandiu o martelo quando a faca faiscou de novo.

O ladrão pulou para trás e tanto a faca quanto o martelo silvaram no ar úmido da noite sem baterem um no outro.

Por um instante os dois homens ficaram imóveis, se encarando, ofegantes. O rosto de Tom doía. Percebeu que havia igualdade entre eles, embora fosse muito maior, já que o ladrão tinha uma faca, arma muito mais mortal que um maneio de pedreiro. Sentiu um calafrio de medo quando se deu conta de que podia estar prestes a morrer. Subitamente não conseguiu respirar.

Percebeu de esguelha um movimento súbito. O ladrão o notou também, disparou um rápido olhar para Agnes e baixou rapidamente a cabeça quando uma pedra veio voando na sua direção, atirada pela mão dela.

Tom reagiu com a velocidade de um homem que temia pela vida, e brandiu o maneio contra a cabeça abaixada do ladrão.

A pancada atingiu-o na hora exata em que ele se endireitava.

O maneio de ferro pegou na testa, bem na linha do cabelo. Foi um golpe apressado, que não teve toda a força considerável de Tom. O ladrão cambaleou, mas não caiu.

Tom atingiu-o de novo.

Dessa vez o golpe foi mais forte. O construtor teve tempo para levantar o martelo e apontá-lo, enquanto o ladrão estonteado tentava focalizar. Tom pensou em Martha quando baixou o martelo. Bateu com toda a força, e o ladrão caiu como um trapo.

Estava tenso demais para sentir qualquer alívio. Ajoelhou-se ao lado do ladrão, revistando-o.

– Onde está a bolsa dele? Onde está a bolsa dele, maldição!

O corpo inerte era difícil de virar. Finalmente Tom conseguiu pô-lo de costas e abriu o manto. Havia uma grande bolsa de couro pendurada na cintura. Abriu-a. Dentro havia uma bolsa de lã macia, fechada com um cordão de puxar. Tom puxou o cordão. Ela estava leve.

— Vazia! - exclamou. – Ele deve ter outra bolsa.

Puxou o manto sob o corpo do homem e revistou-o cuidadosamente. Não havia bolsos escondidos, nem saliências. Tirou-lhe as botas. Não havia nada dentro delas. Puxou a faca que estava pendurada no cinto e abriu as solas: nada.

Impacientemente, meteu a faca no lado de dentro da túnica de lã do ladrão e cortou. Não havia cinto de dinheiro escondido.

O ladrão jazia no meio da estrada de lama, nu, a não ser pelas meias, os dois camponeses olhavam para Tom como se ele fosse maluco.

– Ele não tem dinheiro nenhum! – disse furiosamente para Agnes.

– Deve ter perdido tudo nos dados – disse ela, amargurada.

– Espero que queime no fogo do inferno.

A mulher ajoelhou-se e apalpou o peito do ladrão.

– É onde ele se encontra agora – disse. – Você o matou.

4

Pelo Natal eles estavam morrendo de fome.

O inverno chegou cedo, frio, duro e implacável como o cinzel de ferro de um pedreiro. Ainda havia maçãs nas árvores quando a primeira neve cobriu os campos. O povo pensou que fosse uma onda de frio, acreditando que passaria logo, mas não passou. As aldeias que tinham atrasado o preparo do terreno quebraram seus arados na terra dura como rocha. Os camponeses apressaram-se a matar os porcos e os salgarem para o inverno, assim como os lordes a abater o gado, pois o pasto nos meses de frio não alimentaria o mesmo número de cabeças que no verão. Mas a geada interminável queimou o capim, e parte do gado remanescente morreu assim mesmo. Os lobos ficaram desesperados, e invadiam as aldeias ao anoitecer para roubar galinhas esqueléticas e crianças descuidadas.

Nos locais onde se erguiam construções, em todo o país, assim que caiu a primeira geada as paredes que haviam sido construídas durante o verão foram rapidamente cobertas com palha e esterco para isolá-las do frio mais intenso, pois a argamassa dentro delas não estava inteiramente seca e, se congelasse, racharia. Nenhum trabalho de massa seria feito até a primavera. Alguns dos pedreiros tinham sido contratados só para o verão, e voltaram para suas aldeias, onde eram conhecidos mais como artífices do que como pedreiros, e passariam o inverno fazendo arados, selas, arreios, carroças, pás, portas e qualquer outra coisa que exigisse mão habilidosa com martelo, cinzel e serrote. Os outros pedreiros mudaram-se para meias-águas no próprio local da construção e cortavam pedras com formas intricadas em todas as horas da luz. Entretanto, como a geada caíra muito cedo, o trabalho progrediu depressa demais; e visto que os camponeses estavam famintos, bispos, casteláes e lordes tinham menos dinheiro para gastar em construção do que haviam esperado; e assim, à medida que o inverno progrediu, alguns pedreiros foram sendo dispensados.

Tom e sua família andaram de Salisbury para Shaftesbury, e de lá para Sherborne, Wells, Bath, Bristol, Gloucester, Oxford, Wallingford e Windsor. Em toda parte os fogos dentro das estalagens ardiam, e os pátios das igrejas e as muralhas dos castelos retiniam com a música do ferro na pedra e os mestres construtores faziam modelos pequenos e precisos de arcos e abóbadas, com as mãos hábeis enfiadas em luvas sem dedos. Alguns mestres eram impacientes, abruptos ou descorteses; outros olhavam tristemente para os filhos de Tom, tão magros, e para sua mulher grávida, e falavam com bondade e tristeza; todos, porém, diziam a mesma coisa: "Não, não há trabalho para você aqui."

Sempre que possível, eles se aproveitavam da hospitalidade dos mosteiros, onde os viajantes podiam conseguir um prato de comida e um lugar para dormir – rigorosamente por uma única noite. Quando as amoras silvestres amadureceram, sustentaram-se delas por dias a fio, como os pássaros. Na floresta, Agnes acendia um fogo embaixo da panela de ferro e cozinhava um caldo grosso. Mas ainda assim, na maior parte do tempo, eles eram obrigados a comprar pão dos padeiros e arenques salgados dos peixeiros, ou comer em cervejarias ou locandas, que era mais dispendioso do que preparar a própria comida; assim, o dinheiro deles estava inexoravelmente acabando.

Martha já era magra, mas ficou ainda mais. Alfred continuou a crescer, como uma planta em terra pouco profunda, e ficou muito magro. Agnes comia parcimoniosamente, mas o bebê que crescia dentro dela era voraz, e Tom podia ver que sua mulher estava atormentada pela fome. Às vezes mandava que comesse mais, e então até mesmo sua vontade de ferro cedia perante a autoridade do marido combinada com a do filho ainda não nascido. Mesmo assim não ficou rechonchuda e rosada, como ficara das outras vezes. Ao contrário, parecia descarnada, a despeito da barriga volumosa, como uma criança faminta desnutrida.

Desde sua partida de Salisbury, tinham caminhado cerca de três quartos de um grande círculo, e por volta do fim do ano estavam de volta à vasta floresta que se estendia de Windsor até Southampton. Dirigiam-se para Winchester. Tom vendera suas ferramentas de pedreiro, e todo o dinheiro obtido com a venda, exceto uns poucos pence, havia sido gasto: teria que pedir ferramentas emprestadas, ou o dinheiro para comprá-las, assim que arranjasse trabalho. Se não conseguisse uma colocação em Winchester, não sabia o que iria fazer. Ele tinha irmãos na sua cidade natal, mas ficava no norte, uma viagem de diversas semanas, e a família morreria de fome antes de chegar lá. Agnes era filha única e seus pais estavam mortos. Não havia trabalho na agricultura em pleno inverno. Talvez a mulher pudesse ganhar algum dinheiro como criada de copa e cozinha numa casa rica de Winchester. Certamente ela não poderia continuar palmilhando as estradas por muito mais tempo, já que a hora do parto estava próxima.

Mas Winchester ficava a três dias de distância, e eles estavam com fome agora. As amoras haviam acabado, não se via nenhum mosteiro, e Agnes não tinha mais aveia na panela que carregava nas costas. Na noite anterior, haviam trocado uma faca por uma bisnaga de pão de centeio, quatro tigelas de caldo sem carne e um lugar para dormir junto ao fogo na choça de um camponês. Desde então não tinham visto uma aldeia. Porém, quando se aproximara o fim da tarde, Tom viu fumaça se erguendo acima das árvores, e encontraram a casa de um guarda das florestas reais. Ele deu um saco de nabos pela machadinha de Tom.

Tinham caminhado somente mais três milhas quando Agnes disse que estava cansada demais para continuar. Tom ficou surpreso. Em todos os seus anos juntos nunca a ouvira dizer que estava cansada demais para qualquer coisa.

Ela se sentou ao abrigo de um grande castanheiro ao lado da estrada. Tom cavou um buraco raso para acender o fogo, usando uma pá de madeira bem gasta — uma das poucas ferramentas que tinham restado, já que ninguém ia querer comprá-la. As crianças cataram gravetos e Tom acendeu o fogo, depois pegou a panela e foi procurar um regato. Voltou com a panela cheia de água gelada e colocou-a num canto do fogo. Agnes cortou alguns nabos. Martha recolheu castanhas caídas da árvore e Agnes mostrou-lhe como descascá-las e esmagar a parte de dentro, que era macia, transformando-a numa espécie de farinha graúda para engrossar a sopa de nabos. Tom mandou Alfred buscar mais lenha, pegou uma vara e saiu espetando as folhas mortas no chão da floresta, na esperança de achar um ouriço-cacheiro hibernando ou um esquilo para pôr no caldo. Não teve sorte.

Sentou-se ao lado de Agnes quando a escuridão caía e a sopa cozinhava.

— Ainda tem sal? — perguntou. Ela sacudiu a cabeça.

— Você está comendo sem sal há semanas — disse. — Não notou?

— Não.

— A fome é o melhor tempero.

— Bem, temos tido muito desse tempero. — Tom subitamente sentiu-se muito cansado. O fardo esmagador dos desapontamentos acumulados nos últimos quatro meses abateu-se sobre ele, que não conseguiu mais se mostrar corajoso. Foi numa voz derrotada que perguntou: — O que saiu errado, Agnes?

— Tudo. Você não teve trabalho no último inverno. Conseguiu trabalhar na primavera; depois a filha do conde cancelou o casamento e lorde William cancelou a casa. Decidimos ficar e trabalhar na colheita... o que foi um erro.

— Pois é claro que teria sido mais fácil para mim arranjar trabalho no verão do que no outono.

— E o inverno veio cedo. Só que, apesar de tudo isso, estaríamos bem se o nosso porco não tivesse sido roubado.

Tom aquiesceu, desanimado.

— Meu único consolo é saber que o ladrão deve estar sofrendo todos os tormentos do inferno.

— Espero que sim.

— Você duvida?

— Os sacerdotes não sabem tanto quanto fingem saber. Meu pai era um, lembra?

Tom se lembrava muito bem. Uma das paredes da igreja do pai dela tinha desmoronado e Tom fora contratado para reconstruí-la. Os sacerdotes não eram autorizados a se casar, mas esse tinha uma ama, e a ama, uma filha, e era um segredo conhecido por todos na aldeia ser ele o pai da garota. Agnes não era bonita, mesmo então, mas sua pele tinha o viço da juventude e ela parecia prestes a explodir de energia. Conversava com Tom enquanto ele trabalhava, e às vezes o vento colava o vestido no seu corpo de tal modo que ele podia ver suas curvas, e até mesmo seu umbigo, quase tão nitidamente como se estivesse sem roupa. Uma noite foi ate a cabana onde Tom dormia, cobriu sua boca com a mão a fim de que não falasse e tirou o vestido para que a visse nua ao luar, e então ele tomara seu corpo jovem e forte nos braços e fizeram amor.

— Nós dois éramos virgens — disse ele em voz alta.

Ela sabia em que ele estava pensando. Sorriu, depois sua expressão ficou triste de novo, e disse:

— Parece que foi há tanto tempo!

— Podemos comer agora? — perguntou Martha.

O cheiro da sopa estava fazendo o estômago de Tom roncar. Ele mergulhou a tigela no caldeirão borbulhante e pegou umas poucas fatias de nabo numa papa aguada. Usou o lado rombudo da faca para testar a raiz. Não estava inteiramente cozida, mas decidiu não fazê-los esperar. Deu uma tigela cheia para cada criança e depois levou uma para Agnes.

Ela estava cansada e pensativa. Soprou a sopa para esfriá-la e depois ergueu a tigela aos lábios.

As crianças tomaram rapidamente a sopa e quiseram mais. Tom tirou a panela do fogo, usando a barra do manto para não queimar as mãos, e esvaziou o resto na tigela deles.

— E você? — perguntou Agnes, quando ele se sentou a seu lado.

— Comerei amanhã — respondeu ele.

Ela parecia cansada demais para discutir.

Tom e Alfred atiçaram o fogo e reuniram lenha bastante para passar a noite. Depois todos se enrolaram em seu manto e se deitaram sobre as folhas a fim de dormir.

Tom tinha o sono leve, e quando Agnes gemeu ele acordou imediatamente.

— O que é que há? — sussurrou.

Ela gemeu de novo. Seu rosto estava pálido e os olhos, fechados. Após um momento ela disse:

— O bebê está nascendo.

O coração de Tom falhou uma batida. Não aqui, pensou ele; não aqui no chão gelado das profundezas de uma floresta.

— Mas não está na hora.

— É prematuro.

Tom fez sua voz soar calma.

— A bolsa d'água já rompeu?

— Logo depois que saímos da cabana do guarda-florestal. — Agnes arquejou, sem abrir os olhos.

Tom lembrou-se de quando ela entrou repentinamente no meio do mato, como se fosse fazer uma necessidade urgente.

— E as dores?

— Começaram lá.

Era típico dela não falar nada.

Alfred e Martha estavam acordados.

— O que está acontecendo? — perguntou o jovem.

— O bebê está nascendo — respondeu Tom.

Martha rompeu no choro.

Tom franziu a testa.

— Será que você consegue andar de volta até a cabana do guarda? — perguntou a Agnes. Ali eles teriam pelo menos um teto, palha para deitar e alguém para ajudar.

Agnes sacudiu a cabeça.

— O bebê já desceu.

— Não vai demorar, então!

Eles estavam na parte mais deserta da floresta. Não viam uma aldeia desde a manhã, e o guarda dissera que não veriam outra durante todo o dia seguinte. Isso significava que não havia possibilidade de encontrar uma mulher que agisse como parteira. Tom teria que fazer o parto sozinho, no frio, apenas com as crianças para ajudar, e se alguma coisa saísse errada, não teria remédios, conhecimento...

A culpa é minha, pensou Tom; eu a engravidei e depois a levei para este estado de penúria. Ela confiou em mim, e agora está dando à luz ao ar livre, no meio do inverno. Sempre desprezara os homens que tinham filhos e depois os deixavam morrer de fome; via agora que não era melhor que eles. Sentiu-se envergonhado.

– Estou tão cansada! – disse Agnes. – Não acredito que possa trazer este bebê ao mundo. Quero descansar. – O rosto dela brilhava à luz da fogueira, com uma película fina de suor.

Tom viu que tinha de se controlar. Precisava dar força a Agnes.

– Vou ajudar você – disse.

Não havia nada de misterioso ou complicado no que estava por acontecer. Já assistira ao nascimento de diversas crianças. O trabalho normalmente era feito por mulheres, porque sabiam como a mãe se sentia, o que as capacitava a ajudar melhor; porém, não havia motivo para que um homem não pudesse fazer um parto, se fosse necessário. Primeiro tinha que deixá-la à vontade; depois descobrir o estágio de adiantamento do parto; fazer preparativos sensatos; e acalmá-la e reconfortá-la enquanto esperavam.

– Como se sente? – perguntou ele.

– Com frio – respondeu ela.

– Venha para mais perto do fogo – disse Tom. Ele tirou o manto e o desdobrou no chão, a uma jarda da fogueira. Agnes tentou se levantar. Tom ergueu-a com facilidade, e colocou-a delicadamente m cima do manto.

Ele se ajoelhou ao lado de Agnes. A túnica de lã que ela estava usando sob o manto tinha botões de cima a baixo na frente. Desabotoou dois deles e enfiou a mão por dentro. Agnes arquejou.

– Dói? – perguntou ele, surpreso e assustado.

– Não – respondeu ela com um rápido sorriso. – É que suas mãos estão frias.

Ele tateou o seu abdômen. Estava mais alto e pontudo do que na noite anterior, quando os dois tinham dormido juntos na palha do chão da choça de um camponês. Tom apertou um pouco mais, sentindo a forma do bebê. Encontrou uma extremidade do seu corpinho logo abaixo do umbigo de Agnes, mas não pôde localizar a outra.

– Não estou conseguindo achar a cabeça dele – disse Tom.

– É porque ela está saindo – disse Agnes.

Ele a cobriu e enfiou o manto dela por baixo do seu corpo, de um lado e de outro. Teria que fazer seus preparativos rapidamente. Deu uma olhada nas crianças. Martha estava fungando. Alfred parecia apavorado. Seria bom dar-lhes algo para fazer.

– Alfred, leve a panela ao regato. Lave-a e traga-a cheia de água fresca. Martha, apanhe uns pedaços de palha e faça dois cordões, cada um deles grande o bastante para servir de colar. Rápido, vão. Vocês vão ter outro irmão ou irmã quando o dia raiar.

Os dois se afastaram. Tom pegou uma pedrinha dura e começou a amolar a faca. Agnes gemeu de novo. Tom pôs de lado a faca e deu-lhe a mão.

Ele se sentara com ela desse modo quando os outros nasceram: Alfred, depois Matilda, que morrera com dois anos, Martha e a criança que nascera morta, um menino a quem Tom secretamente planejava chamar Harold. Mas em cada uma dessas vezes havia alguém mais para ajudar e dar segurança – a mãe de Agnes para Alfred, uma parteira da aldeia para Matilda e Harold, e a senhora do solar, ninguém menos que ela, para Martha. Dessa vez precisaria agir sozinho. Mas não podia mostrar sua ansiedade; tinha que fazê-la sentir-se feliz e confiante.

Agnes relaxou depois da contração.

– Lembra quando Martha nasceu – perguntou Tom – e Lady Isabella fez o papel de parteira?

Agnes sorriu.

– Você estava construindo uma capela para o lorde e pediu que ela mandasse sua criada buscar a parteira na aldeia...

– E ela disse: "Aquela bruxa velha e bêbada? Eu não deixaria que ajudasse a nascer uma ninhada de lobos!" E assim nos levou para sua alcova, e lorde Robert não pôde ir para a cama enquanto Martha não nasceu.

– Era uma boa mulher.

– Não há muitas *ladies* como ela.

Alfred retornou com a panela cheia de água fria. Tom colocou-a perto do fogo, mas não o bastante para ferver. Só queria ter água morna. Agnes enfiou a mão dentro do manto e pegou um pequeno saco de linho cheio de trapos limpos que havia preparado.

Martha voltou com as mãos cheias de palha e sentou-se para começar a trançar.

– Para que você precisa dos cordões? – quis saber.

– Para uma coisa muito importante, você vai ver – disse Tom. – Faça-os direitinho.

Alfred estava inquieto e envergonhado.

– Vá apanhar mais lenha – disse Tom. – Vamos aumentar o fogo.

O garoto saiu, feliz por ter o que fazer.

O rosto de Agnes retesou-se quando começou a fazer força de novo, querendo expulsar a criança do ventre, fazendo um barulho baixo, como uma árvore rachando sob o vento forte. Tom pôde ver como aquele esforço estava lhe saindo caro, usando suas últimas reservas de energia, e desejou de todo o coração poder fazer força por ela para aquela criança nascer, aguentar a tensão, dar-lhe algum alívio. Por fim a dor pareceu abrandar, e Tom respirou de novo. A mulher deu a impressão de cochilar.

Alfred voltou com os braços cheios de galhos.

Agnes despertou.

— Estou com tanto frio!

— Alfred, aumente o fogo – disse Tom. — Martha, deite-se do lado de sua mãe e a mantenha quente.

Os dois obedeceram, muito apreensivos. Agnes passou os braços em torno da filha e a apertou, tremendo de frio.

Tom estava extremamente preocupado. A fogueira crepitava, mas o ar estava ficando mais frio. E o frio podia ficar tão intenso a ponto de matar a criança quando respirasse pela primeira vez. Não era novidade para os meninos um parto ao ar livre; na verdade, acontecia com frequência durante a época da colheita, quando todos ficavam muito ocupados e as mulheres trabalhavam até o último minuto, só que na colheita o chão estava seco, a grama macia e a temperatura amena. Nunca tinham ouvido falar de uma mulher dando à luz ao ar livre em pleno inverno.

Apoiada nos braços, Agnes ergueu o corpo e abriu mais as pernas.

— O que é que há? – perguntou Tom, amedrontado.

Ela estava fazendo tanta força que não podia responder.

— Alfred – disse Tom –, ajoelhe-se atrás de sua mãe e deixe que ela se apoie em você.

Quando o rapaz estava em posição, Tom abriu o manto de Agnes e desabotoou a saia. Ajoelhando-se entre as suas pernas, ele constatou que já havia um pouco de dilatação.

— Não falta muito agora, minha querida – murmurou, lutando para não deixar a voz tremer.

Ela relaxou de novo, fechando os olhos e apoiando-se em Alfred. A dilatação pareceu diminuir. A floresta estava em silêncio, a não ser pelo crepitar da fogueira. De repente, Tom pensou em como a fora da lei, Ellen, dera à luz sozinha na floresta. Devia ter sido terrível. Tivera medo de que um lobo pulasse sobre ela e roubasse o bebê recém-nascido, dissera. Todos falavam que esse ano os lobos estavam mais atrevidos que o normal, mas certamente não atacariam um grupo de quatro pessoas.

Agnes ficou tensa novamente e novas gotas de suor apareceram em seu rosto contorcido. É o fim, pensou Tom. Estava apavorado. Verificou que a dilatação estava maior de novo e dessa vez viu, à luz da fogueira, o cabelo preto molhado da cabeça do bebê, já começando a passar. Pensou em rezar, mas não havia tempo agora. Agnes começou a respirar em arquejos rápidos e curtos. A dilatação aumentou ainda mais – ficou larga a um ponto que parecia impossível – e então a cabeça do bebê começou a sair, o rosto para baixo. Num momento Tom viu as orelhas enrugadas coladas do lado da cabecinha; depois foi a vez da pele dobrada do pescoço. Não pôde verificar ainda se era normal.

— A cabeça já passou — disse ele, mas Agnes já sabia disso, é claro, pois podia sentir, e tinha relaxado de novo. Lentamente, o bebê girou, e Tom pôde ver-lhe os olhos fechados e a boca, molhados de sangue e dos fluidos do útero.

— Olha a carinha dele! — exclamou Martha.

Agnes ouviu e sorriu rapidamente, para logo em seguida começar a fazer força de novo. Tom inclinou-se para a frente, colocando-se entre suas coxas, e apoiou a minúscula cabeça com a mão esquerda enquanto os ombros saíam, primeiro um, depois o outro. Então o resto do bebê emergiu, impetuosamente. Tom pôs a mão direita sob os quadris dele e segurou quando as perninhas escorregaram para o mundo frio.

A dilatação imediatamente começou a se fechar em torno do latejante cordão azul que vinha do umbigo do bebê.

Tom ergueu o filho e examinou-o, ansioso. Havia muito sangue, e a princípio ele receou que houvesse algo terrivelmente errado; porém, observando melhor, não pôde ver nenhum ferimento. Olhou entre as pernas dele. Era um menino.

— Ele é horrível! — disse Martha.

— Ele é perfeito — disse Tom, sentindo-se aliviado. — Um menino perfeito.

O bebê abriu a boca e chorou.

Tom olhou para a mulher. Seus olhos se encontraram e ambos sorriram. Segurou o bebezinho junto do peito.

— Martha, traga-me uma tigela da água daquela panela.

A menina pulou para cumprir sua tarefa.

— Onde estão aqueles trapos, Agnes?

Ela apontou para o saco de pano no chão junto do seu ombro. Alfred passou-o para o pai. O rosto dele estava molhado de lágrimas. Era a primeira vez que via uma criança nascer.

Tom mergulhou um pedaço de pano na água morna e, delicadamente, lavou o sangue e o muco que cobriam o rosto do bebê. Agnes desabotoou a frente da túnica e Tom colocou o bebê nos seus braços. Ele ainda estava gritando. Enquanto o pai o olhava, o cordão azul parou de pulsar e contraiu-se, ficando branco.

— Passe aquelas cordinhas que você fez — disse Tom para Martha. — Agora verá para que servem.

Ela lhe entregou dois pedaços de palha trançada. Tom amarrou o cordão umbilical em dois lugares, dando um nó com força em cada um. Depois usou sua faca para cortar o cordão entre os nós.

Ele se sentou. Tinham conseguido. O pior já passara e o bebê estava passando bem. Sentiu-se orgulhoso.

Agnes deslocou o bebê, colocando o rosto dele sobre o seio. A boquinha achou o mamilo dilatado, e o bebê parou de chorar quando começou a sugar.

– Como é que ele sabe que precisa fazer isso? – perguntou Martha, assombrada.

– É um mistério – disse Tom. Entregou a tigela a Martha. – Pegue um pouco de água fresca para sua mãe beber.

– Oh, sim – disse Agnes agradecida, como se tivesse acabado de perceber que estava desesperadamente sedenta. Martha trouxe a água e Agnes bebeu toda a tigela. – Maravilha. Muito obrigada.

Agnes baixou os olhos para o bebê que mamava e depois encarou Tom.

– Você é um homem bom – disse serenamente. – Eu o amo.

Tom sentiu os olhos se encherem de lágrimas. Sorriu para ela e baixou a cabeça. Viu que a mulher ainda estava sangrando muito. O cordão umbilical, contraído e murcho, vinha saindo lentamente e jazia enrodilhado numa poça de sangue sobre o manto de Tom entre as pernas dela.

Ele ergueu os olhos de novo. O bebê parara de mamar e adormecera.

– Você está esperando alguma coisa? – perguntou Martha ao pai, depois de um momento.

– A placenta – respondeu ele.

– O que é isso?

– Você vai ver.

Mãe e filho cochilaram por algum tempo, até que Agnes abriu os olhos de novo. Seus músculos ficaram tensos, houve uma pequena dilatação e a placenta emergiu. Tom pegou-a com as mãos e examinou-a. Parecia qualquer coisa no cepo de um açougueiro. Examinando mais atentamente, viu que parecia estar dilacerada, como se faltasse um pedaço. Entretanto, nunca examinara tão de perto uma placenta, e supôs que todas fossem sempre assim, por se soltarem do útero. Jogou-a ao fogo. Produziu um cheiro desagradável ao queimar; porém, se a tivesse jogado no mato, poderia ter atraído raposas ou até mesmo um lobo.

Agnes ainda estava sangrando. Tom se lembrava de que sempre havia um fluxo de sangue com a saída da placenta, mas não lembrava que fosse naquela quantidade. Percebeu que a crise ainda não terminara. Sentiu vertigem, causada pela tensão e pela falta de alimento; mas passou, e ele se restabeleceu.

– Você ainda está sangrando um pouco – disse, tentando não parecer muito preocupado.

– Vai parar logo – disse ela. – Cubra-me.

Tom abotoou a sua saia e embrulhou as pernas de Agnes com o manto dela.

– Posso descansar agora? – perguntou Alfred.

Ele ainda estava ajoelhado atrás da mãe, apoiando-a. Devia estar dormente, pensou, de ter ficado tanto tempo na mesma posição.

— Ficarei no seu lugar — disse Tom. Agnes ficaria mais confortável com o bebê se pudesse ficar recostada, meio na vertical, pensou; e também um corpo atrás dela a conservaria quente e a protegeria do vento. Trocou de lugar com o filho. Este gemeu de dor quando esticou as pernas jovens. Tom passou os braços em torno da mulher e do bebê. — Como se sente? — perguntou.

— Apenas cansada.

O bebê chorou, Agnes deslocou-o para que ele pudesse achar o mamilo. Enquanto sugava, ela pareceu dormir.

Tom se sentiu apreensivo. Era normal o cansaço, mas havia em Agnes uma letargia que o incomodava. Estava fraca demais.

O bebê dormiu, e, após algum tempo, também as outras duas crianças, Martha enrodilhada perto de Agnes, e Alfred estirado junto da fogueira, do outro lado. Tom tomou a mulher nos braços, afagando-a gentilmente. De vez em quando beijava a parte de cima da sua cabeça. Sentiu o corpo dela relaxar, à medida que seu sono ia ficando mais profundo. Provavelmente era a melhor coisa para ela, decidiu. Tocou-lhe o rosto. A pele estava úmida, a despeito de todos os seus esforços para conservá-la quente. Ele enfiou a mão dentro do manto de Agnes e tocou no peitinho do bebê. A criança estava quente e seu coração batia com força. Tom sorriu. Um bebê durão, pensou; um sobrevivente.

Agnes agitou-se.

— Tom?

— Sim.

— Você se lembra daquela noite em que fui procurá-lo na sua cabana, quando estava trabalhando na igreja do meu pai?

— Claro — disse ele, acariciando-a. — Como poderia esquecer?

— Nunca me arrependi de ter-me entregado a você. Nunca, nem por um momento. Sempre que penso naquela noite, sinto-me alegre.

Ele sorriu. Aquilo era bom de saber.

— Eu também — disse. — Fiquei feliz por você fazer o que fez.

Ela cochilou um pouco, e depois disse:

— Espero que você construa sua catedral.

Ele ficou surpreso.

— Pensei que você fosse contra.

— Eu era, mas estava errada. Você merece uma coisa bonita.

Ele não sabia o que Agnes queria dizer.

— Construa uma catedral bonita para mim — pediu ela.

Suas palavras não tinham sentido. Tom ficou satisfeito quando ela dormiu de novo. Dessa vez seu corpo ficou prostrado, e a cabeça virou de lado. Tom teve que escorar o bebê para que ele não escorregasse do peito da mãe.

Ficaram deitados assim por longo tempo. De vez em quando o bebê acordava e chorava. Agnes não reagia. O choro acordou Alfred, que rolou no chão e olhou o bebê.

Tom sacudiu a mulher delicadamente.

— Acorde — disse. — O bebê quer mamar.

— Pai! — disse Alfred, assustado. — Olhe só o rosto dela!

Tom estava com presságios. Ela sangrara demais.

— Agnes! — disse. — Acorde!

Não houve resposta. Estava inconsciente. Ele se levantou, acomodando as costas dela no chão. Seu rosto estava horrivelmente branco.

Com medo do que veria, ele abriu as pregas do manto de Agnes, que envolvia suas coxas.

Havia sangue *por toda parte.*

Alfred, ofegante, virou-se para o outro lado.

— Oh, Jesus, salve-nos!

O choro do bebê acordou Martha. Ela viu o sangue e começou a gritar. Tom levantou-a e deu-lhe um tapa no rosto. A menina ficou em silêncio.

— Não grite — disse calmamente, e colocou-a no chão de novo.

— Mamãe está morrendo? — perguntou Alfred.

Tom pôs a mão sobre o peito de Agnes, logo abaixo do seio esquerdo. Não havia batidas do coração.

Nenhuma.

Apertou com mais força. O corpo dela estava quente, e a parte de baixo do seio pesado encostou na sua mão, mas ela não estava respirando e não tinha pulso.

Um gélido entorpecimento se instalou sobre Tom, como uma névoa. Ela se fora. Olhou fixamente para o rosto da mulher. Mas como podia não estar ali? Desejou que ela se mexesse, abrisse os olhos, respirasse. Conservou a mão no seu peito. Diziam que às vezes o coração começa a bater de novo — mas ela perdera tanto sangue!...

Olhou para Alfred.

— Sua mãe está morta — sussurrou.

Alfred manteve os olhos fixos no pai, abobalhado. Martha começou a chorar. O bebê estava chorando também. Tenho que tomar conta deles, pensou Tom. Preciso ser forte para eles.

Contudo ele queria chorar, passar os braços em torno de Agnes e segurar seu corpo enquanto esfriava, e lembrar-se dela como uma garota, rindo, fazendo amor. Queria soluçar de raiva e brandir o punho para o céu impiedoso. Endureceu o coração. Tinha que permanecer controlado, ser forte para as crianças.

Nenhuma lágrima veio aos seus olhos.

Ele pensou: O que faço primeiro?

Cave uma sepultura.

Tenho que cavar um buraco bem fundo e colocá-la lá dentro, para conservar os lobos longe do corpo e preservar seus ossos até o Dia do Juízo Final, e depois fazer uma oração por sua alma. Oh, Agnes, por que me deixou sozinho?

O recém-nascido ainda chorava. Seus olhinhos estavam fechados com toda a força e a boca abria e fechava ritmadamente, como se ele se alimentasse de ar. Tinha que mamar. Os seios de Agnes estavam cheios de leite morno. Por que não?, pensou Tom. Empurrou o bebê na direção do seio. A criança achou o bico e sugou. Tom ajeitou o manto dela em torno do seu corpinho.

Martha observava de olhos arregalados, chupando o polegar.

— Pode segurar o bebê aí, para ele não cair? — perguntou Tom.

Ela fez que sim e ajoelhou-se ao lado da mulher morta e do bebê.

Tom pegou a pá. Agnes tinha escolhido aquele lugar para descansar, e se sentara sob os galhos do castanheiro. Que fosse então o lugar do seu último descanso. Ele engoliu em seco, lutando contra o ímpeto de se sentar no chão e chorar. Marcou um retângulo a algumas jardas do tronco da árvore, onde não haveria raízes próximas da superfície; começou a cavar.

Tom descobriu que isso ajudava. Enquanto se concentrava em enfiar a pá na terra dura e levantá-la, o resto da sua mente ficava em branco, e ele era capaz de conservar sua compostura. Revezou-se com Alfred, para ele também poder desfrutar do conforto proporcionado pelo exercício físico repetido. Cavaram rápido, fazendo grande esforço, e, a despeito do frio cortante, ambos suavam como se fosse meio-dia.

Até que chegou a hora em que Alfred perguntou:

— Já não chega?

Tom deu-se conta de que estava de pé dentro de um buraco quase tão fundo quanto sua estatura. Não queria que o trabalho terminasse. Aquiesceu relutantemente:

— Já chega. — E escalou as paredes do buraco.

O dia raiara enquanto ele cavava. Martha pegara o bebê e estava sentada junto do fogo, embalando-o. Tom aproximou-se de Agnes e ajoelhou-se. Passou o manto com força em torno dela, deixando o rosto visível, e pegou-a. Caminhou até a sepultura e colocou-a no chão. Depois pulou no buraco.

Então pegou-a e deitou-a delicadamente sobre a terra. Fitou-a por um longo momento, ajoelhado ao seu lado na cova fria. Beijou-lhe os lábios uma vez, suavemente. Só então fechou-lhe os olhos.

Saltou do túmulo.

— Venham cá, crianças — disse.

Alfred e Martha aproximaram-se e ficaram de pé junto do pai, um de cada lado, Martha com o bebê no colo. Tom passou os braços sobre eles. Todos olharam para dentro do túmulo.

— Digam: "Deus abençoe a mamãe" — mandou ele.

— Deus abençoe a mamãe.

Martha soluçava, e havia lágrimas nos olhos de Alfred. Tom os abraçou e conteve o choro.

Soltou-os e apanhou a pá. A menina gritou quando ele atirou a primeira pá de terra dentro do túmulo. Seu irmão a abraçou. Tom continuou trabalhando. Não era capaz de jogar terra no rosto dela, de modo que lhe cobriu os pés, depois as pernas e o corpo, e fez um monte de terra tão alto que a cada pazada ia caindo para a frente, até que por fim havia terra no seu pescoço, depois sobre a boca que ele beijara, e finalmente seu rosto desapareceu, para nunca mais ser visto de novo.

Tom encheu o túmulo rapidamente. Ao acabar, ficou de pé, olhando para o monte de terra.

— Adeus, querida — sussurrou. — Você foi uma boa mulher e eu a amo.

Com esforço, afastou-se.

O manto de Tom ainda estava no chão, no lugar onde Agnes se deitara sobre ele, para dar à luz. A parte de baixo estava encharcada de sangue congelado e de sangue que começava a secar. Ele pegou a faca e cortou-a de qualquer maneira em duas metades. Atirou a parte ensanguentada no fogo.

Martha ainda tinha o bebê no colo.

— Passe-o para mim — disse Tom.

A menina fitou o pai com medo nos olhos. Ele embrulhou o bebê nu na parte limpa do manto e deitou-o sobre o túmulo. O bebê chorou.

— Não temos leite para conservar o bebê vivo, de modo que ele deve ficar aqui com sua mãe — disse, voltando-se para as crianças que o fitavam em silêncio.

— Mas ele vai morrer! — exclamou Martha.

— Sim — assentiu Tom, controlando a voz. — Seja o que for que façamos, ele morrerá. — Desejava que o bebê parasse de chorar.

Reuniu as coisas da família, colocou-as dentro da panela e amarrou-a nas costas da maneira como Agnes sempre fazia.

— Vamos — disse.

Martha começou a soluçar. Alfred estava com o rosto lívido. Eles saíram caminhando estrada afora à luz cinzenta de uma manhã de inverno. Em dado momento o choro do bebê não foi mais ouvido.

Não adiantava ficar junto da sepultura, pois as crianças seriam incapazes de dormir ali, e nenhum objetivo seria alcançado por uma vigília de uma noite inteira. Além disso, caminhar faria bem a Alfred e Martha.

Tom andava depressa, mas seus pensamentos agora estavam livres e ele já não podia controlá-los. Nada havia a fazer senão andar: nenhuma providência a tomar, nenhum trabalho a fazer, nada a ser organizado, nada para ver exceto a floresta lúgubre e as sombras nervosas à luz dos archotes. Pensava em Agnes, seguia a trilha de alguma lembrança, sorria para si próprio, virava-se para contar à mulher o que tinha rememorado; e então o choque de perceber que estava morta o golpeava como uma dor física. Sentia-se perplexo, como se algo totalmente incompreensível tivesse acontecido, embora, é claro, fosse a coisa mais comum do mundo uma mulher da idade de Agnes morrer de parto, e um homem da idade dele ser viúvo. Entretanto a sensação de perda era como uma ferida. Ele ouvira dizer que uma pessoa que tivesse os dedos do pé cortados não podia se levantar, caindo constantemente até aprender a andar de novo. Tom sentia-se assim, como se uma parte dele houvesse sido amputada, e não podia se acostumar com a ideia de que a mulher se fora para sempre.

Tentou não pensar em Agnes, mas continuou se lembrando de como era antes de morrer. Parecia incrível que estivesse viva apenas algumas horas antes, e que agora tivesse morrido. Viu mentalmente seu rosto tenso no momento em que deu à luz, e depois seu sorriso orgulhoso ao fitar o garotinho. Recordou o que lhe dissera em seguida: *Espero que você construa sua catedral.* E depois: *Construa uma catedral bonita para mim.* Ela falara como se soubesse que estava morrendo.

Quanto mais andava, mais pensava no bebê que abandonara, embrulhado na metade de um manto, sobre um túmulo recém-aberto. Provavelmente ainda estivesse vivo, a menos que uma raposa o tivesse farejado. Morreria antes de terminar a manhã, contudo. Choraria por algum tempo, depois fecharia os olhos e sua vida o abandonaria aos poucos, enquanto seu corpinho adormecido iria esfriando.

A menos que uma raposa o farejasse.

Não havia nada que Tom fosse capaz de fazer pelo bebê. Ele precisava de leite para sobreviver, e não havia nenhum: nem aldeias onde o pai pudesse arranjar uma ama de leite, nem cabra ou ovelha para suprir o equivalente mais aproximado. Tudo o que tinha para lhe dar eram nabos, que o matariam tão certamente quanto uma raposa.

À medida que a noite ia acabando, parecia-lhe mais e mais terrível que tivesse abandonado o bebê. Era algo bastante comum, ele sabia: camponeses com grandes famílias e pequenas fazendas frequentemente expunham bebês à morte, e às vezes o sacerdote fingia não ver; no entanto Tom não era desse tipo de gente. Deveria tê-lo carregado nos braços até que morresse e então enterrá-lo. Não havia finalidade nisso, é claro, mas mesmo assim teria sido o certo.

Percebeu que o dia raiara. Parou subitamente.

As crianças ficaram imóveis e olharam fixamente para ele, aguardando. Estavam prontas para qualquer coisa; nada mais era anormal.

– Eu não devia ter deixado o bebê – disse Tom.

– Mas nós não podemos alimentá-lo – retrucou Alfred. – Ele ia morrer.

– Mesmo assim eu não deveria tê-lo deixado.

— Vamos voltar – disse Martha.

Tom ainda hesitou. Voltar agora seria admitir que tinha errado abandonando o bebê.

Mas era verdade. Ele errara. Tom virou-se.

— Está bem – disse. – Vamos voltar.

Agora todos os perigos que antes tentara não levar em conta subitamente pareciam mais prováveis. Na certa uma raposa já farejara o bebê e o arrastara para sua toca. Ou até mesmo um lobo. Os javalis eram perigosos, muito embora não comessem carne. E o que dizer das corujas? Uma coruja podia não carregar um bebê, mas era capaz de bicar-lhe os olhos...

Caminhou mais depressa, sentindo a cabeça meio tonta, de exaustão e cansaço. Martha teve que correr para emparelhar com o pai, mas não reclamou.

Receava o que talvez visse quando retornasse à sepultura. Os predadores eram impiedosos, e sabiam muito bem quando uma criatura viva estava indefesa.

Não tinha certeza de quanto haviam andado: perdera toda a noção de tempo. A floresta, de ambos os lados, não parecia familiar, muito embora tivesse acabado de passar por ali. Procurou ansiosamente o lugar onde cavara a sepultura. Com certeza o fogo não podia ter apagado – a fogueira que armaram era tão alta!... Examinou as árvores, procurando as folhas características do castanheiro. Passaram por um desvio lateral de que não se lembrava, e começou a perguntar loucamente se não seria possível que já houvesse passado pelo túmulo sem vê-lo; foi então que notou um fraco clarão alaranjado mais à frente.

Seu coração pareceu falhar. Apertou o passo e semicerrou os olhos. Sim, era uma fogueira. Saiu correndo. Ouviu Martha gritar, como se achasse que ele a estivesse abandonando, e exclamou por cima do ombro:

— Estávamos lá! – Ouviu as duas crianças correndo atrás dele.

Atingiu o castanheiro, o coração disparado no peito. O fogo crepitava vivamente. Ali estava o pedaço de chão ensanguentado onde Agnes se esvaíra até morrer. Ali estava o túmulo, um monte de terra recentemente escavada sob o qual a mulher jazia agora. E, em cima do túmulo... nada.

Tom teve a impressão de que não podia enxergar com clareza. Tornou-se difícil pensar direito. Sabia agora que havia feito uma coisa horrível, abandonando o garoto ainda vivo. Quando soubesse que estava morto seria capaz de descansar. Mas ainda podia estar vivo em alguma parte – em algum lugar nas proximidades. Decidiu andar em círculos em torno daquele ponto e procurar.

— Aonde você está indo? – perguntou Alfred.

— Temos que encontrar o bebê – respondeu ele, sem olhar para trás. Caminhou em torno da pequena clareira, procurando embaixo dos arbustos, sentindo-se ainda ligeiramente tonto e fraco. Não viu nada, nem sequer uma pista que lhe indicasse a direção em que o lobo poderia haver levado a criança. Agora tinha certeza de que era um lobo. A toca da fera devia estar perto.

— Temos que percorrer um círculo maior — disse às crianças.

Mais uma vez foi na frente, caminhando mais longe do fogo, abrindo o caminho por entre os arbustos e o mato que crescia sob eles. Estava começando a sentir-se confuso, mas conseguiu conservar a mente concentrada numa única coisa, a necessidade imperiosa de encontrar o bebê. Não estava sofrendo agora, só sentia uma determinação feroz e colérica e, bem no fundo, a aterradora certeza de que tudo aquilo era sua culpa. Andou às tontas, esquadrinhando tudo com o olhar, parando a todo instante para ver se ouvia o choro monótono e inconfundível de um recém-nascido; porém quando ele e as crianças ficavam quietos, a floresta permanecia em silêncio.

Perdeu a noção do tempo. Os círculos de raios cada vez maiores o levaram de volta à estrada em dados intervalos, mas depois começou a achar que os intervalos haviam aumentado. Em certo ponto ele se perguntou por que não tinha esbarrado na cabana do guarda-florestal. Ocorreu-lhe vagamente que se perdera, e que talvez não estivesse mais circulando em torno da sepultura, e sim vagando na floresta de modo mais ou menos aleatório; na realidade, contudo, não importava muito, de modo que prosseguiu na busca.

— Pai — disse Alfred.

Tom o fitou, irritado porque interrompera sua concentração. O rapaz carregava Martha, que parecia ter adormecido.

— O que é? — perguntou Tom.

— Podemos descansar?

O pai hesitou. Não queria parar, mas o garoto parecia prestes a desmaiar.

— Está bem — concordou relutantemente. — Mas não por muito tempo.

Estavam numa elevação. Poderia haver um regato ali embaixo. Pegou Martha e desceu com ela no colo. Como esperava, encontrou um pequeno regato de águas claras, com gelo nas bordas. Deitou Martha na margem. Ela não acordou. Ele e Alfred se ajoelharam e beberam água gelada, com as mãos em concha.

O rapaz deitou-se ao lado da irmã e fechou os olhos. Tom verificou onde estava, olhando em torno. Era uma clareira atapetada de folhas caídas. As árvores à sua volta eram todas baixas, carvalhos resistentes, os galhos desfolhados se entrelaçando na parte superior. Tom atravessou a clareira, pensando em procurar o bebê atrás das árvores, mas quando chegou ao outro lado sentiu fraqueza nas pernas e se viu obrigado a sentar abruptamente.

Já era pleno dia, mas havia névoa e não parecia mais quente que à meia-noite. Ele tremia de maneira incontrolável. Percebeu então que estivera andando só com a túnica de baixo. Tentou se lembrar do que teria acontecido com o manto, mas não conseguiu. Ou a neblina ficara mais espessa, ou ocorrera algo de estranho com a sua visão, pois não conseguiu mais ver as crianças do outro lado da clareira. Quis se levantar e ir até ali; porém, havia algo errado com as suas pernas.

Em seguida um sol fraco atravessou as nuvens e logo depois veio o anjo.

Atravessou a clareira vinda do leste, vestida com um manto comprido, de lã alvejada, quase branca. Observou-a aproximando-se sem surpresa ou curiosidade. Ele estava além do espanto e do medo. Fitou-a com o mesmo olhar inerte, apático e sem emoção com que examinara os troncos imponentes dos carvalhos ali em volta. Seu rosto oval era emoldurado por uma abundante cabeleira escura, e o manto escondia seus pés, de modo que a impressão era de que deslizava sobre as folhas mortas. Parou em frente a ele, e seus olhos dourados pareciam enxergar-lhe a alma e compreender sua dor. Ela lhe pareceu familiar, como se houvesse visto o seu retrato numa pintura em alguma igreja aonde tivesse ido recentemente. Então ela abriu o manto. Estava nua sob ele. Tinha o corpo de uma mulher nos seus vinte e cinco anos, de pele clara e mamilos cor-de-rosa. Tom sempre presumira que o corpo dos anjos seria imaculadamente glabro, mas este não era.

Ela se abaixou sobre um dos joelhos, em frente a ele, que estava sentado de pernas cruzadas perto de um carvalho. Inclinando-se em sua direção, beijou-o na boca. Ele estava por demais atônito com os choques anteriores para se espantar até mesmo com aquilo. Ela o empurrou delicadamente até fazê-lo deitar de costas, abriu o manto e postou-se em cima dele, o corpo nu pressionando o seu. Tom sentiu-lhe o calor do corpo através da túnica. Em momentos parou de tremer.

Pegou o rosto barbado de Tom entre as mãos e beijou-o de novo, sequiosamente, como se estivesse bebendo água fresca após um dia muito longo e seco. Em seguida correu as mãos pelos seus braços até os pulsos, depois levou as mãos dele aos seus seios. Tom agarrou-os, como num ato reflexo. Eram suaves e macios, e os mamilos se intumesceram sob as pontas dos seus dedos.

No fundo da cabeça, ele concebeu a ideia de que estava morto. O céu não devia ser assim, sabia, mas pouco se incomodou. Suas faculdades críticas tinham sido desligadas há horas. O pouco discernimento que lhe restara desapareceu e Tom deixou o corpo assumir o comando. Retesou os músculos para cima, pressionando-lhe o corpo, tirando a própria força do calor e da nudez dela. O anjo abriu a boca e meteu a língua dentro da boca de Tom, procurando a língua dele, e o homem reagiu avidamente.

Ela afastou-se por um momento, erguendo o corpo sobre o seu. Ele ficou olhando, aturdido, quando levantou a saia da sua túnica até colocá-la na cintura e abriu as pernas sobre os seus quadris. Fixou seus olhos, com aquele olhar que via tudo, quando abaixou o corpo. Foi um momento fantástico quando seus corpos se encontraram. Ela hesitou, Tom sentiu que a penetrava. A sensação foi tão emocionante que ele teve a impressão de que ia explodir de prazer. Ela moveu os quadris, sorrindo para ele e beijando-lhe o rosto.

Após algum tempo ela fechou os olhos e começou a gemer. Ele compreendeu que estava perdendo o controle. Ficou observando com deleitada fascinação. Ela soltou gritinhos ritmados, movendo-se cada vez mais depressa, e seu êxtase tocou Tom no fundo de sua alma ferida, a um tal ponto que ele não sabia se queria chorar de desespero, gritar de júbilo ou rir histericamente; e uma explosão de deleite sacudiu os dois, muitas vezes como árvores na ventania; até que por fim a paixão amainou e ela tombou sobre o seu peito.

Ficaram deitados assim por longo tempo. O calor do corpo dela o aqueceu, e Tom mergulhou numa espécie de sono muito leve. Pareceu-lhe curto, e mais um devaneio que um sono de verdade; porém, quando abriu os olhos, suas ideias estavam claras.

Olhou para a bela jovem deitada em cima do seu corpo, e deu-se conta imediatamente de que não era um anjo, e sim a fora da lei chamada Ellen, a quem conhecera naquela parte da floresta, no dia em que o porco fora roubado. Ela sentiu que ele se mexia e abriu os olhos, fitando-o com uma expressão onde se misturavam carinho e ansiedade. De súbito ele pensou nos filhos. Fez Ellen rolar de cima do seu corpo, delicadamente, e sentou-se. Alfred e Martha estavam deitados em cima das folhas, embrulhados nos mantos com o sol brilhando no rosto adormecido. Então os acontecimentos da noite anterior voltaram à sua memória, numa sequência de horror, e ele lembrou que Agnes estava morta e que o bebê – seu filho! – sumira; enterrou o rosto nas mãos.

Ouviu Ellen dar um estranho assobio de dois tons. Ergueu a cabeça. Um vulto emergiu da floresta, e Tom reconheceu Jack, o filho dela de aparência estranha, com a pele muito branca, o cabelo alaranjado e os olhos azuis tão brilhantes que pareciam de um passarinho. Tom levantou-se, ajeitando a túnica, e Ellen também se ergueu, fechando o manto.

O garoto estava carregando alguma coisa que foi mostrar a Tom. O construtor a reconheceu. Era a metade de seu manto, com que embrulhara o bebê antes de colocá-lo sobre a sepultura de Agnes.

Sem compreender, olhou espantado primeiro para o garoto e depois para Ellen. Ela segurou suas mãos, encarou-o e disse:

– O seu bebê está vivo.

Tom não se atreveu a acreditar. Era muita felicidade para este mundo.

– Não é possível – disse.

– Está sim.

Ele começou a sentir esperanças.

– É verdade? – perguntou. – É verdade?

Ela assentiu com a cabeça.

— Verdade. Eu o levarei onde ele está.

Tom percebeu que ela falava a sério. Uma onda de alívio e felicidade o envolveu. Caiu de joelhos no chão e, finalmente, como na abertura de uma comporta, ele chorou.

5

— Jack ouviu o bebê chorar — explicou Ellen. — Ele estava a caminho do rio, para um lugar ao norte daqui onde é possível matar patos com pedradas, quando se tem boa pontaria. Não sabia o que fazer, de modo que foi me buscar. No entanto, quando estávamos indo para o lugar onde Jack encontrara a criança, vimos um padre, montando um palafrém, carregando o bebê.

— Tenho que encontrá-lo — disse Tom.

— Não entre em pânico — afirmou Ellen. — Sei onde ele está. O padre tomou uma trilha bem próxima da sepultura; um caminho que vai dar num pequeno mosteiro escondido na floresta.

— O bebê precisa de leite.

— Os monges têm cabras.

— Graças a Deus — disse Tom fervorosamente.

— Eu o levarei lá, depois que você tiver comido um pouco — prometeu ela. — Mas... — Ellen franziu a testa. — Não fale nada por enquanto com seus filhos a respeito do mosteiro.

Tom deu uma olhada no outro lado da clareira. Jack tinha ido para junto deles, e os contemplava com seu olhar fixo e vazio.

— Por que não?

— Não estou bem certa... Acho apenas que pode ser melhor não falar.

— Mas seu filho vai contar a eles.

Ela sacudiu a cabeça.

— Ele viu o padre, mas não creio que tenha deduzido o resto.

— Está certo — concordou Tom, solene. — Se eu soubesse que você estava por perto, poderia ter salvo minha Agnes.

Ellen sacudiu a cabeça, e o cabelo escuro dançou em torno do seu rosto.

— Não há nada a ser feito, exceto conservar a mulher aquecida, e você fez isso. Quando a mulher sangra por dentro, ou para e ela melhora, ou não para e ela morre. — Os olhos de Tom encheram-se de lágrimas e ela acrescentou: — Desculpe.

Tom fez que sim, aturdido.

— Mas os vivos têm que cuidar dos vivos — prosseguiu ela —, e você precisa de comida quente e de um manto novo. — E levantou-se.

Os dois acordaram as crianças. O construtor lhes disse que o bebê estava bem, que Ellen e Jack tinham visto um padre carregando-o. Acrescentou que iria com Ellen procurar o sacerdote mais tarde, mas primeiro ela lhes daria comida. As crianças aceitaram as espantosas notícias calmamente; nada poderia chocá-los agora. Seu pai não estava menos bestificado. As coisas estavam acontecendo depressa demais para que pudesse compreender todas as mudanças. Era como estar montado num cavalo que houvesse disparado; tudo acontecia tão rapidamente que não havia tempo para reagir aos fatos, e podia apenas segurar-se com força e tentar não enlouquecer. Agnes dera à luz ao ar livre, numa noite muito fria; o bebê nascera miraculosamente saudável; tudo parecia ir bem, quando Agnes, alma gêmea de Tom, se esvaíra em sangue até morrer nos seus braços e ele perdera a cabeça; o bebê tinha sido condenado e abandonado para morrer; depois eles haviam tentado encontrá-lo, e não conseguiram; Ellen aparecera, e Tom a confundira com um anjo, e tinham feito amor como num sonho; e ela dissera que o bebê estava vivo e bem. Será que a vida reduziria o ritmo para Tom um dia entender aqueles eventos horríveis?

Eles partiram. Tom sempre presumira que os fora da lei vivessem na miséria, mas não havia nada de miserável em Ellen, e Tom se perguntou como seria a sua casa. Ela os conduziu por um caminho em zigue-zague através da floresta. Apesar de não haver uma trilha, ela não hesitou uma única vez, atravessando riachos, desviando-se dos galhos baixos e transpondo um pântano congelado, um renque muito cerrado de arbustos e o tronco enorme de um carvalho caído. Finalmente dirigiu-se para uma moita de espinheiros e pareceu desaparecer dentro dela. Seguindo-a, Tom viu que, ao contrário da sua primeira impressão, havia uma passagem estreita e sinuosa por dentro do bosque. Os espinheiros se fecharam por cima da sua cabeça e ele teve que parar, aguardando que os olhos se adaptassem à semiescuridão. Gradualmente, percebeu que se encontrava dentro de uma caverna.

O ar estava quente. À sua frente havia um fogo aceso numa espécie de lareira de pedras chatas. A fumaça subia diretamente na vertical: em algum ponto havia uma chaminé natural. De cada lado de Tom havia uma pele de animal, um lobo e um cervo, presa nas paredes da caverna com cavilhas de madeira. Um pernil de cervo defumado estava pendurado no teto, acima da cabeça dele. Viu também uma cesta cheia de maçãs silvestres, velas de sebo nas saliências das paredes e palha seca no chão. Num canto do fogo havia uma panela, exatamente como seria numa casa comum; e, a julgar pelo cheiro, continha o mesmo tipo de sopa que todo mundo comia — verduras cozidas, pedaços de carne com osso e temperos. Tom ficou atônito. Aquela casa era mais confortável do que a de muitos servos.

Além do fogo havia dois colchões feitos de pele de gamo e estofados, presumivelmente, com palha; e enrolada com todo o cuidado em cima de cada colchão, uma pele de lobo. Ellen e Jack dormiam ali, com o fogo entre eles e a boca da caverna. No fundo havia uma formidável coleção de armas e equipamentos de caça – um arco, algumas flechas, redes, armadilhas para coelho, diversas adagas de aspecto perigoso, uma lança de madeira, cuidadosamente trabalhada, com a ponta aguçada e endurecida a fogo; e, entre todos aqueles utensílios primitivos, três livros. Ficou estupefato: nunca tinha visto livros numa casa, que diria numa caverna; o lugar de livros era nas igrejas.

Jack pegou uma tigela de madeira, mergulhou na panela e começou a tomar a sopa. Alfred e Martha ficaram olhando, com fome. Ellen dirigiu a Tom um mudo pedido de desculpas e disse:

– Jack, quando há estranhos, primeiro damos comida para eles, e depois comemos.

Jack arregalou os olhos para a mãe, aturdido.

– Por quê?

– Porque é a coisa educada a fazer. Dê às crianças um pouco de sopa.

Jack não ficou convencido, mas obedeceu à mãe. Ellen deu uma tigela de sopa a Tom, que se sentou no chão para tomá-la. Tinha gosto de carne, e o aqueceu por dentro. Ellen passou uma pele por seus ombros. Depois que terminou o líquido, pegou as verduras e a carne com os dedos. Fazia semanas que não comia carne. Aquela parecia ser de pato – presumivelmente abatido por Jack com pedras e uma funda.

Comeram até que a panela ficou vazia; então Alfred e Martha se deitaram no chão forrado de palha. Antes que adormecessem, Tom lhes disse que ia com Ellen procurar o padre, e ela disse para Jack ficar e cuidar deles até que os adultos voltassem. As duas crianças exaustas assentiram com a cabeça e fecharam os olhos.

Ambos saíram, Tom envergando a pele que Ellen lhe dera sobre os ombros, para se manter aquecido. Assim que estavam do lado de fora, ela parou, virou-se para ele, puxou-lhe a cabeça para junto da sua e o beijou na boca.

– Eu o amo – disse arrebatadamente. – Amei-o desde o primeiro momento em que o vi. Sempre quis um homem que pudesse ser forte e delicado, e achava que isso não existisse. Então o conheci. Quis você para mim. Mas pude ver que amava sua esposa. Meu Deus, como a invejei! Sinto muito que ela tenha morrido, sinto muito mesmo, porque posso ver a dor nos seus olhos, e todas as lágrimas esperando para serem derramadas, e parte o meu coração vê-lo tão triste. Agora que ela se foi, porém, quero você para mim.

Tom não sabia o que dizer. Era difícil acreditar que uma mulher tão bonita, decidida e autossuficiente houvesse se apaixonado por ele à primeira vista; e era mais difícil ainda saber como ele próprio se sentia. Estava devastado pela perda de Agnes — Ellen tinha razão ao falar das lágrimas que não derramara, podia sentir o peso delas nos olhos. Mas também estava consumido de desejo por ela, com seu corpo maravilhoso e quente, seus olhos dourados e sua sensualidade incontida. Sentiu-se terrivelmente culpado por desejá-la com tanto ardor, quando Agnes estava apenas há algumas horas no túmulo.

Ele a encarou, e mais uma vez os olhos dela enxergaram seu coração.

— Não diga nada. Você não tem que se sentir culpado. Sei que a amava. Ela sabia também, garanto. Você ainda a ama... claro que sim. E sempre a amará.

Ela lhe falara para não dizer nada, e, de qualquer modo, não tinha mesmo nada a dizer. Estava bestificado com aquela mulher extraordinária. Parecia fazer tudo ficar certo. De algum modo, o fato de dar a impressão de saber tudo o que se passava no seu coração fazia com que se sentisse melhor, como se agora não houvesse mais nada de que se envergonhar. Ele suspirou.

— Assim é melhor — disse ela. Pegou-o pela mão e os dois saíram juntos.

Atravessaram a floresta virgem por quase uma milha até chegarem à estrada. Enquanto andavam, Tom olhava para o rosto de Ellen, ao seu lado. Recordava-se de que, ao encontrá-la pela primeira vez, só não a considerara bonita por causa dos seus olhos estranhos. Não podia entender como achara uma coisa dessas. Agora via aqueles olhos assombrosos como a expressão acabada de sua personalidade única. Parecia absolutamente perfeita, e a única coisa que o intrigava era por que estava com ele.

Caminharam por três ou quatro milhas. Ele ainda estava cansado, mas a sopa lhe dera forças; e embora confiasse totalmente em Ellen, queria ver o bebê com os próprios olhos.

Quando puderam distinguir o mosteiro através das árvores, Ellen disse:

— Não vamos revelar quem somos aos monges logo de início.

Ele ficou confuso.

— Por quê?

— Você abandonou um bebê. Isso é considerado assassinato. Vamos nos esconder entre as árvores e espiar que tipo de gente eles são.

Tom não achava que fosse se meter em encrenca, dadas as circunstâncias, mas não fazia mal ser cauteloso, de modo que assentiu e seguiu-a por sob as árvores. Poucos momentos depois estavam deitados na orla da clareira.

Era um mosteiro muito pequeno. Havia apenas duas construções de pedra, a capela e o dormitório; o resto era de madeira e de taipa: cozinha, estábulos, celeiro e uma série de galpões menores, destinados à atividade agrícola. O lugar tinha a aparência limpa e bem conservada e dava a impressão de que os monges se dedicavam tanto à agricultura quanto às orações.

Não havia muita gente à vista.

– A maioria dos monges foi trabalhar – disse Ellen. – Eles estão construindo um celeiro no topo da colina. – Deu uma olhada no céu. – Voltarão lá pelo meio-dia, para o almoço.

Tom examinou a clareira. À direita, parcialmente escondidos por um pequeno rebanho de cabras amarradas, viu dois vultos.

– Olhe – disse, apontando. Enquanto examinavam as duas figuras, ele viu mais alguma coisa. – O homem que está sentado é um padre e...

– Está com alguma coisa no colo.

– Vamos chegar mais perto.

Deslocaram-se por entre o mato, margeando a clareira, e emergiram num ponto próximo das cabras. O coração de Tom veio à boca, enquanto olhava para o padre sentado num toco de árvore. Ele tinha um bebê no colo, o bebê de Tom, que sentiu um nó na garganta. Era verdade, era verdade mesmo; o bebê sobrevivera. Sentiu ímpetos de lançar os braços em torno do sacerdote e abraçá-lo.

Havia um jovem monge com o padre. Olhando mais atentamente, viu que ele estava mergulhando um trapo num balde de leite – leite de cabra, presumivelmente – e pondo a pontinha encharcada dentro da boca do bebê. Muito engenhoso.

– Bem – disse Tom, apreensivo. – É melhor eu ir até lá dizer o que fiz e pegar meu bebê de volta.

Ellen o encarou com um brilho de sinceridade nos olhos.

– Pense um momento, Tom – disse. – O que você vai fazer depois?

Ele não percebeu aonde ela estava querendo chegar.

– Peço leite aos monges – respondeu. – Eles podem ver que sou pobre. Costumam fazer caridade.

– E depois?

– Bem, espero que me deem leite suficiente para três dias; assim poderei chegar a Winchester.

– E depois disso? – insistiu ela. – Como alimentará o bebê então?

– Bem, vou procurar trabalho...

– Você está procurando trabalho desde a última vez que o vi, no fim do verão – disse ela. Parecia um pouco zangada com Tom, que não conseguia ver qual seria o motivo. – Você não tem dinheiro nem ferramentas – prosseguiu ela. – O que acontecerá ao bebê se não encontrar trabalho em Winchester?

– Não sei – respondeu ele. Sentiu-se magoado com Ellen, por falar tão asperamente. – O que vou fazer... Viver como você? Não posso matar patos com uma funda. Sou construtor.

– Você podia deixar o bebê aqui – disse ela.

Tom ficou estupefato.

— Deixar o bebê? Quando acabei de encontrá-lo?

— Você teria certeza de que ele estaria aquecido e alimentado. Não precisaria carregá-lo enquanto procura trabalho. E quando achasse alguma coisa poderia voltar e apanhar seu filho.

O instinto de Tom rebelou-se contra toda aquela ideia.

— Não sei – disse. – O que os monges pensariam de mim?

— Eles já sabem que você abandonou o bebê – disse ela impacientemente. – A questão é saber se confessa agora ou mais tarde.

— Os monges sabem como tomar conta de crianças?

— Sabem tanto quanto você.

— Duvido.

— Bem, eles conseguiram alimentar um recém-nascido que só sabe sugar.

Tom começou a ver que ela estava com a razão. Por mais que ansiasse por segurar o minúsculo fardo nos braços, não podia negar que os monges eram mais capazes de cuidar do bebê do que ele. Não tinha dinheiro nem comida, ou qualquer perspectiva certa de conseguir trabalho.

— Abandoná-lo de novo... – disse tristemente. – Suponho que é o que tenho a fazer. – Ficou parado onde estava, com os olhos fixos na criancinha no colo do padre. Tinha cabelo escuro, como o de Agnes. Tom se decidira, mas não conseguia sair dali.

Nesse momento um grande grupo de monges apareceu na extrermidade mais distante da clareira, uns quinze ou vinte deles, carregando machados e serrotes, e de repente ambos passaram a correr o risco de ser vistos. Mergulharam no mato. Tom não pôde mais ver o bebê.

Afastaram-se de gatinhas por entre os arbustos. Quando chegaram à estrada, romperam a correr, por trezentas ou quatrocentas jardas, de mãos dadas; depois Tom não conseguiu mais, exausto. Estavam a uma distância segura, contudo. Saíram da estrada e encontraram um lugar onde seria possível descansar sem ser vistos.

Sentaram-se numa rampa gramada, com manchas de sombra misturadas à luz do sol que a iluminava. Tom olhou para Ellen, deitada de costas, respirando com dificuldade, o rosto congestionado, os lábios sorrindo para ele. Sua túnica se abrira na gola, revelando o pescoço e a ondulação de um seio. De repente ele sentiu uma verdadeira compulsão de ver sua nudez de novo, e o desejo foi muito mais forte que a culpa que o acometeu. Virou-se para beijá-la e hesitou, porque ela era linda. Quando falou, não foi premeditado, e suas próprias palavras o tomaram de surpresa:

— Ellen, você quer ser minha mulher?

Capítulo 2

1

Peter de Wareham era um criador de casos nato. Fora transferido da casa de sua mãe em Kingsbridge para o pequeno mosteiro na floresta, e era fácil saber por que o prior de Kingsbridge se sentira ansioso para se ver livre dele. Alto e esguio, com quase trinta anos, tinha intelecto poderoso e maneiras sarcásticas, além de viver em estado permanente de justificada indignação. Quando chegou e começou a trabalhar nos campos, imprimiu um ritmo furioso e depois acusou os outros de indolência. No entanto, para sua surpresa, a maioria dos monges conseguira acompanhá-lo, e eventualmente os mais jovens foram capazes de vencê-los. Procurara então outro vício que não a indolência, e escolheu a gula.

Começou por comer só metade do seu pão e nem um pouco da carne. Bebia água dos riachos durante o dia, diluía a cerveja e recusava o vinho. Repreendeu um saudável e jovem monge que pediu mais sopa, e reduziu a lágrimas um garoto que, de brincadeira, bebeu o vinho de outro.

Os monges exibiam poucos indícios de gula, pensava o prior Philip enquanto caminhava de volta do topo da colina para o mosteiro, na hora da refeição. Os jovens eram magros e musculosos, e os mais velhos, rijos e queimados de sol. Nenhum possuía a palidez e a suavidade das formas arredondadas de quem tinha muito que comer e nada que fazer. Philip achava que todos os monges deviam ser magros. Monges gordos faziam com que os pobres invejassem e odiassem os servos de Deus.

Caracteristicamente, Peter disfarçara sua acusação sob a forma de uma confissão.

"Tenho sido culpado do pecado da gula", dissera naquela manhã, quando faziam uma pausa, sentados sobre as árvores, que tinham derrubado, comendo pão de centeio e bebendo cerveja. "Desobedeci à regra de são Bento, que diz que os monges não devem comer carne nem beber vinho." Fitou os outros ao redor, a cabeça erguida e os olhos escuros cintilando de orgulho, e por fim pousou-os demoradamente em Philip. "E todos aqui são culpados do mesmo pecado", finalizara.

Era muito triste que Peter fosse daquele jeito, pensara Philip. O homem era inteligente e dedicado às obras de Deus, e tinha grande força de vontade. Mas parecia ter uma necessidade compulsiva de se sentir especial e de ser notado pelos outros; e isso o levava a fazer cenas. Era uma amolação, mas Philip o amava tanto quanto a qualquer outro monge, pois podia ver, por trás da arrogância e do sarcasmo, uma alma atormentada que não podia realmente acreditar que alguma pessoa se incomodasse com ele.

"Isso nos dá uma oportunidade para recordar o que são Bento disse a esse respeito. Lembra-se das palavras exatas, Peter?", perguntara Philip.

"Ele diz: 'Todos, menos os doentes, devem se abster de carne' e 'o vinho não é, de modo algum, a bebida dos monges'", respondera Peter.

O prior balançara a cabeça. Conforme suspeitara, o monge não conhecia a regra tão bem quanto ele. "Quase correto, Peter. Só que o santo se referiu à 'carne dos animais de quatro patas', e mesmo assim fez exceções, não apenas para os doentes, como também para os fracos. O que ele queria dizer quando fala em fracos? Aqui, na nossa pequena comunidade, adotamos o ponto de vista de que os homens que se enfraquecem pelo fatigante trabalho nos campos podem precisar comer carne de vez em quando para conservar as forças."

Peter ouvira isso em silêncio amuado, a testa franzida em desaprovação, as sobrancelhas escuras e grossas repuxadas para cima da ponte do nariz grande e adunco, o rosto uma máscara de desafio contido.

"No tocante ao vinho", continuara Philip, "diz o santo: 'No nosso entendimento o vinho não é a bebida dos monges, em absoluto.' O emprego da expressão 'nosso entendimento' significa que ele não endossa totalmente a proibição. Diz também que um quartilho de vinho por dia deve ser o suficiente para qualquer um. E nos adverte para não beber até a saciedade. Está claro, não é mesmo, que ele não espera que os monges se abstenham totalmente?"

"Mas ele diz que a frugalidade deve ser seguida em tudo."

"E você diz que não somos frugais aqui?", indagara Philip.

"Digo", afirmara Peter, numa voz metálica.

"'Que aqueles a quem Deus proporcionou a graça da abstinência saibam que receberão a recompensa adequada'", citou Philip. "Se acha que a comida aqui é farta demais, pode comer menos. Lembre-se de outra coisa que são Paulo diz." E cita a Primeira Epístola aos coríntios: "'Todos têm sua graça adequada recebida de Deus; uns têm essa, outros, aquela.' E, mais uma vez, é são Bento quem nos diz: 'Por esse motivo a quantidade de comida de outra pessoa não pode ser determinada sem uma certa apreensão.' Por favor, lembre-se disso, Peter, quando jejuar e meditar sobre o pecado da gula."

A essa altura tinham voltado ao trabalho, Peter com um ar de mártir. Philip percebeu que ele não ia ser silenciado assim tão facilmente. Dos três votos dos monges, pobreza, castidade e obediência, o que dava problema a Peter era o da obediência.

Havia modos de lidar com monges desobedientes, claro: confinamento solitário, pão e água, açoite e, em último caso, excomunhão e expulsão. Philip normalmente não hesitava em usar essas punições, sobretudo quando um monge parecia estar testando sua autoridade. Em consequência disso, viam-no como um disciplinador severo. Na verdade, porém, ele detestava impor punições – traziam desarmonia à irmandade monástica e tornavam a todos infelizes. De qualquer modo, no caso de Peter, uma punição de nada adiantaria – ao contrário, só serviria para torná-lo mais orgulhoso e intolerante. Philip precisava encontrar um meio de controlar o monge e suavizá-lo ao mesmo tempo. Não seria fácil. Mas se todas as coisas fossem fáceis, o homem não precisaria da ajuda de Deus.

Atingiram a clareira onde ficava o mosteiro. Ao caminharem pelo espaço aberto, Philip viu o irmão John acenar energicamente para eles do cercado das cabras. Ele era chamado Johnny Oito Pence e não era muito bom da cabeça. O prior gostaria de saber por que estava tão excitado. Johnny estava acompanhado por um homem com hábito de sacerdote. Parecia vagamente familiar, e Philip apressou-se na sua direção.

O padre era um homem baixo e compacto, com vinte e tantos anos, cabelo preto cortado rente e olhos azuis brilhantes, que cintilavam de vívida inteligência. Para Philip, olhá-lo foi como se estivesse se mirando num espelho. Era, percebeu com um choque, seu irmão mais moço, Francis.

E Francis tinha no colo um bebê recém-nascido.

Philip não sabia o que era mais surpreendente, se o irmão ou o bebê. Os monges todos se reuniram à volta. Francis ergueu-se e entregou o bebê a Johnny, e Philip o abraçou.

– O que está fazendo aqui? – perguntou o prior, deleitado. E por que está com um bebê?

– Eu lhe direi mais tarde por que estou aqui – disse ele. – Quanto ao bebê, encontrei-o na floresta, sozinho, perto de uma fogueira. – Francis parou.

– E... – instou Philip.

Francis deu de ombros.

– Não posso lhe dizer mais do que isso, porque é tudo o que sei. Eu esperava chegar aqui ontem à noite, mas não consegui, e por isso dormi na cabana de um guarda-florestal. Saí esta madrugada, e estava andando pela estrada quando ouvi o choro de um bebê. Um momento depois o vi. Apanhei-o e trouxe-o para cá. É toda a história.

Philip olhou, incredulamente, para a trouxinha no colo de Johnny. Ergueu uma das mãos, meio indeciso, e levantou um canto do cobertor. Viu um rosto cor-de-rosa todo enrugado, uma boca aberta sem dentes e uma cabecinha careca – a miniatura de um monge velho. Desembrulhou o fardo um pouco mais e viu os ombros minúsculos e frágeis, os braços se agitando e os punhos cerrados com força. Examinou de perto o coto do cordão umbilical que pendia do umbigo da criança. Um pouco nauseante. Aquilo seria natural?, perguntou-se Philip. Parecia uma ferida que estava cicatrizando bem e que ficaria melhor ainda se não mexessem nela. Puxou o cobertor um pouco mais.

– Um menino – disse, pigarreando meio encabulado, e cobriu o bebê de novo. Um dos noviços deu uma risadinha. Mas o que, afinal, vou fazer com isto aí?, pensou. Alimentá-lo?

O bebê chorou, e o seu choro tocou as cordas do coração de Philip, como um hino bem-aventurado.

– É fome – disse, ao mesmo tempo em que pensava: Como sei que é fome?

– Não podemos alimentá-lo – disse um dos monges.

O prior estava prestes a perguntar o motivo, quando se deu conta dele – não havia mulheres por muitas e muitas milhas.

Johnny, no entanto, já resolvera o problema, Philip viu agora... Sentara-se no cepo com o bebê no colo. Tinha na mão uma toalha com um canto torcido em espiral. Mergulhou esse pedaço num balde de leite, deixou a toalha ficar encharcada e colocou na boca do menino. O bebê abriu a boca, sugou a toalha e engoliu o leite.

Philip teve ímpetos de bater palmas.

– Muito inteligente, Johnny – disse, surpreso.

O monge sorriu.

– Já fiz isso antes, quando uma cabra morreu antes de o cabrito desmamar – disse ele, orgulhoso.

Todos os monges observaram atentamente Johnny repetir o gesto simples de mergulhar a toalha e deixar o bebê sugar. Quando tocava os lábios do menino com a ponta da toalha, alguns dos monges abriam a boca, notou Philip, achando graça. Era uma maneira lenta de alimentar o bebê, mas alimentar bebês é sem dúvida uma tarefa lenta.

Peter de Wareham, que sucumbira à fascinação geral com o bebê e, consequentemente, esquecera-se de fazer críticas por algum tempo, recuperou-se e disse:

– Daria menos trabalho encontrar a mãe do menino.

– Duvido – disse Francis. – A mãe provavelmente não é casada e incorreu em transgressão moral. Imagino que seja jovem. Talvez tenha conseguido manter escondida a gravidez; então, quando a hora do parto estava próxima, foi para a floresta e acendeu uma fogueira; deu à luz sozinha, abandonou a criança aos lobos e voltou para o lugar de onde viera. Fará tudo para não ser encontrada.

O bebê adormecera. Num impulso, Philip tirou-o de Johnny. Colocou-o junto ao peito, apoiando-o com uma das mãos, e embalou-o.

– Pobrezinho – disse. – Pobrezinho, pobrezinho. – O impulso de proteger e cuidar do bebê invadiu-o como uma onda. Notou que os monges o observavam espantados, atônitos com a sua súbita exibição de ternura. Nunca o tinham visto acariciar alguém, é claro, pois a atração física era estritamente proibida no mosteiro. Obviamente o tinham imaginado incapaz disso. Pois muito bem, pensou, agora sabiam a verdade.

– Então vamos ter que levar a criança para Winchester e tentar encontrar uma mãe adotiva – disse Peter de Wareham.

Se aquilo houvesse sido proferido por qualquer outro, Philip talvez não tivesse tido a mesma rapidez para contradizê-lo; porém, como foi Peter, o prior falou apressadamente e sua vida nunca mais foi a mesma depois:

– Não vamos dá-lo a uma mãe adotiva – afirmou, decidido. Esta criança é um presente de Deus. – Ele olhou em torno. Os monges estavam com os olhos arregalados, pendurados em suas palavras. Nós mesmos vamos tomar conta dele – prosseguiu. – Vamos alimentá-lo, ensiná-lo e criá-lo, fazendo com que siga os caminhos do Pai. Depois, quando for homem, ele se tornará um monge e assim o devolveremos a Deus.

Houve um silêncio atônito, que Peter rompeu, dizendo raivosamente:

– É impossível! Um bebê não pode ser criado por monges!

Philip procurou o olhar do irmão e os dois sorriram, compartilhando lembranças. Quando falou de novo, sua voz estava carregada com o peso do passado:

– Impossível? Não, Peter. Pelo contrário, estou absolutamente certo de que pode ser feito, como também meu irmão. Sabemos por experiência própria. Não é mesmo, Francis?

No dia que agora via como tendo sido o último, seu pai chegara em casa ferido. Philip fora o primeiro a vê-lo, subindo a cavalo a trilha sinuosa que buscava a pequena aldeia na montanhosa Gales do Norte. Com seis anos, correu ao seu encontro, como fazia normalmente; dessa vez porém o pai não pegou seu filhinho para colocá-lo na garupa, na sua frente. Ele vinha devagar, recurvado sobre a sela, segurando as rédeas na mão direita, o braço esquerdo pendurado, sem força. Seu rosto estava pálido, e as roupas, manchadas de sangue. Philip ficou ao mesmo tempo intrigado e assustado, pois nunca tinha visto seu pai aparentar fraqueza.

"Traga sua mãe", disse ele.

Ao entrarem com ele dentro de casa, a mãe cortou-lhe a camisa. Philip ficou horrorizado; a visão de sua mãe, tão parcimoniosa, arruinando, por vontade própria, uma roupa boa era mais chocante que o sangue. "Não se preocupem comigo agora", disse papai, mas seu berro normal enfraquecera até virar um murmúrio e ninguém lhe deu atenção – outra coisa chocante, pois normalmente sua palavra era lei. "Deixem-me, e façam com que todos se reúnam lá em cima no mosteiro", ordenou ele. "Os malditos ingleses logo estarão aqui." Havia um mosteiro com uma igreja em cima da colina, mas Philip não foi capaz de entender por que teriam de ir para lá se ainda não era domingo. Mamãe disse: "Se continuar perdendo sangue, não irá mais para lugar algum, nunca." Mas tia Gwen disse que ela iria dar o alarme e saiu.

Anos mais tarde, quando pensava nos acontecimentos que se seguiram, Philip se dava conta de que naquele momento todos tinham se esquecido dele e do seu irmão de quatro anos, Francis, e ninguém se lembrou de levá-los para a segurança do mosteiro. As pessoas pensavam nos próprios filhos e presumiram que Philip e Francis estavam bem porque estavam com os pais; mas papai estava se esvaindo em sangue e mamãe tentava salvá-lo, e foi assim que os ingleses pegaram os quatro.

Nada na curta experiência de vida de Philip o preparara para o aparecimento dos dois homens de armas que abriram a porta aos pontapés e irromperam dentro da casa de um único cômodo. Em outras circunstâncias eles não teriam sido tão apavorantes, pois eram daquele tipo de adolescentes grandes e desajeitados que zombavam de mulheres velhas, abusavam de judeus e brigavam aos socos nas proximidades das cervejarias à meia-noite. Naquele dia, porém (Philip entendeu isso anos depois, quando finalmente foi capaz de pensar com objetividade sobre aquele dia), os dois estavam tomados pelo gosto do sangue. Haviam estado numa batalha, em que homens gritavam em agonia e amigos caíam mortos, da mesma forma como tinham sentido medo e, literalmente, perdido o juízo. Mas haviam combatido na batalha e sobrevivido, e agora estavam envolvidos na feroz perseguição aos inimigos; nada poderia satisfazê-los senão mais sangue, mais gritos, mais ferimentos e mais morte; e tudo isso estava escrito em seu rosto contorcido quando entraram ali como raposas num galinheiro.

Eles se moveram muito depressa, mas Philip pôde se lembrar para sempre de cada passo que deram, como se tudo tivesse demorado muito tempo. Ambos usavam uma armadura leve, apenas uma cota de malha e um capacete de couro com faixas de ferro. Ambos traziam a espada desembainhada. Um era feio e vesgo, tinha nariz grande e adunco e mostrava os dentes numa assustadora careta de macaco. A opulenta barba do outro estava manchada de sangue – de outra pessoa, com certeza, porque ele não parecia estar ferido. Os dois examinaram o aposento sem se deter. Seus olhos impiedosos e calculistas puseram de lado Philip e Francis, repararam em sua mãe e se concentraram em seu pai. Estavam praticamente em cima dele antes que alguém pudesse se mexer.

Mamãe estava inclinada sobre ele, amarrando uma bandagem no seu braço esquerdo. Endireitou-se e se virou para os intrusos, os olhos faiscando de coragem desesperada. Papai pôs-se de pé com um pulo e levou a mão sã ao punho da espada. Philip deixou escapar um grito de pavor.

O homem feio ergueu a espada e golpeou com o punho a cabeça de mamãe, empurrando-a para um lado sem feri-la, provavelmente porque não queria correr o risco de ter a lâmina de papai enfiada no corpo. Philip só fez essa análise anos depois; naquela ocasião limitou-se a correr para sua mãe, não compreendendo que ela não podia mais protegê-lo. Mamãe tropeçou, atônita, e o homem feio passou por ela, levantando a espada de novo. Philip agarrou-se à sua saia ao mesmo tempo que ela cambaleava, em transe; porém ele não pôde deixar de olhar para o pai.

Papai tirou a espada da bainha e levantou-a defensivamente. O homem feio bateu de cima para baixo e as duas lâminas se chocaram retinindo como um sino. Como todos os meninos, Philip pensava que o pai fosse invencível; e aquele foi o momento em que aprendeu a verdade. Papai estava fraco com a perda de sangue. Quando as duas espadas se chocaram, a dele caiu no chão; o atacante levantou a sua só um pouco e golpeou de novo, rapidamente. A lâmina pegou onde os grandes músculos do pescoço de papai se implantavam nos ombros largos. Philip começou a gritar quando viu a lâmina afiada entrar no corpo. O homem feio puxou o braço para trás e enfiou a ponta da espada na barriga de papai.

Paralisado pelo terror, Philip ergueu os olhos para a mãe. No instante em que a encarou, o outro homem, o barbado, golpeou-a. Ela caiu no chão ao lado de Philip, com sangue jorrando de uma ferida na cabeça. O homem barbado mudou a empunhadura, revertendo-a de modo a apontar a espada para baixo e segurá-la com ambas as mãos; depois ergueu-a bem alto, quase como um homem prestes a cravar a espada em si próprio, e abaixou-a com força. Ouviu-se um repugnante barulho de osso quebrado quando a ponta entrou no peito de mamãe. A lâmina foi fundo; tão fundo (Philip notou isso, mesmo estando consumido de pavor, cego e histérico) que devia ter furado suas costas e se enterrado no chão, prendendo-a como um prego.

Philip, desvairado, olhou para o pai novamente. Viu-o tombar para a frente, cair sobre a espada do homem feio e dar uma golfada de sangue. Seu agressor recuou e puxou a espada, tentando soltá-la. Papai deu mais um passo, cambaleando, e permaneceu junto a ele. O homem feio deu um grito de raiva e torceu a espada na barriga de papai. Dessa vez ela saiu. Papai caiu no chão e colocou as mãos no abdômen aberto, como para tapar a ferida escancarada. Philip sempre imaginara o interior das pessoas como mais ou menos sólido, e ficou assombrado e nauseado com os feios tubos e órgãos que saíam do corpo do pai. O atacante levantou bem alto a espada, apontada para baixo, como o barbado fizera com mamãe, e desferiu o golpe final do mesmo modo.

Os dois ingleses olharam um para o outro, e, inesperadamente, Philip percebeu uma expressão de alívio em sua fisionomia. Juntos, eles se viraram e olharam para ele e para Francis. Um acenou com a cabeça e o outro deu de ombros, e Philip percebeu que iam matar a ele e a seu irmão, cortando-os ao meio com aquelas espadas afiadas, e quando se deu conta de quanto ia *doer*, o terror ferveu dentro dele até que teve a impressão de que sua cabeça fosse explodir.

O homem com sangue na barba abaixou-se rapidamente e pegou Francis por um tornozelo. Segurou-o de cabeça para baixo no ar, enquanto o garotinho berrava pela mãe, sem compreender que estava morta. O homem feio arrancou a espada do corpo de papai e preparou-a para trespassar o coração de Francis.

O golpe jamais foi desferido. Uma voz autoritária fez-se ouvir e os dois homens ficaram imóveis. O grito cessou, e foi quando Philip percebeu que era ele quem estava gritando. Virou-se para a porta e viu o abade Peter, no seu hábito tecido em casa, com a ira de Deus nos olhos, empunhando uma cruz de madeira como uma espada.

Quando Philip revivia aquele dia em seus pesadelos, e acordava suando e gritando no escuro, sempre conseguia se acalmar, e depois até mesmo relaxar e dormir de novo, forçando a cabeça a se fixar naquele quadro final e no modo como os gritos e as feridas tinham sido postos de lado pelo homem desarmado com a cruz.

O abade Peter falou de novo. Philip não compreendia a língua que ele falava – inglês, claro –, mas o significado foi bem claro, porque os dois homens pareceram ficar envergonhados e o barbado colocou Francis no chão com delicadeza. Sempre falando, o monge entrou, caminhando decididamente. Os homens de armas recuaram um passo, quase como se tivessem medo dele – os dois de espada e armadura, ele com um hábito de lã e uma cruz! O abade deu as costas para os dois numa atitude de desprezo e agachou-se para falar com Philip. Sua voz soou naturalmente. "Qual é o seu nome?"

"Philip."

"Ah, sim, eu me lembro. E o do seu irmão?"

"Francis."

"Isso mesmo." O abade olhou para os corpos sangrando no chão. "Aquela é sua mãe, não é?"

"É", respondeu Philip, em pânico ao apontar para o corpo do pai. "E aquele é papai!"

"Eu sei", disse o religioso, com voz branda. "Você não deve chorar mais, deve responder às minhas perguntas. Compreende que eles estão mortos?"

"Não sei", respondeu Philip, desesperadamente. Entendia que os animais morressem, mas aquilo podia acontecer com mamãe e papai?

"É como ir dormir", disse o abade Peter.

"Mas os olhos deles estão abertos!", berrou Philip.

"Quietinho. E melhor fecharmos os olhos deles então."

"É, sim", concordou Philip; sentiu-se como se aquilo fosse resolver alguma coisa.

O abade Peter levantou-se, tomou os dois meninos pela mão e os levou até o corpo do pai. Ajoelhou-se e pegou a mão direita do mais velho na sua. "Vou mostrar como é", disse. Levou a mão de Philip até o rosto do homem morto, mas de repente a criança ficou com medo, porque o corpo parecia estranho, pálido, frouxo e horrivelmente ferido, e retirou a mão. Depois olhou preocupado para o abade Peter – um homem a quem ninguém desobedecia –, mas o religioso não estava com raiva dele. "Vamos", disse delicadamente, e pegou a mão de Philip de novo. Dessa vez o garoto não resistiu. Segurando seu dedo indicador, fez o garoto baixar a pálpebra do pai até encobrir o globo ocular, horrivelmente fixo. E, soltando a mão da criança disse: "Feche o outro olho." Sem ajuda agora, Philip adiantou-se, encostou o dedo na pálpebra do pai e fechou-a. Então sentiu-se melhor.

"Vamos fechar os olhos da mamãe também?", perguntou o abade Peter.

"Sim."

Ajoelharam-se do lado do corpo dela. O religioso limpou o sangue do seu rosto com a manga do hábito.

"E Francis?", perguntou Philip.

"Talvez ele deva ajudar também", respondeu o abade.

"Faça o que eu fiz", disse Philip ao irmão. "Feche os olhos da mamãe, como fechei os do papai, para que ela possa dormir."

"Eles estão dormindo?", quis saber Francis.

"Não, mas é *como* dormir", disse Philip, com a autoridade de quem sabia o que estava falando, "e por isso a gente tem que fechar os olhos dela."

"Está bem, então", concordou Francis, e, sem hesitar, levantou a mãozinha gorda e fechou cuidadosamente os olhos da mãe.

Isso feito, o abade pegou a ambos no colo, um em cada braço, e sem mais um olhar para os dois homens de armas, carregou-os para fora da casa, e morro acima por toda a trilha íngreme que ia dar na proteção do mosteiro.

Deu comida para eles na cozinha; depois, para que não ficassem entregues a seus pensamentos, disse que ajudassem o cozinheiro a preparar a ceia dos monges. No dia seguinte, levou-os para ver os corpos dos pais, lavados, vestidos e com as feridas limpas, ajeitadas e parcialmente escondidas, em caixões dispostos lado a lado na nave da igreja. Havia também diversos parentes dos garotos. Entretanto, nem todos os aldeões tinham conseguido chegar ao mosteiro a tempo de fugir ao exército invasor. O abade Peter levou-os ao funeral e fez questão de que vissem os dois caixões sendo baixados numa única sepultura. Quando Philip chorou, Francis também chorou. Alguém mandou que se calassem, mas o abade Peter disse: "Deixem-nos chorar." Só depois disso, quando os dois meninos já tinham levado ao coração a certeza de que os pais realmente haviam morrido e de que nunca mais voltariam, é que falou sobre o seu futuro.

Entre os parentes, não havia uma única família que houvesse permanecido completa: em todos os casos, ou o pai ou a mãe tinham sido mortos. Não havia amigos para cuidar dos garotos. Restavam, desse modo, duas opções. Eles podiam ser dados, ou até mesmo vendidos, a um fazendeiro, que os usaria como mão de obra escrava até que tivessem idade e tamanho suficiente para fugir. Ou podiam ser dados a Deus.

Não era um fato raro o ingresso de meninos pequenos num mosteiro. A idade usual era em torno dos onze anos, e o limite mínimo cerca de cinco, pois os monges não eram estruturados para cuidar de bebês. Às vezes os meninos eram órfãos, às vezes haviam perdido apenas um dos pais, e em outros casos os pais tinham filhos de mais. Normalmente a família dava ao mosteiro uma substancial doação com a criança – uma fazenda, uma igreja ou até mesmo toda uma aldeia. Em caso de extrema pobreza, a doação podia ser dispensada. Como o pai de Philip deixara uma modesta fazenda, os meninos não eram um caso de caridade. O abade Peter propôs que o mosteiro tomasse conta dos meninos e da fazenda; os parentes que haviam sobrevivido concordaram; e o acordo foi sancionado pelo príncipe de Gwynedd, Gruffydap Cynan, humilhado por ora, mas não permanentemente deposto pelo exército invasor do rei Henrique, que matara o pai de Philip.

O abade sabia muitas coisas sobre sofrimento, mas apesar de toda a sua sabedoria não estava preparado para o que aconteceu com Philip. Após um ano mais ou menos, quando a dor parecia estar passando, a criança tornou-se possuída por uma raiva implacável. As condições de vida na comunidade instalada no cume da montanha não eram tão ruins que justificassem sua raiva: havia comida, roupa e um fogo aceso no dormitório, nos meses de inverno. Chegava a haver até mesmo um pouco de amor e afeição; a disciplina rigorosa e os rituais tediosos pelo menos contribuíam para a ordem e a estabilidade, mas Philip começou a agir como se tivesse sido injustamente aprisionado. Desobedecia às ordens, subvertia a autoridade dos monges encarregados da administração do mosteiro em todas as oportunidades, roubava comida, quebrava ovos, soltava cavalos, zombava dos enfermos e insultava os mais velhos. A única ofensa de que se abstinha era o sacrilégio, e por causa disso o abade lhe perdoava tudo mais. E no fim ele simplesmente parou. Num Natal, ao rememorar os doze anos anteriores, deu-se conta de que não passara uma só noite na cela do castigo em todo o ano.

Não havia uma razão única para o seu retorno à normalidade. O fato de ter-se interessado pelas lições provavelmente ajudou. A teoria matemática da música fascinou-o, e até mesmo o modo como eram conjugados os verbos latinos tinha uma certa lógica satisfatória. Fora posto para trabalhar ajudando o despenseiro, o monge que tinha de prover todos os suprimentos de que o mosteiro precisasse, de sandálias a sementes; isso também atraiu seu interesse. Desenvolveu a admiração que se devota a um herói pelo irmão John, um monge jovem, musculoso e bonito, que parecia ser o suprassumo da sabedoria, santidade, cultura e bondade. Seja por imitação de John, ou por uma inclinação sua, ou ambos, Philip começou a encontrar um pouco de consolo na rotina diária de orações e serviços religiosos. E assim entrou na adolescência, com a organização do mosteiro na cabeça e as harmonias sacras no coração.

Nos estudos, tanto Philip quanto Francis estavam bem à frente dos garotos da sua idade a quem conheciam, mas presumiam que isso era porque moravam no mosteiro e haviam tido uma educação mais intensa. Naquele estágio, não percebiam que eram excepcionais. Mesmo quando começaram a ministrar grande parte das aulas na pequena escola, e a aprender com lições dadas diretamente pelo abade, em vez do pedante velho mestre dos noviços, os dois pensavam que se encontravam na frente só porque tinham começado cedo.

Quando pensava na sua juventude, parecia a Philip que houvera uma breve Idade de Ouro, um ano ou talvez menos, entre o fim da sua rebelião e o assalto furioso da luxúria. Veio então a era dos pensamentos impuros, das poluções noturnas, das sessões horrivelmente embaraçosas com seu confessor (que era o abade), das penitências infindáveis e da mortificação da carne com flagelos.

A luxúria nunca deixou de afligi-lo por completo, mas eventualmente veio a se tornar menos importante, passando a incomodá-lo só de vez em quando, nas raras ocasiões em que sua mente e seu corpo estavam ociosos, como um machucado antigo, que ainda dói quando chove.

Francis travara a mesma batalha um pouco mais tarde, e embora não houvesse feito confidências ao irmão sobre o assunto, Philip tinha a impressão de que ele lutara com menos coragem contra os desejos do mal e aceitara as derrotas um pouco jovialmente demais. No entanto, o principal era que ambos haviam conseguido atingir a paz com as paixões, que eram o maior inimigo da vida monástica.

Assim como Philip trabalhou com o despenseiro, Francis trabalhou para o prior, substituto eventual do abade Peter. Quando o despenseiro morreu, Philip tinha vinte e um anos, e, a despeito de sua juventude, assumiu o cargo. E quando Francis atingiu os vinte e um, o abade propôs a criação de um novo posto para ele, o de subprior. Mas essa proposta precipitou a crise. Seu irmão pediu para ser liberado da responsabilidade, e já que estavam tratando do assunto, pediu também para ser liberado do mosteiro. Queria ser ordenado padre e servir a Deus no mundo exterior.

Philip ficou atônito e horrorizado. A ideia de que um deles pudesse deixar o mosteiro jamais lhe ocorrera, e agora o deixava tão desconcertado como se tivesse acabado de saber que era o herdeiro do trono. Entretanto, após muito retorcer de mãos e consultas ao coração, aconteceu, e Francis foi embora, pouco antes de se tornar o capelão do conde de Gloucester.

Antes de isso acontecer Philip via seu futuro com muita simplicidade; seria um monge, viveria uma vida de humildade e obediência, e, quando ficasse velho, talvez se tornasse o abade, e se esforçaria para seguir o exemplo de Peter. Agora tinha dúvidas, perguntava-se se Deus não teria outro destino para ele. Lembrava-se da parábola dos talentos: Deus esperava que Seus servos aumentassem o Seu reino, e não meramente o conservassem. Com algum alarme, compartilhou esses pensamentos com o abade Peter, plenamente cônscio de que arriscava uma reprimenda por estar se deixando contaminar pelo orgulho.

Para sua surpresa, o abade disse: "Eu já estava me perguntando quanto tempo você levaria para perceber isso. É *claro* que você é destinado para alguma outra coisa. Nascido ao lado de um mosteiro, órfão aos seis anos, criado por monges, nomeado despenseiro aos vinte e um... Deus não se dá a tanto trabalho com um homem que vai passar o resto da vida num pequeno mosteiro situado no topo de uma elevação descampada, em um remoto principado montanhoso. Não há campo de ação suficiente para você aqui. Você deve deixar este lugar."

Philip ficou atônito, mas antes de se retirar da presença do abade, ocorreu-lhe uma pergunta que deixou escapar, impulsivamente: "Se este mosteiro é tão pouco importante, por que Deus colocou o *senhor* aqui?"

O abade Peter sorriu. "Talvez para tomar conta de você."

Mais tarde, naquele ano, o abade foi a Canterbury apresentar seus respeitos ao arcebispo, e, quando voltou, disse a Philip: "Dei você para o prior de Kingsbridge."

Philip ficou intimidado. O priorado de Kingsbridge era um dos maiores e mais importantes mosteiros da região. Era um priorado com catedral: sua igreja era uma catedral, a sede de um bispo, e o bispo era tecnicamente o abade do mosteiro, embora na prática este fosse dirigido pelo prior.

"O prior James é um velho amigo", disse o abade Peter a Philip. "Nos últimos anos ele tem se mostrado muito desanimado, não sei por quê. De qualquer modo, o fato é que Kingsbridge precisa de sangue novo. Mais especificamente, James está tendo problemas com um de seus mosteiros, uma pequena casa na floresta, e precisa desesperadamente de um homem que seja confiável, capaz de se encarregar dela e colocá-la de volta no caminho do bem."

"Então eu sou o prior do pequeno mosteiro?", perguntou Philip, surpreso.

O abade assentiu com a cabeça. "E se estivermos certos em pensar que Deus tem muito trabalho para você realizar, podemos esperar que ele o ajude a resolver quaisquer problemas que o mosteiro tenha."

"E se estivermos errados?"

"Você sempre poderá voltar para cá e ser meu despenseiro. Mas não estamos errados, meu filho. Você verá."

As despedidas foram chorosas. Ele tinha passado dezessete anos ali, e os monges eram sua família, mais real para Philip agora do que a verdadeira, selvagemente tomada dele. Decerto nunca mais veria aqueles monges de novo, e se sentiu triste.

Kingsbridge o intimidou a princípio. A área murada do mosteiro era maior do que muitas aldeias; a igreja catedral, uma imensa e sombria caverna; a casa do prior, um pequeno palácio. Mas uma vez que se acostumou ao tamanho de tudo, viu os sinais do desânimo que o abade Peter percebera em seu velho amigo, o prior. A igreja estava visivelmente necessitada de reparos de grande porte; as orações eram resmungadas com pressa; as regras de silêncio eram quebradas a todo momento; e havia servos demais, em número maior que o de monges. Philip logo se recuperou da intimidação inicial e ficou furioso. Tinha vontade de pegar o prior James pelo pescoço, sacudi-lo e dizer: "Como se *atreve* a fazer isso? Como se atreve a dar a Deus orações tão apressadas? Como se atreve a permitir que os noviços joguem dados e a deixar que os monges tenham cachorros de estimação? Como se atreve a morar num palácio, cercado por servos, com a igreja de Deus em ruínas, desmoronando?" Philip nada disse, claro. Teve uma entrevista breve e formal com o prior James, um homem alto e magro, tão curvado que parecia ter o peso dos problemas do mundo nos ombros arredondados. Depois conversou com o subprior, Remigius. No princípio da conversa Philip deu a entender que o priorado podia estar precisando de algumas mudanças, na esperança de que a segunda pessoa da sua administração concordasse convictamente; porém Remigius lançou um olhar de desdém para Philip, como se quisesse dizer: *Quem você pensa que é?*, e mudou de assunto.

Remigius disse que o Mosteiro de St.-John-in-the-Forest fora fundado havia três anos com alguma terra e benfeitorias, e já deveria ser autossustentável a essa altura, mas na verdade se conservava dependente dos suprimentos da casa-mãe. Havia outros problemas: um diácono que por acaso passara a noite ali criticara o modo como eram conduzidos os serviços religiosos; viajantes se queixavam de terem sido roubados por monges naquela área; havia boatos de impureza... O fato de Remigius ser incapaz de dar os detalhes exatos, ou não querer fazê-lo, era outro sinal do modo indolente como a organização era dirigida. Philip saiu trêmulo de raiva. Um monastério se destinava, supostamente, a glorificar a Deus. Se fracassava nessa destinação, era nada. O priorado de Kingsbridge era pior que nada. Envergonhava Deus por sua indolência. Philip, porém, nada era capaz de fazer quanto a isso. O melhor que podia esperar era reformar um dos mosteiros de Kingsbridge.

Na jornada de dois dias a cavalo pela floresta, meditou durante muito tempo sobre a pouca informação que lhe fora dada e considerou piedosamente sua abordagem. Seria bom se pisasse de leve no princípio, decidiu. Em geral o prior era eleito pelos monges; no caso de um pequeno mosteiro, porém, que era apenas um posto avançado do monastério principal, o prior da casa-mãe podia simplesmente escolher. Assim, não tinham pedido a Philip que se submetesse a uma eleição, o que significava poder contar com a boa vontade dos monges. Teria que sentir seu caminho cautelosamente. Precisaria aprender mais sobre os problemas que afligiam o mosteiro, para poder decidir o que fosse melhor para resolvê-los. Deveria ganhar o respeito e a confiança dos monges, especialmente dos que fossem mais velhos e pudessem estar ressentidos. Depois, quando sua informação estivesse completa e sua liderança, segura, agiria com firmeza.

Mas não foi assim que aconteceu.

A luz da tarde estava desaparecendo no segundo dia, quando ele conteve as rédeas do seu pônei na orla de uma clareira e inspecionou seu novo lar. Havia apenas uma edificação em pedra, a capela, naquele tempo. (Philip construiu o novo dormitório de pedra no ano seguinte.) As outras construções, de madeira, pareciam desconjuntadas. Philip não aprovou: tudo que fosse feito pelos monges supostamente deveria durar, o que incluía tanto catedrais quanto pocilgas. Na inspeção notou mais indícios daquele tipo de negligência que o chocara em Kingsbridge. Não havia cercas, o feno se espalhava pela porta do celeiro e havia um monturo de esterco perto do lago dos peixes. Sentiu que a expressão do rosto ficava tensa com a censura contida, e disse a si próprio: Calma, calma.

A princípio não viu ninguém. Era como deveria ser, pois estava na hora das vésperas e a maioria dos monges se encontraria na capela. Tocou o flanco do pônei com o chicote e atravessou a clareira na direção de uma cabana que parecia um estábulo. Um jovem com palha no cabelo e um ar vago no rosto meteu a cabeça pela porta e olhou para Philip, espantado.

"Qual é o seu nome...", perguntou Philip, que após um momento de timidez acrescentou: "... meu filho?"

"Sou chamado de Johnny Oito Pence", respondeu o jovem.

Philip desmontou e entregou-lhe as rédeas. "Pois muito bem, Johnny Oito Pence, pode desencilhar meu cavalo."

"Sim, padre." Ele amarrou as rédeas numa cerca e afastou-se.

"Aonde está indo?", perguntou Philip asperamente.

"Dizer aos irmãos que tem um estranho aqui."

"Você deve praticar a obediência, Johnny. Desencilhe o meu cavalo. *Eu* direi aos irmãos que estou aqui."

"Sim, padre." Parecendo espantado, Johnny dedicou-se a seu trabalho.

Philip olhou em torno. No meio da clareira havia um prédio comprido, como um grande pavilhão. Perto, uma pequena construção redonda, com fumaça saindo de um buraco no telhado. Devia ser a cozinha. Ele decidiu ver o que havia para a ceia. Nos mosteiros mais rígidos, só se servia uma única refeição, ao meio-dia; mas aquele, evidentemente, não era um estabelecimento rigoroso, e haveria uma ceia leve após as vésperas, um pouco de pão com queijo ou peixe salgado, ou talvez uma tigela de caldo de cevada com ervas. No entanto, ao se aproximar da cozinha, sentiu o inconfundível aroma de carne assando, um cheiro de dar água na boca. Parou, curioso, e por fim entrou.

Dois monges e um menino estavam sentados em torno do fogo central. Enquanto Philip olhava, um dos monges passou uma jarra para o outro, que bebeu dela. O menino estava girando um espeto, e no espeto havia um leitãozinho.

Eles ergueram os olhos, surpresos, quando Philip entrou, deixando-se iluminar pelo fogo. Sem falar nada, pegou a jarra da mão do monge e cheirou-a. "Por que estava bebendo vinho?", perguntou.

"Porque alegra o meu coração, estranho", respondeu o monge. "Beba um pouco... tanto quanto quiser."

Era evidente que não tinham sido advertidos para esperar o novo prior. Era igualmente óbvio que não temiam as consequências, se um monge que por ali passasse fosse relatar seu procedimento a Kingsbridge. Philip teve ímpetos de quebrar a jarra de vinho na cabeça do homem, mas em vez disso respirou fundo e disse brandamente: "Os filhos dos pobres passam fome para que seja fornecida carne e bebida para nós. Isso é feito pela glória de Deus, não para alegrar nosso coração. Chega de vinho para você hoje." Philip afastou-se, carregando a jarra.

Enquanto saía, ouviu o monge dizer: "Quem você pensa que é?" Não deu resposta. Logo eles descobririam.

Deixou o vinho no chão, do lado de fora da cozinha, e atravessou a clareira na direção da capela, cerrando e descerrando os punhos, tentando controlar a raiva. Não seja precipitado, disse a si próprio. Seja cauteloso. Vá com calma.

Deteve-se por um momento fora da capela, acalmando-se, até que empurrou com delicadeza a pesada porta de carvalho e entrou silenciosamente.

Mais ou menos uma dúzia de monges e alguns noviços estavam de pé, com as costas viradas para ele, em fileiras irregulares. De frente para o grupo, estava o sacristão, lendo o serviço das vésperas. Ele falava rápido e os monges resmungavam as respostas perfunctoriamente. Três velas de tamanhos diferentes bruxuleavam sobre um pano de altar imundo.

Ao fundo, dois monges conversavam, animados, ignorando o serviço e discutindo algo. Quando o novo prior emparelhou com eles, um falou qualquer coisa engraçada e o outro riu alto, abafando as palavras mastigadas pelo sacristão. Aquilo foi a última gota para Philip, e todos os seus planos de prudência desapareceram da cabeça. Ele abriu a boca e gritou com toda a força dos pulmões: "SILÊNCIO!"

O riso cessou. O sacristão parou de ler. A capela ficou em silêncio, e os monges viraram-se espantados.

Philip aproximou-se do monge que rira e agarrou-o pela orelha. Ele era mais ou menos da sua idade, e mais alto, mas estava espantado demais para resistir quando sua cabeça foi puxada para baixo. "Ajoelhe-se!", gritou o novo prior. Por um momento pareceu que o monge poderia tentar lutar para se libertar; porém, ele sabia que estava errado, e, como Philip antecipara, a consciência culpada lhe minava a resistência; assim, quando sua orelha foi puxada com mais força, ele se ajoelhou.

"Todos vocês", comandou Philip. "Ajoelhem-se!"

O voto de obediência havia sido professado por todos, e a indisciplina escandalosa em que vinham vivendo não fora o bastante para acabar com um hábito de anos. Metade dos monges e todos os noviços se ajoelharam.

"Vocês quebraram seus votos", disse Philip, deixando transparecer todo o seu desprezo. "Vocês são blasfemos, cada um de vocês." Olhou em torno, encarando um por um. "Seu arrependimento começa agora", disse finalmente.

Devagar eles se ajoelharam, um a um, até que só o sacristão permaneceu de pé. Era um homem cheio de carnes e com olhos sonolentos, cerca de vinte anos mais velho que Philip. O novo prior aproximou-se dele, desviando-se dos monges ajoelhados. "Dê-me o livro", ordenou.

O sacristão encarou-o desafiadoramente e nada disse.

Philip adiantou-se e pegou o volume grande, sem muita força. O sacristão, ao contrário, agarrou-o mais fortemente. O novo prior hesitou. Passara dois dias decidindo ser cauteloso e não se precipitar, e no entanto ali estava, com a poeira da estrada ainda nos pés, arriscando tudo num confronto com um homem a respeito do qual nada sabia. "Dê-me o livro, e ajoelhe-se", repetiu.

Um sorriso escarninho insinuou-se no rosto do sacristão. "Quem é você?", perguntou ele.

Philip hesitou de novo. Era óbvio que ele era monge, pelo seu hábito e corte do cabelo; e todos deviam ter adivinhado, pelo seu comportamento, que estava investido de uma posição de autoridade; contudo, ainda não ficara claro se ocupava um nível superior ao do sacristão. Tudo o que tinha a dizer era *Sou o seu novo prior*, mas ele não queria fazê-lo. De súbito achava muito importante que pudesse vencer exclusivamente pelo peso de sua autoridade moral.

O sacristão sentiu sua incerteza e aproveitou-se. "Diga-nos, por favor", pediu, com irônica cortesia. "Quem é este que nos ordena a ficar de joelhos na sua presença?"

Toda a hesitação abandonou Philip instantaneamente, e ele pensou: Deus está comigo; portanto, de que tenho medo? Respirou fundo, e suas palavras vieram num grito que ecoou do piso da capela ao teto abobadado de pedra. "É Deus quem ordena que você se ajoelhe na *Sua* presença!", fulminou.

O sacristão pareceu um quase nada menos confiante. Philip aproveitou a oportunidade e arrancou-lhe o livro. O sacristão perdeu toda a autoridade e, relutantemente, ajoelhou-se.

Ocultando o alívio que sentia, Philip olhou para todos e disse: "Sou o seu novo prior."

Fez com que permanecessem ajoelhados enquanto lia o serviço. Levou muito tempo, porque fez com que repetissem os responsórios vezes sem conta, até que fossem capazes de dizê-los em uníssono perfeito. Depois os conduziu em silêncio para fora da capela, em direção ao refeitório, cruzando a clareira. Mandou o porco assado de volta para a cozinha e mandou que servissem pão e cerveja fraca, designando um monge para ler em voz alta enquanto comiam. Assim que terminaram os levou, sempre em silêncio, ao dormitório.

Mandou que a cama do prior fosse trazida da casa separada; dormiria no mesmo aposento que os monges. Era o modo mais simples e efetivo de impedir os pecados da impureza.

Não dormiu nada na primeira noite. Ficou sentado na cama, com uma vela, orando silenciosamente, até que chegou a meia-noite, hora de acordar os monges para as matinas. Rezou rápido esse serviço a fim de que soubessem que não era de todo impiedoso. Eles voltaram para a cama, mas Philip não dormiu.

Saiu à noite, antes que acordassem, pensando no dia que tinha à frente. Um dos campos fora recentemente aberto na floresta, e bem no meio dele havia um enorme toco de árvore que devia ter sido um carvalho. Aquilo lhe deu uma ideia.

Após o serviço da prima e o desjejum, levou todos para o campo com cordas e machados, e passaram a manhã desenterrando o enorme tronco, metade puxando cordas, enquanto a outra metade cortava as raízes com os machados, todos gritando "I-i-i-i-çar!" juntos. Quando o tronco finalmente saiu, Philip deu a todos cerveja, pão e uma fatia do porco que negara na ceia.

Aquele não foi o fim dos problemas, mas o início das soluções. Desde o princípio se recusou a pedir à casa-mãe qualquer gênero, exceto trigo para o pão e velas para a capela. Saber que não teriam outra carne além da que criassem ou conseguissem pegar em armadilhas transformou os monges em meticulosos criadores de gado e laçadores de aves; e embora antes considerassem os serviços religiosos como um meio de fugir do trabalho, agora se sentiam felizes quando Philip cortava as horas passadas na capela para que pudessem passar mais tempo no campo.

Dois anos depois já eram autossuficientes, e em mais dois anos passaram a suprir o priorado de Kingsbridge com carne, caça e um queijo feito de leite de cabra que se tornou uma cobiçada iguaria. O pequeno mosteiro prosperou, os serviços eram irrepreensíveis, e os irmãos estavam saudáveis e felizes.

Philip também estaria feliz se a casa-mãe, o priorado de Kingsbridge, não estivesse indo de mal a pior.

Devia ser um dos mais importantes centros religiosos no reino, fervilhante de atividade, sua biblioteca visitada por eruditos estrangeiros, seu prior consultado pelos barões, seus santuários atraindo peregrinos de todo o país, sua hospitalidade famosa pela fidalguia, sua caridade famosa entre os pobres. Entretanto, a igreja estava em pedaços, metade dos prédios monásticos estava vazia, e o priorado devia aos agiotas. Philip ia a Kingsbridge pelo menos uma vez por ano, e a cada vez retornava fervendo de raiva com o modo como a riqueza do priorado, doada por crentes devotos e aumentada por monges dedicados, estava sendo dissipada descuidadamente, como a herança do filho pródigo.

Parte do problema era sua localização. Kingsbridge era uma pequena aldeia numa estradinha que não levava a parte alguma. Desde o tempo do rei Guilherme I – que fora apelidado de o Conquistador ou de o Bastardo, dependendo de quem estivesse falando –, a maioria das catedrais tinha sido transferida para cidades grandes; Kingsbridge, contudo, escapara dessa mudança. Só que isso não era um problema insuperável, na visão de Philip; um monastério movimentado com uma catedral deveria ser uma cidade por si só.

O problema real era a letargia do velho prior James. Com uma mão tão fraca no leme, o navio era impulsionado ao azar aqui e ali, e não se dirigia a parte alguma.

E, para amarga tristeza de Philip, o priorado de Kingsbridge continuaria a declinar enquanto o prior James estivesse vivo.

Embrulharam o bebê em roupas de cama limpas e o deitaram numa grande cesta de pão, como berço. Com o estômago minúsculo cheio de leite de cabra, ele dormiu. Philip pôs Johnny Oito Pence tomando conta dele, porque, a despeito de não ser muito dotado de inteligência, sabia ser delicado com criaturas pequenas e frágeis.

Philip estava alvoroçado para saber o que levara Francis ao mosteiro. Fez algumas perguntas dissimuladas durante o jantar, mas o irmão não se abriu, e o prior teve que conter a curiosidade.

Depois do jantar era hora de estudar. Não havia claustros apropriados ali, mas os monges podiam se sentar na varanda da capela e ler, ou andar na clareira, de um lado para o outro. Eram autorizados a ir de vez em quando até a cozinha para se aquecerem ao fogo, como era o costume. Os dois irmãos caminharam até a orla da clareira, lado a lado, como tantas vezes tinham feito nos claustros do mosteiro em Gales; e Francis começou a falar:

– O rei Henrique sempre tratou a Igreja como se ela fosse subordinada ao seu reinado – começou. – Deu ordens aos bispos, cobrou impostos, e impediu o exercício direto da autoridade papal.

– Eu sei – disse Philip. – E daí?

– O rei Henrique está morto.

Philip estacou. Não esperara *aquilo*.

– Morreu em sua cabana de caça em Lyons-la-Forêt, na Normandia, após uma refeição de lampreias, que amava, embora sempre entrassem em desacordo com ele.

– Quando?

– Hoje é o primeiro dia do ano, de sorte que foi exatamente há um mês.

Philip sentiu-se bastante chocado. Henrique era o rei desde que nascera. Nunca na vida tivera a experiência da morte de um rei, mas sabia que significava problemas, e, possivelmente, guerra.

– O que acontecerá agora? – perguntou, ansioso.

Eles voltaram a caminhar.

– O problema é que o herdeiro do rei foi morto no mar, há muitos anos. Você deve se lembrar.

– Sim.

Philip tinha então doze anos. Foi o primeiro evento de importância nacional a penetrar sua consciência infantil, e fizera com que tomasse conhecimento do mundo fora do monastério. O filho do rei morrera no naufrágio do *White Skip*, ao largo de Cherbourg. O abade Peter, que contara tudo ao jovem Philip, preocupara-se com a guerra e a anarquia que deveriam se seguir à morte do herdeiro, mas na ocasião o rei Henrique conservara o controle, e a vida seguiu imperturbada para Philip e Francis.

– O rei tinha muitos outros filhos, é claro – continuou Francis. – Vinte, pelo menos, incluindo meu próprio lorde, o conde Robert de Gloucester; porém, como você sabe, são todos bastardos. A despeito de sua desenfreada fertilidade, ele conseguiu ser pai de apenas um único filho legítimo: uma mulher, Matilde. Um bastardo não pode herdar o trono, mas uma mulher é uma solução quase tão ruim quanto um bastardo.

– O rei Henrique não designou um herdeiro?

– Sim, ele escolheu Matilde. Ela tem um filho, também chamado Henrique. O maior desejo do velho rei era de que seu neto herdasse o trono. Mas o menino ainda não tem três anos. Assim, o rei fez os barões jurarem fidelidade a Matilde.

Philip ficou intrigado.

– Se o rei nomeou Matilde sua herdeira, e se os barões já juraram fidelidade a ela... qual é o problema?

– A vida na corte nunca é assim tão simples. Matilde é casada com Godofredo de Anjou. Anjou e Normandia são rivais há gerações. Nossos soberanos normandos odeiam os angevinos. Francamente, foi muito otimismo do velho rei acreditar que um bando de barões anglo-normandos fosse entregar a Inglaterra e a Normandia a um angevino, com juramento ou não.

Philip ficou de certa forma bestificado com o conhecimento do irmão mais moço e com sua atitude desrespeitosa para com os homens mais importantes do país.

– Como sabe tudo isso?

– Os barões se reuniram em Le Neubourg para decidir o que fazer. Não preciso dizer que o meu lorde, conde Robert, estava lá; fui com ele, para escrever suas cartas.

Philip olhou para Francis, curioso, pensando em como a vida dele deveria ser diferente da sua. Depois se lembrou de algo.

– O conde Robert é o filho mais velho do rei Henrique, não é?

– Sim, e é *muito* ambicioso; mas aceita o ponto de vista geral, de que os bastardos têm de conquistar seus reinos, e não herdá-los.

– Quem mais existe?

– O rei Henrique tinha três sobrinhos, filhos de sua irmã. O mais velho é Teobaldo de Blois; depois vem Estêvão, muito amado pelo falecido rei e contemplado por ele com vastas propriedades aqui na Inglaterra; e o caçula, Henrique, que você conhece como o bispo de Winchester. Os barões são favoráveis ao mais velho, Teobaldo, de acordo com uma tradição que você decerto considera perfeitamente razoável. – Francis olhou para Philip e sorriu.

– Perfeitamente razoável – repetiu Philip, com outro sorriso. Então Teobaldo é o nosso novo rei?

Francis sacudiu a cabeça.

– Ele pensou que era, mas nós, filhos mais moços, sempre damos um jeito de assumir a dianteira. – Eles chegaram no ponto mais afastado da clareira e voltaram. – Enquanto Teobaldo estava aceitando graciosamente a homenagem dos barões, Estêvão cruzou o canal, correu até Winchester, e com a ajuda do irmão caçula, o bispo, apoderou-se do castelo e, mais importante que tudo, do tesouro real.

Philip estava prestes a dizer: Então *Estêvão* é o nosso novo governante. Mas mordeu a língua: dissera a mesma coisa a respeito de Matilde e Teobaldo e errara ambas as vezes.

– Estêvão só precisava de mais uma coisa para assegurar sua vitória – continuou Francis –, o apoio da Igreja. Pois até que fosse coroado em Westminster pelo arcebispo, ele não seria *realmente* o rei.

— Mas com certeza isso foi fácil – disse Philip. – Seu irmão é um dos sacerdotes mais importantes no país... bispo de Winchester, abade de Glastonbury, tão rico quanto Salomão e quase tão poderoso quanto o arcebispo de Canterbury. E se o bispo não quisesse apoiá-lo, por que o teria ajudado a tomar Winchester?

Francis concordou.

— Devo dizer que as operações do bispo durante a crise foram brilhantes. Você compreende, ele não estava ajudando Estêvão só por amor fraternal.

— Então qual era sua motivação?

— Poucos minutos atrás lembrei como o falecido rei tratava a Igreja, considerando-a como uma simples parte do seu reino. O bispo Henrique quer se assegurar que o novo rei, quem quer que seja, trate melhor a Igreja. Assim, antes de lhe garantir apoio, *Henrique fez Estêvão jurar solenemente que preservaria os direitos e privilégios da Igreja.*

Philip ficou impressionado. O relacionamento de Estêvão com a Igreja fora definido, desde o início do seu reinado, nos termos da Igreja. Mas talvez ainda mais importante fosse o precedente. A Igreja tinha que coroar os reis, mas até então nunca tivera o direito de estipular condições. Podia chegar o tempo em que nenhum rei assumisse o poder sem primeiro chegar a um acordo com a Igreja.

— Isso poderia ser muito importante para nós – disse Philip.

— Estêvão pode quebrar suas promessas, é claro – disse Francis. – Mas assim mesmo você está certo. Ele nunca será capaz de ser tão impiedoso com a Igreja quanto Henrique foi. Porém, ainda há outro perigo. Dois dos barões se sentiram amargamente feridos pelo que Estêvão fez. Um foi Bartholomew, o conde de Shiring.

— Eu o conheço. Shiring fica apenas a um dia de viagem daqui. Dizem que Bartholomew é um homem devoto.

— Talvez seja. Tudo o que sei é que é um barão fariseu e teimoso, que não deixará de cumprir o juramento de lealdade que fez a Matilde, a despeito da promessa de um perdão.

— E o outro descontente?

— É o meu lorde, Robert de Gloucester. Eu lhe disse que ele era ambicioso. Sua alma está atormentada com a ideia de que, se ao menos fosse filho legítimo, o trono seria seu. Quer coroar a meia-irmã, acreditando que ela dependerá tanto dele que ele será rei em tudo, exceto no nome.

— Ele vai fazer alguma coisa a esse respeito?

— Receio que sim. – Francis baixou a voz, embora não houvesse ninguém por perto para ouvi-lo. – Robert e Bartholomew, juntos com Matilde e o marido dela, vão fomentar uma rebelião. Planejam derrubar Estêvão e pôr Matilde no trono.

Philip deteve-se.

— O que desfaria tudo o que o bispo de Winchester conseguiu! — Ele agarrou o braço do irmão. — Mas, Francis...

— Sei o que você está pensando. — De repente toda a petulância de Francis o abandonou e ele pareceu ansioso e amedrontado. — Se o conde Robert soubesse que lhe contei isso, me enforcaria. Ele confia completamente em mim. Mas a minha lealdade suprema é com a Igreja... tem que ser.

— Mas o que você pode fazer?

— Pensei em conseguir uma audiência com o novo rei, e contar-lhe tudo. Claro que os dois condes rebeldes negariam cada palavra minha, e eu seria enforcado por traição; contudo a rebelião seria frustrada e eu iria para o céu.

Philip sacudiu a cabeça.

— Aprendemos que buscar o martírio é fruto da vaidade.

— E acho que Deus tem mais trabalho para mim aqui na Terra. Ocupo uma posição de confiança na casa de um grande barão, e se permanecer lá e progredir através de trabalho árduo, serei capaz de muita coisa para promover os direitos da Igreja e o império da lei.

— Há algum outro modo...?

Francis encarou Philip direto nos olhos.

— É por isso que estou aqui.

Philip sentiu um calafrio de medo. Francis ia lhe pedir para se envolver, é claro; não havia outro motivo para lhe revelar aquele segredo espantoso.

— Não posso trair a rebelião — continuou Francis —, mas você pode.

— Jesus Cristo e todos os santos, protegei-me!

— Se a trama for descoberta aqui no sul, nenhuma suspeita cairá sobre a casa de Gloucester. Ninguém sabe que estou aqui; ninguém sabe sequer que somos irmãos. Você pode pensar em alguma explicação possível para ter tomado conhecimento da informação, como haver visto homens de armas se reunindo, ou alguém da intimidade do conde Bartholomew ter revelado a trama ao confessar-se com um padre seu conhecido.

Philip ajeitou o hábito, tremendo. Parecia ter ficado mais frio de repente. Aquilo era perigoso, muito perigoso. Estavam falando a respeito de se meterem na política real, que matava regularmente experientes praticantes. Era tolice que gente que não fosse do ramo, como Philip, se envolvesse.

Mas havia muita coisa em jogo. Philip não podia ficar de lado e assistir a uma rebelião contra um rei escolhido pela Igreja, não quando havia uma chance para impedir. E mesmo que fosse perigoso para Philip, seria suicídio para Francis expor a trama.

— Qual é o plano dos rebeldes? — perguntou Philip.

— O conde Bartholomew está retornando a Shiring neste momento. De lá mandará mensagens para seus seguidores em todo o Sul da Inglaterra. O conde Robert chegará a Gloucester um ou dois dias mais tarde e convocará suas forças na região Oeste. Finalmente, Brian Fitzcount, que controla o Castelo Wallingford, fechará seus portões; e todo o Sudoeste da Inglaterra pertencerá aos rebeldes sem uma luta.

— Então já é quase tarde demais! — disse Philip.

— Não, na verdade temos cerca de uma semana. Mas você terá que agir rapidamente.

Philip percebeu, amedrontado, que já tinha mais ou menos se decidido a fazer o que Francis pedira.

— Não sei com quem falar — disse. — Normalmente se procuraria o conde, mas neste caso ele é o culpado. O xerife provavelmente está do seu lado. Temos que pensar em alguém que esteja com certeza do nosso lado.

— O prior de Kingsbridge?

— Meu prior está velho e cansado. Com toda a probabilidade não fará nada.

— Tem de haver alguém.

— Há o bispo. — Philip na verdade nunca tinha falado com o bispo de Kingsbridge, mas com certeza ele o receberia e ouviria; automaticamente se colocaria ao lado de Estêvão, porque fora a escolha da Igreja; e o bispo era poderoso o bastante para fazer qualquer coisa a respeito do problema.

— Onde o bispo mora?

— A um dia e meio daqui.

— É melhor você partir hoje.

— Sim — disse Philip com o coração pesado.

Francis pareceu estar arrependido.

— Gostaria que fosse outra pessoa.

— Eu também — disse Philip, emocionado. — Eu também.

Philip reuniu os monges na pequena capela e lhes contou que o rei havia morrido.

— Devemos rezar por uma sucessão pacífica e por um novo rei que ame mais a Igreja que o falecido rei Henrique — disse. Mas não lhes contou que a chave para uma sucessão pacífica viera parar, de certa forma, em suas próprias mãos. — Há outras notícias que me obrigam a ir visitar nossa casa-mãe em Kingsbridge. Tenho que partir imediatamente.

O subprior leria os serviços e o despenseiro dirigiria a fazenda, mas nenhum deles estava à altura de Peter de Wareham; Philip receava que, se ficasse afastado muito tempo, o monge criasse tanto caso que não restaria um pedaço do mosteiro quando voltasse. Não fora capaz de imaginar um meio de controlar Peter sem ferir sua autoestima, e como agora não havia mais tempo, tinha de fazer o melhor que pudesse.

– Hoje cedo nós falamos sobre a gula – disse, após uma pausa. – O irmão Peter merece nossos agradecimentos por lembrar que quando Deus abençoa nossa fazenda e nos dá riquezas, não é para que fiquemos gordos e tranquilos, mas sim para a sua maior glória. É parte do nosso dever sagrado partilhar nossas riquezas com os pobres. Até agora temos negligenciado esse dever, principalmente porque aqui na floresta não temos com quem compartilhar nada. O irmão Peter lembrou-nos de que é nosso dever sair e procurar os pobres, para que possamos lhes trazer alívio.

Os monges ficaram surpresos; tinham imaginado que o assunto da gula estivesse encerrado. O próprio Peter tinha uma expressão de incerteza na fisionomia. Estava feliz por ser novamente o centro das atenções, mas receava o que Philip poderia estar escondendo na manga – com toda a razão.

– Decidi – continuou o prior – que todas as semanas daremos aos pobres um penny por monge da nossa comunidade. Se isso significar que todos nós teremos que comer um pouco menos, nos sentiremos jubilosos com a perspectiva de ser celestialmente recompensados. É importante termos certeza de que nosso dinheiro será bem gasto. Quando você dá a um pobre um penny para comprar pão para a sua família, ele pode ir direto para uma venda de cerveja e se embebedar, depois ir para a casa onde mora e bater na mulher, que assim estaria bem melhor sem a sua caridade. Melhor dar-lhe o pão; melhor ainda dar o pão para os seus filhos. Dar esmolas é um dever sagrado que deve ser realizado com tanta diligência quanto curar os doentes ou educar os jovens. Por esse motivo, muitas casas monásticas designam um esmoler, para ser responsável pelas esmolas a serem dadas. Faremos isso aqui.

Philip olhou em torno. Todos estavam alertas e interessados. Peter ostentava uma expressão gratificada, tendo decidido, evidentemente, que aquilo era uma vitória para ele. Ninguém adivinhara o que estava por vir.

– O trabalho do esmoler é duro. Terá que ir até as cidades e aldeias mais próximas, frequentemente a Winchester. Lá ele andará entre as pessoas mais perversas, sujas, feias e depravadas, pois assim são os pobres. O esmoler precisará orar por eles quando blasfemarem, visitá-los quando estiverem doentes e perdoá-los quando tentarem tapeá-lo e roubá-lo. Necessitará de força, humildade e paciência inesgotável. Sentirá falta do conforto desta comunidade, porque passará mais tempo fora do que conosco.

Philip olhou à sua volta de novo. Agora todos estavam amedrontados, pois nenhum deles queria aquela função. Deixou o olhar repousar em Peter de Wareham. Ele percebeu o que estava por vir, e seu semblante assumiu uma expressão consternada.

– Foi Peter quem chamou nossa atenção para nossas deficiências nessa área – disse Philip lentamente –, de modo que decidi que será dele a honra de ser nosso esmoler. – Sorriu. – Pode começar hoje.

O rosto de Peter ficou sombrio como uma tempestade.

Você ficará afastado tempo demais para causar problemas, pensou Philip; e o contacto íntimo com os imundos e repugnantes becos fedorentos dos pobres de Winchester amenizará o desprezo que sente pela vida amena.

O monge, contudo, evidentemente viu aquilo como uma punição pura e simples, e olhou para Philip com tanto ódio que por um momento o prior se intimidou.

Desviou o olhar, com dificuldade, e voltou-se para os outros:

– Após a morte de um rei sempre há perigo e incerteza – disse. – Rezem por mim enquanto eu estiver fora.

2

À s doze horas do segundo dia de jornada, o prior Philip estava a poucas milhas do palácio do bispo e quanto mais se aproximava, mais apreensivo se sentia. Tinha imaginado uma história para explicar como viera a saber da rebelião. Entretanto, o bispo podia não acreditar nela; ou, se acreditasse, exigir provas. Pior ainda – e essa possibilidade não ocorrera a Philip senão depois que se afastara de Francis – era concebível, conquanto improvável, que o bispo fosse um dos conspiradores e estivesse dando seu apoio à rebelião. Ele podia ser amigo íntimo do conde de Shiring. Não era incomum que bispos colocassem os próprios interesses à frente dos interesses da Igreja.

O bispo podia torturá-lo para fazê-lo revelar a fonte de sua informação. Claro que não tinha direito de fazer uma coisa dessas, mas a verdade é que o prior tampouco tinha o direito de conspirar contra o rei. Philip rememorou os instrumentos de tortura representados em pinturas do inferno. Tais pinturas eram inspiradas no que acontecia nos calabouços de bispos e barões. Não achava que tivesse força para enfrentar uma morte de mártir.

Quando viu um grupo de viajantes a pé na estrada, adiante dele, seu primeiro instinto foi puxar as rédeas e evitar ultrapassá-los, pois estava sozinho, e havia muitos salteadores a pé pelas estradas que não teriam escrúpulos em roubar um monge. Percebeu então que dois dos vultos eram de crianças e outro de mulher. Uma família geralmente não oferecia problema. Trotou para alcançá-los.

Ao aproximar-se, pôde vê-los com mais nitidez. Um homem alto, uma mulher pequena, um jovem quase tão alto quanto o homem e duas crianças. Eram visivelmente pobres. Não carregavam trouxas com seus bens mais preciosos e estavam andrajosos. O homem tinha uma estrutura óssea avantajada, mas era descarnado, como se estivesse morrendo de alguma doença devastadora – ou simplesmente de fome. Olhou desconfiadamente para Philip, e puxou as crianças para mais perto, com um toque e uma palavra murmurada. Philip a princípio pensara que ele teria cerca de cinquenta anos, mas via agora que estava com uns trinta, embora o rosto estivesse enrugado de tanta preocupação.

– Olá, monge – cumprimentou a mulher.

Philip dirigiu-lhe um olhar penetrante. Não era usual que uma mulher falasse antes do marido, e embora "monge" não fosse exatamente uma palavra impolida, teria sido mais respeitoso dizer "irmão" ou "padre". A mulher era mais moça que o homem uns dez anos, e seus olhos fundos tinham uma cor amarelo-clara incomum e chamavam a atenção. Philip sentiu que era perigosa.

– Bom-dia, padre – disse o homem, como que para se desculpar dos modos bruscos da mulher.

– Deus o abençoe – disse Philip, diminuindo a marcha da sua égua. – Quem é você?

– Tom, mestre construtor, procurando trabalho.

– E não encontrando, creio.

– É verdade.

Philip balançou a cabeça. Era uma história comum. Artífices que trabalhavam em construções vagueavam normalmente em busca de trabalho e às vezes não o encontravam, fosse por falta de sorte, fosse porque não houvesse ninguém construindo. Tais homens, com frequência, recorriam à hospitalidade dos monastérios. Se tinham trabalhado recentemente, deixavam doações generosas quando partiam, embora depois de haverem estado na estrada por algum tempo pudessem nada ter para oferecer. Dar boas-vindas igualmente calorosas para os dois tipos às vezes era uma provação para a caridade monástica.

Aquele construtor era definitivamente do tipo miserável, embora sua mulher parecesse muito bem.

– Bem – disse Philip –, tenho comida no meu alforje, é hora do almoço e a caridade é uma obrigação sagrada; assim, se você e sua família comerem comigo, terei uma recompensa no céu, bem como companhia durante a refeição.

– É bondade sua – disse ele. Olhou para a mulher. Ela deu de ombros quase que imperceptivelmente e assentiu com a cabeça. Quase em seguida Tom respondeu: – Nós aceitaremos sua caridade, e muito obrigado.

– Agradeça a Deus, e não a mim – disse Philip automaticamente.

– Agradeça aos camponeses cujos dízimos asseguraram a existência dessa comida – disse a mulher.

Ali estava uma língua ferina, pensou o prior; mas nada disse. Pararam numa pequena clareira onde o pônei de Philip podia pastar o resto do capim do inverno. O religioso sentia-se secretamente feliz por retardar sua chegada ao palácio e adiar a temida entrevista com o bispo. O construtor disse que também estava se dirigindo para lá, na esperança de que o bispo pudesse querer fazer reparos ou mesmo construir uma extensão. Enquanto conversavam, Philip estudou a família sub-repticiamente. A mulher parecia jovem demais para ser mãe do garoto mais velho, que parecia um bezerro, forte, desajeitado e de aparência estúpida. O outro menino era pequeno e estranho, com o cabelo alaranjado, pele branca como a neve e olhos azuis protuberantes; seu jeito de fitar intensamente as coisas, com uma expressão ausente, fez o prior se lembrar do pobre Johnny Oito Pence, a não ser pelo fato de o menino ter um olhar adulto e esperto ao encarar alguém. A seu modo, parecia tão perturbador quanto a mãe, concluiu Philip. A terceira criança era uma menina de cerca de seis anos. Chorava intermitentemente, e seu pai olhava para ela a todo instante com afetuosa preocupação, dando-lhe de vez em quando uma palmadinha carinhosa, embora nada lhe dissesse. Era evidente que gostava muito dela. Tocou também na sua mulher uma vez, e o religioso percebeu um olhar de luxúria quando se fitaram.

A mulher mandou as crianças procurarem folhas largas para serem usadas como pratos. Philip abriu os alforjes.

– Onde é o seu mosteiro, padre? – perguntou Tom.

– Na floresta, a um dia de viagem daqui, direção oeste. – A mulher levantou os olhos abruptamente, e Tom ergueu as sobrancelhas. – Você o conhece? – perguntou Philip.

Por algum motivo Tom ficou desconcertado.

– Devemos ter passado por lá quando viemos de Salisbury – disse.

– Oh, sim, sem dúvida, mas fica longe da estrada principal, de modo que não o teriam visto, a menos que soubessem sua localização e fossem até ele.

– Ah, sim – disse o construtor, mas sua cabeça parecia estar longe.

Philip teve um palpite.

– Diga-me, você encontrou uma mulher na estrada? Provavelmente muito jovem, sozinha e, ah, com uma criança?

– Não – respondeu Tom. Seu tom de voz fora casual, mas o prior teve a impressão de que ficara intensamente interessado. – Por que pergunta?

Philip sorriu.

– Eu lhe digo. Ontem cedo um bebê foi encontrado na floresta e levado para o meu mosteiro. É um menino, e não creio que tivesse mais que um dia de vida. Deve ter nascido na noite anterior. Assim, a mãe esteve naquela área ao mesmo tempo que você.

– Não vimos ninguém – repetiu Tom. – O que fez com o bebê?

– Nós o alimentamos com leite de cabra. Parece estar se dando muito bem.

Ambos estavam olhando intensamente para Philip. Era, ele pensou, uma história de cortar o coração de qualquer um. Após um momento, Tom perguntou:

– E você está procurando a mãe?

– Oh, não. Minha pergunta foi casual. Se a encontrasse, é claro que devolveria o bebê; no entanto, não há dúvida de que ela não quer a criança, e assim fará tudo para não ser encontrada.

– E o que acontecerá ao bebê?

– Nós o criaremos no mosteiro. Será um filho de Deus. É assim que fui criado, e meu irmão também. Nossos pais nos foram tirados quando éramos muito pequenos, e depois o abade se tornou nosso pai e os monges, nossa família. Fomos alimentados, aquecidos e alfabetizados.

– E ambos se tornaram monges – disse a mulher. Ela falou com um toque de ironia, como que para deixar bem claro que a caridade do mosteiro, em última análise, era egoísta.

Philip ficou satisfeito por poder contradizê-la.

– Não, o meu irmão deixou a ordem.

As crianças voltaram. Não haviam encontrado folhas largas – não era fácil no inverno –, de modo que teriam de comer sem pratos. O prior deu pão e queijo para todos. Eles se jogaram na comida como animais famintos.

– Fabricamos este queijo no meu mosteiro – disse Philip. – A maioria das pessoas gosta dele quando está novo, mas fica ainda melhor depois que envelhece.

Eles estavam famintos demais para se importar com aquilo. Terminaram o pão e o queijo num abrir e fechar de olhos. Philip tinha três peras. Tirou-as de dentro do alforje e deu-as para Tom. O construtor entregou uma para cada criança.

Philip pôs-se de pé.

– Rezarei para que você ache trabalho.

– Caso se lembre, padre – pediu Tom –, fale a meu respeito com o bispo. Sabe que precisamos, e achou que éramos honestos.

– Falarei.

Tom segurou o cavalo enquanto o religioso montava.

– O senhor é um bom homem, padre – disse. E Philip viu, surpreso, que havia lágrimas em seus olhos.

– Que Deus fique com vocês – disse o prior.

Tom segurou as rédeas do cavalo por mais um instante.

– O bebê de que nos falou... o enjeitado... – disse baixinho, como se não quisesse que as crianças escutassem. – Já lhe deram um nome?

– Sim. Nós o chamamos Jonathan, que significa "um presente de Deus".

– Jonathan. Gosto dele. – Tom libertou o cavalo.

Philip lançou-lhe um olhar curioso por um momento, bateu na montaria e saiu trotando.

O bispo não morava em Kingsbridge. Seu palácio ficava numa encosta voltada para o sul, em um vale exuberante que ficava a um dia inteiro de viagem da catedral de pedra fria e de seus melancólicos monges. Ele preferia assim, pois igreja de mais atrapalhava os outros deveres de cobrar aluguéis, administrar justiça e fazer manobras na corte real. Era conveniente para os monges, também, pois quanto mais longe estivesse o bispo, menos interferiria na vida deles.

Estava frio o suficiente para nevar, na tarde em que Philip chegou. Um vento cortante castigava o vale do bispo, e nuvens cinzentas baixas concentravam-se sobre seu palácio. Não era um castelo; porém, era bem defendido. Fora aberta uma clareira com umas cem jardas de raio. A casa ficava no interior de uma sólida cerca de madeira da altura de um homem, com uma vala para o escoamento da água da chuva. O guarda no portão tinha um ar desleixado, mas sua espada era pesada.

O palácio era uma excelente construção de pedra erigida em forma de E. A galeria do andar térreo, com as paredes sólidas interrompidas por diversas portas pesadas, não tinha janelas. Uma porta estava aberta, e Philip pôde ver barris e sacos na obscuridade. As outras portas estavam fechadas e presas com correntes. Philip perguntou-se o que haveria por trás delas; quando o bispo tinha prisioneiros, era onde definhavam.

A perna do E era uma escadaria externa que levava aos aposentos destinados à moradia acima da galeria. O aposento principal, a haste vertical, seria o corredor. Os dois cômodos formando a parte de cima e a parte de baixo do E seriam uma capela e um quarto de dormir, foi o que Philip supôs. Havia pequenas janelas fechadas como olhos de contas espiando o mundo com muitas suspeitas.

No interior do conjunto havia uma cozinha e uma padaria de pedra, assim como estábulos de madeira e um celeiro. Todos os prédios estavam em bom estado – o que era lamentável para Tom Construtor, pensou Philip.

Havia diversos bons cavalos no estábulo, inclusive dois de batalha, e um punhado de homens de armas espalhados por toda parte, matando o tempo. Talvez o bispo tivesse visitantes.

Philip deixou o pônei com um cavalariço e subiu a escadaria apreensivo, sentindo um presságio. Por ali tudo tinha um toque perturbadoramente militar. Onde estavam as filas de queixosos querendo justiça e as mães com os bebês para serem abençoados? Entrava num mundo com que não estava familiarizado, e de posse de um segredo perigoso. Podia ser que se passasse muito tempo até que conseguisse sair dali, pensou ele, temeroso. Gostaria que Francis não tivesse ido procurá-lo.

Alcançou o topo da escadaria. Que pensamentos indignos!, disse a si próprio. Tinha uma chance de servir a Deus e à Igreja, e reagia se preocupando com sua segurança. Havia homens que enfrentavam o perigo todos os dias, nas batalhas, no mar, em peregrinações arriscadas ou nas cruzadas. Até os monges deviam sentir um pouco de medo e tremer de vez em quando.

Philip respirou fundo e entrou.

O hall era obscuro e enfumaçado. Philip fechou a porta rapidamente para conservar do lado de fora o ar frio, e deu uma olhadela. Do lado oposto, ardia um grande fogo. Era dele e das pequenas janelas que vinha a única luz. Em torno da lareira havia um grupo de homens, alguns em trajes clericais e outros envergando roupas caras mas bem usadas, características da pequena nobreza. Estavam envolvidos numa discussão séria, falando baixo e metodicamente. As suas cadeiras estavam dispostas de forma aleatória, mas todos olhavam e falavam com um sacerdote sentado no meio do grupo, como uma aranha no centro de uma teia. Era um homem magro, e do modo como suas pernas compridas estavam abertas e os braços igualmente compridos se acomodavam nos braços da cadeira, a impressão que dava era de que estava prestes a pular. Tinha o cabelo negro escorrido e o rosto pálido com o nariz pontudo; suas roupas pretas faziam dele ao mesmo tempo elegante e ameaçador.

Não era o bispo.

O encarregado levantou-se de uma cadeira ao lado da porta e disse para Philip:

— Bom-dia, padre. Quem está procurando?

Ao mesmo tempo, um cão de caça deitado junto ao fogo levantou a cabeça e rosnou. O homem de preto ergueu os olhos, viu Philip e parou instantaneamente a conversa erguendo uma das mãos.

— O que há? — perguntou de maneira brusca.

— Bom-dia — disse o prior, polido. — Vim ver o bispo.

— Ele não está — disse o sacerdote sumariamente.

Ficou abalado. Antes estava com medo da entrevista e dos riscos que corria, mas agora se sentia frustrado. O que ia fazer do seu horrível segredo? Perguntou ao padre:

— Quando o esperam de volta?

— Não sabemos. Qual é o assunto que tem com ele?

O tom de sua voz era um tanto abrupto, e Philip irritou-se.

— É um assunto de Deus — disse asperamente. — Quem é você?

O padre ergueu as sobrancelhas, como se tivesse ficado surpreso por se ver desafiado. Os outros homens de súbito ficaram quietos, como se esperassem uma explosão; após uma pausa, porém, ele respondeu com bastante brandura:

— Sou o arcediago dele. Meu nome é Waleran Bigod.

Um bom nome para um padre, pensou Philip, que disse então:

– Meu nome é Philip. Sou o prior do Mosteiro de St.-John-in-the-Forest. Pertence ao priorado de Kingsbridge.

– Ouvi falar de você – disse Waleran. – Você é Philip de Gwynedd.

O prior ficou surpreso. Não podia imaginar por que um arcediago devesse conhecer o nome de alguém situado numa posição tão humilde quanto a sua. Porém, por mais modesto que fosse seu nível, foi suficiente para mudar a atitude de Waleran. A expressão irritada desapareceu da fisionomia dele.

– Venha para junto do fogo – disse. – Aceita um trago de vinho quente para aquecer o sangue? – Fez um gesto para alguém sentado num banco encostado à parede, e um vulto maltrapilho se levantou para providenciar o vinho.

Philip aproximou-se do fogo. Waleran disse algo em voz baixa e os outros homens se levantaram e começaram a ir embora. O prior se sentou e esquentou as mãos, enquanto o arcediago ia até a porta com os convidados. Philip perguntou-se o que estariam discutindo, e por que razão Waleran não havia encerrado a reunião com uma prece.

O servo maltrapilho entregou-lhe uma taça de madeira. Ele bebeu o vinho quente e temperado, pensando no próximo passo. Se o bispo não estava disponível, a quem poderia se voltar? Pensou em procurar o conde Bartholomew e simplesmente lhe pedir para que desistisse da rebelião. A ideia era ridícula; o conde o colocaria numa masmorra e jogaria a chave fora. Restava o xerife, que, em teoria, era o representante do rei no condado. Mas nem precisava dizer de que lado o xerife estaria enquanto ainda houvesse alguma dúvida sobre quem iria ser o rei. Ainda assim, pensou Philip, pode ser que no fim eu tenha de correr esse risco. Ansiava por retornar à vida simples do monastério, onde seu inimigo mais perigoso era Peter de Wareham.

Os convidados de Waleran partiram, e a porta fechou-se, isolando o barulho dos cavalos no pátio. O arcediago voltou para junto do fogo e puxou uma cadeira grande.

Philip estava preocupado com o seu problema e não queria realmente conversar com o arcediago, mas viu-se obrigado a ser polido.

– Espero não ter interrompido sua reunião – disse.

Waleran fez um gesto conciliador.

– Tinha mesmo que acabar – disse. – Essas coisas sempre vão mais longe do que é preciso. Estávamos discutindo a renovação dos contratos de arrendamento das terras da diocese... o tipo de coisa que poderia ser definida em poucos momentos se ao menos as pessoas soubessem ser decididas. – Agitou a mão ossuda, para pôr de lado todos os arrendamentos da diocese e seus locatários. – Soube que você fez um bom trabalho naquele pequeno mosteiro na floresta.

– Estou surpreso por você saber disso – replicou Philip.

— O bispo é o abade *ex officio* de Kingsbridge, de modo que tem obrigação de se interessar.

Ou tem um arcediago bem informado, pensou Philip. E disse:

— Bem, Deus nos abençoou.

— É verdade.

Eles estavam falando francês normando, a linguagem que Waleran e seus convidados haviam usado, o idioma do governo; mas havia algo um pouco estranho no sotaque de Waleran, e após alguns momentos Philip concluiu que ele tinha as inflexões de quem fora criado falando inglês. O que significava que não era um aristocrata normando, e sim um nativo que subira graças aos próprios esforços – como Philip.

Um instante depois isso foi confirmado quando Waleran passou a falar inglês para dizer:

— Quisera que Deus conferisse bênçãos similares ao priorado de Kingsbridge.

Philip então não era o único preocupado com o estado de coisas em Kingsbridge. O arcediago provavelmente sabia mais sobre o que se passava ali do que ele.

— Como está o prior James? – perguntou Philip.

— Doente – respondeu Waleran, de maneira sucinta.

Então ele não seria capaz de fazer nada a respeito da insurreição do conde Bartholomew, pensou Philip, abatido. Seria obrigado a ir a Shiring e se arriscar com o xerife.

Ocorreu-lhe que Waleran era o tipo de homem que conheceria todo mundo de importância no condado.

— Que tal é o xerife de Shiring? – perguntou.

Waleran deu de ombros.

— Ímpio, arrogante, ganancioso e corrupto. Como todos os xerifes. Por que pergunta?

— Se não posso falar com o bispo, provavelmente devo procurar o xerife.

— Tenho a confiança do bispo, você sabe – disse Waleran, com um pequeno sorriso. – Se puder ajudar... – Levantou as mãos, no gesto de um homem que estava sendo generoso, mas que sabia que podia ser recusado.

Philip tinha se acalmado um pouco, achando que o momento da crise fora adiado por um ou dois dias, mas agora estava ansioso de novo. Poderia confiar no arcediago Waleran? Seu jeito despreocupado era estudado, pensou: parecia contido, mas na verdade devia estar ardendo de curiosidade para saber o que o prior tinha a dizer de tão importante. No entanto, não havia razão para não confiar nele. Parecia um sujeito ponderado. Teria poder suficiente para fazer qualquer coisa acerca da rebelião? Se não pudesse, certamente seria capaz de localizar o bispo. Philip deu-se conta de que, na verdade, havia uma grande vantagem em confiar em Waleran; o bispo poderia insistir em querer saber a verdadeira fonte da informação que trazia, mas o arcediago não possuía autoridade para isso, e teria que se contentar com a história que Philip lhe contasse, quer acreditasse ou não.

Waleran mais uma vez esboçou seu pequeno sorriso.

– Se pensar mais tempo, começarei a crer que não confia em mim!

Philip achou que compreendia o arcediago. Era um homem mais ou menos como ele próprio: jovem, instruído, inteligente e nascido numa classe baixa. Talvez fosse um pouco mundano demais para o seu gosto, mas isso era perdoável num sacerdote obrigado a passar tanto tempo com lordes e *ladies*, sem o benefício da vida protegida de um monge. No fundo do coração Waleran era um homem devoto, pensou Philip. Faria o que fosse certo para a Igreja.

Hesitou no instante de tomar a decisão. Até agora só ele e Francis conheciam o segredo. Uma vez contado a uma terceira pessoa, tudo poderia acontecer. Respirou fundo.

– Três dias atrás um homem ferido apareceu no meu mosteiro, na floresta – começou ele, pedindo silenciosamente perdão pela mentira. – Era um homem armado num cavalo belo e veloz, e levara uma queda a uma ou duas milhas de distância. Devia estar galopando quando caiu, pois seu braço estava quebrado e as costelas, esmagadas. Tratamos do braço, mas não havia nada que pudéssemos fazer quanto às costelas, e ele estava tossindo sangue, sinal de hemorragia interna. – Enquanto falava, Philip observava o rosto de Waleran. Até agora não demonstrara mais que polido interesse. – Aconselhei-o a confessar seus pecados, pois estava em risco de vida. Ele me contou um segredo. – Hesitou, sem saber quanto Waleran teria sabido das notícias políticas. – Acho que você deve saber que Estêvão de Blois reivindicou o trono da Inglaterra com a bênção da Igreja.

Waleran sabia mais que Philip.

– E foi coroado em Westminster três dias antes do Natal – disse.

– Já! – Francis não soubera disso.

– Qual era o segredo? – perguntou Waleran, com um toque de impaciência.

Philip deu o passo decisivo.

– Antes de morrer, o cavaleiro me disse que seu senhor, Bartholomew, conde de Shiring, conspirara com Robert de Gloucester para articularem uma rebelião contra Estêvão. – Philip estudou o rosto de Waleran, prendendo a respiração.

O rosto pálido de Waleran ficou um quase nada mais branco.

– Acha que ele estava dizendo a verdade? – perguntou, aflito.

– Um moribundo geralmente diz a verdade ao confessor.

– Talvez estivesse repetindo um boato comum no palácio do conde.

Philip não esperara que o arcediago se mostrasse cético. Improvisou depressa.

– Oh, não – disse. – Ele era um mensageiro mandado pelo conde Bartholomew a fim de reunir suas forças em Hampshire.

Os olhos inteligentes de Waleran examinaram detidamente a expressão de Philip.

– Ele tinha a mensagem escrita?

– Não.

– Algum sinete ou símbolo da autoridade do conde?

– Nada. – Philip começou a transpirar ligeiramente. – Presumi que fosse bem conhecido pelas pessoas a quem ia procurar, como um representante autorizado do conde.

– Qual era o nome dele?

– Francis – disse Philip estupidamente. Teve vontade de morder a língua.

– Só?

– Ele não me disse o resto do nome. – Philip teve a impressão de que a história seria desmascarada, sob o interrogatório de Waleran.

– Suas armas e sua armadura poderiam identificá-lo.

– Ele não tinha armadura – disse Philip, desesperado. – Nós enterramos suas armas com ele... espadas não têm utilidade para monges. Poderíamos desenterrá-las, mas lhe asseguro que eram comuns e nada traziam que as identificasse. Não creio que você encontrasse indícios nelas... – Precisava desviar Waleran daquela linha de interrogatório. – O que você acha que pode ser feito?

Waleran franziu a testa.

– É difícil saber, sem provas. Os conspiradores poderão simplesmente negar a acusação, e o acusador será condenado. – Ele não disse *Especialmente se a história for falsa*, mas Philip adivinhou. Você contou isto a mais alguém? – perguntou o arcediago.

Philip balançou a cabeça.

– Para onde vai quando sair daqui?

– Kingsbridge. Eu tinha que inventar uma razão para deixar o mosteiro, de modo que disse que visitaria o priorado; agora preciso ir até lá, para fazer da mentira uma verdade.

– Não fale sobre isso com mais ninguém.

– Não falarei. – Philip não tencionava falar mesmo, mas gostaria de saber por que Waleran estava insistindo nesse ponto. Talvez fosse do seu interesse: se ia se arriscar a expor a conspiração, queria estar certo de ter o crédito. Era ambicioso. Felizmente, tendo em vista o objetivo de Philip.

– Deixe isso por minha conta. – Waleran mostrou-se brusco de súbito, e o contraste com seus modos anteriores fez Philip perceber que sua amabilidade podia ser vestida ou tirada como um casaco. Continuou: – Você irá ao priorado de Kingsbridge agora e esquecerá o xerife, está bem?

— Sim. — O prior percebeu que tudo estaria bem, pelo menos por algum tempo, e um peso saiu de suas costas. Não ia ser atirado num calabouço, interrogado por um torturador ou acusado de sedição. Havia passado a responsabilidade para outra pessoa, alguém que parecia bastante feliz por tê-la recebido.

Philip se levantou e foi até a janela mais próxima. Era o meio da tarde, e ainda restava muita luz do dia. Tinha de sair logo dali e deixar aquele segredo para trás.

— Se eu partir agora poderei cobrir de oito a dez milhas antes de a noite cair — disse.

Waleran não o pressionou para ficar.

— Isso o levará à aldeia de Bassingbourn. Lá encontrará onde dormir. Se sair bem cedo na manhã seguinte, poderá chegar a Kingsbridge por volta do meio-dia.

— Sim. — Philip deu as costas para a janela e virou-se para Waleran. O arcediago estava com o olhar fixo no fogo, imerso em seus pensamentos. O prior observou-o por um momento. Waleran não disse em que estava meditando. Philip gostaria de saber o que estava se passando naquela cabeça inteligente.

— Irei embora agora mesmo — disse.

Waleran saiu do seu devaneio e ficou encantador de novo. Sorriu e levantou-se.

— Está bem — disse. Caminhou com Philip até a porta e acompanhou-o da escada ao pátio.

Um cavalariço trouxe a montaria de Philip e a selou. Waleran podia ter dito adeus naquela hora e retornado para junto do fogo, mas aguardou. O prior achou que era para se certificar de que tinha tomado a estrada de Kingsbridge, e não a de Shiring.

Philip montou, sentindo-se mais feliz do que quando chegara. Já ia sair, quando viu Tom Construtor passar pelo portão, com a família, e disse para Waleran:

— Aquele homem é um construtor que encontrei na estrada. Parece ser um sujeito honesto que atravessa um período de dificuldades. Se precisar de reparos, ficará contente com ele.

O arcediago não deu resposta. Estava com o olhar fixo na família, que atravessava o pátio. Toda a sua pose e compostura o haviam abandonado. Sua boca estava aberta e seus olhos, arregalados. Parecia um homem em estado de choque.

— Que foi? — perguntou Philip, ansioso.

— Aquela mulher! — A voz de Waleran mal passava de um murmúrio.

Philip olhou para ela.

— É um bocado bonita — disse, percebendo isso pela primeira vez. — Mas nos ensinaram que é melhor para um padre ser casto. Desvie os olhos dela, arcediago.

Waleran não estava ouvindo.

— Pensei que estivesse morta — murmurou. De repente, ele pareceu se lembrar de Philip. Obrigou-se a desviar os olhos da mulher e voltou-se para ele, recompondo-se. — Transmita meus cumprimentos ao prior de Kingsbridge — disse. Depois deu um tapa na anca do pônei do religioso, e o animal precipitou-se para a frente e saiu trotando pelo portão; quando Philip conseguiu encurtar as rédeas e controlar o animal, já estava longe demais para dizer adeus.

3

Por volta das doze horas do dia seguinte, Philip chegou a uma distância em que era possível ver Kingsbridge, conforme o arcediago Waleran antecipara. Emergiu de uma colina coberta por um bosque e deu com uma paisagem de campos congelados, sem vida, cuja monotonia era quebrada apenas pelo ocasional tronco de uma árvore. Não se via ninguém, pois no inverno não havia trabalho a fazer com a terra. A algumas milhas de distância, erguia-se a Catedral de Kingsbridge sobre uma elevação; um prédio imenso e atarracado que lembrava uma tumba sobre um monte de terra.

Philip seguiu a estrada em declive, e Kingsbridge desapareceu de vista. Seu plácido cavalo escolhia o caminho cuidadosamente ao longo dos sulcos congelados. Philip estava pensando no arcediago. Waleran era tão seguro de si, confiante e capaz que fizera Philip se sentir jovem e ingênuo, embora não houvesse muita diferença de idade entre eles. Sem o menor esforço, ele controlara todo o encontro: livrara-se com elegância de seus convidados, ouvira com atenção a história de Philip, definira de imediato o problema crucial da falta de provas, percebera logo que aquela linha de interrogatório era infrutífera e depois mandara prontamente Philip embora — sem nenhuma garantia, Philip agora se dava conta, de que alguma providência seria tomada.

O prior sorriu com melancolia ao ver como fora bem manipulado. Waleran nem sequer prometera contar ao bispo o relato que lhe fizera. Mas Philip confiava que a grande dose de ambição que detectara nele asseguraria que a informação fosse usada de algum modo. Tinha mesmo a impressão de que o arcediago talvez se sentisse um pouco em dívida com ele.

Por ter se impressionado com Waleran, ficara mais intrigado ainda com seu único sinal de fraqueza — sua reação à mulher de Tom Construtor. Para Philip, ela parecera obscuramente perigosa. Waleran parecia considerá-la desejável — o que podia resultar na mesma coisa, claro. No entanto, havia mais que isso. O arcediago devia tê-la encontrado antes, pois dissera: Pensei que estivesse morta. Era como se houvesse pecado com ela num passado distante. Certamente Waleran tinha algo para se sentir culpado, a julgar pelo modo como providenciara para que o prior não se demorasse e soubesse mais coisas.

Nem mesmo essa culpa secreta fez muito para reduzir a opinião que Philip fizera de Waleran. O arcediago era sacerdote, não monge. A castidade sempre fora parte essencial da vida monástica, porém nunca cumprida rigorosamente pelos padres. Os bispos tinham amantes, e os padres tinham governantas em suas paróquias. Como a proibição contra os maus pensamentos, o celibato clerical era uma lei muito difícil de ser obedecida. Se Deus não pudesse perdoar padres lascivos, haveria poucos representantes do clero no céu.

Kingsbridge reapareceu quando Philip chegou ao cume do aclive seguinte. A paisagem era dominada pela igreja imponente, com seus arcos arredondados e janelinhas fundas, da mesma forma como a aldeia era dominada pelo mosteiro. A face oeste da igreja, que estava de frente para Philip, tinha duas torres gêmeas curtas e grossas, uma das quais caíra numa tempestade, quatro anos antes. Ainda não fora reconstruída, e a fachada tinha uma aparência acusatória. Aquela visão nunca deixava de enfurecer Philip, pois a pilha de escombros na entrada da igreja era um lembrete vergonhoso do colapso da honradez monástica no priorado. Os prédios do monastério, feitos com a mesma pedra calcária clara, posicionavam-se perto da igreja em grupos, como conspiradores em torno de um trono. Do lado de fora do muro baixo que cercava o priorado, espalhavam-se choças de taipa com telhado de palha, ocupadas pelos camponeses que aravam os campos nas proximidades e pelos servos que trabalhavam para os monges. Um rio estreito e impaciente cortava apressado o canto sudoeste da aldeia, trazendo água fresca para o mosteiro.

Philip já estava se sentindo mal-humorado quando atravessou o rio por uma velha ponte de madeira. O priorado de Kingsbridge trazia vergonha à Igreja de Deus e ao movimento monástico, mas não havia nada que pudesse fazer a esse respeito; e a raiva e a impotência tinham um gosto amargo em sua boca.

O priorado era dono da ponte e cobrava uma taxa pela travessia. Quando a estrutura de madeira rangeu sob o peso de Philip e seu cavalo, um monge idoso saiu de um abrigo na margem oposta e adiantou-se para retirar o galho de salgueiro que servia como barreira. Ele reconheceu Philip e acenou. O prior notou que estava mancando e perguntou:

— O que há com seu pé, irmão Paul?

— É só uma friagem. Vai melhorar quando chegar a primavera.

Philip pôde ver que ele nada tinha nos pés além das sandálias. Paul era um velho resistente, mas já estava em idade muito avançada para passar o dia inteiro ao ar livre com aquele frio.

— Você devia ter uma fogueira — disse o prior.

— Seria um favor do céu — respondeu o monge. — Mas o irmão Remigius diz que a fogueira custaria mais do que o pedágio rende.

— Quanto cobramos?

— Um penny por cavalo e uma moeda de cobre de um quarto de penny por homem.

— Muitas pessoas usam a ponte?

— Oh, sim, muitas.

— Então, como não podemos arcar com a despesa de uma fogueira?

— Bem, os monges não pagam, é claro, nem os servos do priorado ou os aldeões. Então é só um cavaleiro em viagem ou um funileiro ambulante a cada dois dias, mais ou menos. Nos dias santos, quando vem gente de toda parte para assistir aos serviços religiosos na catedral, recolhemos moedas de cobre em abundância.

— Parece-me que poderíamos guarnecer a ponte apenas nos dias santos, dando a você uma fogueira — disse Philip.

Paul estava aflito.

— Não diga nada a Remigius, sim? Se ele achar que me queixei, vai ficar aborrecido.

— Não se preocupe — disse Philip. Ele tocou o cavalo para que Paul não pudesse ver a expressão do seu rosto. Esse tipo de tolice o enfurecia. O monge dera a vida ao serviço de Deus e ao monastério, e agora, nos seus anos de declínio, o obrigavam a suportar dor e frio por causa de uma ou duas moedas por dia. Não apenas era cruel, como também desperdício, pois um velho paciente como Paul podia ser posto para trabalhar em alguma tarefa produtiva, criar galinhas, talvez, o que beneficiaria o priorado muito mais que umas poucas moedinhas. Entretanto, o prior de Kingsbridge era velho e letárgico demais para ver isso, e, ao que parecia, o mesmo acontecia com Remigius, o subprior. Um grave pecado, pensou Philip com amargura, desperdiçar tão descuidadamente os recursos humanos e materiais que haviam sido dados a Deus com amorosa piedade.

Seu estado de espírito era implacável quando conduziu o cavalo através dos espaços entre as choças até o portão do priorado, que era um terreno retangular cercado, com a igreja no meio. As construções estavam dispostas de tal forma que tudo o que estivesse ao norte e a oeste da igreja era público, mundano, secular e prático, enquanto o que se encontrasse ao sul e a leste era privado, espiritual e sagrado.

A entrada para o adro ficava, desse modo, no canto noroeste do retângulo. O portão estava aberto, e o jovem monge na guarita acenou quando Philip passou trotando. Logo depois do portão, apoiado no lado oeste do muro que cercava o priorado, ficava o estábulo, uma sólida estrutura de madeira mais bem construída que muitas moradias, do outro lado da muralha. Dois cavalariços estavam sentados sobre fardos de palha. Não eram monges, e sim empregados do priorado. Puseram-se de pé relutantemente, como se tivessem ficado ressentidos por terem um visitante lhes causando trabalho extra. As narinas de Philip arderam com o cheiro acre do ar, e ele pôde ver que o estrume das baias não era retirado há três ou quatro semanas. Não estava disposto a fingir que não via a negligência dos empregados do estábulo naquele dia. Quando entregou as rédeas do seu animal, disse:

– Antes de estabular meu pônei, podem limpar uma das baias e colocar palha fresca. Depois façam o mesmo para os outros cavalos. Se o piso das baias ficar permanentemente úmido, seus cascos poderão apodrecer. Vocês não têm tanto trabalho que não possam manter o estábulo limpo. – Os dois ficaram emburrados, de modo que Philip acrescentou: – Façam o que digo, senão providenciarei para que percam um dia de pagamento por indolência. – Já ia sair quando se lembrou de algo. – Há um queijo no meu alforje. Entreguem-no ao irmão Milius, na cozinha.

Philip saiu sem esperar resposta. O priorado tinha sessenta empregados para cuidar dos quarenta e cinco monges, um vergonhoso excesso de servos, em sua opinião. Pessoas sem muita atividade podem facilmente se tornar tão preguiçosas que deixam de cumprir até mesmo as pequenas tarefas, como evidentemente acontecera aos dois empregados do estábulo. Era só outro exemplo da negligência do prior James.

Philip caminhou ao longo da parede oeste do adro do priorado e passou pela hospedaria, curioso para ver se havia algum visitante. Mas o grande prédio de um único aposento estava frio e desocupado, com um monte de folhas secas trazidas pelo vento do ano anterior cobrindo a soleira da porta. Virou à esquerda e começou a atravessar a larga extensão de terra, com um pouco de grama aqui e ali, que separava a hospedaria – que às vezes alojava pessoas ímpias, e até mesmo mulheres – da igreja. Aproximou-se da face oeste desta, onde ficava a entrada do público. As pedras quebradas da torre que ruíra estavam onde tinham caído, um monte enorme, duas vezes a altura de um homem.

Como a maioria das igrejas, a Catedral de Kingsbridge fora construída no formato de uma cruz. A face oeste abria-se para a nave, que formava a haste longa. Os braços consistiam nos dois transeptos, dirigidos para o norte e para o sul, de cada lado do altar. Depois deles, a extremidade leste da igreja era chamada de coro, uma parte reservada principalmente para os monges. No pedaço final da extremidade leste, ficava o túmulo de santo Adolfo, que ainda atraía peregrinos de vez em quando.

Philip entrou na nave e contemplou a avenida de arcos redondos e fortes colunas. A visão o deixou ainda mais deprimido. Era uma construção úmida, sombria e se deteriorara desde a última vez em que a vira. As janelas nas naves laterais baixas, de ambos os lados da nave central, eram como túneis estreitos nas paredes muito grossas. Em cima as janelas maiores do clerestório iluminavam o teto de madeira, só para mostrar como as pinturas estavam desbotadas – apóstolos, santos e profetas desapareciam e misturavam-se inexoravelmente ao fundo. A despeito do ar frio que entrava – pois não havia vidros nas janelas –, um vago cheiro de hábitos podres contaminava o ar. Do outro lado da igreja vinha o som da missa solene, as frases em latim recitadas em tom uniforme, e as respostas salmodiadas. Philip caminhou pela nave. O chão nunca fora pavimentado, de modo que o musgo crescia nos cantos onde os tamancos dos camponeses e as sandálias dos monges raramente pisavam. As espirais e caneluras gravadas na pedra das imponentes colunas, assim como as gregas cinzeladas que decoravam os arcos entre elas, já haviam sido pintadas e douradas, mas tudo o que restava agora eram algumas lascas de folha de ouro, fino como papel, e uma miscelânea de manchas onde houvera tinta. A argamassa entre as pedras estava esfarelando e caindo, acumulando-se em montinhos ao longo das paredes. Philip mais uma vez sentiu a raiva com que já estava familiarizado. Quando as pessoas fossem à igreja deveriam se intimidar com a majestade de Deus Todo-Poderoso. Mas os camponeses eram gente simples, que julgavam pelas aparências, e ao chegarem ali iriam pensar que Deus era uma divindade indiferente e descuidada, dificilmente capaz de valorizar sua fé ou registrar seus pecados. No fim, os camponeses pagavam a igreja com o suor do rosto, e era ultrajante que fossem recompensados com aquele mausoléu em pedaços.

Philip ajoelhou-se diante do altar e ficou ali por um momento, cônscio de que sua indignação, mesmo que justa, não era o estado de espírito mais adequado para se adorar a Deus. Quando se acalmou um pouco, levantou-se e prosseguiu.

O braço leste da igreja, o coro, era dividido em duas partes. Mais próximo da interseção ficava o coro, com assentos de madeira para os monges durante os serviços. Um pouco além ficava o santuário com o túmulo do santo. Philip deslocou-se por trás do altar, tencionando se acomodar num dos lugares do coro; porém, foi detido por um ataúde.

Parou, surpreso. Ninguém lhe dissera que tinha morrido um monge. Porém, é claro, só falara com três pessoas: Paul, que era velho e um pouco distraído; e os dois cavalariços, a quem não dera chance de encetar conversa. Aproximou-se do caixão para ver quem era. Quando o fez, seu coração falhou uma batida.

Era o prior James.

Philip ficou olhando fixamente, espantado, com a boca aberta. Agora tudo mudava. Haveria um novo prior, novas esperanças...

Aquele júbilo não era a reação apropriada para a morte de um venerável irmão, fossem quais fossem seus pecados. Philip compôs o rosto e a mente numa expressão de luto. Estudou o homem morto. O prior tinha os cabelos brancos e o rosto fino; andava recurvado. Agora sua expressão perpetuamente extenuada se fora, e em vez de preocupado e desconsolado ele parecia em paz. Quando Philip ajoelhou-se ao lado do esquife e murmurou uma oração, perguntou-se se algum grande problema não teria pesado no coração do velho nos últimos anos de sua vida: um pecado inconfessado, uma mulher pranteada, ou um malefício dirigido a um inocente. O que quer que tivesse sido, ele agora só iria falar a seu propósito no dia do Juízo Final.

A despeito de sua resolução, Philip não conseguiu impedir a mente de se voltar para o futuro. O prior James, indeciso, ansioso e irresoluto, deixara uma indesejável e persistente influência. Agora haveria um novo prior, alguém que disciplinasse os servos preguiçosos, consertasse a igreja e aproveitasse a grande riqueza da propriedade, fazendo do priorado uma força poderosa para o bem. Estava excitado demais para ficar quieto. Levantou-se e saiu andando, com uma nova leveza nos passos, até o coro, onde se acomodou num dos lugares vazios ao fundo.

A missa estava sendo rezada pelo sacristão, Andrew de York, um homem irascível e de cara vermelha, que parecia estar permanentemente à beira de um ataque apoplético. Era um dos decanos, os monges mais antigos que dirigiam o mosteiro. Sua área de responsabilidade era tudo o que fosse sagrado: os serviços religiosos, os livros, as relíquias, os hábitos, os ornamentos e, acima de tudo, a construção do prédio da igreja. Trabalhando sob suas ordens havia um chantre para supervisionar a música e um tesoureiro para cuidar dos candelabros de ouro e prata com pedras preciosas, dos cálices e dos outros vasos sagrados. Ninguém tinha autoridade sobre o sacristão, exceto o prior e o subprior, Remigius, que era um grande amigo de Andrew.

Andrew lia o missal no seu costumeiro tom de ira mal contida. A cabeça de Philip estava um verdadeiro torvelinho, e se passou algum tempo até que ele notasse que o serviço não estava sendo conduzido de modo conveniente. Um grupo de jovens monges fazia barulho, rindo e falando. Philip viu que estavam fazendo pouco do velho mestre dos noviços, que caíra no sono. Os jovens monges – muitos dos quais haviam sido noviços sob a autoridade do velho mestre até uma data bastante recente, e que provavelmente ainda sentiam a dor das suas varadas – jogavam bolinhas de terra nele. Cada vez que uma o atingia no rosto, ele estremecia e mudava de posição, mas não acordava. Andrew parecia não se dar conta do que estava ocorrendo. Philip olhou à sua volta, procurando o monge encarregado da disciplina. Ele estava na extremidade oposta do coro, mergulhado em profunda conversação com outro monge, sem prestar atenção na missa ou no comportamento dos jovens.

Philip ficou observando por mais um instante. Mesmo em seus melhores momentos, não tinha paciência para aquele tipo de coisa. Um dos monges parecia ser o líder, um rapaz bonito com pouco mais de vinte e um anos e sorriso endiabrado. O prior o viu mergulhar a ponta da faca na parte superior de uma vela acesa e atirar o sebo derretido na careca do mestre dos noviços. Quando a gordura quente caiu em sua cabeça, o velho monge acordou com um ganido, e os jovens soltaram gargalhadas.

Com um suspiro, Philip deixou seu lugar. Aproximou-se do rapaz pelas costas, agarrou-lhe a orelha e, rispidamente, rebocou-o para fora do coro, levando-o para o transepto sul. Andrew ergueu os olhos do missal e fitou Philip com expressão de desagrado; não vira nada do que acontecera antes.

Quando já não podiam ser ouvidos pelos outros monges, Philip parou, soltou a orelha do rapaz e perguntou:

– Nome?

– William Beauvis.

– E que diabo se apossou de você durante a missa solene?

William pareceu ficar emburrado.

– Eu estava cansado – disse.

Monges que reclamavam da sorte jamais conseguiam angariar a simpatia de Philip.

– Cansado? – perguntou, erguendo um pouco a voz. – O que você fez hoje?

– Matinas e laudes no meio da noite – disse William desafiadoramente –, prima antes do desjejum, depois a terça, missa do cabido, estudo e agora missa solene.

– E você comeu?

– Fiz meu desjejum.

– E espera jantar.

– Sim.

– A maioria das pessoas da sua idade trabalha exaustivamente no campo do raiar do sol ao cair da noite para comer de manhã e para jantar, e ainda dão um pouco do seu pão para você! Sabe por quê?

– Sei – respondeu William, esfregando os pés e olhando para o chão.

– Diga.

– Porque querem que os monges cantem as orações para eles.

– Correto. Camponeses que trabalham duro lhes dão carne, pão e um dormitório de pedra com fogo no inverno... e você está tão *cansado* que não consegue assistir à missa solene até o fim por eles!

– Desculpe, irmão.

Philip olhou para William por mais um momento. Não havia grande mal nele. A culpa verdadeira era de seus superiores, indiferentes a ponto de permitirem brincadeiras rudes dentro da igreja.

– Se os serviços religiosos o cansam – disse Philip delicadamente –, por que se tornou monge?

— Sou o quinto filho do meu pai.

Philip balançou a cabeça.

— E sem dúvida ele deu terras ao priorado, desde que você fosse aceito.

— Sim, uma fazenda.

Era uma história comum. Um homem com excesso de filhos dava um a Deus, assegurando-se de que Ele não rejeitaria o presente por intermédio de uma doação que sustentasse o filho na pobreza monástica. Desse modo, muitos homens sem vocação se tornavam monges desobedientes.

— Se você fosse transferido para uma granja, digamos, ou para o meu pequeno mosteiro de St.-John-in-the-Forest, onde há muito trabalho a ser realizado ao ar livre, e um tempo bem menor é dedicado ao culto, acha que isso poderia ajudá-lo a participar dos serviços religiosos de um modo mais adequado?

O rosto de William iluminou-se.

— Sim, irmão, acho que ajudaria!

— Foi o que pensei. Verei o que pode ser feito. Mas não se anime demais... terá de esperar até que tenhamos um novo prior e aí pedir que o transfiram.

— Muito obrigado, assim mesmo!

O culto terminou e os monges começaram a deixar a igreja em procissão. Philip levou um dedo aos lábios para encerrar a conversa. Quando os monges atravessaram o transepto sul, Philip e William entraram na fila e foram sair no claustro, um quadrângulo com uma galeria coberta adjacente ao lado sul da nave. Ali a procissão interrompeu-se. Philip virou-se na direção da cozinha, mas seu caminho foi barrado pelo sacristão, que assumiu uma pose agressiva à sua frente, com os pés separados e as mãos nas cadeiras.

— Irmão Philip — disse ele.

— Irmão Andrew — disse Philip, perguntando-se o que teria acontecido.

— Que negócio foi esse de interromper a missa solene? — Philip ficou estupefato.

— Interromper a missa? — perguntou, incrédulo. — O rapaz estava se comportando mal. Ele...

— Sou perfeitamente capaz de conter maus procedimentos nos serviços que oficio! — disse Andrew, erguendo a voz. O movimento de dispersão dos monges foi interrompido, e todos ficaram por perto para ouvir o que era dito.

Philip não pôde compreender todo aquele espalhafato. Jovens monges e noviços ocasionalmente tinham de ser disciplinados pelos irmãos mais velhos durante os cultos, e não havia regra que dissesse que só o sacristão podia fazer isso.

— Mas você não viu o que estava acontecendo — disse Philip.

— Ou talvez tenha visto, mas achado melhor tratar do caso mais tarde.

Philip estava bastante seguro de que ele não vira nada.

— O que foi que viu, então? — desafiou.

— Não pense que pode me questionar! — berrou Andrew. Seu rosto vermelho ficou púrpura. — Você pode ser o prior de um pequeno mosteiro na floresta, mas já sou sacristão aqui há doze anos e conduzirei os ofícios da catedral do modo como julgo adequado, sem ajuda de estranhos com a metade da minha idade!

Philip começou a pensar que talvez tivesse mesmo errado — de outro modo, por que Andrew estaria tão furioso? Contudo, uma briga ali no claustro não era um espetáculo edificante para os outros monges, e tinha que terminar. Philip engoliu o orgulho, cerrou os dentes e baixou a cabeça, submisso.

— Considero-me corrigido, irmão, e humildemente peço seu perdão — disse.

Andrew estava preparado para uma sessão de gritos, e aquela retirada prematura do seu oponente não o satisfez.

— Pois que não aconteça de novo — disse descortesmente.

Philip nada replicou. Andrew tinha que ter a última palavra, de modo que qualquer outra observação da parte dele só serviria para justificar uma tréplica. Permaneceu olhando para o chão e mordendo a língua, enquanto o sacristão o fixava por alguns momentos. Finalmente este girou nos calcanhares e se afastou, com a cabeça erguida.

Os outros monges ficaram olhando para o prior. Aborrecia-o ser humilhado por Andrew, mas fora obrigado a ceder, pois um monge orgulhoso é um mau monge. Sem falar com ninguém, deixou o claustro.

Os alojamentos ficavam na parte sul do quadrado do claustro, com o dormitório no canto sudeste e o refeitório no sudoeste. Philip tomou a direção oeste, passando através do refeitório e saindo mais uma vez no lado público do adro, num ponto de onde podia ver a casa de hóspedes e as cocheiras. Ali, no canto sudoeste do adro, ficava o pátio da cozinha, cercado nos três lados pelo refeitório, a cozinha propriamente dita, a padaria e a cervejaria. Uma carroça cheia de nabos aguardava ser descarregada. Philip subiu os degraus da porta da cozinha e entrou.

Teve a impressão de levar um soco. O ar era quente e pesado com o cheiro do peixe que estava sendo preparado, e havia um barulho estridente de panelas batendo e de ordens gritadas. Três cozinheiros, vermelhos com o calor e com a pressa, estavam preparando o jantar com a ajuda de seis ou sete auxiliares. Havia duas imensas lareiras, uma em cada extremidade do aposento, ambas com o fogo bem alto, e em cada uma delas cerca de vinte peixes, talvez um pouco mais, estavam sendo assados num espeto que um menino suarento girava. O cheiro do peixe fez a boca de Philip se encher de água. Dois jovens diante de um cepo de açougueiro cortavam bisnagas de pão com uma jarda de comprimento em grossas fatias a serem usadas como trinchos, ou pratos comestíveis. Supervisionando o caos aparente, um monge: irmão Milius, o cozinheiro, um homem mais ou menos da idade de Philip. Estava sentado num banco alto, observando a atividade frenética à sua volta com um sorriso imperturbável, como se estivesse tudo em ordem e perfeitamente organizado – o que talvez fosse verdade, ao seu olhar experimentado. Ele sorriu para Philip e disse:

– Muito obrigado pelo queijo.

– Ah, sim. – Philip esquecera-se do queijo; muita coisa acontecera desde sua chegada. – É feito exclusivamente com o leite da primeira ordenha... vai ver como tem um gosto sutil e diferente.

– Já estou com água na boca. Mas você parece triste. Algo errado?

– Nada. Troquei umas palavras ásperas com Andrew. – Philip fez um gesto conciliador, como se quisesse afastar o sacristão do pensamento. – Posso apanhar uma pedra quente do fogo?

– Claro.

Havia diversas pedras no fogo da cozinha prontas para serem retiradas e usadas para aquecer rapidamente pequenas quantidades de água ou sopa.

– Irmão Paul, na ponte – explicou Philip –, está com uma friagem, e Remigius não quer lhe dar uma fogueira. – Ele apanhou um par de tenazes de cabo comprido e removeu uma pedra.

Milius abriu um armário e apanhou um pedaço de couro velho que um dia fora uma espécie de avental.

– Tome, embrulhe nisto.

– Obrigado. – Philip pôs a pedra quente no meio do couro e levantou-o cuidadosamente pelas pontas.

– Ande depressa – disse Milius. – A comida está pronta.

Philip saiu com um aceno. Atravessou o pátio da cozinha e dirigiu-se para o portão. À sua esquerda, do lado de dentro e junto da parede oeste, ficava a azenha. Muitos anos antes, um canal fora escavado a montante do priorado, a fim de trazer água do rio para o açude da azenha. Após impulsionar a roda, a água corria por um canal subterrâneo até a cervejaria, a cozinha, a fonte no claustro onde os monges lavavam as mãos antes das refeições e finalmente a latrina, ao lado do dormitório; depois virava para o sul e se despejava de novo no rio. Um dos antigos priores tinha sido um inteligente planejador.

Havia uma pilha de palha suja do lado de fora, notou Philip: os cavalariços estavam cumprindo suas ordens e lavando as cocheiras. Passou pelo portão e atravessou a aldeia, rumo ao portão.

Teria sido presunção da minha parte reprovar o jovem William Beauvis?, perguntou a si próprio enquanto passava por entre as choças. Acabou por achar que não. Na verdade, teria sido errado ignorar tal interferência durante o culto.

Chegou à ponte e enfiou a cabeça no pequeno abrigo de Paul.

— Aqueça os pés nisto aqui — disse, entregando-lhe a pedra quente embrulhada no couro. — Quando esfriar um pouco, tire o couro e ponha os pés direto na pedra. Deve durar até o cair da noite.

O irmão Paul ficou pateticamente agradecido. Na mesma hora tirou as sandálias e pôs os pés em cima do embrulho.

— Já posso sentir a dor diminuindo — disse.

— Se você recolocar a pedra no fogo da cozinha logo mais à noite, estará quente de novo amanhã de manhã — disse Philip.

— Será que o irmão Milius não vai se incomodar? — perguntou ele nervosamente.

— Eu garanto.

— Você é muito bom para mim, irmão Philip.

— Não é nada. — O prior saiu antes que o agradecimento do monge se tornasse embaraçoso. Era apenas uma pedra quente.

Retornou ao priorado. Entrou no claustro, lavou as mãos na bacia de pedra que ficava na calçada sul e depois prosseguiu para o refeitório. Um dos monges estava lendo em voz alta num atril. O jantar era uma refeição que devia se fazer em silêncio, a não ser pela leitura, mas o barulho constante de quarenta e tantos monges comendo era bem apreciável, e havia também muitos cochichos, a despeito da regra. Philip enfiou-se num lugar vazio a uma das mesas compridas. O monge a seu lado comia com enorme prazer. Atraiu o olhar de Philip e murmurou:

— Peixe fresco hoje.

Philip balançou a cabeça. Vira o peixe na cozinha. Seu estômago roncou.

— Ouvimos dizer que vocês têm peixe fresco todos os dias, no seu mosteiro na floresta — disse o monge, e havia inveja em sua voz.

Philip sacudiu a cabeça.

— De vez em quando temos galinha — cochichou.

O monge pareceu ainda mais invejoso.

— Aqui é peixe salgado, seis vezes por semana.

Um criado colocou uma fatia grossa de pão na frente de Philip, e, em cima dela, um peixe recendendo aos temperos do irmão Milius. A boca de Philip encheu-se de água. Estava a ponto de atacar o peixe com sua faca quando um monge, na outra extremidade da mesa, levantou-se e apontou para ele. Era o monge responsável pela disciplina. Que será agora?, pensou Philip.

O encarregado da disciplina quebrou a regra do silêncio, como era seu direito.

— Irmão Philip!

Os outros monges pararam de comer e o refeitório ficou em silêncio.

Philip parou com a faca em cima do peixe e ergueu os olhos, na expectativa.

— A regra manda não servir jantar para os atrasados — disse ele.

Philip suspirou. Parecia incapaz de fazer qualquer coisa certa naquele dia. Tirou a faca, entregou o pão e o peixe ao servente e baixou a cabeça para ouvir a leitura.

Durante o período de descanso após o jantar, Philip foi à despensa, embaixo da cozinha, a fim de conversar com Cuthbert Cabeça Branca, o despenseiro. A despensa era uma galeria grande e escura com pilares grossos e baixos e janelas minúsculas. O ar era seco e impregnado com o cheiro dos gêneros: lúpulo e mel, maçãs em conserva e temperos secos, queijos e vinagre. Encontrava-se habitualmente o irmão Cuthbert ali, pois seu trabalho não lhe deixava muito tempo para os cultos, o que convinha ao seu temperamento: era uma pessoa inteligente e prática, com pouco interesse pela vida espiritual. O despenseiro era a contraparte material do sacristão: Cuthbert tinha de prover todas as necessidades práticas dos monges, reunindo o que era produzido nas fazendas e granjas do mosteiro e indo ao mercado comprar o que os monges e seus empregados não fossem capazes de suprir a si próprios. O trabalho requeria cuidadoso planejamento e muita cautela. Cuthbert não o realizava sozinho: Milius, o cozinheiro, era responsável pelo preparo das refeições, e havia um camareiro que cuidava das roupas dos monges. Estes dois trabalhavam sob suas ordens, e havia oficialmente mais três monges sob seu controle, mas que tinham um certo grau de independência: o hospedeiro, o enfermeiro, que tomava conta dos monges velhos e doentes num prédio separado, e o esmoler. Mesmo com essas pessoas ajudando, Cuthbert tinha a seu cargo uma tarefa formidável. No entanto ele registrava tudo inteiramente na cabeça, dizendo que era uma pena gastar pergaminho e tinta. Philip suspeitava que Cuthbert nunca tivesse aprendido a ler e escrever muito bem. Seu cabelo era branco desde quando jovem, daí a alcunha de Cabeça Branca, agora, porém, já passava dos sessenta, e o único cabelo que lhe restava era o que crescia em tufos espessos e brancos nas orelhas e narinas, como que para compensar a calvície. Como Philip fora despenseiro no seu primeiro monastério, entendia os problemas de Cuthbert e simpatizava com suas rabugices. Consequentemente, ele gostava do prior. Agora, sabendo que ele não pudera comer, apanhou meia dúzia de peras num barril. Estavam um pouco murchas, mas saborosas, e Philip comeu agradecido, enquanto Cuthbert se queixava das finanças do mosteiro.

— Não posso compreender como o priorado pode estar devendo — disse Philip, com a boca cheia.

— Não devia — disse Cuthbert. — Tem mais terras e coleta dízimos de mais igrejas paroquiais do que nunca.

— Então, por que não somos ricos?

— Você sabe o sistema que temos aqui... a propriedade do mosteiro é dividida basicamente entre os monges que o dirigem. O sacristão tem suas terras, eu tenho as minhas, e há menores dotações para o mestre dos noviços, o hospedeiro, o enfermeiro e o esmoler. O resto pertence ao prior. Cada um usa a receita da sua propriedade para cumprir suas obrigações.

— E o que há de errado nisto?

— Bem, toda essa propriedade deveria ser cuidada. Por exemplo, suponha que tenhamos alguma terra disponível e a aluguemos, em troca de dinheiro. Não deveríamos simplesmente entregá-la a quem fizesse a melhor oferta e receber o dinheiro. Precisaríamos ter cuidado para encontrar um arrendatário e supervisioná-lo a fim de nos certificar de que fosse um bom agricultor; de outro modo, as pastagens ficariam saturadas de água, o solo, cansado, e o locatário seria incapaz de pagar o aluguel, e assim nos devolveria a terra em péssimas condições. Ou pegue uma granja, cultivada por nossos empregados e dirigida por monges; se ninguém visitar a granja a não ser para recolher o que produz, os monges se tornarão preguiçosos e depravados, os empregados roubarão a colheita, e a granja produzirá cada vez menos, com o passar dos anos. Até mesmo de uma igreja é preciso que se tome conta. Não devíamos apenas recolher os dízimos, mas também colocar nas igrejas um bom padre, que saiba latim e leve uma vida santa. Se não for assim, as pessoas cairão numa vida ímpia, casando, tendo filhos e morrendo sem a bênção da Igreja, e fraudando nossos dízimos.

— Todos deveriam administrar sua propriedade cuidadosamente — disse Philip, quando terminou a última pera.

Cuthbert serviu um copo de vinho de um barril.

— Deveriam, mas temos outras coisas na cabeça. De qualquer modo, o que o mestre dos noviços sabe sobre agricultura? Por que um enfermeiro deveria saber administrar bem uma propriedade? Claro que um prior rigoroso os obrigará a empregar bem os recursos, até um certo ponto. Mas nós tivemos um prior fraco por treze anos, e agora estamos sem dinheiro para reparar a catedral, comemos peixe salgado seis vezes por semana, a escola se encontra praticamente sem noviços e ninguém mais vem para a nossa casa de hóspedes.

Philip tomou um gole do vinho em melancólico silêncio. Achava difícil pensar com frieza sobre tão espantosa dissipação dos recursos de Deus. Tinha vontade de pegar quem quer que fosse o responsável e sacudi-lo até que demonstrasse algum bom senso. Mas nesse caso o responsável estava deitado num caixão atrás do altar. Havia, pelo menos, um vislumbre de esperança.

— Em breve teremos um novo prior — disse. — Ele deverá colocar as coisas no lugar.

Cuthbert dirigiu-lhe um olhar de espanto.

— Remigius? Pôr as coisas no lugar?

Philip não estava certo do que Cuthbert quisera dizer.

— Remigius não vai ser o novo prior, vai?

— É provável.

Philip ficou assustado.

— Mas ele não é melhor que o prior James! Por que os irmãos haveriam de votar em Remigius?

— Bem, porque eles desconfiam de estranhos, e não votariam em quem não conhecem. Isso quer dizer que será um de nós. E Remigius é o subprior, o monge mais antigo aqui.

— Mas não há regra que diga que tenhamos de escolher o monge mais antigo — protestou Philip. — Poderia ser outro dos que têm funções específicas. Como você.

Cuthbert assentiu com a cabeça.

— Já me perguntaram. Recusei.

— Mas por quê?

— Estou ficando velho, Philip. Minhas atuais obrigações me derrotariam, se não estivesse tão acostumado a ponto de cumpri-las automaticamente. Qualquer responsabilidade a mais seria excessiva. Certamente não tenho energia para pegar um mosteiro negligenciado como este e reformá-lo. No final não seria melhor que Remigius.

Philip ainda não podia acreditar.

— Há os outros: o sacristão, o encarregado da disciplina, o mestre dos noviços...

— O mestre dos noviços está velho e mais cansado do que eu. O hospedeiro é glutão e bêbado. E o sacristão e o encarregado da disciplina comprometeram-se a votar em Remigius. Por quê? Não sei, mas adivinho. Eu diria que Remigius prometeu promover o sacristão a subprior e fazer do encarregado da disciplina o novo sacristão, como recompensa pelo apoio deles.

Philip afundou-se nos sacos de farinha que formavam seu assento.

— Você está me dizendo que Remigius já assegurou sua eleição?

Cuthbert não respondeu imediatamente. Levantou-se e foi até o outro lado do depósito, onde arrumou, em linha, uma tina de madeira cheia de enguias vivas, um balde com água limpa e um barril com a terça parte cheia de salmoura.

— Ajude-me com isto — disse. Pegou uma faca. Depois escolheu uma enguia na tina, bateu com a cabeça dela no chão de pedra e em seguida a estripou com a faca. Entregou o peixe, ainda se retorcendo fracamente, a Philip. — Lave no balde e depois jogue no barril — acrescentou. — Servirão para matar nossa fome durante a Quaresma.

Philip lavou o peixe tão cuidadosamente quanto pôde no balde, e depois o atirou na água salgada.

— Há outra possibilidade — disse Cuthbert, estripando outra enguia. — Um candidato que fosse um bom prior para reformas e cujo nível hierárquico, embora abaixo do subprior, seja o mesmo do sacristão ou do despenseiro.

Philip mergulhou o peixe no balde.

– Quem?

– Você.

– Eu? – Philip ficou tão surpreso que deixou cair a enguia no chão. Tecnicamente era verdade, mas ele nunca se vira em nível de igualdade com o sacristão e com os outros porque todos eram mais velhos que ele.

– Sou muito jovem...

– Pense nisso – disse Cuthbert. – Você passou toda a vida em mosteiros. Foi despenseiro aos vinte e um anos. Já é prior de um mosteiro pequeno há uns quatro ou cinco anos, e o reformou. Está claro para todo mundo que a mão de Deus está sobre você.

Philip recuperou a enguia fugida e deixou-a cair no barril de salmoura.

– A mão de Deus está sobre todos nós – disse, evitando comprometer-se. Estava atônito com a sugestão de Cuthbert. Queria um novo prior enérgico para Kingsbridge, mas não pensara em si próprio para o cargo. – É verdade que eu seria melhor prior que Remigius – acrescentou pensativamente.

Cuthbert pareceu satisfeito.

– Se você tem um defeito, Philip, é sua inocência.

Ele não se via como inocente.

– O que você quer dizer com isso?

– Não procura os motivos básicos nas pessoas, como a maioria de nós faz. Por exemplo, o mosteiro todo presume que você é candidato e que veio aqui para solicitar os votos dos monges.

Philip ficou indignado.

– Baseado em que diz isso?

– Tente ver seu comportamento do modo como uma mente desconfiada, mesmo que pouco, veria. Chegou aqui logo depois da morte do prior James, como se alguém lhe tivesse mandado uma mensagem secreta.

– Mas como eles imaginam que eu teria organizado isso?

– Não sabem, claro, mas acreditam que você seja mais esperto do que é. – Cuthbert voltou a estripar as enguias. – E olhe só como se comportou hoje. Assim que entrou mandou que o estábulo fosse limpo. Depois interferiu naquela brincadeira sem graça durante a missa solene. Falou em transferir o jovem William Beauvis para outra casa, quando todo mundo sabe que a transferência de monges é uma prerrogativa dos priores. Criticou implicitamente Remigius levando uma pedra quente para o irmão Paul na ponte. E finalmente trouxe um queijo delicioso para a cozinha, do qual todos nós comemos uma fatia depois do jantar, e embora ninguém *dissesse* de onde vinha, nenhum de nós poderia deixar de reconhecer o sabor de um queijo de St.-John-in-the-Forest.

Philip ficou embaraçado ao ver que suas ações tinham sido mal interpretadas.

— Qualquer um poderia ter feito essas coisas.

— Qualquer monge mais graduado poderia ter feito uma delas. Ninguém mais poderia ter feito todas. Você entrou e foi assumindo o comando! Já começou a reformar a casa. E, é claro, os amigos de Remigius estão contra-atacando. Foi por isso que Andrew Sacristão o descompôs no claustro.

— Então é essa a explicação! Eu não sabia o que tinha dado nele. — Philip lavou uma enguia pensativamente. — E suponho que o encarregado da disciplina me fez renunciar ao jantar pelo mesmo motivo.

— Exatamente. Um modo de humilhá-lo na frente dos monges. Suspeito que em ambos os casos o tiro tenha saído pela culatra, a propósito. Nenhuma das repreensões era justificada, e no entanto você as aceitou de maneira graciosa. Na verdade conseguiu se sair santamente nos dois casos.

— Não procedi com essa intenção.

— Tampouco os santos. É melhor deixar o resto das enguias comigo. Após o culto é hora de estudo, e é permitida a discussão no claustro. Muitos irmãos vão querer falar com você.

— Não tão depressa! — disse Philip ansiosamente. — Só porque as pessoas presumem que eu queira ser o prior não quer dizer que vá me candidatar à eleição. — Ele se sentia intimidado com a perspectiva de uma disputa eleitoral e não estava seguro de que quisesse abandonar seu bem organizado mosteiro na floresta e assumir os problemas formidáveis do priorado de Kingsbridge. — Preciso de tempo para pensar — ponderou.

— Sei disso. — Cuthbert endireitou-se e fitou Philip nos olhos. Quando estiver pensando, por favor, se lembre disto: orgulho excessivo é pecado, mas um homem pode com a mesma facilidade frustrar a vontade de Deus por humildade demasiada.

Philip aquiesceu.

— Vou me lembrar. Muito obrigado.

Deixou a despensa e dirigiu-se apressadamente para o claustro. Sua mente estava em torvelinho quando se juntou aos outros monges e entrou na igreja. Sentia-se violentamente excitado com a perspectiva de se tornar prior de Kingsbridge, percebeu. Fazia anos que estava furioso com a maneira vergonhosa como o priorado vinha sendo dirigido, e agora tinha uma chance de consertar tudo com as próprias mãos. De repente não tinha certeza se seria capaz. Não era só uma questão de ver o que devia ser feito e dar ordens. Era preciso persuadir as pessoas, dirigir as propriedades, encontrar dinheiro. Era um trabalho para uma pessoa sábia. A responsabilidade seria pesada.

A igreja o acalmou, como acontecia sempre. Depois do mau comportamento matinal os monges estavam quietos e solenes. Enquanto ouvia as frases familiares do culto e murmurava as respostas como fazia há tantos anos, sentiu-se capaz de pensar claramente mais uma vez.

Quero ser o prior de Kingsbridge?, perguntou-se, e a resposta veio imediatamente: Sim! Encarregar-me desta igreja caindo aos pedaços, consertá-la, pintá-la e enchê-la com o canto de cem monges e as vozes de mil fiéis dizendo o Pai-nosso... Somente por isso ele queria o cargo. Havia então a propriedade do mosteiro, a ser reorganizada e revitalizada, tornando-se saudável e produtiva de novo. Queria ver um bando de garotinhos aprendendo a ler e a escrever num canto do claustro. Queria a casa de hóspedes cheia de luz e calor, para que bispos e barões a visitassem, dotando o priorado com presentes preciosos antes de irem embora. Queria ter um aposento especial separado para funcionar como biblioteca, enchendo-o com livros de sabedoria e beleza. Sim, ele queria ser o prior de Kingsbridge.

Haverá algum outro motivo?, perguntou. Quando me vejo como prior, realizando essas melhorias pela glória de Deus, há orgulho no meu coração?

Oh, sim.

Ele não podia enganar a si próprio no ambiente frio e sagrado da igreja. Seu alvo era a glória de Deus, mas a glória de Philip o agradava também. Gostava da ideia de dar ordens a que ninguém pudesse se contrapor. Via-se tomando decisões, administrando justiça, aconselhando e encorajando, decretando penitências e concedendo perdões, da maneira como achasse adequada. Imaginou as pessoas dizendo: "Philip de Gwynedd reformou tudo aquilo. Estava uma vergonha quando ele assumiu, e olhe só agora!"

Mas *seria* bom, pensou. Deus me deu um cérebro capaz de administrar bens e propriedades e a capacidade de liderar grupos de homens. Provei isso, como despenseiro em Gwynedd e como prior em St.-John-in-the-Forest. E quando dirijo um lugar, os monges se sentem felizes. No meu priorado os velhos não sofrem com o frio e os jovens não se sentem frustrados com a falta de trabalho. Tomo conta das pessoas.

Por outro lado, tanto Gwynedd quanto St.-John-in-the-Forest eram fáceis, se comparados com o priorado de Kingsbridge. Gwynedd sempre tivera boa direção. O mosteiro da floresta estava com problemas quando assumira, mas era muito pequeno e fácil de controlar. A reforma de Kingsbridge era o desafio de uma vida. Podiam ser necessárias algumas semanas só para descobrir onde existiam recursos – quanta terra havia e onde, se eram florestas, pastagens ou campos de trigo. Assumir o controle de propriedades dispersas, descobrir o que estava errado e consertar e costurar as partes num todo bem-sucedido seria o trabalho de anos. Tudo o que Philip tinha realizado no mosteiro da floresta fora fazer um pouco mais de dez homens trabalharem duro no campo e rezarem solenemente na igreja.

Está certo, admitiu, meus motivos são maculados e minha capacidade é duvidosa. Talvez eu devesse recusar a disputa. Pelo menos estaria certo de ter evitado o pecado do orgulho, mas o que fora mesmo que Cuthbert dissera? "Um homem pode com a mesma facilidade frustrar a vontade de Deus por humildade demasiada."

O que Deus deseja?, perguntou-se finalmente. Quer Remigius? Tem menos capacidade que eu, e seus motivos provavelmente não são mais puros. Haverá outro candidato? Não no momento presente. Até que Deus revele uma terceira possibilidade temos que presumir que a escolha está entre mim e Remigius. É claro que ele dirigiria o monastério do modo como o fez nos períodos em que o prior James esteve doente, que é o mesmo que dizer que seria preguiçoso e negligente e permitiria que o declínio do priorado continuasse. E eu? Estou cheio de orgulho e meus talentos ainda não foram comprovados – mas *tentarei* reformar o mosteiro, e, se Deus me der forças, conseguirei.

Está bem, então, disse ele a Deus quando o culto chegou ao fim; está bem. Vou aceitar a indicação, e lutar com todas as minhas forças para ganhar a eleição; e se o Senhor não me quiser... se não me quiser, por algum motivo que preferiu ocultar de mim, então terá que me deter do jeito que puder.

Embora Philip tivesse passado vinte e dois anos em mosteiros, sempre servira sob priores longevos, de modo que não tinha a experiência de uma eleição. Era um evento único na vida monástica, pois ao votarem os monges não eram obrigados a ser obedientes – de súbito todos se tornavam iguais.

Houve um tempo, se é que se podia acreditar na lenda, em que os monges eram iguais em tudo. Um grupo de homens decidia voltar as costas ao mundo do apetite carnal e construir um santuário numa região erma, onde poderiam viver a vida de orações e desprendimento; e assumiam uma nesga de terra árida, limpando a floresta e drenando o pântano, aravam o solo e construíam sua igreja. Naquele tempo eram realmente como irmãos. O prior, como seu título indicava, era apenas o primeiro entre iguais, e eles juravam obediência perante a Regra de São Bento, e não a autoridades monásticas. Mas tudo o que restara agora da antiga democracia era a eleição do prior e do abade.

Alguns monges não se sentiam à vontade com o poder que tinham. Queriam que lhes dissessem como votar, ou sugeriam que a decisão fosse delegada a uma comissão de monges mais velhos. Outros abusavam do privilégio e se tornavam insolentes, ou ainda exigiam favores em troca de seu apoio. Muitos simplesmente se sentiam ansiosos para tomar a decisão certa.

No claustro, naquela tarde, Philip falou com a maioria deles, sozinhos, ou em grupos, e disse a todos, candidamente, que queria o cargo e que achava que seria capaz de desempenhá-lo melhor que Remigius, a despeito de sua juventude. Respondeu às perguntas deles, quase todas versando sobre as rações de comida e bebida. Encerrava cada conversa dizendo: "Se cada um de nós tomar sua decisão ponderada e piedosamente, com certeza Deus abençoará o resultado" – o que era prudente, e no que também ele acreditava.

– Estamos ganhando – disse Milius, o cozinheiro, na manhã seguinte, quando ele e Philip tomavam o desjejum de pão preto com um pouco de cerveja, enquanto os ajudantes acendiam o fogo.

Philip deu uma mordida no pão e bebeu um gole de cerveja para amolecer. Milius era um jovem exuberante e inteligente, protegido de Cuthbert e admirador de Philip. Tinha cabelo escuro liso e rosto pequeno, com feições regulares. Como o despenseiro, sentia-se feliz por poder servir a Deus de maneira prática e faltar à maior parte dos serviços religiosos. Philip suspeitou do seu otimismo.

– Como foi que você chegou a esta conclusão? – perguntou ceticamente.

– Todo o pessoal de Cuthbert no mosteiro apoia você... o camareiro, o enfermeiro, o mestre dos noviços e eu... porque sabemos que é um bom provedor, e as provisões são o grande problema no presente regime. Muitos dos monges comuns votarão em você por uma razão similar: pensam que irá administrar o priorado melhor, e disso resultará mais conforto e melhor comida.

Philip franziu a testa, preocupado.

– Não quero enganar ninguém. Minha prioridade será reparar a igreja e melhorar os cultos. Isso vem antes da comida.

– Tudo bem, e eles sabem disso – apressou-se a responder Milius. – É por isso que o hospedeiro e um ou dois outros votarão em Remigius: preferem um regime mais relaxado e uma vida mansa. Os outros que o apoiam são todos seus amigos que antecipam privilégios especiais quando ele estiver na direção... e estou falando do sacristão, do encarregado da disciplina, do tesoureiro e assim por diante. O chantre é amigo do sacristão, mas penso que poderia ser conquistado para o nosso lado, especialmente se você prometer designar um bibliotecário.

Philip aquiesceu. O chantre era o encarregado da música, e achava que não devia tomar conta dos livros, além dos seus deveres.

– De qualquer modo é uma boa ideia – disse Philip. – Precisamos de um bibliotecário para aumentar nossa coleção de livros.

Milius levantou-se do banco e começou a afiar uma faca de cozinha. Ele tinha muita energia e precisava fazer qualquer coisa com as mãos, concluiu Philip.

– Há quarenta e quatro monges em condições de votar – disse o cozinheiro. – Havia quarenta e cinco, claro, mas um está morto. Minha estimativa é que dezoito estão conosco e dez com Remigius, restando dezesseis indecisos. Precisamos de vinte e três para ter a maioria. Isso significa que temos de ganhar o voto de cinco indecisos.

– Quando se fala desse modo, parece fácil – disse Philip. – De quanto tempo dispomos?

— Impossível dizer. Os irmãos convocam a eleição, mas se for cedo demais o bispo pode se recusar a confirmar nossa escolha. E se a adiarmos em demasia, pode nos ordenar que a convoquemos. Também tem o direito de designar um candidato. Neste momento ele provavelmente ainda nem soube que o antigo prior está morto.

— Pode ser então que disponhamos de um longo período de tempo.

— Sim. E quando estivermos certos de contar com a maioria, você deverá voltar para seu mosteiro, e ficar por lá até que tudo esteja acabado.

Philip ficou intrigado com a sugestão.

— Por quê?

— A familiaridade gera o desprezo. — Milius gesticulou com a faca afiada, entusiasticamente. — Desculpe-me se pareço desrespeitoso, mas você perguntou. No momento você tem uma aura. É uma figura remota e santificada, sobretudo para nós, os mais moços. Operou um milagre naquele pequeno mosteiro, reformando-o e tornando-o autossuficiente. É um disciplinador exigente, mas alimenta bem os seus monges. É um líder nato, mas é capaz de baixar a cabeça e aceitar uma reprimenda como o mais jovem dos noviços. Conhece as Escrituras e também é capaz de fazer o melhor queijo do país.

— E *você* exagera.

— Não muito.

— Não posso crer que as pessoas pensem em mim desse jeito; não é natural.

— Tem razão, não é mesmo natural — reconheceu Milius, com outro pequeno dar de ombros. — E não vai durar depois que o conhecerem. Se ficar aqui, perderá essa aura. Verão que você palita os dentes e coça o rabo, saberão que ronca e peida, descobrirão como se comporta quando está de mau humor, ou quando seu orgulho está ferido ou tem dor de cabeça. Não queremos que isso aconteça. Deixemos que fiquem vendo Remigius se desgastar, cometendo seus erros, enquanto sua imagem permanece resplandecente e perfeita na cabeça deles.

— Não gosto disso — disse Philip, perturbado. — Dá uma sensação de fraude.

— Não há nada de desonesto nisso — protestou Milius. — É um reflexo verdadeiro de quão bem você serviria a Deus e ao mosteiro se fosse o prior... e quão mal Remigius nos governaria.

Philip sacudiu a cabeça.

— Recuso-me a bancar o anjo. Tudo bem, não ficarei aqui; tenho mesmo que voltar para a floresta, de qualquer modo. Mas precisamos ser sinceros com os irmãos. Estamos lhes pedindo que elejam um homem falível e imperfeito, que precisará da sua ajuda e das suas preces.

— Diga-lhes isso! — exclamou Milius, entusiasmado. — É perfeito; eles vão amar.

Ele era incorrigível, pensou Philip. Mudou de assunto.

— Qual é a sua impressão dos irresolutos... os irmãos que ainda não se decidiram?

— São conservadores — respondeu o cozinheiro, sem hesitação. Veem Remigius como o mais velho, aquele que fará menos modificações, o previsível, aquele que está efetivamente encarregado de tudo, no presente momento.

Philip aquiesceu, balançando a cabeça.

— E me olham com medo, como se eu fosse um cachorro estranho que pudesse morder.

O sino tocou para o cabido. Milius engoliu o último gole de cerveja.

— Haverá algum tipo de ataque contra você agora, Philip. Não posso prever que forma terá, mas eles vão tentar retratá-lo como jovem, inexperiente, teimoso e não confiável. Você tem de aparentar ser calmo, cauteloso e judicioso, mas deixe comigo e com Cuthbert a tarefa de defendê-lo.

Philip começou a se sentir apreensivo. Aquele era um novo jeito de ser — avaliar cada movimento e calcular como os outros iriam interpretar e julgar. Um tom ligeiramente desaprovador apareceu em sua voz quando disse:

— Em geral, só penso em como Deus veria o meu comportamento.

— Eu sei, eu sei — disse Milius, impaciente. — Mas não é pecado ajudar um sujeito mais simples a ver os seus atos na luz correta.

Philip fez uma expressão de desagrado. Milius era perturbadoramente racional.

Deixaram a cozinha e foram para o claustro, passando pelo refeitório. Philip estava muito ansioso. Ataque? O que significava aquilo, um *ataque*? Diriam mentiras a seu respeito? Como deveria reagir? Se mentissem sobre ele, ficaria furioso. Deveria conter a raiva, a fim de parecer calmo, conservador e tudo mais? Mas se fizesse isso, os irmãos não iriam pensar que as mentiras eram verdadeiras? Decidiu que agiria como sempre; talvez ficasse apenas um *pouco* mais grave e sério.

A casa do cabido era uma pequena construção redonda adjacente à calçada leste do claustro. Era mobiliada com bancos dispostos em círculos concêntricos. Não tinha um fogo, e era fria para quem saíra da cozinha. A luz vinha de janelas altas, situadas acima do nível dos olhos, de modo que não havia o que ver, senão os outros monges no salão.

Philip fez justamente aquilo. Quase todo o mosteiro estava presente. Havia todas as idades, de dezessete a setenta; altos e baixos, morenos e louros; todos vestidos com o hábito de lã não alvejada de fabricação caseira e calçados com sandálias de couro. O hospedeiro estava ali; a barriga protuberante e o nariz vermelho mostrando seus vícios — que seriam perdoáveis, pensou Philip, se jamais tivesse tido algum hóspede. Presente também estava o camareiro, que obrigava os monges a trocar de hábito e a se barbear no Natal e no Pentecostes (um banho, nas mesmas datas, era recomendado, mas não compulsório). Encostado à parede do outro lado estava o irmão mais velho, franzino, pensativo e imperturbável, cujo cabelo ainda era mais grisalho que branco; um homem que falava rara, mas efetivamente; um homem que decerto teria sido prior se não fosse tão modesto. Ali estava o irmão Simon, com seu olhar furtivo e mãos irrequietas, um homem que confessava pecados de impureza com tanta frequência que (como Milius cochichara a Philip) parecia ser provável que gostasse mais da confissão que do pecado. Viam-se também William Beauvis, comportando-se; o irmão Paul, quase sem mancar; Cuthbert Cabeça Branca, parecendo senhor de si; John Pequeno, o diminuto tesoureiro; e Pierre, encarregado da disciplina, o homem de palavras duras que deixara Philip sem jantar na véspera. Quando este olhou à sua volta, percebeu que todos o encaravam, e baixou a cabeça, envergonhado.

Remigius entrou com Andrew Sacristão, e os dois sentaram perto de John Pequeno e Pierre. Então, pensou Philip, não iam querer ser nada além de uma facção.

O cabido começou com uma leitura sobre Simeão Estilita, o santo do dia. Era um anacoreta que passou a maior parte de sua vida em cima de uma coluna, e, embora não pudesse haver nenhuma dúvida quanto à sua capacidade de renúncia, Philip sempre abrigara uma dúvida secreta acerca do real valor do seu testemunho. Multidões iam ver Simeão, mas seria para se sentirem espiritualmente enaltecidas ou para verem uma aberração?

Depois das preces veio a leitura de um capítulo do livro de são Bento. Era da leitura diária de um capítulo que a reunião e o próprio edifício onde se realizava ganharam o nome de "cabido"*. Remigius levantou-se para ler, e enquanto fez uma pausa com o livro à sua frente, Philip examinou-lhe atentamente o perfil, vendo-o pela primeira vez com olhos de rival. Remigius tinha um jeito brusco e eficiente de se mover e de falar que lhe dava um ar de competência em inteiro desacordo com seu verdadeiro caráter. Um exame mais detido revelava indícios do que havia por baixo da fachada: seus olhos azuis um tanto proeminentes mexeram-se depressa, de um jeito ansioso, a boca de aparência fraca abriu e fechou hesitantemente umas duas ou três vezes antes de ele falar e suas mãos foram cerradas e abertas repetidas vezes, muito embora o resto do seu corpo estivesse quieto. A autoridade que tinha era oriunda de sua arrogância, do seu jeito petulante e do desprezo com que tratava os subordinados.

Philip perguntou-se por que ele teria escolhido a si próprio para ler o capítulo. Um momento mais tarde compreendeu.

– "O primeiro grau da humildade é a pronta obediência" – leu Remigius. Ele escolhera o "Capítulo cinco", que tratava da obediência, para lembrar a todos a sua antiguidade e como eram seus subordinados. Uma tática de intimidação.

---

* Do latim "capitulu".

Remigius não tinha nada de tolo. – "Eles não vivem como seria do seu desejo, e tampouco obedecem às suas vontades e prazeres; mas, seguindo o comando e a direção de outro e residindo em seus monastérios, o desejo deles é ser governados por um abade. Sem dúvida, homens como esses cumprem as palavras de Nosso Senhor: *Eu não vim para fazer a minha vontade, e sim a vontade Daquele que me mandou.*" – Remigius estava definindo as linhas gerais da batalha no modo esperado: nesse contexto ele iria representar a autoridade estabelecida.

O capítulo foi seguido pelo necrológio, e naquele dia, é claro, todas as preces se voltaram para a alma do prior James. A parte mais animada da reunião foi guardada para o fim: discussão de negócios, confissão de erros e acusações de má conduta.

– Houve uma perturbação da ordem durante a missa solene de ontem – começou Remigius.

Philip sentiu-se quase aliviado. Agora sabia como ia ser atacado. Não estava seguro de que sua ação da véspera fora certa, mas sabia o motivo pelo qual agira e estava pronto a se defender.

– Eu próprio não estava presente – prosseguiu Remigius. – Fiquei preso na casa do prior, tratando de negócios urgentes, mas o sacristão me contou o ocorrido.

Foi interrompido por Cuthbert Cabeça Branca.

– Não se recrimine por causa disso, irmão Remigius – disse, numa voz apaziguadora. – Sabemos que, em princípio, os negócios do mosteiro nunca devem ter prioridade sobre missas solenes, mas compreendemos que a morte do nosso amado prior fez com que você tivesse de tratar de muitos assuntos fora de sua competência normal. Sinto que todos nós concordamos que nenhuma penitência é necessária.

A velha raposa, pensou Philip. Claro que Remigius não tivera intenção de confessar um erro. Mesmo assim, Cuthbert o perdoara, fazendo com que todos pensassem que uma falha tinha sido admitida. Agora, mesmo que Philip fosse considerado culpado de algum erro, estaria tão somente sendo colocado no mesmo nível de Remigius. Além disso, Cuthbert plantara a sugestão de que Remigius estava tendo dificuldade para dar conta dos deveres do prior. Minara por completo a autoridade de Remigius com algumas palavras aparentemente bondosas. O subprior pareceu furioso. Philip sentiu a emoção do triunfo apertar-lhe a garganta.

Andrew Sacristão fulminou Cuthbert com um olhar acusador.

– Tenho certeza de que nenhum de nós desejaria criticar nosso respeitado subprior – disse. – O distúrbio referido foi causado pelo irmão Philip, do Mosteiro de St.-John-in-the-Forest, que está nos visitando. Ele tirou o jovem William Beauvis do seu lugar no coro, puxou-o para o transepto sul e ali o repreendeu enquanto eu conduzia o culto.

Remigius compôs o rosto numa máscara de pesarosa reprovação.

— Talvez seja lícito dizer que todos nós concordamos que Philip deveria ter esperado até o fim da missa.

Philip examinou a expressão dos outros monges. Pareceu-lhe que nem concordavam nem discordavam do que estava sendo dito. Acompanhavam os acontecimentos com o ar de espectadores num torneio em que não há certo ou errado e só interessa quem vencerá.

Philip teve vontade de protestar: *Se eu tivesse esperado, o mau comportamento se estenderia por toda a missa*, mas se lembrou do conselho de Milius e guardou silêncio; o cozinheiro falou por ele.

— Também faltei à missa, como frequentemente é minha desdita, pois a missa solene é rezada logo antes do jantar; assim, talvez você possa me dizer, irmão Andrew, o que estava acontecendo no coro quando o irmão Philip fez o que foi dito. Estava tudo ocorrendo em ordem e da forma devida?

— Havia um pouco de desassossego entre os jovens — respondeu o sacristão, emburrado. — Eu pretendia falar com eles mais tarde.

— É compreensível que você seja vago a respeito dos detalhes; sua cabeça estava na missa — disse Milius caridosamente. — Por sorte, temos um monge cuja obrigação específica é cuidar das falhas de comportamento entre nós. Diga-nos, irmão Pierre, o que você viu.

A expressão dele foi hostil.

— Exatamente o que o sacristão acabou de lhe contar.

— Parece que teremos de perguntar ao irmão Philip em pessoa para saber dos detalhes — disse Milius.

Milius fora muito inteligente, pensou Philip. Demonstrara que nem o sacristão nem o encarregado da disciplina tinham visto o que os jovens monges estavam fazendo durante a missa. Mas embora Philip admirasse o talento dialético do cozinheiro, sentia-se relutante em jogar aquele jogo. Escolher um prior não era uma competição de dotes intelectuais, era uma questão de procurar conhecer a vontade de Deus. Ele hesitou. Milius estava olhando para Philip com um olhar que dizia: *Agora é a sua chance!* Entretanto, havia uma veia de teimosia em Philip, que aparecia com mais clareza quando alguém tentava forçá-lo a uma posição moralmente duvidosa. Fitou Milius nos olhos e disse:

— Foi como os meus irmãos descreveram.

O queixo de Milius caiu. Ele encarou Philip, incrédulo. Chegou a abrir a boca, mas visivelmente não tinha o que dizer. Philip sentiu-se culpado por tê-lo abandonado. *Eu me explicarei com ele depois*, pensou, *se não estiver zangado demais*.

Remigius estava prestes a continuar pressionando com a acusação quando outra voz disse:

— Eu gostaria de me confessar.

Todo mundo olhou. Era William Beauvis, o transgressor original, de pé e com a aparência de quem estava envergonhado.

– Eu estava atirando bolinhas de lama no mestre dos noviços e rindo – disse, numa voz baixa, mas clara. – O irmão Philip fez com que eu me envergonhasse do que estava fazendo. Suplico a Deus o perdão e peço aos irmãos que me deem uma penitência. – Ele se sentou abruptamente.

Antes que Remigius pudesse reagir, outro jovem se ergueu e disse:

– Tenho uma confissão. Fiz o mesmo. Peço uma penitência. – Ele se sentou de novo.

O acesso súbito de consciências pesadas foi contagioso; um terceiro monge confessou, e depois um quarto e um quinto.

A verdade foi que, a despeito dos escrúpulos de Philip, ele não pôde deixar de se sentir satisfeito. Viu que Milius lutava para reprimir um sorriso de triunfo. A confissão não deixara dúvida de que tinha havido quase uma revolta bem no nariz do sacristão e do encarregado da disciplina.

Os culpados foram sentenciados, por um Remigius extremamente insatisfeito, a uma semana de silêncio total; não deviam falar e ninguém devia lhes falar. Tratava-se de uma punição mais severa do que podia parecer. Philip a sofrera quando jovem. Até mesmo por um único dia o isolamento era opressivo, e por uma semana inteira era angustiante.

Mas Remigius estava apenas dando vazão à sua raiva por ter sido ultrapassado em sua manobra. Uma vez que eles tinham confessado, não restava outra opção senão puni-los, embora ao fazê-lo estivesse implicitamente declarando que o prior de St.-John-in-the-Forest tivera razão. Seu ataque a Philip fracassara, e este sentiu-se triunfante. A despeito de uma pontada de culpa, saboreou o momento.

No entanto, a humilhação de Remigius ainda não fora completa. Cuthbert falou de novo.

– Houve outro problema que deveríamos discutir. Teve lugar no claustro, logo após a missa solene. – Philip perguntou-se o que poderia estar por vir. – O irmão Andrew acareou o irmão Philip e o acusou de mau comportamento. – Claro que sim, estava pensando Philip; todo mundo sabia disso. Cuthbert continuou: – Agora, todos nós sabemos que a hora e o lugar para tais acusações é aqui no cabido. E há bons motivos para que nossos antepassados assim tenham determinado. A irritação se acalma durante a noite e as queixas podem ser discutidas na manhã seguinte, em uma atmosfera de calma e moderação; e toda a comunidade pode contribuir com sua sabedoria coletiva para resolver o problema. Mas, lamento dizer, Andrew desobedeceu a essa sensata regra e fez uma cena no claustro, perturbando a todos e usando linguagem violenta. Não tomar uma providência num caso desses seria injusto para com os irmãos mais jovens, que foram punidos pelo que fizeram.

Foi impiedoso e brilhante, pensou Philip, feliz. A questão de saber se ele estivera certo ao tirar William do coro durante a missa nunca chegara a ser discutida. Toda tentativa de colocá-la fora transformada num inquérito para apurar o comportamento do acusador. E era assim que deveria ser, já que a queixa de Andrew contra Philip fora insincera. Cuthbert e Milius tinham desacreditado Remigius e seus dois principais aliados, Andrew e Pierre.

O rosto normalmente vermelho de Andrew ficou roxo de raiva, e Remigius pareceu quase assustado. Philip ficou satisfeito — eles mereciam —, mas também preocupado porque sua humilhação arriscava estar indo longe demais.

— É impróprio que irmãos mais moços discutam a punição dos mais velhos — disse ele. — Que o subprior trate deste assunto em particular. — Olhando à sua volta, Philip viu que os monges aprovavam sua magnanimidade, e percebeu que, sem querer, marcara outro ponto.

Parecia estar acabado. A opinião de todos ali na reunião estava com Philip, que tinha certeza de que ganhara o voto da maioria dos indecisos. Foi então que Remigius disse:

— Há outra questão que quero levantar.

Philip examinou o rosto do subprior. Parecia desesperado. Deu uma olhada em Andrew Sacristão e Pierre Disciplinador e viu que ambos pareciam surpresos. Tratava-se então de algo não planejado. Remigius iria pedir o cargo, então?

— A maioria de vocês sabe que o bispo tem o direito de indicar candidatos à nossa consideração — começou Remigius. — Ele também pode se recusar a confirmar nossa escolha. A divisão de forças é capaz de gerar um antagonismo entre o bispo e o mosteiro, como alguns irmãos mais velhos conhecem de experiência própria. No final, o bispo não pode nos impor seu candidato, tampouco podemos insistir no nosso; e o conflito tem que ser resolvido pela negociação. Nesse caso, o resultado depende muito da determinação e da união dos irmãos... especialmente de sua *união*.

Philip não gostou do que ouviu. Remigius contivera a raiva e estava mais uma vez calmo e arrogante. Não dava para saber o que estava por vir, mas a sensação de triunfo de Philip evaporou.

— A razão pela qual menciono isso hoje é que duas informações importantes chegaram ao meu conhecimento — prosseguiu Remigius. — A primeira é que pode haver mais de um candidato entre nós, aqui nesta sala. — Essa informação não surpreendeu ninguém, pensou Philip. — A segunda é que o bispo também indicará um candidato.

Houve uma pausa sugestiva. Aquilo era uma má notícia para as duas facções. Alguém perguntou:

— Sabe *quem* o bispo quer?

— Sim — foi a resposta, e neste instante Philip teve certeza de que Remigius estava mentindo. — A escolha do bispo é o irmão Osbert de Newbury.

Um ou dois monges engasgaram. Todos ficaram horrorizados. Conheciam Osbert, que fora encarregado da disciplina em Kingsbridge por algum tempo. Era filho ilegítimo do bispo, e considerava a Igreja puramente como um lugar onde podia viver uma vida de ócio e fartura. Nunca fizera tentativa alguma de obedecer aos seus votos; mal e mal mantinha as aparências e confiava no pai para se manter fora de encrenca. A perspectiva de tê-lo como prior era assustadora, inclusive para os amigos de Remigius. Só o encarregado dos hóspedes e dois dos seus amigos irremediavelmente depravados podiam favorecer Osbert, na expectativa de um regime de disciplina frouxa e de desmazelada condescendência.

Remigius continuou a trabalhar o assunto.

— Se designarmos dois candidatos, irmãos, o bispo poderá dizer que estamos divididos e que não conseguimos tomar uma decisão coletiva, e por isso terá de decidir por nós, que deveremos acatar sua escolha. Se quisermos resistir a Osbert, o melhor será termos um só candidato; e talvez, devo acrescentar, nos certificarmos de que nosso candidato não possa ser facilmente acusado com base na sua juventude ou inexperiência.

Houve um murmúrio de concordância. Philip ficou arrasado. Um momento antes estivera certo da vitória, mas ela lhe fora arrancada das mãos. Todos os monges agora estavam com Remigius, vendo nele o candidato seguro, o candidato de união, o homem para vencer Osbert. Philip tinha certeza de que Remigius estava mentindo a respeito de Osbert, mas isso não faria diferença. Os monges estavam assustados, e apoiariam Remigius; isso significava mais anos de declínio para Kingsbridge.

— Vamos nos retirar, pensar e orar acerca deste problema enquanto realizamos os trabalhos de Deus hoje — disse Remigius, antes que alguém pudesse fazer comentários. Ele levantou-se e saiu, seguido por Andrew, Pierre e John Pequeno, estes três parecendo aturdidos, mas triunfantes.

Assim que saíram, rompeu um burburinho de conversação entre os outros. Milius disse para Philip:

— Nunca pensei que Remigius fosse capaz de um truque desses.

— Ele está mentindo — disse Philip amargamente. — Tenho certeza.

Cuthbert juntou-se a eles e ouviu a observação de Philip.

— Na verdade não tem importância se ele está ou não mentindo, não é mesmo? A ameaça é suficiente.

— A verdade um dia surgirá — disse Philip.

— Não obrigatoriamente — replicou Milius. — Suponha que o bispo não designe Osbert. Remigius dirá que o bispo cedeu ante a perspectiva de uma batalha com o priorado unido.

— Não estou disposto a ceder — disse Philip, teimoso.

– O que mais podemos fazer? – perguntou Milius.
– Podemos descobrir a verdade.
– Não podemos – disse Milius.
Philip exigiu o máximo que pôde do cérebro. A frustração era uma agonia.
– Por que não podemos simplesmente perguntar?
– Perguntar? O que você está querendo dizer?
– Perguntar ao bispo quais são suas intenções – explicou Philip.
– Como?
– Podíamos mandar uma mensagem ao palácio do bispo, não podíamos? – disse Philip, pensando em voz alta. Olhou para Cuthbert.

Cuthbert ficou pensativo.
– Sim. Mando mensageiros o tempo todo para algum lugar. Poderia enviar um ao palácio.
– E perguntar ao bispo quais seriam suas intenções? – perguntou Milius ceticamente.

Philip fez uma careta. Ali estava o problema.

Cuthbert concordou com Milius.
– O bispo não nos dirá – disse.

Philip foi tomado por uma inspiração. Sua expressão se desanuviou e ele deu um soco na palma da mão excitadamente quando viu a solução.
– Não, não o bispo. Mas o arcediago nos dirá o que queremos saber.

Naquela noite sonhou com Jonathan, o bebê abandonado. No sonho a criança estava na entrada da capela de St.-John-in-the-Forest e Philip estava do lado de dentro, lendo o culto da prima, quando um lobo veio se esgueirando do mato e atravessou o campo, sorrateiro como uma cobra, dirigindo-se ao bebê. Philip ficou com medo de se mover para não causar um distúrbio durante o ofício religioso e ser repreendido por Andrew e Remigius, que estavam ali (embora na verdade nenhum dos dois jamais tivesse estado no mosteiro). Decidiu gritar, mas, embora tentasse, não produziu nenhum som, como frequentemente acontece nos sonhos. Por fim fez um esforço tão grande para gritar que acordou, e ficou no escuro, trêmulo, ouvindo o ressonar dos monges que dormiam à sua volta, até se convencer lentamente de que o lobo não era de verdade.

Mal pensara no bebê desde a chegada a Kingsbridge. Perguntou-se o que faria com ele se se tornasse o prior. Tudo seria diferente então. Um bebê num mosteiro escondido no meio da floresta era algo sem consequências, embora pouco usual. O mesmo bebê no priorado de Kingsbridge causaria agitação. Por outro lado, o que havia de errado nisso? Não era pecado dar às pessoas assunto para comentários. Ele seria o prior, e portanto poderia fazer o que bem entendesse. Podia trazer

Johnny Oito Pence para Kingsbridge, a fim de cuidar do bebê. A ideia o agradou. É exatamente o que farei, pensou. Foi só então que se lembrou de que, com toda a probabilidade, não seria o prior.

Ficou acordado até de madrugada, febril de impaciência. Não havia nada que pudesse fazer agora para ajudar o seu lado. Era inútil falar com os monges, pois o espírito deles estava dominado pela ameaça de Osbert. Alguns tinham mesmo procurado Philip e lhe dito que sentiam pela sua derrota, como se a eleição já tivesse acontecido. Resistira à tentação de chamá-los de covardes infiéis. Apenas sorrira e lhes dissera que ainda poderiam ter uma surpresa. Mas sua própria fé não era forte. O arcediago talvez não estivesse no palácio; ou talvez estivesse, mas, por algum motivo, não quisesse contar a Philip quais eram os planos do bispo; ou ainda – e a hipótese mais provável, dado o caráter de Waleran – pudesse ter seus próprios planos.

Philip levantou-se de madrugada com os outros monges e foi para a igreja rezar a prima, o primeiro serviço do dia. Depois se dirigiu para o refeitório, tencionando tomar o desjejum, com os outros, mas Milius o interceptou e o chamou, com um gesto furtivo, para a cozinha. Philip seguiu-o, os nervos tensos. O mensageiro devia ter voltado; nesse caso, fora extremamente rápido. Devia ter tido sua resposta imediatamente e começado a viagem de volta ainda no dia anterior, à tarde. Mesmo assim, andara muito depressa. Philip não conhecia nenhum cavalo no estábulo do priorado capaz de fazer aquela jornada tão rapidamente. Mas qual seria a resposta?

Não era o mensageiro quem estava esperando na cozinha – era o arcediago em pessoa, Waleran Bigod.

Philip encarou-o, espantado. Seu vulto esguio e coberto de negro em um banco lembrava um corvo empoleirado num toco de árvore. A ponta do nariz bicudo estava vermelha de frio. Ele aquecia as mãos ossudas e brancas numa taça de vinho quente aromatizado.

— Foi muita bondade sua ter vindo! – explodiu Philip.

— Fico satisfeito que você me tenha escrito – disse Waleran friamente.

— É verdade? – perguntou ele, impaciente. – O bispo vai nomear Osbert?

Waleran levantou a mão para interrompê-lo.

— Já chego lá. Cuthbert aqui está me contando os acontecimentos de ontem.

Philip disfarçou o desapontamento. Aquilo não era uma proposta direta. Examinou o rosto de Waleran, tentando ler seu pensamento. Ele tinha, sem dúvida, seus próprios planos, mas Philip não era capaz de adivinhar quais eram.

Cuthbert – a quem inicialmente não vira, sentado ao lado do fogo, mergulhando o pão na cerveja a fim de amaciá-lo para seus dentes de velho – recomeçou a narrativa do cabido da véspera. Philip remexia-se inquietamente, tentando adivinhar quais seriam as intenções de Waleran. Experimentou um pedaço de pão, mas descobriu que estava tenso demais para engolir. Bebeu um pouco da cerveja aguada, só para ter o que fazer com as mãos.

— E assim — disse Cuthbert por fim — achamos que a nossa única chance era tentar descobrir as intenções do bispo; e afortunadamente Philip julgou que poderia se valer do conhecimento dele com você, e foi por isso que lhe mandamos a mensagem.

— E agora você nos dirá aquilo que queremos saber? — perguntou Philip impacientemente.

— Sim, eu lhes direi. — Waleran descansou o vinho sem ter tomado um único gole. — O bispo gostaria que seu filho fosse o prior de Kingsbridge.

O coração de Philip confrangeu-se.

— Então Remigius disse a verdade.

— No entanto — continuou Waleran —, o bispo não está disposto a arriscar uma briga com os monges.

Philip franziu o cenho. Aquilo era mais ou menos o que Remigius antecipara — mas alguma coisa não estava direita.

— Você não veio até aqui só para nos dizer isso — disse a Waleran.

O arcediago dirigiu um olhar de respeito a Philip, que viu que presumira corretamente.

— Não — disse Waleran. — O bispo me pediu que visse como andava o estado de espírito do mosteiro. E me autorizou a efetuar a nomeação em seu nome. Na verdade, tenho comigo seu selo, de modo que posso escrever uma carta de designação, formalizando o assunto. Tenho sua total autoridade, entende?

Philip levou um momento para digerir aquilo. Waleran recebera o poder de efetuar uma designação e assiná-la com o selo do bispo. Isso significava que ele pusera todo o assunto em suas mãos. Estava falando com a autoridade do bispo.

— Você aceita o que Cuthbert lhe disse — que se Osbert fosse designado haveria uma desavença que o bispo quer evitar? — perguntou Philip, depois de respirar fundo.

— Eu entendo assim — respondeu Waleran.

— Então não vai designar Osbert.

— Não.

— Então, a quem vai designar?

— Você... ou Remigius.

— A capacidade de Remigius para dirigir o priorado...

— Conheço a capacidade dele e a sua — interrompeu o arcediago, levantando mais uma vez a mão branca e magra para calar Philip. Sei qual dos dois daria o melhor prior. — Ele fez uma pausa. — Mas há outra questão.

O que será agora?, perguntou-se Philip. O que mais poderá haver para se levar em consideração, sem ser quem seria o melhor prior? Olhou para os outros.

Milius também estava espantado, mas Cuthbert exibia um sorriso quase imperceptível, como se soubesse o que estava por vir.

— Como você — disse Waleran —, anseio por que os postos importantes da Igreja sejam destinados a homens enérgicos e capazes, sem considerar sua idade, em vez de serem dados, como recompensa pelos longos serviços prestados, a homens idosos cuja santidade pode ser maior que sua capacidade administrativa.

— Claro — disse Philip impacientemente. Não via a relevância do sermão.

— Deveríamos trabalhar juntos com este objetivo... vocês três e eu.

— Não sei aonde você está querendo chegar — disse Milius.

— Eu sei — disse Cuthbert.

Waleran recompensou o despenseiro com um leve sorriso e voltou sua atenção para Philip.

— Deixem-me ser franco — disse. — O bispo está velho. Um dia ele morrerá, e precisaremos de outro bispo, tal como hoje precisamos de um novo prior. Os monges de Kingsbridge têm o direito de eleger o novo bispo, pois o bispo de Kingsbridge é também o abade do priorado.

Philip franziu a testa. Aquilo era irrelevante. Estavam elegendo um prior, não um bispo.

— É claro que os monges não serão completamente livres para escolher quem quiserem como bispo — prosseguiu Waleran —, pois o arcebispo e o rei terão seus pontos de vista; contudo, no fim são os monges quem legitimam a designação. E quando chegar a hora, vocês três exercerão uma influência poderosa na decisão.

Cuthbert estava balançando a cabeça, como se seu palpite estivesse se confirmando, e agora também Philip vislumbrava o que seria dito.

— Quer que eu o faça o prior de Kingsbridge — concluiu o arcediago. — Quero que me faça bispo.

Então era isso!

Philip ficou olhando em silêncio para Waleran. Era muito simples. O arcediago queria fazer um trato.

Ficou chocado. Não era a mesma coisa que comprar e vender um cargo religioso, algo conhecido como o pecado da simonia; mas tinha um quê desagradavelmente comercial.

Tentou pensar com objetividade na proposta. Significava que seria o prior. Seu coração bateu mais depressa com a ideia. Entretanto, relutava em usar de quaisquer artifícios que lhe dessem o priorado.

Significava também que Waleran provavelmente seria bispo, em algum instante. Seria um bom bispo? Com certeza seria competente. Parecia não ter vícios sérios. Tinha uma visão bastante mundana e prática do serviço de Deus, mas este também era o caso de Philip. Sentia que Waleran tinha um lado mais desumano que ele, mas achava também que era movido por uma genuína determinação de proteger e fortalecer os interesses da Igreja.

Quem mais poderia ser candidato, quando o bispo viesse a falecer? Provavelmente Osbert. Não era impossível que cargos religiosos passassem de pai para filho, a despeito da exigência oficial do celibato. Osbert, é claro, poria mais em risco a Igreja como bispo que como prior. Valeria a pena apoiar um candidato até mesmo pior que Waleran só para deixar Osbert de fora.

Haveria algum outro candidato? Impossível saber. Poderiam se passar anos até que o bispo morresse.

– Não podemos garantir que você seja eleito – disse Cuthbert para Waleran.

– Eu sei. Estou pedindo apenas a sua indicação. Apropriadamente, é isso o que tenho a oferecer em troca: uma indicação.

Cuthbert aquiesceu.

– Concordo com isso – disse, solene.

– Eu também – disse Milius.

O arcediago e os dois monges olharam para Philip. Ele hesitou, dividido. Aquilo não era modo de se escolher um bispo, sabia; porém, o priorado estava a seu alcance. Podia não estar certo barganhar um cargo religioso por outro, como negociantes de cavalos; porém, se ele recusasse, Remigius podia se tornar o prior, e Osbert, o bispo!

No entanto, os argumentos racionais agora pareciam acadêmicos. A vontade de ser prior exercia uma força irresistível dentro dele, e não podia recusar, não obstante prós e contras. Recordou a prece que fizera na véspera, dizendo a Deus que tencionava lutar pelo cargo. Ergueu os olhos agora e fez outra oração: *Se não quer que isto aconteça, então paralise a minha língua, não deixe o ar entrar na minha garganta e me impeça de falar.*

Então olhou para Waleran e disse:

– Aceito.

A cama do prior era imensa, três vezes a largura de qualquer cama em que Philip já dormira. A base de madeira erguia-se à metade da altura de um homem, e por cima dela havia um colchão de penas. Era cercada por cortinas, para evitar correntes de ar, nas quais se viam cenas bíblicas bordadas pelas mãos pacientes de alguma devota. Philip examinou a cama com alguma apreensão. Já lhe parecia uma extravagância que o prior tivesse um quarto só para ele – nunca em sua vida Philip tivera um quarto só seu, e essa seria a primeira noite em que dormiria sozinho. A cama era exagerada. Pensou em mandar trazer um colchão de palha do refeitório e transferir a cama para a enfermaria, onde aliviaria a dor nos ossos velhos de algum monge enfermo. Mas é claro que a cama não se destinava apenas a Philip. Quando o priorado tivesse um hóspede especialmente importante, um bispo, um grande lorde ou mesmo um rei, ficaria com aquele quarto e o prior se transferiria para outro lugar. Assim, Philip não podia realmente se livrar dela.

— Você dormirá bem esta noite — disse Waleran Bigod, não sem uma ponta de inveja.

— Suponho que sim — disse Philip, na dúvida.

Tudo acontecera muito depressa. Waleran escrevera uma carta para o priorado, ali mesmo na cozinha, ordenando aos monges que convocassem uma eleição imediata e indicando Philip. Assinara o nome do bispo e selara com o selo dele. E depois os quatro tinham ido para o cabido.

Assim que Remigius os viu entrar, deu-se conta de que a batalha estava perdida. O arcediago leu a carta, e os monges aplaudiram quando ele chegou ao nome de Philip. Remigius teve a sabedoria de dispensar a formalidade do voto e declarar-se derrotado.

E Philip passou a ser o prior.

Conduzira o resto da reunião como que em transe, e depois atravessara o gramado até a casa do prior, no lado sudeste do adro do priorado, a fim de assumir sua residência.

Quando viu a cama percebeu que sua vida havia mudado total e irrevogavelmente. Era especial, diferente, separado dos outros monges. Tinha poder e privilégios. E também responsabilidades. Sozinho, precisava fazer com que aquela pequena comunidade de quarenta e cinco homens sobrevivesse e prosperasse. Se sentissem fome, a culpa seria sua; se se tornassem depravados, ele é que deveria ser acusado; se infelicitassem a Igreja de Deus, Ele teria em Philip o responsável. Fora ele quem procurara aquele fardo, lembrou a si próprio; agora devia suportá-lo.

Seu primeiro dever como prior seria levar os monges para a igreja, onde haveria uma missa solene. Era Epifania, o décimo segundo dia depois do Natal, e dia santo. Todos os aldeões estariam presentes, e mais gente viria dos arredores. Uma boa catedral, com um bom corpo de monges e reputação de ofícios espetaculares, poderia atrair mil pessoas ou mais. Até mesmo a árida Kingsbridge atrairia a maior parte da pequena nobreza local, pois o culto também era uma ocasião social em que as pessoas podiam encontrar os vizinhos e conversar de negócios.

Porém, antes da missa Philip tinha algo mais a discutir com Waleran, agora que finalmente estavam a sós.

— Aquela informação que lhe passei a respeito do conde de Shiring... — começou ele.

O arcediago balançou a cabeça.

— Não esqueci; na verdade, pode vir a ser mais importante que a questão de quem é o prior ou o bispo. O conde Bartholomew já chegou à Inglaterra. Esperam-no em Shiring amanhã.

— O que você vai fazer? — perguntou Philip ansiosamente.

— Vou me utilizar de Sir Percy Hamleigh. Na verdade, espero que ele esteja na congregação hoje.

— Já ouvi falar dele, mas nunca o vi — disse Philip.

— Procure um lorde gordo com uma mulher horrível e um filho bonito. Não pode deixar de ver a mulher: é uma monstruosidade.

— O que o faz pensar que eles tomarão o lado do rei Estêvão contra o conde Bartholomew?

— Eles odeiam o conde.

— Por quê?

— O filho, William, estava noivo da filha do conde, mas ela brigou com ele e o casamento foi desfeito, para humilhação dos Hamleighs. Ainda estão sentindo a dor do insulto e agarrarão qualquer oportunidade para devolver o golpe a Bartholomew.

Philip aquiesceu, satisfeito. Sentia-se contente por ter se livrado daquela responsabilidade. O priorado de Kingsbridge já era um problema suficientemente grande para ele. Waleran podia cuidar do mundo exterior.

Deixaram a casa do prior e retornaram ao claustro. Os monges estavam esperando. Philip tomou seu lugar à frente da coluna e a procissão teve início.

Foi um bom momento quando entrou na igreja com os monges cantando à sua retaguarda. Gostou mais do que antecipara. Disse a si próprio que sua nova eminência simbolizava o poder que tinha agora para fazer o bem, e que por isso estava tão profundamente emocionado. Gostaria que o abade Peter de Gwynedd pudesse vê-lo — o velho ficaria muito orgulhoso.

Levou os monges até seus lugares no coro. Um ofício importante como aquele era frequentemente conduzido pelo bispo. Nesse dia ficaria a cargo do seu representante, o arcediago Waleran. Quando ele começou, Philip examinou a congregação, procurando a família que lhe descrevera. Havia umas quatrocentas e cinquenta pessoas de pé na nave: os ricos, com seus pesados mantos e sapatos de couro; os camponeses em suas jaquetas grosseiras e botas de feltro ou tamancos de madeira. Philip não teve problema para descobrir os Hamleighs. Estavam quase na frente, perto do altar. Viu a mulher primeiro. Waleran não exagerara — era repulsiva. Usava um capuz, mas a maior parte do rosto era visível, e sua pele estava coberta de furúnculos disformes em que tocava nervosamente o tempo todo. Ao seu lado estava um homem corpulento com cerca de quarenta anos: devia ser Percy. Suas roupas demonstravam que era um homem de considerável fortuna e poder, mas não na primeira categoria dos barões e condes. O filho estava encostado numa das maciças colunas da nave. Era uma bela figura de homem, de cabelo muito louro e olhos estreitos e arrogantes. O casamento com a família do conde possibilitaria aos Hamleighs atravessar a linha que dividia os pequenos fidalgos do condado da nobreza do reino. Não era de admirar que estivessem furiosos com o cancelamento da união.

Philip retornou a atenção para o culto. Waleran estava celebrando um pouco depressa demais para o gosto de Philip. Perguntou-se mais uma vez se teria agido corretamente concordando em designar o arcediago para bispo quando este morresse. Waleran era um homem dedicado, mas parecia não valorizar a importância do culto. A prosperidade e o poder da Igreja eram apenas um meio para se atingir um fim, afinal: o objetivo supremo era a salvação das almas. Philip decidiu que não devia se preocupar demais com o arcediago. A coisa já estava feita, agora; e de qualquer modo o bispo provavelmente frustraria a ambição de Waleran, vivendo mais outros vinte anos.

A congregação era barulhenta. Nenhum dos fiéis conhecia as respostas, é claro; só os padres e os monges deveriam tomar parte, exceto nas orações mais conhecidas e nos améns. Algumas pessoas assistiam em silêncio reverente, mas outras ficavam circulando, cumprimentando-se e tagarelando. É uma gente simples, pensou Philip; é preciso *fazer* alguma coisa para prender sua atenção.

A missa foi chegando ao fim, e Waleran dirigiu-se aos assistentes.

– A maioria de vocês sabe que o amado prior de Kingsbridge morreu. Seu corpo, que jaz conosco aqui na igreja, será posto para descansar no cemitério do priorado hoje, após o jantar. O bispo e os monges escolheram como seu sucessor o irmão Philip de Gwynedd, que entrou à nossa frente na igreja, esta manhã. – Parou, e Philip ergueu-se para liderar a saída da procissão. O arcediago acrescentou:

– Tenho outro triste comunicado.

Philip foi tomado de surpresa. Sentou-se prontamente.

– Acabei de receber uma mensagem – disse Waleran.

Ele não recebera mensagem alguma, Philip sabia. Tinham estado juntos a manhã toda. O que o ardiloso arcediago estaria aprontando agora?

– A mensagem fala de uma perda que muito fará sofrer a todos nós. – Ele fez outra pausa.

Alguém tinha morrido... mas quem? Waleran sabia desde que chegara, mas guardara segredo, e agora ia fingir que tinha acabado de receber a notícia. Por quê?

Philip podia pensar apenas numa única possibilidade. E, se suas suspeitas estivessem corretas, Waleran era muito mais ambicioso e inescrupuloso do que imaginara. Teria realmente enganado e manipulado a todos eles? Philip teria sido um mero peão em seu jogo?

As palavras finais do arcediago confirmaram essa possibilidade.

– Caríssimos irmãos – disse solenemente –, o bispo de Kingsbridge está morto.

Capítulo 3

1

— Aquela cachorra estará lá – disse a mãe de William. – Tenho absoluta certeza.

O jovem olhou para a gigantesca fachada da Catedral de Kingsbridge com um misto de apreensão e veemente desejo. Se Lady Aliena estivesse presente na missa da Epifania seria dolorosamente embaraçoso para todos eles, mas mesmo assim seu coração bateu mais depressa ante a perspectiva de revê-la.

Trotavam ao longo da estrada para Kingsbridge, William e o pai em cavalos de batalha e sua mãe num belo corcel, seguidos por três cavaleiros e três criados. Compunham um grupo impressionante e até mesmo aterrador, o que agradava a William; os camponeses que caminhavam pela estrada espalhavam-se ante seus vigorosos cavalos. A mãe, porém, estava fervendo de raiva.

— Todos sabem, até mesmo esses servos desventurados – disse ela, por entre os dentes cerrados. – Contam inclusive piadas a nosso respeito. "Quando a noiva não é noiva? Quando o noivo é Will Hamleigh!" Mandei que açoitassem um homem por isso, mas não adiantou. Queria agarrar aquela vagabunda, arrancar-lhe a pele em vida, pendurá-la num prego e deixar os pássaros bicarem sua carne.

William queria que ela mudasse de assunto. A família fora humilhada e a culpa tinha sido de William – pelo menos era o que a mãe dizia – e ele não queria ser lembrado disso.

Passaram ruidosamente pela frágil ponte de madeira que levava à aldeia de Kingsbridge e tocaram os cavalos para subir a rua principal para o priorado. Já havia uns vinte ou trinta cavalos pastando a escassa grama do cemitério ao lado norte da igreja, mas nenhum tão bonito quanto os dos Hamleighs. Eles seguiram até o estábulo e deixaram as montarias com os cavalariços.

Cruzaram o gramado em formação. William e o pai, um de cada lado da mãe, depois os cavaleiros atrás deles, e os criados fechando o cortejo. As pessoas abriam caminho, mas o jovem podia vê-los cutucando-se uns aos outros e apontando, e não teve dúvida de que estavam cochichando acerca do casamento cancelado.

Arriscou um olhar para a mãe, e, pela medonha expressão do seu rosto, podia dizer que achava a mesma coisa.

Entraram na igreja.

William detestava igrejas. Eram frias e escuras mesmo com tempo bom, e sempre havia aquele cheiro de ar viciado nos cantos sombrios e nos túneis baixos das naves laterais. Pior que tudo, as igrejas faziam com que pensasse nos tormentos do inferno, e ele tinha pavor do inferno.

Esquadrinhou a congregação com os olhos. A princípio mal podia distinguir as pessoas por causa da escuridão. Após alguns momentos seus olhos se adaptaram. Não viu Aliena. Procurou mais acima, na nave. Não parecia estar presente. Sentiu-se ao mesmo tempo aliviado e frustrado. Então a viu, e seu coração falhou uma batida.

Ela estava do lado sul da nave, à frente, acompanhada por um cavaleiro que William não conhecia e cercada por homens de armas e damas de companhia. Estava de costas para ele, mas seu cabelo escuro ondulado era inconfundível. Quando a reconheceu ela se virou, mostrando a curva suave da maçã do rosto e o nariz reto e autoritário. Seus olhos, tão escuros que eram quase pretos, encontraram os de William. Ele prendeu a respiração. Os olhos dela, já grandes, arregalaram-se quando o viram. O jovem queria aparentar um jeito descuidado, como se não a tivesse visto, mas não pôde. Desejava que ela sorrisse para ele, nem que fosse um imperceptível ricto dos seus lábios cheios, nada além de um polido reconhecimento. Inclinou a cabeça na direção dela – um mero aceno, longe de parecer uma reverência. A expressão de Aliena ficou muito séria, e a jovem voltou a ficar de frente para o altar.

William estremeceu como se estivesse sofrendo uma grande dor. Sentiu-se como um cachorro afastado do caminho com um pontapé, e a vontade que teve foi de se enfiar num canto onde ninguém pudesse vê-lo. Virou-se para um lado e para outro, perguntando-se se alguém teria visto aquela troca de olhares. Ao encaminhar-se mais para a frente junto com os pais, percebeu que as pessoas olhavam dele para Aliena e vice-versa, cutucando-se e cochichando. Fixou os olhos adiante, para não encarar ninguém. Teve que se forçar a andar de cabeça erguida. Como fez isso conosco?, pensou. Somos uma das famílias mais orgulhosas do Sul da Inglaterra e ela nos fez sentir pequenos. A lembrança o enfureceu e ele teve ímpetos de sacar da espada e atacar alguém, qualquer um.

O xerife de Shiring cumprimentou o pai de William e os dois homens se apertaram as mãos. As pessoas desviaram o olhar, procurando coisas novas para cochichar. William ainda estava furioso. Jovens nobres aproximavam-se de Aliena e faziam-lhe reverências, numa torrente incessante. Ela estava disposta a sorrir para *eles*.

A missa começou. William perguntou-se como fora possível tudo dar tão errado. O conde Bartholomew tinha um filho para herdar seu título e sua fortuna, de modo que o único destino que reservava para a filha era formar uma aliança. Aliena tinha dezesseis anos e era virgem; como não demonstrava inclinação para ser freira, presumia-se que se sentiria deleitada em se casar com um saudável nobre de dezenove anos. Afinal, as considerações políticas podiam, com a mesma facilidade, fazer com que seu pai quisesse casá-la com um conde quarentão gordo e reumático ou mesmo com um barão careca de sessenta anos.

Uma vez que o acordo fora fechado, William e seus pais não haviam sido reticentes a respeito dele. Orgulhosamente transmitiram a notícia por todos os condados vizinhos. O encontro de William com Aliena foi considerado uma formalidade por todo mundo – a não ser pela jovem, como se viu depois.

Eles não eram estranhos, claro. William se lembrava dela quando garotinha. De rosto travesso, narizinho arrebitado e cabelo indomável cortado curto, era mandona, teimosa, briguenta e atrevida. Sempre organizava os folguedos das crianças, decidindo de que iriam brincar e quem estaria em qual lado ou equipe, resolvendo brigas e dirigindo a contagem. William sentia-se fascinado por ela, ao mesmo tempo que se ressentia do modo como dominava as brincadeiras das crianças. Sempre era possível estragar tudo e tornar-se o centro das atrações por algum tempo, simplesmente dando início a uma briga; porém, elas não demoravam muito, e no final a garota retomava o controle, deixando-o frustrado, derrotado, repelido, furioso, e mesmo assim encantado – exatamente como se sentia agora.

Depois que sua mãe morrera, ela viajara um bocado com o pai e William a vira menos. No entanto, encontrara-a com frequência suficiente para ver que estava se transformando numa mulher arrebatadoramente linda, e ficara deleitado quando lhe disseram que seria sua noiva. Presumiu que ela teria de desposá-lo quer gostasse dele ou não, mas foi a seu encontro disposto a fazer tudo o que pudesse para amaciar o caminho para o altar.

Ela podia ser virgem, mas ele não era. Algumas das garotas a quem encantara eram quase tão bonitas quanto Aliena, embora nenhuma delas fosse tão bem-nascida. Em sua experiência, muitas jovens se deixavam impressionar pelas suas roupas finas, pelos cavalos vigorosos, pelo modo despreocupado que tinha de gastar dinheiro com vinho doce e fitas; e se conseguia levá-las a um celeiro sozinhas, geralmente acabavam por se submeter a ele, mais ou menos de boa vontade.

Sua abordagem usual com as garotas era um pouco seca. A princípio deixava que pensassem que não estava particularmente interessado nelas. Ao ficar sozinho com Aliena, porém, sua suposta indiferença o abandonou. Ela estava usando um vestido de seda azul brilhante, solto e gracioso, mas William só conseguia pensar no corpo que havia por baixo dele, que logo poderia ver nu sempre que quisesse. Ele a encontrara lendo, uma ocupação insólita para uma mulher que não era freira. Perguntara que livro era, numa tentativa de desviar a atenção dos seios que se moviam sob a seda azul.

"Chama-se *O romance de Alexandre*. É a história de um rei chamado Alexandre, o Grande, e de como ele conquistou terras maravilhosas no Oriente, onde as pedras preciosas crescem nas parreiras e as plantas podem falar."

William não podia imaginar por que uma pessoa ia querer perder tempo com tanta tolice, mas nada disse. Falou a respeito dos seus cavalos, cães e feitos nas caçadas, lutas e torneios. Ela não tinha ficado impressionada como ele esperara. Contou-lhe sobre a casa que seu pai estava construindo para eles e, a fim de ajudá-la a se preparar para o tempo em que dirigiria seu lar, deu-lhe uma ideia de como queria que as coisas fossem feitas. Sentira que estava perdendo a atenção de Aliena, embora não soubesse dizer por quê. Sentou-se o mais perto possível dela, pois queria apertá-la nos braços, apalpá-la e descobrir se aqueles peitos eram tão grandes quanto fantasiava que fossem; ela, porém, inclinava-se para longe dele, cruzando os braços e as pernas com um ar tão proibitivo que, relutantemente, ele se viu forçado a abandonar a ideia e consolar-se com o pensamento de que logo seria capaz de fazer o que bem entendesse.

Mesmo assim, enquanto tinha estado em sua companhia, Aliena não dera sinal algum da confusão que ia fazer mais tarde. Dissera, com bastante calma: "Não penso que combinemos." No entanto, ele tomara a declaração como prova de encantadora modéstia da sua parte, e lhe assegurara que ela combinava muito bem com ele. Não tinha ideia de que, assim que saísse do recinto, ela irromperia furiosa na sala onde estava seu pai e anunciaria que não se casaria com ele, que nada a convenceria do contrário, e que preferia ir para um convento; podiam arrastá-la até o altar acorrentada, acrescentou, mas não pronunciaria os votos conjugais. A cadela, pensou William. A cadela. Mas ele não era capaz de se armar com o tipo de peçonha que a mãe expelia quando falava de Aliena. Não queria esfolá-la viva. Queria deitar em cima daquele corpo quente e beijar-lhe a boca.

A missa da Epifania terminou com o anúncio da morte do bispo. William teve esperança de que aquela notícia finalmente abafasse a sensação do casamento cancelado. Os monges saíram em procissão e ouviu-se um zumbido de excitada conversa quando a congregação se dirigiu para as saídas. Muita daquela gente tinha tanto laços espirituais quanto materiais com o bispo – como seus locatários ou sublocatários, ou como empregados em suas terras –, e todos estavam interessados em saber quem iria sucedê-lo, e se o seu sucessor efetuaria mudanças. A morte de um grande senhor era sempre perigosa para seus vassalos.

Quando William seguiu os pais ao longo da nave, surpreendeu-se ao ver o arcediago Waleran vindo na direção deles. Movia-se bruscamente entre a congregação, como um grande cão negro num campo de vacas; e como vacas as pessoas olhavam-no nervosamente por cima do ombro, deslocando-se um ou dois passos para sair do seu caminho. Ele ignorava os camponeses, mas dirigia algumas palavras a cada um dos integrantes da pequena nobreza. Quando se aproximou dos Hamleighs, cumprimentou o pai de William, ignorou o jovem e voltou as atenções para sua mãe.

— Que pena, essa história do casamento! — disse ele.

William corou. Será que o idiota pensava que estava sendo *polido* com sua comiseração?

Ela não estava mais entusiasmada para falar sobre aquilo do que William.

— Não sou pessoa de guardar mágoa — mentiu.

Waleran ignorou sua afirmativa.

— Soube de algo a respeito do conde Bartholomew que pode interessar a vocês — disse, falando mais baixo, para que não pudessem ouvi-lo, de modo que William precisou esforçar-se para entender suas palavras. — Parece que o conde não faltará à palavra empenhada com o rei morto.

— Bartholomew sempre foi um hipócrita pedante — disse o pai de William.

Waleran pareceu pesaroso. Queria que ouvissem, e não que comentassem.

— Bartholomew e o conde Robert de Gloucester não aceitarão o rei Estêvão, que é o escolhido da Igreja e dos barões, como sabem.

William perguntou-se por que um arcediago estaria falando com um lorde sobre aquela disputa rotineira entre barões. Seu pai estava pensando o mesmo, porque disse:

— Mas não há nada que os condes possam fazer a esse respeito.

A mãe de William compartilhou a impaciência de Waleran com os comentários interpostos pelo marido.

— *Escute* — disse ela ao lorde, por entre os dentes cerrados.

— O que ouvi dizer é que estão planejando armar uma rebelião e fazer de Matilde a rainha — disse o arcediago.

William não podia acreditar nos seus ouvidos. Teria Waleran feito mesmo aquela declaração imprudente, no seu jeito calmo e casual, bem ali na nave da Catedral de Kingsbridge? Um homem poderia ser enforcado por isso, fossem verdadeiras ou falsas suas palavras.

Sir Hamleigh ficou atônito, mas sua mulher disse, pensativamente:

— Robert de Gloucester é meio-irmão de Matilde... Faz sentido.

William perguntou-se como poderia ser tão prática com relação a uma notícia escandalosa como aquela. Mas ela era muito esperta, e quase sempre estava certa a respeito de tudo.

— Quem quer que conseguisse se livrar do conde Bartholomew e abortasse a rebelião — prosseguiu Waleran — ganharia a eterna gratidão do rei Estêvão e da Santa Madre Igreja.

— É mesmo? — disse o lorde, atordoado, mas sua mulher assentia com a cabeça.

— Bartholomew está sendo esperado de volta amanhã. — Ao dizer isso Waleran ergueu o rosto e interceptou o olhar de alguém. Depois voltou-se para a lady e concluiu: — Pensei que vocês, entre toda esta gente, se interessariam. — Com essas palavras, afastou-se e foi cumprimentar alguém.

William o acompanhou, com o olhar fixo. Será que ele só ia falar aquilo?

Os pais do jovem prosseguiram, e ele os acompanhou através do grande portal em arco até o ar livre. Todos os três estavam em silêncio. William ouvira muitas conversas nas últimas cinco semanas sobre quem seria o rei, mas a questão parecia ter sido definida quando Estêvão fora coroado na Abadia de Westminster, três dias antes do Natal. Agora, se Waleran estava certo, o assunto voltara a ser uma questão em aberto. Mas por que o arcediago fizera questão de contar aos Hamleighs?

Começaram a atravessar o gramado na direção do estábulo. Assim que se afastaram da multidão reunida no pórtico da igreja, e que não mais podia ser ouvido, o lorde comentou excitadamente:

— Mas que sorte! O mesmo homem que insultou a família apanhado num crime de alta traição!

William não entendeu por que aquilo era sorte, mas sua mãe sim, obviamente, pois aquiesceu com a cabeça.

— Podemos prendê-lo na ponta de uma espada — continuou Sir Hamleigh —, e enforcá-lo na árvore mais próxima.

William não pensara nisso, mas agora viu tudo num relâmpago. Se Bartholomew fosse um traidor, então estaria correto matá-lo.

— Podemos nos vingar! — explodiu. — E em vez de sermos punidos ainda receberemos uma recompensa do rei! — Eles poderiam levantar a cabeça de novo, e...

— Seus idiotas estúpidos! — exclamou Lady Hamleigh, com súbito rancor. — Todos cegos, sem cérebro. Enforcariam Bartholomew na árvore mais próxima. Devo dizer-lhes o que aconteceria depois?

Nenhum dos dois falou. Era mais inteligente não responder às suas perguntas quando ela estava naquele estado de espírito.

— Robert de Gloucester negaria a existência de qualquer trama, abraçaria o rei Estêvão e juraria lealdade; e tudo terminaria bem, a não ser por vocês dois, que seriam enforcados como assassinos.

William estremeceu. A ideia de ser enforcado o aterrorizava. Tinha pesadelos com isso. No entanto, podia ver que sua mãe estava certa: o rei podia acreditar ou fingir que acreditava que ninguém cometeria a temeridade de se rebelar contra ele; e não se importaria nem um pouco em sacrificar um par de vidas em prol de sua credibilidade.

— Você está certa — disse o lorde. — Nós o amarraremos como um porco quando vai para o carniceiro e o levaremos vivo até o rei em Winchester, onde o denunciaremos e pediremos nossa recompensa.

— Por que você não *pensa*? — disse sua mulher desdenhosamente. Estava muito tensa, e William podia ver que se sentia tão excitada com tudo aquilo quanto seu pai, mas de um modo diferente. – O arcediago Waleran não gostaria, ele próprio, de levar um traidor amarrado à presença do rei? – perguntou ela. – Por que não haveria de querer uma recompensa? Vocês não sabem que anseia, de todo o coração, ser o bispo de Kingsbridge? Por que lhe deu o privilégio de fazer a prisão? Por que manobrou para nos encontrar na igreja, como por acidente, em vez de ir nos visitar em Hamleigh? Por que nossa conversa foi tão curta e indireta?

Ela fez uma pausa retórica, como se esperasse uma resposta, mas tanto William quanto seu pai sabiam que não desejava realmente resposta alguma. O jovem lembrou-se de que os padres não deviam ver derramamento de sangue e considerou a possibilidade de que esse talvez fosse o motivo pelo qual Waleran não queria se envolver na prisão de Bartholomew; pensando melhor, concluiu que o arcediago não tinha tais escrúpulos.

– Eu lhes digo por quê – continuou Lady Hamleigh. – Porque ele não tem certeza se Bartholomew é traidor. Sua informação não é confiável. Não posso adivinhar como soube... talvez tenha ouvido uma conversa de bêbados, interceptado uma mensagem ambígua ou falado com um espião indigno de confiança. De qualquer modo, não está disposto a arriscar o pescoço. Não acusará o conde Bartholomew de traição abertamente, para não ser rotulado de caluniador, no caso de a acusação ser falsa. Quer que outra pessoa assuma o risco e faça o trabalho sujo para ele; e depois, quando acabar, se a traição ficar comprovada, dará um passo à frente e tomará a parte que lhe cabe no crédito; porém, se Bartholomew provar sua inocência, Waleran simplesmente nunca admitirá a declaração que nos fez hoje.

A coisa toda parecia óbvia, colocada daquele jeito. Mas sem Lady Hamleigh, William e seu pai haveriam caído na armadilha de Waleran. Teriam agido com a maior boa vontade como agentes do arcediago, assumindo os riscos por ele. O senso político da mulher era muito agudo.

– Quer dizer que devemos simplesmente esquecer tudo isso? – quis saber o lorde.

– Certamente que não. – Os olhos dela cintilaram. – Ainda há uma chance de destruir as pessoas que nos humilharam.

Um cavalariço segurava seu cavalo, pronto para montar. Ela pegou as rédeas e, com um gesto, mandou-o embora, mas não montou imediatamente. Ficou ao lado do cavalo, dando umas palmadinhas no seu pescoço, com ar pensativo, e disse baixo:

– Precisamos de provas do conluio, de modo que ninguém possa negá-lo depois que fizermos nossa acusação. Teremos que conseguir essa prova às escondidas, sem revelarmos o que estamos procurando. Depois, quando a obtivermos, poderemos prender Bartholomew e levá-lo ao rei. Confrontado com uma prova, o conde confessará e implorará misericórdia. E então pediremos nossa recompensa.

— E negaremos que Waleran tenha nos ajudado — acrescentou Sir Hamleigh. Sua mulher sacudiu a cabeça.

— Que ele tenha sua fatia de glória e sua recompensa. Então ficará nos devendo... O que só pode ser bom para nós.

— Mas como faremos para encontrar provas da trama? — perguntou o lorde ansiosamente.

— Precisamos encontrar uma forma de dar uma olhada no castelo de Bartholomew — respondeu ela, preocupada. — Não será fácil. Ninguém nos concederia um convite para uma visita social; todo mundo sabe que odiamos Bartholomew.

William teve uma ideia.

— Eu podia ir — disse.

Seus pais ficaram um pouco espantados.

— Você despertaria menos suspeita que seu pai, creio. Mas qual seria o pretexto?

William pensara nisso.

— Eu podia ir ver Aliena — disse, e seu coração bateu mais rápido com a ideia. — Podia suplicar-lhe que reconsiderasse sua decisão. Afinal de contas, ela não me conhece realmente. Quando nos conhecemos, julgou-me mal. Eu poderia ser um bom marido. Talvez precise de uma corte mais entusiasmada. — Ele terminou com um sorriso que esperou parecesse ser cínico, para que seus pais não soubessem que estava falando a sério.

— Uma desculpa perfeitamente plausível — disse sua mãe. Ela olhou fixamente para William. — Por Cristo, eu me pergunto se é possível que o garoto afinal tenha nascido com a inteligência da mãe.

William sentia-se otimista pela primeira vez em meses quando iniciou a viagem para o castelo do conde no dia seguinte. Era uma manhã clara e fria. O vento norte fazia arder suas orelhas, e a grama gelada rangia sob os cascos do seu cavalo de batalha. Usava uma capa cinza de fino tecido de Flandres guarnecida com pele de coelho por cima de uma túnica vermelha.

Estava acompanhado por Walter, seu criado. Quando o nobre tinha doze anos, Walter se tornara seu tutor de armas e lhe ensinara a montar, caçar, esgrimir e lutar. Agora era seu criado, companheiro e guarda-costas. Era tão alto quanto William, mas mais largo — uma verdadeira porta. Nove ou dez anos mais velho que o nobre, era jovem o bastante para beber e pegar garotas na sua companhia e tinha idade suficiente para conservá-lo longe de problemas, quando necessário. Era seu maior amigo.

William estava estranhamente excitado com a perspectiva de rever Aliena, muito embora soubesse que mais uma vez se defrontaria com a rejeição e a humilhação. Ao vislumbrá-la na Catedral de Kingsbridge, fitando-a por um instante bem nos olhos muito escuros, seu desejo se reacendera. Ansiava por lhe falar, aproximar-se dela, ver seus cachos abundantes balançarem e sacudirem quando falava, seu corpo se mover sob o vestido.

Ao mesmo tempo, a oportunidade para a vingança aguçara o ódio de William. Estava tenso com a excitação causada pela ideia de que agora poderia anular a humilhação que ele e sua família haviam sofrido.

Quisera ter uma ideia mais clara do que estava procurando. Estava razoavelmente seguro de que descobriria se a história de Waleran era ou não verdadeira, pois com certeza haveria sinais de preparação para a guerra no castelo – agrupamento de cavalos, limpeza de armas, estoque de alimentos –, muito embora toda a atividade devesse estar mascarada sob um disfarce qualquer – preparativos para uma expedição, talvez –, a fim de enganar o observador casual. No entanto, convencer-se da existência de uma conspiração não era a mesma coisa que achar provas. William não era capaz de imaginar coisa alguma que valesse como prova, num caso desses. Seu plano era manter os olhos bem abertos e esperar que aparecesse algo. O que não era bem um plano, contudo, e o jovem se sentia extremamente preocupado, achando que a oportunidade de vingança ainda poderia lhe escapar por entre os dedos.

À medida que ia se aproximando, sentia-se mais tenso. Perguntou-se se poderia ter sua entrada no castelo proibida, o que lhe causou um momento de pânico, até dar-se conta de que era pouco provável: o castelo era um lugar público, e se o conde o fechasse à pequena nobreza local seria o mesmo que declarar que a traição estava em marcha.

O conde Bartholomew morava a poucas milhas da cidade de Shiring. O castelo de Shiring propriamente dito era ocupado pelo xerife do condado, de modo que o conde tinha um castelo particular do lado de fora da cidade. A pequena aldeia que se desenvolvera em torno das muralhas do castelo era conhecida como Earlscastle. William já estivera ali, mas agora a via com os olhos de um invasor.

Havia um fosso largo e fundo no formato de um 8, com o círculo superior menor que o inferior. A terra escavada na abertura do fosso tinha sido amontoada dentro dos dois círculos, formando uma espécie de muralha.

Na base do 8 havia uma ponte que cruzava o fosso e uma brecha na parede de terra, permitindo a entrada no círculo de baixo. Era a única entrada. Não havia acesso ao círculo superior exceto através do inferior e de outra ponte sobre o fosso que dividia os dois círculos. O círculo superior era o mais importante, o que se poderia chamar de refúgio sagrado.

Enquanto William e Walter trotavam através dos campos abertos que cercavam o castelo, viram um intenso vaivém. Dois homens de armas cruzaram a ponte a galope, seguindo em direções diferentes, e um grupo de quatro cavaleiros precedeu William na travessia da ponte quando ele e Walter entraram.

William observou que a última seção da ponte podia ser levantada dentro da imponente guarita de pedra à entrada do castelo. Havia torres de pedra em intervalos por toda a volta da muralha de terra, de modo que cada setor do perímetro podia ser defendido por arqueiros. Tomar aquele castelo com um assalto frontal seria uma operação longa e sangrenta, e os Hamleighs não poderiam reunir homens suficientes para garantir a vitória, concluiu William melancolicamente.

O castelo, é claro, estava aberto para negócios. William deu seu nome ao sentinela e foi admitido sem dificuldade. Dentro do círculo inferior, protegido do mundo pelas paredes de terra, estava o habitual conjunto de edificações domésticas: estábulos, cozinhas, oficinas, uma torre e uma capela. Havia uma excitação no ar. Os cavalariços, escudeiros, servos e criadas caminhavam energicamente e falavam em voz alta, cumprimentando-se e fazendo piadas. Para uma mente insuspeita toda aquela animação e aquele vaivém eram uma reação mais que normal ao retorno do senhor do castelo, mas para William parecia mais que isso.

Deixou Walter na estrebaria com os cavalos e dirigiu-se para o lado oposto do conjunto, onde, exatamente em frente ao portão, havia a ponte sobre o fosso que representava o acesso para o círculo superior do 8. Quando a atravessou, foi parado por um sentinela em outra guarita. Dessa vez foi questionado acerca da razão de sua presença ali e respondeu:

— Vim ver Lady Aliena.

O sentinela não o conhecia, mas examinou-o de cima a baixo, observando sua capa fina e a túnica vermelha; pela aparência, julgou que fosse um pretendente esperançoso.

— Poderá encontrar a jovem lady no grande salão — disse, com um sorriso forçado.

No centro do círculo superior havia uma construção quadrada de pedra, com três andares de altura e paredes grossas. Era o castelo propriamente dito. Como sempre o andar térreo era um depósito. O salão principal ficava em cima, alcançado por uma escada exterior de madeira que podia ser recolhida no interior do prédio. No andar superior se encontrava o quarto de dormir do conde, onde ele ofereceria a última resistência, quando os Hamleighs viessem pegá-lo.

A planta do castelo apresentava uma série formidável de obstáculos para o invasor. A intenção era mesmo essa, claro, mas agora que William estava tentando imaginar como seria possível passar pelos obstáculos viu a função dos diferentes elementos do projeto com muita clareza. Mesmo que os invasores conquistassem o círculo inferior, ainda teriam que passar por outra ponte e por outro portão para assaltar a fortaleza. Precisariam encontrar um modo de chegar ao andar de cima

– presumivelmente com a construção de uma escada só para o ataque –, e mesmo assim, com toda a certeza, haveria outra luta para ir do salão principal até o andar de cima, onde ficava o quarto do conde. O único modo de tomar o castelo era através de uma operação furtiva, concluiu William, começando a alimentar a ideia de ele próprio se esgueirar de algum modo para o seu interior.

Subiu a escada e entrou no salão. Estava cheio de gente, mas o conde não se encontrava no meio daquelas pessoas. No canto esquerdo ficava a escada que dava para o seu quarto, e havia uns quinze ou vinte cavaleiros e homens de armas sentados à volta, conversando em voz baixa. Aquilo não era usual. Cavaleiros e homens de armas formavam classes sociais separadas. Os cavaleiros eram proprietários de terras que se mantinham com aluguéis, enquanto os homens de armas eram pagos por dia. Os dois grupos só intensificavam sua camaradagem quando havia cheiro de guerra no ar.

William reconheceu alguns deles: Gilbert Cara de Gato, um velho lutador mal-humorado, com mais de quarenta anos, mas ainda durão; Ralph de Lyme, que gastava mais com roupas que com uma noiva, envergando uma capa azul com forro vermelho; Jack Fitz Guillaume, já sagrado cavaleiro, embora pouco mais velho que William; e diversos outros cujos rostos eram vagamente familiares. Balançou a cabeça na direção deles, mas praticamente não o notaram – era bastante conhecido, mas jovem demais para ter importância.

Voltou-se para o outro lado do salão, vendo Aliena de imediato.

Ela parecia bastante diferente. Na véspera estava vestida para ir à catedral, com seda, lã fina e linho, anéis, fitas e botas pontudas. Nesse dia usava uma túnica curta como uma camponesa ou uma criança, e seus pés estavam descalços. Sentada num banco, estudava um tabuleiro de jogo onde havia contas de cores diferentes. Enquanto William observava, ela puxou a túnica e cruzou as pernas, revelando os joelhos, e depois torceu o nariz numa careta. Na véspera estava irresistivelmente sofisticada; nesse dia era uma criança vulnerável, e William achou-a ainda mais desejável. Subitamente sentiu vergonha por aquela criança ter feito com que sofresse tanto, e desejou com ardor que houvesse algum modo de lhe mostrar que podia dominá-la. Um desejo tão forte que quase chegava a ser lascivo.

Ela estava jogando com um menino uns três anos mais moço. O ar dele era impaciente, irrequieto; não gostava do jogo. William reconheceu certa semelhança entre os dois jogadores. Na verdade, o menino lembrava Aliena, tal como William se recordava dela do tempo da infância, de nariz arrebitado e cabelo curto. Devia ser seu irmão mais moço, Richard, o herdeiro do condado.

William aproximou-se mais. Richard ergueu os olhos para ele e retornou a atenção para o jogo. Aliena estava concentrada. O tabuleiro, de madeira pintada, tinha a forma de uma cruz e era dividido em pequenos quadrados de cores diferentes. As contas pareciam de marfim, pretas e brancas. O jogo evidentemente era uma variante do jogo das nove pedras ou dança dos nove homens, e com toda a certeza um presente trazido da Normandia pelo pai de Aliena. William estava mais interessado nela que no jogo. Quando se inclinou sobre o tabuleiro, o decote da sua túnica alargou-se e ele pôde ver a parte superior dos seus seios. Eram tão grandes quanto imaginara. Ficou com a boca seca.

Richard deslocou uma pedra no tabuleiro.

– Não, você não pode fazer isso – disse Aliena.

O garoto ficou desconcertado.

– Por que não?

– Porque é contra as regras, seu burro.

– Não gosto das regras – disse Richard petulantemente.

Aliena explodiu.

– Você tem que obedecer às regras!

– Por quê?

– Porque tem!

– Bem, não obedeço – disse ele, e derrubou o tabuleiro no chão, fazendo as pedras voarem.

Rápida como um raio, Aliena o esbofeteou no rosto.

Ele deu um grito, atingido dolorosamente no rosto e no orgulho.

– Sua... sua filha da puta! – gritou ele. Em seguida virou-se e saiu correndo, mas após três passos esbarrou em William.

O jovem pegou-o por um braço e levantou-o no ar.

– Não deixe o padre ouvi-lo chamar sua irmã desses nomes – disse ele.

– Está me machucando! Largue-me! – gritou Richard, retorcendo-se.

William segurou-o por mais algum tempo. Richard parou de lutar e começou a chorar. O jovem Hamleigh o pôs no chão, e ele saiu correndo, em lágrimas.

Aliena olhava fixamente para William, o jogo esquecido, a curiosidade franzindo-lhe a testa.

– Por que está aqui? – perguntou. Sua voz era baixa e calma, a voz de uma pessoa mais velha.

William sentou-se no banco, bastante satisfeito com o jeito autoritário com que tratara Richard.

– Vim ver você – respondeu.

Uma expressão de desconfiança surgiu no rosto dela.

– Por quê?

William posicionou-se de modo que pudesse observar a escada. Viu, descendo para o salão, um homem de cerca de quarenta anos, vestido como um servo altamente graduado, com um gorro redondo e uma túnica curta de pano fino.

Ele fez um gesto, e um cavaleiro e um homem de armas subiram a escada juntos. William olhou para Aliena de novo.

— Quero falar com você.

— Sobre o quê?

— Sobre mim e você. — Por sobre o ombro de Aliena, viu o servo aproximar-se deles. Havia qualquer coisa de afeminado no seu jeito de andar. Em uma das mãos carregava um pão de açúcar marrom, cor de terra. Na outra mão tinha uma raiz retorcida que parecia gengibre. Era, obviamente, o despenseiro da casa e vinha do cofre das especiarias, um armário fechado à chave no quarto do conde, onde apanhara o suprimento do dia dos preciosos ingredientes que agora levava para o cozinheiro: açúcar para adoçar uma torta de maçã ácida e gengibre para condimentar lampreias.

Aliena seguiu o olhar de William.

— Oi, Matthew.

O despenseiro sorriu e quebrou um pedaço de açúcar para ela. William teve a impressão de que o despenseiro gostava muito de Aliena. Algo no seu modo de proceder devia ter-lhe dito que ela estava pouco à vontade, pois seu sorriso transformou-se numa careta de preocupação.

— Está tudo bem? — perguntou, com a voz suave.

— Está sim, obrigada.

Matthew olhou para William e seu rosto registrou surpresa.

— O jovem William Hamleigh, não é? — William ficou embaraçado ao ser reconhecido, muito embora fosse inevitável.

— Guarde seu açúcar para as crianças — disse, não obstante nada lhe tivesse sido oferecido. — Não ligo para isso.

— Muito bem, lorde. — A expressão de Matthew dizia que ele não havia chegado aonde estava criando problemas com os filhos da pequena nobreza. Voltou-se para Aliena. — Seu pai trouxe umas sedas maravilhosas. Eu as mostrarei para você mais tarde.

— Muito obrigada — disse ela.

Matthew foi embora.

— Tolo efeminado — disse William.

— Por que foi tão rude com ele?

— Não deixo que servos me chamem de "jovem William". — Aquela não era uma boa maneira de iniciar a corte a uma dama. William percebeu, desolado, que tivera um mau começo. Tinha que ser encantador. Sorriu e disse: — Se você fosse minha mulher, os servos a chamariam de lady.

— Você veio aqui para falar de casamento? — perguntou ela, e William achou que havia detectado uma nota de incredulidade na sua voz.

— Você não me conhece — disse ele, em tom de protesto. Não estava conseguindo manter aquela conversa sob controle, admitiu, desconsolado. Planejara uma conversação cortês e superficial antes de tratar do que interessava, mas ela fora tão direta e franca que ele se vira forçado a dizer logo qual era sua mensagem. — Você errou no juízo que fez de mim. Não sei o que fiz, na última vez em que nos encontramos, para deixá-la com raiva de mim; mas, seja qual for a razão, você se precipitou.

Ela desviou os olhos, pensando no que responder. Às suas costas, William viu o cavaleiro e o homem de armas descerem a escada e saírem porta afora, com uma expressão decidida. Um momento depois um homem em roupas clericais — presumivelmente o secretário do conde — apareceu na parte de cima e acenou, chamando alguém. Dois cavaleiros levantaram-se e subiram a escada: Ralph de Lyme, exibindo o forro vermelho de sua capa, e um cavaleiro mais idoso e calvo. Era óbvio que os homens estavam ali para conversar com o conde, individualmente ou em duplas, no quarto dele. Mas por quê?

— Depois de todo esse tempo? — estava perguntando Aliena. Visivelmente ela reprimia alguma emoção. Podia ser raiva, mas William teve, secretamente, a impressão de que fosse riso. — Depois de toda aquela confusão, raiva e escândalo, justo quando a história já começa a se acalmar, você vem me dizer que cometi um erro?

Colocado desse modo pareceu mesmo um pouco implausível, concedeu William.

— Não acalmou nada — disse, furioso. — As pessoas continuam falando, minha mãe ainda está indignada e meu pai não pode levantar a cabeça em público. Para nós, não está acabado.

— Tudo isso tem a ver com a honra da família, não é?

Havia um tom perigoso na voz dela, mas William ignorou-o. Acabara de se dar conta do que o conde deveria estar fazendo com todos aqueles cavaleiros e homens de armas: mandando mensagens.

— Honra da família? — disse distraidamente.

— Sim.

— Sei que devia pensar em honra, alianças entre famílias e tudo isso — disse Aliena. — Mas não são apenas essas coisas que existem num casamento. — Ela pareceu refletir por um momento e depois chegar a uma decisão. — Talvez eu devesse lhe falar sobre a minha mãe. Ela odiava meu pai. Ele não é ruim, na verdade é um grande homem e eu o amo, mas é horrivelmente solene e rígido, e nunca compreendeu mamãe. Ela era uma pessoa alegre, de coração leve, que adorava rir, contar histórias e ouvir música, e papai a fez muito infeliz. — Havia lágrimas nos seus olhos, William notou vagamente, mas estava pensando em mensagens. — Foi por isso que ela morreu: porque ele não a deixou ser feliz. Sei disso. E ele sabe também, entende? É por isso que prometeu que não me obrigará a casar com uma pessoa de quem eu não goste. Compreende agora?

Aquelas mensagens eram ordens, estava pensando William; ordens aos amigos e aliados do conde Bartholomew, avisando-os para que se preparassem para o combate. E os mensageiros eram a prova.

Percebeu que Aliena estava olhando fixamente para ele.

– Casar com uma pessoa de quem não goste? – disse, ecoando suas últimas palavras. – Você não gosta de mim?

Os olhos dela faiscaram de raiva.

– Você não estava ouvindo – disse. – É tão egocêntrico que não pode pensar nos sentimentos de outra pessoa por um só momento. A última vez que veio aqui, o que foi que fez? Falou sem parar a respeito de si próprio e não me fez uma só pergunta!

Ela levantou a voz e terminou gritando. Quando parou, William notou que os homens do outro lado do salão tinham silenciado, e estavam escutando.

– Não tão alto – disse para ela.

Aliena não o ouviu.

– Quer saber por que não gosto de você? Muito bem, eu lhe direi. Não gosto de você porque não tem refinamento. Não gosto de você porque mal sabe ler. Não gosto de você porque só está interessado nos seus *cachorros*, nos seus *cavalos* e em *si próprio*!

Gilbert Cara de Gato e Jack Fitz Guillaume estavam rindo ruidosamente. William sentiu o rosto ficar vermelho. Aqueles homens não eram ninguém, não passavam de *cavaleiros*, e estavam rindo *dele*, o filho de lorde Percy Hamleigh. Ele se levantou.

– Está bem – disse nervosamente, tentando calar Aliena.

Não adiantou.

– Não gosto de você porque você é egoísta, burro e estúpido! – gritou ela. Todos os cavaleiros estavam rindo agora. – Não gosto de você, desprezo você, odeio você, abomino você, e é por *isso* que não vou me casar com você!

Os cavaleiros deram vivas e bateram palmas. William encolheu-se por dentro. O riso deles fez com que se sentisse pequeno, fraco e desamparado, como um garotinho, e quando ele era garotinho se sentia assustado o tempo todo. Desviou o olhar de Aliena, lutando para controlar a expressão do rosto e esconder os sentimentos. Atravessou a sala o mais depressa que pôde, sem correr, enquanto as risadas ficavam mais fortes. Finalmente chegou à porta, escancarou-a e saiu tropeçando. Depois bateu a porta, e desceu correndo a escada, sufocado de tanta vergonha; e o som das risadas escarninhas dos cavaleiros ficou retinindo nos seus ouvidos o tempo todo que levou para atravessar o pátio lamacento até o portão.

A trilha de Earlscastle até Shiring cruzava uma estrada após cerca de uma milha. Na encruzilhada o viajante poderia seguir para o norte, na direção de Gloucester e da fronteira de Gales, ou para o sul, rumo a Winchester e à costa. William e Walter viraram para o sul.

A angústia do jovem se transformara em raiva. Estava furioso demais para falar. Queria ferir Aliena e matar todos aqueles cavaleiros. Teria sido um prazer enfiar a espada em cada boca aberta numa gargalhada e empurrá-la até a garganta. Imaginou um meio de se vingar de pelo menos um deles. Se desse certo, conseguiria ao mesmo tempo a prova de que precisava. A perspectiva lhe trouxe uma sensação de consolo selvagem.

Primeiro tinha que pegar um deles. Assim que a estrada entrou pelo bosque, William desmontou e começou a caminhar, puxando o cavalo. Walter seguiu em silêncio, respeitando seu estado de espírito. O jovem chegou a um trecho mais estreito da trilha e parou. Virou-se para o criado e perguntou:

– Quem é melhor com uma faca, você ou eu?

– Lutando de perto, sou eu – respondeu Walter reservadamente. – Mas o senhor atira com mais precisão, lorde. – Todos o chamavam de lorde quando ele estava zangado.

– Suponho que você consiga fazer tropeçar um cavalo rápido e fazê-lo cair, não? – quis saber William.

– Sim, com uma boa vara resistente.

– Vá procurar uma árvore pequena, então, corte-a e prepare-a; terá sua vara resistente.

William levou os dois cavalos por entre as árvores e os amarrou numa clareira bem afastada da estrada. Retirou as selas e removeu algumas das cordas e correias – o bastante para amarrar os pés e as mãos de um homem, com um pouco de sobra. Seu plano era grosseiro, mas não havia tempo para imaginar algo mais elaborado, de modo que teria que esperar pelo melhor.

No caminho de volta para a estrada, encontrou um pedaço de carvalho caído no chão, seco, para usar como porrete.

Walter estava esperando com a sua vara. William selecionou o local onde ele deveria ficar à espera, atrás do tronco largo de uma faia, junto da trilha.

– Não se antecipe com a vara, para que o cavalo não a salte – advertiu. – Mas também não aja tarde demais, porque não se pode derrubar um cavalo pelas patas traseiras. O ideal é meter a vara entre as dianteiras. E tente manter a extremidade no chão para que ele não possa chutá-la para um lado.

– Já vi fazerem isso antes – assentiu Walter.

William caminhou cerca de trinta jardas na direção de Earlscastle. Seu papel seria certificar-se de que o cavalo galopasse o mais rápido possível, a fim de que estivesse indo depressa demais para evitar a vara de Walter. Escondeu-se o mais próximo da estrada que conseguiu. Mais cedo ou mais tarde um dos mensageiros do conde Bartholomew apareceria. Esperava que fosse logo. Estava ansioso para saber se aquilo ia dar certo e impaciente para acabar com tudo.

Aqueles cavaleiros não tinham ideia, enquanto riam de mim, de que eu estava lá espionando, pensou, e esse pensamento o consolou um pouco. Mas um deles está prestes a descobrir. E então se arrependerá de ter rido. Desejará que tivesse se ajoelhado e beijado minhas botas em vez de rir. Chorará, implorará e suplicará meu perdão, e simplesmente o machucarei cada vez mais.

Tinha outros consolos. Se o seu plano desse certo, em última análise acarretaria a queda do conde Bartholomew e a ressurreição dos Hamleighs. Então os que zombaram do casamento cancelado iriam tremer de medo, sendo que alguns sofreriam mais que medo.

A derrocada de Bartholomew seria também a queda de Aliena, e essa era a melhor parte. Seu orgulho exagerado e suas maneiras superiores teriam que mudar depois que o pai fosse enforcado como traidor. Se quisesse sedas macias e cones de açúcar, teria que se casar com William para consegui-los. Imaginou-a, humilde e contrita, trazendo para ele uma torta quente da cozinha, fitando-o com aqueles olhos grandes e escuros, ansiosa por agradá-lo, esperando por uma carícia, a boca macia ligeiramente aberta suplicando um beijo.

Sua fantasia foi interrompida pelo barulho de cascos na lama endurecida pelo frio do inverno. Desembainhou a faca e a manuseou para se lembrar do seu peso e equilíbrio. Na ponta ela era amolada dos dois lados, para melhor penetração. Ficou de pé, com as costas coladas no tronco da árvore que o escondia, segurou a faca pela lâmina e aguardou, quase sem poder respirar. Estava nervoso. Receava errar o arremesso da faca, ou que o cavalo pudesse não cair, ou que o cavaleiro conseguisse matar Walter num golpe de sorte, e então William teria que lutar com ele sozinho... Algo o incomodou no tropel, à medida que se aproximava. Viu Walter olhando para ele através da vegetação, com uma expressão preocupada: o criado também ouvira. Então o jovem percebeu: havia mais de um cavalo. Precisava tomar uma decisão rápida. Atacariam duas pessoas? Podia ser praticamente uma luta limpa. Decidiu deixá-los passar, e aguardar um cavaleiro solitário. Desapontador, mas prudente. Acenou para Walter, mandando que nada fizesse. Walter balançou a cabeça, num sinal de entendimento, e escondeu-se de novo.

Um momento mais tarde dois cavalos apareceram. William vislumbrou o brilho de seda vermelha: Ralph de Lyme. Logo em seguida viu a calva do companheiro de Ralph. Os dois homens passaram trotando e desapareceram.

A despeito da sensação de anticlímax, William ficou gratificado por ter tido a confirmação de sua teoria de que o conde estava mandando aqueles homens cumprirem uma determinada missão. No entanto, perguntou-se ansiosamente se Bartholomew seguiria a política de enviá-los aos pares. Seria uma precaução natural. Todo mundo viajava em grupos, sempre que possível, por motivos de segurança. Por outro lado, o conde tinha uma porção de mensagens para enviar e dispunha de um número limitado de homens; era possível que julgasse uma extravagância usar dois cavaleiros para levar uma única mensagem. Além disso, os cavaleiros eram homens violentos dos quais se podia esperar que dessem num fora da lei do tipo comum uma surra violenta – numa luta em que o fora da lei tinha pouco a ganhar, porque o cavaleiro não levava nunca muita coisa que valesse a pena roubar além da espada, a qual era difícil de vender sem responder a perguntas desagradáveis, e do cavalo, se não ficasse aleijado na emboscada. Um cavaleiro estava mais seguro que a maioria das pessoas na floresta.

William coçou a cabeça com o cabo da faca. Poderia acontecer de um jeito ou de outro.

Acomodou-se para aguardar. A floresta estava em silêncio. Um suave raio de sol de inverno brilhou por entre os galhos durante algum tempo e depois desapareceu. O estômago de William o lembrou de que já passara a hora do jantar. Um cervo cruzou a trilha a poucas jardas de distância, sem saber que estava sendo observado por um homem faminto. William ficou impaciente.

Se aparecesse outro par de cavaleiros, decidiu, teria que atacar. Era arriscado, mas tinha a vantagem da surpresa, além de Walter, que era um combatente formidável. Além disso, talvez fosse sua última chance. Sabia que podia ser morto, mas era melhor morrer do que viver em constante humilhação. Pelo menos era um fim honroso, morrer numa luta.

Porém, melhor que tudo, pensou, seria Aliena aparecer, sozinha, cavalgando um pônei branco. Walter a derrubaria da sela, e ela machucaria braços e pernas, caindo em cima de um espinheiro. Os espinhos iriam arranhar sua pele macia, fazendo escorrer sangue. William pularia em cima dela, prendendo-a no chão. Aliena ficaria mortificada.

Brincou com essa ideia, detalhando seus ferimentos, saboreando o modo como seu peito arfaria com ele sentado a cavalo sobre ela, imaginando a expressão de terror abjeto em seu rosto ao perceber que estava completamente em seu poder; nesse momento ouviu de novo o barulho de cascos de cavalo na estrada.

Dessa vez havia um só cavaleiro.

O animal era bom e rápido, não um cavalo de batalha, mas provavelmente um corcel de boa raça. Carregava um peso moderado, como um homem sem armadura, e vinha num trote constante, sem resfolegar. William encarou Walter e balançou a cabeça: era aquele, ali estava a prova. Ergueu o braço direito, segurando a faca pela ponta da lâmina.

A distância, o cavalo de William relinchou.

O som, claro e forte, atravessou a floresta silenciosa e foi perfeitamente audível por cima do tropel do cavalo que se aproximava. Este, ao ouvi-lo, perdeu o passo. O cavaleiro o fez reduzir a marcha de trote para passo de estrada. William praguejou por entre os dentes. O cavaleiro ficara desconfiado, o que dificultaria tudo. Tarde demais, William desejou ter levado seu cavalo para mais longe.

Não podia dizer a que distância estava o corcel, agora que vinha a passo. Tudo estava saindo errado. Resistiu à tentação de sair de trás da árvore para olhar. Procurou escutar, tenso com o esforço. Súbito o cavalo bufou, assustadoramente perto, e por fim apareceu a uma jarda de onde se encontrava. O animal o viu um momento depois. Fez um movimento brusco, assustado, e o cavaleiro deixou escapar um grunhido de surpresa.

William soltou uma praga. Percebeu instantaneamente que o cavalo podia se virar e disparar na direção errada. Mergulhou por baixo da árvore e saiu do outro lado, atrás do animal, o braço com que arremessaria a faca erguido. Teve um vislumbre do cavaleiro, barbado e com o cenho franzido, enquanto puxava a rédea: era o velho e durão Gilbert Cara de Gato. Atirou a faca.

Foi um arremesso perfeito. A faca bateu de ponta na anca do animal e entrou uma polegada ou mais na sua carne.

O cavalo pareceu estremecer, como um homem quando leva um choque; em seguida, antes que Gilbert pudesse reagir, disparou em pânico – galopando, a toda velocidade, na direção da emboscada de Walter.

William saiu correndo atrás. O cavalo cobriu a distância até onde estava o criado em poucos momentos. Gilbert não se esforçava para controlar a montaria – estava atarefado demais tentando ficar na sela. Emparelharam com a posição de Walter e William pensou: Agora, Walter, agora!

O criado cronometrou sua ação tão bem que William nem chegou a ver a vara sendo lançada de trás da árvore. Viu apenas as pernas dianteiras do cavalo abaterem-se, como se toda a sua força o tivesse abandonado subitamente. Depois as pernas traseiras pareceram bater nas dianteiras, e todas ficaram embaralhadas. Finalmente a cabeça cedeu, as ancas subiram e ele caiu pesadamente.

Gilbert saiu voando por cima da cabeça do animal. Indo atrás dele, William se viu detido pelo corpo do cavalo caído.

Gilbert caiu bem, rolou e ficou de joelhos. Por um momento William teve medo de que pudesse sair correndo e fugir. Mas Walter apareceu, arremessou-se no ar e bateu nas costas do cavaleiro, derrubando-o.

Os dois homens bateram com força no chão. Recuperaram o equilíbrio ao mesmo tempo, e, para seu horror, William viu que o ardiloso Gilbert se levantara com uma faca na mão. O jovem Hamleigh pulou por cima do cavalo caído e bateu com o porrete de carvalho em Gilbert, justo quando ele levantava a faca. O golpe atingiu a têmpora de Gilbert.

O cavaleiro cambaleou mas continuou de pé. William o amaldiçoou por ser tão resistente. Puxou o porrete para trás a fim de dar outro golpe, mas Gilbert foi mais rápido e investiu contra ele com a faca. William estava vestido para fazer a corte, não para lutar, e a lâmina afiada cortou sua capa de lã fina; porém, ele pulou rapidamente para trás, a fim de salvar a pele. Gilbert continuou arremetendo, mantendo-o desequilibrado para que não pudesse brandir o porrete. Cada vez que investia, William pulava para trás; mas o jovem nunca conseguia tempo bastante para se recuperar, e Gilbert foi se aproximando cada vez mais, muito depressa. De repente William começou a temer por sua vida. Nesse momento Walter surgiu por trás do cavaleiro e, dando-lhe um pontapé nas pernas, derrubou-o.

William relaxou, aliviado. Por um momento pensara que fosse morrer. Agradeceu a Deus por Walter.

Gilbert tentou se levantar, mas o criado chutou-o no rosto. William o atingiu duas vezes com o porrete, por via das dúvidas, e depois disso o homem ficou imóvel, no chão.

Os dois o rolaram para colocá-lo de bruços, e Walter se sentou em cima de sua cabeça enquanto William lhe amarrava as mãos nas costas. Depois Hamleigh tirou suas longas botas pretas e amarrou-lhe os tornozelos nus com um forte pedaço de couro de arreio.

William levantou-se. Sorriu para Walter, e este retribuiu o sorriso. Era um alívio ter aquele velho guerreiro cheio de truques seguramente amarrado.

O próximo passo era fazer Gilbert confessar.

Ele estava voltando a si. Walter o virou. Quando Gilbert viu William sua expressão registrou primeiro reconhecimento, depois surpresa e finalmente medo. O jovem ficou gratificado. Gilbert já estava se arrependendo das suas risadas, pensou. Dentro de pouco tempo iria se arrepender ainda mais.

O cavalo de Gilbert, espantosamente, já estava de pé. Afastara-se um pouco, correndo, mas tinha parado e agora olhava para trás, resfolegando e assustando-se cada vez que o vento farfalhava as folhas das árvores. A faca de William caíra da sua anca. William a apanhou e Walter foi pegar o animal.

O jovem ficou atento ao barulho de outros cavalos. Podia surgir outro mensageiro a qualquer momento. Se isso acontecesse, precisariam silenciar e arrastar Gilbert, ocultando-o. Mas não vieram outros cavaleiros, e Walter conseguiu pegar seu cavalo sem muita dificuldade. Puseram o velho Cara de Gato na garupa e depois o puxaram para o ponto da floresta onde William deixara sua montaria e a de Walter. Os outros animais ficaram agitados quando sentiram o cheiro do sangue escorrendo da anca do cavalo de Gilbert, e por isso William o prendeu a uma certa distância.

Hamleigh olhou em torno, procurando uma árvore adequada a seu objetivo. Localizou um olmo com um galho forte protuberante, a oito ou nove pés do chão. Apontou o olmo para Walter.

– Quero pendurar Gilbert naquele galho.

Walter sorriu sadicamente.

– O que vai fazer com ele, milorde?

– Você vai ver.

O rosto de Gilbert estava branco de medo. William passou uma corda sob suas axilas, amarrou-a nas costas e atirou-a por cima do galho.

– Levante-o – ordenou ao criado.

Walter levantou Gilbert. Este se sacudiu e conseguiu se livrar do abraço de Walter, caindo no chão. O criado apanhou o porrete e bateu em sua cabeça até tonteá-lo e depois o levantou de novo. William passou a extremidade solta da corda diversas vezes em torno do galho e puxou com força. Walter soltou Gilbert e ele ficou pendurado, balançando suavemente, com os pés a uma jarda do chão.

– Apanhe um pouco de lenha – disse William.

Os dois arrumaram uma fogueira embaixo de Gilbert e William a acendeu com a faísca de uma pedra. Após alguns momentos as chamas começaram a subir. O calor tirou Gilbert de seu torpor.

Quando percebeu o que estava lhe acontecendo, pôs-se a gemer, aterrorizado.

– Por favor – pediu. – Ponha-me no chão. Desculpe-me de ter rido de você, por favor, tenha piedade.

William ficou em silêncio. A humilhação de Gilbert o satisfazia, mas não era aquilo que procurava.

Quando o calor começou a queimar-lhe os dedos dos pés, ele dobrou os joelhos para tirá-los do fogo. Gotas de suor corriam-lhe pelo rosto, e foi possível sentir um leve cheiro de tecido chamuscado. William achou que estava na hora de começar o interrogatório e perguntou:

– Por que foi ao castelo hoje?

Gilbert encarou-o com os olhos arregalados.

– Fui apresentar meus respeitos – disse. – Faz diferença?

– Por que foi apresentar seus respeitos?

– O conde acabou de voltar da Normandia.

– Você foi convocado especialmente?

– Não.

Podia ser verdade, refletiu William. Interrogar um prisioneiro não era algo tão simples quanto imaginara. Pensou de novo.

– O que o conde lhe disse quando você foi ao quarto dele?

– Ele me cumprimentou e me agradeceu por ter ido lhe dar as boas-vindas.

Havia um brilho de desconfiança nos olhos de Gilbert? William não tinha certeza.

– O que mais?

– Perguntou pela minha família e por minha aldeia.

– Nada mais?

– Nada. Por que está querendo saber o que ele disse?

– O que ele disse sobre o rei Estêvão e a rainha Matilde?

– Nada, estou lhe dizendo!

Gilbert não conseguiu manter os joelhos dobrados e seus pés penderam sobre as chamas, agora mais altas. Após um segundo, um grito de agonia irrompeu do seu peito, e o corpo dele fez uma convulsão. O espasmo tirou-lhe os pés das chamas momentaneamente. Percebeu então que poderia amenizar a dor se balançando para trás e para a frente. Com cada balanço, contudo, passava por entre as chamas e gritava de novo.

Mais uma vez William perguntou-se se Gilbert não estaria dizendo a verdade. Não havia como saber. Em algum momento, contudo, estaria sofrendo tamanha agonia que, presumivelmente, diria tudo o que William quisesse, numa tentativa desesperada de conseguir alívio; assim, era importante não lhe dar uma ideia clara demais do que desejava, pensou William preocupadamente. Quem teria pensado que torturar era algo tão difícil?

Forçou um tom de voz calmo, quase como o de uma conversação.

– Aonde você está indo agora?

– E que importância tem? – gritou Gilbert, cheio de dor e frustração.

– Aonde você está indo?

– Para casa!

O homem estava perdendo o controle. William sabia onde morava, e era ao norte de onde se encontravam. Ele estava se dirigindo para o lado errado.

– Aonde você está indo? – perguntou William mais uma vez.

– O que você quer de mim?

– Sei quando mente – disse William. – Só quero que me diga a verdade. – Ouviu Walter deixar escapar um resmungo de aprovação e pensou que estava se saindo melhor. – Aonde está indo? – perguntou pela quarta vez.

Gilbert estava exausto demais para continuar se balançando. Gemendo de dor, parou em cima do fogo e uma vez mais dobrou os joelhos para tirar os pés das chamas, mas agora as labaredas estavam tão altas que chamuscavam seus joelhos. William notou um cheiro vagamente familiar, mas ao mesmo tempo um pouco enjoativo; após um momento percebeu que era o cheiro de carne assando. A pele das pernas de Gilbert e de seus pés estava ficando escura e estalando, e os pelos das canelas, pretos; a gordura de sua carne pingava no fogo e chiava. Observar sua agonia fascinou William. Cada vez que Gilbert gritava, sentia uma profunda emoção. Tinha o poder da dor sobre um homem, e aquilo fazia com que se sentisse bem. Como quando pegava uma garota sozinha, num lugar onde ninguém podia ouvi-la protestar, e a prendia de encontro ao chão, levantando-lhe as saias até a cintura, sabendo que nada podia impedi-lo de possuí-la.

– Aonde você está indo? – perguntou de novo, quase relutantemente.

– Para Sherborne – respondeu Gilbert numa voz que era um grito contido.

– Por quê?

– Ponha-me no chão, pelo amor de Jesus Cristo, e lhe contarei tudo.

William sentiu a vitória a seu alcance. Era profundamente satisfatório. Mas ainda não tinha chegado aonde queria.

– Apenas tire os pés dele de cima do fogo – disse a Walter.

O criado agarrou-o pela túnica e puxou-lhe os pés.

– Agora – disse William.

– O conde Bartholomew tem cinquenta cavaleiros em Sherborne e nas cercanias – disse Gilbert, com um grito estrangulado. – Devo reuni-los e levá-los para Earlscastle.

William sorriu. Todas as suas estimativas estavam demonstrando ser absolutamente precisas.

– E o que o conde está planejando fazer com esses cavaleiros?

– Ele não disse.

– Deixe-o queimar mais um pouco – ordenou para Walter.

– Não! – gritou Gilbert. – Contarei tudo!

Walter hesitou.

– Depressa – advertiu William.

– Eles devem combater pela rainha Matilde contra Estêvão – disse Gilbert por fim.

Ali estava; era a prova que queria. William saboreou seu sucesso.

– E quando eu lhe perguntar isso na frente do meu pai, você responderá a mesma coisa? – perguntou.

– Sim, sim.

– E quando meu pai lhe perguntar na frente do rei, você continuará dizendo a verdade?

– Sim.

– Jure pela cruz.

– Juro pela cruz, direi a verdade!

– Amém – disse William satisfeito, e começou a apagar o fogo com os pés.

Amarraram Gilbert à sua sela e puseram o corcel dele numa guia; depois saíram todos, a passo. Gilbert mal era capaz de se manter na vertical, e como William não queria que morresse, porque seria inútil morto, tentou não tratá-lo com demasiada rudeza. Quando atravessaram um regato, jogou água fria nos seus pés queimados. Gilbert berrou de dor, mas isso provavelmente lhe fez bem.

William sentia uma maravilhosa sensação de triunfo, mesclada com um estranho tipo de frustração. Nunca matara um homem, e gostaria de ter matado Gilbert. Torturar um homem sem matá-lo era como arrancar a roupa de uma garota sem estuprá-la. E quanto mais pensava nisso, mais sentia necessidade de uma mulher.

Talvez quando chegasse em casa... não, não haveria tempo. Teria que contar aos pais o que acontecera, e eles iam querer que Gilbert repetisse a confissão na frente de um padre e talvez de outras testemunhas; depois precisariam planejar a captura do conde Bartholomew, o que certamente teria lugar no dia seguinte, antes que ele reunisse muitos combatentes. E William ainda não pensara num modo furtivo de tomar aquele castelo, sem um cerco prolongado...

Estava pensando, cheio de frustração, que poderia se passar muito tempo antes que pudesse pelo menos *ver* uma mulher atraente, quando apareceu uma na estrada, à sua frente.

Havia cinco pessoas num grupo, caminhando na direção de William. Uma delas era uma mulher de cabelos escuros e cerca de vinte e cinco anos, não exatamente uma garota, mas bastante jovem. Quando se aproximou, ele se interessou mais: era muito bonita, seu cabelo castanho-escuro fazia um bico de viúva – ou bico do demônio, como o povo também dizia – e os olhos fundos eram de uma intensa cor dourada. Era esbelta e tinha a pele suave e bronzeada.

– Fique à retaguarda – disse William para Walter. – Conserve o cavaleiro atrás de você enquanto falo com eles.

O grupo parou e olhou cautelosamente para William. Tratava-se de uma família, evidentemente: havia um homem alto, que poderia ser o marido, um rapaz já crescido mas ainda imberbe, e um par de fedelhos. A aparência do homem era familiar, foi o que William percebeu, com um sobressalto.

– Conheço você? – perguntou.

– Eu o conheço – disse o homem. – E conheço o seu cavalo, porque juntos os dois quase mataram minha filha.

A cena começou a voltar a William. Seu cavalo não tocara na criança, mas passara perto.

– Você estava construindo minha casa – disse ele. – E quando dispensei seus serviços, exigiu pagamento, e quase me ameaçou.

A expressão do homem era de desafio, e ele não negou o que William disse.

– Agora você não está tão petulante – disse William, com um sorriso escarninho. A família toda parecia estar faminta. De repente aquele se revelara um bom dia para acertar contas com pessoas que tivessem ofendido William Hamleigh.

– Vocês estão com fome?

– Sim, estamos – respondeu o construtor, com um tom de raiva contida.

William olhou de novo para a mulher. Ela estava com os pés um pouco separados e o queixo erguido, encarando-o sem o menor medo. William, que se inflamara com Aliena, queria agora saciar a luxúria com aquela mulher. Era enérgica, não tinha dúvida; iria se debater e tentar arranhá-lo. Tanto melhor.

– Você não é casado com essa mulher, é, construtor? – perguntou William. – Lembro-me de sua mulher... era uma vaca feia.

Uma sombra de dor passou pelo rosto do homem, que disse:

– Minha mulher morreu.

– E você não levou esta aí à igreja, levou? Não tem uma moeda para pagar o padre. – Atrás de William, Walter tossiu e os cavalos se mexeram impacientemente. – Suponha que eu lhe dê dinheiro para comprar comida – disse William ao construtor, para atormentá-lo.

– Eu aceitaria agradecido – afirmou o homem, embora William pudesse assegurar que muito lhe doía ser subserviente.

– Não estou falando de um presente. Comprarei sua mulher.

Foi ela mesma quem respondeu:

– Não estou à venda, garoto.

Seu desdém foi bem dirigido, e William ficou com raiva. Eu lhe mostrarei se sou um homem ou um garoto quando a pegar sozinha, pensou. Dirigiu-se ao construtor.

– Eu lhe darei uma libra de prata por ela.

– Ela não está à venda.

William se enfureceu mais ainda. Era de enlouquecer, oferecer uma fortuna a um homem faminto e receber um não como resposta.

– Seu tolo – disse –, se não aceitar o dinheiro eu o passarei pelo fio da minha espada e treparei com ela na frente das crianças!

O braço do construtor sumiu sob a capa. Devia ter uma arma qualquer, pensou William. Era também muito grande e, embora magro como a lâmina de uma faca, poderia oferecer uma briga feia para salvar a mulher. Ela afastou a capa que usava e descansou a mão no punho de uma adaga surpreendentemente comprida. O garoto mais velho era grande o bastante para causar problemas também.

– Milorde – disse Walter, nervoso –, não há tempo para isto.

William aquiesceu relutantemente. Tinha que levar Gilbert para o solar dos Hamleighs. Era importante demais para ser retardado por causa de uma briga em disputa por uma mulher. Ele simplesmente tinha que sofrer.

Olhou para a pequena família de cinco pessoas maltrapilhas e famintas, prontas para lutar até o fim contra os dois homens fortes, com cavalos e espadas. Impossível compreender.

– Está bem, morram de fome – disse. Esporeou o cavalo e saiu ao trote. Momentos depois eles não podiam mais ser vistos.

2

Quando já estavam a cerca de uma milha do lugar onde haviam encontrado William Hamleigh, Ellen perguntou:

– Podemos ir mais devagar agora?

Tom se deu conta de que estava imprimindo um ritmo acelerado. Havia se assustado: por um momento, lá atrás, tudo indicava que ele e Alfred precisariam lutar contra dois homens montados e armados.

Tom não tinha sequer uma arma. Metera a mão debaixo da capa para pegar seu martelo de pedreiro e depois se lembrara, angustiadamente, que o trocara semanas antes por um saco de aveia. Não sabia ao certo por que William recuara, mas queria colocar o máximo de distância entre eles, para o caso de o jovem lorde querer mudar de ideia na sua mente demoníaca.

Tom não conseguira achar trabalho no palácio do bispo de Kingsbridge e em todos os outros lugares em que procurara. Havia, contudo, uma pedreira nas vizinhanças de Shiking, e uma pedreira – ao contrário de uma construção – empregava tantos homens no inverno quanto no verão. É claro que o trabalho habitual de Tom era mais qualificado e bem pago, mas há muito tempo ele deixara de se importar com essas coisas. Queria apenas alimentar sua família. A pedreira de Shiring era de propriedade do conde Bartholomew, e tinham dito a Tom que ele podia ser encontrado em seu castelo, poucas milhas a oeste da cidade.

Agora que tinha Ellen, estava ainda mais desesperado que antes. Sabia que ela decidira compartilhar sua sorte com ele por amor, e não pesara cuidadosamente as consequências. Não tinha uma ideia clara de como podia ser difícil para Tom arranjar trabalho. Não avaliara realmente a possibilidade de que poderiam não sobreviver ao inverno, e Tom evitara desiludi-la, porque a queria ao seu lado. Mas uma mulher era bem capaz de pôr o filho acima de tudo, e Tom tinha medo de que Ellen o deixasse.

Estavam juntos há uma semana: sete dias de desespero e sete noites de prazer. Todas as manhãs Tom se levantava feliz e otimista. Mais tarde ele sentia fome, as crianças se cansavam e Ellen ficava mal-humorada. Alguns dias eles se alimentavam – como quando tinham encontrado o monge com o queijo –, e em outros mascavam tiras de carne de veado seca ao sol, da reserva de Ellen. Era como estar comendo couro de veado, mas era melhor que nada. Entretanto, quando escurecia eles se deitavam, gelados e infelizes, e se abraçavam um ao outro em busca de calor; após algum tempo, começavam a se acariciar e se beijar. A princípio Tom sempre queria penetrá-la imediatamente, mas ela não deixava, com delicadeza; desejava que os beijos e afagos se prolongassem por mais tempo. Ele fazia do jeito dela e ficava encantado. Explorava seu corpo ousadamente, acariciando-a em lugares onde nunca tocara Agnes: nas axilas, nos ouvidos e entre as nádegas. Em algumas noites eles davam risadinhas com a cabeça unida sob os mantos. Em outras ocasiões se sentiam muito ternos. Uma noite, quando estavam sozinhos na hospedaria de um mosteiro, e as crianças haviam caído num sono exausto, ela mostrou-se dominadora e insistente, mandando que ele lhe fizesse coisas, mostrando como excitá-la com os dedos, e Tom obedeceu, ao mesmo tempo bestificado e excitado pelo seu despudor. Quando tudo acabou, caíram num sono profundo e repousante, com o medo e a raiva do dia dissolvidos pelo amor.

Agora era meio-dia. Tom julgou que William Hamleigh já devesse estar bem longe, de modo que decidiu parar para descansar. Não tinham outra comida senão a carne seca de veado. Pela manhã, contudo, haviam pedido um pedaço de pão numa casa de fazenda isolada, e a mulher lhes dera um pouco de cerveja numa garrafa grande de madeira, sem tampa, dizendo que ficassem com ela. Ellen guardara a cerveja para a refeição.

Ellen sentou-se ao lado de Tom na beirada do grande cepo de uma velha árvore. Ela tomou um longo gole da cerveja e a passou para ele.

– Quer também um pouco de carne? – perguntou.

Ele sacudiu a cabeça e bebeu um pouco. Podia facilmente ter tomado tudo, mas deixou um pouco para as crianças.

– Economize a carne – disse para Ellen. – Pode ser que a gente consiga uma ceia no castelo.

Alfred pôs a garrafa na boca e esvaziou-a.

Jack ficou cabisbaixo e Martha rompeu no choro. O filho do construtor deu um risinho estranho.

Ellen olhou para Tom.

– Você não devia deixá-lo fazer uma coisa dessas – disse ela após alguns momentos.

Tom deu de ombros.

– Ele é maior, precisa mais.

– Ele sempre recebe uma porção maior, seja como for. Os pequenos precisam de *alguma coisa*.

— É uma perda de tempo interferir em brigas de crianças — disse ele.

A voz da mulher tornou-se áspera.

— Está dizendo que Alfred pode intimidar as crianças menores como bem entender, que você não fará nada?

— Ele não intimida os outros — disse Tom. — Crianças sempre brigam.

Ela sacudiu a cabeça, aturdida.

— Não o compreendo. Em todos os outros sentidos é um homem bom. Mas no que diz respeito a Alfred, você é cego.

Ellen estava exagerando, foi a opinião de Tom. Mas ele não queria aborrecê-la, e por isso disse:

— Está bem, então dê um pouco de carne para os pequenos.

Ellen abriu a bolsa. Ainda estava zangada. Cortou uma tira de carne seca para Martha e outra para Jack. Alfred levantou a mão para receber uma também, mas ela o ignorou. Tom achou que Ellen deveria ter-lhe dado uma. Não havia nada de errado com seu filho. Ela simplesmente não o compreendia. Ele era um garoto grande, pensou o pai orgulhosamente, tinha um apetite enorme e não muita paciência, mas se isso fosse pecado, então metade dos adolescentes neste mundo estaria condenada ao inferno.

Descansaram um pouco e prosseguiram a caminhada. Jack e Martha seguiram na frente, ainda mascando a carne ressequida. Os dois mais moços se davam bem, a despeito da diferença de idade — Martha tinha seis anos e Jack, provavelmente onze ou doze. Mas a menina o achava absolutamente fascinante, e ele parecia estar gostando da experiência nova de ter uma criança com quem brincar. Era uma pena que Alfred não gostasse do garoto. O que surpreendeu Tom: esperava que Jack, longe ainda de se tornar homem, não incorreria no desprezo de Alfred; não era, porém, o que acontecia. Seu filho era mais forte, claro, mas o pequeno Jack era mais esperto.

Tom se recusou a ficar preocupado com aquilo. Eram só meninos. Tinha muita coisa na cabeça para perder tempo se martirizando com rixas infantis. Às vezes se perguntava secretamente se algum dia voltaria a trabalhar. Podiam continuar a palmilhar as estradas dia após dia até que, um por um, fossem morrendo: uma criança encontrada fria e inconsciente numa manhã gelada, outra fraca demais para reagir a uma febre. Ellen estuprada e morta por um bandido de passagem, como William Hamleigh, e o próprio Tom emagrecendo cada vez mais até que um dia descobrisse estar demasiadamente fraco para se levantar de manhã e ficasse no chão da floresta, deitado, até dormir e mergulhar para sempre na inconsciência.

Ellen o deixaria antes que isso acontecesse, é claro. Retornaria para sua caverna, onde ainda havia um barril de maçãs e um saco de nozes, o bastante para manter duas pessoas vivas até a primavera, mas insuficiente para cinco. Tom sofreria muito se ela fizesse isso.

Gostaria de saber como estava o bebê. Os monges o tinham chamado de Jonathan. Tom gostou do nome. Significava "presente de Deus", de acordo com o monge do queijo. Imaginou o pequenino Jonathan, vermelho, todo enrugado e careca, tal como era quando nasceu. Teria mudado, agora: uma semana era muito tempo para um recém-nascido. Já estaria maior, e seus olhos, mais abertos. Não mais permaneceria desligado do mundo à sua volta: um barulho maior o sobressaltaria e um acalanto o acalmaria. Quando precisasse arrotar, sua boca se franziria nos cantos. Os monges provavelmente não saberiam que eram gases e pensariam tratar-se de um sorriso de verdade.

Tom esperava que estivessem cuidando bem dele. O monge do queijo lhe dera a impressão de que ele e os demais eram homens bons e competentes. De qualquer maneira, certamente podiam cuidar do bebê melhor que Tom, que não tinha casa nem dinheiro. *Se algum dia eu vier a ser mestre de um projeto de construção realmente grande*, pensou, *e ganhar quarenta e oito pence por semana mais ajuda de custo, darei dinheiro a esse mosteiro.*

Eles emergiram da floresta e logo depois puderam ver o castelo.

Tom se animou, mas reprimiu seu entusiasmo com todas as forças: sofrera meses de desapontamento, e aprendera que quanto mais esperançoso estivesse no princípio, mais dolorosa seria a rejeição no final.

Aproximaram-se do castelo por uma trilha que atravessava uma região descampada. Martha e Jack viram um passarinho ferido, e todos pararam para olhar. Era tão pequeno que poderiam facilmente ter passado sem vê-lo. Martha abaixou-se para pegá-lo, e ele fugiu saltitando, aparentemente incapaz de voar. Apanhou-o então e levantou a criaturinha minúscula nas mãos em concha.

– Está tremendo! – disse ela. – Posso sentir que está tremendo. Deve estar assustado.

O passarinho não fez mais nenhuma tentativa para fugir. Ficou quietinho aninhado na mão de Martha, os olhos brilhantes examinando toda aquela gente à sua volta.

– Acho que está com a asa quebrada – disse Jack.

– Deixe-me ver – disse Alfred, tirando o passarinho de Martha.

– Podíamos cuidar do passarinho – disse a menina. – Talvez fique bom.

– Não, não ficará – disse Alfred. Com um rápido movimento de suas mãos grandes, torceu o pescoço do passarinho.

– Oh, pelo *amor* de Deus – disse Ellen.

Jack apanhou o passarinho.

– Morto – disse.

— O que é que há de errado com você, Alfred? — perguntou Ellen.

— Não há nada de errado com ele — disse Tom. — O passarinho ia morrer.

Ele continuou a caminhada, e os outros o seguiram. Ellen estava furiosa com Alfred de novo, o que irritou Tom. Por que fazer tanto escândalo por causa de um maldito passarinho? Tom lembrou-se de como era ser novamente um garoto de catorze anos, um menino no corpo de um homem: a vida era frustrante. Ellen dissera: *No que diz respeito a Alfred, você é cego*, mas ela não compreendia.

A ponte de madeira que passava por cima do fosso e dava acesso ao portão era frágil e desconjuntada, mas provavelmente era como o conde gostava: uma ponte era uma via de acesso para os atacantes, e quanto mais prontamente caísse, mais seguro o castelo ficaria. As paredes do perímetro eram de terra, com torres de pedra aqui e ali. Adiante deles, quando cruzaram a ponte, estava o portão de pedra, como duas torres ligadas por um passadiço. Muito trabalho de pedra aqui, pensou Tom; não era um desses castelos que só tem lama e madeira. Pode ser que eu amanhã esteja trabalhando. Rememorou como era a sensação de ter boas ferramentas nas mãos, o barulho da talhadeira raspando no bloco de pedra quando alisava sua superfície e endireitava seus lados, a secura do pó nas narinas. Amanhã à noite pode ser que minha barriga esteja cheia — com comida ganha com meu trabalho, e não mendigada.

Chegando mais perto, notou, com seu olho de pedreiro, que as ameias na parte de cima da guarita estavam em más condições. Algumas das grandes pedras tinham caído, deixando o parapeito falhado em certas partes. Havia também pedras soltas no arco da entrada.

Dois sentinelas estavam no portão, e ambos pareciam alertas. Talvez estivessem esperando problema. Um deles perguntou qual era o negócio de Tom.

— Pedreiro, esperando ser contratado para trabalhar na pedreira do conde — respondeu ele.

— Procure o administrador do conde — disse o sentinela solicitamente. — O nome dele é Matthew Steward. Você provavelmente vai encontrá-lo no salão grande.

— Obrigado — disse Tom. — Que tipo de homem é ele?

O guarda riu para o seu colega e disse:

— Um homem que não é muito homem! — E ambos riram.

Tom supôs que logo fosse descobrir o que aquilo queria dizer. Entrou, e Ellen e as crianças o seguiram. As construções no interior do perímetro delimitado pela parede eram na maioria de madeira, embora algumas fossem erguidas sobre peças de pedra, e havia uma toda de pedra que provavelmente era uma capela. Enquanto cruzavam o conjunto, Tom notou que todas as torres em torno do perímetro tinham pedras soltas e ameias danificadas. Cruzaram o segundo fosso para o círculo superior, e se detiveram no segundo portão. Tom disse ao sentinela que estava procurando Matthew Steward. Acompanhado pela família, entrou no conjunto superior, aproximando-se da fortaleza de pedras quadradas. A porta de madeira do nível térreo claramente abria na galeria. Subiram a escada, também de madeira, para o salão.

Tom encontrou o administrador e o conde assim que entrou. Viu quem eram pelas suas roupas. O conde Bartholomew vestia uma túnica comprida com canhões brilhantes nas mangas e bordados na bainha. Matthew Steward usava uma túnica curta, no mesmo estilo da de Tom, mas feita de um tecido mais macio, e um gorro. Estavam perto da lareira, o conde sentado e o administrador de pé. Tom aproximou-se dos dois homens e ficou a uma distância de onde poderia ouvi-los, aguardando que notassem sua presença. O conde Bartholomew era alto, com mais de cinquenta anos, cabelo branco e rosto pálido, magro e arrogante. Não parecia ser um homem de espírito generoso. O administrador era mais jovem. Seu jeito de ficar de pé fez com que Tom se lembrasse da observação do sentinela: era meio feminino. Não se sentiu seguro quanto a ele.

Havia diversas outras pessoas no salão, mas nenhuma delas tomou conhecimento de Tom. Ele aguardou, sentindo-se esperançoso e temeroso, sucessivamente. A conversa do conde com seu administrador parecia não acabar nunca. Mas por fim terminou, e o administrador fez uma reverência e virou-se de lado. Tom adiantou-se com o coração na boca.

– Você é Matthew? – perguntou.

– Sim.

– Meu nome é Tom. Mestre pedreiro. Sou um bom artesão e meus filhos estão famintos. Soube que vocês têm uma pedreira. – Ele prendeu a respiração.

– Temos uma pedreira, mas não creio que precisemos de mais operários – disse Matthew. Ele se virou para trás e olhou para o conde, que balançou a cabeça quase que imperceptivelmente. – Não – acrescentou Matthew –, não podemos contratar você.

Foi a rapidez com que a decisão foi tomada que partiu o coração de Tom. Se as pessoas se mostrassem solenes e pensassem e o rejeitassem pesarosamente, seria mais fácil para ele aguentar o golpe. Matthew não parecia ser cruel, Tom podia ver isso, mas tinha muito que fazer, e o construtor e sua família faminta eram apenas outro item do qual precisava se livrar o mais rapidamente possível.

– Eu poderia fazer alguns reparos aqui no castelo – disse Tom, desesperado.

– Temos um artesão que faz toda espécie de serviço para nós – disse Matthew. Um artífice, claro, um faz-tudo, geralmente treinado como carpinteiro.

– Sou pedreiro – disse Tom. – Minhas paredes são fortes.

Matthew ficou aborrecido com ele por ponderar, e parecia prestes a dizer qualquer coisa mais dura; contudo, olhou para as crianças e sua expressão se suavizou de novo.

— Eu gostaria de lhe dar trabalho, mas não precisamos de você.

Tom fez que sim. Ele agora deveria aceitar humildemente o que o administrador dissera, adotar uma expressão pesarosa e suplicar um prato de comida e um lugar para passar a noite. Mas Ellen estava com ele, tinha medo de que ela fosse embora, e por isso fez mais uma tentativa. Disse, num tom de voz alto o bastante para o conde ouvir:

— Só espero que não estejam prevendo combater em breve.

O efeito foi muito mais forte do que imaginara. Matthew estremeceu e o conde levantou-se e perguntou asperamente:

— Por que diz isso?

Tom percebeu que havia tocado num nervo exposto.

— Porque suas defesas estão em mau estado de conservação — respondeu.

— Como assim? — quis saber o conde. — Seja específico, homem!

Tom respirou fundo. O conde estava irritado, mas prestava atenção. Ele não teria outra chance depois desta.

— A argamassa nas paredes da guarita caiu em alguns lugares. O que deixa uma abertura para que se enfie uma alavanca. Um inimigo poderia facilmente arrancar fora uma ou duas pedras; e uma vez que se tenha um buraco, é fácil derrubar a parede. Também — ele prosseguiu apressadamente, sem respirar, antes que alguém pudesse comentar ou arguir — todas as suas ameias estão danificadas. Em vários lugares estão retas. O que deixa seus arqueiros e cavaleiros desprotegidos das...

— Sei muito bem para que servem ameias — interrompeu o conde, irritado. — Alguma coisa mais?

— Sim. Esta fortaleza tem uma galeria com porta de madeira. Se eu a estivesse atacando, entraria pela porta e atearia fogo nas provisões ali guardadas.

— E se você fosse o conde, o que faria para impedir isso?

— Teria uma pilha de pedras, já na forma adequada, um suprimento de areia e cal para fazer argamassa e um pedreiro pronto para bloquear a entrada em ocasiões de perigo.

O conde Bartholomew olhou para Tom. Seus olhos azul-claros estavam semicerrados e a testa, franzida. Tom não conseguiu interpretar sua expressão. Estaria zangado por ele ter sido tão crítico das defesas do castelo? Nunca se pode dizer como um lorde reagirá a críticas. Sempre foi muito melhor deixar que cometessem seus próprios erros. Mas Tom era um homem desesperado.

Por fim o conde pareceu chegar a uma conclusão. Virou-se para Matthew e disse:

— Contrate este homem.

Um grito de júbilo cresceu na garganta de Tom e ele teve que contê-lo. Mal podia crer. Olhou para Ellen, e os dois sorriram felizes. Martha, que não sofria de inibições de adultos, gritou:

— Hurra!

O conde Bartholomew virou-se e falou com um cavaleiro que estava de pé por perto. Matthew sorriu para Tom.

— Vocês já comeram hoje? — perguntou.

Tom engoliu em seco. Estava tão feliz que por pouco não chorava.

— Não, não comemos.

— Eu os levarei à cozinha.

Ansiosos, eles seguiram o administrador para fora do salão e através da ponte até o conjunto inferior. A cozinha era uma grande construção de madeira com base de pedra. Matthew lhes disse para esperar do lado de fora. Havia um cheiro doce no ar: estavam assando massas. A barriga de Tom roncou e sua boca se encheu tanto de água que chegou a doer. Após um momento, Matthew reapareceu com um grande pote de cerveja e o entregou a Tom.

— Eles vão trazer um pouco de pão e bacon frio num momento — disse. E os deixou.

Tom tomou um gole da cerveja e passou o pote para Ellen. Ela deu um pouco para Martha, depois tomou um gole e passou para Jack. Alfred tentou pegá-lo antes que o outro menino pudesse beber, mas Jack se virou, mantendo o pote fora do alcance dele. Tom não queria outra briga entre as crianças, não agora, quando tudo por fim tinha dado certo. Já estava prestes a intervir — quebrando assim sua própria regra de não se meter com as rixas infantis — quando Jack se virou de novo e, submissamente, passou o pote para Alfred.

Alfred levou o pote à boca e começou a beber. Tom tinha tomado só um gole, pensando que o pote faria a volta e iria para ele de novo; seu filho, porém, parecia determinado a acabar com a cerveja. Então aconteceu algo estranho. Quando o garoto levantou bem o pote para beber o resto, uma coisa que parecia um pequeno animal caiu no seu rosto.

Alfred deu um grito de medo e deixou cair o pote. Deu um tapa para tirá-la da cara.

— Que é isto? — gritou. A coisa caiu no chão. Era o passarinho morto.

Tom e Ellen se entreolharam e ambos fitaram Jack. O menino recebera o pote de Ellen, virara de costas por um momento, como que tentando se esquivar de Alfred, e depois lhe entregara o pote com surpreendente boa vontade...

Agora ele estava quieto, olhando para o horrorizado Alfred com uma vaga sugestão de sorriso no jovem-velho rosto inteligente.

Jack sabia que ia sofrer por causa daquilo.

Alfred se vingaria de um modo ou de outro. Quando os demais não estivessem olhando, ele talvez o socasse na barriga. Era seu golpe favorito, por ser muito doloroso e não deixar marcas. Jack o vira socar Martha na barriga muitas vezes.

Mas bem que valera um soco na barriga ver a expressão de choque e medo em seu rosto quando o passarinho morto caíra do pote.

Alfred odiava Jack. Isso era uma experiência nova para o menino. Sua mãe sempre o amara e nenhuma outra pessoa jamais nutrira qualquer tipo de sentimento por ele. Não havia razão aparente para a hostilidade de Alfred. Ele parecia se sentir de modo muito parecido acerca de Martha. Estava sempre beliscando-a, puxando-lhe o cabelo e dando-lhe rasteiras, aproveitando qualquer oportunidade para estragar algo a que ela desse valor. A mãe de Jack via o que estava acontecendo, e detestava, mas o pai de Alfred parecia achar tudo perfeitamente normal, muito embora fosse um homem bom e delicado e amasse Martha. A coisa toda era estranha, mas, apesar disso, o fascinava.

Tudo era fascinante. Jack nunca vivera uma temporada tão excitante em toda a vida. A despeito de Alfred, a despeito de sentir fome a maior parte do tempo, a despeito de se sentir magoado pelo modo como sua mãe constantemente dava atenção a Tom e não a ele, estava encantado pela torrente constante de fenômenos estranhos e experiências novas.

O castelo era a última numa série de maravilhas. Ouvira falar de castelos: nas longas noites de inverno na floresta, sua mãe lhe ensinara a recitar *chansons*, poemas descritivos em francês sobre cavaleiros e mágicos, a maioria deles com mais de mil versos; e os castelos apareciam nessas histórias como lugares de refúgio e romance. Nunca tendo visto um castelo, ele imaginou que seria uma versão ligeiramente maior da caverna onde morava. O castelo real era assombroso: era tão grande, com tantos prédios e com tanta gente, e com todas as pessoas tão *ocupadas* – ferrando cavalos, carregando água, alimentando galinhas, assando pão e carregando coisas, sempre carregando coisas, palha para o chão, lenha para os fogos, sacos de farinha, fardos de tecido, espadas, selas e cotas de malha! Tom lhe dissera que o fosso e a parede de terra não eram partes naturais da paisagem, e que na verdade tinham sido escavados e construídos por dúzias de homens trabalhando juntos. Jack não o desacreditava, mas não conseguia imaginar como fora possível construir aquelas coisas.

Ao fim da tarde, já escuro demais para trabalhar, todas as pessoas ocupadas passaram a gravitar em torno do grande salão do palácio. Velas de sebo foram acendidas, e o fogo nas lareiras, alteado, e todos os cachorros apareceram, vindos do frio. Alguns dos homens e mulheres pegaram tábuas e cavaletes de uma pilha num lado do salão e montaram mesas em T, depois colocaram cadeiras ao longo da parte de cima e bancos ao comprido, dos dois lados da haste. Jack nunca vira pessoas trabalhando juntas em grande número, e ficou assombrado pela maneira como apreciavam isso. Sorriam e riam ao erguerem as tábuas pesadas, gritando coisas como "Hup!", "Para mim, para mim", ou "Abaixa, devagar, agora!". Jack invejou sua camaradagem e se perguntou se um dia poderia desfrutar dela.

Após algum tempo todos se sentaram nos bancos. Um dos serventes do castelo distribuiu grandes tigelas e colheres de madeira, contando em voz alta quando entregava; depois fez outra volta e colocou uma fatia grossa de pão escuro e duro no fundo de cada tigela. Outro servente trouxe copos de madeira que encheu com cerveja trazida numa série de grandes botijas. Jack, Martha e Alfred, sentados juntos na extremidade de baixo do T, receberam um copo de cerveja cada, de modo que não houve motivo de briga. Jack levantou seu copo, mas sua mãe lhe disse que esperasse um pouco.

Quando a cerveja foi servida, o salão ficou em silêncio. Jack aguardou, fascinado como sempre, para ver o que aconteceria a seguir. Após um momento o conde Bartholomew apareceu na escada que descia do seu quarto. Ele veio para o salão seguido por Matthew Steward, três ou quatro outros homens bem-vestidos, um menino e a mais linda criatura sobre a qual Jack já pusera os olhos.

Era uma garota, ou mulher, ele não estava bem certo. Vestia-se de branco, e sua túnica tinha maravilhosas mangas bojudas que se arrastavam pelo chão atrás dela quando desceu a escada. Seu cabelo era uma massa de cachos escuros que se derramava sobre o rosto, e os olhos, também escuros, muito escuros. Jack percebeu que era àquilo que as *chansons* se referiam ao falarem de uma linda princesa num castelo. Não era de espantar que todos os cavaleiros chorassem quando a princesa morria.

Quando chegou ao pé da escadaria, Jack viu que era bastante jovem, apenas uns poucos anos mais velha que ele próprio; porém, ela conservou a cabeça erguida e caminhou até a cabeceira da mesa como uma rainha. Sentou-se ao lado do conde.

– Quem é ela? – cochichou Jack.

– Deve ser a filha do conde – respondeu Martha.

– Qual é o nome dela?

Martha deu de ombros, mas uma garota de cara suja sentada ao lado de Jack disse:

– Ela se chama Aliena. É maravilhosa.

O conde levantou o copo para Aliena, depois olhou vagarosamente para toda a mesa e bebeu. Aquele era o sinal que esperavam. Todos o imitaram, levantando os copos antes de beber.

A ceia foi trazida em imensos caldeirões fumegantes. O conde foi servido em primeiro lugar; depois sua filha, o menino e os homens que o acompanhavam na cabeceira da mesa; a seguir, todos os demais se serviram. Era peixe salgado num ensopado com condimentos. Jack encheu sua tigela e comeu tudo, mesmo o pão encharcado de molho oleoso. Entre uma mastigadela e outra ele olhava para Aliena, absorto em tudo o que fazia, desde o modo requintado como espetava pedacinhos de peixe na ponta da faca e os colocava delicadamente entre os dentes brancos, à voz autoritária com que chamava os servos e dava ordens. Todos pareciam gostar dela. Atendiam rapidamente quando chamados, sorriam quando ela falava e apressavam-se a cumprir o que lhes determinava. Os rapazes em torno da mesa a olhavam muito, observou Jack, e alguns se exibiam quando achavam que ela olhava na sua direção. Mas ela estava preocupada sobretudo com os homens de mais idade na companhia do pai, certificando-se de que tinham bastante pão e vinho, fazendo-lhes perguntas e ouvindo atenciosamente suas respostas. Jack perguntou-se como deveria ser ter uma linda princesa daquelas falando com ele e depois encará-lo com aqueles enormes olhos escuros quando respondesse.

Após a ceia houve música. Dois homens e uma mulher tocaram melodias com sinetas, um tambor e tubos feitos de ossos de animais e aves. O conde fechou os olhos e pareceu se perder na música, mas Jack não gostou das melodias melancólicas e obsessivas que tocavam. Preferia as canções alegres que sua mãe cantava. As outras pessoas no salão pareciam se sentir do mesmo modo, pois se remexiam e arrastavam os pés, e houve uma sensação geral de alívio quando a música terminou.

Jack estava na esperança de olhar mais de perto Aliena, mas para seu desapontamento ela abandonou o salão depois da música e subiu a escada. Devia ter seu próprio quarto no andar superior, pensou.

As crianças e alguns dos adultos jogavam xadrez e o jogo das nove pedras para passar a noite, e as pessoas mais ativas faziam cintos, gorros, meias, luvas, tigelas, apitos, dados, pás e rebenques. Jack disputou várias partidas de xadrez, ganhando todas; um homem de armas ficou zangado por ter sido derrotado por uma criança, e depois disso a mãe de Jack fez com que parasse. Ele ficou circulando pelo salão, ouvindo as diferentes conversas; descobriu que algumas pessoas conversavam com sensatez sobre o campo e os animais, ou bispos e reis, enquanto outros só se importunavam uns aos outros, contavam vantagens ou histórias engraçadas. Jack achou que todos eram igualmente intrigantes.

As velas, com o passar do tempo, queimaram por inteiro; o conde se retirou, e as outras sessenta ou setenta pessoas se embrulharam em seus mantos e se deitaram no chão coberto de palha.

Como sempre, sua mãe e Tom deitaram juntos, debaixo do grande manto de Tom, e ela o abraçou do modo como costumava abraçar Jack quando ele era pequeno. Observou-os com inveja. Pôde ouvi-los falando baixinho, e sua mãe deu um risinho baixo e íntimo. Após algum tempo seus corpos começaram a se mover de maneira ritmada sob o manto. Na primeira vez em que os vira fazendo isso, Jack tinha ficado terrivelmente preocupado, pensando que, fosse o que fosse, devia doer; porém eles se beijaram enquanto estavam fazendo aquilo, e embora às vezes sua mãe gemesse, ele podia afirmar que era um gemido de prazer. Ficou relutante de perguntar o que era aquilo, não sabia bem por quê. Agora, contudo, com o fogo queimando mais baixo, ele viu outro casal fazendo o mesmo, e foi forçado a concluir que devia ser normal. Era só outro mistério, pensou, e logo depois caiu no sono.

As crianças se levantaram cedo na manhã seguinte, mas o desjejum não podia ser servido antes que a missa fosse rezada, e a missa não podia ser rezada antes que o conde se levantasse, de modo que tiveram de esperar. Um criado que acordara cedo recrutou-as para carregarem a lenha que seria usada durante o dia. Os adultos começaram a acordar quando o ar frio da manhã entrou pela porta. Quando as crianças acabaram de trazer a lenha, encontraram Aliena.

Ela desceu a escada, como fizera na noite anterior, mas agora parecia diferente. Usava uma túnica curta e botas de feltro. Os cachos volumosos estavam amarrados atrás com uma fita, mostrando a linha graciosa do seu queixo, as orelhas pequenas e o pescoço alvo. Os grandes olhos escuros, que tinham parecido graves e adultos na noite anterior, agora brilhavam de alegria, e ela estava sorrindo. Era seguida pelo menino que se sentara com ela e com o conde à cabeceira da mesa, na noite anterior. Ele parecia um ou dois anos mais velho que Jack, mas não era tão crescido quando Alfred. Olhou curiosamente para Jack, Martha e Alfred, mas foi a garota quem perguntou:

– Quem são vocês?

– Meu pai é o pedreiro que vai reparar o castelo – respondeu o mais velho. – Sou Alfred. O nome de minha irmã é Martha. Este é Jack.

Quando ela se aproximou, Jack pôde sentir o cheiro de lavanda, e ficou atônito. Como uma pessoa podia cheirar a flores?

– Quantos anos você tem? – perguntou ela a Alfred.

– Catorze. – Alfred também estava deslumbrado com ela, Jack era capaz de garantir. Após um instante Alfred não se conteve: E você, quantos anos tem?

– Quinze. Quer algo para comer?

– Quero.

– Venha comigo.

Todos a seguiram, saindo do salão e descendo a escada.

– Mas eles não servem nada antes da missa – disse Alfred.

– Eles fazem o que digo – retrucou Aliena, atirando a cabeça para trás num gesto de impaciência.

Ela os liderou na travessia da ponte para o conjunto inferior e lhes disse que esperassem do lado de fora enquanto entrava na cozinha.

– Ela não é linda? – sussurrou Martha para Jack, e ele aquiesceu, meio tonto.

Poucos momentos depois Aliena apareceu com um pote de cerveja e uma bisnaga de pão de trigo. Partiu o pão em nacos, que distribuiu, e depois fez circular o pote.

— Onde está sua mãe? — perguntou Martha timidamente, após algum tempo.

— Ela morreu — respondeu Aliena de modo brusco.

— Você não está triste? — quis saber Martha.

— Fiquei triste, mas foi há muito tempo. — Ela indicou o menino ao seu lado com um meneio de cabeça. — Richard nem consegue se lembrar.

Richard devia ser seu irmão, concluiu Jack.

— Minha mãe está morta também — disse Martha, e seus olhos se encheram de lágrimas.

— Quando ela morreu? — perguntou Aliena.

— Na semana passada.

Aliena não pareceu muito comovida com as lágrimas de Martha, observou Jack — a menos que estivesse parecendo indiferente para ocultar a própria dor.

— Então quem é aquela mulher que está com vocês? — perguntou ela abruptamente.

— É a *minha* mãe — respondeu Jack, ansioso, ficando emocionado por ter algo a dizer-lhe.

Ela se virou para ele como se o estivesse vendo pela primeira vez.

— Bem, e onde está o seu pai?

— Não tenho — disse ele. Estava todo animado só por ver que ela o olhava.

— Morreu também?

— Não — respondeu ele. — Nunca tive pai.

Houve um momento de silêncio e depois Aliena, Richard e Alfred caíram na risada. Jack ficou intrigado e olhou para eles sem entender; e seus risos se intensificaram, até que começou a se sentir mortificado. O que era tão engraçado a respeito de nunca ter tido um pai? Até mesmo Martha estava sorrindo, suas lágrimas esquecidas.

— Então de onde é que você veio, se não tem pai? — perguntou Alfred, zombeteiro.

— De minha mãe... todas as criancinhas vêm de sua mãe — disse Jack, desorientado. — O que os pais têm a ver com isso?

Todos riram ainda mais. Richard dava pulos de alegria, apontando um dedo de deboche para Jack.

— Ele não sabe nada, nós o encontramos na floresta — disse Alfred para Aliena.

As bochechas de Jack arderam de vergonha. Sentira-se tão feliz por falar com Aliena, e agora ela pensava que ele era um tolo completo, um ignorante da floresta. E pior de tudo, não sabia ainda o que dissera de errado. Teve vontade de chorar, o que piorou a situação. O pão ficou entalado na sua garganta, e ele não conseguiu engolir. Olhou para Aliena, seu rosto lindo iluminado pela alegria, e não pôde aguentar aquela visão, por isso atirou fora o pão e se afastou.

Sem se importar por onde ia, caminhou até o talude da muralha do castelo. Agarrando-se com as mãos subiu a rampa íngreme até o topo. Ali em cima sentou-se na terra fria, olhando para o exterior, sentindo pena de si próprio, odiando Alfred, Richard e até mesmo Martha e Aliena. Princesas não têm coração, decidiu.

O sino tocou chamando para a missa. Os serviços religiosos ainda eram outro mistério para ele. Falando um idioma que não era nem inglês nem francês, os padres cantavam e falavam com estátuas, quadros e até mesmo para seres que eram completamente invisíveis. A mãe de Jack evitava comparecer a funções religiosas sempre que podia. Quando os habitantes do castelo começaram a se dirigir para dentro, Jack passou rapidamente por cima do topo da muralha e se sentou, fora das vistas deles, do lado de fora.

O castelo era cercado por uma extensão de terra descampada, com bosques a distância. Dois visitantes matutinos atravessaram o terreno plano. O céu estava nublado, com nuvens cinzentas e baixas. Jack perguntou-se se não iria nevar.

Dois outros visitantes surgiram no campo visual de Jack. Estes estavam a cavalo. Aproximaram-se rapidamente, ultrapassando o primeiro par. Conduziram seus cavalos pela ponte de madeira e através do portão. Todos os quatro visitantes teriam de esperar até que a missa terminasse para poder entrar, fossem quais fossem os negócios que os haviam trazido ali, pois todos iam à igreja, exceto os sentinelas de serviço.

Uma voz que soou repentinamente junto de Jack o assustou.

— Então você está aqui! — Era sua mãe. Ele se virou e viu imediatamente que estava aborrecida. — O que há?

Ele queria que a mãe o consolasse, mas endureceu o coração.

— Tive um pai? — perguntou.

— Sim. Todo mundo tem pai. — Ela se ajoelhou ao lado dele.

Ele desviou o rosto. Sua humilhação fora culpa dela, por não lhe ter falado a respeito do seu pai.

— O que aconteceu com ele?

— Morreu.

— Quando eu era pequeno?

— Antes de você nascer.

— Como podia ser meu pai, se morreu antes de eu nascer?

— Os bebês nascem de uma semente. A semente vem do pau de um homem e é plantada na xoxota de uma mulher. Aí a semente cresce e se transforma num bebê na barriga dela, e, quando está pronto, sai.

Jack ficou em silêncio por um momento, digerindo a informação. Suspeitou que aquilo tinha ligação com o que sua mãe e Tom faziam de noite.

— Tom vai plantar uma semente em você? — perguntou.

— Talvez.

— Então você terá um novo bebê.

Ela aquiesceu.

— Um irmão para você. Gostaria de um irmão novo?

— Não me importa — disse ele. — Tom já tirou você de mim. Um irmão não faria diferença.

Ela passou o braço em torno dele e o abraçou.

— Ninguém jamais vai me tirar de você — afirmou.

Isso fez com que ele se sentisse um pouco melhor.

Os dois ficaram sentados juntos por algum tempo, até que ela disse:

— Está frio aqui. Vamos nos sentar junto do fogo até o desjejum.

Ele concordou. Os dois se levantaram, passaram por cima da muralha de terra e desceram para dentro do conjunto numa corrida. Não havia sinal dos quatro visitantes. Talvez tivessem entrado na capela.

Quando Jack e sua mãe atravessaram a ponte que levava ao conjunto da parte de cima do 8, ele perguntou:

— Qual era o nome do meu pai?

— Jack, como você — respondeu ela. — Era chamado de Jack Shareburg.

Isso lhe agradou. Tinha o mesmo nome do pai.

— Então, se não há outro Jack, posso dizer às pessoas que sou Jack Jackson.

— Pode. As pessoas nem sempre chamam a gente como gostaríamos, mas sempre se pode tentar.

O menino concordou. Sentia-se melhor. Pensaria em si próprio como Jack Jackson. Não estava tão envergonhado agora. Pelo menos sabia a respeito de pais e sabia até mesmo o nome do seu. Jack Shareburg.

Chegaram à guarita do conjunto de cima. Não havia sentinelas.

A mãe de Jack parou, intrigada.

— Tenho a sensação estranha de que está acontecendo algo de diferente — disse ela. Sua voz era calma e controlada, mas havia nela uma nota de medo que fez com que Jack sentisse um arrepio, e ele teve uma premonição de desastre.

Sua mãe entrou no pequeno alojamento dos sentinelas na base da guarita. Um momento depois Jack a ouviu arquejar. Entrou atrás dela. Estava de pé, a mão na boca, olhando fixamente para o chão.

O sentinela estava deitado de costas, os braços ao lado do corpo. Seu pescoço estava cortado, havia uma poça de sangue fresco no chão junto a ele, que estava inquestionavelmente morto.

3

William Hamleigh e seu pai tinham partido no meio da noite, com quase cem cavaleiros e homens de armas a cavalo, e sua mãe à retaguarda. O exército iluminado por archotes, o rosto dos homens tapados por causa do ar frio da noite, tudo devia ter aterrorizado os habitantes das aldeias através das quais passaram ruidosamente a caminho de Earlscastle. Chegaram à encruzilhada enquanto ainda estava escuro como breu. Dali em diante, desmontaram e foram puxando os cavalos, para lhes dar um descanso e reduzir a um mínimo o barulho. Quando o sol raiou eles se esconderam nos bosques que encontraram pelo caminho até o castelo do conde Bartholomew.

William não chegara a contar o número de combatentes que vira no castelo – uma omissão pela qual sua mãe o reprendera implacavelmente, muito embora, como ele tentara argumentar, muitos dos homens que vira ali estivessem esperando para serem mandados fazer serviços fora e outros pudessem ter chegado após a saída de William, e assim uma contagem não seria confiável. Mas teria sido melhor que nada, como seu pai dissera. Contudo, ele estimara ter visto cerca de sessenta homens; assim sendo, se não tivesse havido grandes mudanças nas poucas horas decorridas desde então, os Hamleighs estariam com uma vantagem superior a dois por um.

Esse número estava longe do necessário para sitiar o castelo, é claro. No entanto, eles tinham formulado um plano para tomá-lo sem um sítio. O problema era que o exército atacante seria visto pelos vigias, e o castelo estaria fechado muito tempo antes de eles chegarem. A resposta estava em achar um meio qualquer para fazer o castelo ficar aberto pelo tempo que fosse preciso para o exército se deslocar do esconderijo nos bosques até ali.

Fora Lady Hamleigh quem resolveu o problema, claro.

– Precisamos de uma diversão – disse ela, coçando um furúnculo no queixo. – Algo para apavorá-los, de modo que não percebam o exército senão quando for tarde demais. Como um incêndio.

– Se um estranho entrar lá e causar um incêndio, eles serão alertados, de qualquer modo – retrucou o lorde.

– Teria que ser feito às escondidas – sugeriu William.

– Claro que sim – disse a mãe, impacientemente. – Você terá que fazer isso enquanto estiverem na missa.

– Eu?

William foi designado responsável pela vanguarda.

O céu da manhã clareara com incrível lentidão. William estava nervosamente impaciente. Durante a noite, ele, sua mãe e seu pai tinham adicionado refinamentos à ideia básica, mas ainda havia um grande número de coisas que podiam dar errado: a vanguarda podia não conseguir entrar no castelo por alguma razão, ou despertar suspeitas e não conseguir atuar sub-repticiamente, ou ainda ser apanhada antes de conseguir fazer qualquer coisa. Mesmo que o plano funcionasse, haveria uma batalha, a primeira batalha de verdade para William. Homens seriam feridos e mortos, e ele podia ser um dos infelizes. Suas entranhas ficaram duras de tanto medo. Aliena estaria ali, e saberia se ele fosse derrotado. Ou, por outro lado, estaria ali para vê-lo, caso triunfasse. Ele se imaginou irrompendo dentro do quarto dela, com a espada sangrenta na mão. Então ela desejaria jamais ter rido dele.

Do castelo veio o som do sino batendo para a missa da manhã. William fez um gesto com a cabeça, e dois homens se destacaram do grupo e se puseram a caminhar, atravessando o terreno descampado que os separava do castelo. Eram Raymond e Ranulf, dois homens alguns anos mais velhos que William, de fisionomia e músculos duros. Escolhera-os pessoalmente: seu pai lhe dera carta branca. Lorde Hamleigh em pessoa comandaria o ataque principal.

William observou Raymond e Ranulf caminharem rapidamente pelos campos gelados. Antes que atingissem o castelo, olhou para Walter, esporeou o cavalo e saiu acompanhado pelo criado, a trote. Os sentinelas veriam dois pares de pessoas separados, um a pé e outro a cavalo, aproximando-se do castelo pela manhã bem cedo: uma visão perfeitamente inocente.

O cálculo de tempo de William foi bom. Ele e Walter passaram por Raymond e Ranulf a cerca de cem jardas do castelo. Na ponte eles desmontaram. O coração de William estava na boca. Se estragasse aquela parte, todo o ataque estaria arruinado.

Havia dois sentinelas no portão. Como num pesadelo, William suspeitou de uma emboscada, achando que uns doze homens de armas pulariam de um esconderijo e o fariam em pedaços. Os sentinelas pareciam alertas, mas não ansiosos. Não usavam armaduras. William e Walter tinham cotas de malha sob as capas.

As tripas de William pareciam ter virado água. Ele não conseguia engolir. Um dos sentinelas o reconheceu.

– Olá, lorde William – disse jovialmente. – Veio fazer a corte de novo?

– Oh, meu Deus – disse William, numa voz fraca, e enfiou a adaga na barriga do sentinela, torcendo-a para a direção do coração depois que passou por baixo da caixa torácica. O homem arquejou, vergou e abriu a boca como se fosse gritar. Um barulho poderia estragar tudo. Em pânico, sem saber o que fazer, William puxou a adaga e enfiou-a na boca aberta do homem, empurrando a lâmina na garganta para silenciá-lo. Em vez de grito, foi sangue que saiu da sua boca. Os olhos do homem se fecharam. William retirou a adaga quando ele caiu no chão.

Seu cavalo afastara-se um pouco, andando de lado, assustado pelos movimentos súbitos. William pegou sua rédea e depois olhou para Walter, que tinha se encarregado do outro sentinela. O criado esfaqueara o outro homem mais eficientemente, cortando-lhe o pescoço, de modo que ele morrera em silêncio. Tenho que me lembrar disso, pensou William, na próxima vez que tiver de silenciar um homem. Depois então pensou: Consegui! Matei um homem!

Deu-se conta de que não estava mais aterrorizado.

Entregou as rédeas a Walter e subiu correndo a escada em espiral para a torre do portão. Na parte superior havia um aposento de onde se erguia a ponte levadiça. Com a espada, golpeou o grosso cabo. Bastaram duas tentativas para cortá-lo. Deixou cair a extremidade solta pela janela. O cabo caiu no barranco e escorregou devagarzinho para dentro do fosso, quase sem salpicar água. Agora a ponte não poderia ser levantada contra a força atacante de seu pai. Aquele era um dos refinamentos que tinham imaginado na noite anterior.

Raymond e Ranulf chegaram ao portão justamente quando William alcançou o patamar da escada. O primeiro serviço deles era danificar os imensos portões de carvalho que fechavam o arco que dava passagem da ponte para o conjunto. Cada um deles pegou um martelo de madeira e uma talhadeira e começou a tirar a argamassa que cercava as poderosas dobradiças de ferro. O barulho do martelo na talhadeira pareceu terrivelmente alto a William.

Ele arrastou depressa os dois sentinelas mortos para dentro do alojamento. Com todo mundo na missa, havia forte chance de os corpos não serem vistos senão quando já fosse tarde demais.

Apanhou suas rédeas com Walter e os dois passaram caminhando por baixo do arco, atravessando o conjunto na direção do estábulo. William forçou as pernas a se moverem num passo normal, não apressado, e olhou sub-repticiamente para os sentinelas nas torres de vigilância. Teria um deles visto o cabo da ponte levadiça cair no fosso? Estariam curiosos acerca das marteladas? Alguns deles olhavam para William e Walter, mas não pareciam agitados, e as marteladas, que ainda soavam nos ouvidos de William, esmaecidas, deviam ser inaudíveis do alto das torres. Sentiu-se aliviado. O plano estava funcionando.

Chegaram ao estábulo e entraram. Ambos deixaram as rédeas caídas frouxamente sobre uma travessa de madeira, de modo que os animais pudessem fugir.

Então William pegou sua pederneira e tirou uma faísca, ateando fogo à palha no chão. Estava suja e molhada em alguns pedaços, mas mesmo assim começou a queimar. William acendeu o fogo em mais três lugares, e Walter fez o mesmo. Ficaram observando por um momento. Os cavalos perceberam o cheiro da fumaça e começaram a se remexer nervosamente nas baias. William permaneceu por um momento mais. O fogo estava dando certo, assim como o plano.

Ele e Walter deixaram o estábulo e saíram ao ar livre. No portão, escondidos pelo arco, Raymond e Ranulf ainda estavam tirando a argamassa em volta das dobradiças. William e Walter viraram na direção da cozinha, para dar a impressão de que estavam atrás de algo para comer, o que seria natural. Não havia ninguém mais no conjunto: todo mundo estava na missa. Erguendo os olhos casualmente para as ameias, William observou que os sentinelas não estavam olhando para dentro do castelo, e sim para os campos que o cercavam, como seria mesmo sua obrigação. Não obstante isso, William esperou que alguém emergisse de um dos prédios a qualquer momento e os desafiasse; nesse caso eles teriam que matar essa pessoa ali mesmo, em campo aberto, e, se fossem vistos, o jogo estaria terminado.

Desviaram-se da cozinha e foram para a ponte que dava no conjunto superior. Ouviram os sons abafados do culto religioso quando passaram pela capela. O conde Bartholomew estava ali dentro, sem suspeitar de coisa nenhuma, pensou William, emocionado; não tinha ideia de que havia um exército a uma milha de distância, que quatro dos seus inimigos já estavam no interior de sua praça-forte e que seu estábulo pegava fogo. Aliena se encontrava na capela também, rezando de joelhos. Logo estará de joelhos diante de mim, pensou William, e o sangue latejou na sua cabeça vertiginosamente.

Chegaram à ponte e atravessaram. Tinham se assegurado de que a primeira ponte permanecesse em condições de ser transposta, cortando a corda que poderia levantá-la e inutilizando as dobradiças do portão, de modo que o exército pudesse entrar. Mas o conde ainda poderia fugir, atravessando aquela segunda ponte e se refugiando no conjunto superior. A próxima tarefa de William era impedir que isso fosse possível, erguendo a ponte levadiça e tornando impossível a passagem. O conde ficaria isolado e vulnerável no conjunto de baixo.

Atingiram o segundo portão e um sentinela saiu do alojamento.

– É cedo demais – disse ele.

– Fomos convocados para falar com o conde – disse William, aproximando-se do sentinela, mas o homem recuou um passo. O jovem Hamleigh não queria que ele recuasse muito, pois se saísse debaixo do arco seria visível para os sentinelas posicionados nas trincheiras do círculo superior.

– O conde está na capela – disse o sentinela.

– Teremos que esperar.

Aquele sentinela devia ser morto rápida e silenciosamente, mas William não sabia como se aproximar o necessário. Olhou para Walter, em busca de orientação, mas o criado limitou-se a ficar sentado pacientemente, parecendo imperturbável.

– Há um fogo aceso na fortaleza – disse o sentinela. – Vão para lá se aquecer. – William hesitou e o sentinela começou a ficar desconfiado. – O que estão esperando? – perguntou, com um traço de irritação.

William procurou desesperadamente algo para dizer.

– Podemos comer algo? – perguntou, por fim.

– Não antes da missa – respondeu o sentinela. – Depois vão servir o desjejum na fortaleza.

William percebeu que Walter estivera se deslocando imperceptivelmente para um lado. Se o sentinela ao menos se virasse um pouco, o criado poderia avançar às suas costas. William deu alguns passos na direção oposta, passou pelo sentinela fingindo completo desinteresse e disse:

– Não estou nada impressionado com a hospitalidade do seu conde. – O sentinela estava se virando. William prosseguiu: – Viemos de longe...

Foi então que Walter atacou.

Colocou-se atrás do sentinela e passou os braços por cima dos ombros do homem. Com a mão esquerda torceu-lhe o pescoço para trás, e com a direita cortou-lhe a garganta. William deixou escapar um suspiro de alívio. A coisa se deu num momento.

William e seu criado, juntos, tinham matado três homens antes do desjejum. Sentiu uma embriagadora sensação de poder. Ninguém mais rirá de mim depois do dia de hoje!, pensou.

Walter arrastou o corpo para dentro do alojamento dos sentinelas. A planta daquele portão era exatamente igual à do outro, com uma escada em espiral que dava no compartimento onde ficava o cabo que levantava a ponte. William subiu, seguido por Walter.

O jovem não tinha feito o reconhecimento daquele lugar quando estivera no castelo na véspera. Nem pensara nisso, mas, de qualquer modo, teria sido muito difícil pensar num pretexto plausível. Presumira que haveria uma roda para enrolar a corda, ou pelo menos uma bobina com um cabo, para erguer a ponte levadiça; via agora que não havia nenhuma engrenagem, somente uma corda e um cabrestante. O único modo de levantar a ponte era puxar a corda. William e Walter a agarraram e puxaram juntos, mas a ponte nem sequer rangeu. Era uma tarefa para dez homens.

William ficou intrigado por um momento. A outra ponte, a que dava na entrada do castelo, tinha uma roda enorme. Ele e Walter poderiam tê-la erguido. Só então percebeu que a ponte de fora devia ser erguida todas as noites, enquanto esta se destinava a uma emergência.

De qualquer modo, não lucraria nada se ficasse ali pensando no problema. A questão era o que fazer a seguir. Se não era possível levantar a ponte, podia ao menos fechar os portões, o que certamente retardaria o conde.

Desceu correndo a escada, com Walter nos calcanhares. Quando chegou ao patamar, teve um choque. Nem todo mundo estava na missa, ao que parecia. Viu uma mulher e uma criança saindo da guarita.

William titubeou. Reconheceu-a imediatamente. Era a mulher do construtor, a tal que tentara comprar na véspera por uma libra. Ela o viu, e seus penetrantes olhos cor de mel enxergaram através dele. William nem sequer se deu o trabalho de fingir ser um visitante inocente aguardando o conde: sabia que ela não se deixaria enganar. Tinha que impedi-la de dar o alarme. E o modo de fazê-lo era matá-la, rápida e eficientemente, como haviam matado os sentinelas.

Seus olhos que tudo viam perceberam as intenções de William, expressas no rosto. Ela agarrou a mão do menino e se virou. O jovem ainda tentou pegá-la, mas ela era rápida demais. Entrou correndo no conjunto, dirigindo-se para a fortaleza. Ele e Walter correram atrás.

Ela era muito ligeira, e eles estavam de cota de malha e carregavam armas pesadas. Ela chegou à escada que dava para o grande salão. Quando subiu os degraus correndo, gritou. William olhou para as plataformas fortificadas que os cercavam por todos os lados. O grito alertara pelo menos dois sentinelas. O jogo terminara. Hamleigh parou de correr e ficou junto do patamar da escada, ofegante. Seu criado fez o mesmo. Dois sentinelas, depois três, quatro, desceram correndo as rampas, para dentro do conjunto. A mulher desapareceu dentro da fortaleza, ainda de mão dada com o menino. Ela não era mais importante; agora que os sentinelas tinham sido alertados não adiantava matá-la.

Ele e Walter desembainharam as espadas e ficaram lado a lado, prontos para lutar pela própria vida.

O sacerdote estava erguendo a hóstia quanto Tom percebeu que havia algo errado com os cavalos. Era possível ouvir os relinchos e as batidas que davam com as patas, mais intensos que o normal. Um momento depois alguém interrompeu o canto tranquilo em latim do padre:

– Sinto cheiro de queimado!

Tom sentiu também, e todos os demais. O construtor era mais alto que o resto e podia enxergar do lado de fora pelas janelas da capela se ficasse na ponta do pé. Foi até ali e deu uma olhada. Os estábulos estavam em chamas.

– Fogo! – disse ele, e antes que pudesse falar algo mais, sua voz foi abafada pelo grito dos outros. Houve uma correria para a porta. A missa foi esquecida. Tom segurou Martha, com medo de que fosse pisoteada pelo povo, e disse a Alfred para ficar com eles. Não sabia onde Ellen e Jack estavam.

Um momento depois não havia mais ninguém na capela exceto os três e um padre aborrecido.

Tom levou as crianças para o lado de fora. Algumas pessoas estavam libertando os cavalos para salvá-los, e outras traziam água do poço para jogar nas labaredas. Tom não conseguiu ver Ellen. Os cavalos libertados galopavam pelo conjunto, aterrorizados pelo fogo e por toda aquela gente correndo e gritando. O barulho dos cascos era tremendo. Prestou atenção por um instante e ficou preocupado; era, na verdade, tremendo demais – parecia uma centena de cavalos e não trinta ou quarenta. De repente, foi atingido por um pensamento amedrontador.

– Fique aqui um momento, Martha – disse. – Alfred, tome conta dela.

Subiu correndo o muro de terra, até o topo da muralha. Era íngreme, e ele teve que diminuir o ritmo antes de chegar ali em cima. Uma vez no topo, respirando com dificuldade, olhou para o lado de fora.

Sua apreensão tivera motivo, e agora seu coração foi esmagado pela ação fria do medo. Um exército de cavaleiros, com um efetivo de oitenta ou cem homens, vinha dos campos escuros que cercavam o castelo. Uma visão apavorante. Tom podia ver o brilho metálico das cotas de malha e das espadas desembainhadas. Os cavalos galopavam a toda velocidade, e saía fumaça de suas narinas. Os cavaleiros estavam encurvados sobre as selas, ferozmente determinados. Não havia gritos, só o ensurdecedor estrondo de centenas de cascos batendo no chão.

Olhou para trás. Como ninguém no conjunto do castelo ouvira o exército? Porque o barulho fora abafado pelas muralhas e misturou-se com o barulho causado pelo pânico interior do conjunto. Por que os sentinelas nada haviam visto? Porque todos haviam abandonado os postos para combater o incêndio. Esse ataque fora planejado por uma pessoa inteligente. Agora cabia a Tom dar o alarme.

E onde estava Ellen?

Os olhos dele vasculharam o conjunto enquanto os atacantes se aproximavam mais. Muita coisa não se podia ver por causa da grossa fumaça branca que saía dos estábulos em chamas. Ele não pôde ver a mulher.

Localizou o conde Bartholomew, ao lado do poço, tentando organizar o transporte de água para o incêndio. Tom desceu correndo a rampa e foi até ali. Agarrou o ombro do conde, sem a menor gentileza, e gritou no seu ouvido para se fazer ouvir acima do tumulto.

– É um ataque!

– O quê?

– Estamos sendo atacados!

O conde estava pensando no incêndio.

– Atacados? Por quem?

– Escute! – gritou Tom. – Cem cavalos!

O conde inclinou a cabeça. Tom viu a percepção do que se passava aparecer no seu rosto pálido e aristocrático.

– Tem razão... Pela cruz! – De repente ele pareceu ficar com medo. – Você já viu?

– Sim.

– Quem... Esqueça quem! Cem cavalos?

– Sim...

– Peter! Ralph! – O conde virou as costas para Tom e chamou seus lugares-tenentes. – É um ataque. Este incêndio é uma diversão. Estamos sendo atacados! – Tal como o conde, eles a princípio não compreenderam, depois ouviram o tropel e finalmente demonstraram medo. O conde gritou: – Digam aos homens para pegarem suas espadas. Depressa, depressa! – Depois se virou para Tom. – Venha comigo, pedreiro. Você é forte, podemos fechar os portões. – Atravessou o conjunto correndo e Tom o seguiu. Se pudessem fechar os portões e levantar a ponte a tempo, deteriam uma centena de homens.

Chegaram ao portão. Podiam ver o exército através do arco. Estava a menos de uma milha agora, e se dispersando, observou Tom, os cavalos mais velozes na frente e os retardatários atrás.

– Olhe só os portões! – gritou o conde.

Tom olhou para eles. Os dois enormes portões de carvalho guarnecidos de ferro estavam jogados no chão. Suas dobradiças tinham sido arrancadas da muralha, podia ver. Elementos inimigos haviam estado ali mais cedo, pensou. Seu estômago se retorceu de medo.

Virou-se para o conjunto, ainda procurando Ellen. Não conseguia vê-la. O que acontecera com ela? Tudo era possível a partir desse momento. Precisava estar ao seu lado e protegê-la.

– A ponte levadiça! – disse o conde.

O melhor modo de proteger Ellen era manter os atacantes do lado de fora, percebeu Tom. O conde subiu correndo a escada em espiral, e, com esforço, Tom obrigou-se a segui-lo. Se conseguissem levantar a ponte, uns poucos homens seriam capazes de defender o portão. Mas quando chegaram ali em cima seu coração confrangeu-se. A corda fora cortada. Não havia como levantar a ponte.

O conde Bartholomew praguejou amargamente.

– Quem quer que tenha planejado isto é tão ladino quanto o demônio – disse.

Aquele que havia inutilizado os portões, cortado a corda e ateado fogo no estábulo devia estar ainda em algum ponto no interior do castelo, pensou Tom, e olhou em torno de si, atemorizado, perguntando-se quem poderiam ser os intrusos.

O conde deu uma olhada por uma seteira.

– Meu Deus, eles estão quase aqui. – E desceu correndo a escada.

Tom o seguiu muito de perto. Na entrada do portão, diversos cavaleiros afivelavam rapidamente o cinturão com a espada e punham o elmo. O conde Bartholomew começou a dar ordens.

– Ralph e John, toquem alguns desses cavalos soltos para cima da ponte a fim de se meterem no caminho do inimigo. Richard, Peter, Robin, arranjem alguns outros e organizem uma resistência aqui. – O portal era estreito, e bastavam poucos homens para deter os atacantes pelo menos por algum tempo. – Você, pedreiro, faça as crianças e as mulheres atravessarem a ponte e irem para o conjunto superior.

Tom ficou satisfeito por ter uma desculpa para procurar Ellen.

Correu primeiro até a capela. Alfred e Martha estavam onde os deixara momentos antes, parecendo assustados.

– Vão para o castelo – gritou para eles. – Digam a todas as crianças e mulheres que virem para que os acompanhem, ordens do conde. Corram! – Os dois saíram correndo imediatamente.

Tom olhou em torno. Ele os seguiria logo; estava disposto a não ser apanhado no primeiro conjunto. Mas dispunha de uns poucos momentos nos quais podia cumprir a ordem do conde. Correu para o estábulo, onde as pessoas ainda jogavam baldes de água nas chamas.

— Esqueçam o incêndio, o castelo está sendo atacado — berrou. Levem seus filhos para a fortaleza.

Entrou fumaça nos seus olhos e sua visão foi prejudicada pelas lágrimas. Esfregou-os e saiu correndo na direção de uma pequena multidão que observava o fogo consumir o estábulo. Repetiu a mensagem para aquela gente, e depois para um grupo de cavalariços que conseguira cercar alguns cavalos soltos. Não podia ver Ellen em parte alguma.

A fumaça fez com que tossisse. Sufocado, atravessou correndo o conjunto, na direção da ponte que dava acesso ao conjunto superior. Parou ali, ofegante, e olhou para trás. Todo mundo estava atravessando a ponte. Tinha quase certeza de que Ellen e Jack já deveriam ter ido para o forte, mas apavorava-o a ideia de que pudesse tê-los perdido. Viu uma densa concentração de cavaleiros lutando no portão do outro conjunto. Além disso, não era possível ver mais nada, tanta era a fumaça. Subitamente, o conde Bartholomew apareceu ao seu lado, com sangue na espada e lágrimas no rosto, provocadas pela fumaça.

— Salve-se! — gritou para Tom. Naquele instante os atacantes irromperam através do arco do portão do primeiro conjunto, dispersando os cavaleiros que o defendiam. Tom virou-se e atravessou correndo a ponte.

Quinze ou vinte dos homens do conde estavam no segundo portão, prontos para defender o conjunto superior. Eles se afastaram para deixar Tom e o conde entrarem. Quando cerraram fileiras novamente, Tom ouviu o tropel dos cavalos dos atacantes na ponte de madeira à sua retaguarda. Os defensores não tinham chance agora. No fundo da mente Tom percebeu que aquele ataque fora planejado com inteligência e executado com perfeição. Entretanto, o que mais o preocupava era o medo que sentia por Ellen e pelas crianças. Cem homens sedentos de sangue estavam prestes a se abater sobre eles. Atravessou o conjunto, na direção da fortaleza.

A meio caminho da escada de madeira que dava no grande salão, olhou para trás. Os defensores do segundo portão foram vencidos quase imediatamente pelos cavaleiros inimigos. O conde Bartholomew estava na escada atrás de Tom. Só havia tempo suficiente para ambos entrarem e levantarem a escada. Tom subiu correndo o resto dos degraus e pulou dentro do salão — para ver que os atacantes tinham sido ainda mais espertos do que pensara.

O escalão precursor dos atacantes, que inutilizara os portões, cortara a corda da ponte levadiça e ateara fogo no estábulo, executara mais uma tarefa: seus integrantes tinham ido para dentro da fortaleza e emboscado todos os que ali se refugiaram.

Eles estavam de pé logo na entrada do grande salão, quatro homens sinistros com cotas de malha. À sua volta podiam-se ver os corpos dos cavaleiros do conde, mortos ou feridos, que haviam sido apanhados ao entrar. E o líder daquele escalão precursor, foi o que Tom viu com um choque, era William Hamleigh.

Tom o encarou fixamente, atônito. Os olhos de William estavam dilatados com a luxúria decorrente do derramamento de sangue. Pensou que William fosse matá-lo, mas antes que tivesse tempo para se amedrontar, um dos seus sequazes pegou o braço de Tom, puxou-o para dentro e o tirou do caminho.

Então haviam sido os Hamleighs que tinham atacado o castelo do conde Bartholomew. Mas por quê?

Todos os servos e crianças se amontoaram, em pânico, do outro lado do salão. Somente os homens armados tinham sido mortos.

Tom examinou o rosto de todos, e para seu imenso alívio e gratidão, viu Alfred, Martha, Ellen e Jack, todos juntos num grupo, parecendo aterrorizados, mas vivos e aparentemente sem ferimentos.

Antes que pudesse se juntar a eles, começou uma briga na escada. O conde Bartholomew e dois cavaleiros se lançaram para dentro do salão e foram emboscados pelos homens de William, que os esperavam. Um dos cavaleiros do conde foi abatido imediatamente, mas o outro protegeu o nobre com sua espada levantada. Diversos outros cavaleiros do conde apareceram às suas costas e de repente se desencadeou uma briga tremenda a pequena distância, com facas e punhos sendo usados porque não havia espaço para brandir uma espada.

Por um momento pareceu que os homens do conde venceriam os de William; depois alguns deles se viraram e começaram a se defender à retaguarda; sem dúvida o exército penetrara no conjunto superior e agora subia a escada e atacava a fortaleza.

Uma voz poderosa rugiu:
– PAREM!
Os homens de ambos os lados tomaram posições defensivas e a luta foi suspensa.

A mesma voz se fez ouvir, perguntando:
– Bartholomew de Shiring, você se rende?
Tom viu o conde se virar e olhar para a porta. Os cavaleiros se afastaram para sair da frente.

– Hamleigh – murmurou o conde, incrédulo. Em seguida ergueu a voz e perguntou: – Você poupará minha família e meus servos?
– Sim.
– Jura?
– Juro, pela cruz, se você se render.

– Eu me rendo – disse o conde Bartholomew.

Houve grande regozijo do lado de fora.

Tom virou-se. Martha veio correndo na sua direção. Ele pegou-a no colo e depois abraçou Ellen.

– Estamos salvos – disse a mulher, com lágrimas nos olhos. Todos nós... sãos e salvos.

– Salvos – disse Tom, amargo –, mas indigentes, mais uma vez.

William parou de gritar subitamente. Ele era o filho de lorde Percy, e não ficava bem berrar e pular como um homem de armas qualquer. Compôs uma fisionomia de fidalga satisfação.

Haviam ganhado. Ele levara a cabo o plano, não sem alguns percalços, mas dera certo, e o ataque tivera êxito em grande parte por causa do seu trabalho precursor. Perdera a conta dos homens que matara e mutilara, e no entanto não fora ferido. Foi assaltado por um pensamento; havia um bocado de sangue em seu rosto para alguém que não tinha sido ferido. Quando o limpava, vinha mais. Devia ser seu. Levou a mão ao rosto, e depois à cabeça. Perdera um pouco do cabelo, e quando encostou os dedos no couro cabeludo, ardeu como fogo. Não usara elmo, para não despertar suspeitas. Agora que estava consciente do ferimento, ele começou a doer. Não fazia mal. Um ferimento era um símbolo de coragem.

Seu pai subiu os degraus e se defrontou com o conde Bartholomew no portal. O nobre apresentou sua espada, o punho em primeiro lugar, num gesto de rendição. Percy pegou-a, e seus homens deram mais vivas.

Quando o barulho cessou, William ouviu Bartholomew perguntar:

– Por que você fez isto?

– Você tramou contra o rei – respondeu Sir Hamleigh.

Bartholomew ficou atônito ao ver que ele sabia disso, e o choque se evidenciou no seu rosto. William prendeu a respiração, perguntando-se se Bartholomew, no desespero da derrota, admitiria a conspiração na frente de toda aquela gente. Mas ele recuperou a compostura, empertigou-se e disse:

– Defenderei a minha honra na frente do rei, e não aqui.

O lorde aquiesceu.

– Como queira. Diga a seus homens para deporem as armas e deixarem o castelo.

O conde murmurou um comando para os seus cavaleiros, e, um por um, eles se aproximaram de Percy e deixaram as espadas no chão, à sua frente. William gostou muito de assistir à cena. Olhe só para isso, pensou orgulhosamente, humilhados ante meu pai. Sir Hamleigh estava falando com um de seus cavaleiros:

– Cerquem os cavalos soltos e ponham-nos no estábulo. Mande alguns homens circular por aí e desarmar os mortos e feridos.

As armas e os cavalos dos derrotados pertenciam aos vitoriosos, é claro: os cavaleiros de Bartholomew se dispersariam desarmados e a pé. Os homens de Hamleigh também esvaziariam os depósitos do castelo. Os cavalos confiscados seriam carregados com toda a sorte de gêneros e levados de volta para Hamleigh, a aldeia de onde a família retirara o nome. O lorde chamou outro cavaleiro e disse:

– Separe o pessoal da cozinha e mande preparar o jantar. O resto dos servos deve ser mandado embora.

Os homens ficavam famintos após uma batalha: agora haveria um banquete. A melhor comida e bebida do conde Bartholomew seria consumida ali, antes de o exército vitorioso voltar para casa.

Um momento depois os cavaleiros que cercavam Percy e Bartholomew abriram uma passagem para Lady Hamleigh entrar.

Ela parecia muito pequena comparada com aqueles robustos combatentes, mas quando desenrolou o cachecol que cobria seu rosto, aqueles que não a tinham visto antes recuaram, chocados, como as pessoas sempre ficavam, com o seu desfiguramento. Ela olhou para o marido.

– Um grande triunfo – disse, satisfeita.

William teve vontade de dizer: *Foi por causa de um bom trabalho preparatório, não foi, mãe?*

Ele mordeu a língua, mas seu pai disse:

– Foi William quem abriu a porta para nós.

Lady Hamleigh voltou-se para o filho. Ele esperou ansiosamente que ela o congratulasse.

– Foi mesmo?

– Foi – disse Percy. – O menino fez um bom trabalho.

Sua mãe aquiesceu.

– É, talvez tenha feito.

O coração de William aqueceu-se com o seu elogio, e ele sorriu tolamente.

Ela olhou para Bartholomew.

– O conde devia fazer reverência para mim.

– Não – disse o conde.

– Tragam a filha – ordenou Lady Hamleigh.

William olhou em torno. Por um momento tinha se esquecido de Aliena. Esquadrinhou o rosto dos servos e das crianças e localizou-a imediatamente, de pé ao lado de Matthew, o efeminado administrador da casa. William dirigiu-se até ela, pegou-a pelo braço e levou-a para sua mãe. Matthew os seguiu.

– Cortem fora suas orelhas – disse a lady.

Aliena gritou.

William sentiu uma estranha sensação na virilha.

O rosto de Bartholomew ficou sombrio.

— Você prometeu que não lhe faria mal se eu me rendesse — disse. — Jurou.

— Nossa proteção será tão completa quanto a sua rendição — disse Lady Hamleigh.

Essa foi inteligente, pensou William.

Ainda assim, a expressão de Bartholomew era desafiadora.

William gostaria de saber quem receberia a incumbência de cortar as orelhas de Aliena. A ideia era peculiarmente excitante.

— Ajoelhe-se — ordenou sua mãe a Bartholomew.

Lentamente, o conde fez uma reverência, baixando a cabeça. William sentiu-se um pouco desapontado.

Sua mãe ergueu a voz.

— Olhem para isto! — exclamou, dirigindo-se a todos os presentes. — Jamais se esqueçam do futuro de um homem que insulta os Hamleighs! — Olhou à sua volta desafiadoramente, e o coração de William inchou de orgulho. A honra da família estava restaurada.

Sua mãe virou-se e seu pai assumiu o comando.

— Levem-no para o quarto de dormir — disse. — Guardem-no bem.

Bartholomew levantou-se.

— Leve a garota também — disse Percy ao filho.

William pegou o braço de Aliena com força. Gostou de tocar nela. Ia levá-la para o quarto, no andar de cima. Não se podia dizer o que aconteceria. Se fosse deixado sozinho com ela, seria capaz de fazer o que bem entendesse. Podia arrancar sua roupa e vê-la nua. Podia...

— Deixe Matthew Steward vir conosco, para cuidar de minha filha — disse o conde.

Percy olhou para a mulher.

— Ele parece não oferecer perigo — disse, com uma risada. — Tudo bem.

William olhou para o rosto de Aliena. Ela estava pálida, mas ficava ainda mais bonita quando amedrontada. Era muito excitante vê-la naquele estado de vulnerabilidade. Teve vontade de comprimir-lhe o corpo maduro contra o seu, e ver-lhe o medo na face quando abrisse suas coxas à força. Cedendo a um impulso, colocou o rosto junto ao dela e sussurrou:

— Ainda quero me casar com você.

Ela se afastou.

— Casar? — repetiu em voz alta, cheia de escárnio. — Prefiro morrer a me casar com você, seu sapo vaidoso e repugnante!

Todos os cavaleiros sorriram abertamente, e alguns servos deram risadas simuladas. William sentiu o rosto enrubescer.

Súbito Lady Hamleigh deu um passo à frente e esbofeteou Aliena. Bartholomew deslocou-se para defendê-la, mas os cavaleiros o impediram.

– Cale-se – disse ela para Aliena. – Você não é mais uma fina dama; é a filha de um traidor, e logo será uma indigente faminta. Já não presta para o meu filho. Saia da minha frente e não diga mais nenhuma palavra.

Aliena virou-se. William soltou seu braço, e ela seguiu o pai. Ao observá-la se afastando, o jovem se deu conta de que o doce sabor da vingança tinha ficado amargo na sua boca.

Ela era uma heroína de verdade, exatamente como uma princesa num poema, pensou Jack. Observou-a, deslumbrado, subir a escada com a cabeça bem erguida. O salão todo ficou em silêncio até que desapareceu de vista. Foi como uma luz que se apagou. Jack ficou olhando fixamente para o lugar onde estivera.

Um dos cavaleiros adiantou-se.

– Quem é o cozinheiro? – perguntou.

O próprio cozinheiro estava demasiadamente assustado para se apresentar, mas alguém o indicou.

– Você vai fazer o jantar – disse-lhe o cavaleiro. – Pegue seus ajudantes e vá para a cozinha. – O cozinheiro selecionou meia dúzia de pessoas no meio da multidão. O cavaleiro ergueu a voz. – O resto de vocês, deem o fora. Sumam do castelo. Depressa, e não tentem levar o que não for seu, se é que prezam a vida. Todos nós temos sangue em nossas espadas, e um pouco mais não vai aparecer. Mexam-se!

Todos passaram desordenadamente pela porta. A mãe de Jack pegou sua mão, e Tom, a de Martha. Alfred ficou por perto. Todos usavam o manto, e não tinham outras posses senão as roupas e as facas de comer. Junto com a multidão desceram os degraus, atravessaram a ponte e cruzaram o conjunto de baixo e a guarita, passando por cima dos portões inúteis, e deixaram o castelo sem fazer uma pausa. Quando pisaram fora da última ponte, do lado exterior do fosso, a tensão estourou como a corda de um arco e todos começaram a falar ao mesmo tempo sobre sua provação, em vozes altas e excitadas. Enquanto caminhava, Jack ouvia o que diziam. Todos rememoravam como haviam sido corajosos. Não tinham sido corajosos – simplesmente haviam fugido.

Aliena fora a única corajosa. Quando entrou no castelo e descobriu que de lugar seguro se transformara numa armadilha, encarregara-se dos servos e das crianças, dizendo-lhes que se sentassem, ficassem quietos e se conservassem fora do caminho dos combatentes, gritando com os cavaleiros dos Hamleighs quando eles eram rudes com seus prisioneiros ou erguiam as espadas contra homens ou mulheres desarmados, agindo como se fosse completamente invulnerável.

Sua mãe fez um carinho na sua cabeça.

— Em que está pensando?

— Eu queria saber o que vai acontecer com a princesa — respondeu Jack.

Ela sabia a quem se referia.

— Lady Aliena.

— Ela é como uma princesa em um poema, vivendo num castelo. Mas os cavaleiros não são virtuosos como os poemas dizem.

— É verdade — concordou Ellen, melancólica.

— O que acontecerá com ela?

Sua mãe sacudiu a cabeça.

— Realmente não sei.

— A mãe dela está morta.

— Então vai passar tempos difíceis.

— Foi o que pensei. — Jack fez uma pausa. — Ela riu de mim porque eu não sabia nada sobre pais. Mas gostei dela assim mesmo.

Ellen passou o braço pelo ombro do filho.

— Desculpe-me não ter falado sobre pais.

Ele encostou a mão na dela, aceitando o pedido de desculpas. Continuaram andando em silêncio. De vez em quando uma família abandonava a estrada e seguia através do campo, dirigindo-se à casa de parentes ou amigos onde pudessem suplicar um pouco de comida e pensar no que fazer a seguir. A maior parte permaneceu junta até a encruzilhada, quando se separaram em grupos que se destinavam ao norte ou ao sul, assim como os que continuavam em frente, rumo ao mercado de Shiring. Ellen afastou-se de Jack e pôs a mão no braço de Tom, fazendo-o parar.

— Aonde iremos? — perguntou.

Ele pareceu levemente espantado com a sua indagação, como se esperasse que todos o seguissem sem fazer perguntas. Jack observava que sua mãe causava com frequência aquela expressão de espanto na fisionomia de Tom. Talvez sua primeira mulher tivesse sido uma pessoa diferente.

— Vamos para o priorado de Kingsbridge — disse ele.

— Kingsbridge! — Ellen pareceu amedrontada. Jack gostaria de saber por quê. Tom não percebeu.

— Ontem à noite soube que eles têm um novo prior — prosseguiu. — Geralmente um homem que é novo na posição quer fazer alguns reparos ou alterações na igreja.

— O antigo prior morreu?

— Sim.

Por algum motivo ela pareceu se acalmar com a notícia. Devia ter conhecido o antigo prior, conjecturou Jack, e não gostava dele.

Tom finalmente percebeu a perturbação na sua voz.

– Há algo errado com Kingsbridge? – perguntou a ela.

– Já estive lá. Fica a mais de um dia de jornada.

Jack sabia que não era a extensão da caminhada que perturbava a mãe, mas Tom, não.

– Um pouco mais – disse ele. – Poderemos chegar lá amanhã, por volta do meio-dia.

– Está bem.

Continuaram caminhando.

Um pouco mais tarde Jack começou a sentir dor na barriga. Por algum tempo perguntou-se o que seria. Não tinha sido machucado no castelo e Alfred não lhe socava o estômago há dois dias. Mas acabou por descobrir o que era.

Estava com fome de novo.

Capítulo 4

1

A Catedral de Kingsbridge não constituía uma visão acolhedora. Era uma estrutura baixa, atarracada e pesada, com paredes grossas e janelas minúsculas. Fora erguida muito antes do tempo de Tom, numa época em que os construtores ainda não haviam percebido a importância da harmonia das proporções. A geração de Tom sabia que uma parede reta e bem nivelada era mais forte que uma grossa, e que podia ser vazada por janelas amplas e tão compridas que seus arcos tinham a forma de um semicírculo perfeito. De longe a igreja parecia torta, e quando se aproximou mais, Tom descobriu a razão: uma das torres gêmeas do lado ocidental caíra. Ficou deleitado. O novo prior possivelmente ia querer reconstruí-la. A esperança apertou o ritmo do seu passo. Ter sido contratado, como em Earlscastle, e depois ver seu novo empregador derrotado numa batalha e capturado era de partir o coração. Achava que não seria capaz de aguentar outro desapontamento como aquele.

Deu uma olhada em Ellen. Receava que a qualquer dia ela concluísse que ele não acharia emprego, senão depois que todos morressem de fome, e o deixasse. Ellen sorriu para Tom e fechou a cara de novo ao fitar a silhueta gigantesca da catedral. Ela sempre se sentia pouco à vontade com sacerdotes e monges, ele observara. Podia ser que se sentisse culpada por não serem casados aos olhos da igreja.

O adro abrigava enorme atividade. Tom já vira mosteiros indolentes e mosteiros operosos, mas Kingsbridge era excepcional. Parecia estar sendo submetido à grande limpeza da primavera com três meses de antecedência. Do lado de fora do estábulo, dois monges tratavam dos cavalos e um terceiro limpava arreios, enquanto noviços lavavam as baias. Outros monges varriam e limpavam a hospedaria, que ficava do lado do estábulo, e havia uma carroça carregada de palha do lado de fora, pronta para ser espalhada no chão limpo.

Entretanto, não havia ninguém trabalhando na torre caída. Tom examinou a pilha de pedras que restara dela. O desmoronamento devia ter ocorrido há alguns anos, pois os ângulos vivos das pedras tinham se tornado rombudos pela ação da geada e da chuva, a argamassa havia sumido e a pilha das pedras, afundado uma ou duas polegadas na terra macia. Era de estranhar que o reparo estivesse por ser feito há tanto tempo, pois as catedrais supostamente têm prestígio. O antigo prior devia ter sido preguiçoso ou incompetente, ou ambos. Tom decerto chegara quando os monges estavam planejando a reconstrução da torre. Era mais que hora de ter alguma sorte.

– Ninguém me reconhece – disse Ellen.

– Quando você esteve aqui? – perguntou-lhe Tom.

– Há treze anos.

– Não é de admirar que a tenham esquecido.

Quando passaram pela face oeste da igreja Tom abriu uma das grandes portas de madeira e olhou seu interior. A nave era escura e lúgubre, com colunas grossas e um velho teto de madeira. No entanto, diversos monges caiavam as paredes com pincéis de cabo comprido, enquanto outros varriam o chão de terra batida. O novo prior evidentemente estava melhorando a aparência de tudo por ali, o que era bom sinal. Tom fechou a porta.

Depois da igreja, no pátio da cozinha, uma equipe de noviços aglomerava-se em torno de uma tina de água suja, raspando a fuligem e a gordura acumuladas nas panelas e utensílios da cozinha com pedras afiadas. Os nós dos seus dedos estavam esfolados e vermelhos por causa da constante imersão na água gelada. Quando viram Ellen deram risadinhas e desviaram o olhar.

Tom perguntou a um noviço envergonhado onde o despenseiro do convento podia ser encontrado. Falando num sentido estrito, era pelo sacristão que deveria ter perguntado, porque a conservação da igreja era de sua responsabilidade; porém, como classe, os despenseiros eram mais facilmente abordáveis. No fim, a decisão caberia ao prior, de qualquer forma; o noviço indicou-lhe a galeria de um dos prédios em torno do pátio. Tom entrou pela porta aberta, e Ellen e as crianças o seguiram. Todos pararam do lado de dentro para distinguir algo na escuridão.

Aquela construção era mais nova e mais sólida que a igreja, Tom poderia dizer de pronto. O ar era seco e não havia cheiro de podridão. Na verdade, a mistura dos aromas dos alimentos armazenados causou-lhe dores cruciantes no estômago, pois não comia há dois dias. Quando seus olhos se adaptaram, viu que a galeria tinha um bom piso de laje, pilares curtos e grossos e teto abobadado. No momento seguinte percebeu um homem alto e calvo pegando com uma colher o sal de um barril e pondo-o numa panela.

– Você é o despenseiro? – perguntou Tom, mas o homem ergueu a mão, pedindo silêncio, e o construtor viu que estava contando. Todos esperaram calados que terminasse.

– Cinquenta e nove, sessenta – disse ele por fim, descansando a colher.

— Sou Tom, mestre construtor, e gostaria de reconstruir a torre noroeste.

— Sou Cuthbert, chamado de Cabeça Branca, o despenseiro, e gostaria de ver a torre reconstruída — replicou o homem. — Mas teremos que perguntar ao prior Philip. Soube que temos um novo prior? — Sim. — Tom concluiu que Cuthbert era um monge do tipo amistoso, experiente e prático. Ficaria feliz em bater um papo. — E o novo prior parece determinado a melhorar a aparência do mosteiro.

Cuthbert concordou.

— Mas não tem a mesma disposição para pagar pelo serviço. Notou que todo o trabalho está sendo feito por monges? Não vai contratar ninguém; diz que o priorado já tem muitos criados.

Aquela era uma má notícia.

— E o que os monges acham disso? — perguntou Tom delicadamente.

Cuthbert riu, e seu rosto ficou ainda mais enrugado.

— Você é um homem de tato, Tom Construtor. Está pensando que não se veem com frequência monges trabalhando tanto. Bem, o novo prior não está forçando ninguém a trabalhar. Mas ele interpreta a regra de são Bento de tal modo que aqueles que executam trabalho físico podem comer carne vermelha e tomar vinho, enquanto os que meramente estudam e rezam devem viver de peixe salgado e cerveja aguada. É capaz de fazer uma elaborada justificativa teórica para isso, mas o resultado final é que tem muitos voluntários para o trabalho pesado, especialmente entre os mais jovens. — Cuthbert não pareceu desaprovar aquilo, só achava divertido.

— Mas monges não são capazes de construir paredes de pedra, não importa quão bem comam. — Enquanto falava, ouviu um choro de bebê. O som tocou-lhe o coração. Precisou de um momento para se dar conta de como era estranho o fato de haver um bebê no mosteiro.

— Vamos perguntar ao prior — estava dizendo Cuthbert, mas Tom mal o ouvia. Aquele choro parecia ser o de um bebê muito pequeno, com uma ou duas semanas de vida, e estava se aproximando. Trocou um olhar com Ellen. Ela também parecia espantada. Em seguida apareceu uma sombra na porta. O construtor sentiu um nó na garganta. Um monge entrou carregando o bebê. Tom examinou-lhe o rosto. Era seu filho.

Engoliu em seco. O rosto da criancinha era vermelho, seus punhos estavam cerrados e a boca aberta, exibindo as gengivas sem dentes. Seu choro não era de dor ou doença, mas sim uma simples exigência de comida. Era o grito saudável e vigoroso de um bebê normal, e Tom se sentiu aliviado ao ver o filho parecendo estar tão bem.

O monge que o carregava era um rapaz com cerca de vinte anos, alegre, de cabelo despenteado e sorriso enorme e um tanto estúpido. Ao contrário da maioria dos monges, não reagiu à presença de uma mulher. Sorriu para todos e depois se dirigiu a Cuthbert.

— Jonathan precisa de mais leite.

Tom quis pegar o filho no colo. Tentou imobilizar o rosto para que sua expressão não traísse suas emoções. Dirigiu um olhar furtivo para as crianças. Todas sabiam que o bebê abandonado fora encontrado por um padre viajante. Mas não sabiam que ele o levara para o pequeno mosteiro na floresta. Suas faces nada demonstravam senão curiosidade. Não haviam feito a ligação daquele bebê com o que tinham deixado para trás.

Cuthbert pegou uma concha e um jarro pequeno que encheu com o leite que estava num balde.

— Posso segurar o bebê? — pediu Ellen ao jovem monge. Ela estendeu os braços e ele lhe entregou a criança. Tom a invejou. Ansiava por apertar aquela trouxinha junto ao coração. Ellen ninou o bebê e ele ficou quieto por um momento.

Cuthbert ergueu os olhos.

— Ah, sim, Johnny Oito Pence é uma boa babá, mas não tem o toque feminino.

Ellen sorriu para o jovem monge.

— Por que chamam você de Johnny Oito Pence?

Cuthbert respondeu por ele.

— Porque dos doze pence necessários para fazer um xelim ele só tem oito — disse, dando um tapinha do lado da cabeça para indicar que Johnny tinha uma certa deficiência mental. — Mas ele parece compreender as necessidades das pobres criaturas que não falam melhor que nós, os sabidos. Tudo faz parte de um propósito mais amplo de Deus, tenho certeza — concluiu Cuthbert vagamente.

Aproximando-se de Tom, Ellen entregou-lhe o bebê. Tinha lido seus pensamentos. Ele lhe dirigiu um olhar de profunda gratidão e pegou a criancinha com as mãos enormes. Sentiu seu coração bater através da coberta que o envolvia. O material era de excelente qualidade: rapidamente, perguntou-se onde os monges teriam arranjado lã tão macia. Encostou o bebê ao peito e o balançou. Sua técnica não era tão boa quanto a de Ellen e a criança começou a chorar de novo, mas Tom não se importou; aquele grito alto e insistente era música para os seus ouvidos, pois significava que o filho que abandonara estava forte e saudável. Mesmo que tivesse sido muito difícil, sentia que tomara a decisão correta ao deixar o bebê no mosteiro.

— Onde ele dorme? — perguntou Ellen a Johnny.

Dessa vez foi o próprio monge quem respondeu:

— Ele tem um leito no dormitório, junto conosco.

— Deve acordar todo mundo de noite.

— Nós nos levantamos à meia-noite de qualquer maneira, para as matinas — disse Johnny.

Cuthbert entregou a Oito Pence o jarro de leite. Johnny tirou o bebê de Tom com um movimento de um braço só, indicativo de muita prática. O construtor ainda não estava preparado para se afastar do bebê, mas aos olhos do monge ele não tinha nenhum direito, de modo que teve de deixá-lo ir. Um momento mais tarde Johnny e a criança haviam ido embora, e Tom teve que resistir ao impulso de correr atrás deles e gritar: *Espere, pare, este é o meu filho, devolva-o para mim.* Ellen colocou-se a seu lado e apertou-lhe o braço, num discreto gesto de compreensão.

Tom constatou que tinha nova razão para nutrir esperanças. Se pudesse trabalhar ali, seria capaz de ver Jonathan o tempo todo, quase como se não o tivesse abandonado. Bom demais para ser verdade, e não se atrevia a pedir que acontecesse.

Cuthbert estava olhando atentamente para Martha e Jack, que tinham arregalado os olhos ao verem o jarro cheio de leite cremoso que Jonnny levara.

— Vocês, crianças, gostariam de um pouco de leite?

— Sim, por favor, padre, elas gostariam — disse Tom. Ele próprio desejava tomar um pouco.

Com a concha, o monge serviu leite em duas tigelas de madeira e as deu para Martha e Jack. Ambos beberam rapidamente, ficando com grandes anéis brancos em volta da boca.

— Mais um pouco? — ofereceu ele.

— Sim, por favor — responderam as crianças em uníssono. Tom olhou para Ellen, sabendo que ela devia se sentir como ele, profundamente agradecida por ver os pequenos alimentados afinal.

Enquanto Cuthbert enchia de novo as tigelas, perguntou em tom casual:

— De onde vocês estão vindo?

— Earlscastle, perto de Shiring — disse Tom. — Saímos de lá ontem de manhã.

— Comeram alguma coisa até agora?

— Não — respondeu Tom, sem rodeios. Sabia que Cuthbert era bem-intencionado, mas odiava admitir ter sido incapaz de alimentar os próprios filhos.

— Então peguem algumas maçãs para aguentar até a hora da ceia — disse Cuthbert, apontando para a barrica perto da porta.

Alfred, Ellen e Tom foram até ali, enquanto Martha e Jack bebiam a segunda tigela de leite. Alfred tentou encher os braços com maçãs. Tom derrubou-as com um tapa e disse baixinho:

— Apanhe só duas ou três. — Ele próprio apanhou três.

Tom comeu suas maçãs agradecido, e seu estômago se sentiu um pouco melhor, mas não pôde deixar de se perguntar dentro de quanto tempo a ceia seria servida. Monges geralmente comem antes do escurecer para economizar velas, lembrou alegremente.

Cuthbert não tirava os olhos de Ellen.

— Eu a conheço? — perguntou por fim.

Ela ficou apreensiva.

— Acho que não.

— Você me parece familiar — disse ele incertamente.

— Eu morava aqui perto quando criança — comentou ela.

— Então deve ser isso — disse ele. — Explica a sensação que tenho de que você parece mais velha do que é.

— O senhor deve ter uma memória muito boa.

Ele franziu a testa.

— Não é boa o bastante — disse. — Tenho certeza de que há algo mais... Não importa. Por que deixaram Earlscastle?

— O castelo foi atacado, ontem pela madrugada, e tomado — respondeu Tom. — O conde Bartholomew é acusado de traição.

Cuthbert ficou chocado.

— Que os santos nos protejam! — exclamou. De repente, parecia uma solteirona apavorada com um touro. — Traição!

Ouviu-se barulho de passos do lado de fora. Tom virou-se e viu outro monge entrar. Cuthbert disse:

— Este é o nosso novo prior.

Tom o reconheceu. Era Philip, o monge que tinham encontrado a caminho do palácio do bispo, que lhes dera um queijo delicioso. Agora todas as peças se ajustavam: o novo prior de Kingsbridge era o antigo prior do pequeno mosteiro na floresta, e trouxera Jonathan consigo. O coração de Tom deu pulos de otimismo. Philip era um homem bondoso, e parecera gostar do construtor e confiar nele. Certamente lhe daria um emprego.

Philip o reconheceu.

— Olá, mestre construtor — disse. — Então não conseguiu muito trabalho no palácio do bispo, hein?

— Não, padre. O arcediago não iria me contratar, e o bispo não estava lá.

— Não estava mesmo; estava no céu, embora não o soubéssemos naquela ocasião.

— O bispo está morto?

— Está.

— Esta notícia já é velha — interrompeu Cuthbert impacientemente. — Tom e sua família acabam de chegar de Earlscastle. O conde Bartholomew foi capturado, e seu castelo, tomado.

Philip ficou completamente imóvel.

— Já! — murmurou.

– Já – repetiu Cuthbert. – Por que diz "já"? – Ele parecia gostar de Philip, mas ao mesmo tempo desconfiava dele, como um pai cujo filho esteve na guerra e voltou para casa com uma espada na cintura e um brilho ligeiramente perigoso no olhar. – Sabia que isso iria acontecer?

O rosto do prior ficou um pouco congestionado.

– Não, não exatamente – disse, sem muita segurança. – Ouvi um boato de que o conde Bartholomew se opunha ao rei Estêvão. – Recuperou a compostura. – Podemos todos dar graças por isso! – exclamou baixo. – Estêvão prometeu proteger a Igreja, enquanto Matilde poderia nos ter oprimido tanto quanto seu falecido pai. Sim, é verdade. É uma boa notícia. – Ele parecia tão satisfeito quanto se tivesse derrotado Bartholomew com as próprias mãos.

Tom não queria falar sobre o conde.

– Não é boa notícia para mim – disse. – O conde tinha me contratado, no dia anterior, para fortalecer as defesas do castelo. Não recebi nem um único dia de pagamento.

– Que pena! – disse Philip. – Quem atacou o castelo?

– Lorde Percy Hamleigh.

– Ah – fez Philip, balançando a cabeça, e mais uma vez Tom sentiu que sua notícia estava apenas confirmando as expectativas dele.

– O senhor está fazendo alguns melhoramentos aqui – disse Tom, tentando puxar um assunto do seu interesse.

– Estou tentando – confirmou Philip.

– Vai querer reconstruir a torre, tenho certeza.

– Reconstruir a torre, reparar o telhado, pavimentar o chão... sim, quero fazer tudo isso. E você quer o emprego, claro – acrescentou, como se tivesse acabado de perceber a razão da presença de Tom. – Gostaria de poder contratá-lo. Mas receio não poder pagar-lhe. Este mosteiro não tem dinheiro algum.

Tom teve a sensação de haver levado um soco. Estava confiante em conseguir trabalho ali – tudo apontara nessa direção. Mal pôde acreditar nos ouvidos. Encarou Philip. Não dava para crer que o priorado não tivesse dinheiro. O despenseiro dissera que eram os monges que estavam fazendo todo o trabalho extra, mas, mesmo assim, um mosteiro sempre pode pedir dinheiro emprestado aos judeus. Tom sentiu como se fosse o fim do caminho para ele. O que quer que o houvesse mantido de pé durante todo o inverno parecia agora tê-lo abandonado por completo, e ele se sentiu fraco e derrotado. Não posso continuar, pensou. Estou liquidado.

Philip viu seu desespero.

– Posso lhe oferecer uma ceia, um lugar para dormir e qualquer coisa para comer pela manhã.

Tom sentiu-se amargamente furioso.

– Aceitarei – disse. – Mas preferia trabalhar para ganhar minha comida.

Philip ergueu as sobrancelhas ante o tom de raiva, mas disse com suavidade:

– Quando se pede a Deus, não se pede esmola, faz-se uma oração. – E com isto foi embora.

Os outros pareceram um pouco assustados, e Tom percebeu que sua raiva devia estar transparecendo. O fato de estarem olhando fixamente para ele o aborreceu. Saiu do depósito de gêneros alguns passos atrás de Philip e parou no pátio, olhando para a grande e velha igreja, tentando controlar os sentimentos.

Após um instante Ellen e as crianças o seguiram. A mulher passou-lhe um braço pela cintura num gesto consolador, que fez os noviços cochicharem e darem cotoveladas uns nos outros. Tom os ignorou.

– Rezarei – disse ele amargamente. – Rezarei para que um raio caia na igreja e a jogue no chão.

Nos últimos dois dias Jack aprendera a ter medo do futuro.

Durante sua curta vida nunca tivera que pensar além do dia seguinte; e, quando pensara, sabia o que esperar. Um dia na floresta era muito parecido com o outro, e as estações mudavam lentamente. Agora ele não sabia, a cada dia que se passava, onde estaria, o que faria ou se comeria ou não.

A pior parte de tudo era sentir fome. Jack andara secretamente comendo capim e folhas, para tentar amenizar as dores na barriga, mas o que conseguiu foi uma espécie diferente de dor de estômago e uma sensação esquisita. Martha chorava de fome a todo momento. Jack e Martha sempre andavam juntos. A menina o respeitava, o que ninguém tinha feito antes. Ser incapaz de aliviar o sofrimento dela era pior que sua própria fome.

Se ainda estivessem vivendo na caverna, saberia aonde ir para matar patos, encontrar nozes ou roubar ovos; mas em cidades e aldeias e nas estradas desconhecidas que as ligavam estava perdido. Tudo o que sabia era que Tom tinha de arranjar emprego.

Passaram a tarde na hospedaria. Era um prédio simples de um único cômodo, com chão de terra e uma lareira no meio, exatamente como as casas que os camponeses habitavam, mas Jack, que sempre morara numa caverna, achava o lugar maravilhoso. Estava curioso para saber como a casa era feita, e Tom lhe contou. Duas árvores novas tinham sido cortadas, aparadas e apoiadas, uma de encontro a outra, num certo ângulo; depois outras duas haviam sido colocadas do mesmo modo a quatro jardas de distância; os dois triângulos assim formados foram unidos, nos ângulos superiores, por uma viga chamada "pau da cumeeira". Paralelas a ele, foram fixadas ripas leves, unindo as árvores e formando um telhado íngreme que ia até o chão. Estruturas de vime trançado, chamadas "armações", tinham sido colocadas sobre as ripas e impermeabilizadas com lama. As empenas, ou paredes laterais, eram feitas de estacas enterradas no chão, e as frestas entre elas tapadas com lama. Havia uma porta em uma das paredes laterais. Não havia janelas.

Ellen espalhou palha limpa no chão e Jack acendeu o fogo com a pedra que sempre carregava. Quando os demais estavam fora do alcance de sua voz, perguntou a ela por que o prior não ia contratar Tom, quando, obviamente, havia trabalho a ser feito.

— Parece que ele prefere economizar seu dinheiro, enquanto a igreja ainda puder ser usada — disse ela. — Se toda a igreja tivesse desmoronado, seriam forçados a reconstruí-la, mas como é só a torre, podem conviver com o dano.

Quando a luz do dia começou a perder a intensidade e o crepúsculo foi chegando, um auxiliar da cozinha apareceu na hospedaria com um caldeirão de sopa e um pão da altura de um homem, tudo só para eles. A sopa era feita de verduras, ervas e ossos, e sua superfície brilhava com a gordura. O pão era de massa grossa, feito com vários tipos de cereais, centeio, cevada e aveia, mais ervilhas e favas secas; era o mais barato, disse Alfred, mas para Jack, que nunca comera pão até alguns dias antes, era delicioso. O menino comeu até a barriga doer. Alfred comeu até não restar mais nada.

— Afinal, por que foi que a torre caiu? — perguntou Jack a Alfred, quando se sentaram perto do fogo para digerir o banquete.

— Provavelmente foi atingida por um raio — disse Alfred. — Também pode ter sido um incêndio.

— Mas não há nada para queimar — disse Jack. — É toda feita de pedra.

— O *teto* não é de pedra, seu burro — disse Alfred sarcasticamente. — O teto é de madeira.

Jack pensou naquilo por um momento.

— E se o teto pegar fogo, o prédio cai?

Alfred deu de ombros.

— Às vezes.

Ficaram sentados em silêncio por algum tempo. Tom e a mãe de Jack conversavam em voz baixa do outro lado da lareira.

— É engraçado, aquele bebê — disse Jack.

— O que é engraçado? — perguntou Alfred, após um instante.

— Bem, o seu bebê foi perdido na floresta, a milhas de distância, e agora há um bebê aqui no priorado.

Nem Alfred nem Martha pareceram achar a coincidência muito notável, e Jack esqueceu prontamente o assunto.

Todos os monges foram para a cama logo após a ceia e não forneceram velas para os hóspedes humildes, de modo que a família de Tom ficou olhando o fogo até que ele se extinguiu, deitando-se depois em cima da palha.

Jack ficou acordado, pensando. Ocorrera-lhe que se a catedral pegasse fogo naquela noite todos os problemas estariam resolvidos. O prior contrataria Tom para reconstruir a igreja, eles passariam a morar ali naquela ótima casa e teriam sopa de osso de carne com pão de massa grossa para sempre.

Se eu fosse Tom, pensou ele, atearia fogo na igreja. Eu me levantaria silenciosamente enquanto todos estivessem dormindo, me esgueiraria dentro da igreja, iniciaria um incêndio com minha pedra, depois rastejaria de volta para cá enquanto o fogo estivesse se espalhando e fingiria estar dormindo quando dessem o alarme. No momento em que as pessoas começassem a atirar baldes de água nas labaredas, como fizeram no incêndio do estábulo do castelo do conde Bartholomew, eu me juntaria a elas, como se quisesse apagar o fogo tanto quanto todo mundo.

Alfred e Martha estavam dormindo – Jack podia assegurar pela respiração deles. Tom e Ellen fizeram o que geralmente faziam sob o manto de Tom (Alfred dizia que aquilo era "foder") e depois dormiram. Pelo jeito, o construtor não ia se levantar e tocar fogo na catedral.

Mas o que ele ia fazer? A família iria percorrer as estradas até morrer de fome?

Quando todos estava dormindo, e Jack os ouviu respirando no ritmo lento e regular que indicava sono profundo, ocorreu-lhe que *ele* poderia incendiar a catedral.

A ideia fez seu coração disparar de medo.

Teria que se levantar muito silenciosamente. Com certeza conseguiria tirar a tranca da porta e se esgueirar para fora sem acordar ninguém. As portas da igreja poderiam estar trancadas, mas haveria um jeito de entrar, especialmente para um garoto pequeno.

Uma vez do lado de dentro, saberia como alcançar o teto. Aprendera muito em duas semanas com Tom. Ele falava sobre construções o tempo todo, quase sempre endereçando suas observações ao filho; e embora Alfred não estivesse interessado, Jack estava. Descobrira, entre outras coisas, que todas as igrejas grandes tinham escadas construídas dentro das suas paredes, a fim de dar acesso às partes mais altas e permitir a execução de reparos. Encontraria uma escada e subiria até o telhado.

Sentou-se no escuro, ouvindo a respiração dos outros. Podia distinguir a de Tom por um ligeiro chiado, causado (dissera sua mãe) por anos de inalação de pó de pedra. Alfred roncou uma vez, bem alto, depois virou-se e ficou em silêncio de novo.

Uma vez ateado o fogo, teria que voltar à hospedaria rapidamente. O que fariam os monges se o pegassem? Em Shiring, Jack vira um menino da sua idade ser amarrado e açoitado por roubar um cone de açúcar de uma loja de especiarias. O garoto gritava e o chicote fizera sangrar seu traseiro. Parecera pior do que quando os homens se matavam uns aos outros numa batalha, como acontecera em Earlscastle, e a visão do garoto sangrando perseguira Jack. Tinha pavor de que o mesmo lhe acontecesse.

Se eu fizer isso, pensou, nunca vou contar a ninguém. Deitou-se de novo, cobriu-se com o manto e fechou os olhos. Gostaria de saber se a porta da igreja estava trancada. Se estivesse, poderia entrar pela janela. Ninguém o veria se o fizesse no lado norte do adro. O dormitório dos monges era ao sul da igreja, atrás do claustro, e não havia nada no lado norte exceto o cemitério.

Decidiu ir até ali e dar uma olhada, só para ver se seria possível.

Hesitou por mais um momento e finalmente se levantou.

A palha nova rangeu sob seus pés. Ouviu de novo a respiração das quatro pessoas adormecidas. Fazia muito silêncio; os camundongos pararam de se mover na palha. Deu um passo, e parou para escutar. Os outros continuaram dormindo. Perdeu a paciência e deu três passos rápidos na direção da porta. Quando parou, os camundongos decidiram que não havia nada a temer recomeçando a se movimentar, mas todos continuaram a dormir.

Tocou na porta com a ponta dos dedos, depois deslizou as mãos até a tranca. Era uma trave de carvalho colocada sobre um par de suportes. Enfiou as mãos por baixo dela, agarrou-a e levantou. Era mais pesada do que esperara, e, depois de levantá-la menos de uma polegada, teve que abaixá-la de novo. O barulho que fez quando bateu nos suportes lhe pareceu muito alto. Ficou imóvel, atento. A respiração de Tom falhou. O que direi se for apanhado?, pensou desesperadamente. Direi que ia lá fora... ia lá fora... já sei, para fazer xixi. Acalmou-se, agora que tinha uma desculpa. Ouviu Tom se virar e esperou ouvir sua voz grave e áspera, mas ela não veio, e ele começou a respirar ritmadamente de novo.

As bordas da porta estavam delineadas em prata. Devia ser o luar, pensou Jack. Agarrou a tranca de novo, respirou fundo e fez força para levantá-la. Dessa vez estava preparado para seu peso. Ergueu-a e puxou-a na sua direção, mas não a tinha levantado o suficiente, de modo que ela não passou pelos suportes. Levantou-a um pouco mais, e conseguiu libertá-la. Segurou-a junto ao peito, aliviando o esforço que fazia com os braços por um momento; depois lentamente dobrou primeiro um joelho, depois o outro, e abaixou a tranca até pô-la no chão. Ficou naquela posição por alguns momentos, tentando acalmar a respiração, enquanto a dor nos braços desaparecia. Não havia barulho vindo dos outros, exceto seu ressonar.

Cautelosamente, Jack abriu uma fresta. A dobradiça de ferro da porta rangeu e um vento frio entrou pela abertura. Estremeceu. Aconchegou-se melhor no manto e abriu a porta mais um pouco. Esgueirou-se para o lado de fora e a fechou.

A nuvem estava se abrindo, e a lua apareceu no céu agitado. Havia um vento frio. Momentaneamente Jack se viu tentado a retornar para o calor abafado da casa. A enorme igreja com sua torre caída avultava sobre o resto do priorado, prateada e negra à luz da lua, as paredes largas e as janelas minúsculas fazendo com que parecesse mais um castelo que uma igreja. Era feia.

Tudo estava quieto. Do lado de fora das paredes do priorado, na aldeia, podia haver algumas poucas pessoas acordadas, bebendo cerveja à luz do fogo de uma lareira, ou costurando à luz de velas, mas do lado de dentro nada se movia. Ainda assim, Jack hesitou, olhando para a igreja. Ela também o olhava de modo acusador, como se soubesse o que tinha em mente. Jack libertou-se da sensação fantasmagórica com um dar de ombros, e atravessou o amplo gramado na direção da fachada oeste.

A porta estava trancada.

Contornou a igreja na direção do lado norte e olhou para suas janelas. Algumas tinham pedaços de linho translúcido esticados na frente, para evitar o frio, mas essas pareciam não ter nada. Eram largas o bastante para atravessá-las rastejando, mas demasiado altas para alcançá-las. Explorou as pedras com os dedos, sentindo as brechas onde a argamassa desaparecera, mas viu que não eram grandes o suficiente para servir de apoio à ponta dos seus pés. Precisava de algo para usar como escada.

Pensou em pegar pedras da torre caída e construir uma escada improvisada, mas as pedras inteiras eram pesadas demais, e as quebradas, muito desiguais. Teve a sensação de que vira algo, no decurso do dia, que serviria exatamente ao seu propósito, e vasculhou o cérebro para lembrar. Foi como se tentasse ver alguma coisa com o canto dos olhos; sempre permanecia fora de vista. Então atravessou com o olhar o enluarado cemitério, na direção do estábulo, e se lembrou: uma pequena peça de madeira, com dois ou três degraus, que servia para ajudar as pessoas a montarem cavalos muito altos. Um dos monges subira naquela espécie de plataforma para tratar da crina de um cavalo.

Jack foi até o estábulo. Aquilo era o tipo da coisa que ninguém guardava de noite, pois dificilmente valeria a pena roubar. Caminhou silenciosamente, mas os cavalos o ouviram mesmo assim e um ou dois bufaram e tossiram. Parou, assustado. Podia haver cavalariços dormindo no estábulo. Ficou imóvel por um momento, atento ao som de movimentos humanos, mas não ouviu nada e os cavalos se aquietaram.

Não conseguiu ver a plataforma. Talvez estivesse encostada à parede. Era difícil enxergar qualquer coisa no escuro. Cautelosamente, avançou até o estábulo e caminhou ao longo dele. Os cavalos o ouviram de novo, e dessa vez sua proximidade os deixou nervosos; um deles relinchou. Jack ficou imóvel. A voz de um homem fez-se ouvir;

– Quieto! Quieto!

Enquanto estava parado ali como uma estátua assustada, viu a plataforma de montar bem debaixo do seu nariz, tão perto que teria caído em cima dela se desse mais um passo. Esperou alguns momentos. Não houve mais barulho vindo do estábulo. Abaixou-se, apanhou-a e colocou-a sobre o ombro. Depois virou-se e atravessou o gramado de volta na direção da igreja, caminhando silenciosamente. O estábulo ficou em silêncio.

Quando trepou no degrau de cima da plataforma viu que ainda não tinha altura suficiente para alcançar as janelas. Era irritante: nem mesmo podia olhar ali dentro. Ainda não tomara uma decisão final quanto a incendiar ou não a igreja, mas não queria ser impedido por considerações de ordem prática: desejava decidir sozinho. Gostaria de ser tão alto quanto Alfred.

Havia algo mais a tentar. Recuou, deu uma corridinha, saltou com um pé apoiado na plataforma e subiu. Atingiu facilmente o peitoril da janela e se agarrou na moldura de pedra. Com um puxão subiu mais um pouco e conseguiu ficar meio sentado no peitoril. Entretanto, quando tentou passar pela abertura, teve uma surpresa. A janela era bloqueada por uma grade de ferro, que ele não vira de fora, presumivelmente por ser preta. Jack examinou-a com ambas as mãos, ajoelhado no peitoril. Não havia como atravessar: com toda a certeza estava ali para impedir que alguém entrasse na igreja quando se encontrasse fechada.

Desapontado, pulou para o chão. Apanhou a plataforma e levou-a de volta para o lugar onde a encontrara. Dessa vez os cavalos não fizeram barulho.

Jack olhou para a torre caída, do lado esquerdo da porta principal. Trepou cuidadosamente nas pedras, voltado para o interior da igreja, procurando uma passagem no meio do entulho. Quando a lua se escondeu atrás de uma nuvem ele esperou, tremendo, que aparecesse de novo. Tinha medo de que seu peso, por menor que fosse, pudesse desequilibrar as pedras e causar um desmoronamento, o que acordaria todo mundo, se não o matasse. Quando a lua reapareceu ele examinou a pilha e decidiu se arriscar. Começou a subida com o coração na boca. A maior parte das pedras estava firme, mas uma ou duas oscilaram precariamente sob o seu peso. Era o tipo da subida que gostaria de fazer de dia, podendo pedir ajuda se precisasse, e sem nada na consciência; porém, agora estava ansioso demais e sua segurança normal o abandonou. Escorregou numa superfície lisa e quase caiu; foi então que decidiu parar.

Estava numa altura que dava para olhar de cima o teto do corredor ao longo do lado norte da nave. Tinha esperança de que houvesse um buraco no teto, ou talvez uma brecha entre ele e a pilha de pedras, mas nada feito: o teto continuava inteiro por dentro das ruínas da torre, e tudo indicava não haver um modo de passar. Sentiu-se meio desapontado e meio aliviado.

Desceu o monte de costas, olhando por cima do ombro para ver onde colocava os pés. Quanto mais perto chegava do solo, melhor se sentia. No final deu um pulo e caiu feliz da vida no chão.

Retornou ao lado norte da igreja e a contornou. Tinha visto diversas igrejas nas semanas anteriores, e todas eram mais ou menos do mesmo formato. A parte mais larga era a nave, sempre voltada para oeste. Havia dois braços, que Tom chamava "transeptos", abertos nas direções norte e sul. O lado leste era chamado "coro", mais curto que a nave. Kingsbridge diferia das demais apenas pelo fato de a sua face oeste ter duas torres, uma de cada lado da entrada, como se fosse para combinar com os transeptos.

Havia uma porta no transepto norte. Jack a experimentou e viu que estava trancada. Prosseguiu, contornando a face leste: ali não havia nenhuma porta. Parou para dar uma olhada através do pátio gramado. No canto sudeste do adro havia duas casas, a enfermaria e a casa do prior. Ambas estavam escuras e silenciosas. Continuou andando ao longo da face leste e do lado sul do coro até chegar à saliência do transepto sul. No final, como uma mão em um braço, ficava o edifício redondo que chamavam "casa do cabido". Entre ela e o transepto havia um corredor estreito que dava no claustro. Jack entrou pelo corredor.

Encontrou-se num pátio quadrangular, com um gramado no meio e uma pérgula em toda a volta. A pedra clara dos arcos era fantasmagoricamente branca ao luar, e, na sombra, a pérgula era impenetravelmente escura. Jack esperou um momento para seus olhos se adaptarem.

Chegara pelo lado leste do quadrado. À sua esquerda podia entrever a porta da casa do cabido. Mais à esquerda, na ponta sul do lado leste da pérgula, via, de frente para ele, outra porta, que provavelmente levava ao dormitório dos monges. À sua direita, havia outra porta que dava para o transepto sul da igreja. Experimentou esta. Estava trancada.

Seguiu pelo passadiço norte. Ali encontrou uma porta para a nave da igreja. Também estava trancada.

No lado oeste da pérgula não havia nada, exceto no canto sudoeste, onde Jack encontrou a porta do refeitório. Quanta comida tinha que ser encontrada, pensou, para alimentar aqueles monges todos os dias! Nas proximidades havia um chafariz com uma bacia: os monges lavavam as mãos antes das refeições.

Continuou pelo passadiço sul. No meio do caminho havia um arco. Passou por ele e encontrou-se num pequeno corredor, com o refeitório à sua direita e o dormitório à esquerda. Imaginou todos os monges dormindo no chão logo ali do outro lado da parede de pedra. No final não havia nada senão uma rampa lamacenta descendo na direção do rio. Jack ficou parado ali por um momento, olhando para a água a cem jardas. Por nenhuma razão particular lembrou-se da história de um cavaleiro que tivera a cabeça cortada mas continuara vivendo; involuntariamente, imaginou o cavaleiro sem cabeça subindo a rampa na sua direção. Nada havia ali, mas ainda assim Jack se sentiu apavorado. Virou-se e correu de volta para o claustro. Ali se sentia mais seguro.

Hesitou embaixo do arco, o olhar fixo no pátio quadrangular iluminado pela lua. Tinha que haver um modo de entrar numa construção tão grande, era o que achava, porém não conseguia imaginar onde mais procurar. De certo modo, estava feliz. Havia pensado em fazer uma coisa pavorosamente perigosa, e descobrira que era impossível – tanto melhor. Por outro lado, sentia muito medo da ideia de deixar aquele priorado e enfrentar a estrada novamente pela manhã: o caminhar interminável, a fome, a raiva e o desapontamento de Tom, as lágrimas de Martha... Tudo podia ser evitado com uma pequenina centelha da pedra que carregava num saquinho pendurado no cinto!

Algo se moveu num canto do seu campo visual. Estremeceu, e seu coração bateu mais depressa. Virou a cabeça e viu, para seu horror, uma figura fantasmagórica, carregando uma vela, deslizando silenciosamente ao longo do passadiço leste, na direção da igreja. Um grito subiu até a sua garganta, e ele lutou para contê-lo. Outro vulto seguiu-se ao primeiro. Jack recuou para dentro da arcada, fora das vistas, e levou o punho à boca, mordendo a pele para não gritar. Ouviu um gemido sobrenatural e ficou de olhos esbugalhados, completamente aterrorizado. Até que percebeu: o que estava vendo era uma procissão de monges indo do dormitório para a igreja a fim de rezar o culto da meia-noite, e cantando um hino enquanto caminhavam. A sensação de pânico persistiu por um momento, mesmo quando ele já tinha compreendido o que estava observando; depois uma onda de alívio o envolveu e ele começou a tremer incontrolavelmente.

O monge que liderava a procissão abriu a porta da igreja com uma grande chave de ferro. Os monges foram entrando em fila. Ninguém se virou para olhar na direção de Jack. A maior parte parecia estar meio adormecida. Não fecharam a porta depois que passaram.

Quando recuperou o controle, Jack se deu conta de que agora podia entrar na igreja.

Suas pernas estavam fracas demais para andar.

Eu podia só entrar, pensou ele. Não sou obrigado a fazer nada quando estiver lá dentro. Basta entrar e ver se é possível chegar ao teto. Posso não incendiá-lo, apenas dar uma olhada.

Respirou fundo, saiu de sob a passagem em arco e atravessou cuidadosamente o pátio quadrangular. Hesitou ante a porta aberta e deu uma olhada no interior da igreja. Havia velas no altar e no coro, onde os monges estavam de pé nos respectivos lugares, mas a luz se limitava a pequenos clarões no meio do grande espaço vazio, deixando as paredes e passagens laterais em profunda escuridão. Um dos monges estava no altar fazendo coisas que ele não compreendia, e os outros ocasionalmente cantavam frases de um ritual sem sentido. Jack não sabia como podia haver gente que se levantava da cama quente no meio da noite para fazer uma coisa daquelas.

Esgueirou-se porta adentro e se encostou na parede.

Estava do lado de dentro. A escuridão o escondia. No entanto, não poderia ficar ali, pois o veriam quando se retirassem. Avançou furtivamente, caminhando de lado, mais um pouco. As velas bruxuleantes lançavam sombras irrequietas. O monge no altar podia ter visto Jack, se tivesse levantado a cabeça, mas ele parecia completamente absorto no que estava fazendo. O menino deslocou-se rapidamente da proteção de um grosso pilar para o outro, parando no intervalo a fim de que seus movimentos fossem irregulares, como a variação das sombras. A luz se tornou mais clara à medida que se aproximou da interseção da nave com o transepto. Teve medo de que o monge no altar erguesse a cabeça de repente, atravessasse de um pulo o transepto e o pegasse pelo pescoço...

Chegou ao canto e, aliviado, virou-se e sumiu nas sombras mais escuras.

Parou por um momento, sentindo-se mais calmo. Depois recuou ao longo do corredor, na direção do lado oeste da igreja, ainda fazendo paradas irregulares, como se estivesse tocaiando um veado. Quando chegou à parte mais afastada e escura da igreja, sentou-se no plinto de uma coluna para esperar que o serviço religioso terminasse.

Enfiou o queixo dentro do manto e respirou sobre o peito para se aquecer. Sua vida mudara tanto nas duas últimas semanas que parecia terem se passado muitos anos desde o tempo em que vivera satisfeito com sua mãe na floresta. Sabia que nunca mais se sentiria tão seguro novamente. Agora que sabia o que era fome, frio, perigo e desespero, sempre teria medo disso.

Deu uma olhadela pelo lado do pilar. Acima do altar, onde as velas brilhavam mais, conseguia distinguir com dificuldade o teto de madeira, muito alto. As igrejas mais novas tinham tetos abobadados de pedra, ele sabia, mas Kingsbridge era antiga. Aquele teto de madeira queimaria bem.

Não vou incendiar nada, pensou.

Tom ficaria tão feliz se a catedral se incendiasse! Jack não tinha certeza se gostava de Tom – ele era muito forte, mandão e rigoroso. Estava acostumado com os modos mais amenos da mãe. Entretanto, o construtor o impressionava, até mesmo o amedrontava. Os únicos outros homens que Jack conhecera eram fora da lei; homens perigosos e brutos, que respeitavam apenas violências e truques, para os quais a suprema façanha era esfaquear alguém nas costas. Tom era um novo tipo de pessoa, orgulhoso e destemido, mesmo desarmado. Jack jamais esqueceria o modo como enfrentara William Hamleigh na ocasião em que ele quisera comprar sua mãe por uma libra. O que impressionara o menino tão fortemente foi o fato de *lorde William ter ficado com medo*. Jack dissera à sua mãe que nunca imaginara que um homem pudesse ser tão corajoso quanto Tom, e ela respondera: "Foi por isso que tivemos de deixar a floresta. Você precisa de um homem a quem admirar."

Jack ficou intrigado com aquela declaração, mas era verdade que gostaria de fazer algo para impressionar Tom. Contudo, não seria atear fogo à catedral. Ninguém deveria saber disso, pelo menos por muitos anos. Mas talvez chegasse o dia em que Jack dissesse a Tom:

"Você se lembra do dia em que a Catedral de Kingsbridge foi destruída por um incêndio, o prior o contratou para reconstruí-la e todos nós tivemos finalmente comida, abrigo e segurança? Bem, tenho algo a lhe dizer sobre como aquele incêndio teve início..." Que grande momento seria esse!

Mas não me atrevo a fazer uma coisa dessas, pensou ele.

O canto cessou, e houve um barulho de pés se arrastando no chão quando os monges abandonaram seus lugares. O culto tinha acabado. Jack mudou de posição para não ser visto quando eles se retirassem em fila.

Os monges apagaram as velas nos assentos do coro, mas deixaram uma queimando no altar. A porta foi fechada ruidosamente. Jack esperou um pouco mais, para o caso de haver alguém do lado de dentro. Não houve som algum por longo tempo. Finalmente saiu de trás do seu pilar.

Jack avançou pela nave. Era uma sensação estranha estar sozinho naquele prédio frio, grande e vazio. Os camundongos deviam ser assim, pensou ele, escondendo-se nos cantos quando as pessoas grandes estivessem perto e saindo depois que elas se afastassem. Chegou ao altar e pegou a vela grossa e brilhante, o que fez com que se sentisse melhor.

Carregando-a, começou a examinar o interior da igreja. No canto onde a nave se encontrava com o transepto sul, o lugar onde mais temera ser visto pelo monge do altar, havia uma porta fechada só com um trinco. Experimentou o trinco. A porta abriu.

Sua vela revelou uma escada em espiral, tão estreita que um homem gordo não passaria, tão baixa que Tom teria sido obrigado a se dobrar. Subiu os degraus.

Dava para uma galeria estreita. De um lado, pequenos arcos. O teto descaía do topo dos arcos até o chão, do outro lado. O piso, por sua vez, não era reto, e sim curvado para baixo em ambos os lados. Jack precisou de um momento para perceber onde se encontrava. Estava em cima do corredor do lado sul da nave. O teto abobadado do corredor era o chão curvado sobre o qual Jack estava. Do lado de fora da igreja podia-se ver que o corredor tinha um telhado de meia-água, que era o teto inclinado em cima da cabeça de Jack. O corredor, ou nave lateral, era muito mais baixo que a nave principal, de modo que ele ainda estava bem longe do telhado que a recobria.

Caminhou para oeste, ao longo da galeria, explorando. Era muito emocionante, agora que os monges tinham ido embora e já não sentia medo de ser descoberto. Era como se tivesse trepado numa árvore e descoberto que, fora das vistas de quem se encontrasse nos galhos mais baixos, todas as árvores eram interligadas, e se podia andar num mundo secreto a alguns pés acima da terra.

Ao final da galeria havia outra porta. Passou por ela e se viu na parte de dentro da torre sudoeste, a que não tinha desmoronado. O espaço em que estava evidentemente não era destinado a ser visto, pois não tinha acabamento, e em vez de piso possuía caibros com grandes brechas entres eles. No entanto, em torno da parte de dentro da parede havia uma escada com degraus de madeira e sem corrimão. Jack subiu por ela.

No meio do caminho, em uma das paredes, havia uma pequena abertura em forma de arco, junto da qual passava a escada. Jack meteu a cabeça do lado de dentro e ergueu a vela. Estava no espaço do telhado, acima do madeirame do teto e abaixo do chumbo do telhado.

Em princípio não conseguiu distinguir um padrão no emaranhado das vigas de madeira, mas após um momento percebeu a estrutura. Imensas toras de carvalho, cada uma com um pé de largura e dois de altura, estendiam-se na extensão da nave, no sentido norte-sul. Acima de cada uma delas ficavam dois fortes caibros, formando um triângulo. A série regular de triângulos estendia-se além da luz da vela. Olhando para baixo, por entre as vigas, pôde ver o lado de cima do teto pintado da nave, preso na parte inferior das vigas transversais.

Na orla do espaço do telhado, no canto da base do triângulo, havia um passadiço estreito. Jack rastejou através da pequena abertura. A altura era a conta para ele: um adulto teria que se curvar. Caminhou um pouco pelo passadiço. Havia ali madeira suficiente para um incêndio. Fungou, tentando identificar o cheiro estranho. Concluiu que era piche. O vigamento do telhado era impermeabilizado com piche. Queimaria como palha.

Um movimento súbito no chão assustou-o e fez com que seu coração disparasse. Pensou no cavaleiro sem cabeça no rio, nos monges fantasmagóricos no claustro. Depois pensou em camundongos, e se sentiu melhor. Mas quando olhou cuidadosamente viu que eram pássaros: havia ninhos sob o beiral.

O espaço do telhado seguia o desenho da igreja mais abaixo, ramificando-se sobre os transeptos. Jack foi até o cruzamento da nave com o transepto e parou no canto. Percebeu que deveria estar diretamente acima da pequena escada em espiral que o trouxera do nível do solo até a galeria. Se estivesse planejando dar início a um incêndio, seria ali o lugar. A partir do cruzamento o fogo se espalharia em quatro sentidos: oeste, ao longo da nave, sul, no transepto sul, e até o coro e o transepto norte.

As vigas principais do telhado eram feitas com a parte interna de troncos de carvalho, e embora tivessem sido alcatroadas, podiam não pegar fogo com uma vela. No entanto, sob os beirais havia muitas lascas de madeira velha, cavacos, pedaços de cordas e sacos jogados fora e ninhos de passarinho abandonados, que dariam excelente material inflamável. Tudo o que tinha a fazer era juntar um pouco e fazer uma pilha.

A vela estava no fim.

Parecia muito fácil. Juntar o lixo, encostar a vela e ir embora. Cruzar o adro como um fantasma, esgueirar-se para dentro da hospedaria, passar a tranca na porta, ajeitar-se na palha e esperar pelo alarme.

Mas se fosse visto...

Se fosse apanhado agora, podia dizer que estava explorando inocentemente a catedral, e não sofreria castigo pior que uma surra. Lembrou-se do ladrão de açúcar em Shiring, e de como o seu traseiro sangrara. Rememorou algumas das punições que os proscritos haviam sofrido: Faramond Boca Aberta tivera os lábios cortados fora, Jack Gorro perdera a mão e Alan Cara de Gato fora preso no tronco e apedrejado, não tendo sido capaz de falar direito nunca mais. Piores ainda eram as histórias dos que não haviam sobrevivido aos castigos: um assassino amarrado num barril cheio de espigões que foi empurrado montanha abaixo, de tal modo que os espigões lhe perfuraram todo o corpo; um ladrão de cavalos queimado vivo; uma ladra e prostituta empalada. O que fariam com um menino que incendiara uma igreja!

Pensativamente, começou a juntar o material inflamável que apanhava sob os beirais, empilhando no passadiço, exatamente sob uma das grossas vigas.

Quando a pilha estava com um pé de altura, sentou-se e olhou para ela.

A vela gotejou. Poucos momentos mais e teria perdido sua chance.

Com um gesto rápido, encostou a chama da vela num pedaço de aniagem. O pano pegou fogo. O fogo espalhou-se imediatamente para alguns cavacos de madeira e depois para um ninho ressecado e espedaçado; então a pequena fogueira ardeu alegremente em chamas.

Eu ainda poderia apagar este fogo, pensou Jack.

A fogueira estava queimando rápido demais; naquele ritmo estaria apagada antes de o madeiramento do telhado começar a arder. Apressadamente, Jack apanhou mais detritos, que colocou no fogo. As labaredas subiram mais alto. Eu podia simplesmente deixar o fogo se apagar sozinho, pensou ele. Depois viu que o próprio passadiço estava ardendo. Ainda assim, decerto poderia apagar o fogo com o meu manto, pensou. Em vez disso, jogou mais lenha na fogueira, e ficou apreciando as chamas arderem mais alto.

O ar tornou-se quente e enfumaçado no pequeno ângulo dos beirais, muito embora a temperatura glacial da noite de inverno estivesse a apenas uma polegada de distância, do outro lado do telhado. Algumas das vigas menores, às quais as folhas de chumbo estavam pregadas, começaram a queimar. Até que, por fim, uma chama pequenina tremulou numa das imponentes vigas principais.

A catedral se incendiava.

A coisa estava feita agora. Não havia como voltar atrás.

Jack teve medo. De repente quis sair dali depressa e retornar à hospedaria. Desejava estar aconchegado a seu manto, aninhado numa pequena cavidade na palha, de olhos bem fechados, com os outros respirando ritmadamente ao seu redor.

Retirou-se pelo passadiço.

Quando chegou ao final olhou para trás. O fogo estava se espalhando de modo surpreendentemente rápido, talvez por causa do piche com que a madeira era recoberta. Todas as vigas menores estavam em chamas, as vigas principais começavam a arder, e o fogo se espalhava ao longo do passadiço. Jack virou as costas para ele.

Mergulhou dentro da torre e desceu a escada; depois correu ao longo da galeria sobre o corredor e apressou-se a descer a escada em espiral que dava no chão da nave. Correu até a porta pela qual entrara.

Estava trancada.

Jack reconheceu que fora burro. Os monges haviam destrancado a porta ao entrar, e era claro que a tinham trancado ao sair.

O medo subiu à sua garganta como bile. Tinha incendiado a igreja e agora estava preso dentro dela.

Reprimiu o pânico e tentou pensar. Experimentara todas as portas do lado de fora e vira que estavam trancadas; mas talvez algumas estivessem fechadas com trancas, podendo, assim, ser abertas por dentro.

Apressou-se a cruzar o transepto norte e examinou a porta no pórtico norte. Estava trancada.

Desceu correndo a nave escura na direção do lado oeste e experimentou cada uma das grandes entradas públicas. Todas as três estavam trancadas com chave. Finalmente, experimentou a pequena porta do corredor sul. Também estava trancada.

Teve vontade de chorar, mas isso de nada adiantaria. Ergueu os olhos para o teto de madeira. Seria sua imaginação, ou estava vendo mesmo, à débil luz do luar, uma quantidade mínima de fumaça se erguendo do teto, perto do canto do transepto sul?

Pensou: O que vou fazer?

Os monges acordariam e viriam correndo apagar o fogo, tão apavorados que dificilmente notariam um garotinho se esgueirando pela porta? Ou o veriam logo, gritando acusações? Ou continuariam dormindo, totalmente inconscientes, até que toda a construção ruísse, e Jack ficasse esmagado sob uma imensa pilha de pedras?

Seus olhos se encheram de lágrimas, e ele desejou jamais ter encostado a chama da vela no montinho de lixo.

Olhou em torno, nervosamente. Se fosse até uma janela e gritasse, alguém ouviria?

Ouviu um barulho vindo de cima. Ergueu os olhos e percebeu que um buraco aparecera no teto de madeira, onde caíra uma viga, atravessando-o. O buraco parecia um remendo vermelho em fundo escuro. Um momento depois houve outro estrondo, e uma imensa viga passou direto pelo teto e caiu, girando uma vez no ar, para atingir o chão com tanta força que sacudiu as enormes colunas da nave. Uma chuva de centelhas e brasas seguiu a queda da viga. Jack prestou atenção para ver se ouvia gritos, pedidos de socorro ou toques de sino; porém, nada aconteceu. O estrondo certamente não fora ouvido. E se aquele estrondo não acordara os monges, decerto não iriam ouvi-lo gritar.

Vou morrer aqui, pensou, em pânico; vou morrer queimado ou esmagado, a menos que possa imaginar um jeito de dar o fora!

Pensou na torre que ruíra. Ele a examinara do lado de fora, não conseguindo ver uma entrada, mas tinha sido tímido, com medo de cair e causar um desmoronamento. Podia ser que, se olhasse de novo, agora do lado de dentro, visse algo que não percebera; e talvez o desespero o ajudasse a se espremer por onde antes não vira nenhuma brecha.

Correu para a extremidade oeste. O clarão do fogo que passava pelo buraco do teto, combinado com as chamas que subiam da viga que caíra no chão da nave, produzia uma luz mais intensa que a lua, e a arcada estava mais dourada que prateada. Jack examinou a pilha de pedras que um dia tinham sido a torre noroeste. Parecia formar uma sólida muralha. Não havia passagem. Tolamente, abriu a boca e gritou "Mãe!", com toda a força dos pulmões, muito embora soubesse que ela não poderia ouvir.

Mais uma vez lutou para dominar o pânico. Havia algo num caminho do seu cérebro sobre aquela torre caída. Conseguira entrar na outra, a que ainda estava de pé, percorrendo a galeria sobre a nave lateral sul. Se agora seguisse pela galeria acima da nave lateral norte, talvez pudesse ver uma brecha na pilha de pedras, uma brecha impossível de ser vista do nível do chão.

Correu de volta até o cruzamento da nave principal com o transepto, ficando sob o abrigo da nave lateral norte, para o caso de caírem mais vigas em chamas pelo teto. Devia haver uma pequena porta e uma escada em espiral desse lado, tal como no outro. Foi até o canto da nave com o transepto norte. Não pôde ver a porta. Examinou o resto do canto – tampouco estava do outro lado. Não pôde acreditar na sua má sorte. Que maluquice: tinha que haver um jeito para entrar na galeria!

Jack concentrou-se, lutando para manter a calma. Havia um jeito de entrar na torre ruída, ele só precisava descobri-lo. Posso voltar para o espaço do telhado, via torre sudoeste, pensou. E então atravessar para o outro lado, onde deve haver uma pequena abertura dando acesso à torre noroeste desmoronada. Abertura essa que talvez me proporcione um modo de sair.

Olhou para o teto receosamente. O fogo ali em cima agora seria um verdadeiro inferno. Mas não podia pensar em outra alternativa.

Primeiro tinha que atravessar a nave. Ergueu os olhos de novo. Tanto quanto pudesse afirmar, não havia nada prestes a cair imediatamente. Respirou fundo e disparou para o outro lado. Nada caiu sobre ele.

Na nave lateral sul, abriu a pequena porta e subiu rapidamente a escada em espiral. Quando chegou ao topo e pisou na galeria, sentiu o calor que vinha de cima. Correu e entrou pela porta que dava para a torre sudoeste, galgando seus degraus.

Enfiou a cabeça e passou rastejando pelo pequeno arco que se abria no espaço do telhado. Estava enfumaçado e muito quente. Todas as vigas mais elevadas queimavam, sendo que na outra ponta as maiores ardiam em labaredas bem altas. O cheiro de piche o fez tossir. Hesitou apenas por um momento e começou a atravessar a nave, caminhando sobre uma das grandes vigas que se estendiam de um lado ao outro. Em questão de momentos estava molhado de suor, e os olhos tão cheios de lágrimas que mal conseguia ver aonde estava indo. Tossiu, e seu pé escorregou. Jack tropeçou e caiu com um pé em cima da viga e o outro fora. O pé direito foi bater direto no teto, e, para seu horror, atravessou a madeira podre. A visão da altura da nave passou pela sua mente, assim como a queda que levaria se caísse em cima do teto; Jack gritou ao se inclinar para a frente, pondo ambos os braços na frente, e se imaginou girando no ar como a viga que caíra há pouco. Mas a madeira resistiu ao peso.

Permaneceu imobilizado, em estado de choque, apoiado nas duas mãos e num joelho, com a outra perna enfiada no teto. Então o calor violento do fogo o reanimou. Cuidadosamente, retirou o pé do buraco. Ficou sobre as mãos e os joelhos e engatinhou para a frente.

Ao aproximar-se do outro lado, diversas vigas grandes caíram dentro da nave. O prédio todo pareceu tremer, e a viga sobre a qual estava Jack balançou como a corda de um arco. Ele parou e se segurou com força. O tremor passou. Continuou avançando, de gatinhas, e um momento depois alcançou o passadiço do lado norte.

Se o seu palpite estivesse errado, e não houvesse uma abertura ali para as ruínas da torre noroeste, teria que voltar.

Quando se pôs de pé, respirou o ar frio da noite. Tinha que haver uma brecha qualquer. Mas seria grande o bastante para um garoto do seu tamanho?

Deu três passos para oeste e parou um instante antes de pisar no vazio.

Jack descobriu-se olhando através de uma abertura bem larga que dava para as ruínas enluaradas da torre. Sentiu os joelhos tremerem, de tanto alívio. Estava fora daquele inferno.

Mas se encontrava num ponto muito alto, no nível do teto, e o topo da pilha de escombros ficava muito abaixo, longe demais para pular. Agora podia fugir das chamas, mas conseguiria chegar ao chão sem quebrar o pescoço? Às suas costas, as chamas se aproximavam rapidamente, com a fumaça saindo com ímpeto pela abertura onde ele estava.

Aquela torre já tivera uma escadaria contornando suas paredes internas, tal como a outra ainda tinha, só que em sua maior parte fora destruída no desmoronamento. No entanto, nos pontos onde os degraus de madeira haviam sido presos na parede com argamassa ainda se viam tocos salientes, às vezes com uma ou duas polegadas de comprimento, às vezes com mais. Jack perguntou-se se conseguiria descer por ali. Seria uma empreitada difícil. Sentiu cheiro de tecido queimado: seu manto estava ficando muito quente e chamuscado. A qualquer momento pegaria fogo. Não tinha escolha.

Sentou-se, procurou o toco mais próximo, segurando-se com ambas as mãos, e depois baixou uma perna até encontrar apoio para o pé. Então desceu o outro. Experimentando o caminho com os pés, abaixou o corpo. Os tocos de madeira resistiram. Procurou o toco mais abaixo, testando sua resistência antes de colocar o peso em cima dele. Este estava um pouco solto. Pisou cautelosamente, agarrando-se com força para o caso de vir a ficar balançando no ar, seguro pelas mãos. Cada passo perigoso para baixo o levava para mais perto do topo da pilha de escombros. À medida que ia descendo, os tocos ficavam menores, como se os inferiores tivessem sido mais danificados. Colocou um pé, na sua bota de feltro, sobre um pedaço de madeira não maior que um dedo e, quando descansou o peso em cima dele, escorregou. O outro pé estava apoiado numa base maior, mas quando subitamente jogou o peso sobre ele a madeira quebrou. Tentou agarrar-se com as mãos, mas os tocos eram tão pequenos que não podia se segurar com força, e assim escorregou, aterrorizado, do seu pouso precário e caiu.

Aterrou com força sobre mãos e joelhos no topo da pilha de escombros. Por um instante ficou tão chocado e amedrontado que pensou que devia estar morto; só depois percebeu que tivera a sorte de cair bem. Suas mãos doíam e seus joelhos deviam estar muito machucados, mas estava ótimo.

Após um momento desceu a pilha de escombros e, a poucos pés do chão, pulou.

Estava salvo. Sentiu-se fraco, de tão aliviado. Quis gritar de novo. Tinha escapado. Sentiu-se orgulhoso: que aventura vivera!

Entretanto, ainda não estava acabada. Ali fora havia apenas um quase nada de fumaça, e o barulho do incêndio, tão ensurdecedor ali dentro, soava agora como uma brisa distante. Somente o clarão avermelhado por trás das janelas comprovava que a igreja estava em chamas. Mesmo assim, os últimos tremores deviam ter perturbado o sono de alguém, e a qualquer momento um monge estonteado sairia tropeçando do dormitório, sem saber se o tremor de terra que sentira fora real ou apenas um sonho. Jack incendiara a igreja – um crime hediondo aos olhos de um monge. Tinha que fugir rapidamente. Atravessou correndo o gramado até a hospedaria. Tudo estava quieto e imóvel. Parou do lado de fora, ofegante. Se entrasse respirando daquela maneira, acordaria a todos. Tentou controlar a respiração, mas pareceu-lhe que ela piorava. Teria simplesmente que ficar ali, até voltar ao normal.

Um sino soou, perfurando o silêncio, e continuou tocando, repicando urgentemente, um alarme inconfundível. Jack se apavorou. Se entrasse agora, seu pessoal saberia. Mas se não entrasse...

A porta da casa de hóspedes se abriu, e Martha apareceu. Jack a encarou fixamente, aterrorizado.

– Onde esteve? – perguntou ela, baixinho. – Você está cheirando a queimado.

Uma mentira plausível veio à cabeça de Jack.

– Acabei de sair – disse, desesperadamente. – Ouvi o sino.

– Mentiroso – disse Martha. – Você está fora há séculos. Eu sei. Estava acordada.

Ele se deu conta de que não havia como enganá-la.

– Havia mais alguém acordado? – quis saber, receoso.

– Não, só eu.

– Não diga a eles que eu saí, por favor. Está bem?

Ela percebeu o medo na sua voz e disse apaziguadoramente:

– Está bem. Guardarei segredo. Não se preocupe.

– Muito obrigado!

Nesse momento Tom saiu, coçando a cabeça.

Jack assustou-se. O que ele iria pensar?

– O que está acontecendo? – perguntou Tom, sonolento. Ele fungou. – Sinto cheiro de queimado.

Jack apontou para a catedral com o braço trêmulo.

– Acho... – disse, mas calou-se, engolindo em seco. Ia dar certo, percebeu, com profundo alívio. Tom simplesmente imaginaria que ele se levantara um momento antes, como Martha. O menino falou de novo, mais confiante dessa vez:

– Olhe só a igreja – disse para Tom. – Acho que está pegando fogo.

2

hilip ainda não se acostumara a dormir sozinho. Sentia falta do ar abafado do dormitório, do barulho dos outros se mexendo e roncando, da agitação quando um dos monges mais velhos se levantava para ir à latrina (seguido, geralmente, pelos outros de mais idade, numa procissão que sempre divertia os mais jovens). Ficar sozinho não incomodava Philip ao cair da noite, quando estava sempre exausto; no meio da noite, porém, já inteiramente desperto pelo ofício religioso, achava difícil pegar no sono de novo. Em vez de voltar para a cama grande e macia (era um pouco embaraçoso o modo como se acostumara tão depressa a ela), atiçava o fogo e lia à luz da vela, ou se ajoelhava e rezava, ou então ficava sentado, pensando.

Tinha muito que pensar. As finanças do priorado estavam em pior situação do que imaginara. A razão principal provavelmente era que a organização como um todo gerava muito pouco dinheiro. Tinha grandes propriedades, mas muitas fazendas estavam alugadas por pequenas somas e longos períodos, sendo que algumas pagavam em espécie — tantos sacos de farinha, tantos barris de maçãs, tantas carroças de nabos. As fazendas que não estavam alugadas eram administradas pelos monges, que não pareciam ser capazes de conseguir jamais um excedente para a venda. Outro recurso importante do priorado eram suas igrejas, das quais recebia os dízimos. Lastimavelmente, a maioria estava sob o controle do sacristão, e Philip encontrava dificuldades para descobrir quanto exatamente ele recebia e como gastava. Não havia registros escritos. No entanto, era evidente que o rendimento do sacristão era muito pequeno, ou sua administração, ruim demais, para manter a catedral em boas condições; no entanto, através dos anos ele conseguira acumular uma impressionante coleção de cálices com pedras preciosas e ornamentos.

Philip não poderia dispor de todos os detalhes enquanto não tivesse tempo para conhecer de perto as propriedades tão espalhadas do mosteiro, mas já tinha uma ideia bastante clara; além disso, o antigo prior havia anos vinha pedindo dinheiro emprestado em Winchester e em Londres para fazer face às despesas correntes. Philip ficara bastante deprimido quando percebera como era ruim a situação.

No entanto, quando pensou e rezou acerca disso, a solução tornou-se clara. Formulou um plano em três estágios. Começaria por controlar ele mesmo as finanças do priorado. Até então, cada um dos monges que dirigiam o mosteiro controlava partes da propriedade, e cumpria as obrigações pelas quais era responsável, com o dinheiro gerado pela parte que lhe cabia: o despenseiro, o sacristão, o hospedeiro, o mestre dos noviços e o enfermeiro, todos tinham "suas" fazendas e igrejas. Naturalmente, nenhum deles jamais confessaria dispor de muito dinheiro, e se tivessem alguma sobra se encarregariam de gastá-la, com medo de serem privados dela. Philip decidira designar um dos monges para um novo cargo, que seria chamado de "tesoureiro" e cujo trabalho seria receber todo o dinheiro devido ao priorado, sem exceções, dando depois a cada um exatamente o que fosse preciso.

O tesoureiro naturalmente seria alguém em quem Philip confiasse. Sua primeira ideia fora dar o cargo a Cuthbert Cabeça Branca, o despenseiro; mas depois se lembrara da aversão do monge a escrever. Não ia adiantar. Dali em diante todas as entradas e saídas de dinheiro iam ser registradas num grande livro. Philip decidira designar o jovem cozinheiro, irmão Milius. Os outros dirigentes do mosteiro não iam gostar, fosse quem fosse que recebesse o encargo, mas Philip era o chefe, e, de qualquer modo, a maioria dos monges, sabendo ou suspeitando que o priorado estava em dificuldades, daria seu apoio a reformas.

Quando tivesse pleno controle do dinheiro, Philip implementaria o estágio dois do seu plano.

Todas as fazendas distantes seriam alugadas por somas em dinheiro. Isso poria um fim ao dispendioso transporte de bens a longas distâncias. Havia uma propriedade do priorado em Yorkshire que pagava um "aluguel" de doze cordeiros, e os mandava religiosamente até Kingsbridge todos os anos, muito embora o custo do transporte fosse maior que o valor dos cordeiros, além do fato de a metade sempre morrer no percurso. No futuro, apenas as fazendas mais próximas produziriam alimentos para o priorado.

Planejava também mudar o sistema de então, em que cada fazenda produzia um pouco de tudo – um pouco de carne, um pouco de cereais, um pouco de leite e assim por diante. Há anos Philip achava que esse tipo de coisa era um desperdício. Cada fazenda conseguia produzir apenas o suficiente de cada item para suas necessidades ou talvez fosse mais verdadeiro dizer que todas sempre davam um jeito de consumir praticamente tudo o que produziam. Philip queria que cada fazenda se concentrasse em algo. Todo o grão seria plantado num grupo de aldeias em Somerset, onde o priorado também possuía diversos moinhos. As verdejantes colinas de Wiltshire serviriam de pasto para o gado de corte e leiteiro. O pequeno mosteiro de St.-John-in-the-Forest criaria cabras e fabricaria queijo.

Entretanto, o plano mais importante de Philip era destinar todas as propriedades intermediárias – as que tinham solo pobre ou comum, em especial as situadas em terreno acidentado – à criação de carneiros.

Ele passara a infância em um mosteiro que criava carneiros (todo mundo criava carneiros naquela parte de Gales), e vira o preço da lã subir lenta mas firmemente, ano após ano, desde quando era capaz de se lembrar, até aquele momento. Os carneiros resolveriam o problema de dinheiro do priorado em caráter permanente, com o tempo.

Aquele era o segundo estágio do plano. O terceiro era demolir a catedral e construir uma nova.

A atual igreja era velha, feia e pouco prática; o fato de a torre noroeste ter desmoronado significava que toda a estrutura podia estar fraca. As igrejas modernas eram mais altas, mais compridas e principalmente mais leves. Também eram destinadas a exibir as tumbas importantes e as relíquias de santos que os peregrinos iam ver. Agora, e cada vez mais, as catedrais tinham pequenos altares extras e capelas especiais dedicadas a determinados santos. Uma igreja bem projetada, que atendesse às múltiplas demandas das congregações, atrairia um número de fiéis e peregrinos muito maior que Kingsbridge podia atrair no momento; e, assim sendo, ela se pagaria, a longo prazo. Quando Philip tivesse saneado as finanças do priorado, construiria uma igreja nova que simbolizaria a recuperação de Kingsbridge.

Seria sua realização suprema.

Achava que teria dinheiro suficiente para dar início à reconstrução em cerca de dez anos. Era uma ideia que o intimidava bastante – ele teria quase quarenta anos! No entanto, no inverno seguinte, esperava ser capaz de fazer frente a um programa de reparos que tornasse o atual prédio respeitável, mesmo que não imponente, por volta da festa de Pentecostes.

Agora que tinha um plano se sentia animado e otimista de novo. Enquanto pensava nos detalhes, ouviu vagamente um estrondo distante, como a batida de uma grande porta. Perguntou-se se haveria alguém de pé, circulando pelo dormitório ou pelo claustro. Supôs que, se houvesse problema, logo saberia, e seus pensamentos voltaram para as rendas e os dízimos do priorado. Outra importante fonte de renda dos mosteiros eram as doações dos pais dos meninos que se tornavam noviços, mas para atrair o tipo certo de noviços o mosteiro precisava de uma escola de excelente qualidade...

Suas reflexões foram interrompidas de novo, dessa vez por um estrondo mais alto, que chegou a fazer a casa tremer ligeiramente. Aquilo definitivamente não era uma porta batendo, pensou. O que estaria acontecendo? Foi até a janela e abriu a persiana. O frio da noite entrou, fazendo com que tremesse. Philip examinou a igreja, a casa do cabido, o claustro e os prédios da cozinha um pouco mais além. Tudo parecia em paz à luz do luar. O ar estava tão frio que seus dentes doíam quando respirava. Mas havia algo mais no ar. Ele fungou, farejando. Sentia cheiro de queimado.

Semicerrou os olhos ansiosamente, mas não viu fogo.

Voltou a cabeça para trás e farejou de novo, pensando que podia estar sentindo o cheiro de sua própria lareira, mas não era.

Aturdido e alarmado, calçou rapidamente as botas, pegou a capa e correu para fora da casa.

O cheiro de queimado ficou mais forte à medida que corria pelo gramado na direção do claustro. Não havia dúvida de que uma parte qualquer do priorado estava pegando fogo. Seu primeiro pensamento foi de que devia ser na cozinha – quase todos os incêndios têm início em cozinhas. Atravessou correndo a passagem entre o transepto sul, a casa do cabido e o quadrado do claustro. Durante o dia ele teria atravessado o refeitório para ir ao pátio da cozinha. Mas à noite o refeitório ficava trancado, de modo que passou através do arco na calçada sul e virou à direita, encaminhando-se para a parte de trás da cozinha. Não havia sinal de fogo ali, nem na cervejaria ou na padaria, e o cheiro de queimado pareceu diminuir. Correu mais um pouco e deu uma olhada depois da esquina da cervejaria, na direção da casa de hóspedes e dos estábulos. Tudo parecia quieto por ali.

O incêndio seria no dormitório? Era o único outro prédio com lareira. A ideia era horripilante. Quando voltou correndo para o claustro teve uma visão medonha de todos os monges nas camas, envoltos em fumaça, inconscientes do incêndio no dormitório. Correu até a porta do quarto. Quando chegou, ela se abriu e Cuthbert Cabeça Branca apareceu, carregando uma vela.

– Está sentindo o cheiro? – perguntou Cuthbert imediatamente.

– Sim. Os monges estão bem?

– Não há fogo aqui.

Philip sentiu-se aliviado. Pelo menos o seu rebanho estava salvo.

– Onde é o incêndio, então?

– Que tal a cozinha? – disse Cuthbert.

– Não, já verifiquei.

Agora que sabia que ninguém estava em perigo, Philip começou a se preocupar com sua propriedade. Pouco antes estivera pensando em finanças, e sabia que não podia enfrentar o pagamento de reparos em prédios agora. Olhou para a igreja. Aquilo seria um débil clarão vermelho por trás das janelas?

– Cuthbert, pegue a chave da igreja com o sacristão – disse Philip.

Cuthbert adiantara-se a ele.

– Ela está comigo.

– Bom homem!

Os dois se apressaram ao longo da calçada oeste na direção da porta do transepto sul. Cuthbert destrancou-a apressadamente. Assim que foi aberta uma nuvem de fumaça jorrou de dentro da igreja.

O coração de Philip falhou uma batida. Como poderia sua igreja estar pegando fogo?

Ele entrou. Em princípio a cena era confusa. No chão da igreja, ao redor do altar e ali no transepto sul, diversas peças enormes de madeira queimavam. De onde teriam vindo? Como haviam produzido tanta fumaça? E o que era aquele barulho ensurdecedor que parecia ser causado por um incêndio muito maior?

– Olhe lá em cima! – gritou Cuthbert.

Philip obedeceu, e suas perguntas foram respondidas. O teto queimava furiosamente. Ficou olhando, horrorizado: parecia o inferno. A maior parte do teto pintado já desaparecera, revelando os triângulos de vigas que sustentavam o telhado, enegrecidos e ardentes, as chamas e a fumaça pulando e girando numa dança diabólica. Philip ficou parado, imobilizado pelo choque, até que seu pescoço começou a doer de tanto olhar para cima; então recuperou o controle.

Correu até o meio da interseção, parou na frente do altar e examinou toda a igreja à sua volta. O teto estava inteiramente em chamas desde a porta oeste até a face leste e em ambos os transeptos. Por um momento de pânico pensou: *Como vamos fazer para levar a água lá em cima?* Imaginou uma fila de monges correndo ao longo da galeria com baldes, e percebeu imediatamente que era impossível: mesmo que tivesse cem pessoas para fazer o trabalho, não poderia levar até o teto uma quantidade de água suficiente para apagar aquele inferno de chamas. A destruição seria total, concluiu Philip, com o coração apertado; e a chuva e a neve cairiam dentro da igreja até que pudesse arranjar dinheiro para um novo telhado.

Um estrondo fez com que olhasse para cima. Imediatamente sobre ele uma viga enorme se movia lentamente de lado. Ia cair em Philip, se não voltasse correndo para o transepto sul, onde Cuthbert, apavorado, observava a cena.

Toda uma seção do telhado, três triângulos de vigas e caibros mais as folhas de chumbo pregadas neles, estava caindo. Philip e Cuthbert ficaram olhando, petrificados, esquecendo-se inteiramente da própria segurança. O pedaço do telhado caiu em cima de um dos grandes arcos redondos da interseção. O peso enorme da madeira que caía e do chumbo rachou a pedra do arco, com um barulho prolongado e explosivo como um trovão. Tudo aconteceu lentamente: as vigas caindo, o arco quebrando, os pedaços de pedra esmagados tombando. Mais vigas de sustentação do telhado se soltaram, e depois, com um barulho que lembrava uma trovoada, toda uma seção da parede norte do coro balançou e caiu no transepto norte.

Philip estava aterrorizado. A visão de um prédio tão sólido sendo destruído era chocante, como ver uma montanha cair ou um rio secar: nunca teria, em verdade, pensado que pudesse acontecer. Mal podia acreditar nos próprios olhos. Sentia-se desorientado, sem saber o que fazer.

Cuthbert estava puxando sua manga.

– Vamos embora! – gritou.

O prior não conseguiu se mexer. Lembrou que antecipara dez anos de austeridade e trabalho duro para recolocar o mosteiro numa situação financeira sólida. Agora, de repente, tinha que construir um telhado novo e uma parede norte, e talvez mais ainda, se a destruição continuasse... Aquilo era obra do demônio, pensou. De que outra forma o teto e o forro do telhado poderiam ter pegado fogo numa gélida noite de janeiro?

— Vamos morrer! — O pavor que havia na voz de Cuthbert tocou o coração de Philip. Ele se virou e os dois saíram correndo da igreja, passando para o claustro.

Os monges tinham sido alertados e estavam saindo do dormitório. Assim que saíam, naturalmente queriam parar para dar uma olhada na igreja. Milius Cozinheiro, junto à porta, insistia para que se apressassem a fim de não ficarem presos pelos troncos, orientando-os para se afastarem da igreja e seguirem pela calçada sul do claustro. No meio da calçada estava Tom Construtor, dizendo-lhes para virarem sob o arco e fugirem por ali. Philip ouviu-o dizendo;

— Vão para a hospedaria. Fiquem longe da igreja!

Ele estava exagerando, pensou o prior; será que não estariam bastante seguros ali no claustro? Mas não fazia mal, e talvez fosse uma preocupação sensata. Na verdade, refletiu, provavelmente ele próprio teria pensado nisso.

Entretanto, a preocupação de Tom fez com que Philip se perguntasse até que ponto a destruição se espalharia. Se o claustro não era um lugar absolutamente seguro, o que dizer da casa do cabido? Ali, num pequeno cômodo lateral de fortes paredes de pedra e sem janelas, eles guardavam uma arca de carvalho e ferro com o pouco dinheiro que tinham, mais os vasos incrustados de pedras preciosas do sacristão e todos os valiosos documentos e títulos de propriedade do priorado. Um momento mais tarde, ele viu Alan, o encarregado do tesouro. Era o jovem monge que trabalhava com o sacristão. Chamou-o.

— O tesouro precisa ser retirado da casa do cabido. Onde está o sacristão?

— Já saiu, padre.

— Vá procurá-lo e pegue as chaves, depois tire o tesouro da casa do cabido e leve-o para a hospedaria. Depressa!

Alan saiu correndo. Philip virou-se para Cuthbert.

— É melhor você ver se ele vai fazer mesmo o que falei. — O monge assentiu e seguiu Alan.

Philip olhou de novo para a igreja. Nos poucos momentos que sua atenção estivera desviada, o fogo ficara mais violento, e agora o clarão das chamas podia ser visto atrás de todas as janelas. O sacristão deveria ter pensado no tesouro, em vez de salvar a própria pele tão rapidamente. Haveria alguma outra coisa sendo esquecida? Philip achou difícil pensar de modo sistemático, com tudo acontecendo tão depressa. Os monges estavam passando para um lugar seguro, já tinham ido cuidar do tesouro...

Ele se esquecera do santo.

Na extremidade leste da igreja, depois do trono do bispo, estava o túmulo de pedra de santo Adolfo, um mártir inglês dos primeiros tempos. Dentro do túmulo havia um caixão de madeira com o esqueleto do santo. Periodicamente a tampa da tumba era levantada para expor o caixão. Adolfo não era tão popular agora quanto já fora, mas, nos velhos tempos, doentes já tinham sido miraculosamente curados só de encostar a mão na sua tumba. Os despojos de um santo podem ser uma grande atração numa igreja, incentivando seu culto e peregrinações. Traziam tanto dinheiro que, vergonhosamente, não era fato desconhecido que monges chegassem a furtar relíquias sagradas de outras igrejas. Philip planejara reviver o interesse em Adolfo. Tinha que salvar o esqueleto.

Precisaria de ajuda para levantar a tampa da tumba e carregar o caixão. O sacristão deveria ter pensado nisso também. Mas ele não podia ser visto em parte alguma. O outro monge a sair do dormitório foi Remigius, o arrogante subprior. Teria que ser ele. Philip o chamou e disse:

— Ajude-me a salvar os ossos do santo.

Os olhos verde-claros se voltaram receosamente para a igreja em chamas, mas, após um momento de hesitação seguiu Philip na calçada leste e através da porta.

O prior parou do lado de dentro. Fazia apenas alguns momentos desde que saíra correndo da igreja, mas o incêndio progredira muito rapidamente. Sentiu cheiro de alcatrão em chamas e se lembrou que as vigas que sustentavam o telhado deviam ter sido revestidas com piche, para não apodrecerem. A despeito do fogo, parecia soprar um vento frio: a fumaça escapava pelos buracos do telhado e o fogo sugava o ar frio para dentro da igreja através das janelas. A correnteza atiçava o fogo. Brasas despencavam no chão, e diversas vigas grandes, queimando ali em cima, davam a impressão de que cairiam a qualquer momento. Até aquela hora Philip tinha se preocupado em primeiro lugar com os monges e depois com as propriedades do priorado, mas agora, pela primeira vez, receou por si próprio e temeu se adiantar mais.

Quanto mais esperasse, maior seria o risco; e se ficasse pensando mais tempo, perderia inteiramente a coragem. Arregaçou o hábito e gritou "Siga-me!", e entrou correndo no transepto. Desviou-se das pequenas fogueiras no chão na expectativa de ser atingido a qualquer instante por uma viga que caísse do teto. Correu com o coração na boca, com ímpetos de gritar, de tanta tensão que sentia. Até que, subitamente, atingiu a segurança da nave do outro lado.

Parou por um momento. As naves laterais tinham tetos de pedra e não havia fogo ali. Remigius estava bem ao lado dele. Philip ofegou e tossiu quando a fumaça entrou na sua garganta. Cruzar o transepto tomara apenas uns poucos minutos, mas parecera ter sido mais demorado que a missa da meia-noite.

— Seremos mortos! — disse Remigius.

— Deus nos protegerá — disse Philip. E pensou: Se é assim, por que então estou assustado?

Não era hora para teologia.

Seguiu ao longo do transepto e virou no coro, sempre se conservando na nave lateral. Podia sentir o calor dos assentos que crepitavam no meio do coro, o que lhe causou uma dolorosa sensação de perda: haviam custado caro e tinham um belo trabalho de talha. Expulsou esses pensamentos da cabeça e concentrou-se na tarefa que tinha à frente. Atravessou correndo o coro, na direção da face leste.

A tumba do santo ficava a meio caminho. Era uma grande caixa de pedra sobre um pedestal baixo. Philip e Remigius teriam que levantar a tampa, pô-la de lado e tirar o caixão, carregando-o para a nave lateral, enquanto o telhado acima deles despencava. Olhou para Remigius. Os olhos proeminentes do subprior estavam arregalados de medo. Philip ocultou o pavor que sentia, preocupado com ele.

– Você segura na ponta de lá, eu seguro na outra – disse, apontando, e sem esperar pela concordância do outro, correu para o túmulo.

Remigius o seguiu.

Pararam em lados opostos e agarraram a tampa de pedra. Ambos puxaram.

A tampa não se moveu.

Philip percebeu que deveria ter levado mais gente. Não parara para pensar. Mas era tarde demais agora; se saísse para buscar socorro, o transepto poderia estar intransponível quando retornasse. Não podia, contudo, deixar os despojos do santo ali. Uma viga cairia e esmagaria a tumba; então o caixão de madeira pegaria fogo, e as cinzas seriam espalhadas ao vento, um horrível sacrilégio e uma terrível perda para a catedral.

Teve uma ideia. Deslocou-se para o lado do túmulo e fez um gesto para que Remigius se colocasse ao seu lado. Ajoelhou-se, pôs ambas as mãos sob a beirada da tampa e empurrou para cima com toda a força. Quando Remigius o imitou, a tampa se levantou. Lentamente, eles a ergueram mais alto. Philip teve que ficar sobre um joelho, e Remigius também; depois os dois se levantaram. Quando a tampa estava na vertical, deram mais um empurrão e ela caiu do outro lado da tumba, partindo-se em duas.

O prior olhou dentro dela. O caixão estava em boas condições, com a madeira aparentemente intacta e as alças de ferro manchadas apenas superficialmente. Philip ficou em uma das extremidades, inclinou-se e pegou duas alças. Remigius fez o mesmo do outro lado. Os dois ergueram o caixão algumas polegadas, mas era muito mais pesado do que o prior previra e, após um momento, Remigius deixou cair o seu lado, dizendo:

– Não consigo. Sou mais velho que você.

Philip conteve uma réplica furiosa. O caixão provavelmente era forrado com chumbo. Mas agora que tinham quebrado a tampa do túmulo, ficara mais vulnerável que antes.

– Venha para cá – gritou. – Vamos tentar colocá-lo de pé.

O subprior deu a volta e se colocou ao lado dele. Cada um pegou uma alça e a ergueu. A ponta do caixão subiu com relativa facilidade. Conseguiram levantá-la acima do nível da tampa do túmulo, depois caminharam em frente, um de cada lado, erguendo o caixão, até que ficou na vertical. Pararam por um momento. Philip percebeu que tinham levantado a parte dos pés, de modo que o santo estava agora apoiado sobre a cabeça. Silenciosamente, pediu-lhe desculpas. Pedacinhos de madeira em chamas caíam a todo momento em torno deles. Todas as vezes em que algumas centelhas caíam no hábito de Remigius, ele batia nelas freneticamente até que desaparecessem, e sempre que tinha uma chance lançava um olhar furtivo e assustado ao teto em chamas. O prior podia ver que a coragem do homem estava terminando depressa.

Continuaram empurrando até que o caixão ficou apoiado na parte lateral da tumba, e forçaram mais um pouco. A outra ponta se levantou e o caixão executou o movimento de uma gangorra; em seguida o abaixaram, até encostar no chão. Repetiram o movimento, colocando os restos do santo na posição certa, ou seja, com a cabeça para cima. Os ossos do mártir deviam estar chocalhando lá dentro como dados num copo, pensou Philip; aquilo era o mais próximo que já chegara de um sacrilégio, mas nada podia fazer.

Cada um dos dois pegou numa alça. Levantaram o caixão e começaram a arrastá-lo rumo à relativa segurança da nave lateral. Os cantos de ferro riscavam pequenos sulcos na terra batida. Já estavam quase chegando quando uma seção do telhado, com as vigas em brasa e com o chumbo quente, caiu exatamente em cima da tumba, agora vazia. O estrondo foi ensurdecedor, o chão tremeu com o impacto e o túmulo de pedra foi esmagado, partindo-se numa infinidade de cacos. Uma viga enorme bateu com força e saltou em cima do caixão, não acertando Philip e Remigius por polegadas, mas arrancando-o de suas mãos. Foi demais para Remigius.

– Isto é obra do demônio! – gritou ele, histérico, e fugiu correndo. Philip quase o seguiu. Se o diabo estivesse mesmo em ação naquela noite, seria impossível imaginar o que iria acontecer. Philip nunca vira um demônio, mas ouvira muitas histórias de pessoas que o haviam visto. Os monges, contudo, eram feitos para se opor a Satã, e não para fugir dele, disse Philip a si próprio asperamente. Lançou um olhar demorado para o abrigo da nave lateral e, respirando fundo, agarrou as alças do caixão e puxou-o.

Conseguiu arrastá-lo, tirando-o de baixo da viga. A madeira do caixão estava lascada e cheia de mossas, mas, o que era notável, não se rompera. Arrastou mais um pouco. Uma chuva de pequenas brasas caiu em torno dele. Levantou os olhos para o teto. Aquilo ali em cima seria uma figura de duas pernas, dançando uma dança zombeteira em meio às chamas, ou apenas uma ilusão causada pela fumaça?

Olhou para baixo de novo, e viu que a saia do seu hábito pegara fogo. Ajoelhou-se e apagou as chamas com as mãos, batendo o tecido no chão; em seguida ouviu um barulho – ou de madeira em chamas ou da risada louca e zombeteira de um diabinho.

– Que santo Adolfo me proteja! – disse ele, ofegante, agarrando as alças do caixão de novo.

Philip arrastou o caixão por cada polegada. O diabo o deixou em paz por um momento. Não levantou a cabeça – melhor não olhar para o demônio. Finalmente chegou ao abrigo da nave lateral e se sentiu um pouco mais seguro. Uma forte dor nas costas obrigou-o a parar e a se endireitar por um momento.

Era uma distância longa até a porta mais próxima, no transepto sul. Não estava certo de que seria capaz de arrastar o caixão até ali antes que todo o telhado desabasse. Talvez fosse com isso que o demônio estivesse contando. Philip não pôde impedir-se de olhar para cima de novo. Por entre as chamas, a figura enfumaçada de duas pernas voou para trás de uma viga escurecida, no momento exato em que Philip a viu. Ele sabe que não vou conseguir chegar lá, pensou Philip. Examinou a nave lateral, tentado a abandonar o santo e correr para se salvar – e foi nessa hora que percebeu, vindo em sua direção, os irmãos Milius e Cuthbert Cabeça Branca e Tom Construtor, três vultos perfeitamente concretos correndo para auxiliá-lo. Seu coração saltou de alegria, e subitamente não teve mais tanta certeza de haver um demônio no telhado.

– Graças a Deus! – exclamou. – Ajudem-me com isto aqui – acrescentou, desnecessariamente.

Tom Construtor avaliou com um rápido olhar o teto em chamas. Não pareceu ver demônio algum, mas disse:

– Vamos andar depressa.

Cada um escolheu um canto e os quatro juntos levantaram o caixão, colocando-o sobre o ombro. Foi muito difícil, mesmo dividindo o esforço por quatro.

– Em frente! – exclamou Philip.

Os quatro homens dispararam pela nave lateral o mais depressa que conseguiram, recurvados sob o fardo pesado.

– Esperem! – exclamou Tom, quando chegaram ao transepto sul. O chão era uma pista de obstáculos de pequenas fogueiras, e fragmentos de madeira em chamas caíam continuamente. O prior deu uma olhada, tentando memorizar uma rota por entre o fogo. Durante os poucos momentos em que fizeram uma pausa, ouviu-se um estrondo, na face oeste da igreja, que se transformou num barulho surdo e prolongado. Philip ergueu os olhos, cheio de medo.

– É fraca, como a outra – disse Tom Construtor enigmaticamente.

– O quê? – gritou o prior.

— A torre sudoeste.

— Oh, não!

O estrondo ficou ainda mais alto. Philip olhou, horrorizado, quando todo o lado oeste da igreja pareceu adiantar-se uma jarda, como se a mão de Deus o tivesse atingido. Um pedaço bem grande do telhado caiu dentro da nave com o impacto de um terremoto. Em seguida toda a torre sudoeste desmoronou, tombando dentro da igreja, como num deslizamento.

Philip ficou paralisado com o choque. Sua igreja estava ruindo ante seus olhos. Seriam precisos anos para reparar aquele prejuízo, mesmo que conseguisse arranjar o dinheiro. O que faria? Como o mosteiro prosseguiria existindo? Seria o fim do priorado de Kingsbridge?

Foi arrancado de sua imobilidade pelo movimento do caixão sobre seu ombro quando os outros três homens fizeram pressão para seguir em frente. Philip foi por onde o levavam. Tom conseguiu achar um caminho através do labirinto de pedaços de madeira em chamas. Uma brasa caiu em cima do caixão, mas por sorte escorregou sem tocar em nenhum deles. Um momento depois atingiram o lado oposto, atravessaram a porta e saíram para o ar frio da noite.

Philip estava tão desolado com a destruição da sua igreja que não sentiu alívio por ter escapado. Contornaram apressadamente o claustro até o arco sul e o atravessaram. Quando já estavam bem longe das construções, Tom disse:

— Aqui está bom. — Aliviados, eles baixaram o fardo sobre o chão gelado.

Philip levou alguns momentos para recuperar o fôlego. Foi o tempo necessário para se dar conta de que aquela não era hora de ficar atônito. Era o prior, o responsável ali. O que deveria fazer a seguir? Seria aconselhável certificar-se de que todos os monges tinham escapado em segurança. Respirou fundo mais uma vez, endireitou os ombros e olhou para os outros homens.

— Cuthbert, você fica aqui e toma conta do santo. Os outros, sigam-me.

Philip os levou a contornar a parte dos fundos dos prédios da cozinha, passou por entre a cervejaria e o moinho e cruzou o gramado até a hospedaria. Os monges, a família de Tom e a maior parte dos aldeões estavam lá, dispostos em grupos, conversando em voz baixa e olhando fixamente para a igreja em chamas. Philip virou-se para olhar também antes de falar com eles. A visão era dolorosa. Toda a fachada oeste era uma pilha de escombros, e imensas labaredas erguiam-se através do que restara do telhado.

Ele se obrigou a desviar os olhos.

— Está todo mundo aqui?! — exclamou. — Se alguém puder se lembrar de uma pessoa que esteja faltando, diga o nome em voz alta.

— Cuthbert Cabeça Branca! — exclamou alguém.

— Está guardando os ossos do santo. Mais alguém?

Não havia mais ninguém.

— Conte os monges, para não haver dúvidas — disse o prior a Milius. — Deve haver quarenta e cinco, inclusive eu e você. — Sabendo que podia confiar em Milius, tirou isso da cabeça e virou-se para Tom: — Toda a sua família está aqui?

O construtor fez que sim e apontou. Ali estavam eles, de pé junto à parede da hospedaria; a mulher, o filho crescido e os pequenos. O menino menor dirigiu um olhar assustado a Tom. Devia ser uma experiência terrível para eles, pensou Philip.

O sacristão estava sentado em cima da caixa que continha o tesouro. Philip se esquecera daquilo; ficou aliviado ao ver o cofre. Dirigiu-se ao sacristão:

— Irmão Andrew, o caixão de santo Adolfo está atrás do refeitório. Leve alguns irmãos para ajudá-lo e carregue-o... — Ele pensou por um momento. O lugar mais seguro provavelmente era a residência do prior. — Carregue-o para minha casa.

— Para sua casa? — retrucou Andrew. — As relíquias devem ficar sob a minha responsabilidade, e não sob a sua.

— Então você deveria tê-las tirado da igreja! — retorquiu o prior, irritado. — Faça o que digo, e nem mais uma palavra!

O sacristão levantou-se relutantemente, parecendo furioso.

— Depressa, homem, senão eu o destituo de suas funções aqui e agora! — disse Philip. Deu as costas para Andrew e dirigiu-se a Milius. — Quantos?

— Quarenta e quatro, mais Cuthbert. Onze noviços. Cinco hóspedes. Todo mundo foi contado.

— Graças a Deus. — Philip olhou para o fogo violento. Parecia quase um milagre que todos estivessem vivos e que ninguém houvesse se ferido. Percebeu que estava exausto, mas tinha muito com que se preocupar para que pudesse sentar e descansar.

— Há mais alguma coisa de valor que devamos resgatar? — disse. — Temos o tesouro e as relíquias...

Foi Alan, o jovem monge encarregado do tesouro, quem disse:

— E os livros?

Philip deixou escapar um gemido. Claro, os livros. Eram guardados num armário fechado à chave no lado leste do claustro, perto da porta da casa do cabido, onde os monges podiam apanhá-los durante os períodos de estudo. Tomaria um tempo demasiadamente longo esvaziar o armário livro por livro. Mas talvez uns poucos jovens vigorosos pudessem pegar o móvel e carregá-lo para um lugar seguro. Philip olhou em torno. O sacristão já escolhera meia dúzia de monges para carregar o caixão e eles estavam no meio do gramado. O prior selecionou três monges jovens e três entre os noviços mais velhos e disse que o seguissem.

Refez os passos pelo espaço aberto em frente à igreja em chamas. Estava cansado demais para correr. Passaram por entre o moinho e a cervejaria e pelos fundos da cozinha e do refeitório. Cuthbert Cabeça Branca e o sacristão organizavam a retirada do caixão. Philip conduziu seu grupo pela passagem entre o refeitório e o dormitório e por baixo do arco sul para dentro do claustro.

Podia sentir o calor do fogo. O grande armário de livros tinha um trabalho de talha nas portas representando Moisés e as tábuas da lei. Philip mandou que os jovens inclinassem o móvel para a frente e o levantassem, colocando-o sobre os ombros. Em seguida contornaram o claustro, buscando a arcada sul. Ali o prior parou e olhou para trás, enquanto eles prosseguiam. Seu coração encheu-se de dor ante a visão da igreja arruinada. Agora havia menos fumaça e mais labaredas. Seções inteiras do telhado tinham desaparecido. Enquanto observava, a parte que ficava em cima da interseção pareceu ceder, e ele percebeu que deveria ser a próxima. Ouviu-se um estrondo mais forte que qualquer outro anterior e o telhado do transepto sul desabou. Philip sentiu uma dor que era quase física, como se seu próprio corpo estivesse queimando. Um momento mais tarde a parede do transepto sul deu a impressão de arquear na direção do claustro. Deus nos ajude, vai cair, pensou Philip. Quando as pedras começaram a ruir e a se espalhar é que se deu conta de que a parede estava caindo em cima dele, e virou-se para fugir; porém, antes que tivesse dado três passos, algo o atingiu na nuca e ele perdeu a consciência.

Para Tom, o fogo violento que estava destruindo a Catedral de Kingsbridge era um raio de esperança.

Ele olhou por cima do gramado para as imensas chamas que subiam das ruínas da igreja, e só conseguiu pensar numa coisa: isto significa trabalho!

Esse pensamento estava escondido num canto da sua cabeça desde a hora em que saíra da casa de hóspedes, os olhos injetados de sono, e vira o débil clarão vermelho por trás das janelas da igreja. Durante todo o tempo em que estivera retirando apressadamente os monges dos lugares perigosos, ou correndo para dentro da igreja em chamas em busca do prior Philip e carregando o caixão do santo, seu coração estivera a ponto de explodir de tanto otimismo e felicidade.

Agora que teve um momento para refletir, ocorreu-lhe que não deveria estar alegre com o incêndio de uma igreja; no entanto, não havia ninguém ferido, o tesouro do priorado tinha sido salvo e a igreja estava mesmo velha e em ruínas; por que então não se alegrar?

Os jovens monges voltaram pelo gramado, carregando o pesado armário. Tudo o que tenho a fazer agora, pensou Tom, é assegurar-me de que conseguirei o trabalho de reconstruir a igreja. E a hora de falar com o prior a esse respeito é agora.

Philip, contudo, não estava junto com os monges que tinham salvo os livros. Eles chegaram à casa de hóspedes e depositaram a carga no chão.

— Onde está seu prior? — perguntou-lhes Tom.

O mais velho olhou para trás, surpreso.

— Não sei — disse. — Pensei que estivesse nos seguindo.

Sem se deter por um segundo, Tom saiu correndo, atravessou o gramado e contornou a cozinha por trás. Esperava que Philip estivesse bem, não só por parecer-lhe um homem bom, como também por ser o protetor de Jonathan. Sem ele era impossível saber o que acontecia ao bebê.

Tom encontrou o prior na passagem entre o refeitório e o dormitório. Para seu alívio, estava sentado na vertical, parecendo aturdido mas ileso. Ajudou-o a ficar de pé.

— Algo bateu na minha cabeça — disse Philip, meio aturdido.

O construtor olhou para trás dele. O transepto sul desabara por cima do claustro.

— Você tem sorte de estar vivo — disse. — Deus deve ter uma missão para lhe dar.

Philip sacudiu a cabeça para clarear as ideias.

— Desmaiei por um momento. Já estou bem. Onde estão os livros?

— Foram levados para a casa de hóspedes.

— Vamos voltar para lá.

Segurou o braço de Philip. O prior não fora seriamente ferido, mas Tom podia ver que estava atordoado.

Ao chegarem à hospedaria, o incêndio da igreja já ultrapassara o ponto máximo e as chamas começam a diminuir um pouco. Mesmo assim, o construtor pôde ver o rosto das pessoas muito claramente, e foi com um pequeno choque que percebeu que o dia estava nascendo.

Philip começou a organizar as coisas de novo. Disse a Milius Cozinheiro para fazer uma sopa para todos e autorizou Cuthbert Cabeça Branca a abrir um barril de vinho forte a fim de que se aquecessem um pouco. Mandou que se acendesse um fogo na casa de hóspedes, e que os monges mais idosos entrassem, para se abrigar do frio. Começou a chover, uma chuva trazida por um vento forte e glacialmente frio, e as chamas na igreja arruinada se apagaram depressa.

Quando todos estavam atarefados de novo, o prior Philip afastou-se da casa de hóspedes, sozinho, dirigindo-se para a igreja. Tom percebeu e o seguiu. Aquela era sua chance. Se fosse capaz de administrar direito aquela situação poderia trabalhar ali durante anos.

Philip contemplou o que fora a face oeste da igreja, sacudindo tristemente a cabeça ante o desastre, dando a impressão de que era sua vida que estava em ruínas. Tom colocou-se a seu lado, em silêncio. Após algum tempo Philip continuou andando, seguindo ao longo do lado norte da nave e passando por dentro do cemitério. O construtor acompanhou-o, avaliando os danos.

A parede norte da nave ainda estava de pé, mas o transepto norte e parte da parede do coro haviam caído. A igreja ainda tinha uma fachada leste. Contornaram-na e deram uma olhada no lado sul. A maior parte da parede ruíra, e o transepto desmoronara para dentro do claustro. A casa do cabido ainda se encontrava de pé.

Caminharam até o arco que dava acesso à calçada leste do claustro. Ali foram detidos por um monte de escombros. No meio de toda aquela confusão, o olho treinado de Tom foi capaz de verificar que as paredes do claustro não haviam sido seriamente danificadas, estando simplesmente enterradas sob as ruínas. Galgou o monte, pisando nas pedras quebradas, até que pôde ver dentro da igreja. Logo atrás do altar havia uma escada semiescondida que descia para a cripta, que ficava sob o coro. Tom deu uma olhada, tentando distinguir sinais de rachadura no chão de pedra. Não conseguiu ver nenhum. Havia uma boa chance de a cripta ter se mantido intata. Mas não diria isso a Philip, por enquanto; guardaria a boa notícia para um momento crucial.

O prior continuara a andar, passando por trás do dormitório. Tom apressou-se para emparelhar com ele. Encontraram o dormitório incólume. Mais adiante, viram que praticamente o mesmo acontecia com os outros prédios do mosteiro: o refeitório, a cozinha, a padaria e a cervejaria. Philip poderia ter se consolado um pouco com isso, mas sua expressão permaneceu sombria.

Terminaram onde tinham começado, em frente à arruinada face oeste, tendo feito um circuito completo do adro sem pronunciar uma só palavra. Philip suspirou e quebrou o silêncio:

– O demônio fez isto – disse.

Esta é a minha hora, pensou Tom. Respirou fundo e disse:

– Pode ter sido obra de Deus.

Philip ergueu os olhos para ele, surpreso.

– Como assim?

– Ninguém foi ferido – respondeu Tom cuidadosamente. – Os livros, o tesouro e os ossos do santo foram salvos. Somente a igreja foi destruída. Talvez Deus quisesse uma igreja nova.

– E suponho que Deus quisesse também que você a construísse – disse Philip, sorrindo ceticamente. Não estava tão aturdido que não pudesse ver que a linha de pensamento de Tom podia traduzir seu interesse.

O construtor manteve sua posição.

– É possível – disse, obstinado. – Não foi o demônio quem mandou aqui um mestre construtor no dia em que a igreja foi destruída por um incêndio.

Philip desviou os olhos.

— Bem, haverá uma nova igreja, mas não sei quando. E o que vou fazer até lá? Como a vida no monastério pode prosseguir? Estamos aqui apenas para orar e estudar.

O prior estava profundamente desesperado. Era hora de Tom lhe oferecer uma nova esperança.

— Meu filho e eu podemos ter o claustro limpo e pronto para ser usado dentro de uma semana — disse, fazendo sua voz soar mais confiante do que ele próprio se sentia.

Philip espantou-se.

— É mesmo? — Em seguida, porém, sua expressão mudou de novo, e mais uma vez ele pareceu derrotado. — Mas o que usaremos como igreja?

— Que tal a cripta? Poderiam realizar lá os cultos religiosos, não poderiam?

— Sim, serviria muito bem.

— Tenho certeza de que ela não está muito danificada — disse Tom. Era quase verdade; ele estava praticamente certo.

Philip o fitava como se ele fosse um anjo de misericórdia.

— Não vai levar muito tempo para abrir um caminho por entre os escombros do claustro até a escada da cripta — continuou Tom. — A maior parte da igreja naquele lado foi completamente destruída, o que, por estranho que pareça, é uma sorte, pois significa que não há mais perigo de que caiam pedras. Examinarei as paredes que ainda se encontram de pé, e pode haver necessidade de escorar alguma delas. Depois terão que ser vistoriadas todo dia, para ver se há rachaduras, e mesmo assim ninguém poderá entrar na igreja quando o vento estiver muito forte. — Tudo aquilo era importante, mas Tom podia ver que Philip não estava prestando atenção. O que ele queria do construtor eram notícias positivas, algo para reanimá-lo. E o jeito para ser contratado era dar a Philip o que ele queria. O construtor mudou o tom de voz. — Com alguns dos monges mais moços trabalhando para mim, eu poderia arrumar tudo para que pudessem recomeçar a vida monástica normal, de um certo modo, dentro de duas semanas.

Philip fitou-o com espanto.

— Duas semanas?

— Dê comida e alojamento para minha família e poderá pagar meu salário quando tiver dinheiro.

— Você poderia me dar o priorado de volta em duas semanas? — repetiu Philip, incrédulo.

Tom não estava seguro de que pudesse, mas se levasse três semanas ninguém ia morrer.

— Duas semanas — disse, com firmeza. — Depois desse período poderemos derrubar as paredes remanescentes... o que é serviço especializado, se me permite dizê-lo, se for feito com segurança... retirar o entulho e empilhar as pedras para serem usadas de novo. Entrementes, poderemos planejar a nova catedral. – Tom prendeu a respiração. Fizera o melhor que pudera. Com certeza agora Philip o contrataria!

O prior balançou a cabeça afirmativamente, sorrindo pela primeira vez.

– Acho que Deus o mandou mesmo – disse. – Vamos comer, depois podemos começar a trabalhar.

Tom deixou escapar um trêmulo suspiro de alívio.

– Muito obrigado – disse. Havia um tremor na sua voz que ele não pôde controlar, mas de repente aquilo não tinha mais importância, e foi com um soluço mal disfarçado que acrescentou: – Não sei lhe dizer quanto isto significa para mim.

Após o desjejum Philip convocou uma reunião improvisada do cabido no depósito de gêneros de Cuthbert, sob a cozinha. Os monges estavam nervosamente excitados. Eram homens que tinham escolhido uma vida de segurança, previsibilidade e tédio – ou se acostumado com ela –, e a maioria estava desorientada. Sua perplexidade tocou o coração de Philip. Mais que nunca se sentiu como um pastor, cujo dever era cuidar de criaturas ingênuas e desamparadas; só que, no caso, não se tratava de animais estúpidos e sim de seus irmãos, e ele os amava. O jeito de confortá-los, decidiu, era lhes contar o que ia acontecer e usar sua energia nervosa em trabalho duro, retornando a uma rotina semelhante à normal o mais cedo possível.

A despeito do ambiente nada usual, Philip não abreviou o ritual do cabido. Ordenou que fosse lido o martirológio do dia, seguido pelas orações em intenção. Era para aquilo que os mosteiros serviam: as orações justificavam sua existência. Não obstante, alguns monges estavam inquietos, de modo que Philip escolheu o capítulo vinte da Regra de São Bento, a seção chamada "Sobre a reverência na oração". Seguiu-se o necrológio. O ritual familiar acalmou-lhe os nervos, e ele notou que a expressão assustada estava lentamente deixando o rosto deles à medida que percebiam que seu mundo, afinal, não estava acabando.

Ao final, Philip levantou-se para lhes falar.

– A catástrofe que nos atingiu ontem à noite foi apenas física – começou pondo em sua voz o máximo de calor e confiança que pôde. – Nossa vida é espiritual; nosso trabalho é orar, cultuar a Deus e meditar. – Olhou em torno por um instante, procurando captar o maior número de olhos possível, certificando-se de que tinha a atenção de todos, e por fim disse: – Retornaremos a esse trabalho que nos caracteriza dentro de poucos dias, eu lhes prometo.

Philip fez uma pausa para deixar que suas palavras fossem plenamente entendidas, e a diminuição da tensão no depósito de gêneros foi quase tangível. Deu-lhes um momento e prosseguiu:

– Deus, em sua sabedoria, nos mandou um mestre construtor ontem, para nos ajudar durante a crise. Ele me assegurou que, se trabalharmos sob sua direção, teremos o claustro pronto para uso normal dentro de uma semana.

Houve um murmúrio contido de alegre surpresa.

– Receio que nossa igreja nunca mais venha a ser usada para serviços religiosos; terá que ser reconstruída, e isso tomará muitos anos, é claro. No entanto, Tom Construtor acredita que a cripta não tenha sido danificada. É consagrada, de modo que podemos realizar nossos cultos nela. Tom diz que pode torná-la segura uma semana após terminar o claustro. Desse modo, estão vendo que poderemos retornar à vida normal de oração a tempo para o Domingo da Quinquagésima.

Mais uma vez o alívio que todos sentiram foi audível. Philip viu que tivera êxito em sua pretensão de tranquilizá-los e de lhes transmitir confiança. No início da reunião estavam assustados e confusos; agora se mostravam calmos e esperançosos. O prior acrescentou:

– Os irmãos que se sentirem fracos demais para assumirem trabalhos físicos serão dispensados. Os irmãos que trabalharem o dia inteiro com Tom Construtor terão direito a carne vermelha e vinho.

Philip sentou-se. Remigius foi o primeiro a falar.

– Quanto teremos que pagar a esse construtor? – perguntou, desconfiado.

Podia-se confiar no subprior para tentar encontrar falhas.

– Nada, por enquanto – respondeu Philip. – Tom conhece a nossa pobreza. Trabalhará por casa e comida, para si próprio e para sua família, até que sejamos capazes de pagar seus salários. – Aquilo era ambíguo, e Philip percebeu; podia dar a entender que Tom não faria jus a salário enquanto o priorado não tivesse condições de pagar-lhe, ao passo que a verdade era que estariam lhe devendo a partir do primeiro dia em que trabalhasse, começando por aquele. Mas antes que Philip pudesse esclarecer sua declaração, Remigius falou de novo:

– E onde ele e sua família irão se alojar?

– Eu lhes dei a casa de hóspedes.

– Poderiam ficar com uma das famílias da aldeia.

– Tom nos fez uma oferta generosa – disse Philip, impaciente. – Somos afortunados em tê-lo. Não quero fazer com que durma se acotovelando com os porcos e cabras de alguém quando temos uma casa decente vazia.

– Há duas mulheres na sua família...

– Uma mulher e uma garota – corrigiu Philip.

– Uma mulher, então. Não queremos uma mulher vivendo no priorado!

Os monges resmungaram, irrequietos: não gostavam da insistência de Remigius.

– É perfeitamente normal que mulheres fiquem na casa de hóspedes – disse o prior.

— Não *aquela* mulher! – explodiu Remigius, parecendo se arrepender imediatamente.

Philip ficou preocupado.

— Conhece aquela mulher, irmão?

— Antigamente ela morava nesta região – respondeu Remigius, relutante.

Era a segunda vez que aquilo acontecia em relação à mulher do construtor, pensou Philip, intrigado. Waleran Bigod também ficara perturbado ao vê-la.

— O que há de errado com ela? – perguntou Philip.

Antes que Remigius pudesse responder, o irmão Paul, o velho monge que tomava conta da ponte, disse um tanto sonhadoramente: – Eu me lembro. Havia uma garota selvagem que vivia aqui por perto... Oh, deve ter sido há uns quinze anos. É de quem ela me faz lembrar; provavelmente é a mesma garota, crescida.

— Diziam que era uma bruxa – disse Remigius. – Não podemos ter uma bruxa vivendo no priorado!

— Não sei de nada a esse respeito – disse o irmão Paul, na mesma voz lenta e meditativa. – Qualquer mulher que vive como selvagem mais cedo ou mais tarde é chamada de feiticeira. Fazer uma afirmação não a torna verdadeira. Satisfaço-me em deixar que o prior Philip, em sua sabedoria, julgue se ela representa perigo.

— A sabedoria não aparece automaticamente com a assunção a um cargo monástico – retorquiu Remigius.

— É verdade – disse irmão Paul bem devagar. Depois olhou diretamente para Remigius e acrescentou: – Às vezes não aparece nunca.

Os monges riram daquela réplica, que foi mais engraçada ainda por vir de uma fonte inesperada. Philip teve de fingir que se aborrecera. Bateu palmas para que fizessem silêncio.

— Chega! – disse. – Estas questões são solenes. Interrogarei a mulher. Agora vamos tratar dos nossos deveres. Os que desejarem ser dispensados do trabalho podem se retirar para a enfermaria a fim de orar e meditar. Os demais, sigam-me.

Deixou o depósito de gêneros e contornou a parte de trás dos prédios da cozinha na direção da arcada sul que dava no claustro. Uns poucos monges abandonaram o grupo e se dirigiram para a enfermaria, entre eles Remigius e Andrew, o sacristão. Não havia nada de frágil em nenhum dos dois, pensou Philip, mas provavelmente causariam problemas se se juntassem à força de trabalho, de modo que ficou contente ao vê-los se afastando. A maioria dos monges seguiu Philip.

Tom já reunira os serventes do priorado e começara a trabalhar.

Estava em cima da pilha de escombros no pátio do claustro, com um pedaço de giz na mão, marcando pedras com a letra T, sua inicial.

Pela primeira vez na vida ocorreu a Philip perguntar-se de que modo pedras enormes como aquelas poderiam ser transportadas. Sem dúvida eram grandes demais para serem erguidas por um homem. Teve a resposta imediatamente. Colocavam-se duas varas lado a lado no chão e rolava-se uma pedra até repousar sobre ambas. Então duas pessoas pegavam nas extremidades e levantavam a pedra. Tom Construtor devia ter mostrado como fazer aquilo.

O trabalho avançava depressa, com a ajuda da maioria dos sessenta servos do priorado — uma corrente de pessoas carregando pedras para fora e voltando para pegar mais. Aquela visão animou Philip, que, silenciosamente, rezou uma ação de graças por Tom.

O construtor o viu e desceu da pilha de escombros. Antes de falar com Philip, dirigiu-se a um dos criados, o alfaiate que fazia os hábitos.

— Faça com que os monges comecem a carregar as pedras — instruiu ao homem. — Assegure-se de que só levem as que marquei, senão a pilha pode deslizar e matar alguém. — Depois se virou para o prior. — Marquei um número suficiente para mantê-los ocupados por um bom tempo.

— Para onde levam as pedras? — perguntou Philip.

— Venha que lhe mostrarei. Quero ver se as estão empilhando corretamente.

O prior acompanhou Tom. As pedras estavam sendo levadas para o lado leste do adro.

— Alguns dos criados terão que realizar seus deveres normais — disse Philip enquanto andavam. — Os cavalariços deverão cuidar dos cavalos, os cozinheiros, preparar refeições, assim como alguém tem que apanhar lenha, alimentar as galinhas e ir ao mercado. Mas nenhum deles trabalha demais, e posso ficar sem a metade. E, além dos servos, você terá cerca de trinta monges.

Tom assentiu com a cabeça.

— É o suficiente.

Passaram à face leste da igreja. Os homens estavam empilhando as pedras ainda mornas do incêndio de encontro à parede do adro, a poucas jardas da enfermaria e da casa do prior.

— As pedras antigas devem ser guardadas para a nova igreja — disse Tom. — Não serão usadas em paredes, porque pedras usadas não suportam bem a ação do tempo, mas servirão para os alicerces. Todas as pedras quebradas têm que ser guardadas também. Serão misturadas com argamassa e despejadas na cavidade entre a superfície externa e a interna das paredes novas.

— Entendo. — Philip ficou observando Tom ensinar os operários a empilhar as pedras alternadamente para que não caíssem. Já estava bem claro que sua perícia era indispensável.

Quando o construtor ficou satisfeito, o prior pegou-o pelo braço e levou-o a contornar a igreja, até o cemitério no lado norte. A chuva parara, mas as lápides ainda estavam molhadas. Os monges eram enterrados no lado leste do cemitério, e os aldeões, no oeste. A linha divisória era a saliência do transepto norte da igreja, agora em ruínas. Philip e Tom pararam. Um sol fraco irrompeu por entre as nuvens. Nada havia de sinistro nas vigas escurecidas pelo incêndio, à luz do dia, e Philip quase sentiu vergonha de ter pensado que vira um demônio ali na noite anterior.

— Alguns monges — disse ele — estão inquietos por haver uma mulher vivendo dentro dos limites do priorado. — A expressão de Tom não foi de simples ansiedade; parecia revelar medo, quase pânico. Ele realmente a ama, pensou Philip, que se apressou a continuar: — Mas não quero que vocês tenham que morar na aldeia, compartilhando uma choça com outra família. Para evitar problemas, seria conveniente que sua mulher tivesse um comportamento circunspeto. Diga-lhe para se conservar longe dos monges tanto quanto for possível, especialmente dos jovens, e manter o rosto coberto se caminhar pelo priorado. Acima de tudo, ela não deve fazer nada que incorra na suspeita de feitiçaria.

— Assim será feito — disse Tom. Havia uma nota de determinação na sua voz, mas ele parecia um pouco intimidado. Philip recordou que sua mulher tinha a língua afiada e pensava com a própria cabeça. Podia não aceitar afavelmente que lhe dissessem para se comportar com reserva. No entanto, sua família ainda na véspera estava na mais absoluta pobreza, de modo que era provável que visse tais restrições como um pequeno preço a pagar por abrigo e segurança.

Eles continuaram a andar. Na noite anterior Philip vira toda aquela destruição como uma tragédia sobrenatural, uma derrota terrível para as forças da civilização e da verdadeira religião, um golpe capaz de derrubar o trabalho de sua vida. Agora parecia tão somente um problema que tinha de ser resolvido — formidável, sim; até mesmo apavorante; mas não sobre-humano. A mudança se devia sobretudo a Tom. O prior sentiu-se grato a ele.

Chegaram ao canto oeste. Philip viu um cavalo veloz sendo selado no estábulo, e perguntou-se quem estaria saindo em viagem logo naquele dia. Deixou que o construtor voltasse ao claustro enquanto ele próprio foi até o estábulo para investigar.

Fora um dos auxiliares do sacristão que mandara selar o cavalo: o jovem Alan, que tinha salvado a arca do tesouro na casa do cabido.

— Aonde você vai, meu filho? — perguntou Philip.

— Ao palácio do bispo — respondeu Alan. — O irmão Andrew me mandou apanhar velas, água benta e a hóstia, já que perdemos todas essas coisas no incêndio e vamos ter os ofícios de novo assim que for possível.

Aquilo tinha sentido. Todos os suprimentos religiosos ficavam trancados numa caixa, no coro, e sem dúvida ela pegara fogo. Philip ficou satisfeito com o fato de o sacristão estar sendo previdente, para variar.

— Muito bem — disse. — Mas espere um pouco. Se vai ao palácio, pode levar uma carta minha para o bispo Waleran. — O astuto arcediago era agora o bispo, graças a uma manobra um tanto indecorosa, mas o prior não podia retirar seu apoio, e era obrigado a tratar Waleran Bigod como seu bispo. — Tenho que lhe mandar um relatório sobre o incêndio.

— Sim, padre — respondeu Alan —, mas já tenho uma carta para o bispo escrita por Remigius.

— Oh! — Philip ficou surpreso. Tratava-se de uma demonstração de grande iniciativa da parte de Remigius, pensou.

— Está bem — disse para Alan. — Viaje cautelosamente e que Deus o acompanhe.

— Muito obrigado, padre.

O prior caminhou de volta na direção da igreja. Remigius tinha sido rápido demais. Por que ele e o sacristão estariam com tanta pressa? Aquilo era o suficiente para deixá-lo um pouco inquieto. Seria a carta apenas a respeito do incêndio da igreja? Ou conteria algo mais?

Parou no meio do gramado e se virou, olhando para trás. Estaria perfeitamente dentro dos seus direitos pegar a carta e ler. Mas era tarde demais: Alan estava atravessando o portão a trote. Philip o seguiu com o olhar, sentindo-se um pouco frustrado. Naquele momento, a mulher de Tom saiu da casa de hóspedes carregando uma caixa, presumivelmente com as cinzas da lareira. Ela seguiu na direção da esterqueira, junto ao estábulo. Philip a observou. O modo como caminhava era agradável, como a andadura de um bom cavalo.

Pensou de novo na carta de Remigius a Waleran. Fosse como fosse, não conseguia se libertar de uma suspeita intuitiva, mas nem por isso menos preocupante — a de que o assunto principal da carta não era, de fato, o incêndio.

Por nenhuma razão suficientemente boa, teve absoluta certeza de que a carta era acerca da mulher de Tom.

3

Jack acordou com o primeiro canto do galo. Abriu os olhos e viu Tom se levantando. Ficou deitado, imóvel, e, pelo barulho, soube que urinava do lado de fora, em frente à porta. Teve vontade de ocupar o lugar quente que ele deixara e aninhar-se nos braços da mãe, mas sabia que o garoto mais velho zombaria impiedosamente se o fizesse e por isso ficou onde estava. Tom entrou de novo e sacudiu Alfred.

Pai e filho beberam a cerveja que restara do jantar da noite anterior, comeram um pouco de pão velho e saíram. Sobrou ainda um pouco de pão, e Jack teve esperança de que naquele dia o deixassem, mas ficou desapontado; Alfred o levou, como fazia sempre.

O rapaz trabalhava na obra o dia inteiro com Tom. Jack e a mãe às vezes iam para a floresta durante o dia. Ellen instalava armadilhas enquanto Jack ia caçar patos com sua funda. Tudo o que apanhavam vendiam aos aldeões ou ao despenseiro, Cuthbert. Era sua única fonte de renda, já que Tom não estava sendo pago. Com o dinheiro compravam tecido, couro ou sebo, e nos dias em que não iam para a floresta Ellen fazia sapatos, roupas de baixo, velas ou gorros, enquanto Jack e Martha brincavam com as crianças da aldeia. Aos domingos, após o culto, sua mãe e Tom gostavam de se sentar junto da lareira, conversando. Às vezes começavam a se beijar e Tom enfiava a mão por baixo do manto dela, e então mandavam as crianças sair um pouco e trancavam a porta. Era a pior hora da semana; Alfred ficava de mau humor e perseguia os mais moços.

Aquele era um dia comum, no entanto, e o rapaz ficaria ocupado até a noite. Jack levantou-se e saiu. Estava frio, mas seco. Martha apareceu poucos momentos depois. As ruínas da catedral já fervilhavam de homens carregando pedras, removendo escombros, construindo suportes de madeira para paredes instáveis e demolindo as que não podiam ser salvas.

Havia uma concordância geral, entre aldeões e monges, de que o fogo tinha sido ateado pelo demônio, e por longos períodos Jack chegava realmente a se esquecer que fora ele quem incendiara a igreja. Quando se lembrava, primeiro levava um susto e depois se sentia extraordinariamente satisfeito consigo. Correra um risco terrível, mas conseguira escapar incólume e salvara a família da morte pela fome.

Os monges comiam primeiro, e os trabalhadores leigos nada recebiam enquanto não começasse a reunião do cabido. Era uma espera horrivelmente longa para Martha e Jack. O garoto acordava sempre faminto, e o ar frio da manhã aumentava seu apetite.

— Vamos para o pátio da cozinha — sugeriu ele. Os ajudantes talvez lhes dessem umas migalhas. Martha concordou prontamente; achava-o maravilhoso e concordaria com qualquer coisa que sugerisse.

Ao chegarem à cozinha, descobriram que o irmão Bernard, encarregado da padaria, estava fazendo pão. E porque seus auxiliares estavam todos trabalhando na obra, era ele mesmo quem tinha que carregar a lenha. Era um homem jovem, mas um tanto gordo, e bufava e suava debaixo de uma braçada de achas.

— Deixe-nos apanhar a lenha, irmão — ofereceu Jack.

Bernard largou a braçada de lenha ao lado do forno e deu para Jack a cesta larga e rasa.

— Bons meninos — arquejou. — Deus há de abençoá-los.

Jack pegou a cesta e as duas crianças correram até a pilha de lenha atrás da cozinha. Encheram a cesta e uniram as forças para carregar todo aquele peso.

Quando voltaram, o fogo já estava quente, e Bernard esvaziou a cesta diretamente no fogo e mandou-os apanhar mais. Os braços de Jack doíam, mas seu estômago doía ainda mais, e ele se apressou a encher a cesta novamente.

Na segunda vez que voltaram Bernard estava pondo minúsculos montinhos de massa numa bandeja.

— Tragam-me mais uma cesta e vocês terão bolinhos quentes — disse. A boca de Jack encheu-se de água.

Colocaram bastante lenha na cesta dessa vez, e voltaram caminhando com dificuldade, cada um segurando uma alça. Ao se aproximarem do pátio encontraram Alfred com um balde na mão, presumivelmente indo buscar água no canal que, saindo do moinho, atravessava o gramado até desaparecer dentro da terra na cervejaria. O rapaz odiava ainda mais Jack, desde que este pusera o passarinho morto na sua cerveja. Normalmente o menino faria casualmente uma volta e seguiria por outro caminho quando visse o filho de Tom. Naquele momento, chegou a pensar em deixar cair a cesta e sair correndo, mas achou que ia parecer covardia, além disso, podia sentir a fragrância do pão fresco e estava esfaimado, de modo que apertou o passo, com o coração na boca.

Alfred riu ao vê-los lutando com um peso que poderia facilmente carregar sozinho. As duas crianças menores desviaram-se o mais que puderam, mas ele deu dois passos na sua direção e empurrou Jack, derrubando-o. O menino caiu sentado com toda a força, machucando a espinha. Largou o seu lado da cesta e toda a lenha se espalhou no chão. Seus olhos se encheram de lágrimas, mais de raiva que de dor. Era tão injusto que Alfred pudesse fazer uma coisa daquelas, sem provocação, e na mais completa impunidade! Levantou-se e, pacientemente, pôs a lenha de novo na cesta, fingindo, por causa de Martha, não ligar para aquilo. Os dois pegaram a cesta de novo e continuaram o caminho da padaria. Ali tiveram sua recompensa. A bandeja de pãezinhos esfriava em cima de uma prateleira de pedra. Quando entraram, Bernard apanhou um e enfiou-o na boca.

— Estão bons — disse. — Sirvam-se. Mas cuidado: estão quentes.

As crianças pegaram um pãozinho cada uma. Jack mordeu o seu, experimentando, com medo de queimar a boca, mas estava tão delicioso que engoliu num segundo. Olhou os restantes — eram nove. Virou-se para o irmão Bernard, que riu.

— Sei o que você quer — disse. — Vá em frente, pegue tudo. Jack arregaçou o manto e embrulhou o resto dos pãezinhos. — Vamos levar para minha mãe — disse para Martha.

— Garoto bom está aí — elogiou Bernard. — Vão andando, então.

— Obrigado, irmão — disse Jack.

Deixaram a padaria e dirigiram-se para a casa de hóspedes. Jack vibrava de emoção. Sua mãe ficaria satisfeita com ele por ter arranjado tamanha iguaria. Quase cedeu à tentação de comer mais um, mas resistiu. Seria ótimo poder lhe dar um número grande.

Atravessavam o gramado quando encontraram Alfred de novo.

Evidentemente ele enchera o balde, retornara à obra onde o esvaziara e voltara para pegar mais água. Jack decidiu bancar o despreocupado e esperar que o outro o ignorasse. No entanto, o modo como carregava os pãezinhos, embrulhados na parte inferior do manto, era óbvio demais para disfarçar; mais uma vez Alfred virou-se na direção deles.

Jack teria lhe dado um, de boa vontade, mas sabia que o rapaz levaria todos, se tivesse uma chance, e saiu correndo em disparada.

O outro correu atrás e logo o alcançou. Esticou uma das pernas compridas e passou uma rasteira no menino, que se esparramou no chão. Os pãezinhos quentes se espalharam por toda parte.

Alfred pegou um, limpou a lama e o enfiou na boca. Seus olhos se arregalaram, de surpresa.

– Pão fresco! – disse. Começou a pegar os outros.

Jack levantou-se com a ajuda das mãos, tentou pegar um dos pãezinhos caídos, mas o rapaz golpeou-o violentamente com a palma da mão, derrubando-o de novo. Depois recolheu depressa o resto dos pãezinhos e saiu, mastigando. Jack desatou a chorar.

Martha mostrou-se compreensiva, mas não era compreensão o que Jack desejava; a humilhação que sentia é que, tanto quanto qualquer outra coisa, o fazia sofrer daquele modo. Afastou-se, e quando Martha o seguiu, virou-se para ela e disse:

– Vá embora!

A menina pareceu ficar magoada, mas se deteve e o deixou ir. Ele caminhou na direção das ruínas, enxugando as lágrimas na manga. Havia morte no seu coração. Destruí a catedral, pensou; posso matar Alfred.

Em torno das ruínas havia muita limpeza e arrumação naquela manhã. Jack se lembrou de que uma autoridade eclesiástica qualquer vinha inspecionar os danos.

A superioridade física de Alfred é que era enlouquecedora; podia fazer qualquer coisa que quisesse só por ser tão grande. O menino ficou caminhando por algum tempo, fervendo de raiva, desejando que Alfred estivesse na igreja quando todas aquelas pedras tinham caído.

Acabou por vê-lo de novo. Estava no transepto norte, enchendo uma carroça com fragmentos de pedra, cinzento de poeira. Perto da carroça havia uma viga do telhado que sobrevivera quase sem avarias, apenas chamuscada e preta de fuligem. Jack passou um dedo na sua superfície; traçou uma linha branca. Inspirado, escreveu: "Alfred é um porco."

Alguns dos homens viram. Ficaram surpresos com o fato de Jack saber escrever. Um rapaz perguntou:

– O que diz aí?

– Pergunte a Alfred – replicou o menino.

Alfred deu uma olhada e fechou a cara. Como Jack sabia muito bem, ele apenas era capaz de ler seu nome, mas não o resto. Ficou irritado. Tinha certeza de que estava sendo insultado, mas não sabia o que fora dito, o que já era humilhante em si. Estava fazendo papel de bobo. A raiva do menino amenizou-se um pouco. Alfred podia ser maior, mas Jack era mais esperto.

Ainda assim, ninguém sabia o que as palavras queriam dizer. Até que passou um noviço, leu o que Jack escrevera e sorriu.

– Quem é Alfred? – perguntou.

– Ele – disse o menino, indicando o outro com o polegar. Alfred parecia mais furioso, mas ainda não sabia o que fazer, de modo que se limitou a ficar apoiado na pá, com ar de parvo.

O noviço riu.

– Porco, hein? Então está cavando para quê? Para ver se encontra bolotas de carvalho para comer?

– Deve ser! – disse Jack, deleitado por haver encontrado um aliado.

Alfred largou a pá e tentou agarrar o menino.

Mas ele estava preparado, e saiu voando, como uma flecha disparada por um arco. O noviço esticou o pé para derrubá-lo – querendo talvez ser igualmente irritante para os dois lados –, mas Jack pulou-o agilmente e correu ao longo do que havia sido o coro, desviando-se das pilhas de escombros e saltando as vigas caídas do telhado. Ouvia os passos pesados e os grunhidos da respiração de Alfred às suas costas, e o medo lhe emprestou mais velocidade.

Um momento depois verificou que tinha corrido na direção errada. Não havia saída por aquele lado da catedral. Cometera um erro. Foi com o coração confrangido que percebeu que ia se machucar.

A metade superior da parede leste caíra, e as pedras haviam sido empilhadas de encontro ao que restava da parede. Não tendo mais para onde ir, Jack subiu na pilha com a ajuda das mãos, com Alfred no seu encalço. Quando chegou ali em cima, viu que tinha diante de si uma queda de uns quinze pés de altura. Hesitou, temerosamente, na beirada. Era alto demais para pular sem se machucar. Alfred tentou agarrar seu tornozelo. Jack perdeu o equilíbrio. Por um momento ficou com um pé em cima da parede e com o outro no ar, bracejando numa tentativa de recuperar o equilíbrio. Alfred agarrou o seu tornozelo. Jack sentiu que caía inexoravelmente do lado errado. O filho de Tom continuou segurando por mais um momento, desequilibrando-o mais ainda, e depois soltou. O menino tombou no vazio, incapaz de se endireitar, e ouviu a si próprio gritando. Caiu sobre o lado esquerdo do corpo. O impacto foi terrível. Por azar, bateu com o rosto numa pedra.

Tudo escureceu por um momento.

Quando abriu os olhos, viu que Alfred estava de pé junto dele – devia ter dado um jeito para descer da parede –, ao lado de um dos monges mais velhos. O menino reconheceu o monge; era o subprior. Remigius o encarou e disse:

– Levante-se, rapazinho.

Jack não tinha certeza se seria capaz. Não conseguia mover o braço esquerdo. O lado esquerdo do rosto estava dormente. Sentou-se. Pensara que fosse morrer e espantou-o ainda ser capaz de se mexer. Apoiando-se no braço direito, fez um doloroso esforço para se pôr de pé, apoiando a maior parte do peso na perna direita. Quando passou a dormência, começou a dor.

Remigius segurou-o pelo braço esquerdo. Jack gritou. Remigius o ignorou e puxou a orelha de Alfred. Provavelmente daria um terrível castigo para os dois, pensou o menino. No seu caso, a dor era tanta que nada tinha importância.

Remigius falou com Alfred:

– Agora, meu rapaz, por que está tentando matar seu irmão?

– Ele não é meu irmão – respondeu o rapaz.

A expressão de Remigius modificou-se.

– Não é seu irmão? – perguntou. – Vocês não têm o mesmo pai e a mesma mãe?

– *Ela* não é minha mãe – disse Alfred. – Minha mãe está morta.

Um ar astucioso surgiu no rosto do subprior.

– Quando foi que sua mãe morreu?

– No Natal.

– No Natal *passado*?

– Foi.

A despeito da dor que sentia, Jack pôde ver que Remigius, por algum motivo, estava intensamente interessado. A voz do monge tremia de excitação contida quando ele perguntou:

– Então só recentemente o seu pai conheceu a mãe deste menino?

– Sim.

– E desde que estão... juntos, já procuraram um padre, para terem sua união sacramentada?

– Hum... Não sei. – Alfred não compreendera aquelas palavras, Jack era capaz de garantir. Aliás, ele também não entendera.

Remigius ficou impaciente.

– Muito bem, eles se casaram?

– Não.

– Compreendo. – Remigius pareceu ficar satisfeito, embora Jack tivesse pensando que iria se aborrecer. O rosto do monge, sem dúvida, tinha um ar de satisfação. Ele ficou silencioso e pensativo por um momento, e depois pareceu se lembrar dos dois garotos.

"Bem, se vocês querem continuar aqui no priorado e comer o pão dos monges, não briguem, mesmo que não sejam irmãos. Nós, homens de Deus, não devemos ver derramamento de sangue; esta é uma das razões pelas quais levamos uma vida afastada do mundo." Com este pequeno discurso soltou a ambos e foi embora. Finalmente Jack pôde correr para sua mãe.

Foram necessárias três semanas, e não duas, mas Tom conseguira aprontar a cripta para ser usada como igreja de emergência, e nesse dia o bispo viria oficiar o primeiro culto. O claustro fora limpo dos escombros, e Tom reparara as partes danificadas: claustros eram estruturas simples, apenas calçadas cobertas, e o trabalho fora fácil. O resto da igreja, na quase totalidade, não passava de montes de ruínas, com algumas das paredes ainda de pé correndo o risco de cair, mas Tom abrira uma passagem pelo claustro e pelo que fora o transepto sul até a escada da cripta.

Tom olhou em torno. A cripta tinha um bom tamanho, grande o bastante para os cultos dos monges.

Era um aposento bastante escuro, com pilares grossos e teto baixo abobadado, mas solidamente construído, motivo pelo qual escapara do incêndio. Tinham trazido uma mesa de cavalete para ser usada como altar e os bancos do refeitório para acomodar os monges. Quando o sacristão trouxesse as toalhas bordadas do altar e os candelabros ornados com pedras preciosas, ficaria ótimo.

Com o reinício dos cultos, a força de trabalho de Tom se reduziria. Um grande número de monges retornaria à sua vida de oração, assim como muitos dos que trabalhavam voltariam às tarefas agrícolas ou administrativas. Tom ainda assim disporia da metade dos servos do priorado. O prior Philip adotara uma linha dura com eles. Achava que seu número era excessivo, e estava pronto para demitir os que não se mostrassem dispostos a se transferir dos seus deveres como cavalariços ou auxiliares de cozinha. Uns poucos haviam ido embora, mas a maioria continuara.

O priorado já devia a Tom três semanas de salário. Como um mestre construtor fazia jus a quatro pence por dia, isso significava um total de setenta e dois pence. A cada dia que se passava a dívida aumentava e se tornava mais e mais difícil para Philip pagar a Tom e mandá-lo embora. Depois de cerca de seis meses o construtor pediria ao prior que começasse a pagar-lhe. A essa altura já teria a seu crédito duas libras e meia de prata, que Philip precisaria arranjar para dispensar Tom. A dívida fazia com que se sentisse seguro.

Havia inclusive uma chance – na qual ele praticamente não se atrevia a pensar – de que aquele serviço prosseguisse pelo resto de sua vida. Afinal de contas, tratava-se de uma catedral, e se os poderosos decidissem construir uma igreja que lhes trouxesse prestígio e conseguissem arranjar o dinheiro para pagar por ela, poderia ser a maior obra no reino, empregando dezenas de pedreiros por diversas décadas.

Na verdade, porém, era um exagero nutrir esperanças a esse respeito. Conversando com os monges e os aldeões, Tom descobrira que Kingsbridge nunca fora uma catedral importante. Escondida numa aldeia modesta, tivera uma série de bispos desambiciosos e estava, claramente, em lento declínio. O priorado não tinha nada que o notabilizasse e era pobre. Alguns mosteiros atraem a atenção de reis e arcebispos por sua generosa hospitalidade, pelas escolas excelentes, pelas grandes bibliotecas, pelas pesquisas efetuadas pelos seus monges-filósofos ou pela erudição de seus priores e abades; Kingsbridge, contudo, não tinha nenhuma dessas marcas. Tudo indicava que o prior Philip fosse construir uma igreja pequena, simples e equipada modestamente, numa obra que não poderia levar mais que dez anos.

O que, no entanto, servia com perfeição a Tom.

Ele percebera, antes mesmo de as ruínas escurecidas pelo fogo esfriarem, que aquela era a chance que tinha de construir a sua catedral.

O prior já se convencera de que Deus mandara Tom a Kingsbridge. O construtor sabia que conquistara sua confiança pelo modo eficiente como iniciara o processo de limpeza e tornara o priorado viável de novo. Quando o momento fosse apropriado, começaria a falar sobre o projeto da nova igreja. Se manejasse a situação com cuidado, haveria enorme probabilidade de que Philip lhe pedisse para fazer os desenhos. O fato de a nova igreja possivelmente vir a ser uma construção modesta tornava ainda mais provável que seu projeto fosse confiado a Tom, e não a outro mestre com mais experiência na construção de catedrais. Eram grandes as esperanças dele.

O sino tocou para o cabido. Indicava também que os trabalhadores leigos deviam entrar para o desjejum. Tom saiu da cripta e dirigiu-se para o refeitório. No caminho foi detido por Ellen.

Ela parou agressivamente na frente dele, como que para barrar-lhe o caminho, com um brilho estranho nos olhos. Martha e Jack estavam com a mãe. A aparência do menino era horrível: tinha um olho fechado e o lado esquerdo do rosto arranhado e intumescido, e se apoiava na perna direita, como se a esquerda não pudesse suportar nenhum peso. Tom sentiu pena do menino.

– O que aconteceu com você? – perguntou.

– Alfred fez isto – respondeu Ellen.

Tom resmungou intimamente. Por um momento sentiu vergonha de Alfred, muito maior que Jack. Mas o menino não era nenhum anjinho. Talvez seu filho tivesse sido provocado. Tom olhou em torno, procurando o filho, e o viu caminhando na direção do refeitório, coberto de poeira.

— Alfred! — berrou. — Venha cá.

O rapaz virou-se, viu o grupo e aproximou-se lentamente, com ar de culpa.

— Foi você que fez isto? — perguntou Tom.

— Ele caiu de uma parede — respondeu Alfred, emburrado.

— Você o empurrou?

— Eu estava correndo atrás dele.

— Quem começou?

— Jack me xingou.

— Eu o chamei de porco porque tirou nosso pão — disse o menino, os lábios inchados.

— Pão? — disse Tom. — Onde arranjaram pão antes do desjejum?

— Bernard Padeiro deu para nós. Apanhamos a lenha para ele.

— Vocês deviam ter compartilhado com Alfred — disse Tom.

— Eu teria dado para ele.

— Então por que fugiu? — quis saber Alfred.

— Eu estava levando para minha mãe — protestou Jack. — Alfred comeu tudo!

Catorze anos criando filhos haviam ensinado a Tom que não adiantava querer descobrir quem tinha razão numa briga de crianças.

— Vão comer, vocês três, e se houver mais alguma briga hoje, Alfred, você terminará o dia com a cara feito a de Jack... eu me encarregarei disso. Sumam daqui!

As crianças foram embora.

Tom e Ellen seguiram, caminhando mais devagar. Após um momento Ellen perguntou:

— Isso é tudo o que você vai dizer?

O construtor olhou para ela. Ainda estava furiosa, mas não havia nada que pudesse fazer. Deu de ombros.

— Como sempre, as duas partes são culpadas.

— Tom! Como pode dizer uma coisa dessas?

— Um é tão culpado quanto o outro.

— Alfred tomou o pão deles. Jack o chamou de porco... o que não tira sangue de ninguém!

Tom sacudiu a cabeça.

— Meninos sempre brigam. A gente pode passar a vida inteira funcionando como juiz nas brigas deles. O melhor é não dar importância.

— Isso não vai resolver — retrucou ela, num tom de voz perigoso. — Examine o rosto de Jack e depois o de Alfred. Não é o resultado de uma briga de crianças. O que aconteceu foi o ataque maldoso de um adulto contra um menino pequeno.

Tom ficou ressentido com a atitude de Ellen. Alfred não era perfeito, sabia, mas o filho dela também não era. Não queria que o menino se tornasse o favorito da família, estragado por mimos.

— Alfred não é adulto, só tem catorze anos. Mas está trabalhando. Contribui para o sustento da família, e Jack não. Passa o dia inteiro brincando, como uma criança. Na minha cabeça, isso significa que deveria tratar Alfred com respeito. O que ele não faz, como você terá notado.

— Não me importa! — explodiu Ellen. — Você pode dizer o que quiser, mas o meu filho está muito machucado, e poderia ter sido bem pior; *eu não vou tolerar isso!* — Ela começou a chorar. Mais calma, porém ainda furiosa, acrescentou: — Ele é meu filho e não posso tolerar vê-lo desse jeito!

Tom compreendeu Ellen, e sentiu-se tentado a confortá-la, mas teve medo de ceder. Sentia que aquela conversa talvez marcasse um momento crítico. Vivendo com sua mãe e mais ninguém, Jack sempre fora superprotegido. Tom não admitia protegê-lo contra os choques naturais do dia a dia. Seria um precedente que poderia causar problemas intermináveis no futuro. Na verdade, sabia que dessa vez Alfred fora longe demais, e secretamente estava resolvido a fazer o filho deixar Jack em paz; contudo, não seria bom dizê-lo.

— Pancadas fazem parte da vida — disse para Ellen. — Jack tem que aprender a aguentar firme ou a evitá-las. Não posso passar a vida protegendo-o.

— Mas poderia protegê-lo do valentão do seu filho!

Tom estremeceu. Detestou ouvi-la chamar Alfred de valentão.

— Poderia, mas não vou — retrucou, furioso. — Jack tem de aprender a se proteger.

— Oh, vá para o inferno! — exclamou Ellen e, virando-se, afastou-se.

Tom entrou no refeitório. A cabana de madeira onde os trabalhadores leigos normalmente faziam as refeições tinha sido danificada pela queda da torre sudoeste, de modo que agora comiam no refeitório, depois dos monges. Sentou-se longe de todo mundo, sentindo-se insociável. Um auxiliar da cozinha lhe trouxe uma jarra de cerveja e umas fatias de pão numa cesta. Mergulhou o pão na bebida para amolecê-lo e começou a comer.

Alfred era um rapaz grande, com muita energia, pensou afetuosamente. Deixou escapar um suspiro. O garoto tinha mesmo qualquer coisa de valentão, no fundo ele sabia, mas se acalmaria com o tempo. Até lá, não ia obrigar os filhos a dar tratamento especial a um recém-chegado. Já haviam passado por muita coisa na vida. Perderam a mãe, foram forçados a percorrer as estradas, quase morreram de fome. Não ia impor-lhes mais problemas, se pudesse evitar. Eles mereciam um pouco de tolerância. Jack simplesmente teria que sair do caminho de Alfred. Não ia morrer por causa disso.

Um desacordo com Ellen sempre deixava Tom contristado. Já haviam brigado diversas vezes, em geral por causa das crianças, embora aquela tivesse sido sua pior briga, sem termos de comparação com as anteriores. Quando Ellen fechava a cara e demonstrava toda a sua hostilidade, não era capaz de recordar como fora, apenas um pouco antes, sentir-se arrebatadamente apaixonado por ela: parecia uma pessoa estranha e furiosa que se intrometera na sua vida pacífica.

Nunca tivera brigas tão furiosas e amargas com a primeira mulher. Olhando para trás, a impressão que tinha era de que ele e Agnes haviam concordado sobre todas as coisas importantes, e que, ao discordarem, não se enraiveciam. Tal como deveria ser entre marido e mulher. Ellen deveria assumir que não podia fazer parte de uma família e continuar agindo como bem entendesse.

Nem mesmo quando estava muito enfurecida ele desejara que fosse embora, mas, mesmo assim, não raro pensava em Agnes com saudade. Ela estivera em sua companhia pela maior parte de sua vida de adulto, e agora tinha, a todo momento, a sensação de que faltava alguma coisa. Enquanto viva, nunca pensara ser particularmente afortunado por tê-la, ou se sentira agradecido a ela; mas agora que estava morta, sentia sua falta e tinha vergonha por havê-la considerado quase como propriedade sua.

Nos momentos mais calmos do dia, quando todos os homens já tinham recebido suas instruções e estavam trabalhando, e Tom podia se dedicar a uma tarefa que demandava mais perícia, como reconstruir um pedaço de parede do claustro ou reparar uma pilastra da cripta, às vezes se entretinha em conversas imaginárias com Agnes. Quase sempre lhe falava sobre Jonathan, o bebê deles. Via-o quase todos os dias, sendo alimentado na cozinha, levado ao claustro ou posto para dormir no dormitório dos monges. Parecia perfeitamente saudável e feliz, e ninguém, exceto Ellen, sabia, ou suspeitava, que Tom tivesse um interesse especial por ele. Também falava com Agnes sobre Alfred, sobre o prior Philip e até mesmo sobre Ellen, explicando seus sentimentos por eles, como teria feito – exceto no caso da mulher – se estivesse viva. Falava também de seus planos práticos para o futuro; de sua esperança em permanecer empregado ali por muitos anos, e do seu sonho de projetar e construir a nova catedral. Na sua cabeça, ele ouvia suas respostas e perguntas. Em diferentes ocasiões mostrava-se satisfeita, encorajadora, fascinada, desconfiada ou desaprovadora. Às vezes sentia que estava certa, às vezes, errada. Se houvesse comentado com alguém essas conversas, diriam que estava se comunicando com um fantasma, e teria havido uma procissão de padres, água benta e exorcismo; mas ele sabia que não havia nada de sobrenatural naquilo. Apenas a conhecia tão bem que era capaz de imaginar como se sentiria e o que diria praticamente em qualquer situação.

Às vezes aparecia sem ter sido convidada. Quando descascava uma pera para a pequena Martha, lembrava-se de como ria dele por fazer tanta questão de tirar a casca por inteiro. Sempre que precisava escrever alguma coisa se lembrava dela, pois lhe ensinara tudo o que aprendera com o pai, o padre; e sempre se lembraria de quando lhe mostrara como fazia a ponta numa pena de escrever, ou lhe dissera como soletrar "*caementarius*", a palavra latina para "pedreiro". Quando lavava o rosto aos domingos, esfregava sabão na barba e recordava como, quando jovens, ela lhe ensinara que lavando a barba conservaria o rosto livre de piolhos e furúnculos. Nunca se passava um dia sem que um pequeno incidente desse tipo a trouxesse vividamente à sua lembrança.

Sabia que era sorte ter Ellen. Não havia perigo em tomá-la como sua. Era uma pessoa única: existia algo de incomum nela, justamente o que a tornava magnética. Era-lhe grato por tê-lo consolado em sua dor, na manhã que se seguiu à morte de Agnes; porém, às vezes desejava tê-la conhecido alguns dias – em vez de algumas horas depois de ter enterrado sua mulher, para que tivesse tido tempo de sofrer sozinho. Não haveria respeitado um período regular de luto – coisa para lordes e monges, não para gente comum –, mas teria tido tempo de se acostumar com a ausência de Agnes antes de começar a se habituar a viver com Ellen. Tais pensamentos não lhe haviam ocorrido nos primeiros dias, quando a ameaça de inanição se combinara com a excitação sexual de Ellen para produzir uma espécie de exaltação de fim de mundo. Mas desde que encontrara trabalho e segurança, começara a sentir pontadas de arrependimento. E às vezes parecia que, quando pensava desse jeito sobre Agnes, não estava somente sentindo falta dela, mas também lamentando a passagem da própria juventude. Nunca mais seria novamente tão ingênuo, agressivo, faminto ou forte como quando se apaixonara por Agnes.

Terminou o pão e deixou o refeitório à frente dos outros. Foi para o claustro. Estava satisfeito com seu trabalho ali: era difícil imaginar agora como o quadrângulo ficara enterrado sob um monte de entulho três semanas antes. Os únicos sinais remanescentes da catástrofe eram algumas pedras rachadas do pavimento, para as quais não conseguira encontrar reposição.

Havia muita poeira por toda parte, contudo. Teria que fazer com que o claustro fosse varrido de novo e depois borrifado com água. Caminhou pela igreja em ruínas. No transepto norte viu uma viga empretecida pelo fogo com alguma coisa escrita na fuligem. Leu vagarosamente: "Alfred é um porco." Então fora aquilo que enfurecera seu filho. Um bocado da madeira da estrutura do telhado não fora reduzida a cinzas, e havia vigas como aquela por toda parte. Tom decidiu que mandaria um grupo de homens recolher tudo e levar para o depósito de lenha. "Deixe o lugar da obra bem arrumado", dizia Agnes quando alguém importante iria fazer uma visita. "Você vai querer que eles se sintam contentes por terem Tom como encarregado." Sim, querida, pensou ele, sorrindo intimamente enquanto retornava ao trabalho.

A comitiva de Waleran Bigod foi vista a uma milha, atravessando o campo. Eram três pessoas, exigindo bastante de seus cavalos, Waleran seguia na frente, num corcel negro, o hábito também preto esvoaçando atrás de si. Philip e os decanos do convento esperavam próximo do estábulo para lhes darem as boas-vindas.

O prior não estava seguro de como tratar Waleran. Ele o enganara, sem sombra de dúvida, não lhe dizendo que o bispo estava morto; quando a verdade viera à tona, porém, não parecera nem um pouco envergonhado, e Philip não soubera o que lhe dizer. Ainda não tinha certeza, mas suspeitava de que não havia nada a ganhar se se queixasse. De qualquer forma, todo aquele episódio fora ofuscado pela catástrofe do incêndio. Teria que ser extremamente cauteloso com Waleran no futuro.

O cavalo do bispo era um garanhão, espantadiço e nervoso, a despeito de já ter cavalgado diversas milhas. Ele conservou a cabeça do animal baixa com dificuldade quando o conduziu para o estábulo. Philip desaprovava aquilo; não havia necessidade de um religioso fazer bela figura a cavalo, e a maioria dos homens de Deus escolhiam montarias mais calmas.

Waleran saltou do cavalo com um movimento desembaraçado e deu as rédeas a um cavalariço. Philip cumprimentou-o formalmente. O bispo virou-se e examinou as ruínas. Uma expressão desolada surgiu nos seus olhos.

— Foi um incêndio caro, Philip — disse ele. Parecia genuinamente angustiado, de certa forma, para surpresa do prior.

Antes que este pudesse responder, Remigius interveio:

— Obra do demônio, senhor bispo — disse.

— Foi mesmo? — retrucou Waleran. — Na minha experiência, o demônio geralmente é ajudado numa coisa dessas por monges que acendem fogos na igreja para se defenderem do frio das matinas, ou que descuidadamente deixam velas acesas na torre da igreja.

Philip achou graça por ver Remigius esmagado, mas não podia deixar passar as insinuações de Bigod.

— Fiz uma investigação sobre as possíveis causas do incêndio — disse. — Ninguém acendeu o fogo na igreja naquela noite. Tenho certeza porque estava presente nas matinas. E há meses ninguém sobe ao telhado.

— Então... qual é a sua explicação? Um raio? — disse Waleran ceticamente.

Philip sacudiu a cabeça.

— Não houve tempestade. O fogo parece ter se iniciado nas proximidades da interseção. Nós deixamos uma vela acesa no altar após o culto, como é usual. É possível que a toalha tenha pegado fogo, e uma centelha, levada pelo vento até o teto, que era velho, de madeira. — Philip deu de ombros. — Não é uma explicação muito satisfatória, mas é a melhor que temos.

Waleran fez que sim.

— Vamos dar uma olhada mais de perto nos danos.

Eles se dirigiram para a igreja. Os dois companheiros de Waleran eram um homem de armas e um jovem padre. O homem de armas deixou-se ficar para trás a fim de cuidar do cavalo. O padre acompanhou Waleran e foi apresentado a Philip como o deão Baldwin. Quando todos atravessavam o gramado que os separava da igreja, Remigius pegou no braço de Waleran, detendo-o, e disse:

— A casa de hóspedes está incólume, como pode ver.

Todos pararam e se viraram. Philip perguntou-se, irritado, em que Remigius estaria pensando. Se a casa de hóspedes não tinha sofrido avarias, por que fazer com que todos parassem e olhassem para ela? A mulher do construtor aproximava-se, vinda da região da cozinha, e todos a viram entrar na casa. Philip reparou em Waleran. Ele parecia ligeiramente chocado. Lembrou-se de quando, no palácio do bispo, Bigod a vira e parecera quase assustado. O que haveria com aquela mulher?

Waleran dirigiu a Remigius um rápido olhar e balançou a cabeça quase imperceptivelmente. Depois se virou para Philip e perguntou:

— Quem está morando aí?

O prior tinha quase certeza de que ele a reconhecera, mas respondeu:

— Um mestre construtor e sua família.

Waleran assentiu e todos seguiram em frente. Philip sabia agora por que Remigius chamara a atenção para a casa de hóspedes: quis assegurar-se de que Waleran ia ver a mulher. Philip decidiu que a interrogaria na primeira oportunidade.

Entraram nas ruínas. Um grupo de sete ou oito homens, constituído por monges e servos do priorado em números praticamente iguais, erguia uma viga do telhado meio queimada, sob a supervisão de Tom. Havia atividade por toda parte, mas o lugar estava limpo e arrumado. Philip sentiu que o ar de operosidade eficiente lhe dava crédito, mesmo que o responsável fosse Tom.

O construtor veio ao encontro deles. Era muito mais alto que qualquer um.

— Este é o nosso mestre construtor, Tom — disse Philip para Waleran. — Já deu um jeito de tornar o claustro e a cripta utilizáveis de novo. Nós lhe somos muito gratos.

— Eu me lembro de você — disse Waleran a Tom. — Foi me procurar logo depois do Natal. Eu não tinha trabalho para lhe dar.

— Isso mesmo — confirmou o construtor, na sua voz grave e áspera. — Talvez Deus estivesse me guardando para ajudar o prior Philip na sua dificuldade.

— Um construtor que também é teólogo — zombou Waleran.

Tom ficou ligeiramente enrubescido sob a pele empoeirada. Philip achou que Bigod precisava ter muito sangue-frio para fazer pouco de um homem tão grande, muito embora fosse bispo e Tom, um simples pedreiro.

— Qual é o seu próximo passo aqui? — quis saber Waleran.

— Temos que tornar o lugar seguro, derrubando as paredes remanescentes, antes que caiam em cima de alguém — respondeu o construtor, submisso. — Depois é limpar tudo, preparando a área onde será construída a nova igreja. Assim que for possível, arranjaremos árvores altas para as vigas do telhado... quanto mais tempo a madeira secar, melhor será ele.

— Antes de começarmos a derrubar árvores por aí — apressou-se Philip a dizer —, teremos que arranjar o dinheiro para pagar por elas.

— Falaremos sobre isso mais tarde — disse Waleran enigmaticamente.

Sua observação intrigou Philip. Esperava que o bispo tivesse um esquema para erguer a nova igreja. Se o priorado fosse obrigado a contar apenas com os próprios recursos, não teria como dar início à obra antes de muitos anos. Philip vinha se torturando com aquilo há três semanas, e ainda não atinara com uma solução.

Liderou o grupo ao longo do caminho que fora aberto por entre os escombros, até o claustro. Um olhar foi suficiente para que Waleran visse que aquela área tinha sido posta em ordem. Seguiram em frente e cruzaram o gramado para a casa do prior, no canto sudeste do adro.

Uma vez do lado de dentro, Waleran tirou a capa e se sentou, mantendo as mãos brancas diante do fogo. O irmão Milius, o cozinheiro, serviu vinho quente aromatizado em tigelinhas de madeira. Waleran tomou um gole e perguntou a Philip:

— Já lhe ocorreu que Tom Construtor pode ter começado o incêndio para arranjar trabalho?

— Sim, já pensei nisso — disse Philip. — Mas não penso que o tenha feito. Precisaria ter entrado na igreja, que estava trancada com toda a segurança.

— Podia ter entrado durante o dia e se escondido lá dentro.

— Nesse caso teria sido incapaz de sair, após iniciar o incêndio — disse, sacudindo a cabeça. Aquela não era a verdadeira razão pela qual estava certo de Tom ser inocente. — De qualquer forma, não creio que seja capaz de uma coisa dessas. É um homem inteligente, muito mais do que se possa pensar à primeira vista, mas não é dissimulado. Se fosse culpado, acho que eu teria visto no seu rosto, quando o encarei e perguntei como pensava que o incêndio poderia ter começado.

Para surpresa de Philip, Waleran concordou imediatamente.

— Acredito que você tenha razão. Seja como for, não consigo imaginá-lo ateando fogo a uma igreja. Não tem o tipo.

— Talvez não saibamos nunca como o fogo começou — disse Philip. — Mas precisamos enfrentar o problema de levantar o dinheiro para construir uma igreja nova. Não sei...

— Sim — interrompeu Waleran, e ergueu uma das mãos para calá-lo. Virou-se para os outros ali presentes. — Tenho que falar com o prior Philip a sós — disse. — O resto pode sair.

Philip ficou intrigado. Não podia imaginar por que Waleran tinha que falar sozinho com ele sobre aquilo.

Remigius levantou a voz.

— Antes de irmos, senhor bispo, há algo que os irmãos me pediram para lhe dizer.

Philip pensou: O que será agora?

Waleran ergueu uma cética sobrancelha.

— E por que iriam pedir a você, e não ao seu prior, para tratar de assuntos comigo?

— Porque o prior é surdo à reclamação deles.

Philip sentiu-se furioso e aturdido. Não tinha havido nenhuma queixa. Remigius estava apenas tentando embaraçá-lo, criando uma cena diante do bispo. Teve a atenção despertada por um olhar indagador de Waleran. Deu de ombros e tentou parecer despreocupado.

— Mal posso esperar para saber de que se trata a queixa — disse.

— Por favor, irmão Remigius, prossiga, desde que esteja bastante seguro de que se trata de assunto suficientemente importante para requerer a atenção do bispo.

— Há uma mulher vivendo no priorado — disse Remigius.

— Não me venha com isso de novo — disse Philip, exasperado. — É a mulher do construtor e está morando na casa de hóspedes.

— Ela é feiticeira — disse o subprior.

Philip perguntou-se por que motivo Remigius estaria fazendo aquilo. Já cismara com o mesmo assunto uma vez, e não dera em nada. O problema era passível de discussão, mas a autoridade era o prior, e Waleran devia apoiá-lo, a menos que quisesse ser chamado toda vez que Remigius discordasse do seu superior. Abatido, Philip disse:

— Ela não é feiticeira.

— Você a interrogou? — perguntou o subprior.

Philip lembrou que prometera interrogá-la. Nunca o fizera: vira o marido e lhe dissera para falar com sua mulher para que se comportasse discretamente, mas não chegara a estar com ela em pessoa.

Uma pena, pois permitiu a Remigius marcar um ponto; porém, não achava que fosse um ponto tão valioso que fizesse Waleran tomar o partido de Remigius.

— Não a interroguei — admitiu Philip. — Mas não há indícios de feitiçaria e a família é perfeitamente honesta e cristã.

— Ela é feiticeira e fornicadora — disse Remigius.

— O *quê*? — explodiu Philip. — Com quem fornica?

— Com o construtor.

— Ele é o marido dela, seu tolo!

— Não, não é — retrucou Remigius, triunfante. — Eles não são casados e se conhecem apenas há um mês.

Se o subprior estivesse falando a verdade, a mulher seria tecnicamente uma fornicadora. No entanto, aquele tipo de coisa em geral se deixava passar, pois muitos casais não tinham sua união abençoada por um padre senão depois de já haverem vivido juntos por algum tempo, muitas vezes até o primeiro filho ser concebido. Na verdade, nas regiões muito pobres ou remotas do país frequentemente as pessoas viviam como marido e mulher por décadas, criavam seus filhos e espantavam um padre visitante pedindo que abençoasse sua união numa época em que os netos estavam nascendo. No entanto, uma coisa era um padre de paróquia ser indulgente com pobres camponeses nos limites da cristandade, e outra, muito diversa, um empregado importante do priorado incorrer no mesmo erro dentro dos limites do monastério.

— O que o faz pensar que não são casados? — perguntou Philip ceticamente, embora tivesse certeza de que Remigius checara os fatos antes de falar na frente de Waleran.

— Surpreendi os filhos brigando, e eles me disseram que não são irmãos. Então toda a história veio à tona.

Philip ficou desapontado com Tom. Fornicação era um pecado bastante comum, mas particularmente abominável aos olhos de monges, que renunciavam por completo às tentações da carne. Como pudera fazer uma coisa dessas? Devia saber que se tratava de algo odioso para o prior, que ficou mais furioso ainda com ele do que com Remigius. Este, contudo, fora traiçoeiro. Philip lhe perguntou:

— Por que não falou comigo, que sou seu prior, a este respeito?

— Só soube esta manhã.

Philip recostou-se na cadeira, derrotado. Remigius o pegara. Fizera papel de tolo. Era sua vingança pela derrota na eleição. Olhou para Waleran. A reclamação tinha sido feita ao bispo; agora cabia a ele pronunciar o julgamento.

Waleran não hesitou.

— O caso é bastante claro — disse. — A mulher deve confessar seu pecado, e se penitenciar em público. Tem que deixar o priorado, e viver em castidade, separada do construtor, por um ano. Aí poderão se casar.

Um ano separados era uma sentença severa. Philip achou que ela merecia, por profanar o mosteiro. Mas estava ansioso por saber como a receberia.

— Talvez ela não se submeta ao seu julgamento — disse.

Waleran deu de ombros.

— Então queimará no inferno.

— Se deixar Kingsbridge, receio que Tom vá em sua companhia.

— Há outros construtores.

— Naturalmente. — Philip sentiria a perda de Tom. Mas podia dizer, pela expressão de Waleran, que ele não se incomodaria nem um pouco se Tom e a mulher deixassem Kingsbridge e nunca mais voltassem; mais uma vez, perguntou-se por que ela seria tão importante.

— Agora saiam, todos vocês, e me deixem falar com o seu prior — disse Bigod.

— Só um minuto — disse Philip asperamente. A casa era sua e os monges seus, afinal; era ele quem os chamava e os dispensava, não Waleran. — Falarei pessoalmente com o construtor a respeito desse assunto. Nenhum de vocês deverá mencioná-lo, seja com quem for, entenderam? Haverá uma severa punição para quem desobedecer. Está claro, Remigius?

— Sim — respondeu o subprior.

Philip encarou Remigius inquisitivamente.

Houve um sugestivo momento de silêncio.

— Sim, padre — disse Remigius por fim.

— Está bem, podem ir.

Remigius, Andrew, Milius, Cuthbert e o deão Baldwin saíram apressadamente. Waleran serviu-se de um pouco mais de vinho quente e esticou as pernas diante do fogo.

— As mulheres sempre causam problema — comentou. — Quando há uma égua no cio no estábulo, todos os garanhões começam a morder os cavalariços, pisotear as baias e causar toda sorte de problemas, de um modo geral. Até mesmo os cavalos castrados passam a se comportar mal. Os monges são como eles; a paixão física lhes é negada, mas ainda são capazes de sentir cheiro de boceta.

Philip ficou embaraçado. Não havia necessidade de falar de modo tão explícito, na sua opinião. Olhou para as mãos.

— O que há a respeito da reconstrução da igreja? — perguntou.

— Sim. Você deve ter sabido que aquele assunto acerca do qual me procurou... o conde Bartholomew e a conspiração contra o rei Estêvão... terminou bem para nós.

— Sim, soube. — Parecia já ter se passado muito tempo desde quando fora ao palácio do bispo, medroso e trêmulo, para contar a trama contra o rei escolhido pela igreja. — Ouvi dizer que Percy Hamleigh atacou o castelo do conde e o fez prisioneiro.

— Exato. Bartholomew agora está numa masmorra, em Winchester, aguardando a decisão sobre seu destino — disse Waleran, satisfeito.

— E o conde Robert de Gloucester? Era o conspirador mais poderoso...

— E no entanto recebe a punição mais leve. Na verdade, nenhuma. Jurou lealdade ao rei Estêvão, e sua parte na trama foi... perdoada.

— Mas o que isso tem a ver com a nossa catedral?

Waleran ergueu-se e foi até a janela. Quando examinou a igreja, havia sincera tristeza em seus olhos, e Philip constatou que sentia genuína piedade dele, a despeito de seus modos mundanos.

– Nossa participação na derrota de Bartholomew põe o rei Estêvão em dívida conosco. Antes que se passe muito tempo, eu e você vamos vê-lo.

– Ver o rei! – exclamou Philip. Ficou um pouco intimidado com a perspectiva.

– Ele nos perguntará o que desejamos como recompensa. Philip percebeu aonde Waleran queria chegar, e ficou profundamente emocionado.

– E nós lhe diremos... – Waleran voltou as costas para a janela e o fitou, os olhos, duas pedras preciosas negras, faiscando de ambição.

– Nós lhe diremos que queremos uma nova catedral para Kingsbridge – completou.

Tom sabia que Ellen ia ficar louca de ódio.

Ela já estava furiosa com o que acontecera a Jack. Precisava acalmá-la. Entretanto, a notícia de sua "penitência" faria com que explodisse de raiva. Quisera poder adiar o problema por um dia ou dois, a fim de lhe dar tempo para esfriar; não podia, porém, porque o prior Philip dissera que ela deveria estar fora das dependências do mosteiro ainda ao cair da noite. Precisava contar-lhe imediatamente, e como Philip falara com Tom ao meio-dia, ele informou Ellen na hora da refeição.

Entraram no refeitório com os outros servos do priorado, depois de os monges terem terminado de jantar e saído. As mesas estavam apinhadas, mas Tom achou que talvez não fosse uma má coisa; a presença de outras pessoas poderia refreá-la.

Logo descobriu que se enganara.

Tentou dar a notícia aos poucos. Primeiro disse:

– Eles sabem que não somos casados.

– Quem lhes contou? – perguntou ela, furiosa. – Algum encrenqueiro?

– Alfred. Mas não o culpe. Aquele pérfido monge chamado Remigius fez com que contasse. De qualquer modo, nunca dissemos para as crianças que era segredo.

– Não culpo o menino – disse ela, mais calma. – E o que estão dizendo?

Ele se inclinou sobre a mesa e falou em voz baixa:

– Dizem que você é fornicadora – respondeu, esperando que ninguém ouvisse.

– Fornicadora? – retrucou Ellen, em voz alta. – E o que dizem de você? Será que esses monges não sabem que para fornicar é preciso duas pessoas?

Quem estava sentado por perto começou a rir.

– Fale baixo – disse Tom. – Dizem que precisamos nos casar.

Ela lançou um olhar duro para ele.

— Se fosse só isso, Tom Construtor, você não estaria com uma cara tão abjeta. Conte-me o resto.

— Querem que você confesse seu pecado.

— Pervertidos hipócritas — disse ela, enojada. — Passam a noite toda se enrabando e depois têm a coragem de dizer que o que fazemos é pecado.

As risadas aumentaram. As pessoas pararam de conversar para prestar atenção em Ellen.

— Só quero que você fale baixo — suplicou Tom.

— Suponho que exigem que eu também faça uma penitência. A humilhação faz parte do negócio. O que vão querer que eu faça? Vamos, fale a verdade, não se pode mentir a uma feiticeira.

— Não diga isso! — sussurrou Tom. — Só serve para piorar tudo.

— Então me conte.

— Temos que viver separados por um ano, e você vai ter que guardar castidade...

— Pois estou mijando para essa tal castidade! — gritou Ellen.

Agora todos olharam.

— Mijo em você, Tom Construtor! — exclamou ela, que percebeu ter uma audiência. — Mijo em todos vocês também — continuou. A maioria das pessoas riu. Era difícil se sentir ofendido, principalmente porque estava tão linda com o rosto congestionado, muito vermelho, e os olhos dourados enormes. Ellen se levantou. — Mijo no priorado de Kingsbridge! — Pulou para cima da mesa, e houve uma salva de aplausos. Saiu andando pela tábua. Os comensais tiraram as terrinas de sopa e os canecos de cerveja do seu caminho e se inclinaram para trás, rindo. — Mijo no prior! — disse ela. — Mijo no subprior, no sacristão, no chantre e no tesoureiro, e em todos os seus documentos e diplomas e nas suas arcas cheias de pence de prata! — Ellen chegou no fim da mesa. Além daquela havia outra, menor, onde alguém se sentava e lia em voz alta durante o jantar dos monges. Havia um livro aberto em cima. Ellen pulou para ela.

De repente, Tom percebeu o que iria fazer.

— Ellen! — exclamou. — Não, por favor...

— Mijo na Regra de São Bento! — gritou, o mais alto que pôde. Então arregaçou a saia e, agachando-se, urinou no livro.

Os homens caíram na gargalhada, bateram em cima das mesas, gritaram, assobiaram e aplaudiram. Tom não estava certo se compartilhavam o desprezo de Ellen pela obra ou se apenas gostavam de ver uma bela mulher se expor. Havia algo de erótico naquela desavergonhada vulgaridade, mas também era estimulante ver alguém desrespeitar daquela forma o livro acerca do qual os monges eram tão tediosamente solenes. Fosse qual fosse a razão, adoraram.

Ellen saltou de cima da mesa, em meio a uma tempestade de aplausos, e saiu correndo porta afora.

Todos começaram a falar ao mesmo tempo. Ninguém jamais vira uma coisa daquelas antes. Tom estava horrorizado e embaraçado. As consequências seriam terríveis, sabia. No entanto, uma parte dentro dele estava pensando: Que mulher!

Após um momento, Jack se levantou e seguiu a mãe, com uma sombra de sorriso no rosto inchado.

Tom olhou para Alfred e Martha. O rapaz exibia um ar de perplexidade, mas Martha dava risadinhas contidas.

— Vamos, vocês dois — disse, e os três se retiraram.

Quando chegaram ao lado de fora, não viram Ellen em parte alguma. Cruzaram o gramado na direção da casa de hóspedes e a encontraram ali. Estava sentada numa cadeira, esperando por ele. Vestira o manto e segurava sua grande bolsa de couro. Parecia fria, calma e contida. O coração de Tom gelou quando viu a bolsa, mas fingiu não ter notado.

— Vai ser castigada indo para o inferno — disse.

— Não acredito em inferno.

— Espero que deixem você se confessar e se penitenciar.

— Não vou me confessar.

Ele perdeu o autocontrole.

— Ellen, não se vá!

Ela parecia triste.

— Ouça, Tom. Antes de conhecer você eu tinha o que comer e onde morar. Estava a salvo, em segurança, e era autossuficiente: não precisava de nada. Desde que me juntei a você, andei mais perto de morrer de fome do que em qualquer outra época da minha vida. Tem trabalho agora, mas não segurança; o priorado não possui dinheiro para construir uma igreja nova, e você poderá estar na estrada de novo no próximo inverno.

— Philip dará um jeito de arranjar o dinheiro. Tenho certeza disso.

— Não pode ter certeza — retrucou ela.

— Você não acredita — disse Tom amarguradamente. Depois, antes que pudesse se deter, acrescentou: — Você é igual a Agnes, não acredita na minha catedral.

— Oh, Tom, se fosse só por mim, eu ficaria — disse ela, com tristeza. — Mas olhe para o meu filho.

Ele olhou para Jack. Seu rosto estava roxo, com as equimoses, a orelha inchada tinha duas vezes o tamanho normal, as narinas estavam cheias de sangue seco e um dente da frente se quebrara.

— Eu temia que ele crescesse como um animal se ficássemos na floresta — disse Ellen. — Mas, se este é o preço de ensiná-lo a conviver com outras pessoas, é alto demais. Assim, vou voltar para a floresta.

— Não diga isso — pediu Tom, desesperado. — Vamos conversar. Não tome uma decisão precipitada...

— Não é precipitada, Tom, não é precipitada — disse ela pesarosamente. — Estou tão triste que nem consigo mais ficar zangada. Eu realmente queria ser sua mulher. Mas não a qualquer custo.

Se Alfred não houvesse corrido atrás de Jack, nada daquilo teria acontecido, pensou Tom. Mas fora apenas uma briga de crianças, não fora? Ou Ellen estaria certa quando afirmava que ele era cego para tudo relacionado com Alfred? Começou a achar que errara. Talvez devesse ter adotado uma atitude mais firme com Alfred. Briga de garotos era uma coisa, mas Jack e Martha eram bem menores que seu filho. Talvez ele fosse mesmo um covarde.

Mas agora era tarde demais para mudar isso.

— Fique na aldeia — disse Tom desesperadamente. — Espere um pouco para ver o que acontece.

— Não creio que os monges vão permitir que eu fique.

Tom viu que Ellen tinha razão. A aldeia era de propriedade do priorado, e todos pagavam aluguel aos monges — geralmente na forma de dias de trabalho —, que podiam recusar suas casas a quem quisessem. E não se poderia culpá-los se rejeitassem Ellen. Ela tomara sua decisão e literalmente urinara em cima das suas chances de se retratar.

— Irei com você, então — disse ele. — O mosteiro já me deve setenta e dois pence. Iremos para a estrada de novo. Sobrevivemos antes...

— O que me diz das crianças? — perguntou ela delicadamente.

Tom se lembrou de como Martha tinha chorado de fome. Sabia que não podia fazê-la passar por aquilo de novo. E havia seu bebê, Jonathan, vivendo no priorado. Não quero deixá-lo de novo; da primeira vez me odiei por isso.

Mas não podia tolerar a ideia de perder Ellen.

— Não fique arrasado — disse ela. — Não vou palmilhar as estradas com você novamente. Não é a solução; ficaríamos pior que agora, em todos os sentidos. Voltarei para a floresta e você não irá comigo.

Ele a encarou. Queria acreditar que Ellen não falava a sério, mas a expressão do seu rosto lhe disse o contrário. Não pôde imaginar mais nada para detê-la. Abriu a boca para falar, mas as palavras não vieram. Sentiu-se impotente. Ela respirava fundo, o colo arfando de emoção. Quis tocá-la, mas sentiu que não queria que o fizesse. Talvez nunca mais a abrace, pensou. Era difícil de acreditar. Há semanas deitava com ela todas as noites e a tocava com tanta familiaridade quanto a si próprio; e agora subitamente era proibido, como se fosse uma estranha.

— Não fique tão triste — disse ela. Seus olhos estavam cheios de lágrimas.

— Não posso fazer nada. Estou triste.

— Desculpe tê-lo feito infeliz.

— Não se desculpe. Desculpe-se de me ter feito feliz. É o que magoa, mulher. Você me ter feito feliz.

Um soluço escapou dos lábios de Ellen, que se virou e foi embora sem outra palavra.

Jack e Martha foram atrás. Alfred hesitou, meio sem jeito, e depois os seguiu.

Tom ficou olhando fixamente para a cadeira em que ela estava. Não, pensou, não pode ser verdade, Ellen não está me deixando.

Ele se sentou. A cadeira ainda guardava o calor do seu corpo, o corpo que tanto amava. Fechou a cara, para não chorar.

Sabia que Ellen não ia mudar de ideia. Ela nunca vacilava: quando tomava uma decisão, ia até o fim.

Podia vir a se arrepender, contudo.

Agarrou-se a esse fio de esperança. Sabia que ela o amava. Isso não mudara. Ainda na noite anterior tinham feito amor com paixão, como duas pessoas saciando uma sede terrível. E depois que ele se satisfizera, ela rolara para cima do seu corpo e continuara, beijando-o avidamente, arquejando com a boca dentro da sua barba quando gozou repetidas vezes, até ficar tão exausta de prazer que não pôde prosseguir. E não era só de trepar que gostavam. Eles apreciavam estar juntos o tempo todo. Conversavam constantemente, muito mais do que ele conversara com Agnes, mesmo nos primeiros tempos. Vai sentir tanto a minha falta quanto eu a dela, pensou. Após algum tempo, quando a raiva houvesse passado, e tivesse se estabelecido numa nova rotina, ia ansiar por ter alguém com quem conversar, um corpo musculoso para fazer carícias, um rosto barbado para beijar. Aí então pensaria nele.

Mas era orgulhosa. Talvez orgulhosa demais para voltar, mesmo que sentisse vontade.

Tom pulou da cadeira. Precisava lhe dizer o que tinha na cabeça. Saiu de casa. Ela estava no portão do priorado, dizendo adeus a Martha. Passou correndo pelo estábulo e a alcançou.

— Adeus, Tom — disse Ellen, com um sorriso triste.

Ele segurou-lhe as mãos.

— Você voltará, um dia? Só para nos ver? Se eu souber que não está indo embora para sempre, que um dia a reencontrarei, mesmo que por pouco tempo, então poderei suportar a separação.

Ela hesitou.

— Por favor?

— Está bem.

— Jure.

— Não acredito em juramentos.
— Mas eu acredito.
— Está bem. Juro.
— Muito obrigado. — Ele a puxou gentilmente. Ellen não resistiu. Tom a abraçou e perdeu o controle. As lágrimas lhe correram pelo rosto. Finalmente ela recuou. Foi com relutância que a soltou. A mulher virou-se para o portão.

Naquele momento ouviu-se um barulho vindo do estábulo, o barulho feito por um cavalo fogoso e rebelde, pateando e bufando. Automaticamente, todos se viraram. O cavalo era o garanhão negro de Waleran Bigod, e o bispo ia montá-lo. Seus olhos encontraram os de Ellen e ele gelou.

Nesse momento ela começou a cantar.

Tom não conhecia a canção, embora a tivesse ouvido cantá-la com frequência. A melodia era terrivelmente triste. Mesmo sendo em francês, podia entender muito bem os versos.

"A cotovia, apanhada na rede do caçador,
Cantou mais doce que nunca,
Como se a melodia do seu canto
Pudesse voar e da rede fugir."

Tom desviou os olhos dela para o bispo. Waleran estava aterrorizado; a boca aberta, os olhos esbugalhados, o rosto branco como a morte. Tom ficou atônito: por que uma simples canção teria o poder de assustar um homem daqueles?

"Ao crepúsculo o caçador pegou sua presa,
A cotovia jamais recuperou a liberdade.
Todos os pássaros e homens vão morrer,
Mas canções podem viver para sempre."

— Adeus, Waleran Bigod! — exclamou Ellen. — Estou deixando Kingsbridge, mas não estou deixando você. Estarei nos seus sonhos.

E nos meus, pensou Tom.

Por um momento, ninguém se moveu.

Ellen virou-se, segurando a mão de Jack, e todos observaram em silêncio quando atravessou o portão do priorado e desapareceu na penumbra do anoitecer.

Parte dois

1136-1137

Capítulo 5

1

Depois que Ellen se foi, os domingos eram muito quietos na casa de hóspedes. Alfred jogava futebol com os garotos da aldeia num campo do outro lado do rio. Martha, que sentia falta de Jack, brincava de faz de conta, juntando legumes, fazendo sopa e vestindo uma boneca. Tom trabalhava no projeto da catedral.

Dera a entender a Philip, uma ou duas vezes, que ele deveria pensar no tipo de igreja que queria construir, mas o prior não notara, ou preferira ignorar as implicações. Tinha muitas coisas na cabeça. Mas Tom pensava em pouca coisa mais, especialmente aos domingos.

Gostava de ficar sentado logo atrás da porta da casa de hóspedes e olhar, por cima do gramado, para as ruínas da catedral. Às vezes fazia esboços em pedaços de lousa, mas a maior parte do trabalho estava na sua cabeça. Sabia que era difícil para a maioria das pessoas visualizar objetos sólidos e espaços complexos, mas ele sempre achara fácil.

Conquistara a confiança e a gratidão de Philip pelo modo como tratara das ruínas; o prior, porém, ainda o via como um simples pedreiro.

Tinha que convencê-lo de que era capaz de projetar e construir uma catedral.

Um domingo, cerca de dois meses após a partida de Ellen, sentiu-se pronto para começar a desenhar.

Fez uma esteira de palha trançada e ramos flexíveis, com cerca de três pés por dois. Prendeu-a cuidadosamente numa moldura de madeira, de modo a fazê-la ficar com os lados mais altos, como uma bandeja. Depois queimou um pouco de cal virgem, misturou com uma pequena quantidade de gesso e encheu a bandeja com a mistura. Quando a argamassa começou a endurecer, desenhou linhas nela com uma agulha. Usou a régua de ferro de um pé para as linhas retas, o esquadro para os ângulos retos e seus compassos para as curvas.

Faria três desenhos: um cone, para explicar como a igreja seria construída; uma projeção vertical, para ilustrar suas belas proporções, e uma planta baixa, para mostrar as acomodações. O primeiro seria o corte.

Imaginou a catedral como um pão comprido, depois cortou a casca da extremidade oeste, para ver do lado de dentro, e começou a desenhar.

Era muito simples. Fez uma arcada alta, com o topo chato. Era a nave, vista da extremidade. Teria um teto chato de madeira, como a igreja velha. Tom preferiria construir uma abóbada de pedra, mas sabia que Philip não teria dinheiro para isso.

Acima da nave desenhou um telhado triangular. A largura do prédio era determinada pela do telhado, que, por sua vez, era limitada pela madeira disponível. Havia dificuldade em arranjar vigas com mais de trinta e cinco pés, mais ou menos – e eram extraordinariamente caras. (A madeira boa era tão valiosa que uma árvore costumava ser cortada e vendida pelo dono muito antes de atingir essa altura.) A nave da catedral de Tom provavelmente teria trinta e dois pés de largura, ou duas vezes o comprimento de sua vara de medir.

A nave que desenhara era alta, impossivelmente alta. Mas uma catedral tinha que ser um edifício impressionante, inspirando respeito pelo tamanho, atraindo os olhares para o céu pela altura. Uma das razões pelas quais as pessoas as frequentavam era o fato de as catedrais serem as maiores construções do mundo. Um homem que nunca vira uma catedral podia muito bem passar o resto da vida sem ver nada de muito maior que a choça em que morava.

Lamentavelmente, o prédio que Tom desenhara cairia. O peso do chumbo e da estrutura de madeira do telhado seria demasiado para as paredes, que vergariam para fora e tombariam. Precisavam ser reforçadas.

Por essa razão, desenhou duas arcadas com o topo redondo, da metade da altura da nave, uma de cada lado. Eram as naves laterais. Teriam tetos de pedra recurvados, e como eram mais baixas e mais estreitas, o custo das abóbadas de pedra não seria tão grande. Cada nave lateral teria um telhado de meia-água.

As naves laterais, unidas à nave central pelos tetos abobadados de pedra, proporcionariam algum apoio, mas, por não terem bastante altura, Tom construiria suportes extras, intervalados, no espaço do telhado das naves laterais, acima do teto abobadado e abaixo do telhado de meia-água. Desenhou um desses suportes, um arco de pedra erguendo-se do topo da parede da nave lateral na direção da parede da nave central. No encaixe onde se sustentava sobre a parede da nave lateral, Tom o reforçou mais ainda com um maciço arcobotante, saliente do lado da igreja. Pôs um torreão por cima dele, para torná-lo mais pesado e bonito.

Não se poderia ter uma igreja tão alta sem os elementos de reforço das naves laterais, suportes extras e arcobotantes, mas isso poderia ser difícil de explicar a um monge, e Tom fizera o desenho para ajudar a esclarecer a ideia.

Desenhou também as fundações, escavadas fundo sob as paredes. Os leigos sempre se surpreendiam com a profundidade dos alicerces.

Era um desenho simples, simples demais para ser de grande utilidade para construtores; porém, estava bom para mostrar ao prior Philip. Tom queria que entendesse o que estivesse sendo proposto, que visualizasse o prédio e ficasse entusiasmado com ele. É difícil imaginar uma igreja grande e sólida, quando o que se tem à frente são umas poucas linhas riscadas no gesso. Philip precisaria de toda a ajuda que Tom pudesse lhe dar.

As paredes que desenhara pareciam sólidas, vistas de frente, mas não seriam. Tom começou a desenhar uma vista lateral da parede da nave, da perspectiva interna da igreja. Era aberta em três níveis. A metade de baixo dificilmente poderia ser chamada de parede: era uma simples fileira de colunas, os topos unidos por arcos semicirculares. Chamava-se "arcada". Através dos arcos podiam ser vistas as janelas das naves laterais, com suas partes superiores arredondadas. As janelas seriam cuidadosamente alinhadas com os arcos, de modo que a luz exterior pudesse entrar, sem obstrução, dentro da nave. As colunas nos intervalos seriam alinhadas com os arcobotantes das paredes externas.

Acima de cada arco havia uma série de três arcos pequenos, formando a galeria da tribuna. Não deixariam passar luz, pois por trás deles ficaria o telhado em meia-água da nave lateral.

O terceiro nível, acima da galeria, era o do clerestório, assim chamado por ser perfurado com janelas que iluminariam a parte superior da nave.

No tempo em que a velha Catedral de Kingsbridge fora erguida, os pedreiros confiavam na grossura das paredes para construir edifícios resistentes e, temerosos, inseriam janelinhas que mal deixavam passar a luz. Os construtores modernos compreendiam que um prédio seria bastante resistente se as paredes fossem erguidas no prumo perfeito.

Tom desenhara os três níveis da parede da nave – arcada, galeria e clerestório – estritamente na proporção de três por um por dois. A arcada tinha metade da altura da parede, e a galeria, um terço do resto. A harmonia de proporções era tudo numa igreja: transmitia uma sensação subliminar de perfeição a tudo mais. Estudando o desenho terminado, Tom achou que parecia absolutamente gracioso. Mas Philip pensaria da mesma forma? Tom era capaz de enxergar a sucessão de arcos ao longo da extensão da igreja, com suas obras de talha iluminadas pelo sol da tarde... mas Philip veria o mesmo?

Começou o terceiro desenho. Esse era uma planta baixa da igreja. Em sua imaginação via doze arcos na arcada. Dessa forma a igreja seria dividida em doze seções, chamadas "intercolúnios". A nave teria seis, e o coro, quatro. No meio, correspondendo ao espaço do sétimo e do oitavo intercolúnios, ficaria a interseção, com os transeptos se projetando para ambos os lados e a torre se erguendo sobre aquele ponto.

Todas as catedrais e quase todas as igrejas eram cruciformes. A cruz era o símbolo mais importante do cristianismo, claro, mas havia uma razão prática também; os transeptos proporcionavam espaço útil para capelas extras e para atividades administrativas, como a sacristia e a sala do conselho paroquial.

Depois de desenhar a planta baixa simples, Tom retornou ao desenho principal, que mostrava o interior da igreja visto da extremidade oeste. Riscou agora a torre, erguendo-se acima e por trás da nave.

A torre deveria ter uma vez e meia a altura da nave, ou o dobro. A alternativa mais baixa dava à construção um perfil atraentemente regular, com as naves laterais, a nave central e a torre se erguendo em passos iguais, na proporção de um por dois por três. A torre mais alta causaria um efeito mais impressionante, pois a nave central teria o dobro do tamanho das naves laterais e a torre dobraria a altura da nave, as proporções sendo um por dois por quatro. Tom escolhera esta última: era a única catedral que jamais construiria na vida, e queria que alcançasse o céu. Esperava que Philip se sentisse assim também.

Se o prior aceitasse o desenho, teria que refazê-lo, claro, com mais cuidado e exatamente na escala. E haveria muitos mais, centenas de desenhos: plintos, colunas, capitéis, ressaltos, molduras de portas, torreões, escadas, gárgulas e um número incontável de outros detalhes – Tom desenharia por muitos anos. Mas o que tinha à frente era a essência do prédio, e estava ótimo: simples, pouco dispendioso, gracioso e perfeitamente proporcionado.

Mal podia esperar para mostrar a alguém.

Planejara encontrar um momento adequado para mostrá-lo a Philip, mas agora que estava pronto queria que o visse imediatamente.

Será que iria considerá-lo presunçoso? O prior não lhe pedira para fazer um desenho. Talvez estivesse pensando em outro mestre construtor, alguém de quem tivesse ouvido falar, que houvesse trabalhado em outro mosteiro e se saído bem. Poderia zombar das aspirações de Tom.

Por outro lado, se não lhe mostrasse nada, poderia presumir que ele não era capaz de fazer um projeto e contratar outra pessoa, sem sequer levá-lo em consideração. Tom não estava preparado para correr esse risco: preferia que o considerasse presunçoso.

A tarde ainda estava clara. Era hora de estudo no claustro. Philip estaria na casa do prior, lendo a Bíblia. Tom decidiu ir até ali e bater à sua porta.

Carregando sua prancha cuidadosamente, deixou a casa de hóspedes.

Ao passar pelas ruínas, a perspectiva de construir uma nova catedral de repente pareceu assustadora: tanta pedra, tanta madeira, tantos artesãos, *tantos anos*. Teria que controlar tudo, assegurar a existência de um fluxo regular de suprimento de materiais, inspecionar a qualidade da madeira e da pedra, contratar e despedir homens, verificar incessantemente o trabalho deles com seu nível e fio de prumo, fazer gabaritos para as molduras, projetar e construir máquinas para erguer pesos... Perguntou-se se realmente seria capaz disso.

Pensou então como seria emocionante criar algo do nada; ver um dia, no futuro, uma nova igreja ali, onde agora nada havia senão escombros, e dizer: Eu a construí.

Havia também outro pensamento na sua cabeça, escondido num canto empoeirado, algo que nem a si próprio estava disposto a admitir. Agnes morrera sem um padre, e fora enterrada em solo não consagrado. Gostaria de voltar ao seu túmulo, fazer com que um padre dissesse algumas orações e talvez colocar uma pequena lápide; porém temia que, se chamasse a atenção para sua sepultura, de algum modo viesse a público a história do abandono do bebê. Abandonar um bebê para que morresse era considerado assassinato. À medida que as semanas iam se passando, preocupava-se mais e mais com a alma de Agnes, se estaria ou não num bom lugar. Tinha medo de perguntar a um sacerdote porque não queria dar detalhes. Mas se consolara com a ideia de que, se construísse uma catedral, Deus certamente o favoreceria; e ele pensava que talvez pudesse pedir que Agnes recebesse o benefício do favor, em vez dele próprio. Se pudesse dedicar seu trabalho na catedral à mulher, sentia que sua alma estaria segura, que ela poderia descansar em paz.

Chegou à casa do prior. Era uma pequena construção de pedra, de um só andar. A porta estava aberta, embora fosse um dia frio. Hesitou por um momento. Calmo, competente, instruído, capaz, disse a si próprio. Um mestre em todos os aspectos da construção moderna. Exatamente o homem em quem você confiaria de bom grado.

Entrou. Havia apenas um cômodo. De um lado, a cama grande, luxuosamente forrada; do outro, um pequeno altar, com um crucifixo e um candelabro. O prior Philip estava próximo à janela, lendo uma folha de pergaminho, com a expressão preocupada. Levantou a cabeça e sorriu para Tom.

– O que você tem aí?

– Desenhos, padre – respondeu Tom, fazendo a voz soar grave e tranquilizadora. – Para uma nova catedral. Posso lhe mostrar?

Philip pareceu surpreso, mas curioso.

– Por favor.

Havia um grande atril a um canto. Tom pegou-o, colocando-o à luz da janela, e acomodou a prancha de gesso no suporte angular. Philip olhou o desenho. Tom observou seu rosto. Podia apostar que nunca vira uma projeção vertical, uma planta baixa ou uma seção de um prédio. A expressão do prior era de quem estava intrigado.

Tom começou a explicar. Apontou para a projeção vertical.

– Você está de pé no centro da nave central, olhando para a parede – disse. – Aqui estão os pilares da arcada. Junto deles, os arcos. Através dos arcos podem-se ver as janelas na nave lateral. Acima da arcada é a galeria da tribuna, e, mais acima, estão as janelas do clerestório.

A expressão de Philip clareou quando ele entendeu. Aprendia depressa. Olhou para a planta baixa, e Tom pôde ver que o deixava igualmente intrigado.

— Quando andarmos pelo local da obra — disse Tom —, e marcarmos onde as paredes serão construídas e onde os pilares encontrarão o chão, bem como a posição das portas e dos arcobotantes, teremos uma planta como esta, que nos dirá onde colocar as estacas e as cordas.

Mais uma vez a compreensão desanuviou o rosto de Philip. Não era nada mau, pensou Tom, que tivesse alguma dificuldade para entender os desenhos; dava-lhe a chance de mostrar-se confiante e competente. Por fim o prior voltou-se para o corte transversal. Tom explicou:

— Aqui está a nave, no meio, com teto de madeira. Atrás dela fica a torre. Aqui se veem as naves laterais, uma à direita, outra à esquerda. Nas superfícies externas das naves laterais ficam os arcobotantes.

— Parece esplêndido — disse Philip.

Tom podia garantir que o desenho do corte transversal o deixara particularmente impressionado, com a parte interna da igreja aberta para ser vista, como se a extremidade oeste tivesse sido girada para o lado, como a porta de um armário, a fim de revelar o interior.

Philip examinou de novo a planta baixa.

— A nave central só tem seis intercolúnios?

— Sim, e o coro, quatro.

— Não é um tanto pequena?

— O priorado poderia arcar com as despesas de uma construção maior?

— Não posso arcar com despesa nenhuma — disse Philip. — Suponho que você não tenha ideia de quanto custaria.

— Sei exatamente quanto custaria — afirmou o construtor. Viu surpresa no rosto do prior: ele não se dera conta de que Tom fosse capaz de fazer contas. Passara muitas horas calculando os custos do seu desenho até o último penny. No entanto, forneceu a Philip um número redondo. — Não custaria mais que três mil libras.

Philip forçou uma risada.

— Passei as últimas semanas calculando a renda anual do priorado. — Indicou a folha do pergaminho que lia tão ansiosamente quando Tom entrara. — Aqui está a resposta. Trezentas libras por ano. E gastamos tudo.

Tom não se surpreendeu. Era óbvio que o priorado fora mal administrado no passado. Tinha fé em que Philip reformaria suas finanças.

— Encontrará o dinheiro, padre — disse. — Com a ajuda de Deus — acrescentou piedosamente.

Philip retornou a atenção aos desenhos, não parecendo convencido.

— Quanto tempo levaria para ser construída?

— Depende de quantas pessoas se empregam — disse Tom. — Contratando trinta pedreiros, ajudados por um número suficiente de serventes, aprendizes, carpinteiros e ferreiros, pode levar quinze anos: um para os alicerces, quatro para o coro, quatro para os transeptos e seis para a nave.

Mais uma vez Philip ficou impressionado.

– Gostaria que meus auxiliares no mosteiro tivessem sua capacidade de planejar e calcular – disse. Estudou os desenhos pensativamente. – Então preciso encontrar duzentas libras por ano. Não parece tão ruim, dito desse modo. – Calou-se, considerando o assunto. Tom sentiu-se animado: o prior começava a pensar naquilo como um projeto viável, não apenas como um desenho abstrato. – Suponha que eu pudesse gastar mais. Seria possível construir mais depressa?

– Até certo ponto – respondeu Tom precavidamente. Não queria que Philip ficasse otimista demais; podia se desiludir. – Podem-se empregar sessenta pedreiros e construir toda a igreja de uma só vez, em lugar de trabalhar de leste para oeste; nesse caso poderia levar oito ou dez anos. Um número maior que sessenta, num prédio desse tamanho, e os homens começariam a se atrapalhar uns aos outros, fazendo o trabalho ficar mais demorado.

Philip assentiu: parecia compreender aquilo sem dificuldade.

– Ainda assim, mesmo só com trinta pedreiros eu poderia ter a extremidade leste pronta em cinco anos.

– Sim, e poderia usá-la para os cultos religiosos, juntamente com um novo santuário para os ossos de santo Adolfo.

– É mesmo. – Philip agora estava realmente entusiasmado. – Eu pensava que se passariam décadas até que pudéssemos ter uma nova igreja. – Lançou um olhar astuto para Tom. – Você já construiu uma catedral antes?

– Não, embora tenha projetado e construído igrejas menores. Mas trabalhei na Catedral de Exeter por diversos anos, terminando como assistente do mestre construtor.

– Você quer construir essa catedral, não quer?

Tom hesitou. Era melhor ser franco com Philip; o homem não tinha paciência com mentiras.

– Sim. Quero que me designe mestre construtor – respondeu, tão calmamente quanto pôde.

– Por quê?

Tom não antecipara aquela pergunta. Havia tantos motivos! *Porque tenho visto igrejas mal construídas, e sei que poderia fazer um trabalho melhor,* pensou. *Porque não há nada mais gratificante para um mestre artesão que exercitar seu talento, a não ser, talvez, fazer amor com uma bela mulher. Porque uma coisa dessas dá sentido à vida de um homem.* Que resposta Philip queria ouvir? O prior provavelmente gostaria que dissesse algo piedoso. Arrojadamente, decidiu falar a verdade.

– Porque será bonita.

Philip encarou-o estranhamente. Tom não saberia dizer se estava furioso, ou qualquer outra coisa.

— Porque será bonita — repetiu o prior. O construtor começou a achar que aquela era uma razão tola, e decidiu falar mais alguma coisa, só que não foi capaz de optar por nada. Então percebeu que Philip não estava sendo cético, em absoluto, estava comovido. As palavras de Tom lhe tocaram o coração. Finalmente o prior assentiu, como que concordando, após alguma reflexão. — Sim. E o que poderia ser melhor do que fazer algo bonito para Deus?

Tom permaneceu em silêncio. Philip não dissera: Sim, você será o mestre construtor. Tom esperou.

Philip pareceu chegar a uma decisão.

— Vou com o bispo Waleran ver o rei em Winchester daqui a três dias — disse. — Não sei exatamente o que o bispo planeja, mas estou certo de que iremos pedir ao rei Estêvão que nos ajude a construir uma nova catedral para Kingsbridge.

— Vamos esperar que atenda ao seu pedido — disse Tom.

— Ele nos deve um favor — disse Philip, com um sorriso enigmático. — Tem que nos ajudar.

— E se ajudar?

— Acho que Deus me mandou você com um propósito, Tom Construtor — disse Philip. — Se o rei Estêvão nos der o dinheiro, poderá construir a igreja.

Foi a vez de Tom se comover. Não sabia o que dizer. Fora-lhe concedido o sonho de sua vida — mas condicionalmente. Tudo dependia de Philip conseguir a ajuda do rei. Concordou, aceitando a promessa e o risco.

— Muito obrigado — disse.

O sino tocou para as vésperas. Tom apanhou a prancha.

— Você precisa disso? — perguntou o prior.

Tom percebeu que seria uma boa ideia deixar os desenhos ali. Serviriam como um lembrete constante para Philip.

— Não, não preciso — respondeu. — Tenho tudo na cabeça.

— Ótimo. Eu gostaria de ficar com os desenhos aqui.

Tom acenou com a cabeça, despedindo-se, e se dirigiu para a porta.

Ocorreu-lhe que se não perguntasse sobre Agnes agora, provavelmente nunca perguntaria. Voltou-se.

— Padre?

— Sim?

— Minha primeira mulher... Agnes, era como se chamava... ela morreu sem um padre, e está enterrada em solo não consagrado. Não tinha pecado, foram só... as circunstâncias. Eu queria saber... às vezes um homem constrói uma capela, ou funda um mosteiro, na esperança de que, na outra vida, Deus se lembre de sua piedade. Acha que meu projeto poderia servir para proteger a alma de Agnes?

Philip ficou sério.

— O pedido feito a Abraão foi para que sacrificasse seu filho único. Deus não pede mais sacrifícios de sangue, pois o sacrifício supremo já foi feito. Mas a lição da história de Abraão é que Deus exige o que de melhor temos a oferecer, aquilo que nos seja mais precioso. Esse projeto é a melhor coisa que você pode oferecer a Deus?

— A não ser pelos meus filhos, é.

— Então fique calmo, Tom Construtor. Deus o aceitará.

2

Philip não fazia ideia do motivo pelo qual Waleran Bigod quisera encontrá-lo nas ruínas do castelo do conde Bartholomew.

Tinha sido obrigado a viajar até a cidade de Shiring, passar a noite lá, e seguir de manhã para Earlscastle. Agora, enquanto o cavalo trotava na direção do castelo, cujo vulto aparecia diante dele em meio à neblina matinal, chegou à conclusão de que fora uma questão de conveniência: Waleran também estava viajando, e ali seria o lugar mais próximo de Kingsbridge por onde passaria; quanto ao castelo, era um ponto de referência fácil.

O prior quisera saber mais a respeito do que Waleran planejava. Não via o bispo desde o dia em que inspecionara as ruínas da catedral. Waleran não sabia de quanto dinheiro Philip precisava para construir a igreja, e Philip não tinha ideia do que Waleran planejava pedir ao rei. O bispo gostava de manter em segredo os seus planos. O que deixava Philip nervosíssimo.

Estava satisfeito por ter sabido, com Tom Construtor, o que seria preciso para construir a nova catedral, mesmo que a cifra fosse deprimente. Ainda bem que Tom se encontrava por perto. Ele era um homem de surpreendentes potencialidades. Mal podia ler ou escrever, mas era capaz de desenhar uma catedral, riscar projetos, calcular o número de homens e o tempo necessário para construir, *além de* avaliar o custo completo de tudo. Era sossegado, mas a despeito disso tinha uma presença de impor respeito: muito alto, o rosto barbado curtido pela exposição ao ar livre, olhos penetrantes e testa alta. Philip às vezes se sentia ligeiramente intimidado por ele, e tentava disfarçar isso adotando um tom de voz enérgico. Mas Tom era muito sério e de qualquer modo não imaginava que o prior o achasse assustador. A conversa sobre a mulher dele fora tocante, revelando uma piedade que até então não se evidenciara. Era uma dessas pessoas que guardam a fé religiosa no fundo do coração. Às vezes são as melhores.

À medida que Philip ia se aproximando de Earlscastle, sentia-se cada vez mais contrafeito. Aquilo fora um castelo próspero, defendendo a região rural que o cercava, empregando e alimentando grande número de pessoas. Agora estava destruído, e as choças agrupadas ao redor, desertas, como ninhos vazios nos ramos desfolhados de uma árvore no inverno. E ele, Philip, era o responsável por aquilo. Revelara a conspiração sendo tramada ali, e trouxera a ira de Deus, na forma de Percy Hamleigh, sobre o castelo e seus habitantes.

As muralhas e o portão não haviam sido seriamente danificados na luta, observou. O que significava que talvez os atacantes tivessem conseguido entrar antes que os portões pudessem ser fechados. Fez o cavalo atravessar a ponte de madeira e entrou no primeiro dos dois conjuntos. Ali os indícios da batalha eram mais evidentes: a não ser pela capela de pedra, tudo o que restava das construções do castelo eram uns poucos tocos de madeira calcinada, espetados no chão, e um discreto remoinho de cinzas soprando ao longo da base da muralha.

Não havia sinal do bispo. Philip atravessou o primeiro conjunto e a ponte no lado mais distante, passando para o segundo, mais acima. Ali havia uma maciça fortaleza de pedra, com uma escada de madeira aparentemente insegura que conduzia à entrada do segundo andar. Philip contemplou o trabalho de pedra, com sua aparência desagradável, e as seteiras: nada daquilo pudera proteger o conde Bartholomew.

Através das seteiras ele poderia ficar de olho na muralha do castelo e aguardar a chegada do bispo. Amarrou o cavalo ao corrimão da escada e subiu.

A porta se abriu ao toque da sua mão. Ele entrou. O salão grande estava escuro e empoeirado, e as velas de sebo no chão, secas como ossos. Havia uma lareira, apagada, e uma escada em espiral para o andar de cima. Philip foi dar uma olhada numa das seteiras. Viu que não dava para enxergar grande coisa e decidiu passar para o andar superior.

No topo da escada em espiral defrontou-se com duas portas. Supôs que a menor fosse a da latrina, e a maior a do quarto do conde. Entrou pela maior.

O quarto não estava vazio. Bem no meio dele, encarando-o, havia uma jovem de extraordinária beleza. Por um momento pensou que estivesse tendo uma visão, e seu coração disparou. Tinha uma farta cabeleira escura emoldurando o rosto sedutor. Encarou-o com os grandes olhos escuros, e Philip percebeu que estava tão assustada quanto ele. Acalmou-se, e estava prestes a dar mais um passo quando foi agarrado por trás e sentiu a lâmina fria de uma faca no pescoço. Uma voz masculina perguntou:

— E quem diabo é você?

A garota adiantou-se na sua direção.

— Diga seu nome, ou Matthew o matará — ordenou.

Suas maneiras demonstravam ser nobre de nascimento, mas nem mesmo os nobres podem ameaçar monges.

— Diga a Matthew para tirar as mãos de cima do prior de Kingsbridge; caso contrário será pior para ele — retrucou Philip calmamente.

Foi libertado. Olhou por cima do ombro e viu um homem franzino, mais ou menos da sua idade. Aquele tal de Matthew presumivelmente saíra da latrina.

Voltou-se para a garota. Aparentava ter uns dezessete anos. A despeito dos modos altivos, encontrava-se miseravelmente vestida. Enquanto a examinava, uma arca encostada à parede se abriu e de dentro dela saiu um rapazola que parecia encabulado. Segurava uma espada. Metera-se dentro da arca para surpreendê-lo ou então para se esconder mesmo. Philip não saberia dizer.

— E quem é você? — perguntou.

— Sou a filha do conde de Shiring, e meu nome é Aliena.

A filha!, pensou Philip. Eu não sabia que ainda estava morando ali. Virou-se para o rapaz. Devia ter uns quinze anos e se parecia com ela, a não ser pelo nariz arrebitado e pelo cabelo curto. Philip ergueu uma das sobrancelhas para ele.

— E sou Richard, o herdeiro do condado — disse, numa voz insegura de adolescente.

— E eu, Matthew, o administrador do castelo — disse o homem atrás do prior.

Os três estavam escondidos ali desde que o conde Bartholomew fora capturado, percebeu Philip. O administrador cuidava das crianças: devia ter um estoque de gêneros ou dinheiro escondido. Philip dirigiu-se a Aliena.

— Sei onde está seu pai, mas o que me diz de sua mãe?

— Ela morreu há muitos anos.

Philip sentiu uma pontada de culpa. As crianças eram virtualmente órfãs, e, em parte, graças a ele.

— Mas não têm parentes para cuidar de vocês?

— Estou tomando conta do castelo até que meu pai retorne — disse ela.

Estavam vivendo num mundo de sonhos, constatou Philip. Ela tentava viver como se ainda pertencesse a uma família rica e poderosa. Com o pai prisioneiro e em desgraça, era tão somente uma garota qualquer. O menino não era herdeiro de nada. O conde Bartholomew jamais voltaria para aquele castelo, a não ser que o rei decidisse enforcá-lo ali. Sentiu pena de Aliena, mas de certo modo admirou também a força de vontade que sustentava sua fantasia e ainda fazia com que duas outras pessoas dela partilhassem. Poderia ter sido uma rainha, pensou.

Ouviram um tropel de cascos na madeira vindo de fora: diversos cavalos atravessavam a ponte. Aliena perguntou a Philip:

— O que veio fazer aqui?

— É só um encontro — disse ele. Virou-se e deu um passo na direção da porta. Matthew ficou no seu caminho. Por um momento permaneceram imóveis, se encarando. As quatro pessoas dentro do quarto compuseram um quadro vivo. Philip perguntou-se se iam tentar impedi-lo de sair. Então o camareiro afastou-se.

— Não diga a ninguém que estamos aqui — disse.

Philip viu que Matthew percebia a irrealidade da posição deles.

— Por quanto tempo permanecerão? — perguntou.

— Quanto pudermos — foi a resposta.

— E quando tiver que ir embora? O que fará então?

— Não sei.

Philip assentiu.

— Guardarei seu segredo — disse.

— Obrigado, padre.

Philip atravessou o hall poeirento. Olhando para baixo, viu Waleran e duas outras pessoas conduzindo os cavalos para junto do seu. O bispo envergava uma capa pesada e um gorro de pele, ambos guarnecidos de pele preta. Virou-se para cima e Philip o fitou nos olhos claros.

— Senhor bispo — disse respeitosamente. Desceu a escada de madeira. A imagem da virginal garota do quarto no segundo andar ainda estava vívida em sua mente, e teve ímpetos de sacudir a cabeça para se livrar dela.

Bigod desmontou. Ele tinha os mesmos companheiros da outra vez: o deão Baldwin e o homem de armas. Cumprimentou-os com um meneio de cabeça, e em seguida ajoelhou-se e beijou a mão de Waleran.

O bispo aceitou a homenagem, mas não exagerou: recolheu rapidamente a mão. Era o poder em si, e não seus acessórios, que amava.

— Sozinho, Philip? — perguntou ele.

— Sim. O priorado é pobre, e uma escolta para mim é uma despesa desnecessária. Quando fui prior de St.-John-in-the-Forest nunca tive escolta e ainda estou vivo.

Waleran deu de ombros.

— Venha comigo — disse. — Quero lhe mostrar uma coisa. — Ele atravessou o pátio na direção da torre mais próxima. Philip o seguiu. O bispo entrou pela portinha baixa na base da torre e galgou a escada interna. Havia morcegos pendurados no teto, e Philip baixou a cabeça para não esbarrar neles.

Alcançaram o topo da torre e ficaram nas ameias, contemplando a terra que os cercava.

— Este é um dos menores condados do reino — disse Waleran.

— É verdade. — Philip estremeceu. Era frio e úmido o vento ali em cima, e sua capa não era grossa como a de Waleran. Perguntou-se o que o bispo estaria querendo.

— Uma parte desta terra é boa, mas uma grande área é composta de florestas e elevações rochosas.

— Sim. — Num dia claro poderiam ver muitos acres de floresta e terra cultivável, mas agora, não obstante a neblina matinal já ter desaparecido, mal conseguiam enxergar o limite mais próximo da floresta ao sul e os campos planos em torno do castelo.

— Este condado tem também uma imensa pedreira que produz pedra calcária de primeira classe — prosseguiu Waleran. — Suas florestas contêm muitos acres de boa madeira. E suas fazendas geram considerável riqueza. Se este condado fosse nosso, Philip, poderíamos construir nossa catedral.

— Se os porcos tivessem asas, poderiam voar — disse Philip.

— Oh, homem de pouca fé!

Philip encarou Waleran.

— Fala sério?

— Muito.

Mesmo encarando aquela declaração com ceticismo, Philip sentiu uma pequenina centelha de esperança. Se ao menos fosse verdade! Mas disse:

— O rei precisa de apoio militar. Dará o condado a quem puder liderar cavaleiros em combates.

— O rei deve sua coroa à Igreja, e a vitória sobre Bartholomew a você e a mim. Cavaleiros não são tudo o que precisa.

Waleran estava falando sério mesmo, concluiu o prior. Seria possível? O rei daria o condado de Shiring à Igreja, para financiar a reconstrução da Catedral de Kingsbridge? Difícil de acreditar, apesar dos argumentos de Waleran. Mas Philip não podia deixar de pensar em como seria maravilhoso ter a pedra, a madeira e o dinheiro para pagar os artesãos, tudo entregue a ele de bandeja; lembrou-se de que Tom Construtor dissera ser possível contratar sessenta pedreiros e terminar a obra em oito ou dez anos. A simples ideia era fascinante.

— Mas e o antigo conde? — perguntou Philip.

— Bartholomew confessou sua traição. Nunca negou a trama, mas por algum tempo sustentou que o que fez não era traição, com base no argumento de Estêvão ser um usurpador. No entanto, o torturador do rei finalmente o dobrou.

Philip estremeceu e tentou não pensar no que deviam ter feito a Bartholomew para que aquele homem tão rígido cedesse.

Expulsou o pensamento da cabeça.

— O condado de Shiring — murmurou para si próprio. O pedido era incrivelmente ambicioso, mas a ideia o empolgava. Sentiu-se cheio de otimismo irracional.

Waleran olhou para o céu.

— Vamos andando — disse. — O rei nos espera depois de amanhã.

* * *

William Hamleigh examinou os dois religiosos do seu esconderijo, atrás das ameias da outra torre. Conhecia a ambos. O alto, que parecia um corvo, com seu nariz pontudo e capa negra, era o novo bispo de Kingsbridge. O pequeno, de ar enérgico, cabeça raspada e brilhantes olhos azuis, era o prior Philip. Gostaria de saber o que estavam fazendo ali.

Vira o monge chegar, olhar em torno como se esperasse encontrar alguém ali e depois entrar na fortaleza. William não podia adivinhar se o prior havia encontrado ou não as três pessoas que moravam ali – estivera apenas alguns momentos no seu interior, e talvez tivessem se escondido. Assim que o bispo chegara, o prior Philip saíra da fortaleza e os dois juntos galgaram a outra torre. Agora o bispo estava gesticulando na direção das terras que cercavam o castelo, com certo ar de proprietário. Pelo jeito deles e pelo modo como gesticulava, William podia afirmar que o bispo estava entusiasmado e o monge, cético. Tramavam alguma coisa, não tinha a menor dúvida.

No entanto, não fora ali para espioná-los, e sim para espiar Aliena. Fazia isso com frequência cada vez maior. A lembrança dela o atormentava o tempo todo, e ele tinha devaneios involuntários, nos quais a encontrava amarrada e nua num campo de trigo, ou acovardada como um cachorrinho assustado num canto do quarto dele, ou ainda perdida na floresta tarde da noite. Chegava a um ponto que tinha de vê-la em carne e osso. Pegava o cavalo e ia até Earlscastle de manhã bem cedo. Deixava Walter, o criado, tomando conta dos cavalos na floresta, e atravessava o campo até o castelo a pé. Esgueirava-se para o lado de dentro e escolhia um esconderijo de onde pudesse observar a fortaleza e o conjunto superior. Às vezes precisava esperar muito tempo para vê-la. Era uma prova de fogo para sua paciência. Voltar sem tê-la visto uma só vez era insuportável, de modo que sempre ficava. Então, quando ela aparecia, sua garganta secava, o coração batia mais depressa e a palma das mãos ficava molhada de suor. Quase sempre estava com o irmão ou com o camareiro efeminado, mas às vezes aparecia sozinha. Uma tarde, no verão, quando a esperara desde a madrugada, ela fora até o poço, pegara um pouco de água e tirara a roupa para se lavar. Só a lembrança daquela visão o inflamou todo mais uma vez. Aliena tinha seios grandes e empinados, que se moviam de maneira provocante quando erguia os braços para esfregar sabão no cabelo. Os mamilos ficaram deliciosamente contraídos quando jogou água fria pelo corpo. Tinha um tufo surpreendentemente grande de pelos escuros e crespos entre as pernas, e quando se lavou ali, esfregando-se vigorosamente com a mão ensaboada, William perdeu o controle e ejaculou.

Nada de tão bom acontecera desde então, e certamente ela não se lavaria no inverno, mas tinha havido delícias menores. Quando estava só, Aliena cantava, ou então falava consigo mesma. William a vira trançar o cabelo, dançar e correr atrás dos pombos, como uma criancinha. Ao observá-la secretamente, fazendo aquelas pequenas coisas íntimas, tinha uma deliciosa sensação de poder sobre ela.

Aliena não apareceria enquanto o bispo e o monge estivessem ali, claro. Por sorte não ficaram muito tempo. Desceram da torre rapidamente e, poucos momentos depois, junto com seus acompanhantes, cavalgavam fora do castelo. Teriam ido ali só para contemplar a paisagem das ameias da torre? Se fosse o caso, o tempo devia tê-los deixado frustrados.

Matthew tinha saído para apanhar lenha antes de os visitantes chegarem. Ele cozinhava na fortaleza. Em breve sairia outra vez para apanhar água no poço. William achava que tomavam sopa, pois não tinham forno para assar pão. Mais tarde o camareiro deixava o castelo, às vezes levando consigo o menino. Uma vez que houvessem saído, seria apenas uma questão de tempo Aliena aparecer.

Quando se aborrecia com a espera, William evocava a visão dela se lavando. A lembrança da cena era quase tão boa quanto a cena verdadeira. Nesse dia, porém, sentia-se inquieto. A visita do bispo e do prior parecia ter poluído a atmosfera. Até então houvera um ar de encantamento envolvendo o castelo e seus três habitantes, mas a chegada daqueles homens totalmente não mágicos, em seus cavalos lamacentos, quebrara o encanto. Era como ser perturbado por um barulho em meio a um sonho maravilhoso: por mais que tentasse, não conseguia continuar dormindo.

Por um momento tentou adivinhar o que os visitantes podiam estar querendo, mas não conseguiu. Havia uma pessoa que provavelmente conseguiria resolver a questão: sua mãe. Decidiu abandonar Aliena por aquele dia, voltar para casa e contar o que vira.

Eles chegaram a Winchester ao cair da noite do segundo dia. Entraram pelo Portão do Rei, na muralha sul da cidade, e foram diretamente para o adro da catedral. Ali se separaram. Waleran foi para a residência do bispo de Winchester, um palácio edificado em terreno próprio, adjacente ao adro da catedral. Philip foi apresentar seus respeitos ao prior e pedir um colchão no dormitório dos monges.

Após três dias na estrada, Philip achou a calma e o silêncio do mosteiro tão reconfortantes quanto uma fonte de água fresca num dia quente. O prior de Winchester era um homem roliço e pachorrento, com a pele cor-de-rosa e o cabelo branco. Convidou Philip para cear com ele na sua casa. Enquanto comiam, falaram a respeito dos respectivos bispos. O prior de Winchester tinha evidente pavor do bispo Henry e era completamente subserviente. Philip conjeturou que, quando se tem um bispo tão rico e poderoso como Henry, não se ganha nada brigando com ele. Assim mesmo, não tencionava ficar tão à mercê do seu bispo.

Dormiu como uma pedra e se levantou à meia-noite para as matinas.

Quando entrou na Catedral de Winchester pela primeira vez começou a se sentir intimidado.

O prior lhe dissera que era a maior igreja do mundo, e, ao vê-la, acreditou que fosse mesmo. Media um oitavo de milha de comprimento; Philip vira aldeias que caberiam dentro dela. Tinha duas grandes torres, uma sobre a interseção e outra na ponta oeste. A torre central ruíra trinta anos antes sobre a tumba de Guilherme II, o Ruivo – um rei ímpio que, para começar, provavelmente não deveria ter sido enterrado dentro de uma igreja –, porém, fora reconstruída depois. De pé, diretamente embaixo da torre nova, cantando as matinas, Philip sentiu que toda a edificação tinha um ar de imensa dignidade e força. A catedral que Tom projetara seria modesta por comparação – se viesse a ser construída. Percebeu agora que estava se movendo no mais alto dos círculos e se sentiu nervoso. Era apenas um garoto de uma aldeia galesa nas montanhas que teve a boa sorte de se tornar monge. Nesse dia falaria com o rei. O que lhe dava esse direito?

Voltou para a cama com os outros monges, mas não dormiu, preocupado. Tinha medo de que pudesse dizer ou fazer algo que ofendesse o rei Estêvão ou o bispo Henry e colocá-los contra Kingsbridge. As pessoas nascidas na França frequentemente debochavam do modo como os ingleses falavam sua língua: o que pensariam então de um sotaque galês? No mundo monástico, Philip sempre fora julgado pela sua piedade, obediência e devoção ao serviço de Deus. Essas coisas de nada valiam ali, na capital de um dos maiores reinos do mundo. Sentia-se desnorteado. Oprimia-o a sensação de que era algum tipo de impostor, um joãoninguém fingindo ser alguém, e que com toda a certeza seria descoberto prontamente e despachado de volta para casa em desgraça.

Levantou-se de madrugada, foi rezar as primas e depois fez o desjejum no refeitório. Os monges comeram pão branco com cerveja: era um mosteiro rico. Após o desjejum, quando foram para o cabido, Philip dirigiu-se ao palácio do bispo, um belo edifício de pedra com grandes janelas, cercado por diversos acres de jardim protegido por uma muralha.

Waleran confiava que obteria o apoio do bispo Henry para o seu audacioso esquema. Henry era tão poderoso que sua ajuda tornaria tudo possível. Ele era Henry de Blois, o irmão mais moço do rei. Além do clérigo mais bem relacionado na Inglaterra, era o mais rico, pois também era abade do opulento Mosteiro de Glastonbury. Esperava-se que viesse a ser o próximo arcebispo de Canterbury. Kingsbridge não poderia ter aliado mais poderoso. Talvez realmente venha a acontecer, pensou Philip; talvez o rei nos possibilite construir uma nova catedral. Quando pensava nisso achava que o coração ia estourar de tanta esperança.

Um camareiro disse a Philip que o bispo Henry não devia aparecer antes do meio da manhã. Mas o prior estava muito ansioso para voltar ao mosteiro. Sentindo-se impaciente, resolveu dar uma olhada na maior cidade que já vira.

O palácio do bispo ficava no canto sudeste da cidade. Philip caminhou ao longo da muralha leste, atravessou o terreno de outro mosteiro, a Abadia de St. Mary, e saiu num bairro que parecia dedicado à produção de couro e de lã. A área era cortada por pequenos riachos. Olhando detidamente, Philip percebeu que não eram naturais, mas sim canais feitos pelo homem, desviando parte do rio Itchen para fluir através das ruas e suprir as grandes quantidades de água necessárias para curtir couros e lavar lã. Tais atividades normalmente se instalavam às margens de um rio, e Philip maravilhou-se com a audácia de homens capazes de trazer o rio para suas oficinas, e não o contrário.

A despeito das oficinas, a cidade era mais silenciosa e vazia que qualquer outra que Philip já vira. Lugares como Salisbury ou Hereford pareciam constrangidos pelas suas muralhas, como um homem gordo numa túnica apertada: casas juntas demais, quintais muito pequenos, o mercado apinhado de gente, ruas excessivamente estreitas; e como as pessoas e os animais lutavam por espaço, a ideia que se tinha é que podiam irromper brigas a qualquer momento. Entretanto, Winchester era tão grande que parecia haver espaço para todos. Enquanto caminhava, Philip gradualmente percebeu que o motivo para esse sentimento de amplidão era o fato de as ruas seguirem o padrão de uma grade quadrada. Eram quase todas retas, cruzando-se em ângulos retos. Nunca vira aquilo antes. A cidade deveria ter sido construída segundo um plano.

Havia dúzias de igrejas. Tinham todas as formas e tamanhos, algumas de madeira e outras de pedra, cada uma servindo ao seu pequenino bairro. A cidade devia ser rica, para sustentar tantos sacerdotes.

Caminhar pela Fleshmonger Street fez com que se sentisse vagamente enjoado. Nunca tinha visto tanta carne crua num só lugar. O sangue corria das lojas dos açougueiros para a rua, e ratos gordos desviavam-se dos pés das pessoas que vinham comprar.

A extremidade sul da Fleshmonger abria-se para o meio da High Street, oposta ao velho palácio real. Aquele palácio não era usado pelos reis desde que a nova fortaleza fora construída no castelo, haviam dito a Philip, mas os moedeiros reais ainda cunhavam pence de prata na galeria do prédio, protegidos por grossos paredões e portões com grades de ferro. O prior ficou por algum tempo junto dessas grades, observando as centelhas voarem quando os martelos golpeavam as estampas das moedas, pasmado com toda aquela riqueza bem diante dos seus olhos.

Havia um punhado de outras pessoas observando a mesma coisa. Sem dúvida todos os visitantes de Winchester iam ver aquilo. Uma jovem, nas proximidades, sorriu para Philip, que retribuiu o seu sorriso.

— Você pode fazer qualquer coisa que queira por um penny — disse ela.

Ele se perguntou o que estaria querendo dizer, e sorriu vagamente de novo. Então ela abriu a capa e Philip viu, para seu horror, que estava completamente nua por baixo.

– Qualquer coisa que quiser, por um penny de prata – disse.

Philip sentiu o vago despertar do desejo, como o fantasma de uma lembrança há muito submergida; percebeu então que era uma prostituta. Sentiu o rosto ficar rubro de vergonha. Virou-se rapidamente e se afastou.

– Não tenha medo! – exclamou ela. – Gosto de uma bela cabeça redonda. – Sua risada zombeteira o seguiu.

Sentindo calor e desconforto, entrou por uma viela e foi sair na praça do mercado. Podia ver as torres da catedral erguendo-se acima dos estandes do mercado. Apressou-se por entre a multidão, surdo às lisonjas dos vendedores, e conseguiu encontrar o caminho de volta para o adro.

Sentiu a calma disciplinada das instalações da igreja como uma brisa fresca. Parou no cemitério para pôr em ordem os pensamentos. Sentia-se envergonhado e ultrajado. Como aquela mulher se atrevera a tentar um homem com hábito de monge? Obviamente o identificara como um visitante... Seria possível que os monges, quando distantes de seus mosteiros, fossem clientes dela? Claro que sim, concluiu. Monges cometem os mesmos pecados que pessoas comuns. Ele apenas se sentira chocado com a falta de vergonha da mulher. A visão de sua nudez permanecera com ele, do mesmo modo como a chama de uma vela, contemplada fixamente por um instante, permanece ardendo por trás das pálpebras fechadas.

Philip suspirou. Fora uma manhã de imagens vívidas: os riachos construídos pela mão do homem, os ratos nos açougues, as pilhas de moedas de prata recém-cunhadas e o corpo nu da mulher. Por algum tempo, ele o sabia, aquelas imagens retornariam para perturbar suas meditações.

Entrou na catedral. Sentia-se muito sujo para se ajoelhar e rezar, mas de algum modo, só de atravessar a nave na direção da porta sul, sentiu-se purificado. Atravessou o priorado e foi para o palácio do bispo.

O andar térreo era uma capela. Philip subiu a escada do salão e entrou. Havia um pequeno grupo de servos e jovens religiosos perto da porta, de pé ou sentados num banco encostado à parede. Na outra extremidade do salão, Waleran e o bispo Henry estavam sentados a uma mesa. Philip foi detido por um camareiro.

– Os bispos estão fazendo seu desjejum – disse ele, dando a entender que Philip não poderia vê-los.

– Vou me juntar a eles – replicou o prior.

– É melhor esperar – disse o criado.

Philip achou que o homem o tomava por um monge qualquer.

– Sou o prior de Kingsbridge – disse.

O camareiro deu de ombros e desviou-se.

Philip aproximou-se da mesa. O bispo Henry estava à cabeceira, com Waleran à sua direita. Henry era um homem baixo, de ombros largos e rosto combativo. Tinha mais ou menos a mesma idade de Waleran, um ou dois anos mais que Philip, não mais que trinta. No entanto, por comparação com a pele branca como cera de Waleran e o corpo ossudo de Philip, Henry tinha a tez rosada e os membros arredondados de quem comia bem. Seus olhos eram vivos e inteligentes, e o rosto mostrava uma expressão determinada. Como o mais moço de quatro irmãos, provavelmente tivera que lutar por tudo na vida. Philip ficou surpreso ao ver que a cabeça de Henry era raspada à navalha, sinal de que em determinada ocasião ele fizera os votos monásticos e ainda se considerava monge. No entanto, não usava um hábito feito de tecido rústico; na verdade, envergava a mais maravilhosa das túnicas, feita de seda púrpura. Waleran usava uma impecável camisa branca sob a usual túnica negra, e Philip percebeu que ambos estavam vestidos especialmente para a audiência com o rei. Comiam carne fria e bebiam vinho tinto. Philip estava faminto, após a caminhada, e sua boca se encheu de água.

Waleran ergueu a cabeça e, ao vê-lo, um ar de leve irritação cruzou-lhe o rosto.

— Bom-dia — disse Philip.

— Este é o meu prior — disse Bigod, dirigindo-se ao bispo.

Philip não gostou muito de ser descrito como o prior de Waleran e disse:

— Philip de Gwynedd, prior de Kingsbridge, senhor bispo. Chegou a pensar em beijar a mão coberta de anéis de Henry, mas este limitou-se a dizer:

— Esplêndido. — E comeu outro pedaço de carne. Ele continuou de pé, meio sem jeito. Não iam convidá-lo para sentar?

— Nós nos juntaremos a você em pouco tempo, Philip — disse-lhe Waleran.

O prior percebeu que estava sendo dispensado. Virou-se, humilhado. Retornou no grupo nas proximidades da entrada. O camareiro que tentara impedi-lo sorriu para ele, com uma expressão que dizia: *Não disse?* Philip manteve-se separado dos demais. De repente sentiu vergonha do hábito marrom, cheio de manchas, que usava dia e noite há seis meses. Os monges beneditinos costumam tingir o hábito de preto, mas Kingsbridge desistira disso havia muito tempo para economizar dinheiro. Philip sempre acreditara que envergar roupas finas era pura vaidade, algo inteiramente inadequado para qualquer homem de Deus, não importava quão alto fosse seu escalão; porém, agora via a vantagem. Talvez não fosse tratado tão mal se estivesse vestido de seda e peles.

Ah, bem, pensou, um monge deve ser humilde, de modo que isto há de ser bom para a minha alma.

Os dois bispos se levantaram, dirigindo-se para a porta. Um ajudante entregou a Henry um manto vermelho guarnecido de finos bordados e franjas de seda. Enquanto o vestia, o bispo lhe disse:

— Você hoje não terá muito o que falar, Philip.

— Deixe o pedido por nossa conta — acrescentou Waleran.

— Deixe-o comigo — disse Henry, enfatizando levemente a última palavra. — Se o rei lhe fizer uma ou duas perguntas, responda com sinceridade, sem querer enfeitar demais os fatos. Ele compreenderá sua necessidade de uma igreja nova sem que tenha de chorar e se lamentar.

Philip não precisava que lhe dissessem aquilo. Henry estava sendo desagradavelmente condescendente. No entanto, assentiu com a cabeça e ocultou o ressentimento.

— É melhor irmos — disse Henry. — Meu irmão acorda cedo, e é provável que conclua os negócios do dia rapidamente e depois vá caçar em New Forest.

Saíram. Um homem de armas, com uma espada e um bastão, seguiu à frente de Henry na caminhada até a High Street e depois na subida da colina, no rumo do Portão Oeste. As pessoas abriam caminho para os dois bispos, mas não para Philip, que terminou andando atrás deles. De vez em quando alguém pedia uma bênção, e Henry fazia o sinal da cruz no ar, sem diminuir o passo. Pouco antes do portão eles viraram e atravessaram a ponte de madeira que cruzava o fosso do castelo. A despeito de lhe assegurarem que não precisaria falar muito, Philip sentia um frio na barriga: estava prestes a ver o rei.

O castelo ocupava o canto sudoeste de Winchester. Suas muralhas oeste e sul eram parte da muralha da cidade. Mas as muralhas que separavam os fundos do castelo da cidade não eram menos altas e fortes que as exteriores, como se o rei precisasse de tanta proteção contra seus cidadãos como contra o mundo exterior.

Entraram por um portão baixo na muralha e imediatamente deram com a imponente fortaleza que dominava aquele lado do conjunto. Era uma formidável torre quadrada. Contando as seteiras, Philip verificou que tinha quatro andares. Como era usual, o andar térreo consistia em depósitos, e uma escada externa levava à entrada do andar de cima. Um par de sentinelas ao pé da escada fez reverência quando Henry passou.

Entraram no salão. Havia velas pelo chão, uns poucos bancos em reentrâncias da parede de pedra, alguns bancos de madeira e uma lareira. A um canto, dois homens de armas guardavam uma escada encaixada na parede e que dava acesso ao outro andar. Um deles captou de imediato o olhar do bispo Henry. Balançou a cabeça e subiu a escada, presumivelmente para dizer ao rei que seu irmão o estava esperando.

Philip chegava a se sentir aturdido, de tanta ansiedade. Nos minutos seguintes todo o seu futuro poderia ser decidido. Gostaria de se sentir melhor a respeito dos seus aliados. Gostaria de ter passado a manhã rezando para ter sucesso, e não vagando por Winchester. Gostaria de ter um hábito limpo.

Havia vinte ou trinta outras pessoas no salão, na grande maioria homens. Pareciam uma mistura de cavaleiros, sacerdotes e prósperos habitantes da cidade. De repente, o prior estremeceu, surpreso: perto da lareira, conversando com uma mulher e um rapaz, viu Percy Hamleigh. O que estaria fazendo ali? As duas pessoas com ele eram sua horrorosa mulher e seu estúpido filho. Haviam sido colaboradores de Waleran na queda de Bartholomew; dificilmente poderia ser uma coincidência o fato de se encontrarem ali naquele mesmo dia. Gostaria de saber se Waleran esperara por aquilo.

Philip dirigiu-se a Waleran:

– Está vendo...

– Já vi – interrompeu o bispo, com um jeito brusco e visivelmente irritado.

A presença ali dos Hamleighs era, para o prior, ameaçadora, muito embora não fosse capaz de dizer por quê. Examinou-os. Pai e filho eram iguais: homens grandes e musculosos, de cabelo louro e rosto intratável. A mulher parecia o demônio que tortura os pecadores nas pinturas que representam o inferno. Tocava constantemente as ulcerações do rosto, as mãos ossudas como as de um esqueleto se movendo sem parar. Usava um vestido amarelo que a tornava ainda mais feia. Mudava o peso do corpo de uma perna para a outra, dardejando olhares pela sala o tempo todo. Seus olhos encontraram os de Philip, que desviou o rosto rapidamente.

O bispo Henry foi circular, cumprimentando as pessoas que conhecia e abençoando as que não conhecia. Mas devia estar de olho na escada, pois assim que o sentinela voltou, olhou para ele, viu o homem balançar a cabeça e abandonou a conversa em meio a uma sentença.

Waleran seguiu Henry escadas acima, com Philip atrás, o coração na boca.

O salão do andar superior era do mesmo tamanho e forma que o salão de entrada, mas arrumado de forma completamente diversa. Havia tapeçarias nas paredes e peles de carneiro no assoalho de tábuas de madeira, lavado com escova e sabão. O fogo crepitava fortemente, e a sala era iluminada por dúzias de velas. Perto da porta havia uma mesa de carvalho com penas, tinta, uma pilha de folhas de pergaminho para cartas e um escriturário sentado, aguardando os ditados do rei. Perto do fogo, numa grande cadeira de madeira recoberta de pele, sentava-se Estêvão.

A primeira coisa que Philip notou foi que não estava usando coroa. Tinha uma túnica púrpura sobre as perneiras de couro, parecendo estar prestes a sair a cavalo. Dois grandes cães de caça deitados a seus pés lembravam cortesãos favoritos. Ele se parecia um pouco com o irmão, Henry, mas suas feições eram um pouco mais finas, tornando-o mais bonito, e tinha um bocado de cabelo castanho-claro. Estava recostado na sua cadeira grande – Philip supôs que fosse um trono –, parecendo calmo, as pernas estiradas à sua frente e os cotovelos apoiados nos braços da cadeira, mas, a despeito de sua postura, havia uma atmosfera de tensão no aposento. O rei era o único à vontade.

Quando os bispos e Philip entraram, estava saindo um homem grande, de roupas caras. Acenou para o bispo Henry com familiaridade e ignorou Waleran. Provavelmente era um barão poderoso, pensou Philip.

O bispo Henry aproximou-se do rei, fez uma reverência e disse:

– Bom-dia, Estêvão.

– Ainda não vi aquele bastardo do Ranulf – disse o rei. – Se não aparecer logo, vou mandar que lhe cortem os dedos.

– Ele vai aparecer aqui qualquer dia desses – disse Henry –, mas talvez você deva mandar cortar-lhe os dedos de qualquer modo.

Philip não tinha ideia de quem poderia ser o tal Ranulf, ou do motivo pelo qual o rei queria vê-lo, mas teve a impressão de que, embora Estêvão estivesse irritado, não falava a sério acerca de mutilar o homem.

Antes que o prior pudesse dedicar mais um único pensamento àquele assunto, Waleran adiantou-se e fez uma reverência.

– Você se lembra de Waleran Bigod – perguntou Henry –, o novo bispo de Kingsbridge?

– Sim, me lembro – respondeu Estêvão. – Mas quem é esse aí? – Olhou para Philip.

– É o meu prior – disse Waleran.

Bigod não disse seu nome, de modo que Philip o forneceu:

– Philip de Gwynedd, prior de Kingsbridge. – A voz saiu mais alta do que tencionara. Fez uma reverência.

– Adiante-se, padre prior – disse Estêvão. – Parece com medo. Por que está preocupado?

Philip não pôde pensar numa resposta. Estava preocupado com tantas coisas! Em desespero, disse:

– Estou preocupado por não ter um hábito limpo para vestir.

Estêvão riu, mas não cruelmente.

– Então pare de se preocupar! – disse. E, com um olhar para seu bem-vestido irmão, acrescentou: – Aprecio que um monge se pareça com um monge, e não com um rei.

Philip sentiu-se um pouco melhor.

– Soube do incêndio – disse o rei. – Como você está se saindo?

– No mesmo dia do incêndio – disse Philip –, Deus nos mandou um construtor. Ele reparou o claustro muito rapidamente e nós usamos a cripta para os serviços religiosos. Com a ajuda dele, estamos arrumando os escombros, preparando tudo para a reconstrução; ele também desenhou o projeto de uma nova igreja.

Waleran ergueu as sobrancelhas; não sabia do projeto. Philip lhe teria dito, se tivesse perguntado. Mas não perguntara.

— Uma diligência digna de elogios — comentou o rei. — Quando começará a construir?

— Assim que puder arranjar o dinheiro.

— Foi por isso que trouxe o prior Philip e o bispo Waleran para vê-lo — interrompeu Henry. — Nem o priorado nem a diocese têm os recursos para financiar um projeto tão vultoso.

— Nem tampouco a Coroa, caro irmão — disse Estêvão.

Philip se sentiu desencorajado; aquele não era um início promissor.

— Sei — disse Henry. — Foi esse o motivo pelo qual procurei um modo que lhes torne possível reconstruir Kingsbridge, mas sem custos para você.

Estêvão fez um ar cético.

— E você conseguiu imaginar um esquema tão engenhoso, para não dizer mágico?

— Sim. Minha sugestão é que você dê as terras do condado de Shiring para a diocese, a fim de financiar o programa de construção.

Philip conteve a respiração. O rei ficou pensativo.

Waleran abriu a boca para falar, mas Henry o silenciou com um gesto.

— É uma idéia inteligente — disse o rei. — Eu gostaria de fazer isso...

O coração de Philip deu um salto.

— Pena que acabei de, virtualmente, prometer o condado a Percy Hamleigh.

Um gemido escapou dos lábios de Philip. Pensara que o rei fosse dizer que sim. O desapontamento pareceu-lhe uma facada.

Henry e Waleran ficaram aturdidos. Nenhum dos dois antecipara aquilo.

Henry foi o primeiro a falar.

— Virtualmente? — perguntou.

O rei deu de ombros.

— Eu poderia dar um jeito de me esquivar, não sem considerável constrangimento. Mas afinal foi Percy quem trouxe o traidor Bartholomew a julgamento.

Waleran não pôde se conter.

— Não sem ajuda, majestade!

— Sei que você teve participação nisso...

— Fui eu que falei com Percy Hamleigh sobre a trama contra o seu trono.

— Sim. A propósito, como você soube?

Philip mexeu os pés. Estavam em terreno perigoso. Ninguém devia saber que a informação viera originalmente de seu irmão Francis, pois ele ainda trabalhava para Robert de Gloucester, que fora perdoado por sua participação no golpe.

— A informação veio da confissão de um moribundo.

Philip sentiu-se aliviado. Waleran repetira a mentira que lhe contara, só que falando de um jeito que parecia que a tal "confissão" fora feita a ele, não a Philip. O prior ficou mais do que contente por ter as atenções desviadas do papel que desempenhara em tudo aquilo.

— Ainda assim – disse o rei –, foi Percy, e não você, que atacou o castelo de Bartholomew, arriscando a vida, e prendeu o traidor.

— Você poderia recompensar Percy de algum outro modo – sugeriu Henry.

— Shiring é o que Percy deseja – disse o rei. – Ele conhece a área. Governará efetivamente ali. Eu poderia lhe dar o condado de Cambridge, mas seus homens o seguiriam?

Henry insistiu.

— Você devia dar graças a Deus primeiro, e aos homens depois. Foi Deus quem o fez rei.

— Mas foi Percy quem prendeu Bartholomew.

Henry não deixou passar a irreverência.

— Deus controla todas as coisas...

— Não me pressione com isto – disse Estêvão, erguendo a mão direita.

— Naturalmente – disse Henry, submisso.

Foi uma vívida demonstração do poder real. Por um momento eles haviam discutido quase como iguais, mas Estêvão fizera prevalecer sua vontade com uma palavra.

Philip ficou amargamente desapontado. A princípio vira aquilo como um pedido impossível, mas gradualmente viera a ter esperanças de que fosse concedido, e até mesmo chegara a fantasiar o modo como usaria a fortuna. Agora fora trazido de volta à realidade com um golpe duro.

— Majestade – disse Waleran –, eu lhe agradeço por estar disposto a reconsiderar o futuro do condado de Shiring, e aguardarei sua decisão ansiosa e piedosamente.

Uma jogada inteligente, pensou Philip. Dava a impressão de que Waleran estava desistindo de modo gracioso. Na verdade, o que estava afirmando era que a questão ainda se encontrava em aberto. O rei não dissera aquilo. Se tinha havido alguma resposta, ela fora negativa. Mas não havia nada de ofensivo em insistir ainda ser possível decidir de um jeito ou de outro. Tenho que me lembrar disso, pensou Philip; quando estiver prestes a receber uma negativa, lute por um adiamento.

Estêvão hesitou por um momento, como se suspeitasse vagamente estar sendo manipulado; por fim pareceu vencer suas dúvidas.

— Muito obrigado por terem vindo aqui me ver – disse ele. Philip e Waleran se viraram para ir embora, mas Henry ficou onde estava e perguntou:

— Quando ouviremos a sua decisão?

Mais uma vez o rei deu a impressão de que de certo modo se sentia encurralado.
– Depois de amanhã – respondeu.
Henry fez uma reverência, e os três foram embora.

A incerteza era quase tão ruim quanto uma decisão negativa. Philip achou a espera insuportável. Gastou a tarde com a maravilhosa coleção de livros do priorado de Winchester, mas os livros não puderam fazer com que não pensasse no que estaria se passando na cabeça do rei. Poderia ele deixar de cumprir a promessa feita a Percy Hamleigh? Qual seria a verdadeira importância do lorde? Ele era um membro da pequena nobreza que aspirava a um condado – certamente Estêvão não tinha motivo para recear ofendê-lo. Mas até que ponto o rei queria mesmo ajudar Kingsbridge? É notório que os reis se tornam piedosos à medida que envelhecem. Estêvão ainda era jovem.

Philip revirava as possibilidades inúmeras vezes na sua cabeça, ao mesmo tempo que olhava, sem ler, *A consolação da filosofia*, de Boécio, quando um noviço se aproximou na ponta dos pés pelo passadiço do claustro e o abordou timidamente.

– Há alguém querendo vê-lo no pátio externo, padre – sussurrou o rapaz.

Se tinham mandado que esperasse do lado de fora, não se tratava de um monge.

– Quem é? – perguntou o prior.

– É uma mulher.

A primeira e horrorizada ideia de Philip foi de que se tratava da prostituta que o abordara diante da oficina de cunhar moedas; porém, alguma coisa na expressão do noviço lhe disse que se tratava de algo diferente. Havia outra mulher cujos olhos haviam encontrado os seus naquele dia.

– Como é a aparência dela?

O rapaz fez uma cara de nojo.

Philip balançou a cabeça, compreendendo.

– Regan Hamleigh. – Que maldade estaria planejando agora? – Irei logo.

Contornou devagar e pensativamente o claustro e passou para o pátio. Precisaria de todas as faculdades mentais para tratar com aquela mulher.

Ela estava sentada diante da sala do despenseiro, envolta numa capa pesada e escondendo o rosto num capuz. Lançou a Philip um olhar maligno tão indisfarçado que ele teve vontade de fazer meia-volta e entrar de novo; porém, ficou com vergonha de fugir de uma mulher, de modo que sustentou sua posição e disse:

– O que você quer comigo?

– Seu monge tolo! – despejou ela. – Como pode ser tão burro?

Ele sentiu o rosto enrubescer.

– Sou o prior de Kingsbridge, e é melhor me chamar de "padre" – disse; mas, para sua vergonha, as palavras soaram mais petulantes que autoritárias.

— Está bem, *padre*. Como pode se deixar usar por aqueles dois bispos gananciosos?

O prior respirou fundo.

— Fale sem rodeios — disse, furioso.

— É difícil encontrar palavras simples o bastante para uma pessoa tão tola, mas tentarei. Waleran está usando a igreja incendiada como pretexto para conseguir as terras do condado de Shiring para si. Isto é falar sem rodeios? Deu para entender a ideia?

Seu tom de voz desdenhoso continuou a irritar Philip, mas ele não pôde resistir à tentação de se defender.

— Não há nada de clandestino nisso — disse ele. — A renda das terras deverá ser utilizada para reconstruir a catedral.

— O que o faz pensar assim?

— Mas é exatamente essa a ideia! — protestou o prior, embora no fundo da sua cabeça já sentisse os primeiros sinais de dúvida.

O tom escarninho de Regan mudou, e ela adotou um ar de astúcia.

— As novas terras pertencerão ao priorado? — perguntou. — Ou à diocese?

Philip encarou-a por um momento, mas virou de lado; seu rosto era revoltante demais. Ele estivera trabalhando na pressuposição de que as terras pertenceriam ao priorado — e estariam sob o seu controle — e não à diocese — onde estariam sob o controle de Waleran. Mas rememorou agora que, na audiência com o rei, o bispo Henry pedira especificamente que as terras fossem dadas à diocese. Philip presumira que tivesse sido um lapso. Mas não fora corrigido, nem na hora, nem depois.

Olhou para Regan, cheio de suspeitas. Ela não poderia ter sabido de antemão o que Henry iria dizer ao rei. Talvez tivesse razão. Por outro lado, podia estar simplesmente querendo causar problemas. Àquela altura, tinha tudo a ganhar com uma briga entre Philip e Waleran.

— Waleran é o bispo — ponderou o prior. — Precisa ter uma catedral.

— Ele precisa ter uma porção de coisas — retrucou ela. Tornou-se menos malévola e mais humana quando começou a raciocinar, mas Philip continuou sem conseguir encará-la por muito tempo. — Para alguns bispos, uma bela catedral seria a primeira prioridade. Para Waleran há outras. De qualquer modo, enquanto ele controlar os cordões da bolsa, será capaz de soltar mais ou menos dinheiro para você e seus construtores, na medida da sua vontade.

Philip viu que pelo menos quanto àquilo ela estava com a razão. Se Waleran fosse recolher as rendas, naturalmente reteria uma porção para as suas despesas. E somente ele, e mais ninguém, poderia dizer qual o valor dessa porção. Não haveria nada que pudesse impedi-lo de desviar o dinheiro para objetivos que nada tivessem a ver com a catedral, se assim desejasse. E Philip nunca poderia saber se seria capaz de pagar os operários no mês seguinte.

Não havia dúvida alguma de que seria melhor se o priorado fosse dono das terras. Mas Philip tinha certeza de que Waleran resistiria a essa ideia, no que seria apoiado pelo bispo Henry. Nesse caso a única esperança do prior seria apelar para o rei. E Estêvão, vendo os religiosos divididos, poderia resolver o problema dando o condado a Percy Hamleigh.

E era o que Regan queria, claro.

Philip sacudiu a cabeça.

– Se Waleran estivesse tentando me tapear, por que me traria aqui? Poderia ter vindo sozinho e fazer o mesmo pedido.

Ela concordou.

– Poderia, sem dúvida. Mas o rei também poderia se perguntar até que ponto Waleran estaria sendo sincero, ao afirmar que só desejava o condado para construir a catedral. Você afastou quaisquer suspeitas que Estêvão poderia ter tido, aparecendo aqui para apoiar o pedido de Waleran. – O tom de voz dela voltou a ser desdenhoso. – E a sua aparência está tão patética, com esse hábito sujo, que o rei só pode ter pena de você! Não, Waleran foi esperto ao trazê-lo aqui.

Philip teve a horrível sensação de que ela podia estar certa, mas não estava disposto a admitir.

– Você só quer o condado para o seu marido – disse.

– Se eu puder lhe mostrar provas, cavalgará metade de um dia para vê-las?

A última coisa que Philip queria era se deixar levar pelas tramas de Regan Hamleigh. Mas tinha que descobrir se o que afirmava era verdade. Assim, foi com relutância que respondeu:

– Sim, cavalgarei metade de um dia.

– Amanhã?

– Sim.

– Esteja pronto ao nascer do sol.

Era William Hamleigh, o filho de Percy e Regan, quem estava esperando pelo prior no pátio externo, na manhã seguinte, quando os monges começaram a cantar as primas. Philip e William deixaram Winchester pelo Portão Oeste e imediatamente viraram para o norte, na Athelynge Street. O palácio do bispo Waleran ficava naquela direção, percebeu o prior, e a uma distância de meia jornada a cavalo. Então era para lá que estavam indo. Mas por quê? Estava profundamente desconfiado. Decidiu ficar alerta para evitar truques. Os Hamleighs poderiam muito bem estar tentando usá-lo. Especulou como. Talvez houvesse um documento com Waleran que eles quisessem ver ou até mesmo furtar – um documento qualquer.

O jovem lorde William podia dizer aos auxiliares do bispo que tinham sido mandados ali para buscar esse documento, e eles acreditariam porque Philip estava em sua companhia. William podia facilmente ter um esqueminha desses escondido na manga. Philip tinha que se conservar alerta.

Era uma manhã sombria, cinzenta, garoenta. William forçou o ritmo nas primeiras milhas e depois reduziu, para os cavalos poderem descansar. Após algum tempo disse:

— Então, monge, você está querendo me tirar o condado.

Philip ficou espantado com o seu tom hostil: nada fizera para merecê-lo, e se ressentiu. Consequentemente sua resposta foi incisiva:

— De você? Não vai ganhá-lo, rapaz. Eu poderei ganhar, ou seu pai, ou o bispo Waleran. Mas ninguém pediu ao rei para dar o condado a *você*. A simples ideia é uma piada.

— Eu o herdarei.

— Veremos. — Philip decidiu que não tinha motivo para discutir com William. — Não tenciono lhe causar prejuízo algum — disse, num tom conciliador. — Só quero construir uma nova catedral.

— Então tire o condado de outra pessoa qualquer — disse William. — Por que todo mundo sempre cisma em nos fazer de vítimas?

O prior reparou que havia amargura na voz do rapaz.

— Mas isso acontece mesmo? — perguntou.

— Espero que o acontecido com Bartholomew venha a servir de lição. Ele insultou nossa família, e veja só onde está agora.

— Pensei que tivesse sido a filha dele a responsável pelo insulto.

— A cadela é tão orgulhosa e arrogante quanto o pai. Mas sofrerá, também. No fim todos eles se ajoelharão, você vai ver.

Aquelas não eram as emoções costumeiras de um rapaz de vinte anos, pensou Philip. Mais parecia uma mulher de meia-idade, invejosa e pérfida. A maioria das pessoas disfarçaria o ódio, vestindo-o com roupas apropriadas, mas William era ingênuo demais para isso.

— É melhor que a vingança seja deixada para o dia do Juízo Final — disse o prior.

— Por que você não espera até o dia do Juízo Final para construir sua igreja?

— Porque então já será demasiado tarde para salvar a alma dos pecadores dos tormentos do inferno.

— Não comece com isso! — exclamou William, e havia uma nota de histeria na sua voz. — Guarde os seus sermões.

Philip sentiu-se tentado a dar outra resposta incisiva, mas calou-se. Havia algo de muito estranho naquele rapaz. Parecia ao prior que ele podia ter um ataque incontrolável de raiva a qualquer momento, e que quando estivesse enfurecido seria mortalmente violento. Philip não tinha medo dele. Não temia homens violentos, talvez por ter testemunhado o pior, quando menino, e sobrevivido. Mas não havia nada a ganhar enfurecendo William com reprimendas, e por isso disse delicadamente:

— Céu e inferno são aquilo com que lido. Virtude e pecado, perdão e punição, bem e mal. Receio que não possa me calar no tocante a essas coisas.

— Então fale sozinho — disse William, esporeando o cavalo, que se afastou trotando.

Quando já tinha se afastado umas quarenta ou cinquenta jardas, reduziu a marcha de novo. Philip perguntou-se se o rapaz se acalmaria e voltaria a viajar lado a lado, mas isso não aconteceu, e pelo resto da manhã os dois seguiram separados.

O prior sentia-se ansioso e de certa forma deprimido. Perdera o controle do seu destino. Deixara Waleran Bigod assumir o comando em Winchester, e agora estava permitindo que William Hamleigh o conduzisse numa viagem misteriosa. Todos estão tentando me manipular, pensou; por que estou consentindo? Já era hora de tomar a iniciativa. Mas não havia nada que pudesse fazer naquele instante, exceto voltar para Winchester, o que seria um gesto inútil, e assim continuou a seguir William, contemplando melancolicamente a anca do seu cavalo, enquanto seguiam viagem.

Pouco antes do meio-dia chegaram ao vale onde ficava o palácio do bispo. Philip se lembrou de quando viera ali no início do ano, cheio de medo, levando consigo um segredo mortal. Desde então, muitas coisas haviam mudado.

Para sua surpresa, William passou pelo palácio e continuou subindo a colina. A estrada estreitou-se, passando a uma simples trilha entre os campos; não levava a nenhum lugar importante, Philip sabia. À medida que foram se aproximando do topo, deu para ver que uma obra de construção estava sendo realizada. Um pouco abaixo do cume foram detidos por uma barreira de terra que parecia ter sido escavada recentemente. Philip foi assaltado por uma horrível suspeita.

Viraram de lado e seguiram ao longo da barreira até encontrarem uma passagem. Atravessaram. Pelo lado de dentro da barreira havia um fosso seco, aterrado naquele ponto para permitir que as pessoas passassem.

— Foi isto o que viemos ver? — perguntou Philip.

William limitou-se a fazer que sim.

A suspeita de Philip foi confirmada. Waleran estava construindo um castelo. Sentiu-se arrasado.

Tocou o cavalo e atravessou a trincheira, com William atrás. A trincheira e a barreira cercavam o topo da elevação. Na orla interna da trincheira um largo muro de pedra fora levantado até uma altura de dois ou três pés. O muro estava claramente inacabado, e a julgar pela sua espessura iria ser bem alto.

Waleran estava construindo um castelo, mas não havia operários no lugar da obra, nem ferramentas à vista, nem pilhas de pedra ou madeira. Muita coisa fora feita em pouco tempo; depois o trabalho cessara de repente. Claro que Waleran ficara sem dinheiro.

— Suponho que não haja dúvida de que seja o bispo quem está construindo este castelo — disse Philip.

— E Waleran Bigod permitiria que alguma outra pessoa construísse um castelo ao lado do seu palácio?

Philip sentiu-se magoado e humilhado. O quadro era claro como o cristal: o bispo Waleran queria o condado de Shiring, com sua pedra e sua madeira, para construir o castelo, não a catedral. Philip fora tão somente uma ferramenta, e o incêndio da Catedral de Kingsbridge, uma desculpa conveniente. Ele próprio e a catedral incendiada só tinham servido para despertar a religiosidade do rei, de modo a fazê-lo conceder o condado a Waleran.

Philip viu-se como Waleran e Henry deveriam vê-lo: ingênuo, condescendente, cheio de sorrisos e reverências, enquanto o levavam para o abatedouro. Como o tinham julgado bem! Confiara neles, submetera-se à sua opinião, chegara inclusive a suportar suas desconsiderações com um sorriso corajoso, por achar que o estivessem ajudando, enquanto o tempo todo o traíam.

Ficou chocado com a falta de escrúpulos de Waleran. Relembrou a tristeza que vira nos olhos dele quando examinara a catedral em escombros. Naquele momento vislumbrara a piedade fundamente enraizada no seu coração. Waleran devia pensar que fins piedosos justificavam meios desonestos, a serviço da Igreja. Philip nunca acreditara nisso. Eu jamais faria com Waleran o que ele está tentando fazer comigo.

Nunca se vira antes como simplório. Gostaria de saber onde errara. Ocorreu-lhe que se deixara ficar assombrado com tudo — o bispo Henry e suas roupas de seda, a magnificência de Winchester e sua catedral, as pilhas de moedas de prata recém-cunhadas, os montes de carne nos açougues, a ideia de ter uma audiência com o rei. Esquecera que Deus enxerga através dos mantos de seda o coração pecador, que a única fortuna que vale a pena ter é um tesouro no céu, e que até mesmo o rei precisa se ajoelhar na igreja. Achando que todas as outras pessoas eram muito mais poderosas e sofisticadas que ele, perdera de vista os verdadeiros valores, suspendera as faculdades críticas e confiara nos seus superiores. A recompensa fora uma traição.

Deu mais uma olhada no lugar da obra, varrido pela chuva, e fez a volta, afastando-se. Sentia-se ferido. William o seguiu.

— O que achou então, monge? — debochou.

Philip não replicou. Lembrou que ajudara Waleran a tornar-se bispo. Ele dissera: "Quer que eu o faça prior de Kingsbridge. Quero que me faça bispo." Claro que Waleran não revelara que o bispo já estava morto, o que, de certa forma, teria tornado a promessa sem valor. E Philip pensara que tinha que prometer o que lhe fora pedido, para assegurar sua eleição a prior. Mas eram apenas desculpas. A verdade era que devia ter deixado a escolha do prior e do bispo nas mãos de Deus.

Não tomara essa pia decisão, e seu castigo era ter que entrar em disputa com o bispo Waleran.

Quando pensou no modo como fora desconsiderado, tratado com superioridade, manipulado e enganado, ficou com raiva. A obediência era uma virtude monástica, mas fora do claustro tinha suas desvantagens, pensou, amargurado. O mundo do poder e da propriedade exigia que se fosse desconfiado, exigente e insistente.

– Aqueles bispos mentirosos o fizeram de tolo, não? – disse William.

Philip puxou as rédeas do seu cavalo. Trêmulo de raiva, sacudiu um dedo para William.

– Cale a boca, garoto. Você está falando de santos homens de Deus. Se disser mais uma palavra, queimará no inferno, eu lhe prometo.

O jovem ficou lívido de ódio.

Philip esporeou o cavalo e seguiu adiante. O comentário zombeteiro de William fez com que se lembrasse de que os Hamleighs tinham tido um motivo para levá-lo a ver o castelo do bispo. Queriam causar uma briga entre ele e Waleran a fim de se assegurarem de que o condado não seria dado nem ao prior nem ao bispo, e sim a Percy. Pois muito bem, Philip não ia ser manipulado por eles tampouco. Bastava de ser manipulado. De agora em diante seria ele quem faria toda a manipulação.

Aquilo tudo estava muito bem, mas o que poderia ser feito? Se Philip entrasse em disputa com Waleran, Percy ficaria com as terras; e se nada fizesse, seria o bispo quem ficaria com tudo.

O que o rei queria? Ajudar a construir a nova catedral – o tipo de coisa que era digna de um rei e que beneficiaria sua alma após a morte. Mas ele precisava recompensar a lealdade de Percy também. Estranhamente, não havia nenhuma pressão específica sobre ele para satisfazer os homens mais poderosos, os dois bispos. Ocorreu-lhe que deveria haver uma solução do dilema que resolvesse o problema do rei, satisfazendo tanto a Kingsbridge quanto a Percy Hamleigh.

Agora tinha uma ideia em que pensar.

E foi uma ideia que lhe agradou. Uma aliança dele com os Hamleighs era a última coisa que alguém esperaria – e por isso mesmo podia dar certo. Os bispos estariam completamente despreparados para uma coisa dessas; tal aliança os apanharia de surpresa.

Seria uma inversão maravilhosa no rumo dos acontecimentos.

Mas poderia negociar um acordo com os vorazes Hamleighs? Percy queria as ricas terras agrícolas de Shiring, o título de conde e o poder e o prestígio de uma tropa de cavaleiros ao seu comando. Philip também queria as terras, mas não se interessava pelo título ou pelos cavaleiros: estava mais interessado na pedreira e na floresta.

O teor de um compromisso começou a tomar forma na cabeça de Philip. Talvez nem tudo estivesse perdido ainda.

Como seria doce vencer agora, depois de tudo o que acontecera.

Com animação cada vez maior, pensou em como abordaria os Hamleighs. Estava decidido a não bancar o suplicante. Teria que fazer com que sua proposta parecesse irresistível.

Quando chegaram a Winchester, o hábito de Philip estava encharcado e seu cavalo, irritadiço, mas ele achou que tinha a resposta.

— Vamos ver a sua mãe — disse para William, ao passarem sob o arco do Portão Oeste.

O jovem ficou espantado.

— Pensei que você fosse querer ver imediatamente o bispo Waleran.

Sem dúvida fora o que Regan lhe dissera para esperar.

— Não se dê ao trabalho de me contar o que pensou, rapaz — retrucou Philip. — Basta que me leve à sua mãe. — Ele se sentia pronto para defrontar-se com Lady Regan. Comportara-se passivamente tempo demais.

William virou para o sul e levou Philip a uma casa na Gold Street, entre o castelo e a catedral. Era uma residência grande, com paredes de pedras da altura da cintura de um homem e estrutura de madeira na parte superior. Dentro havia um hall de entrada que dava acesso a diversos aposentos. Os Hamleighs provavelmente estavam se hospedando ali: muitos cidadãos de Winchester alugavam cômodos para as pessoas que vinham à corte real. Se Percy passasse a ser conde iria ter sua própria casa na cidade.

William conduziu Philip a um quarto da frente, com uma cama grande e uma lareira. Regan estava sentada junto do fogo, com Percy de pé ao seu lado. Ela olhou para Philip com uma expressão de surpresa, mas se recuperou depressa e perguntou:

— Como é, monge, eu tinha razão?

— Você não poderia estar mais enganada, mulher tola — disse Philip asperamente.

Chocada com o seu tom colérico, ela silenciou.

Philip sentiu-se gratificado por lhe ter dado uma amostra do seu próprio remédio. E prosseguiu no mesmo tom:

— Pensou que poderia causar uma briga entre mim e Waleran. Imaginou que eu não descobriria o que estava querendo? Você é uma víbora ardilosa, mas não é a única pessoa no mundo capaz de *pensar*!

Pelo rosto dela, Philip viu que Regan reconhecera que seu plano não dera certo e que estava pensando furiosamente no que fazer a seguir. Continuou pressionando, enquanto ela ainda estava desconcertada.

— Você falhou, Regan. E agora tem duas opções. Uma é sentar, preocupada, e esperar pelo melhor, aguardando a decisão do rei, correndo o risco de depender do estado de espírito dele pela manhã. — Fez uma pausa.

— E a alternativa? — perguntou ela relutantemente.

— A alternativa é fazermos um trato, eu e você. Dividimos o condado entre nós, não deixando nada para Waleran. Vamos ao rei em particular, dizemos que chegamos a um acordo e conseguimos que o aprove antes que os bispos possam objetar. — O prior sentou-se num banco e ostentou um falso ar de tranquilidade. — É a sua melhor chance. Não chega a ter escolha, na verdade. — Ficou olhando para o fogo, não querendo que ela visse como estava tenso. A ideia tinha que parecer sedutora para eles, pensou. Era a certeza de ganhar alguma coisa contra a possibilidade de ficar sem nada. Mas eles eram gananciosos, podiam preferir um jogo do tipo tudo ou nada.

Foi Percy quem falou primeiro.

— Dividir o condado? Como?

Bom, pelo menos estavam interessados, pensou Philip, aliviado.

— Vou propor uma divisão tão generosa que vocês terão que ser maluco para não aceitá-la — disse-lhe o prior. Voltou-se depois para Regan. — Estou lhes oferecendo a melhor metade.

Os Hamleighs o fitaram, esperando que explicasse melhor, mas Philip não disse mais nada.

— O que você quer dizer com a melhor metade? — perguntou Regan.

— O que é mais valioso: terra arável ou floresta?

— Terra arável, certamente.

— Então vocês ficam com a terra arável e eu com a floresta.

Regan semicerrou os olhos.

— Isto lhe dará a madeira para a sua catedral.

— Correto.

— E os pastos?

— O que vocês querem: pasto para criar gado ou carneiro?

— Para o gado.

— Então fico com as fazendas situadas nas colinas, com os seus carneiros. Vão querer a renda produzida pelos mercados ou a pedreira?

— A renda dos mer... — começou Percy.

— E se disséssemos a pedreira? — interrompeu Regan.

Philip viu que ela compreendera o que tinha em mente. Ele queria a pedreira para construir sua catedral. Sabia que ela não a desejava. Os mercados davam mais dinheiro com menos esforço. Por tudo isso, retrucou, confiante:

— Mas não vão dizer, não é mesmo?

Ela sacudiu a cabeça.

– Não. Ficamos com os mercados.

Percy forçou uma expressão de quem estava sendo esbulhado.

– Preciso da floresta para caçar – disse. – Um conde deve caçar.

– Você pode caçar lá – apressou-se a dizer Philip. – Só quero a madeira.

– É aceitável – disse Regan. A concordância dela veio um pouco cedo demais para o gosto de Philip. Sentiu uma pontada de ansiedade. Teria desistido de algo importante sem saber? Ou ela estaria apenas aflita para se livrar de detalhes aborrecidos? Antes que ele pudesse pensar mais a esse respeito, ela continuou: – Suponha que ao examinar os documentos do conde Bartholomew encontremos registros de terras que pensemos ser nossas e que você ache que devam ser suas?

O fato de estar descendo a tal nível de detalhe encorajou Philip a pensar que aceitaria a proposta. Disfarçou a animação e disse friamente:

– Teremos que concordar quanto a um árbitro. Que tal o bispo Henry?

– Um padre? – retrucou ela, com um toque do seu habitual jeito escarninho. – Ele seria objetivo? Não. Que tal o xerife de Shiring?

Não seria mais objetivo que o bispo, pensou Philip; mas não podia pensar em ninguém que satisfizesse ambos os lados, e por isso respondeu:

– Concordo, com a condição de, caso não aceitemos a decisão dele, termos o direito de apelar para o rei. – Isso deveria ser uma salvaguarda suficiente.

– Combinado – disse Regan. Depois lançou um olhar para Percy e acrescentou: – Se agradar ao meu marido.

– Sim, sim – concordou o lorde.

Philip viu que estava perto da vitória. Respirou fundo e disse: – Se a proposta geral foi aceita, então...

– Espere um momento – interrompeu-o Regan. – A proposta não foi aceita ainda.

– Mas já lhes dei tudo o que queriam.

– Podemos ficar com o condado todo, sem divisões.

– E também podem ficar sem nada.

Regan hesitou.

– Como acha que devemos proceder para executar o acordo, se houver acordo?

Philip pensara nisso. Olhou para Percy.

– Você poderia ver o rei hoje à noite?

O lorde pareceu ansioso, mas disse:

– Se eu tiver um bom motivo...

– Pois procure-o e diga-lhe que chegamos a um acordo. Peça-lhe que o anuncie como sendo uma decisão dele, amanhã de manhã. Assegure-lhe que você e eu nos declararemos satisfeitos.

– E se ele perguntar se os bispos aprovaram?

— Diga que não houve tempo para lhes dar conhecimento. Lembre a ele que é o prior, e não o bispo, que tem de construir a catedral. Dê a entender que se eu ficar satisfeito os bispos também ficarão.

— E se os bispos se queixarem quando a solução for anunciada?

— Como poderão? — retrucou Philip. — Eles estão fingindo só querer o condado para financiar a construção da catedral. Dificilmente Waleran poderá protestar alegando ser incapaz de desviar fundos para outras finalidades.

Regan deu uma risadinha. Gostara da astúcia de Philip.

— É um bom plano — disse.

— Há uma condição importante — disse o prior fitando-a diretamente nos olhos. — O rei deve declarar que a minha parte vai para o *priorado*. Se ele não deixar isso claro, eu lhe perguntarei. Se ele disser qualquer outra coisa... a diocese, o sacristão, o arcebispo... repudiarei todo o acordo. Não quero que vocês tenham a menor dúvida disso.

— Compreendo — disse Regan, um pouco irritada.

Sua irritação fez com que o prior suspeitasse de estar entretendo a ideia de apresentar ao rei uma versão algo diferente do acordo. E ficou satisfeito por ter esclarecido o ponto com firmeza.

Levantou-se para ir embora, mas queria dar um jeito de fazê-los confirmar formalmente sua participação.

— Estamos combinados, então — disse, com um leve ar de indagação. — Temos um pacto solene. — Ele olhou para os dois.

Regan balançou imperceptivelmente a cabeça e Percy disse:

— Temos um pacto.

O coração de Philip bateu mais depressa.

— Ótimo — disse severamente. — Eu os verei pela manhã no castelo. — Manteve o rosto inexpressivo enquanto deixava o aposento, mas ao chegar à rua escura relaxou e permitiu-se um sorriso largo e triunfante.

Philip caiu num sono ansioso e agitado após a ceia. Levantou-se à meia-noite para as matinas, depois ficou acordado no colchão de palha, pensando no que aconteceria no dia seguinte.

Achava que o rei Estêvão deveria aprovar a proposta. Ela resolveria seu problema, dando-lhe um conde e uma catedral. Não estava tão certo de que Waleran aceitasse a derrota, a despeito do que dissera a Lady Regan. O bispo poderia encontrar uma desculpa para se contrapor ao arranjo. Se pensasse depressa, talvez alegasse que o acordo não assegurava o dinheiro para construir a catedral imponente, prestigiosa e ricamente decorada que desejava. O rei podia ser persuadido a repensar o problema.

Um perigo diferente ocorreu a Philip pouco antes do raiar do dia: Regan poderia traí-lo. Talvez fizesse um trato com Waleran. E se ela oferecesse as mesmas condições ao bispo? Ele teria a pedra e a madeira de que precisava para construir seu castelo. Essa possibilidade agitou Philip, que ficou se virando sem parar na cama. Gostaria de ter ido procurar o rei pessoalmente, mas na certa ele não o receberia – e, de qualquer modo, Waleran poderia ter sabido e desconfiado. Não, não havia nada que pudesse ter feito para se defender do risco de uma traição. Agora só podia rezar.

Foi o que fez até o romper do dia.

Fez o desjejum juntamente com os monges. Descobrira que o pão branco que eles comiam não deixava o estômago cheio por tanto tempo quanto o pão de massa grossa; mesmo assim, porém, não conseguiu comer muito. Foi cedo para o castelo, embora soubesse que o rei não estaria recebendo ninguém àquela hora. Entrou no salão e sentou-se num dos bancos de pedra para aguardar.

O salão encheu-se lentamente com peticionários e cortesãos. Alguns estavam alegremente vestidos, com túnicas amarelas, azuis e rosa e capas com luxuosas guarnições de pele. O famoso *Domesday book*, o cadastro das terras inglesas organizado por ordem de Guilherme, o Conquistador, ficava guardado em algum lugar daquele castelo, lembrou Philip. Provavelmente no salão de cima, onde o rei o recebera e aos dois bispos: o prior não reparara nele, pois estava tenso demais para notar qualquer coisa. O tesouro real ficava ali também, presumivelmente no último andar, num aposento seguro ao lado do quarto de Estêvão. Mais uma vez Philip viu-se de certa forma intimidado por aquilo que tinha à sua volta, mas resolvera não mais se intimidar. Aquelas pessoas com roupas finas – cavaleiros, lordes, mercadores e bispos – eram apenas homens. A maioria não conseguia escrever muita coisa além dos próprios nomes. E todos estavam ali para conseguir algo para si, enquanto ele, Philip, viera em nome de Deus. Sua missão e seu hábito marrom sujo o colocavam acima dos outros peticionários, não abaixo.

Esse pensamento lhe deu coragem.

Um murmúrio de tensão percorreu a sala quando um sacerdote apareceu na escada. Todos esperavam que aquilo significasse que o rei estava recebendo. O padre murmurou algumas palavras a um dos guardas armados e desapareceu de volta no andar de cima. O guarda escolheu um cavaleiro no meio da multidão. O cavaleiro deixou a espada com o guarda e subiu.

Phillip pensou em como deveria ser estranha a vida que os clérigos do rei levavam. O rei tinha que dispor de padres, é claro, não só para celebrar a missa, como também para cumprir a imensa tarefa de ler e escrever relacionada ao trabalho de governar o reino. Não havia ninguém mais para fazer isso, a não ser o clero. Os poucos homens leigos alfabetizados não eram capazes de ler ou escrever com rapidez suficiente. Entretanto, não havia nada de muito sagrado na vida dos prelados do rei. O próprio irmão de Philip escolhera aquela vida, e trabalhava para Robert de Gloucester. Tenho que lhe perguntar como é essa coisa, pensou Philip, se algum dia vier a vê-lo de novo.

Logo após o primeiro suplicante ter subido a escada, os Hamleighs chegaram.

Philip resistiu ao impulso de ir ao encontro deles; não queria que o mundo soubesse que estavam em conluio, pelo menos por ora. Fitou-os intensamente, estudando-lhes as expressões, tentando ler seus pensamentos. Concluiu que William parecia esperançoso, Percy ansioso e Regan tensa como a corda de um arco. Após alguns momentos, o prior se ergueu e atravessou a sala, de modo tão casual quanto pôde. Cumprimentou-os polidamente, e dirigiu-se a Percy:

— Foi vê-lo?

— Sim.

— E?

— Disse que pensaria no assunto durante a noite.

— Mas *por quê*? — indagou Philip. Sentiu-se desapontado e aborrecido. — O que há para pensar?

Percy deu de ombros.

— Pergunte a ele.

Philip ficou exasperado.

— Bem, como é que ele *parecia* estar? Satisfeito ou o quê?

Foi Regan que respondeu.

— Meu palpite é que gostou da ideia de se ver livre do dilema, mas desconfiou de tanta facilidade.

Aquilo tinha sentido, mas Philip ainda continuou aborrecido porque o rei Estêvão não agarrara a oportunidade com ambas as mãos.

— É melhor não continuarmos conversando — disse após um momento. — Não queremos que os bispos pensem que estamos tramando contra eles... não antes de o rei tornar pública sua decisão. — Inclinou a cabeça polidamente e afastou-se.

Voltou para o seu banco de pedra. Tentou passar o tempo pensando no que faria se o seu plano desse certo. Quando começaria a trabalhar na nova catedral? Dependia da rapidez com que pudesse trabalhar algum dinheiro com a nova propriedade. Devia haver um bom número de carneiros: certamente teria lá para vender no verão. Algumas fazendas situadas nas colinas estariam alugadas, e a maioria dos aluguéis deviam ser pagos após a colheita. No outono já deveria haver dinheiro bastante para contratar os homens que se encarregariam da floresta e da pedreira e começar a estocar madeira e pedra. Ao mesmo tempo os operários poderiam começar a escavar os alicerces, sob a supervisão de Tom Construtor. Poderiam estar prontos para começar o trabalho com a pedra talvez já no ano seguinte.

Era um belo sonho.

Os cortesãos subiam e desciam a escada com alarmante rapidez: o rei Estêvão estava trabalhando depressa. Philip começou a se preocupar, achando que ele poderia terminar a tarefa do dia e ir caçar antes de os bispos chegarem.

Mas finalmente eles apareceram. Philip levantou-se devagar, quando entraram. Waleran parecia tenso, mas Henry estava apenas entediado. Para ele aquele assunto era secundário: devia apoio ao outro bispo, mas o resultado faria pouca diferença para ele. Para Waleran, contudo, o resultado era crucial para o seu plano de construir um castelo – e um castelo representava apenas um degrau na sua escalada para o poder.

Philip não sabia bem como deveria tratá-los. Haviam tentado enganá-lo e a vontade que tinha era de investir contra eles, dizer-lhes que descobrira sua traição; contudo, isso os alertaria de que algo estava acontecendo, e não queria levantar suspeitas, para que o acordo pudesse ser endossado pelo rei antes que eles conseguissem pensar numa saída. Assim, ocultou os sentimentos e sorriu cortesmente. Não precisava ter se incomodado: eles o ignoraram por completo.

Não decorreu muito tempo até que os guardas os chamassem. Henry e Waleran subiram a escada em primeiro lugar, seguidos por Philip. Os Hamleighs seguiram na retaguarda. O prior não poderia estar mais nervoso.

O rei Estêvão estava de pé, diante do fogo. Sua aparência era mais brusca e séria. Isso era bom: ele se mostraria impaciente com os possíveis sofismas e chicanas dos bispos. Henry adiantou-se e foi se colocar ao lado do irmão diante do fogo, enquanto todos os outros permaneciam em linha no meio do aposento. Philip sentiu uma dor nas mãos e se deu conta de que estava pressionando as palmas com as pontas dos dedos. Fez um esforço para relaxar.

O rei falou com o irmão num tom de voz tão baixo que ninguém mais conseguiu ouvir. Henry franziu a testa e disse algo igualmente inaudível. Conversaram por alguns instantes, até que Estêvão levantou uma das mãos para silenciar o irmão. Olhou para Philip.

O prior lembrou-se de que na última vez o rei se dirigira a ele bondosamente, brincando por estar nervoso e dizendo que apreciava um monge que se vestia como um monge.

Dessa vez não houve amenidades, contudo. O rei tossiu e começou:

– Meu leal súdito, Percy Hamleigh, hoje se torna o conde de Shiring.

Com o canto do olho, Philip viu Waleran adiantar-se, como que para protestar; mas o bispo Henry o deteve com um gesto rápido.

– Das propriedades do antigo conde – prosseguiu o rei –, Percy terá o castelo e toda a terra arrendada a cavaleiros, além de todas as demais terras aráveis e campos de pastos.

Philip mal podia conter a excitação. Tudo indicava que o rei aceitara o acordo! Deu outra olhadela em Waleran, cujo rosto era a imagem da frustração.

Percy ajoelhou-se diante do rei, de mãos postas, em atitude de quem reza. O rei colocou as mãos sobre as de Percy.

— Faço você, Percy, o conde de Shiring, para ter e usar as terras e rendas mencionadas.

— Juro por tudo quanto é sagrado — disse Percy — ser seu fiel vassalo e combater a seu favor, lutando contra qualquer outro.

Estêvão libertou as mãos de Percy, que se levantou.

O rei se virou para os demais.

— Todas as outras terras aráveis pertencentes ao antigo conde, dou... — Fez uma pausa por um momento, olhando de Philip para Waleran e para Philip de novo. — Ao *priorado* de Kingsbridge, para a construção da nova catedral.

Philip conteve um grito de alegria — ele vencera! Não pôde deixar de sorrir, satisfeito, para o rei. Olhou para Waleran — que ficara profundamente chocado. Sua boca estava aberta, os olhos, arregalados, e a expressão com que encarava o rei era de franca incredulidade. Seu olhar desviou-se para Philip. O bispo sabia que fracassara, de algum modo, e que o prior era o beneficiário do seu fracasso; porém, não podia imaginar como acontecera.

— O priorado de Kingsbridge — prosseguiu o rei — terá também o direito de extrair pedra da pedreira do conde e madeira de sua floresta, sem limites, para a construção da nova catedral.

A garganta de Philip ficou seca. Aquilo não era o que havia sido tratado! O combinado fora que a pedreira e a floresta *pertenceriam* ao priorado, e Percy teria apenas o direito de caçar. Regan *alterara* os termos da combinação, afinal. Agora Percy era o dono e o priorado teria meramente o direito de exploração. Philip dispunha apenas de poucos segundos para decidir se repudiava ou não todo o negócio. O rei estava dizendo:

— O xerife de Shiring tomará a si a resolução dos casos em que houver desacordo, mas as partes terão o direito de apelar para mim em último recurso. — Philip pensou: Regan se comportou abusivamente, mas que diferença faz? O trato, como está, ainda me assegura quase tudo o que quero. O rei concluiu: — Acredito que esse arranjo já tenha sido aprovado por ambas as partes aqui presentes. — E não houve mais tempo para nada.

— Sim, majestade — disse Percy.

Waleran abriu a boca para negar que tivesse aprovado o compromisso, mas Philip foi mais rápido:

— Sim, majestade — disse.

Os bispos Henry e Waleran viraram-se ao mesmo tempo para o prior, encarando-o. Suas expressões demonstraram o mais completo espanto, quando perceberam que Philip, o jovem prior que não sabia nem mesmo que se devia vestir um hábito limpo para ir à corte, negociara um acordo com o rei às suas costas. Após um momento, o rosto de Henry se desanuviou, dando a impressão de que ele estava achando graça, como quem perde uma partida do jogo das nove pedras para uma criança esperta; mas o olhar de Waleran transformou-se em um olhar maligno. Philip sentiu que era capaz de ler os pensamentos do bispo. Ele devia estar percebendo agora que cometera o erro capital de subestimar seu oponente e estava humilhado. Para Philip, aquele momento compensou tudo: a traição, a humilhação, as desfeitas. Ergueu o queixo, arriscando-se a cometer o pecado do orgulho, e dirigiu a Waleran um olhar que queria dizer: Vai ter que se esforçar muito mais para ludibriar Philip de Gwynedd.

– Que o antigo conde, Bartholomew, seja informado da minha decisão – finalizou o rei.

Bartholomew devia estar numa masmorra por perto, presumiu Philip. Lembrou-se das duas crianças vivendo com o servo no castelo em ruínas, e sentiu uma pontada de culpa, quando pensou no que lhes aconteceria agora.

O rei dispensou a todos, exceto o bispo Henry. Philip atravessou a sala flutuando no ar. Chegou ao topo da escada ao mesmo tempo que Waleran, e parou para deixar que ele passasse primeiro. O bispo lançou-lhe um olhar de fúria venenosa. Quando falou, sua voz era amarga como bile, e, a despeito do júbilo que Philip sentia, as palavras que pronunciou lhe gelaram os ossos. A máscara de ódio abriu a boca, e Waleran disse, por entre os dentes:

– Juro por tudo quanto é sagrado que você não construirá sua igreja. – Em seguida arregaçou o manto negro em torno dos ombros e desceu.

Philip não teve dúvidas de que fizera um inimigo para o resto da vida.

3

William Hamleigh mal pôde conter a excitação quando Earlscastle surgiu aos seus olhos.

Era a tarde do dia seguinte àquele em que o rei tomara sua decisão. William e Walter estavam cavalgando há quase dois dias, mas o jovem não se sentia cansado. Parecia-lhe, isso sim, que o coração tinha inchado no seu peito e bloqueava a garganta. Estava prestes a rever Aliena.

Houve tempo em que tivera esperança de desposá-la, por ser filha de um conde, e ela o rejeitara, três vezes. Estremeceu ao rememorar seu menosprezo. Fizera com que se sentisse um joão-ninguém, um camponês; agira como se os Hamleighs fossem uma família que não precisasse ser levada em conta. Mas as posições tinham se invertido. Agora era a família dela que era tida em pouca conta. Ele era o filho de um conde, e ela, nada. Não tinha título, posição, terra ou fortuna. Depois que tomasse posse do castelo, ele a expulsaria de lá e ela também não teria casa. Era quase bom demais para ser verdade.

Reduziu a marcha do cavalo ao se aproximarem do castelo. Não queria que Aliena soubesse antecipadamente de sua chegada; fazia questão de que tivesse um choque súbito, horrível e devastador.

O conde Percy e a condessa Regan haviam retornado à sua antiga propriedade em Hamleigh, a fim de providenciar a mudança para o castelo do tesouro, dos melhores cavalos e dos servos de dentro de casa. O trabalho de William era contratar gente local para limpar o castelo, acender fogos e tornar o lugar habitável.

Nuvens baixas e cinzentas flutuavam no céu, tão perto que pareciam quase encostar nas fortificações. Choveria naquela noite. Isso faria com que tudo fosse melhor ainda. Expulsaria Aliena do castelo num dia de tempestade.

Ele e Walter desmontaram e conduziram os cavalos por cima da ponte levadiça de madeira. A última vez em que estive aqui, capturei este lugar, pensou William orgulhosamente. O mato já estava crescendo no conjunto inferior. Amarraram os cavalos e os deixaram pastando. William deu ao seu cavalo de batalha um punhado de grãos. Guardaram as selas na capela de pedra, já que não havia estábulo. Os cavalos resfolegaram e patearam, mas estava ventando e o barulho se perdeu. William e Walter cruzaram a segunda ponte para o conjunto superior.

Não havia sinal de vida. O jovem subitamente pensou que Aliena poderia ter ido embora. Nesse caso, ficaria desapontado! Ele e Walter teriam que passar uma noite terrível, sentindo fome, num castelo frio e sujo. Subiram a escada externa para a porta do salão.

— Quieto — disse para Walter. — Se estiverem aqui, quero lhes dar um susto.

Empurrou a porta. O salão estava vazio e escuro, cheirando como se não fosse usado há meses. William pisou cuidadosamente ao atravessá-lo, na direção da escada. Tufos de palha seca estalaram sob seus pés. Walter o seguiu bem de perto.

Subiram os degraus. Não podiam ouvir nada: as espessas paredes de pedra da fortaleza abafavam todos os sons. A meio caminho, William parou e, virando-se para Walter, levou o dedo aos lábios e apontou. Uma luz brilhava por baixo da porta no topo da escada. Havia alguém ali.

Continuaram subindo e pararam diante da porta. De dentro veio o som da risada de uma garota. William sorriu, feliz da vida. Encontrou o trinco, girou-o delicadamente e abriu a porta com um pontapé. A risada transformou-se num grito de pavor.

A cena no quarto dava um belo quadro. Aliena e o irmão mais moço, Richard, estavam sentados a uma mesinha, perto do fogo, com um jogo de tabuleiro qualquer, e Matthew, o camareiro, de pé atrás dela, ornava por cima do seu ombro.

O rosto de Aliena estava cor-de-rosa ao clarão do fogo, e seus cachos escuros cintilavam com reflexos avermelhados. Ela vestia uma túnica de linho clara. Olhou para William surpresa, com os lábios vermelhos abertos. O jovem fitou-a, saboreando seu medo, sem nada dizer. Após um momento ela se recuperou e ergueu-se.

– O que quer? – perguntou.

William ensaiara aquela cena muitas vezes na imaginação. Entrou bem devagar e parou junto ao fogo, esquentando as mãos. Só então disse:

– Eu moro aqui. O que *você* quer?

Aliena desviou os olhos dele para Walter. Estava assustada e confusa, mas seu tom de voz foi desafiador:

– Este castelo pertence ao conde de Shiring. Diga o que deseja e vá embora.

William sorriu, vitoriosamente.

– O conde de Shiring é meu pai – disse. O camareiro gemeu, como se tivesse receado aquilo. Aliena ficou desorientada. William prosseguiu: – O rei sagrou meu pai conde, ontem, em Winchester. O castelo agora nos pertence. Sou o senhor aqui até a chegada de meu pai. – Estalou os dedos para o camareiro. – Estou com muita fome. Traga-me pão, carne e vinho.

Matthew hesitou. Lançou um olhar preocupado a Aliena. Tinha medo de deixá-la. Mas não havia escolha. Dirigiu-se para a porta.

Aliena deu um passo na direção da porta, como se fosse segui-lo.

– Fique aqui – ordenou-lhe William.

Walter colocou-se entre ela e a porta, barrando-lhe o caminho.

– Você não tem o direito de me dar ordens! – exclamou Aliena, com um pouco do seu antigo jeito autoritário.

– Fique aqui, minha lady – disse Matthew, apavorado. – Não os enfureça. Voltarei depressa.

Aliena fez uma cara feia para ele, mas permaneceu onde estava. Matthew retirou-se.

William sentou-se na cadeira de Aliena. Ela passou para o lado do irmão. Havia uma semelhança entre eles, mas toda a força estava no rosto da garota. Richard era um adolescente alto e desajeitado, ainda sem barba. William gostou da sensação de tê-los sob seu poder.

– Quantos anos você tem, Richard? – perguntou.

– Catorze – respondeu o rapaz, emburrado.

– Já matou um homem?

– Não – respondeu ele. – Ainda não – acrescentou, com uma pequena tentativa de bravata.

Você vai sofrer também, seu franguinho arrogante, pensou William. Depois voltou a atenção para Aliena.

— Quantos anos tem você?

A princípio pareceu que ela não fosse lhe dirigir a palavra, mas depois mudou de ideia, lembrando-se talvez de que Matthew lhe dissera para *não enfurecê-los*.

— Dezessete — disse.

— Ora, ora, a família toda sabe contar — disse William. — Você é virgem, Aliena?

— Claro! — explodiu, num arroubo.

De repente William adiantou-se e agarrou-lhe um seio. Encheu sua mão enorme. Apertou: era firme, mas cedia à pressão. Ela sacudiu o corpo para trás e o seio escapou da mão dele.

Richard deu um passo em frente, tarde demais, e bateu no lado do braço de William. Nada poderia tê-lo alegrado mais. Pulou rapidamente da cadeira e deu um murro na cara de Richard. Como suspeitara, o garoto era mole; gritou e levou as mãos ao rosto.

— Deixe-o em paz! — gritou Aliena.

William fitou-a espantado. Parecia mais preocupada com o irmão que consigo própria. Podia ser que valesse a pena guardar aquilo na memória.

Matthew voltou trazendo uma bandeja com um pão, uma talhada de presunto e um jarro de vinho. Empalideceu quando viu Richard com as mãos no rosto. Deixou a bandeja em cima da mesa e foi até onde se encontrava o garoto. Afastando-lhe delicadamente as mãos, examinou seu rosto. Já estava vermelho e inchado em torno do olho.

— Eu disse *a vocês* para não enfurecê-los — murmurou, mas pareceu ficar aliviado por não ser coisa pior. William ficou desapontado: esperara que Matthew tivesse um ataque de cólera. O camareiro estava ameaçando ser um desmancha-prazeres.

A visão da comida fez a boca de William se encher d'água. Puxou a cadeira para junto da mesa, pegou a faca e cortou uma fatia grossa de presunto. Walter sentou-se à sua frente. Com a boca cheia de pão e presunto, William disse para Aliena:

— Traga copos e sirva o vinho. — Matthew moveu-se para atendê-lo. — Você não — disse William. — Ela.

Aliena hesitou. Mathew olhou-a ansiosamente e fez que sim com a cabeça. Ela aproximou-se da mesa e apanhou o jarro.

Quando Aliena se inclinou, William abaixou-se, enfiou a mão por baixo da bainha da sua túnica e rapidamente correu os dedos pela perna dela. Sentiu primeiro a barriga da perna esbelta e de pelo macio, depois os músculos sob o joelho e por fim a pele macia da parte interna da coxa; então ela deu um pulo, girou e deu com o pesado jarro de vinho na sua cabeça.

William defendeu-se do golpe com a mão esquerda e esbofeteou-a com a direita. Pôs toda a sua força naquele tapa. Ficou satisfeito, ao sentir a mão arder.

Aliena gritou. Com o canto do olho ele viu Richard se movendo. Estava esperando por aquilo. Empurrou Aliena para um lado, vigorosamente, e ela caiu no chão com um barulho surdo. Richard foi na direção de William como um cervo atacando o caçador. William esquivou-se do golpe de Richard e o socou no estômago. Quando o garoto se dobrou em dois, Hamleigh golpeou-o diversas vezes, em rápida sucessão nos olhos e no nariz. Não era tão excitante quanto bater em Aliena, mas não deixava de ser gratificante, e em questão de momentos o rosto de Richard estava coberto de sangue.

De repente Walter deu um grito de alerta e pôs-se de pé com um pulo, olhando por cima do ombro de William. Este virou-se a tempo de ver Matthew vindo na sua direção com uma faca levantada, pronto para feri-lo. William foi tomado de surpresa — não esperara um ato de coragem do camareiro efeminado. Walter não pôde chegar a tempo de impedir o golpe. Tudo o que William fez foi erguer ambos os braços para se proteger, e, por um instante terrível, pensou que fosse ser morto no seu momento de triunfo. Um atacante mais forte teria desviado seus braços com uma pancada, mas Matthew era um tipo franzino, amaciado pela vida doméstica, e a faca não chegou a atingir o pescoço de William. Ele sentiu uma súbita onda de alívio, mas ainda não estava a salvo. Matthew levantou o braço para outra facada. William deu um passo atrás e apanhou sua espada. Walter contornou a mesa, com uma adaga comprida e pontuda na mão, e apunhalou Matthew nas costas.

Uma expressão de terror surgiu no rosto do efeminado. William viu a ponta da adaga de Walter sair no peito dele, rasgando a túnica. A faca de Matthew caiu e pulou nas tábuas do chão. Ele tentou respirar, num arquejo, mas veio um barulho de gorgolejo da sua garganta. Dobrou-se; saiu sangue da sua boca; seus olhos se fecharam; ele caiu. Por um momento o sangue jorrou da ferida, mas quase imediatamente virou um fio.

Todos olharam para o corpo estendido no chão: Walter, William, Aliena e Richard. William estava meio aturdido pela excitação depois de ter escapado por pouco da morte. Tinha a impressão de que seria capaz de qualquer coisa. Esticou o braço e agarrou a gola da túnica de Aliena. O tecido era suave e fino, muito caro. Puxou com força. A túnica rasgou. Continuou puxando, de modo a rasgá-la toda, na frente. Uma tira com um pé de largura ficou na sua mão. Aliena gritou, tentando juntar o que restara da roupa, sem conseguir. A garganta de William ficou seca. A repentina vulnerabilidade da jovem era excitante. Muito mais do que quando a vira se lavando, porque agora sabia que ele estava olhando e se sentia envergonhada, e sua vergonha o inflamava ainda mais. Aliena cobriu os seios com um braço e o triângulo dos pelos púbicos com a outra mão, William deixou cair a tira de tecido e agarrou-a pelo cabelo. Depois puxou-a na sua direção, fez com que se virasse, e arrancou o resto da túnica de suas costas.

Aliena tinha delicados ombros alvos, cintura estreita e quadris surpreendentemente largos. Ele puxou-a, apertando-se contra suas costas, esfregando-se nas suas nádegas. Baixou a cabeça e mordeu o pescoço macio com força, até provar o gosto de sangue e ela gritar de novo. Ele viu Richard se mexendo.

– Segure o garoto – disse para Walter.

Walter agarrou Richard e o imobilizou.

Segurando Aliena com força com um braço, William explorou seu corpo com a outra mão. Acariciou-lhe os seios, avaliou-lhes o peso e os esfregou, beliscando seus pequenos mamilos; depois passou a mão pela sua barriga e pelo triângulo de pelos entre suas pernas, crespos e fartos como os cabelos. Ele a explorou brutalmente com os dedos. Aliena começou a chorar. Seu pênis estava tão duro que parecia prestes a explodir.

William afastou-se e empurrou-a por cima da perna esticada. Aliena caiu de costas, ruidosamente. O tombo deixou-a sem ar e ela arquejou, tentando respirar.

Ele não planejara aquilo, e não sabia direito como acontecera, mas nada no mundo poderia detê-lo agora.

William ergueu a túnica e lhe mostrou o pênis. Ela ficou horrorizada; provavelmente nunca tinha visto um pênis ereto. Era uma virgem de verdade. Tanto melhor.

– Traga o garoto aqui – disse William para Walter. – Quero que veja tudo. – Por um motivo qualquer, a ideia de fazer aquilo diante dos olhos de Richard era incrivelmente excitante.

Walter empurrou Richard e o forçou a se ajoelhar.

William também se ajoelhou e forçou Aliena a abrir as pernas. Ela começou a lutar. Ele caiu por cima dela, tentando submetê-la com seu peso, mas mesmo assim Aliena resistiu e William não conseguiu a penetração. Ficou irritado; aquilo estava estragando tudo. Levantou-se sobre um cotovelo e bateu-lhe no rosto com o punho. Ela gritou. Uma mancha vermelha surgiu imediatamente no lugar em que ele batera, mas assim que tentou penetrá-la, começou a resistir mais uma vez.

Walter poderia tê-la imobilizado, mas estava segurando o garoto.

De repente, William teve uma inspiração.

– Corte a orelha do menino, Walter – disse.

Aliena ficou imóvel.

– Não! – exclamou, com a voz rouca. – Deixe-o em paz. Não o machuque mais.

– Abra as pernas, então – disse William.

Ela o encarou, com os olhos arregalados, horrorizada com a terrível escolha que se via forçada a fazer. William saboreou sua angústia. Walter, fazendo perfeitamente seu jogo, puxou a faca e encostou-a na orelha direita de Richard. Hesitou e, com um movimento quase terno, cortou fora o lobo.

Richard gritou. O sangue brotou da pequena ferida. O pedacinho de carne caiu sobre o peito arfante de Aliena.

— Pare! — gritou ela. — Está bem. Eu deixo. — E abriu os joelhos. William cuspiu na mão e esfregou a saliva entre suas pernas, enfiando os dedos na vagina. Aliena gritou de dor. O grito o excitou ainda mais. Sempre sobre ela, baixou o corpo. A jovem estava imóvel, tensa. Seus olhos se conservavam fechados. O corpo ficara molhado de suor por causa da luta, mas ela tremia. William ajustou sua posição, mas se deteve, antecipando o prazer que sentiria e saboreando o pavor dela. Deu uma olhada nos outros. Richard assistia a tudo, horrorizado. Walter olhava cobiçosamente.

— Depois é sua vez, Walter — disse William.

Aliena gemeu, em desespero.

De repente ele a penetrou rudemente, o mais forte e o mais longe que pôde. Sentiu a resistência do seu hímen — uma verdadeira virgem! — e arremeteu de novo, brutalmente. Isso machucou-o, mas machucou a ela ainda mais. Aliena gritou. Ele meteu mais uma vez, com mais força, e sentiu que o hímen se rompia. O rosto da jovem ficou pálido, sua cabeça tombou para um lado e ela desmaiou; finalmente William ejaculou dentro de Aliena, rindo sem parar com o triunfo e o prazer que sentia.

A tempestade rugiu quase toda a noite, chegando ao fim antes da madrugada. A súbita quietude despertou Tom Construtor. Deitado no escuro, ouvindo a respiração pesada de Alfred de um lado e o ressonar mais leve de Martha do outro, calculou que a manhã podia ser clara, o que significava ver o sol se levantar pela primeira vez, em duas ou três semanas nubladas. Estivera esperando por aquilo.

Levantou-se e abriu a porta. Ainda estava escuro; havia bastante tempo. Cutucou o filho com o pé.

— Alfred! Acorde! Vamos ter um nascer do sol.

Alfred resmungou e sentou-se. Martha virou-se sem acordar. Tom foi até a mesa e destampou um pote de cerâmica. Retirou um pão parcialmente comido e cortou duas fatias grossas, uma para si e outra para o filho. Sentaram-se no banco e comeram.

Havia cerveja no jarro. Tom tomou um longo gole e passou para Alfred. Agnes teria feito com que usassem copos, como Ellen, mas agora não havia mulheres na casa.

O céu estava passando de negro para cinza quando atravessaram o adro. Tom pensara em ir à casa do prior, acordá-lo. No entanto, os pensamentos de Philip haviam seguido a mesma linha dos de Tom, e ele já estava nas ruínas da catedral, protegido por uma capa grossa, ajoelhado no chão úmido, rezando.

A tarefa deles era determinar uma linha leste-oeste precisa, que formaria o eixo em torno do qual a catedral nova seria construída.

Tom preparara tudo algum tempo antes. Do lado leste, ele espetara no chão uma vara de ferro com um pequeno anel no topo, como o orifício de uma agulha. Era quase da altura de Tom, de modo que o orifício ficava no nível dos olhos deles. Ele a fixara no chão com uma mistura de cascalho e massa, para que não fosse deslocada por acidente. Nessa manhã colocaria outra vara igual, exatamente a oeste da primeira, no lado oposto do terreno onde seria construída a igreja.

– Prepare um pouco de massa, Alfred – disse.

O rapaz foi buscar areia e cal. Tom dirigiu-se ao depósito de ferramentas perto do claustro e apanhou uma pequena marreta e a segunda vara de ferro. Em seguida caminhou para o lado oeste e ficou aguardando o sol nascer. Philip terminou as orações e juntou-se a ele, com Alfred misturando areia, cal e água.

O céu clareou. Os três homens ficaram tensos. Todos olhavam para a parede leste do adro. Finalmente o disco vermelho do sol apareceu em cima do muro.

Tom mudou de posição até poder ver o sol pelo anel da vara da extremidade mais distante. Então, quando Philip começou a rezar em voz alta em latim, Tom segurou a segunda vara na sua frente, de modo que ela bloqueasse sua visão do sol. Com firmeza, abaixou-a até o chão e pressionou com cuidado sua ponta na terra úmida, conservando-a sempre, e precisamente, entre seu olho e o sol. Tirou a pequena marreta do cinto e foi batendo no ferro até que o orifício ficasse no nível dos seus olhos. Agora, se tivesse feito tudo direito, e se suas mãos não houvessem tremido, o sol reluziria através dos anéis das duas vigas.

Fechou um dos olhos e mirou através do anel mais próximo, para o que ficava mais distante. Os dois marcavam uma linha leste-oeste perfeita. Essa linha daria a orientação da nova catedral.

Tom tinha explicado tudo isso a Philip, e agora afastou-se e deixou o prior olhar através dos dois anéis, para confirmar.

– Perfeito – disse Philip.

Tom concordou.

– É sim.

– Sabe que dia é hoje? – perguntou Philip.

– Sexta-feira.

– É também o dia do martírio de santo Adolfo. Deus nos mandou um nascer do sol para que possamos orientar a construção da igreja no dia do nosso patrono. Não é um bom sinal?

Tom sorriu. Na sua experiência, o trabalho bem-feito era mais importante que bons presságios. Mas ficou feliz por Philip.

– Sim, é verdade – disse. – É mesmo um sinal muito bom.

Capítulo 6

1

Aliena estava determinada a não pensar naquilo.

Ficou sentada a noite inteira no chão de pedra fria da capela, com as costas na parede, olhando fixamente a escuridão. A princípio não pôde pensar em nada que não fosse a cena infernal por que passara, mas gradualmente a dor cedeu um pouco e a jovem pôde concentrar-se nos sons da tempestade, na chuva caindo no telhado da capela, no vento uivando por entre as fortificações do castelo deserto.

A princípio estava nua. Depois que os dois homens tinham... Quando tinham terminado, voltaram para a mesa, deixando-a estirada no chão, com Richard sangrando ao seu lado. William e Walter se puseram a comer e beber como se houvessem esquecido sua existência, até que ela e o irmão resolveram correr o risco e fugiram. A chuva começara naquela hora, e os dois atravessaram a ponte debaixo de um aguaceiro torrencial para se refugiar na capela. Contudo, Richard voltara à fortaleza quase que imediatamente. Devia ter entrado no aposento onde estavam os dois homens, pegado sua capa e a de Aliena no cabide perto da porta e fugido antes que William e seu criado tivessem tempo de reagir.

Entretanto ainda não falara com a irmã. Entregou-lhe a capa, e embrulhou-se com a sua; depois se sentou no chão a uma jarda da irmã, com as costas na mesma parede. Aliena ansiava por alguém que a amasse, para envolvê-la com os braços e confortá-la, mas Richard agia como se tivesse feito uma coisa terrivelmente vergonhosa; e o pior era que ela tinha a mesma impressão. Sentia-se tão culpada como se houvesse cometido um pecado. Entendia muito bem por que ele não a reconfortava, por que não queria tocar nela.

Ficou contente por estar frio. Ajudava a sentir-se separada do mundo, isolada, e parecia amortecer a dor. Não dormiu, mas em alguma hora da noite os dois irmãos entraram numa espécie de transe, e por longo tempo ficaram tão imóveis como se estivessem mortos.

O fim repentino da tempestade quebrou o encantamento. Aliena percebeu que podia ver as janelas da capela, pequenas manchas cinzentas, onde antes tudo fora a mais negra escuridão. Richard levantou-se e dirigiu-se até a porta. Ela o olhou, aborrecida com a agitação: queria ficar sentada ali, encostada na parede, até morrer de frio ou de fome, pois não era capaz de pensar em nada mais atraente que dormir e, pacificamente, mergulhar na inconsciência permanente. Então ele abriu a porta e a débil luz da madrugada iluminou-lhe o rosto.

O choque a tirou do transe. Richard mal era reconhecível. Seu rosto, de tão inchado, estava completamente deformado, coberto de sangue seco e ferimentos. Aliena teve vontade de chorar, vendo aquilo. Richard sempre fora metido a corajoso. Quando garotinho, corria pelo castelo cavalgando um cavalo imaginário, fingindo espetar as pessoas com uma lança, também imaginária. Os cavaleiros de seu pai sempre o encorajavam, fingindo-se de apavorados com a sua espada de pau. Na verdade, Richard podia ser assustado por um gato encurralado. Mas fizera o melhor possível, na noite anterior, e fora vigorosamente espancado por isso. Agora teria que tomar conta dele.

Lentamente ela se levantou. Seu corpo doía, mas a dor não era tão forte quanto a da véspera. Calculou o que poderia estar acontecendo na fortaleza. William e o criado deviam ter acabado com o vinho em algum momento durante a noite e caído no sono. Decerto acordariam ao nascer do sol.

A essa altura, ela e Richard já deveriam ter ido embora.

Aliena dirigiu-se à outra extremidade da capela, onde ficava o altar. Era uma simples caixa de madeira, pintada de branco, sem enfeites. Debruçou-se sobre ela e, com um gesto súbito, empurrou-a.

— O que você está fazendo? — perguntou Richard, assustado.

— Este era o esconderijo secreto de papai — disse ela. — Ele me contou antes de ir embora. — No chão, onde antes estava o altar, havia qualquer coisa embrulhada num pano. Era uma espada de tamanho normal, com cinto e bainha, e uma adaga de aspecto perigoso com cerca de um pé de comprimento.

Richard veio olhar. Tinha pouca habilidade com espadas. Vinha tomando lições há um ano, mas ainda era desajeitado. Aliena, contudo, certamente não era capaz de empunhá-la, e a entregou ao irmão. Ele afivelou o cinturão.

A jovem examinou a adaga. Nunca carregara uma arma. Em toda a sua vida tivera alguém para protegê-la. Percebendo que precisava daquela arma mortal para sua proteção, sentiu-se totalmente abandonada. Não estava segura de ser capaz de usá-la. Uma vez enfiei uma lança de madeira num porco do mato, pensou; por que não poderia fazer o mesmo com um homem... como William Hamleigh? Horrorizou-se com a ideia.

A adaga tinha uma bainha de couro com uma alça para prender no cinto. Era uma alça grande o bastante para o pulso franzino de Aliena passar por dentro dela, como se fosse uma pulseira. Ajeitou-a no braço esquerdo e escondeu a adaga na manga. A lâmina era comprida – ultrapassava seu cotovelo. Mesmo que não pudesse apunhalar ninguém, talvez conseguisse assustar as pessoas.

– Vamos dar o fora, depressa – disse Richard.

Aliena concordou, mas parou ao se dirigir para a porta. O dia estava se tornando mais claro rapidamente, e ela pôde ver no chão da capela a sombra de dois objetos que não notara antes. Olhando mais de perto, viu que eram selas, uma de tamanho normal e a outra verdadeiramente enorme. Visualizou William e seu criado, chegando na noite anterior, empolgados com o triunfo em Winchester e esgotados pela viagem, tirando descuidadamente a sela dos cavalos e largando-as ali, antes de irem apressadamente para a fortaleza. Não imaginaram que alguém se atreveria a roubá-las. Mas as pessoas desesperadas encontram coragem.

Aliena foi até a porta e deu uma olhada. A luz estava clara e fraca, e não havia cores. O vento cessara, e o céu não tinha nuvens. Diversas tabuinhas de madeira haviam caído do telhado da capela durante a noite. O conjunto estava vazio, exceto pelos dois cavalos pastando o capim molhado. Ambos olharam para Aliena e baixaram a cabeça de novo. Um deles era um imenso cavalo de batalha: isso explicava a sela avantajada. O outro era um corcel malhado, feio, mas vigoroso. Aliena olhou para os animais, depois para as selas e mais uma vez para eles.

– O que estamos esperando? – perguntou Richard ansiosamente.

Aliena tomou uma decisão.

– Vamos levar os cavalos deles – disse, determinada.

Richard pareceu apavorado.

– Eles vão nos matar.

– Não serão capazes de nos pegar. Se *não* levarmos os cavalos é que poderão nos seguir e nos matar.

– E se eles nos pegarem antes de darmos o fora?

– Só teremos que ser ligeiros. – Aliena não se sentia tão confiante quanto queria dar a entender, mas precisava encorajar o irmão. – Vamos selar o corcel primeiro; ele parece mais amigável. Traga a sela comum.

Ela atravessou correndo o conjunto. Ambos os cavalos estavam presos por longas cordas às ruínas dos edifícios incendiados. Aliena pegou a corda do corcel e puxou delicadamente. Aquele devia ser o cavalo do criado, claro. Teria preferido um animal menor e menos vigoroso, mas achou que poderia controlar aquele. Richard teria que ficar com o cavalo de batalha.

O corcel olhou desconfiadamente para Aliena e baixou as orelhas. Ela estava desesperadamente impaciente, mas obrigou-se a falar com suavidade e puxar a corda com delicadeza, e o cavalo se acalmou. Segurou sua cabeça e afagou-lhe o focinho; nesse instante o garoto passou a cabeçada e enfiou o bridão na boca do animal. A jovem sentiu-se aliviada. Richard ajeitou a menor das duas selas e prendeu-a com movimentos rápidos e seguros. Os dois irmãos estavam acostumados com cavalos desde pequenos.

Havia sacos amarrados em ambos os lados da sela. Aliena esperava que contivessem algo útil – uma pedra de fogo, um pouco de comida, ou grãos para o cavalo comer –, mas não havia tempo para examinar agora. Olhou nervosamente para a ponte que levava à fortaleza, do outro lado do conjunto. Não havia ninguém ali.

O cavalo de batalha vira o corcel ser arreado e sabia o que estava por vir, mas não estava nada entusiasmado para cooperar com completos estranhos. Resfolegou e resistiu ao puxão da corda.

– Quieto! – disse Aliena.

Segurou a corda bem tensa, puxando firmemente, e o cavalo se aproximou, relutante, de onde ela estava. Mas ele era muito forte, e se fizesse um esforço determinado para resistir, haveria problema. Aliena perguntou-se se o corcel seria capaz de levá-los. Nesse caso, porém, William seria capaz de pegá-la, montando o cavalo de batalha.

Quando o animal se aproximou mais, ela deu uma laçada num toco para que não pudesse se afastar. Mas quando Richard tentou passar a cabeçada, ele sacudiu o pescoço e não deixou.

– Tente pôr a sela primeiro – disse Aliena. Ela falou com o animal e deu umas palmadinhas no seu poderoso pescoço, enquanto Richard colocava a sela imensa e apertava a cilha. O cavalo começou a parecer, de certo modo, derrotado. – Agora seja bonzinho – acrescentou a jovem, com a voz firme, mas ele não foi enganado: sentiu o pânico que havia sob as aparências. Richard aproximou-se com a cabeçada e o animal resfolegou e tentou se afastar. – Tenho uma coisa para você – disse ela, enfiando a mão no bolso vazio da capa. O cavalo se deixou enganar. Aliena pegou um punhado de nada, mas ele baixou a cabeça e meteu o focinho na sua mão, procurando comida. Ela sentiu a aspereza da sua língua na palma da mão. Enquanto estava de cabeça baixa e boca aberta, Richard enfiou o cabresto.

Aliena lançou outro olhar receoso na direção da fortaleza. Tudo quieto.

– Monte – disse para Richard.

Ele pôs um pé no estribo muito alto – não sem dificuldade – e pulou para cima do imenso animal.

O cavalo relinchou vigorosamente.

O coração de Aliena disparou. Aquele barulho poderia ter sido ouvido na fortaleza. Um homem como William haveria de reconhecer o relincho, especialmente sendo um cavalo tão caro quanto aquele. Podia ter acordado.

Ela apressou-se a soltar o outro animal. Seus dedos frios lutaram com o nó. A possibilidade de William ter acordado fez com que perdesse a coragem. Ele abriria os olhos, se sentaria, olharia em torno, se lembraria de onde estava e iria querer saber o motivo pelo qual seu cavalo relinchara. Viria rapidamente, sem dúvida. Aliena sabia que não poderia enfrentá-lo outra vez. A coisa vergonhosa, brutal e torturante que ele lhe fizera voltou com todo o seu horror.

— Vamos, Allie! — exclamou Richard, insistente. O cavalo dele estava nervoso e agitado. Era com grande esforço que o controlava. Precisava fazê-lo galopar uma ou duas milhas para cansá-lo; então ficaria mais dócil. O imenso animal relinchou de novo e começou a andar de lado.

Finalmente Aliena conseguiu desfazer o nó. Sentiu-se tentada a deixar a corda no chão, mas depois não teria como amarrar o cavalo de novo, e por isso a enrolou rapidamente, de qualquer modo, e a prendeu na sela. Precisava ajustar os estribos; estavam na altura adequada ao criado de William, que era bem mais alto que ela, e por isso ficariam demasiado baixos quando montasse. Mas imaginou William descendo a escada, atravessando o salão, saindo para o ar livre...

— Não posso segurar este cavalo por muito mais tempo — disse Richard, com a voz espremida.

Aliena estava tão agitada quanto o cavalo de batalha. Balançou o corpo e montou no corcel. Sentar na sela a machucou, por dentro, mas não podia fazer nada. Richard tocou seu cavalo na direção do portão, e o corcel de Aliena o seguiu sem que ela tivesse feito nada. Os estribos estavam fora do seu alcance, como antecipara, e tinha que se segurar com a pressão dos joelhos. Quando começavam a sair, ouviu um grito vindo de algum lugar às suas costas, e gemeu em voz alta:

— Oh, não! — Ela viu Richard tocar o cavalo com os calcanhares. O imenso animal saiu trotando, e o dela o imitou. Era bom que ele sempre imitasse o cavalo de batalha, porque não estava em condições de controlá-lo. Richard tocou o animal de novo e ele ganhou velocidade quando passaram sob o arco do portão. Aliena ouviu outro grito, muito mais perto. Olhou por cima do ombro para ver William e seu criado correndo atrás dela.

O cavalo de Richard estava nervoso, e assim que viu campo aberto baixou a cabeça e rompeu a galopar. O barulho foi estrondoso quando atravessaram a ponte levadiça de madeira. Aliena sentiu qualquer coisa puxando-a na coxa, e viu, de esguelha, a mão de um homem tentando pegar os arreios da sela; porém, desapareceu um instante depois, e ela percebeu que tinham escapado. Sentiu uma onda de alívio inundá-la, mas a dor voltou. À medida que o cavalo galopava pelo campo, sentia-se como que apunhalada por dentro, da mesma forma como ao ser penetrada pelo asqueroso William; um líquido morno escorria pelas suas coxas. Soltou as rédeas e fechou os olhos com força, lutando contra a dor. Mas o horror da noite passada voltou, e ela via tudo por trás das pálpebras fechadas. Enquanto cruzavam o campo, cantava no ritmo do tropel:

— Não posso *lembrar*, não posso *lembrar*, não posso, não posso, não posso.

Seu cavalo fez uma curva para a direita e ela sentiu que subia uma ligeira elevação. Abriu os olhos e viu que Richard saíra da trilha lamacenta e seguia o caminho da floresta. Pensou que ele provavelmente queria cansar o cavalo de batalha antes de reduzir a marcha. Os dois animais seriam mais fáceis de controlar depois que tivessem feito um grande esforço. Em pouco tempo sentiu que o seu cavalo começava a esmorecer. Reclinou-se para trás na sela. O animal reduziu o ritmo para um pequeno galope, depois um trote e finalmente seguiu a passo. A montaria de Richard ainda tinha energia para queimar, e prosseguiu, afastando-se.

Aliena olhou para trás. O castelo ficava a uma milha de distância, e não foi possível ter certeza se estava vendo ou não dois vultos de pé na ponte, olhando na sua direção. Teriam que andar um bocado para arranjar cavalos sobressalentes, pensou. Sentiu-se segura por algum tempo.

Suas mãos e pés formigaram quando esquentaram. O calor subia do cavalo como de uma lareira, envolvendo-a num casulo de ar quente. Afinal Richard deixou sua montaria diminuir a marcha e virou na direção da irmã, o cavalo a passo, ofegante. Entraram em meio às árvores. Ambos conheciam bem aqueles bosques, pois haviam morado ali a maior parte da vida.

– Aonde estamos indo? – perguntou Richard.

Aliena fechou a cara. Aonde estavam indo? O que iam fazer? Não tinham comida, nem bebida, nem dinheiro. Ela não tinha roupas, exceto a capa que vestia – nada de túnica, camisa de baixo, chapéu ou sapatos. Tencionava tomar conta do irmão – mas como?

Podia ver agora que nos três últimos meses estivera vivendo num sonho. No fundo ela soubera que a vida de antes acabara, mas se recusara a enfrentar a verdade. William Hamleigh a despertara. Não tinha dúvida de que a história dele era verdadeira e de que o rei Estêvão fizera de Percy Hamleigh o conde de Shiring; porém, talvez houvesse algo mais. Talvez o rei tivesse destinado alguma coisa a ela e a Richard. Caso contrário, deveria tê-lo feito, e certamente eles poderiam peticionar. De qualquer modo precisavam ir a Winchester. No mínimo descobririam o que acontecera com seu pai. Subitamente ela pensou: Oh, papai, por que tudo saiu errado?

Desde que sua mãe morrera, ele tomara especial cuidado com ela. Aliena sabia que lhe dava mais atenção do que os outros pais davam às filhas. Ele se sentia culpado por não haver se casado de novo, para que ela tivesse uma nova mãe, e explicara que era mais feliz com a lembrança de sua mulher do que jamais poderia ser com uma substituta. De qualquer modo, a jovem nunca quisera outra mãe. Seu pai cuidara dela e ela cuidara de Richard, e, desse modo, nenhum mal jamais pôde acontecer a eles.

Aqueles dias haviam terminado para sempre.

— Aonde estamos indo? — perguntou Richard de novo.
— Winchester! — respondeu ela. — Iremos ver o rei.
Richard ficou entusiasmado.
— Sim! E quando contarmos o que William e seu criado fizeram ontem à noite, o rei certamente...
Num relâmpago, Aliena foi tomada de uma fúria incontrolável.
— Cale a boca! — gritou, assustando os cavalos. Ela puxou as rédeas com toda a força. — Nunca diga isso! — Estava sufocada de tanta raiva e mal conseguiu proferir as palavras. — Não vamos contar a ninguém o que eles fizeram... a ninguém! Nunca! Nunca! Nunca!

Os alforjes de William continham um pedaço grande de queijo duro, um resto de vinho num frasco de couro, uma pedra de fogo e alguns gravetos, e uma mistura de grãos que Aliena imaginou fossem destinados aos cavalos. Ela e Richard comeram o queijo e beberam o vinho ao meio-dia, enquanto os cavalos pastavam o capim escasso e comiam os galhos verdes de uns arbustos, bebendo a água de um regato de águas claras. Ela parara de sangrar, e a parte inferior do seu torso estava entorpecida.

Tinham visto outros viajantes, mas Aliena dissera a Richard para não falar com ninguém. Para um observador casual eles pareciam ser uma dupla de respeito, particularmente Richard, no seu cavalo imenso e armado com uma espada; porém, alguns momentos de conversa revelariam que não passavam de dois garotos sem ninguém que tomasse conta deles, e então ficariam vulneráveis. Assim, desviaram-se das outras pessoas.

Quando o dia começou a escurecer, procuraram um lugar para passar a noite. Encontraram uma clareira perto de um riacho, a cerca de cem jardas da estrada. Aliena deu um pouco de grão aos cavalos, enquanto Richard acendia uma fogueira. Se tivessem uma panela, poderiam cozinhar uma sopa com o cereal dos cavalos. Como não tinham, seriam obrigados a mascar os grãos crus, a não ser que encontrassem castanhas doces e as assassem. Pensava a esse respeito, com Richard fora de suas vistas apanhando lenha, quando se assustou com uma voz grave bem a seu lado.

— E quem é você, minha mocinha?

Ela gritou. O cavalo recuou, assustado. Aliena virou-se e viu um homem sujo e barbado, totalmente vestido de couro castanho. Ele deu um passo na sua direção.

— Fique longe de mim!

— Não precisa ter medo — disse ele.

Com o canto do olho ela viu Richard aparecer na clareira atrás do estranho, os braços cheios de lenha. O garoto ficou olhando para os dois. *Desembainhe a sua espada!*, pensou Aliena, mas seu irmão parecia por demais assustado e incerto para fazer qualquer coisa. Recuou, tentando colocar o cavalo entre ela e o estranho.

— Não temos dinheiro — disse. — Não temos nada.

— Sou guarda-florestal do rei — disse ele.

Aliena quase desmaiou de alívio. Um guarda-florestal era um servo real pago para exigir o cumprimento das leis da floresta.

— Por que não disse logo, seu idiota? — explodiu, furiosa por ter levado um susto. — Pensei que fosse um fora da lei!

Ele pareceu surpreso e até mesmo ofendido, como se Aliena houvesse afirmado algo impolido, mas tudo o que disse foi: — Você então deve ser uma dama de alto nascimento.

— Sou a filha do conde de Shiring.

— E o garoto será então filho dele — disse o guarda-florestal, embora nada indicasse que tivesse visto Richard.

Nesse ponto Richard adiantou-se e largou a lenha no chão.

— Exatamente — disse. — Qual é o seu nome?

— Brian. Vocês estão planejando passar a noite aqui?

— Sim.

— Completamente sozinhos?

— Sim. — Aliena sabia que ele devia estar querendo saber por que não tinham escolta, mas ela não iria dizer.

— E afirma que não têm dinheiro.

Franziu as sobrancelhas para ele, irritada.

— Está duvidando de mim?

— Oh, não. Posso garantir que você é nobre, pelos seus modos. — Haveria uma ponta de ironia na voz dele? — Se está sozinha e sem dinheiro, talvez prefira passar a noite na minha casa. Não é longe.

Aliena não tinha a menor intenção de se colocar à mercê de um tipo assustador como aquele. Já estava a ponto de recusar quando ele falou de novo.

— Minha mulher ficará contente por lhes dar uma ceia. E tenho um anexo quentinho onde poderão dormir, se preferirem ficar sozinhos.

A existência de uma mulher tornava tudo diferente. Aceitar a hospitalidade de uma família respeitável deveria ser suficientemente seguro. Ainda assim Aliena hesitou. Mas depois pensou numa lareira, numa tigela de sopa quente, num copo de vinho e num leito de palha com um teto por cima.

— Ficaríamos muito gratos — disse ela. — Nada temos para lhe dar... eu falei a verdade sobre não ter dinheiro... mas um dia voltaremos e o recompensaremos.

— Está muito bom — disse o guarda-florestal, indo até o fogo e apagando-o com os pés.

Aliena e Richard montaram — ainda não tinham desencilhado os cavalos. O guarda-florestal aproximou-se e disse:

— Deixem as rédeas comigo.

Sem ter certeza do que ele estava querendo fazer, Aliena atendeu e Richard também. O homem se enfiou pela floresta, puxando os animais. Aliena teria preferido ela própria conduzir sua montaria, mas decidiu deixar por conta dele.

Era mais longe do que ele dera a entender. Já tinham percorrido três ou quatro milhas e estava escuro quando chegaram a uma cabana de madeira, com telhado de palha, numa clareira. Mas havia luz brilhando através das janelas e cheiro de comida sendo preparada. Aliena desmontou, agradecida.

A mulher do guarda-florestal ouviu os cavalos e apareceu à porta. O homem lhe disse:

— Um jovem lorde e uma lady, sozinhos na floresta. Dê-lhes algo para beber. — Ele se virou para Aliena. — Vá entrando. Vou ver os cavalos.

A jovem não gostou do seu tom peremptório — teria preferido estar dando as ordens —, mas não queria desencilhar o cavalo, de modo que entrou. Richard a seguiu. A casa estava enfumaçada e tinha um cheiro forte, mas era quente. Havia uma vaca presa a um canto. Aliena ficou feliz porque o homem mencionara um anexo: nunca dormira com gado. Uma panela fervia no fogo. Sentaram-se num banco e a mulher deu uma tigela da sopa que estava na panela para cada um. Tinha gosto de caça. Quando viu o rosto de Richard à luz do fogo, ficou chocada.

— O que aconteceu com você? — perguntou.

Richard abriu a boca para responder, mas Aliena o antecedeu.

— Sofremos uma série de reveses — disse. — Estamos a caminho para ver o rei.

— Entendo — disse a mulher. Era uma criatura pequena, muito morena e com a expressão desconfiada. Não persistiu no seu interrogatório.

Aliena tomou a sopa rapidamente e quis mais. Levantou a tigela, a mulher desviou o olhar. A jovem ficou intrigada. Será que não sabia o que queria? Ou não tinha mais? Estava prestes a lhe dirigir a palavra asperamente quando o guarda voltou.

— Vou lhes mostrar o celeiro, onde poderão dormir — disse. Ele pegou um lampião num gancho perto da porta. — Venham comigo.

Aliena e Richard se levantaram. Ela se dirigiu à mulher:

— Há mais uma coisa de que preciso. Pode me dar um vestido velho? Não tenho nada para usar debaixo desta capa.

A mulher pareceu ficar aborrecida, por algum motivo.

— Vou ver o que consigo encontrar — resmungou.

Aliena dirigiu-se para a porta. O guarda-florestal a fitava de um modo estranho, como se pudesse ver através da capa, caso se esforçasse bastante.

— Vá andando na frente! — disse ela asperamente. Ele virou-se e saiu.

Conduziu-os para os fundos da casa através de uma horta. A luz oscilante do lampião revelou uma pequena construção de madeira, mais uma choça que um celeiro. Ele abriu a porta. Ela bateu de encontro a uma barrica que recolhia a água da chuva que escorria do telhado.

– Dê uma olhada – disse. – Veja se serve para você.

Richard entrou primeiro.

– Traga a luz, Allie – disse. Aliena virou-se para pegar o lampião com o guarda. No instante em que o fez, ele lhe deu um vigoroso empurrão. Ela caiu de lado, atravessando o portal e entrando no celeiro. Bateu no irmão e os dois terminaram enredados um no outro, no chão. Estava escuro e a porta bateu com força. Ouviu-se um barulho peculiar do lado de fora, como se algum objeto pesado tivesse sido empurrado para a frente da porta.

Aliena não pôde acreditar que aquilo estivesse acontecendo.

– O que está havendo, Allie?! – exclamou Richard.

Ela se sentou. Aquele homem seria realmente um guarda-florestal ou um fora da lei? Não podia ser um fora da lei – não com aquela casa. Mas, se era um guarda-florestal, por que os trancara? Teriam infringido alguma lei? Adivinhara que os cavalos não lhes pertenciam? Ou teria algum motivo desonesto?

– Allie, por que ele fez isso? – indagou Richard.

– Não sei – respondeu ela, exausta. Não lhe restava mais energia para se irritar ou ficar furiosa. Levantou-se e empurrou a porta. Nem se mexeu. Supôs que o homem encostara o barril de água nela. No escuro, tateou as paredes do celeiro. Sua mão alcançava também a parte mais baixa do telhado. A construção fora feita com vigas arrumadas bem junto umas das outras. Um trabalho cuidadoso. Era a prisão do guarda-florestal, onde ele recolhia os infratores da lei antes de levá-los ao xerife.

– Não podemos sair daqui – disse.

Ela se sentou. O chão era seco e coberto de palha.

– Ficaremos trancados aqui dentro até que ele resolva nos deixar sair – disse resignadamente.

Richard sentou-se ao seu lado. Após algum tempo eles se deitaram de costas um para o outro. Aliena achou que estava por demais assustada e tensa para dormir, mas, como o cansaço era enorme, em questão de poucos minutos caiu numa modorra salutar.

Acordou quando a porta se abriu e a luz do dia incidiu sobre seu rosto. Sentou-se imediatamente, assustada, sem saber onde se encontrava ou por que estava dormindo no chão duro. Depois se lembrou, e ficou ainda mais assustada: o que o guarda-florestal iria fazer com eles? No entanto, não foi ele quem entrou, e sim a mulher morena; e embora o rosto dela estivesse tão fechado quanto na véspera, trazia um naco de pão e duas xícaras.

Richard sentou-se também. Ambos olharam para a mulher, atemorizados. Ela nada disse, mas entregou as xícaras, partiu o pão em dois e deu metade para cada um. Aliena percebeu subitamente que estava faminta. Mergulhou o pão na cerveja e começou a comer.

A mulher ficou parada no portal, observando-os enquanto terminavam o pão e a cerveja. Depois entregou a Aliena o que parecia um pedaço de pano amarrotado e amarelado. Desdobrou-o. Era um vestido velho.

— Vista isto e dê o fora daqui — disse a mulher.

A jovem ficou espantada com a combinação de bondade e palavras duras, mas não hesitou em pegar o vestido. Virou-se de costas, deixou cair a capa e enfiou rapidamente o vestido pela cabeça, recolocando a capa.

Sentiu-se melhor.

A mulher lhe deu um par de tamancos de madeira muito usados e grandes demais.

— Não posso montar de tamancos — disse Aliena.

A mulher riu asperamente.

— Você não vai montar.

— Por que não?

— Ele tirou seus cavalos.

O coração de Aliena confrangeu-se. Era uma injustiça que ainda devessem sofrer mais má sorte.

— Para onde os levou?

— Ele não me conta essas coisas, mas acho que foi a Shiring. Vai vendê-los, depois descobrirá quem são vocês e se há algo mais que possa ganhar à sua custa que não o preço da carne dos cavalos.

— Então por que você está nos deixando ir?

A mulher olhou para Aliena de alto a baixo.

— Porque não gostei do modo como ele olhou para você quando disse que estava nua debaixo da capa. Pode não entender isso agora, mas entenderá quando estiver casada.

Aliena já compreendia, mas nada disse.

— Ele não vai matá-la quando descobrir que nos soltou? — quis saber Richard.

Ela deu um sorriso cínico.

— Ele não me assusta tanto quanto assusta os outros. Agora vão embora.

Eles saíram. Aliena compreendeu que aquela mulher aprendera a conviver com um homem brutal e sem coração, tendo inclusive conseguido preservar um pouco de decência e piedade.

— Muito obrigada pelo vestido — disse, um tanto sem jeito.

A mulher não queria seus agradecimentos. Apontou uma trilha e disse:

— Winchester fica naquela direção.

Os dois irmãos se afastaram, sem olhar para trás.

Aliena nunca calçara tamancos usados — pessoas de sua classe sempre se calçavam com botas de couro ou sandálias —, e achou aqueles desajeitados e desconfortáveis. No entanto, eram melhores que nada, com o chão frio.

Quando estavam fora das vistas da casa do guarda-florestal, Richard perguntou:

— Allie, por que essas coisas estão acontecendo conosco?

A pergunta perturbou a jovem. Todo mundo era cruel com eles. As pessoas os espancavam e roubavam como se fossem cavalos ou cães. Não havia ninguém para protegê-los. Temos sido confiantes demais, pensou ela. Haviam vivido três meses no castelo sem sequer trancar as portas. Resolveu não confiar em ninguém no futuro. Nunca mais consentiria em que outra pessoa segurasse as rédeas do seu cavalo, mesmo que tivesse que ser rude para impedir isso. Nunca mais permitiria que alguém ficasse às suas costas, como o guarda-florestal na noite anterior, quando a empurrara para dentro da cabana. Nunca mais aceitaria a hospitalidade de um estranho. Nunca mais deixaria a porta destrancada à noite. Nunca mais acreditaria em gestos aparentemente bondosos.

— Vamos caminhar mais depressa — disse para Richard. — Talvez possamos alcançar Winchester ao cair da noite.

Seguiram a trilha até a clareira onde tinham encontrado o guarda. Ainda havia os restos da fogueira. Dali em diante encontraram facilmente a estrada para Winchester. Já tinham estado na cidade antes, muitas vezes, e conheciam o caminho. Uma vez na estrada foram capazes de se deslocar mais depressa. A geada endurecera a lama desde a tempestade de duas noites antes.

O rosto de Richard estava voltando ao normal. Ele o lavara na véspera, na água fria de um regato no bosque, e a maior parte do sangue seco desaparecera. Havia uma ferida feia onde antes existira o lobo da orelha direita. Os lábios ainda estavam inchados, mas o resto do rosto já voltara ao normal. No entanto, ainda se encontrava bastante machucado, e a cor púrpura das equimoses lhe dava uma aparência bastante assustadora. Mesmo assim, aquilo não lhe causaria dano.

Aliena sentiu falta do calor do cavalo embaixo dela. Suas mãos e pés estavam dolorosamente frios, muito embora o corpo estivesse quente, com o exercício de andar. O tempo permaneceu frio a manhã toda, com a temperatura subindo um pouco por volta do meio-dia. A essa hora, sentiu fome. Lembrou-se de que ainda na véspera tinha achado não se importar se voltaria a se aquecer ou a comer de novo. Mas não quis pensar nisso.

Sempre que ouviam cavalos ou viam gente a distância corriam para dentro da floresta e se escondiam até que os outros viajantes passassem. Atravessaram aldeias depressa, sem falar com ninguém. Richard quis pedir comida, mas sua irmã não deixou.

Por volta do meio da tarde estavam a poucas milhas de seu destino e ninguém os incomodara. Aliena já estava pensando que, afinal de contas, não era tão difícil evitar encrenca. Foi então que, de súbito, num trecho particularmente ermo da estrada, um homem pulou dos arbustos e parou na frente deles.

Não tiveram tempo para se esconder.

– Continue andando – disse Aliena para Richard, mas o homem se deslocou para bloquear o caminho e tiveram que parar. A jovem olhou para trás, pensando em correr naquela direção; contudo outro sujeito, saído da floresta, tinha ficado na estrada, bloqueando sua fuga a dez ou quinze jardas de distância.

– Ora, o que temos aqui?! – disse o homem da frente, num tom de voz bem alto. Era um tipo gordo, de cara vermelha, barriga imensa e barba suja e fosca, carregando um porrete pesado. Quase certamente um fora da lei. Pela sua cara Aliena podia dizer que era o tipo do homem capaz de cometer violências prontamente, e seu coração se encheu de medo.

– Deixe-nos em paz – suplicou. – Não temos nada para você roubar.

– Não tenho tanta certeza assim – disse o homem, dando um passo na direção de Richard. – Essa espada parece ser excelente, deve valer diversos xelins.

– É minha! – protestou Richard, parecendo uma criança assustada.

Não adianta, pensou Aliena. Somos impotentes. Sou uma mulher e ele é um menino, e as pessoas podem fazer o que quiserem conosco.

Com um movimento surpreendentemente ágil, o gordo levantou o porrete e atacou Richard. O garoto tentou se esquivar. O golpe foi destinado à sua cabeça, mas o atingiu no ombro. O gordo era forte, e a porretada derrubou Richard.

De repente Aliena perdeu a cabeça. Tinha sido tratada injustamente, vilmente estuprada e roubada, e estava com frio e com fome, praticamente sem autocontrole. Seu irmãozinho fora espancado quase até a morte dois dias antes, e ver agora um homem batendo nele com um porrete a deixou louca de ódio. Perdeu todo o senso de razão ou cautela. Sem pensar, puxou a adaga da manga, voou em cima do fora da lei gordo e a enterrou no seu barrigão, gritando:

– Deixe-o em paz, seu cachorro!

Ela o pegou totalmente de surpresa. A capa dele se abrira quando batera em Richard, e suas mãos ainda estavam ocupadas com o porrete. Estava completamente desprevenido; sem dúvida imaginara estar a salvo de ataque por uma garota aparentemente desarmada. A ponta da faca atravessou a lã da sua túnica e o pano da camisa de dentro, parando ante a pele retesada da sua barriga. Aliena de repente sentiu uma pontada de nojo, um momento de horror com a ideia de romper a pele e penetrar na carne de uma pessoa; porém, o medo fortaleceu sua determinação e ela lhe enfiou a adaga na pele, nos órgãos macios do abdômen; então ficou aterrorizada ante a possibilidade de não conseguir matá-lo, de ele continuar vivo para se vingar, e por isso só parou depois de ter empurrado a comprida lâmina da adaga até o cabo.

Subitamente o homem arrogante e cruel tornou-se um amedrontado animal ferido. Gritou de dor, soltou o porrete e olhou para a faca enterrada na barriga. Aliena compreendeu, numa fração de segundo, que ele sabia tratar-se de uma ferida mortal. Largou a faca, horrorizada. O fora da lei cambaleou. A jovem lembrou que havia outro ladrão atrás, e foi tomada de pânico; certamente ele ia querer se vingar da morte do cúmplice. Ela agarrou de novo o cabo da adaga e puxou. O homem rodara um pouco, de modo que teve que puxar a faca de lado. Sentiu que a lâmina lhe cortava as vísceras quando saiu da enorme barriga. Jorrou sangue na sua mão. O homem gritou como um animal e caiu no chão. Ela se virou, a faca na mão ensanguentada, e enfrentou o outro homem. Na mesma hora Richard se levantou e desembainhou a espada.

O segundo ladrão olhou para um e para o outro, depois para o amigo moribundo e, sem hesitar, virou-se e entrou correndo no mato.

Aliena observou, incrédula. Eles o tinham assustado. Era difícil de crer.

Olhou para o homem no chão. Estava deitado de costas, com as tripas se derramando para fora da grande ferida na barriga. Seus olhos estavam arregalados, e o rosto, contorcido de dor e medo.

Aliena não sentiu alívio ou orgulho por ter se defendido e ao irmão daqueles bandidos; estava por demais enojada com aquela visão revoltante.

Richard não sentiu tais escrúpulos.

– Você o esfaqueou, Aliena! – disse, numa voz entre a excitação e a histeria. – Você acabou com eles!

A garota olhou para ele. Richard tinha que aprender uma lição.

– Mate-o – disse.

Richard a olhou espantado.

– O quê?

– Mate-o – repetiu ela. – Liberte-o desse sofrimento. Acabe com ele!

– Por que eu?

Ela endureceu a voz deliberadamente.

– Porque você age como um menino e eu preciso de um homem. Porque você nunca fez nada com uma espada, exceto brincar de guerra, e tem que começar de algum jeito. O que há com você? De que tem medo? Ele está morrendo. Não pode machucá-lo. Use sua espada. Está na hora de praticar um pouco. Mate-o!

Richard segurou a espada com ambas as mãos e olhou para ela, inseguro.

– Como?

O homem gemeu de novo. Aliena berrou com Richard.

– Não sei como! Corte fora sua cabeça, ou enfie a espada no seu coração! Qualquer coisa! Só quero que o cale!

A expressão de Richard era de quem estava encurralado. Ele levantou a espada e abaixou-a de novo.

– Se não fizer o que estou dizendo vou deixar você sozinho, juro por todos os santos! – exclamou Aliena. – Levantarei de noite e partirei, e quando você acordar de manhã não me verá e estará totalmente só. Agora, mate-o!

Richard ergueu a espada de novo. Depois, inacreditavelmente, o moribundo parou de gritar e tentou se erguer. Rolou para um lado e se apoiou num cotovelo. O garoto deu um grito que era metade de medo e metade de guerra, golpeando com força o pescoço exposto do homem. O peso da espada era grande, e a lâmina, afiada, de modo que entrou meio pescoço adentro. O sangue jorrou como um chafariz e a cabeça pendeu grotescamente para um lado. O corpo despencou no chão.

Aliena e Richard olharam para o cadáver do fora da lei. Desprendia-se vapor do sangue quente, no ar frio de inverno. Ambos estavam atônitos com o que tinham feito. De repente Aliena quis sair dali. Começou a correr. Richard a seguiu.

Ela parou quando não conseguiu mais correr, e foi então que percebeu que soluçava. Prosseguiu caminhando lentamente, sem se importar que Richard a visse em lágrimas. De qualquer maneira, ele parecia indiferente.

Aos poucos, foi se acalmando. Os tamancos a machucavam. Parou e tirou-os. Prosseguiu descalça, carregando-os. Logo chegariam a Winchester.

– Somos tolos – disse Richard após algum tempo.

– Por quê?

– Aquele homem. Nós o largamos lá. Devíamos ter tirado suas botas.

Aliena parou e olhou, horrorizada, para o irmão.

Ele a encarou e deu uma risadinha.

– Não há nada de errado com isso, há?

2

Aliena começou a se sentir esperançosa de novo quando atravessou o Portão Oeste e pegou a High Street de Winchester ao cair da noite. Na floresta achara que podia ser assassinada e que ninguém jamais saberia o que acontecera, mas agora estava de volta à civilização. Claro que a cidade estava cheia de ladrões e assassinos, mas não podiam cometer impunemente seus crimes em plena luz do dia. Na cidade havia leis, e os infratores eram banidos, mutilados ou enforcados.

Lembrou-se de ter percorrido aquela rua com o pai apenas um ano antes. Estavam a cavalo, naturalmente; ele num corcel alazão muito musculoso e ela num belo palafrém cinzento. As pessoas abriam caminho para eles ao percorrerem as ruas amplas. Tinham uma casa na parte sul da cidade, e quando chegaram foram recebidos por oito ou dez servos. A casa fora limpa, havia palha fresca no chão e todas as lareiras estavam acesas. Durante o tempo em que permaneceram ali, Aliena usara belas roupas todos os dias – linho, seda e lã fina, todas tingidas de cores maravilhosas –, botas e cintos de couro de bezerro, broches e pulseiras de pedras preciosas. Era sua obrigação certificar-se de haver sempre uma recepção de boas-vindas para quem quer que fosse ver o conde: carne e vinho para os ricos, pão e cerveja para os pobres, um sorriso e um lugar perto do fogo para uns e outros. Seu pai era exigente com relação a hospitalidade, mas não era bom na ação pessoal – as pessoas o achavam frio, remoto e até mesmo arbitrário. Aliena supria a carência.

Todos respeitavam seu pai, e as pessoas da mais alta posição tinham ido vê-lo: o bispo, o prior, o xerife, o chanceler real e os barões da corte. Ela se perguntou quantos deles a reconheceriam agora, caminhando descalça na lama e na sujeira da mesma High Street. Esse pensamento, contudo, não chegou a arrefecer seu otimismo. O importante era que não se sentia mais como vítima. Estava de volta a um mundo onde havia regras e leis, e tinham uma chance de recuperar o controle da vida.

Passaram pela casa. Estava vazia e trancada: os Hamleighs ainda não tinha entrado na posse dela. Por um momento Aliena se sentiu tentada a entrar. É minha casa!, pensou. Mas não era, claro, e a ideia de passar a noite ali fez com que se lembrasse do modo como vivera no castelo, fechando os olhos à realidade. Continuou caminhando determinadamente.

A outra coisa boa a respeito de estar na cidade era o fato de haver um mosteiro ali. Os monges sempre davam uma cama para quem pedisse. Ela e Richard dormiriam sob um teto naquela noite, secos e em segurança.

Encontrou a catedral e entrou no pátio do priorado. Dois monges junto a uma mesa de cavalete distribuíam pão de massa grossa e cerveja para uma centena ou mais de pessoas. Não ocorrera a Aliena que haveria tanta gente implorando a hospitalidade dos monges. Ela e Richard entraram na fila. Era surpreendente, pensou Aliena, a maneira como pessoas que se atropelariam e se acotovelariam para conseguir um prato de comida grátis podiam ficar quietas numa fila disciplinada só porque um monge assim ordenara.

Eles pegaram a ceia e levaram para a casa de hóspedes. Era uma grande construção de madeira como um celeiro, sem mobília, obscuramente iluminada por velas, cheirando forte às muitas pessoas que ali se acotovelavam. Sentaram-se no chão para comer. O piso estava coberto de palha, já velha. Aliena perguntou-se se deveria dizer aos monges quem era. O prior podia se lembrar dela. Num priorado grande como aquele naturalmente haveria uma hospedaria superior para visitantes bem-nascidos. Relutou, porém. Talvez fosse o medo de ser rejeitada; mas também tinha a impressão de que estaria se colocando sob o poder de outra pessoa novamente, e embora não houvesse nada a temer de um prior, se sentiria mais confortável conservando-se anônima e despercebida.

Os outros hóspedes eram na maioria peregrinos, com uma pequena quantidade de artífices viajantes – identificáveis pelas ferramentas que carregavam – e alguns mascates, homens que iam de aldeia a aldeia vendendo coisas que os aldeões não eram capazes de fazer com as próprias mãos – alfinetes, facas, panelas e especiarias. Alguns tinham consigo mulheres e filhos. As crianças eram barulhentas e agitadas, correndo, brigando e caindo. De vez em quando uma esbarrava num adulto, levava um tapa na cabeça e caía no choro. Algumas ainda não eram perfeitamente treinadas, e Aliena viu diversas urinando na palha que cobria o chão. Essas coisas provavelmente não tinham consequências numa casa onde o gado dormia no mesmo aposento que as pessoas, mas num salão cheio de gente era de dar nojo, pensou Aliena; todos iriam dormir em cima daquela palha depois.

Ela começou a ter a impressão de que as pessoas a fitavam como se soubessem que fora deflorada. Ridículo, claro, mas a sensação não desaparecia. Toda hora verificava se não estava sangrando. Não estava. Mas a cada vez que se virava surpreendia alguém olhando para ela fixamente. Assim que seus olhos se encontravam, a outra pessoa disfarçava, mas logo depois Aliena surpreendia alguém mais fazendo o mesmo. Disse a si própria repetidas vezes que aquilo era tolice, que ninguém a encarava, que eram simples olhares de curiosidade num aposento cheio. Não havia nada para chamar a atenção deles, de qualquer modo: não era diferente na aparência – estava tão suja, malvestida e cansada como todos ali. Mas a sensação persistiu, e contra a própria vontade ela ficou furiosa. Havia um homem que olhava para ela a toda hora, um peregrino de meia-idade com uma família grande. Acabou perdendo a paciência e gritando com ele:

– O que está olhando? Pare de me encarar!

O homem pareceu ficar sem graça e desviou os olhos sem responder.

– Por que fez isso, Allie? – perguntou Richard.

Ela lhe disse para calar a boca e ele lhe obedeceu.

Os monges apareceram e levaram as velas logo após a ceia. Gostavam que as pessoas fossem dormir cedo: assim ficavam longe das casas de cerveja e dos bordéis da cidade durante a noite, e era mais fácil para os monges colocarem os visitantes para fora na manhã do dia seguinte. Diversos homens solteiros deixaram a hospedaria quando as velas foram recolhidas, preferindo, sem dúvida, uma noite de luxúria, mas a maioria das pessoas se enrolou em sua capa no chão.

Fazia muitos anos que Aliena dormira num salão daqueles pela última vez. Quando criança sempre invejara as pessoas do andar térreo, deitadas uma do lado da outra em frente ao fogo, num salão cheio de fumaça e cheiro de comida, com os cães a guardá-las: havia uma sensação de companheirismo ali que faltava nos aposentos espaçosos e vazios da família do lorde. Naquele tempo ela às vezes se levantava da cama e descia a escada na ponta dos pés para se deitar ao lado de uma de suas criadas favoritas, Madge Lavadeira ou a velha Joan.

Caindo no sono, o cheiro da infância nas narinas, sonhou com a mãe. Normalmente tinha dificuldade para se lembrar de como ela era, mas agora, para sua surpresa, foi capaz de ver-lhe o rosto claramente, em todos os detalhes: as feições miúdas, o sorriso tímido, a ossatura delicada, a expressão de ansiedade nos olhos. Viu o caminhar de sua mãe, inclinado um pouco para o lado, como se estivesse sempre tentando se aproximar da parede, o braço oposto estendido um pouco em busca de equilíbrio. Pôde ouvir a risada dela num tom inesperadamente rico de contralto, sempre pronta para dar início a uma canção ou a rir, mas em geral com medo de fazê-lo. Ela soube, no sonho, algo que nunca tinha sido completamente claro quando acordada; que seu pai assustara tanto sua mãe e esmagara de tal modo sua alegria de viver que ela murchara e morrera como uma flor sem água. Tudo isso lhe veio à mente como algo muito familiar, algo que sempre soubera. No entanto, o chocante foi o fato de Aliena estar grávida. Sua mãe parecia satisfeita. As duas se sentaram juntas num quarto de dormir, e a barriga da garota estava tão distendida que ela teve que sentar com as pernas ligeiramente abertas e as mãos cruzadas sobre a barriga, na pose imemorial da mulher que vai ser mãe. Então William Hamleigh irrompeu no quarto, empunhando a adaga com a lâmina comprida, e Aliena soube que ele ia apunhalar sua barriga do mesmo modo como ela fizera com o gordo fora da lei na floresta, e gritou tão alto que acordou, sentando-se na cama; foi quando percebeu que William não estava ali e que não tinha gritado, o barulho só existira dentro da sua cabeça.

Depois disso ficou acordada, perguntando-se se estaria realmente grávida.

A ideia não lhe ocorrera antes, e agora a aterrorizou. Como seria repugnante ter um filho de William Hamleigh! E podia não ser dele – podia ser do criado. Talvez nunca chegasse a saber. Como poderia amar o bebê? Cada vez que olhasse para ele se lembraria daquela noite horrível. Jurou que daria à luz secretamente e que deixaria o bebê morrer de frio assim que nascesse, tal como faziam os camponeses quando tinham muitos filhos. Tomada essa decisão, caiu no sono de novo.

O dia mal havia clareado quando os monges trouxeram o desjejum. O barulho acordou Aliena. A maior parte dos outros hóspedes já estava acordada, porque tinham ido dormir muito cedo; Aliena dormira mais porque estava muito cansada.

O desjejum era mingau quente, salgado. Aliena e Richard comeram esfaimadamente, desejando que também houvesse pão para acompanhar o mingau. Aliena pensou no que diria ao rei Estêvão. Estava certa de que ele esquecera que o conde de Shiring tinha dois filhos. Assim que aparecessem e fizessem com que se lembrasse disso, de boa vontade ele asseguraria a subsistência deles. No entanto, para o caso de ser preciso persuadi-lo, devia ter algumas palavras preparadas. Não insistiria em dizer que seu pai era inocente, decidiu, pois isso daria a entender que o julgamento do rei fora errado, e ele se ofenderia. Tampouco protestaria contra o fato de Percy Hamleigh ter sido feito conde. Os homens detestavam que se discutissem decisões já tomadas. "Para o melhor ou o pior, já está resolvido", diria seu pai. Não, ela simplesmente destacaria o fato de ela e o irmão serem inocentes, e pediria que lhes desse uma propriedade de cavaleiro, de modo que pudessem se sustentar modestamente e Richard tivesse condições de se preparar para tornar-se um dos guerreiros do rei. Uma pequena propriedade possibilitaria que ela tomasse conta do pai, quando o rei houvesse por bem libertá-lo da cadeia. Ele já não era uma ameaça: não tinha título, seguidores ou dinheiro. Lembraria ao novo rei que seu pai servira fielmente o antigo, Henrique, tio de Estêvão. Não seria convincente, apenas clara, simples e humildemente firme.

Após o desjejum perguntou a um monge onde poderia lavar o rosto. Ele se espantou; evidentemente era um pedido pouco usual. No entanto, os monges eram favoráveis à limpeza, e ele lhe mostrou um conduto aberto onde a água fria e limpa da chuva corria nos terrenos do priorado. Avisou-a para não se lavar "indecentemente", pois um dos irmãos poderia vê-la por acidente e assim macular a alma. Os monges faziam o bem de inúmeras maneiras, mas suas atitudes podiam ser irritantes.

Depois que ela e Richard lavaram a poeira da estrada do rosto, deixaram o priorado e subiram a High Street na direção do castelo, que ficava ao lado do Portão Oeste. Chegando cedo, Aliena tinha esperança de fazer amizade ou seduzir quem quer que fosse o responsável pela entrada dos peticionários, assegurando-se assim de que não ficaria esquecida na multidão de pessoas importantes que chegariam mais tarde. No entanto, o ambiente no interior das muralhas do castelo estava ainda mais silencioso do que antecipara. Será que o rei Estêvão já estava ali há tanto tempo que poucas pessoas precisavam vê-lo? Não estava segura acerca da data em que ele viera. O rei ficava em Winchester normalmente durante a Quaresma, mas ela não sabia direito quando a Quaresma começara, pois perdera a noção das datas durante o tempo em que morara no castelo com Richard e Matthew, sem padre.

Havia um guarda corpulento e de barba grisalha ao pé da escada do castelo. Aliena tentou passar direto, como quando estivera ali com o pai, mas o guarda abaixou a lança na sua frente. Ela o fitou imperiosamente e disse:

— Sim?

— E aonde você pensa que está indo, garota? — perguntou ele.

Aliena viu, desolada, que ele era o tipo da pessoa que gostava de ser guarda porque tinha uma chance de impedir que os outros fossem aonde quisessem.

— Estamos aqui para peticionar junto ao rei — disse glacialmente. — Agora deixe-nos passar.

— Você? — disse o guarda, irônico. — Usando um par de tamancos que envergonhariam minha mulher? Dê o fora.

— Saia do meu caminho, guarda — disse Aliena. — Todo cidadão tem direito de peticionar junto ao rei.

— Mas os mais pobres geralmente não são tolos o bastante para exercitar esse direito...

— Nós não estamos entre os mais pobres! — explodiu Aliena. — Sou filha do conde de Shiring, e meu irmão é o filho dele, de modo que ou nos deixa passar, ou vai acabar apodrecendo numa masmorra.

O guarda pareceu um pouco menos presunçoso, mas disse, ainda cheio de si:

— Você não pode peticionar, porque o rei não está aqui. Está em Westminster, como devia saber, se é quem alega ser.

Aliena ficou estupefata.

— Mas por que ele foi para Westminster? Devia estar aqui para a Páscoa!

O guarda viu que ela não era uma pessoa qualquer.

— A corte da Páscoa é em Westminster. Parece que ele não vai fazer tudo exatamente como o antigo rei, e por que deveria?

Ele estava certo, claro, mas a ideia de que um novo rei seguiria uma programação diferente jamais ocorrera a Aliena, que era jovem demais para se lembrar do tempo em que Henrique fora o novo rei. O desespero a invadiu. Pensara que sabia o que fazer e estava completamente errada. A vontade que teve foi de desistir.

Sacudiu a cabeça para afastar a sensação de derrota. Aquilo era um contratempo, não o fim. Apelar ao rei não era o único modo de cuidar de seu irmão e de si própria. Viera a Winchester com dois propósitos, e o segundo era descobrir o que acontecera a seu pai. Ele saberia o que ela deveria fazer a seguir.

— Quem está aqui, então? — perguntou ao guarda. — Deve haver alguns oficiais da corte. Só quero ver meu pai.

— Há um escriturário e um camareiro aí — respondeu o guarda. — Você disse que o conde de Shiring era o seu pai?

— Sim. — O coração dela chegou a falhar. — Sabe alguma coisa sobre ele?

— Sei onde está.

— Onde?

— Na prisão, aqui mesmo no castelo.

Tão perto!

– Onde é a cadeia?

O guarda sacudiu um polegar por cima do ombro.

– Descendo a colina, passando a capela, em frente ao portão principal. – Impedir o acesso deles ao palácio gratificara o seu lado mesquinho; agora estava disposto a dar informações. – É melhor você ver o carcereiro. O nome dele é Odo e tem os bolsos fundos.

Aliena não entendeu a observação acerca de bolsos fundos, mas estava agitada demais para esclarecê-la. Até aquele momento seu pai se encontrava num lugar vago e distante chamado "prisão", mas agora, de repente, estava ali mesmo, naquele castelo. Esqueceu-se por completo do seu plano de apelar ao rei. Tudo o que queria era ver seu pai. Saber que ele estava próximo, pronto para ajudá-la, fez com que sentisse o perigo e a incerteza dos últimos meses mais agudamente. Ansiava por se atirar nos seus braços e ouvi-lo dizer: "Está tudo bem agora. Tudo vai dar certo."

A fortaleza ficava numa elevação a um canto do conjunto. Aliena virou-se e contemplou o resto do castelo. Era uma coleção heterogênea de construções de pedra e de madeira cercadas por altas muralhas. "Descendo a colina", dissera o guarda, "passando a capela." Ela localizou uma construção bem-feita de pedra, que parecia uma capela – em frente ao portão principal. A entrada principal, na muralha externa, permitia ao rei entrar no castelo sem precisar entrar na cidade. Em frente a essa entrada, perto da muralha de trás que separava o castelo da cidade, havia uma pequena construção de pedra que podia ser a prisão.

Aliena e Richard desceram correndo a colina. A jovem perguntou-se como estaria ele. Será que alimentavam direito as pessoas na cadeia? Os prisioneiros de seu pai sempre tinham pão de massa grossa e sopa em Earlscastle, mas ela ouvira dizer que às vezes os prisioneiros eram maltratados em outros lugares. Esperava que seu pai estivesse bem.

Sentia-se tão ansiosa que mal podia respirar quando atravessou o conjunto. O castelo era grande, cheio de edificações: cozinhas, estábulos e aquartelamentos. Havia duas capelas. Agora que sabia que o rei estava fora, Aliena podia ver os sinais de sua ausência e, distraída, os foi registrando enquanto seguia o caminho sinuoso para a cadeia: porcos e carneiros soltos, vindos dos subúrbios logo do outro lado do portão, vasculhavam depósitos de lixo, homens de armas refestelados indolentemente, sem nada a fazer senão gritar frases insolentes para as mulheres que passavam, e também uma espécie de jogo de apostas se desenrolando no pórtico de uma das capelas. A atmosfera de frouxidão incomodou Aliena. Teve medo de ser um indício de que não estavam cuidando direito do seu pai. Começou a temer o que poderia encontrar.

A cadeia era um prédio de pedra semiabandonado que dava a impressão de já ter sido a residência de algum oficial da corte, um ministro ou talvez um beleguim, antes de ser deixada. O andar de cima, que um dia fora o salão, estava completamente arruinado, tendo perdido quase todo o telhado. Só a galeria permanecia inteira. E não tinha janelas, só uma grande porta de madeira com guarnições de ferro. A porta estava entreaberta. Quando Aliena hesitou do lado de fora, uma mulher bonita e madura, com uma capa de boa qualidade, passou por ela, abriu a porta e entrou. Aliena e Richard a seguiram.

O interior sombrio cheirava a sujeira velha e a podridão. A galeria antes fora um depósito de gêneros, e mais tarde dividida em pequenos compartimentos graças a paredes de entulho construídas apressadamente. Em algum lugar no interior do prédio um homem estava se lamentando de maneira monótona, como um monge cantando sozinho numa igreja. A área junto à porta formava um pequeno vestíbulo, com uma cadeira, uma mesa e um fogo aceso no meio do chão. Um homem grande, com cara de estúpido e uma espada na cinta, varria o chão afetadamente. Ele ergueu a cabeça e cumprimentou a mulher bonita.

— Bom-dia, Meg. — Ela lhe deu um penny e desapareceu na escuridão. Ele olhou para Aliena e Richard.

— O que vocês querem? — Estou aqui para ver meu pai — disse Aliena. — Ele é o conde de Shiring.

— Não, não é — disse o carcereiro. — Ele agora é apenas Bartholomew, mais nada.

— Ao diabo com suas diferenciações, carcereiro. Onde ele está?

— Quanto você tem?

— Não tenho dinheiro, de modo que não precisa se incomodar de me pedir uma gorjeta.

— Se não tem dinheiro não pode ver seu pai. — Ele voltou a varrer. Aliena teve vontade de gritar. Estava a poucas jardas de distância do pai e não podia vê-lo. O carcereiro era grande e estava armado: não havia jeito de desafiá-lo. Mas ela não tinha nenhum dinheiro. Tivera medo disso ao ver a mulher chamada Meg dar-lhe um penny, mas podia ter sido por um privilégio especial. Obviamente, não: aquele devia ser o preço da entrada.

— Arranjarei um penny — disse ela — e o trarei aqui assim que puder. Mas você nos deixa vê-lo agora, só por uns momentos?

— Arranje o penny primeiro — disse o carcereiro. Ele deu-lhe as costas e continuou varrendo.

Aliena lutava para conter as lágrimas. Sentiu-se tentada a gritar uma mensagem, na esperança de que o pai a ouvisse; mas percebeu que uma mensagem truncada podia amedrontá-lo e perturbá-lo, deixando-o ansioso sem lhe dar informação alguma. Dirigiu-se à porta, sentindo-se desesperadamente impotente.

Virou-se para trás, no patamar.

— Como está ele? Diga-me só isso. Por favor, sim? Ele está bem?

— Não, não está — respondeu o carcereiro. — Está morrendo. Agora dê o fora daqui.

Os olhos de Aliena encheram-se de lágrimas, e foi tropeçando que ela cruzou a soleira da porta. Afastou-se, sem enxergar direito por onde estava indo, tropeçou em alguma coisa — um carneiro ou um porco — e quase caiu. Começou a soluçar. Richard pegou-lhe o braço e ela deixou que a guiasse. Saíram do castelo pelo portão principal, atravessando uma área onde havia choças espalhadas, depois os pequenos campos dos subúrbios, e acabaram por chegar a uma campina, onde se sentaram num toco de árvore.

— Detesto quando você chora — disse Richard pateticamente.

Ela tentou se controlar. Tinha localizado o pai — já era alguma coisa. Soubera que ele estava doente: o carcereiro era um homem cruel que decerto estava exagerando a gravidade da doença. Tudo o que tinha a fazer era arranjar um penny, e então poderia falar com ele, ver como estava com os próprios olhos e perguntar-lhe o que devia fazer — por Richard e por ele próprio.

— Como vamos arranjar um penny, Richard? — perguntou ela.

— Não sei.

— Não temos nada para vender. Ninguém nos emprestaria dinheiro. Você não tem coragem de roubar...

— Podíamos pedir — sugeriu ele.

Era uma ideia. Um camponês de aspecto próspero estava descendo a colina na direção do castelo, montado num cavalo preto robusto e de pernas curtas. Aliena pôs-se de pé com um pulo e correu até a estrada. Quando chegou perto, disse:

— Senhor, pode me dar um penny?

— Dê o fora — rosnou o homem, fazendo o cavalo trotar.

Ela voltou para o toco de árvore.

— Mendigos geralmente pedem comida ou roupas velhas — disse, desalentada.

— Bem, como as pessoas conseguem dinheiro? — perguntou Richard. A pergunta, obviamente, jamais lhe ocorrera.

— Os reis ganham dinheiro com os impostos — disse Aliena. — Os lordes têm aluguéis. Os padres, dízimos. Os comerciantes, algo para vender. Os artífices, salários. Os camponeses não precisam de dinheiro porque têm os campos.

— Os aprendizes recebem salários.

— Os operários também. Poderíamos trabalhar.

— Para quem?

— Winchester está cheia de pequenas oficinas onde fazem couro e tecidos — disse Aliena. Começava a se sentir otimista de novo. — Uma cidade é um bom lugar para se encontrar trabalho. – Ela se pôs de pé com um pulo. – Ande, vamos começar!

Richard ainda hesitou.

– Não posso trabalhar como um plebeu – disse. – Sou o filho de um conde.

– Não é mais – disse Aliena asperamente. – Você ouviu o que o carcereiro disse. É melhor que você saiba que não é melhor que ninguém, agora.

Ele ficou embirrado e nada disse.

– Bem, vou indo – disse ela. – Fique aqui, se quiser. – Aliena se afastou, na direção do Portão Oeste. Conhecia as zangas dele; nunca duravam.

Tal como tinha certeza de que aconteceria, ele a alcançou antes que entrasse na cidade.

– Não fique zangada, Allie – disse. – Vou trabalhar. Sou bastante forte, de verdade. Darei um operário muito bom.

Ela sorriu.

– Tenho certeza de que dará – disse. Não era verdade, mas não ganhava nada desencorajando-o.

Eles desceram a High Street. Aliena lembrava que Winchester tinha um traçado muito lógico. A metade sul, à direita deles ao caminharem, era dividida em três partes: primeiro o castelo, depois um bairro de casas ricas e por fim o adro da catedral e o palácio do bispo, no canto sudeste. A metade norte, à esquerda, também era dividida em três partes: o bairro dos judeus, a parte do meio, onde ficavam as lojas, e no canto nordeste as manufaturas.

Aliena liderou o caminho, seguindo pela High Street até a extremidade leste da cidade, quando viraram à esquerda, numa rua com um riacho no meio. De um lado ficavam as casas normais, na maioria de madeira, umas poucas parcialmente de pedra. Do outro lado, uma mixórdia de construções improvisadas, muitas das quais não passavam de um telhado sustentado por vigas, quase todas dando a impressão de estar prestes a cair. Em alguns casos uma pequena ponte, ou só umas tábuas, cruzavam o riacho para dar acesso à casa, mas havia construções erguidas acima do pequeno curso de água. Em cada casa ou pátio, homens e mulheres faziam algo que requeria grandes quantidades de água: lavavam lã, curtiam couro, tingiam tecidos ou preparavam cerveja, além de outras operações que Aliena não reconhecia. Uma variedade de cheiros incomuns irritou suas narinas, cheiros acres e levedados, sulfurosos e fumacentos, de madeira e de podridão. Todas as pessoas pareciam terrivelmente ocupadas. Claro que os camponeses também tinham muito que fazer, e trabalhavam duro, mas cumpriam suas tarefas num ritmo medido, e sempre sobrava algum tempo para parar e examinar alguma curiosidade ou conversar com os passantes. As pessoas nas oficinas nunca levantavam a cabeça. Seu trabalho parecia requerer toda a sua concentração e energia.

Moviam-se rapidamente, quer estivessem carregando sacos, despejando grande baldes de água ou batendo em couro ou tecido. Ao darem conta de suas misteriosas tarefas na obscuridade daquelas cabanas desconjuntadas, faziam com que Aliena se lembrasse de demônios , mexendo seus caldeirões, nas estampas do inferno.

Ela parou defronte a um lugar onde estavam fazendo algo que entendia: pisoando tecido. Uma mulher de aparência vigorosa pegava água no riacho e a derramava dentro de uma imensa pedra totalmente forrada com chumbo, parando de vez em quando para adicionar uma medida de greda de pisoeiro, que tirava de um saco. Mergulhada no fundo da calha de pedra, completamente submersa, estava uma peça de tecido. Dois homens com enormes porretes de madeira – bastões de pisoeiro, Aliena se lembrava – batiam no tecido dentro da calha. O processo fazia com que o pano encolhesse e engrossasse, e o tornava mais impermeável; a greda, por lixívia, separava os óleos da lã. Nos fundos daquele lugar estavam empilhados fardos de pano não tratado, novo e tecido frouxamente, e sacos de greda de pisoeiro.

Aliena cruzou o regato e aproximou-se das pessoas que trabalhavam na pedra. Olharam para ela e continuaram trabalhando. A terra estava toda molhada à volta delas, reparou a jovem, e trabalhavam descalças. Quando percebeu que não iam parar e lhe perguntar o que desejava, indagou em voz alta:

– O seu mestre está?

A mulher respondeu acenando com a cabeça na direção dos fundos da oficina.

Aliena fez um gesto para que Richard a seguisse e, passando por um portão, foi ter num pátio onde peças e mais peças de tecidos secavam em molduras de madeira. Viu o vulto de um homem inclinado sobre uma das molduras, ajeitando o tecido.

– Estou procurando o mestre – disse ela.

Ele se endireitou e olhou para ela. Era um homem feio, de um olho só e costas ligeiramente recurvadas, como se estivesse dobrado há tantos anos sobre aquelas molduras que não conseguisse mais ficar na vertical.

– O que é? – perguntou ele.

– Você é o mestre pisoeiro?

– Estou trabalhando nisso há quase quarenta anos, homem e menino, de modo que espero ser o mestre – disse ele. – O que vocês querem?

Aliena percebeu que estava tratando com o tipo de homem que sempre tinha que provar como era esperto. Adotou um tom de voz humilde e disse:

– Meu irmão e eu queremos trabalhar. Você nos empregará?

Houve uma pausa, enquanto ele a examinava de cima a baixo.

– Cristo Jesus e todos os santos, o que faria eu com vocês?

— Faremos qualquer coisa — disse Aliena, resoluta. — Precisamos de dinheiro.

— Vocês não servem para mim — disse o homem desdenhosamente. Em seguida virou-se para retomar seu trabalho. Aliena não ia se satisfazer com aquilo.

— E por que não? — perguntou, furiosa. — Não estamos querendo roubar, só queremos ganhar dinheiro com o nosso trabalho.

Ele se virou para ela de novo.

— Por favor? — insistiu a garota, embora detestasse implorar.

Ele a contemplou impacientemente, como podia ter olhado para um cachorro, imaginando se valeria a pena dar-lhe um pontapé; mas Aliena podia assegurar que estava tentado a demonstrar como ela estava sendo burra e ele, inteligente.

— Está bem — disse, com um suspiro. — Eu lhe explicarei. Venha comigo.

Ele levou-os até a calha de pedra. Os homens e a mulher estavam retirando a peça de tecido de dentro da água, enrolando-a à medida que emergia. O mestre dirigiu-se à mulher.

— Venha cá, Lizzie. Mostre-nos as mãos.

A mulher aproximou-se obedientemente e estendeu as mãos. Eram ásperas e vermelhas, com feridas abertas onde a pele rachara.

— Passe a mão — disse o mestre para Aliena.

Aliena tocou as mãos da mulher, que eram frias como a neve e muito ásperas. O mais notável, porém, era sua dureza. Olhou para as próprias mãos, segurando as da mulher; de repente pareceram macias, brancas e muito pequenas.

— Ela está com as mãos mergulhadas na água desde garotinha, de modo que está acostumada — disse o mestre. — Você é diferente. Não resistiria uma manhã neste trabalho.

Aliena teve vontade de discutir com ele, de dizer que se acostumaria, mas não estava certa de ser verdade. Antes que pudesse dizer alguma coisa, Richard perguntou:

— E eu? Sou maior que aqueles dois homens; poderia fazer aquele trabalho.

Era verdade, Richard realmente tinha mais altura e era mais largo que os homens que manejavam os bastões. E sendo capaz de montar um cavalo de batalha, lembrou ela, deveria ser capaz de bater pano.

Os dois homens terminaram de enrolar o tecido molhado e um deles colocou o rolo no ombro, pronto para levá-lo a secar no pátio. O mestre o deteve.

— Deixe o jovem lorde sentir o peso do tecido, Harry.

O homem chamado Harry tirou o rolo do ombro e o colocou no ombro de Richard. O garoto cedeu debaixo do peso, endireitou-se com grande esforço e, empalidecendo, caiu de joelhos, de modo que as extremidades do rolo descansaram no chão.

— Não consigo — disse ele, ofegante.

Os homens riram, o mestre fez uma expressão vitoriosa, e o que se chamava Harry pegou de volta o rolo de tecido, alçou-o para cima do ombro com um movimento que denotava muita prática e levou-o embora.

– É um tipo de força diferente – disse o mestre. – A que vem de *ter* que trabalhar.

Aliena ficou furiosa. Estavam fazendo pouco dela, quando tudo o que queria era encontrar uma maneira honesta de ganhar um penny. O mestre estava se deleitando por havê-la feito de tola, não tinha dúvida. Provavelmente continuaria se comportando do mesmo modo enquanto permitisse. Mas jamais a empregaria ou a Richard.

– Muito obrigada pela sua cortesia – disse, com forte sarcasmo, e virou-se para ir embora.

Richard estava transtornado.

– Era tão pesado por estar molhado! – disse ele. – Eu não esperava tanto peso.

Aliena viu que teria que mostrar animação, para conservar alto o moral de Richard.

– Este não é o único tipo de trabalho que há – disse ela, caminhando pela rua lamacenta.

– O que mais poderíamos fazer?

Aliena não respondeu imediatamente. Chegaram à muralha norte da cidade e viraram à esquerda, na direção oeste. As casas mais pobres ficavam ali, construídas de encontro à muralha, quase sempre simples choças de meia-água; e porque não tinham quintais, a rua era imunda. Finalmente Aliena disse:

– Você lembra como às vezes umas garotas iam ao castelo quando não havia mais lugar para elas em suas casas e ainda não tinham casado? Papai sempre as acolhia. Trabalhavam na cozinha, na lavanderia ou nos estábulos, e ele costumava lhes dar um penny nos dias santos.

– Você acha que poderíamos morar no Castelo de Winchester? – perguntou Richard, na dúvida.

– Não. Eles não aceitarão ninguém enquanto o rei estiver fora. Já devem ter um número maior que o necessário. Mas há uma porção de gente rica na cidade. Alguns desses ricos devem querer servos.

– Não é trabalho de homem.

Aliena teve vontade de dizer: *Por que você não tem algumas ideias, em vez de achar defeito em tudo o que digo?* Mas mordeu a língua e disse:

– Só precisamos que um de nós trabalhe tempo suficiente para ganhar um penny. Depois poderemos ir ver papai e perguntar a ele o que deveremos fazer a seguir.

– Está bem. – Richard não era contrário à ideia de um deles trabalhar, especialmente se, o que era muito provável, fosse Aliena.

Viraram à esquerda novamente e entraram no bairro da cidade destinado aos judeus. Aliena parou diante de uma casa grande.

— Devem ter servos nesta casa — disse ela.

Richard ficou chocado.

— Você não trabalharia para judeus, trabalharia?

— Por que não? Não se pegam as heresias dos outros como se pegam suas pulgas, você sabe.

Richard deu de ombros e seguiu-a, entrando na casa.

Era uma construção de pedra. Como a maioria das casas de cidade, tinha a frente estreita, mas era bem funda. Eles se viram num hall de entrada que tinha a largura total da casa. Havia uma lareira e uns bancos. O cheiro que vinha da cozinha fez Aliena ficar com água na boca, embora fosse diferente da comida comum, com um leve toque de temperos estrangeiros. Uma jovem veio dos fundos da casa e cumprimentou-os. Tinha a pele morena e os olhos castanhos, e perguntou respeitosamente:

— Querem ver o ourives?

Então era isso o que o dono da casa era.

— Sim, por favor — respondeu ela. A garota desapareceu novamente e Aliena olhou em torno. Um ourives precisaria de uma casa de pedra, claro, a fim de proteger seu ouro. A porta entre aquele cômodo e os fundos da casa era de pesadas tábuas de carvalho presas com uma cinta de ferro. As janelas eram estreitas, pequenas demais para permitir a passagem de alguém, mesmo uma criança. Aliena pensou em como deveria ser torturante ter toda a sua fortuna em ouro ou prata que poderia ser roubada num instante, ficando-se sem nada. Lembrou depois que seu pai tinha sido rico de um modo mais normal, terras e um título, e mesmo assim perdera tudo num dia.

O ourives apareceu. Pequeno e moreno, olhou para eles atentamente, como se estivesse examinando uma pequena joia para avaliar seu valor. Após um momento pareceu chegar a uma conclusão e disse:

— Vocês têm alguma coisa que gostariam de vender?

— Você nos julgou bem, ourives — disse Aliena. — Adivinhou que somos pessoas bem-nascidas que agora se encontram sem recursos. Mas nada temos para vender.

O homem pareceu preocupado.

— Se estão querendo um empréstimo...

— Não esperamos que ninguém nos empreste dinheiro — interrompeu Aliena. — Assim como nada temos para vender, nada temos para empenhar.

Ele pareceu aliviado.

— Então como posso ajudá-los?

— Você me aceitaria como serva?

Ele ficou chocado.

— Uma cristã? Certamente que não! — Ele chegou a se encolher ante a simples ideia.

Aliena ficou desapontada.

— Por que não? — perguntou queixosamente.

— Não daria certo.

Ela se sentiu ofendida. A ideia de que alguém considerasse sua religião intolerável era humilhante. Lembrou-se da frase inteligente que usara com Richard.

— Não se pegam as heresias dos outros como se pegam suas pulgas — disse.

— As pessoas da cidade não aceitariam.

Aliena achou que ele estava usando a opinião pública como desculpa, mas provavelmente era verdade assim mesmo.

— Suponho que seja melhor tentarmos encontrar um cristão rico — disse.

— Vale a pena tentar — disse o ourives, hesitante. — Deixe-me dizer-lhe uma coisa com toda a sinceridade. Um homem esperto não a empregaria como serva. Você está acostumada a dar ordens, e verá que é muito difícil estar do lado de quem as recebe. — Aliena abriu a boca para protestar, mas ele ergueu a mão para detê-la. — Oh, sei que você está disposta a trabalhar. Mas durante toda a sua vida os outros a serviram, e até mesmo agora, no fundo do coração, você sente que as coisas deveriam ser arranjadas de modo a satisfazê-la. As pessoas nascidas nas classes altas dão maus servos. São desobedientes, ressentidas, imprudentes, suscetíveis e pensam que estão trabalhando duro mesmo que estejam trabalhando menos que todos os outros. Só que causam problemas entre o resto da criadagem. — Ele deu de ombros. — É a minha experiência.

Aliena se esqueceu de que se sentira ofendida pela aversão dele à sua religião. Era a primeira pessoa bondosa que encontrara desde que deixara o castelo.

— Mas o que podemos fazer? — perguntou.

— Só posso lhe dizer o que um judeu faria. Ele encontraria alguma coisa para vender. Quando cheguei a esta cidade, comecei comprando joias de pessoas que precisavam de dinheiro, derretendo a prata e vendendo-a aos moedeiros.

— Mas onde arranjou dinheiro para comprar joias?

— Pedi emprestado ao meu tio... e paguei juros, a propósito.

— Mas ninguém nos emprestará!

Ele ficou pensativo.

— O que eu teria feito se não tivesse tio? Acho que teria ido para a floresta e colhido nozes; depois as traria para a cidade a fim de vendê-las às donas de casa que não têm tempo para ir à floresta e não podem plantar árvores no quintal por ser tão cheio de lixo e sujeira.

— Não é a época adequada — disse Aliena. — Não há nada crescendo agora.
O ourives sorriu.
— A impaciência da juventude — disse ele. — Espere um pouco.
— Está bem. — Não adiantava explicar o que acontecera. O ourives se esforçara ao máximo para ser útil. — Muito obrigada pelo seu conselho.
— Adeus. — O ourives voltou aos fundos da casa e fechou a porta reforçada com ferro.

Aliena e Richard saíram. O ourives fora bondoso, mas mesmo assim eles tinham gasto metade do dia sendo rejeitados, e Aliena não podia deixar de se sentir desanimada. Sem saber para onde ir, vagaram pela judiaria e saíram na High Street de novo. Aliena estava começando a sentir fome — era hora do jantar —, e sabia que, se estava com fome, Richard deveria estar esfaimado. Caminharam sem destino ao longo da High Street, invejando os ratos bem alimentados que ciscavam no lixo, até que chegaram ao velho palácio real. Ali pararam, como todos os visitantes da cidade faziam, para espiar através das grades os moedeiros cunhando moedas. Aliena viu aquelas pilhas de pence de prata, e pensou que só queria uma única moeda, entre tantas, sem conseguir.

Após algum tempo notou uma garota mais ou menos da sua idade, perto de onde se encontravam, sorrindo para Richard. Parecia amistosa. Aliena hesitou, viu-a sorrir de novo e se dirigiu a ela:
— Você mora aqui?
— Sim — respondeu a garota. Era em Richard que estava interessada, não em Aliena.

Aliena deixou escapar tudo.
— Nosso pai está na cadeia, e estamos tentando encontrar uma maneira de ganhar a vida e conseguir um pouco de dinheiro para subornar o carcereiro. Você sabe o que poderíamos fazer?

A garota desviou a atenção de Richard para Aliena.
— Você está sem dinheiro e quer saber como fazer para ganhar algum?
— Exatamente. Estamos dispostos a trabalhar duro. Faremos qualquer coisa. Tem alguma ideia?

A garota lançou um longo olhar avaliador para Aliena.
— Sim, tenho — disse por fim. — Conheço alguém que pode ajudá-la.

Aliena ficou entusiasmada: era a primeira pessoa a dizer sim para ela durante todo aquele dia.
— Quando poderemos vê-lo? — perguntou, ansiosa.
— Vê-la.
— O quê?
— É uma mulher. E você provavelmente poderá vê-la imediatamente, se vier comigo.

Aliena e Richard trocaram um olhar de satisfação. A jovem mal podia crer na mudança da sua sorte.

A garota se afastou e eles a seguiram. Ela os levou a uma grande casa de madeira no lado sul da High Street. A maior parte da casa ficava no térreo, mas tinha um pequeno pavimento superior. A garota subiu uma escada externa e fez um sinal para que a seguissem.

O andar superior era um quarto de dormir. Aliena ficou com os olhos arregalados: era mais ricamente decorado e mobiliado do que qualquer um dos quartos do castelo, mesmo no tempo em que sua mãe estava viva. As paredes eram cheias de tapeçarias, o chão coberto com peles, e a cama cercada por cortinas bordadas. Numa cadeira que parecia um trono, estava sentada uma mulher de meia-idade, com um vestido maravilhoso. Devia ter sido linda quando jovem, pensou Aliena, mesmo que agora seu rosto estivesse enrugado e o cabelo não fosse muito farto.

— Esta é a senhora Kate — disse a garota. — Kate, esta garota não tem um penny e seu pai está na cadeia.

Kate sorriu. Aliena retribuiu, mas com um sorriso forçado — havia algo na mulher de que não gostava.

— Leve o garoto para a cozinha — disse ela — e lhe dê um copo de cerveja enquanto conversamos.

A garota levou Richard. Aliena ficou satisfeita por ver que ele ia beber um pouco de cerveja; podia ser que lhe dessem também algo para comer.

— Qual é o seu nome? — perguntou Kate.

— Aliena.

— É diferente. Mas gosto. — Ela se levantou e chegou perto, bem perto. Pegou o queixo da garota com uma das mãos. — Você tem o rosto *muito* bonito. — Seu hálito recendia a vinho. — Tire a capa.

Aliena ficou intrigada com aquele exame, mas se submeteu; parecia inofensivo, e depois das rejeições daquela manhã não queria jogar fora sua primeira chance decente, dando a impressão de não querer cooperar. Tirou a capa e, colocando-a em cima de um banco, ficou ali parada, com o vestido velho que a mulher do guarda-florestal lhe dera.

Kate deu uma volta em torno dela. Por algum motivo pareceu ficar impressionada.

— Minha cara menina, você jamais terá necessidade de dinheiro, ou qualquer outra coisa. Se trabalhar para mim, nós duas ficaremos ricas.

Aliena fechou a cara. Aquilo parecia loucura. Tudo o que queria era ajudar na lavagem de roupa, na cozinha ou na costura: não via como esse tipo de coisa poderia enriquecer alguém.

— De que tipo de trabalho você está falando?

Kate estava atrás dela. Passou as mãos pelo corpo de Aliena, sentindo seus quadris; estava tão próxima que a jovem sentia os seios da mulher pressionando-lhe as costas.

— Você tem um belo corpo — disse Kate. — E sua pele é linda. Você é de estirpe nobre, não é?

— Meu pai era o conde de Shiring.

— Bartholomew! Ora, ora. Eu me lembro dele... não que fosse meu cliente. Um homem muito virtuoso, o seu pai. Bem, compreendo agora por que está sem recursos.

Então Kate tinha clientes.

— O que você vende? — perguntou Aliena.

A mulher não respondeu logo. Voltou para a frente de Aliena, encarando-a.

— Você é virgem, querida?

Aliena ficou enrubescida.

— Não seja tímida — disse Kate. — Vejo que não é. Bem, não faz mal. Virgens valem muito, mas não duram, é claro. — Pôs as mãos nos quadris da garota, inclinou-se e beijou-a na testa. — Você é tão voluptuosa, embora não saiba! Por todos os santos, você é irresistível! — Ela escorregou a mão do quadril de Aliena para seu colo e segurou o seu seio com delicadeza, sopesando-o e esfregando-o ligeiramente; depois inclinou-se e beijou os lábios de Aliena.

A jovem compreendeu tudo num relâmpago: por que a garota sorrira para Richard em frente ao lugar onde cunhavam moedas, como Kate arranjava seu dinheiro, o que teria de fazer se trabalhasse para ela, e que tipo de mulher era. Sentiu-se tola por não ter compreendido antes. Por um momento deixou que ela a beijasse — era tão diferente do que William Hamleigh fizera que não sentiu nem um pouco de repugnância —, mas não era aquilo o que teria de fazer para ganhar dinheiro. Afastou-se do abraço de Kate.

— Você quer que eu me torne uma puta — disse ela.

— Uma dama do prazer, minha cara — disse Kate. — Acordar tarde, usar belas roupas todos os dias, fazer os homens felizes e tornar-se rica. Você seria uma das melhores. Há qualquer coisa em você... Poderia cobrar qualquer coisa, qualquer coisa. Acredite em mim, sei.

Aliena estremeceu. Sempre havia uma ou duas prostitutas no castelo — era necessário, num lugar onde havia tantos homens sem esposas —, e eram consideradas como da mais baixa categoria, as mais humildes das mulheres, abaixo até mesmo das varredoras. Mas não foi o baixo status que fez Aliena tremer de nojo. Foi a ideia de homens como William Hamleigh aparecendo e trepando com ela por um penny. Essa ideia trouxe de volta a lembrança do seu corpo imenso em cima dela, deitada no chão com as pernas abertas, trêmula de terror e ódio, esperando que ele a penetrasse. A cena voltou com renovado horror, e roubou toda a sua pose e confiança. Sentiu que se ficasse naquela casa por mais um momento tudo aquilo lhe aconteceria novamente. Invadiu-a uma necessidade pânica de ir embora. Recuou na direção da porta. Teve medo de ofender Kate, medo de que qualquer pessoa ficasse zangada com ela.

— Desculpe-me — murmurou. — Por favor, desculpe-me, mas eu não conseguiria, sinceramente...

— Pense no que lhe disse! — pediu Kate cordialmente. — Volte se mudar de ideia. Ainda estarei aqui.

— Muito obrigada — disse Aliena, insegura. Finalmente encontrou a porta. Abriu-a e escapuliu depressa. Ainda transtornada, desceu correndo a escada para a rua e foi até a porta da frente da casa. Abriu-a com um empurrão, mas teve medo de entrar. — Richard! — exclamou. — Richard, saia! — Não houve resposta. O interior era difusamente iluminado, e não foi possível ver nada além de umas poucas e vagas figuras femininas. — Richard, onde você está? — gritou, histérica.

Percebeu que os passantes olhavam para ela e ficou ainda mais ansiosa. De repente Richard apareceu, com um copo de cerveja numa das mãos e uma perna de galinha na outra.

— O que há? — perguntou ele, com a boca cheia de carne. Seu tom de voz indicava que estava aborrecido por ter sido perturbado.

Ela agarrou o braço dele e o puxou.

— Saia daí — disse. — É uma casa de putas!

Diversos transeuntes riram ruidosamente com aquilo, e um ou dois gritaram zombarias.

— Pode ser que elas deem um pouco de carne para você — disse Richard.

— Elas querem que eu seja uma puta! — explodiu Aliena.

— Está bem, está bem — disse Richard. Acabou de beber a cerveja, pôs o copo no chão, do lado de dentro da porta, e enfiou os restos da perna de galinha dentro da camisa.

— Vamos — disse Aliena, impaciente, embora uma vez mais a necessidade de lidar com o irmão tivesse o efeito de acalmá-la. Ele não pareceu furioso com a ideia de alguém ter querido que sua irmã se tornasse prostituta, mas era evidente que lamentava ser obrigado a deixar um lugar onde havia cerveja e galinha de graça.

A maior parte dos transeuntes seguiu seu caminho, vendo que a diversão terminara, mas uma pessoa permaneceu. Era a mulher bem-vestida que eles tinham visto na cadeia. Dera um penny ao carcereiro, que a chamara de Meg. Ela ficou olhando para Aliena com uma expressão de curiosidade mesclada com compaixão. Aliena desenvolvera uma verdadeira aversão a ser encarada, e desviou o olhar, furiosa.

– Você está em dificuldades, não está? – perguntou então a mulher.

O tom de bondade que percebeu na voz de Meg fez Aliena se voltar.

– Sim – respondeu, após uma pausa. – Estamos em dificuldades.

– Vi vocês na prisão. Meu marido está preso; eu o visito todos os dias. Por que vocês foram lá?

– Nosso pai está encarcerado.

– Mas vocês não entraram.

– Não temos dinheiro algum para pagar ao carcereiro.

Meg olhou por cima do ombro de Aliena para a porta do bordel.

– Era o que estava fazendo ali? Tentando arranjar dinheiro?

– Sim, mas eu não sabia o que era até...

– Pobrezinha – disse Meg. – Minha Annie teria a sua idade se estivesse viva... Por que não vai à cadeia comigo amanhã de manhã para ver se nós duas juntas não conseguimos convencer Odo a agir como cristão e ter pena de duas crianças sem recursos?

– Oh, seria maravilhoso! – disse Aliena. Estava comovida. Não havia garantia de sucesso, mas o fato de uma pessoa estar disposta a ajudá-los encheu seus olhos de lágrimas.

Meg ainda estava olhando fixamente para a jovem.

– Você já jantou?

– Não. Richard comeu... naquele lugar.

– É melhor ir até a minha casa. Eu lhe darei um pouco de pão e carne. – Ela notou a expressão de medo de Aliena e acrescentou: – E você não vai ter que fazer nada em troca.

Aliena acreditou nela.

– Muito obrigada – disse. – Você é bondosa. Não são muitas as pessoas que têm sido boas conosco. Não sei como lhe agradecer.

– Não precisa – disse ela. – Venha comigo.

O marido de Meg era mercador de lã. Comprava a lã que lhe era trazida na sua casa, ao sul da cidade, na sua banca no mercado e na grande feira anual de St. Gile's Hill, pelos camponeses das proximidades. Amarrava tudo em grandes fardos, cada um com a lã de duzentos e quarenta carneiros, e estocava no galpão que ficava nos fundos da casa. Uma vez por ano, quando os tecelões flamengos mandavam seus agentes comprar a forte e macia lã inglesa, ele vendia tudo e providenciava a expedição dos fardos via Dover e Boulogne para Bruges e Ghent, onde a lã crua seria transformada em tecido de alta qualidade, vendido no mundo inteiro por preços sem dúvida demasiado altos para os camponeses que criavam os carneiros. Assim Meg contou a Aliena e Richard durante o jantar, com aquele cálido sorriso que dizia que, fosse o que fosse que acontecesse, as pessoas não deviam ser ruins umas com as outras.

O marido dela fora acusado de fraudar o peso, um crime que a cidade levava muito a sério, pois sua prosperidade era baseada na reputação de comerciar honestamente. A julgar pelo modo como Meg falou sobre isso, Aliena achou que, provavelmente, ele era culpado. Sua ausência, contudo, pouca diferença fizera para o negócio. Meg simplesmente o substituíra. De qualquer modo, no inverno não havia muito trabalho. Ela fizera uma viagem a Flandres, assegurara aos agentes de seu marido que a empresa estava funcionando normalmente e fizera obras no galpão, reparando-o e aumentando-o um pouco. Quando começasse a tosquia, Meg compraria lã, como ele fazia. Sabia como julgar sua qualidade e determinar o preço. Já fora admitida na associação dos mercadores da cidade, a despeito da mácula na reputação do marido, pois havia uma tradição de os comerciantes ajudarem mutuamente suas famílias em tempos difíceis, e, de qualquer modo, a culpa dele ainda não fora provada.

Richard e Aliena comeram da sua comida, beberam do seu vinho e se sentaram junto ao seu fogo até que começou a escurecer; então voltaram ao priorado para dormir. Aliena teve um pesadelo de novo. Dessa vez sonhou com o pai. No sonho, ele estava sentado num trono, dentro da prisão, tão alto, pálido e autoritário como sempre, e quando foi vê-lo teve que fazer uma reverência como se ele fosse o rei. Então ele falou com ela em tom acusador, dizendo que o abandonara na cadeia e fora viver num bordel. Aliena ficou ultrajada com a injustiça da acusação e disse, furiosamente, que fora ele quem a abandonara. Ia acrescentar que a deixara à mercê de William Hamleigh, mas relutou em contar ao pai o que ele lhe fizera. Nesse momento viu que William também estava na sala, sentado numa cama e comendo cerejas que tirava de uma terrina. Ele cuspiu um caroço de cereja em cima dela, acertando-a no rosto e machucando-a. Seu pai sorriu e William começou a jogar cerejas macias. As frutas se espatifavam no seu rosto e no vestido, e ela começou a chorar, porque embora o vestido fosse velho era o único que tinha, e agora estava cheio de manchas vermelhas, lembrando sangue.

Sentiu-se tão intoleravelmente triste no sonho que, quando acordou e descobriu que não era real, experimentou uma enorme sensação de alívio, muito embora a realidade – não ter casa nem dinheiro – fosse bem pior que ser alvejada com cerejas.

A luz do dia começou a se infiltrar pelas frestas nas paredes da casa de hóspedes. Por toda parte à sua volta as pessoas acordavam e começavam a se movimentar. Em pouco tempo os monges entraram, abriram portas e janelas e anunciaram o desjejum.

Aliena e Richard comeram depressa e foram para a casa de Meg. Ela estava pronta para sair. Tinha preparado um suculento ensopado de carne para o marido, e Aliena disse a Richard para carregar a pesada panela. A jovem gostaria de ter alguma coisa para dar ao pai. Não pensara nisso, mas mesmo que houvesse pensado não teria podido comprar nada. Era horrível não poderem fazer nada por ele.

Subiram a High Street, entraram no castelo pelo portão dos fundos e, passando pela fortaleza, desceram a colina até a cadeia. Aliena lembrou o que Odo lhe dissera na véspera, quando lhe perguntara se seu pai estava bem. "Não, não está", dissera o carcereiro. "Está morrendo." Achara que ele tinha sido exagerado e cruel, mas agora começou a se preocupar.

— Há alguma coisa de errado com meu pai? — perguntou a Meg.

— Não sei, querida — respondeu ela. — Nunca o vi.

— O carcereiro disse que ele estava morrendo.

— Aquele homem é ruim como um gato. Provavelmente disse isso só para fazê-la sofrer. De qualquer modo, você saberá num momento.

Aliena não se tranquilizou, apesar das boas intenções de Meg, e foi cheia de pavor que atravessou o portal para entrar na atmosfera escura e impregnada de ruindade da cadeia.

Odo estava aquecendo as mãos no fogo aceso no meio do vestíbulo. Balançou a cabeça para Meg e olhou para Aliena.

— Tem dinheiro? — perguntou.

— Eu pagarei por eles — disse Meg. — Aqui estão dois pence, um para mim e um para eles.

Uma expressão astuta surgiu na cara estúpida de Odo, que disse: — Eles têm que pagar dois pence... um penny para cada um.

— Não seja tão miserável — disse Meg. — Ou você os deixa entrar ou lhe causarei problemas com a associação dos mercadores, e você perderá o emprego.

— Está bem, está bem, não precisa vir com ameaças — disse ele, rabugento. Apontou para um arco na parede de pedra à direita deles. — Bartholomew fica naquela direção.

— Vocês vão precisar de luz — disse Meg. Ela retirou duas velas do bolso da capa, acendeu-as na lareira e deu uma para Aliena. A expressão do seu rosto era de aflição.

— Espero que tudo esteja bem — disse, e deu um beijo em Aliena.

Depois saiu rapidamente pelo arco oposto.

A jovem espiou apreensivamente na direção indicada por Odo.

Segurando a vela bem alto, passou pelo arco e foi dar num minúsculo vestíbulo quadrado. A luz da vela mostrou três portas pesadas, todas trancadas por fora.

— Bem na sua frente — gritou Odo.

— Levante a tranca, Richard — disse Aliena.

O garoto pegou a pesada tranca de madeira e libertou-a dos suportes, encostando-a à parede. Aliena abriu a porta com um empurrão e fez uma rápida prece.

A cela estava escura, exceto pela luz da vela. A jovem hesitou junto à porta, tentando enxergar por entre as sombras em movimento. O lugar cheirava como uma latrina. Uma voz se ouviu:

— Quem está aí?

— Pai? – perguntou a garota. Conseguiu distinguir um vulto sentado no chão coberto de palha.

— Aliena? – Havia incredulidade na sua voz. – É Aliena? – Parecia a voz dele, só que mais velha.

A jovem aproximou-se, mantendo a vela no alto. Ele ergueu os olhos, a luz da vela iluminou seu rosto, e Aliena arquejou, horrorizada.

Ele estava praticamente irreconhecível.

Sempre fora um homem magro, mas agora parecia um esqueleto.

Estava imundo e vestido de trapos.

— Aliena! – exclamou. – É você! – Seu rosto retorceu-se num sorriso, como o de uma caveira.

Aliena caiu no choro. Nada poderia tê-la preparado para o choque de vê-lo transformado daquela maneira. Era a coisa mais horrível que podia imaginar. Soube imediatamente que ele estava morrendo. O canalha do Odo dissera a verdade. Mas ainda estava vivo, sofrendo e satisfeito por vê-la. Tinha decidido conservar-se calma, mas perdeu o controle por completo, e caiu de joelhos diante dele, chorando e dando grandes soluços dilacerantes que vinham do fundo do coração.

Bartholomew inclinou-se para a frente e passou os braços pelos seus ombros, como se estivesse consolando uma criança que esfolou o joelho ou quebrou um brinquedo.

— Não chore – disse delicadamente. – Não chore logo na hora em que está fazendo seu pai tão feliz.

Aliena sentiu que a vela lhe era retirada da mão.

— E esse rapaz alto aí é o meu Richard? – perguntou ele.

— Sim, papai – disse o garoto, tenso.

Aliena passou os braços em torno do pai, e sentiu os ossos dele, como galhos dentro de um saco. Ele estava definhando: não havia carne por baixo da pele. Quis lhe dizer qualquer coisa, algumas palavras de amor e consolo, mas não conseguiu, de tanto que soluçava.

— Richard – estava dizendo ele –, como você está crescido! Já tem barba?

— Começou agora, pai, mas é muito clara.

Aliena percebeu que o irmão estava à beira das lágrimas e que lutava para manter a compostura. Ele iria se sentir humilhado se perdesse o controle na frente do pai, que provavelmente lhe diria para parar com aquilo e ser homem, o que tornaria tudo pior. Preocupando-se com Richard, parou de chorar. Abraçou mais uma vez o corpo espantosamente magro do pai; depois recuou, enxugou os olhos e assoou o nariz na manga do vestido.

— Vocês estão bem? — quis saber ele. Falava mais devagar que antes, e a voz tremia ocasionalmente. — Como têm conseguido sobreviver? Onde estão morando? Eles não me falam nada sobre vocês... a pior tortura que poderiam ter imaginado. Mas vocês parecem bem, em boa forma e saudáveis! Isso é maravilhoso!

A menção à tortura fez Aliena pensar se ele haveria sofrido tormentos físicos, mas não lhe perguntou nada; tinha medo do que o pai poderia lhe dizer. Em vez disso, respondeu à pergunta dele com uma mentira:

— Estamos bem, pai. — Sabia que a verdade seria devastadora para ele. Destruiria aquele momento de felicidade e encheria os últimos dias de sua vida com a agonia da autocondenação. — Estamos morando no castelo e Matthew toma conta de nós.

— Mas vocês não podem mais viver lá! — disse ele. — O rei sagrou aquele gordo idiota do Percy Hamleigh conde de Shiring. O castelo agora é dele.

Então ele sabia.

— Está bem — disse ela. — Saímos de lá.

Bartholomew pegou no vestido dela, o vestido velho que a mulher do guarda-florestal lhe dera.

— O que é isto? — perguntou ele incisivamente. — Você vendeu suas roupas?

Ele não perdera a inteligência, claro. Não seria fácil enganá-lo. Decidiu contar-lhe parte da verdade.

— Saímos do castelo apressadamente e não temos outras roupas.

— Onde está Matthew? Por que não está aqui com vocês?

Ela receara aquela pergunta. Hesitou.

Foi apenas uma pausa momentânea, mas ele percebeu.

— Vamos! Não tente esconder nada de mim! — exclamou, com um pouco da antiga autoridade. — Onde está Matthew?

— Foi morto pelos Hamleighs — respondeu ela. — Mas não nos fizeram mal. — Aliena prendeu a respiração. Será que ele acreditaria?

— Pobre Matthew! — lamentou Bartholomew. — Nunca foi um homem de briga. Espero que tenha ido direto para o céu.

Ele aceitara sua história. Aliena respirou aliviada. Mudou de assunto, para sair daquele campo perigoso.

— Decidimos vir a Winchester pedir ao rei que faça algumas provisões para nós, mas ele...

— Não adianta — interrompeu seu pai bruscamente, antes que ela pudesse explicar por que não tinham conseguido ver o rei. — Ele não faria nada por vocês.

Aliena ficou magoada com a falta de consideração dele. Fizera o melhor que pudera, contra todas as probabilidades, e queria ouvi-lo dizer: *Muito bem,* e não:

Foi uma perda de tempo. Ele sempre tinha sido rápido para corrigir e lento para elogiar. Eu devia estar acostumada, pensou.

– O que devemos fazer agora, papai? – perguntou, submissa.

Ele mudou de posição, e ouviu-se um barulho metálico. Com um choque, Aliena percebeu que estava a ferros.

– Tive a oportunidade – disse ele – de esconder um pouco de dinheiro. Não foi uma chance muito boa, mas precisei me arriscar. Eu tinha cinquenta besantes num cinto embaixo da camisa. Dei o cinto a um padre.

– Cinquenta! – Aliena ficou surpresa. Um besante era uma moeda de ouro. Não eram cunhadas na Inglaterra, vinham de Bizâncio. Nunca vira mais de um de uma só vez. Um besante valia vinte e quatro pence de prata. Cinquenta valiam... não conseguiu fazer a conta.

– Que padre? – perguntou Richard, com senso prático.

– Padre Ralph, da Igreja de St. Michael, perto do Portão Norte.

– Ele é um homem bom? – perguntou Aliena.

– Espero que sim. Na realidade, não sei. No dia em que os Hamleighs me trouxeram para Winchester, antes de me trancarem aqui, me vi sozinho com ele por alguns momentos, e soube que era minha única chance. Dei-lhe o cinto, suplicando que o guardasse para vocês. Cinquenta besantes valem cinco libras de prata.

Cinco libras. Quando Aliena digeriu a notícia, percebeu que o dinheiro transformaria a existência deles. Deixariam de ser desvalidos; não mais teriam que sobreviver de dia para dia. Poderiam comprar pão, e um par de botas para substituir aqueles tamancos que machucavam tanto os seus pés, e até mesmo um par de pôneis baratos, caso tivessem necessidade de viajar. Não resolveria todos os seus problemas, mas afastaria aquela sensação aterradora de viver constantemente à beira de uma crise de vida ou morte. Não teria de pensar o tempo todo em como iriam sobreviver. Poderia concentrar a atenção em algo construtivo, como, por exemplo, tirar seu pai daquele lugar horroroso.

– Quando pegarmos o dinheiro – disse ela –, o que deveremos fazer? Temos que libertá-lo.

– Não vou sair – disse ele asperamente. – Esqueça isso. Se eu já não estivesse morrendo, eles teriam me enforcado.

Aliena ficou chocada. Como podia falar daquele jeito?

– Por que se espanta? O rei tem que se livrar de mim, mas desse modo não pesarei na consciência dele.

– Pai – disse Richard –, esta prisão não é bem guardada quando o rei está fora. Com uns poucos homens acho que posso tirá-lo daqui.

Aliena sabia que aquilo não iria acontecer. Richard não tinha capacidade ou experiência para organizar uma expedição de resgate, além de ser jovem demais para persuadir homens feitos a segui-lo. Sentiu medo que o pai magoasse Richard debochando da sua proposta, mas tudo o que ele disse foi:

— Nem pense nisso. Se você arrombar esta cadeia eu me recusarei a sair.

A jovem sabia que não adiantava discutir com ele uma vez que houvesse tomado sua decisão. Mas confrangia-lhe o coração pensar nele terminando seus dias naquela cadeia fedorenta. No entanto, ocorreu-lhe que havia muita coisa que podia fazer para tornar mais confortável sua vida ali, e disse:

— Bem, se vai permanecer aqui, podemos limpar tudo e arranjar palha fresca. Traremos comida quente para você todos os dias. Conseguiremos algumas velas e talvez possamos pedir uma Bíblia emprestada para você ler. Pode ter um fogo...

— Basta! Vocês não vão fazer nada disso. Não vou querer que meus filhos desperdicem a vida rondando uma cadeia, esperando que um velho morra.

Os olhos de Aliena encheram-se de lágrimas novamente.

— Mas não podemos deixá-lo assim!

Ele a ignorou, o que era sua reação normal a pessoas que tolamente o contradiziam.

— Sua querida mãe tinha uma irmã, Edith. Ela mora na aldeia de Huntleigh, na estrada de Gloucester, com o marido, que é cavaleiro. Vocês devem ir para lá.

Ocorreu a Aliena que poderia ver seu pai de tempos em tempos. E ele talvez permitisse que os parentes lhe proporcionassem mais conforto. Tentou se lembrar de tia Edith e tio Simon. Não os via desde que sua mãe morrera. Tinha uma vaga recordação de uma mulher magra e nervosa como sua mãe e de um homem grande e cheio de energia que comia e bebia muito.

— Eles vão tomar conta de nós? — perguntou ela, insegura.

— Claro. São seus parentes.

Aliena perguntou-se se essa razão seria suficiente para a modesta família de um cavaleiro receber de boa vontade dois jovens grandes e famintos; mas seu pai tinha dito que tudo estaria bem e ela confiava nele.

— O que faremos? — perguntou.

— Richard será escudeiro do tio e aprenderá as artes da cavalaria. Você será dama de companhia de tia Edith até se casar.

Enquanto conversavam, Aliena sentiu-se como se houvesse carregado um fardo pesado por muitas milhas, só tendo notado a dor nas costas ao depositar o peso no chão. Agora que seu pai estava assumindo o comando, parecia-lhe que a responsabilidade dos últimos dias fora demasiada. E a autoridade e capacidade dele para controlar a situação, mesmo doente na cadeia, tranquilizou-a e amenizou sua aflição, pois parecia desnecessário se preocupar com a pessoa que estava no comando.

Ele se tornou ainda mais autoritário.

— Antes que me deixem, quero que ambos façam um juramento.

Aliena ficou chocada. Seu pai sempre fora contra juramentos. *Fazer um juramento é pôr uma alma em risco*, dizia ele. *Nunca faça um juramento, a menos que tenha certeza de que preferirá morrer a não cumpri-lo*. E ele estava ali por causa de um juramento: os outros barões não cumpriram a palavra empenhada e aceitaram Estêvão como rei, mas Bartholomew se recusara. Preferia morrer a quebrar seu juramento, e estava ali morrendo.

— Dê-me sua espada — disse a Richard.

O garoto desembainhou a espada e a entregou a ele.

Seu pai pegou-a e inverteu a posição, segurando a lâmina e pondo o punho para fora.

— Ajoelhe-se. Ponha a mão em cima do punho. — Fez uma pausa, como se estivesse reunindo forças; quando falou, sua voz ressoou como um repicar de sinos. — Jure por Deus Todo-Poderoso, por Jesus Cristo e por todos os santos que não descansará enquanto não for o conde de Shiring e lorde de todas as terras que governei.

Aliena ficou surpresa e, de certa forma, aterrorizada. Tinha esperado uma coisa de ordem geral, como sempre dizer a verdade e temer a Deus; mas não, ele dera a Richard uma tarefa muito específica, uma tarefa que poderia levar toda uma vida.

Richard respirou fundo e disse, com um tremor na voz:

— Juro por Deus Todo-Poderoso, por Jesus Cristo e por todos os santos que não descansarei enquanto não for o conde de Shiring e lorde de todas as terras que você governou.

Bartholomew suspirou, como se tivesse acabado de cumprir uma tarefa difícil. Então surpreendeu Aliena de novo. Virou-se e apresentou-lhe o cabo da espada.

— Jure por Deus Todo-Poderoso, por Jesus Cristo e por todos os santos que cuidará do seu irmão Richard até que ele cumpra o juramento que fez.

Uma sensação de fatalidade inundou Aliena. Aquilo seria o seu destino, então: Richard vingaria seu pai e ela tomaria conta do irmão. Para ela seria também uma missão de vingança, pois se ele se tornasse conde, William Hamleigh perderia a herança. Passou como um relâmpago pela sua mente a lembrança de que ninguém lhe perguntara como desejava viver; porém, o pensamento tolo foi embora com a mesma rapidez com que veio. Era o seu destino, e era um destino justo e apropriado. Não estava relutante, mas sabia que aquele era um momento decisivo, e teve a sensação de portas se fechando às suas costas e do rumo da sua vida sendo fixado irrevogavelmente. Colocou a mão no punho da espada e jurou. Sua voz surpreendeu-a pela força e determinação.

— Juro por Deus Todo-Poderoso, por Jesus Cristo e por todos os santos que cuidarei do meu irmão Richard até que ele tenha cumprido seu juramento. — Ela se persignou. Estava feito. Fiz um juramento, pensou, e prefiro morrer a não cumprir minha palavra. A ideia lhe deu uma espécie de satisfação raivosa.

— Pronto — disse seu pai, e sua voz soou fraca novamente. Agora vocês nunca mais precisam voltar aqui.

Aliena não pôde acreditar no que ouvira.

— Tio Simon poderá nos trazer para vê-lo de vez em quando, verificar se você está bem aquecido e alimentado...

— Não — disse ele severamente. — Vocês têm uma tarefa a cumprir. Não vão desperdiçar energias visitando uma cadeia.

Ela percebeu pelo tom de sua voz que ele não queria discussões, mas não pôde se impedir de protestar contra a dureza daquela decisão.

— Então deixe-nos voltar só mais uma vez, para lhe trazer alguns confortos!

— Não quero confortos.

— Por favor...

— Nunca.

Ela desistiu. Ele era pelo menos tão duro consigo próprio como com todas as outras pessoas.

— Muito bem — disse Aliena, mas as palavras saíram sob a forma de um soluço.

— Agora é melhor vocês irem.

— Já?

— Sim. Este é um lugar de desespero, desmoralização e morte. Agora que já os vi e sei que estão bem, e que vocês prometeram reconstruir o que perdemos, estou satisfeito. A única coisa que poderia destruir minha felicidade seria vê-los perder tempo visitando uma prisão. Agora, saiam.

— Papai, não! — protestou Aliena, embora soubesse que não adiantava.

— Ouçam — disse ele, e sua voz suavizou-se por fim. — Vivi uma vida honrada e agora vou morrer. Confessei meus pecados. Estou pronto para a eternidade. Rezem pela minha alma. Vão.

Aliena inclinou-se e beijou-lhe a testa. As lágrimas dela caíram livremente sobre o seu rosto.

— Adeus, pai querido — sussurrou, levantando-se.

Richard ajoelhou-se e beijou-o.

— Adeus, pai — disse, com a voz insegura.

— Que Deus abençoe vocês dois e os ajude a cumprir suas promessas.

Richard deixou-lhe a vela. Eles se dirigiram à saída. Na porta Aliena voltou-se e olhou para ele na luz incerta. Seu rosto descarnado exibia uma calma determinação que lhe era muito familiar. Ficou olhando até que as lágrimas obscureceram sua visão. Então se virou, passou pelo vestíbulo da prisão e saiu, tropeçando, ao ar livre.

3

Richard foi à frente. Aliena estava atônita, de tanta dor. Era como se seu pai já tivesse morrido, só que pior, pois ele ainda estava sofrendo. Ouviu Richard pedindo informações, mas não prestou atenção. Não pensou aonde estavam indo senão quando pararam do lado de fora de uma igrejinha de madeira com um casebre de meia-água ao lado. Olhando em torno, Aliena viu que estavam num bairro pobre de casas pequenas e desmanteladas, ruas imundas onde cachorros ferozes caçavam ratos por entre o lixo e crianças descalças brincavam na lama.

— Isto aqui deve ser St. Michael — disse Richard.

A meia-água ao lado da igreja só podia ser a casa do padre. Tinha uma janela fechada. A porta estava aberta. Eles entraram.

Havia um fogo aceso no meio do único aposento. O lugar era mobiliado com uma mesa de madeira grossa desbastada, uns bancos e um barril de cerveja a um canto. O chão estava juncado de palha. Perto do fogo um homem sentado numa cadeira bebia num copo grande. Era pequeno e magro, com cerca de cinquenta anos, de nariz vermelho e cabelo grisalho muito fino. Usava roupa comum, de uso diário, uma camisa de baixo suja com uma túnica marrom e tamancos.

— Padre Ralph? — disse Richard, na dúvida.

— E se for? — replicou ele.

Aliena suspirou. Por que as pessoas fabricavam problemas quando já havia tantos no mundo? Mas não lhe restava energia para mais aquela demonstração de mau humor, e deixou por conta de Richard.

— Essa sua pergunta significa sim? — quis saber o garoto.

A resposta veio de forma inesperada. Ouviram uma voz do lado de fora:

— Ralph? Você está em casa?

No momento seguinte entrou uma mulher de meia-idade e deu um naco de pão e uma tigela grande de algo que cheirava como ensopado de carne. Daquela vez o cheiro da carne não fez a boca de Aliena se encher d'água: estava por demais aturdida para sentir fome. A mulher provavelmente era uma das paroquianas de Ralph, pois suas roupas eram da mesma qualidade inferior. Ele apanhou a comida sem uma palavra e começou a comer. A mulher lançou um olhar indiferente para Richard e Aliena e saiu.

— Bem, *padre* Ralph — disse Richard —, sou filho de Bartholomew, o antigo conde de Shiring.

O homem parou de comer e olhou para eles. Havia hostilidade em seu rosto, e alguma outra coisa que Aliena não conseguiu entender: medo? culpa? Ele voltou a atenção para sua refeição, mas resmungou:

— O que vocês querem comigo?

Aliena sentiu uma pontada de medo.

— Você sabe o que quero — disse Richard. — Meu dinheiro. Cinquenta besantes.

— Não sei do que você está falando — disse Ralph.

Aliena encarou-o incredulamente. Aquilo não poderia estar acontecendo. Seu pai deixara dinheiro para eles com esse padre — tinha dito que deixara! Não cometia erros em relação a essas coisas.

Richard ficara lívido.

— O que você está querendo dizer? — perguntou.

— O que quero dizer é que não sei do que você está falando. Agora dê o fora. — Tomou outra colherada de ensopado.

O homem estava mentindo, claro, mas o que eles podiam fazer? Richard insistiu teimosamente:

— Meu pai deixou dinheiro com você, cinquenta besantes. Ele lhe pediu que os desse a mim. Onde estão?

— Seu pai não me deu nada.

— Ele disse que...

— Ele mentiu, então.

Ali estava algo que com certeza seu pai não fizera. Aliena falou pela primeira vez:

— Você é o mentiroso e nós sabemos disso.

Ralph deu de ombros.

— Queixem-se ao xerife.

— Você estará encrencado se nos queixarmos. Eles cortam as mãos dos ladrões aqui nesta cidade.

Uma sombra de medo cruzou rapidamente o rosto do padre, mas desapareceu num momento e sua resposta foi desafiadora.

— Será a minha palavra contra a de um traidor preso... se o seu pai viver o bastante para prestar testemunho.

Aliena reconheceu que ele estava com a razão. Não havia testemunhas para dizer que seu pai lhe dera o dinheiro, pois se tratava de um segredo, um dinheiro que não podia ser apanhado pelo rei, por Percy Hamleigh ou por qualquer um dos abutres que acorrem em bandos em torno das posses de um homem que caiu em desgraça. As coisas aconteciam do mesmo modo como na floresta, pensou Aliena, amargurada. Todo mundo podia roubar a ela e a Richard impunemente, porque eram filhos de um nobre degradado. Por que estou com medo desses homens?, perguntou-se, furiosa. Por que não são eles que têm medo de mim?

— Ele está com a razão, não é? — perguntou Richard em voz baixa, fitando-a.

— Sim — disse ela rancorosamente. — Não adianta nos queixarmos ao xerife. — Pensava na única oportunidade em que os homens haviam tido medo dela: na floresta, quando esfaqueara o gordo fora da lei, e o outro saíra correndo apavorado. O padre não era melhor que o fora da lei. Mas era velho e bem frágil, e provavelmente nunca imaginara que fosse ter de encarar suas vítimas. Talvez pudesse ser amedrontado.

— O que faremos então? — perguntou o garoto.

Aliena cedeu a um súbito impulso de raiva.

— Vamos queimar esta casa! — respondeu. Foi até o meio do aposento e chutou o fogo com seus tamancos, espalhando toras de madeira em brasa. A palha perto da lareira pegou fogo imediatamente.

— Ei! — gritou Ralph. Começou a se levantar da cadeira, deixando cair o pão e derramando o ensopado no colo, mas antes que conseguisse ficar de pé Aliena pulou em cima dele. Estava completamente descontrolada; agiu sem pensar. Empurrou-o, e ele escorregou da cadeira e caiu no chão. Ficou assombrada ao ver como foi fácil derrubá-lo. Jogou-se por cima dele, colocando os joelhos sobre seu peito e envolvendo-o com os braços. Louca de ódio, aproximou a cara da dele e berrou:

— Seu ladrão sem princípios, mentiroso, perverso, infiel, vou queimá-lo até vê-lo morto!

Seus olhos desviaram-se para o lado e o que viu pareceu assustá-lo ainda mais. Seguindo seu olhar, Aliena viu que Richard desembainhara a espada e estava pronto para atacar o velho. O rosto sujo do padre empalideceu e ele sussurrou:

— Você é um demônio...

— É você quem rouba o dinheiro de crianças pobres! — De esguelha ela viu um pedaço de pau com uma extremidade em brasa. Pegou-o e colocou a parte quente junto ao rosto dele. — Agora vou queimar seus olhos, um por um. Primeiro o esquerdo...

— Não, por favor — murmurou ele. — Por favor, não me machuque. Aliena ficou abismada com a rapidez com que cedera. Percebeu que as palhas estavam ardendo, à sua volta.

— Onde está o dinheiro então? — perguntou, numa voz que de repente pareceu normal.

O padre ainda estava aterrorizado.

— Na igreja.

— Onde, exatamente?

— Debaixo da pedra atrás do altar.

A garota encarou Richard.

— Tome conta dele enquanto vou olhar — disse. — Se ele se mexer, mate-o.

— Aliena, a casa vai pegar fogo — disse seu irmão.

Ela foi até o canto e levantou a tampa do barril. Estava com cerveja pela metade. Agarrou-o pela borda e puxou-o. A cerveja derramou, encharcando a palha e apagando o fogo.

Aliena saiu da casa. Sabia que realmente estivera a um passo de queimar os olhos do padre, mas em vez de se sentir envergonhada, estava esmagada pela sensação do próprio poder. Resolvera não deixar que os outros a fizessem de vítima, e provara que podia manter sua resolução. Caminhou rapidamente até a igreja e experimentou a porta. Estava trancada com um pequeno cadeado. Podia ter voltado e pedido a chave ao padre, mas preferiu puxar a adaga da manga, enfiar a lâmina na fresta da porta e quebrar o cadeado. A porta se abriu e ela entrou, decidida.

Era o tipo de igreja muito pobre. Do tipo mais pobre possível. Não havia outra peça de mobília exceto o altar e nenhuma decoração, a não ser algumas pinturas toscas na madeira caiada das paredes. Num canto, uma vela bruxuleava sob uma pequena efígie de madeira que presumivelmente representava são Miguel. O triunfo de Aliena foi perturbado durante um instante pela constatação de que cinco libras representavam uma tentação terrível para um homem pobre como o padre Ralph. Mas imediatamente expulsou qualquer pensamento de compaixão.

O piso era de terra, mas havia uma grande laje de pedra atrás do altar. Era um esconderijo bastante óbvio, mas claro que ninguém ia se dar ao trabalho de assaltar uma igreja tão visivelmente pobre como aquela. Aliena abaixou-se, ajoelhando-se numa perna só, e empurrou a pedra. Era muito pesada, e nem se mexeu. Começou a ficar ansiosa. Não podia confiar em Richard para tomar conta de Ralph indefinidamente. O padre podia fugir e pedir socorro, e então ela teria que provar que o dinheiro era seu. Na verdade, essa poderia vir a ser a menor das preocupações, agora que atacara um padre e arrombara uma igreja. Sentiu um calafrio de ansiedade quando viu que estava do outro lado da lei.

O medo lhe deu força extra. Com um empurrão vigoroso, fez a pedra se mexer uma ou duas polegadas. Ela cobria um buraco de cerca de um pé de profundidade. Conseguiu mover a pedra mais um pouco. Dentro do buraco havia um cinto de couro largo. Enfiou a mão e puxou-o.

– Pronto! – exclamou, em voz alta. – Agora está comigo! – Deu-lhe grande satisfação pensar que derrotara o padre desonesto e recuperara o dinheiro do pai. Depois, ao se levantar, percebeu que sua vitória era restrita: o cinturão estava muito leve. Abriu a ponta e deixou cair as moedas. Só havia dez. Dez besantes valiam uma libra de prata.

O que acontecera com o resto? Padre Ralph gastara! Ficou enfurecida novamente. O dinheiro do seu pai era tudo o que tinha no mundo, e um padre ladrão furtara quatro quintos dele. Saiu da igreja pisando forte e girando o cinto. Na rua, um transeunte pareceu ficar assustado quando surpreendeu a expressão do seu olhar, como se houvesse algo estranho nele. Ela não deu importância e entrou na casa do padre.

Richard estava de pé sobre Ralph, com a espada na garganta dele. Quando Aliena passou pela porta, gritou:

— Onde está o resto do dinheiro do meu pai?

— Acabou — murmurou o padre.

Ela se ajoelhou junto da cabeça dele e encostou a faca na sua cara.

— Acabou como?

— Gastei — confessou ele, rouco de pavor.

Aliena quis esfaqueá-lo, espancá-lo ou jogá-lo num rio; mas nenhuma dessas coisas lhe teria sido útil. Ele estava dizendo a verdade. Olhou para o barril virado: um homem que bebe pode consumir uma grande quantidade de cerveja. Ela achou que fosse explodir de tanta frustração.

— Eu cortaria fora sua orelha se pudesse vendê-la por um penny — disse, por entre os dentes. A expressão do padre era de quem já se via sem orelha, de qualquer maneira.

— Ele já gastou o dinheiro — disse Richard ansiosamente. — Vamos pegar o que resta e ir embora.

Ele estava certo, reconheceu Aliena, relutante. Sua raiva começou a se evaporar, deixando um resíduo de amargura. Não havia nada a ganhar assustando o padre, e quanto mais tempo ficassem, mais chance haveria de alguém aparecer e causar problema. Ela se levantou.

— Está bem — disse. Pôs as moedas de ouro novamente no cinto e afivelou-o na cintura, por baixo da capa. Apontou um dedo para o padre. — Posso voltar um dia e matar você — acrescentou.

Ela saiu.

Seguiu depressa ao longo da rua estreita. Richard emparelhou com ela, correndo.

— Você foi maravilhosa, Allie! — disse, excitadamente. — Quase o matou de susto... e pegou o dinheiro!

Ela assentiu.

— Sim, peguei — disse, amargurada. Ainda estava tensa, mas agora que a fúria se abatera, sentia-se deprimida e infeliz.

— O que vamos comprar? — perguntou ele, ansioso.

— Só um pouco de comida para a nossa viagem.

— Não vamos comprar cavalos?

— Não com uma libra.

— Mesmo assim, podemos comprar botas para você.

Ela pensou naquilo. Os tamancos a torturavam, mas o chão era frio demais para andar descalça. No entanto, as botas custariam caro e ela estava relutante em gastar o dinheiro tão depressa.

— Não — decidiu. — Viverei mais uns dias sem botas. Por enquanto vamos guardar o dinheiro.

Ele ficou desapontado, mas não contestou sua autoridade.

— Que comida vamos comprar?

— Pão de massa grossa, queijo duro e vinho.

— Vamos comprar umas tortas.

— É muito caro.

— Oh! — Ele ficou em silêncio por um momento e disse: — Você está horrivelmente mal-humorada, Allie!

Ela suspirou.

— Sei disso. — Pensou: Por que me sinto deste modo? Devia estar orgulhosa. Graças a mim, chegamos até aqui, defendi meu irmão, encontrei meu pai, recuperei nosso dinheiro.

Sim, e enfiei uma faca na barriga de um gordo, fiz meu irmão matá-lo, coloquei uma brasa junto ao rosto de um padre e estive a ponto de queimar-lhe os olhos.

— É por causa de papai? — perguntou ele compreensivamente.

— Não, não é — respondeu a garota. — É por minha causa.

Aliena lamentou não ter comprado as botas. Na estrada para Gloucester ela usou os tamancos até que seus pés sangraram, depois andou descalça até que não pôde mais tolerar o frio, e os calçou de novo. Descobriu que ajudava se não olhasse para os pés: eles doíam mais quando via as feridas e o sangue.

Na região montanhosa havia uma porção de pequenas propriedades pobres, onde os camponeses cultivavam mais ou menos um acre de aveia ou centeio e criavam alguns animais esquálidos. Aliena parou nas cercanias de uma aldeia, quando imaginou que deveriam estar perto de Huntleigh, para falar com um camponês que estava tosquiando um carneiro num quintal cercado, perto de uma casa de fazenda, baixa e com paredes de taipa. Ele tinha a cabeça do animal presa numa armação de madeira como uma espécie de coleira e cortava sua lã com uma faca de lâmina comprida. Dois outros carneiros aguardavam nas proximidades, irrequietos, e um, já tosquiado, pastava no campo, parecendo nu naquele frio.

— É cedo para tosquiar — disse Aliena.

O camponês olhou para ela e sorriu, bem-humorado. Era um homem jovem, de cabelo ruivo e sardas; as mangas arregaçadas mostravam braços cabeludos.

— Ah, mas preciso de dinheiro. Melhor os carneiros sentirem frio do que eu sentir fome.

— Quanto recebe?

— Um penny por carneiro. Mas tenho que ir a Gloucester, e assim perco um dia no campo na primavera, quando tenho muito o que fazer. — Ele era bastante alegre, a despeito dos queixumes.

— Que aldeia é essa? — perguntou-lhe Aliena.

— Os estranhos a chamam de Huntleigh — disse ele. Os camponeses nunca usavam o nome da aldeia onde moravam, para eles era apenas a aldeia. Nomes eram coisa para estrangeiros. — Quem é você? — perguntou ele, com franca curiosidade. — O que a traz aqui?

— Sou sobrinha de Simon de Huntleigh — respondeu Aliena.

— Não me diga! Pois bem, você o encontrará na casa grande. Volte por esta estrada algumas jardas e tome a trilha através dos campos.

— Muito obrigada.

A aldeia se situava no meio de seus campos arados como um porco num chiqueiro. Havia mais ou menos vinte moradias espalhadas em torno da propriedade principal, que não era muito maior que a casa de um camponês próspero. Ao que parecia, tia Edith e tio Simon não eram muito ricos. Um grupo de homens estava do lado de fora da propriedade com uma parelha de cavalos. Um deles parecia ser o lorde: usava casaco vermelho. Aliena examinou-o mais detidamente. Fazia doze ou treze anos desde a última vez em que vira tio Simon, mas achou que era ele. Lembrava-se de um homem grande, e agora parecia menor, mas sem dúvida era porque Aliena crescera. Seu cabelo estava escasseando, e ele tinha um queixo duplo do qual ela não se lembrava. Então ouviu-o dizer:

— Este animal tem a cernelha muito alta. — E reconheceu sua voz rascante e um pouco cansada.

Começou a relaxar. De agora em diante seriam alimentados, vestidos, cuidados e protegidos: nada mais de pão de massa grossa e queijo duro, de pernoites em celeiros, de trajetos pelas estradas com a mão no cabo de uma faca. Teria uma cama macia, um vestido novo e um jantar de rosbife.

Tio Simon percebeu seu olhar. A princípio não soube de quem se tratava.

— Olhem só — disse para os seus homens —, uma bela garota e um menino-soldado nos visitam! — Depois a expressão dos seus olhos se modificou e Aliena percebeu que ele se dera conta de que não eram completos estranhos. — Conheço você, não conheço? — perguntou.

— Sim, tio Simon, conhece — respondeu Aliena.

Ele deu um pulo, como se apavorado com alguma coisa.

— Por todos os santos! A voz de um fantasma!

Aliena não compreendeu, mas no momento seguinte ele explicou. Aproximou-se, examinando-a atentamente, parecendo que ia olhar seus dentes, como um cavalo, e disse:

— Sua mãe tinha a mesma voz, como mel sendo despejado de uma jarra. Você é tão bonita quanto ela também, por Cristo! — Levantou a mão para tocar no seu rosto, mas ela recuou, pondo-se rapidamente fora do seu alcance. — Mas é tão arrogante quanto seu maldito pai, posso ver isso. Suponho que foi ele que a mandou aqui, não foi?

Aliena eriçou-se. Não gostou de ouvir seu pai designado como "maldito". Mas, se protestasse, ele tomaria isso como prova de que era arrogante; assim, mordeu a língua e respondeu submissamente:

— Sim. Ele disse que tia Edith tomaria conta de nós.

— Bem, ele estava errado — disse tio Simon. — Tia Edith está morta. E, além disso, desde que seu pai caiu em desgraça, perdi a metade das minhas terras para aquele patife gordo do Percy Hamleigh. Estão difíceis os tempos por aqui. Assim, pode se virar agora mesmo e voltar para Winchester. Não vou ficar com vocês.

Aliena ficou trêmula. Ele parecia um homem muito duro.

— Mas somos seus parentes! — disse.

Ele teve a consideração de parecer ligeiramente envergonhado, mas sua resposta foi áspera.

— Você não é minha parente. Você era sobrinha da minha primeira esposa. E mesmo quando Edith estava viva, nunca via sua mãe, por causa daquele idiota pomposo com que se casou.

— Nós trabalharemos — suplicou Aliena. — Estamos dispostos a...

— Não perca o fôlego — disse ele. — Não vou recebê-los.

Aliena ficou chocada. O modo de falar dele era definitivo. Claro que não adiantava discutir com ele ou implorar. Mas tinha sofrido tantos desapontamentos e reveses daquele tipo que se sentiu mais amargurada que triste. Uma semana antes algo assim a teria feito se desmanchar em lágrimas. Agora a vontade que tinha era de cuspir nele.

— Eu me lembrarei disto quando Richard for o conde e recuperarmos o castelo.

Ele riu.

— Será que viverei tanto tempo?

Ela decidiu não ficar para continuar sendo humilhada.

— Vamos — disse para Richard. — Vamos cuidar de nós mesmos.

Tio Simon já tinha se virado, voltando a examinar o cavalo de cernelha alta. Os homens que se encontravam com ele ficaram um pouco embaraçados. Aliena e Richard foram embora.

— O que vamos fazer, Allie? — perguntou Richard lamuriosamente, quando já não podiam ser ouvidos.

— Vamos mostrar a essa gente sem coração que somos melhores que eles — disse de maneira sombria, mas não se sentia corajosa, só cheia de ódio de tio Simon, do padre Ralph, de Odo Carcereiro, dos proscritos, do guarda-florestal e, acima de tudo, ódio de William Hamleigh.

— Ainda bem que temos algum dinheiro — disse Richard.

Sim. Mas não duraria para sempre.

— Não podemos simplesmente gastá-lo — disse ela, enquanto seguiam pela trilha que os levaria de volta à estrada. — Se usarmos tudo em comida e coisas assim, ficaremos sem recursos de novo quando ele acabar. Temos que *fazer* alguma coisa com esse dinheiro.

— Não vejo por quê — disse Richard. — Acho que devíamos comprar um pônei.

Ela o encarou, espantada. Estaria brincando? Não havia um sorriso nos seus lábios. Simplesmente não compreendia.

— Não temos posição, título ou terras — disse ela, paciente. — O rei não nos ajudará. Não conseguimos ser contratados como trabalhadores. Tentamos, em Winchester, e ninguém nos quis. Mas de alguma maneira temos que ganhar a vida e transformá-lo num cavaleiro.

— Oh — disse ele. — Entendo.

Ela era capaz de afirmar que ele na verdade não entendia nada.

— Precisamos nos estabelecer em algum ocupação que renda o suficiente para pagar nossa comida e nos dê no mínimo uma chance de ganhar dinheiro bastante para lhe comprar um bom cavalo.

— Você quer dizer que eu deveria ser aprendiz de artífice?

Aliena sacudiu a cabeça.

— Você tem que se tornar cavaleiro, não carpinteiro. Algum dia conhecemos alguém com uma vida independente mas sem uma habilidade especial?

— Sim — respondeu Richard de inopino. — Meg, em Winchester.

Ele tinha razão. Meg era comerciante de lã, embora nunca tivesse sido aprendiz.

— Mas ela tem uma banca no mercado.

Passaram pelo camponês ruivo que os orientara. Seus quatro carneiros recém-tosquiados pastavam no campo, e ele amarrava a lã deles em fardos, com uma corda feita de colmo. Levantou os olhos do seu trabalho e acenou. Era gente como ele que levava sua lã para as cidades e a vendia aos comerciantes de lã. Mas o mercador precisava ter um lugar para seu negócio...

Ou não?

Uma ideia estava se formando na mente de Aliena. De súbito ela se virou.

— Aonde você vai? — perguntou Richard.

Estava animada demais para responder. Debruçou-se na cerca do camponês.

— Quanto você disse que pode ganhar pela sua lã?

— Um penny por carneiro.

— Mas você tem que gastar o dia inteiro para ir a Gloucester e voltar.

— Esse é o problema.

— E se eu comprar sua lã? Isto o pouparia da viagem.

— Allie! — exclamou Richard. — Nós não precisamos de lã!

— Cale-se, Richard! — Não queria explicar sua ideia a ele naquele momento: estava impaciente para testá-la com o camponês.

— Seria uma gentileza — disse ele. Entretanto, seu aspecto era de quem estava desconfiado, como se suspeitasse de um truque qualquer. — Eu não poderia lhe pagar um penny pela lã de um carneiro, contudo.

— Ah-ah! Eu sabia que tinha que haver uma dificuldade escondida.

— Eu poderia lhe dar dois pence pelas quatro mantas de lã.

— Mas valem um penny cada uma! — protestou ele.

— Em Gloucester. Estamos em Huntleigh.

Ele sacudiu a cabeça.

— Prefiro ganhar os quatro pence e perder um dia de trabalho no campo a ganhar dois e não ter que perder um dia.

— Suponha que eu lhe ofereça três pence pelas quatro.

— Perco um penny.

— E economiza um dia de viagem.

Ele parecia espantado.

— Nunca ouvi falar em nada parecido com isso antes.

— É como se eu fosse uma carroça, e você me pagasse um penny para levar sua lã ao mercado. — Ela achou a lentidão dele exasperante. — A questão é: um dia extra de trabalho vale um penny para você ou não vale?

— Depende do que faço com o dia — respondeu ele pensativamente.

— Allie — disse Richard —, o que vamos fazer com a lã de quatro carneiros?

— Vendê-la para Meg — respondeu Aliena, impaciente. — Por um penny cada. Desse modo saímos ganhando um penny.

— Mas temos que ir até Winchester para ganhar um penny?

— Não, seu burro! Compramos lá de cinquenta camponeses e levamos toda a carga a Winchester. Será que você não entende? Poderíamos fazer cinquenta pence! Com isso seria possível comer e economizar para comprar um bom cavalo!

Ela se voltou para o camponês. Seu sorriso alegre desaparecera, e ele estava coçando a cabeça ruiva. Aliena lamentou tê-lo deixado perplexo, mas queria que aceitasse sua oferta. Se aceitasse, saberia que era possível cumprir o juramento que fizera a seu pai. Mas os camponeses costumavam ser teimosos. Teve ímpetos de pegá-lo pelo pescoço e sacudi-lo. Em vez disso, meteu a mão dentro da capa e remexeu na bolsa. Tinha trocado os besantes de ouro por pence de prata na casa do ourives, em Winchester, e foram três desses pence que tirou da bolsa e mostrou para ele.

— Aqui está o dinheiro — disse. — É pegar ou largar.

Ver a prata ajudou o camponês a se decidir.

— Feito — disse, apanhando o dinheiro.

Aliena sorriu. Parecia que tinha encontrado uma resposta. Naquela noite usou um fardo de lã como travesseiro. O cheiro de carneiro a lembrou da casa de Meg.

Quando acordou de manhã descobriu que não ficara grávida.

As coisas estavam melhorando.

Quatro semanas após a Páscoa, Aliena e Richard entraram em Winchester com um cavalo velho puxando uma carroça feita em casa, transportando um imenso saco com duzentas e quarenta peles de carneiro – o número preciso que fazia um saco-padrão.

Nesse ponto eles descobriram os impostos.

Antes sempre tinham entrado na cidade sem chamar nenhuma atenção, mas dessa vez aprenderam porque os portões da cidade eram estreitos e constantemente guarnecidos por funcionários da alfândega. Havia um pedágio de um penny para cada carroça de bens que entrasse em Winchester. Por sorte, ainda possuíam alguns pence de sobra, e puderam pagar, pois, de outro modo, teriam sido barrados.

A maior parte das lãs tinha lhes custado entre meio penny e três quartos de penny cada. Haviam pago setenta e dois pence pelo cavalo velho, e a carroça desmantelada viera junto. A maior parte do resto do dinheiro fora gasta com comida. Mas naquela noite teriam uma libra de prata e um cavalo com carroça.

O plano de Aliena era depois comprar outro saco de lã como aquele, e repetir a manobra sem parar, até que todos os carneiros fossem tosquiados. No final do verão queria ter dinheiro para comprar um cavalo vigoroso e uma carroça nova.

Sentia-se muito animada ao puxar o velho matungo pelas ruas da cidade, na direção da casa de Meg. No final do dia teria provado que podia cuidar de si e de seu irmão sem nenhuma ajuda alheia. Isso a fazia sentir-se madura e independente. Era responsável pelo próprio destino. Não ganhara nada do rei, não precisava de parentes e não tinha necessidade de marido.

Estava ansiosa por ver Meg, que fora sua inspiração. Ela fora uma das poucas pessoas que a ajudara sem tentar roubá-la, estuprá-la ou explorá-la. Aliena tinha uma porção de perguntas para lhe fazer sobre os negócios em geral e sobre o comércio de lã em particular.

Era dia de mercado, de modo que levou algum tempo para puxar a carroça pelas ruas congestionadas até onde morava Meg. Finalmente chegaram à sua casa. Aliena entrou no hall. Uma mulher que nunca vira antes apareceu à sua frente.

– Oh! – disse Aliena, interrompendo-se.

– O que é?

– Sou amiga de Meg.

– Ela não mora mais aqui – disse a mulher laconicamente.

— Oh, meu Deus! — Aliena não viu necessidade de a outra ser tão brusca. — Para onde ela se mudou?

— Ela foi embora junto com o marido, que deixou a cidade em desgraça.

Aliena sentiu medo e desapontamento. Estivera contando com Meg para facilitar a venda da lã.

— É uma notícia terrível!

— Ele era um comerciante desonesto, e se eu fosse você não me exibiria por aí como amiga dela. Agora dê o fora.

Ficou ultrajada com o fato de alguém falar mal de Meg.

— Não me importa o que o marido dela possa ter feito, mas ela era uma mulher fina e muitíssimo superior aos ladrões e às putas que habitam esta cidade fedorenta — disse, saindo antes que a mulher pudesse pensar numa réplica.

Sua vitória verbal lhe deu consolo momentâneo.

— Má notícia — disse para Richard. — Meg deixou Winchester.

— O novo morador... é mercador de lã?

— Não perguntei. Estava muito ocupada xingando a mulher que me atendeu. — Agora ela se sentiu tola pelo que fizera.

— O que vamos fazer, Allie?

— Temos que vender estas peles — disse ela ansiosamente. — É melhor irmos ao mercado.

Fizeram a volta com o cavalo e seguiram o mesmo caminho pelo qual tinham vindo até a High Street, depois abriram caminho através da multidão que enchia as ruas até o mercado, que ficava entre a High Street e a catedral. Aliena puxava o cavalo e Richard ia atrás da carroça, empurrando quando o animal precisava de ajuda, o que acontecia quase o tempo todo. O mercado era uma massa de gente fervilhando ao longo dos estreitos caminhos entre as bancas, e cujo progresso constantemente era detido por carroças como a de Aliena. Ela parou, subiu no saco e tentou localizar os mercadores de lã. Só conseguiu ver um. Desceu e puxou o cavalo na sua direção.

O homem estava fazendo bom negócio. Dispunha de um largo espaço cercado por uma corda, com uma barraca atrás. A barraca era feita de armações, leves molduras de madeira cheias com palha e ramos flexíveis entrelaçados, sendo, obviamente, uma estrutura temporária levantada a cada dia de mercado. O negociante era um homem moreno-escuro cujo braço esquerdo terminava no cotovelo. Preso ao coto ele tinha um pente de madeira, e sempre que uma lã lhe era oferecida, punha aquele braço sobre ela, puxava um pouco com o pente e a examinava com a mão direita antes de dar um preço. Depois usava o pente e a mão direita a fim de contar o número de pence que concordara em pagar. Para grandes compras ele pesava o dinheiro numa balança.

Aliena abriu caminho por entre a multidão até sua banca. Um camponês ofereceu ao mercador três peles de lã um tanto finas, amarradas por um cinto de couro.

— Um pouco esparsa — disse o mercador. — Três *farthings* cada. — Um *farthing* era um quarto de um penny. Ele contou dois pence, depois pegou uma machadinha e, com um golpe rápido de quem tinha muita prática, cortou um terceiro penny em quartos. Deu ao camponês dois pence e um dos quartos. — Três vezes três *farthings* fazem dois pence e um *farthing* — disse. O camponês tirou o cinto e entregou a lã.

A seguir, dois rapazes puxaram um saco inteiro de lã até o balcão. O mercador examinou cuidadosamente.

— É um saco inteiro, mas de baixa qualidade — disse. — Dou uma libra.

Aliena perguntou-se como ele poderia ter certeza de que o saco estava completo. Talvez fosse possível, com a prática. Observou-o pesar uma libra de pence de prata.

Alguns monges estavam se aproximando com uma carroça imensa cheia de sacos de lã. Aliena decidiu resolver seu negócio antes dos monges. Fez um gesto para Richard, que puxou o saco de lã da carroça até o balcão.

O mercador examinou a lã.

— Qualidade mista — disse. — Meia libra.

— O quê?! — exclamou Aliena incredulamente.

— Cento e vinte pence — disse ele.

Aliena ficou horrorizada.

— Mas você acabou de pagar uma libra por um saco!

— É por causa da qualidade.

— Você pagou uma libra por lã de baixa qualidade!

— Meia libra — repetiu ele, obstinado.

Os monges chegaram e lotaram a banca, mas Aliena não arredou pé; sua vida estava em jogo, e ela tinha mais medo de voltar a não ter recursos do que do mercador.

— Diga-me por quê — insistiu. — Não há nada de errado com a lã, há?

— Não.

— Então me dê o que você pagou àqueles dois homens.

— Não.

— Por que não? — ela quase gritou.

— Porque ninguém paga a uma garota o mesmo que paga a um homem.

Ela teve ímpetos de estrangulá-lo. Estava lhe oferecendo menos do que pagara. Era ultrajante. Se aceitasse seu preço, todo o seu trabalho teria sido por nada. Pior que isso, seu esquema de assegurar a sua subsistência e a de seu irmão teria falhado, e seu breve período de independência e autossuficiência estaria terminado. E por quê? Porque aquele homem não pagaria a uma garota o que pagava a um homem!

O líder dos monges a estava encarando. Ela detestava que as pessoas a olhassem.

— Pare de me encarar! — disse rudemente. — Limite-se a fazer o seu negócio com esse homem ímpio e perverso!

— Está bem — disse o monge com brandura. Fez um gesto para seus colegas, e eles puxaram um saco até o balcão.

— Aceite os dez xelins, Allie — disse Richard. — De outro modo nada teremos senão um saco de lã!

Aliena olhou furiosamente para o mercador, que examinava a lã dos monges.

— Qualidade mista — disse. Ela perguntou-se se ele jamais teria classificado alguma lã como de boa qualidade. — Uma libra e doze pence o saco.

Por que Meg teve que ir embora?, pensou Aliena amarguradamente. Tudo sairia bem se ela tivesse ficado.

— Quantos sacos vocês têm? — perguntou o mercador.

— Dez — respondeu um monge jovem, com hábito de noviço.

— Não, onze — corrigiu o líder deles. O noviço deu a impressão de que ia discutir, mas nada disse.

— Então são onze libras e meia de prata, mais doze pence. — O comerciante começou a pesar o dinheiro.

— Não vou desistir — disse Aliena para Richard. — Levaremos a lã a algum outro lugar. Shiring, talvez, ou Gloucester.

— Tão longe! E se não conseguirmos vendê-la?

Richard tinha razão — eles podiam ter o mesmo problema em qualquer outro lugar. A dificuldade real era que não tinham status, apoio ou proteção. O mercador não se atreveria a insultar os monges, e até mesmo os camponeses pobres provavelmente seriam capazes de lhe causar problemas, se fosse desonesto numa transação, mas não havia risco para um homem que tentasse enganar duas crianças sozinhas no mundo.

Os monges estavam arrastando seus sacos de lã para a barraca do mercador. À medida que cada um era armazenado, ele entregava ao chefe dos monges o peso de uma libra de pence de prata mais doze pence. Quando todos os sacos estavam guardados, ainda havia uma bolsa de dinheiro em cima do balcão.

— São apenas dez sacos — disse o mercador.

— Falei que eram dez — disse o noviço para o líder.

— Este é o décimo primeiro — disse ele, pondo a mão em cima do saco de lã de Aliena.

Ela o encarou, atônita.

O mercador ficou igualmente surpreso.

— Eu lhe ofereci meia libra — disse.

— Comprei dela — disse o monge — e vendi para você. — Ele fez um gesto para os outros religiosos, e eles arrastaram o saco de Aliena até a barraca.

O mercador pareceu ficar descontente, mas entregou a última bolsa de dinheiro. O monge a deu para Aliena.

Ela estava abismada. Tudo estava saindo errado e, de repente, aquele total estranho a salvara — e depois de ter sido rude com ele, ainda por cima!

— Muito obrigado por nos ter ajudado, padre — disse Richard.

— Dê graças a Deus — respondeu o monge.

A garota não sabia o que dizer. Estava emocionada. Apertou a bolsa de dinheiro de encontro ao peito. Como poderia lhe agradecer? Olhou para o seu salvador. Era um homem pequeno, esbelto e de olhar intenso. Seus movimentos eram rápidos e ele parecia alerta, como um passarinho de plumagem feia e sem graça mas de olhos luminosos. Na verdade, seus olhos eram azuis. O cabelo em torno da tonsura era preto, com fios brancos, mas seu rosto era jovem. Aliena começou a perceber que ele era vagamente familiar. Onde o tinha visto antes?

A cabeça do monge estava trilhando a mesma direção.

— Você não se lembra de mim, mas conheço vocês — disse ele. São os filhos de Bartholomew, antigo conde de Shiring. Sei que sofreram grandes desventuras, e estou satisfeito por ter uma chance de ajudar. Comprarei sua lã em qualquer época.

Aliena teve vontade de beijá-lo. Não só ele a salvara agora, como estava preparado para garantir seu futuro! Finalmente conseguiu falar.

— Não sei como lhe agradecer — disse. — Deus sabe como precisamos de um protetor!

— Pois bem, agora tem dois: Deus e eu.

Aliena ficou profundamente comovida.

— Você salvou minha vida, e nem sei quem é — disse ela.

— Meu nome é Philip — disse ele. — Sou o prior de Kingsbridge.

Capítulo 7

1

Foi um grande dia quando Tom Construtor levou os homens à pedreira. Aconteceu alguns dias antes da Páscoa, quinze meses depois que a velha catedral queimara. Fora preciso todo esse tempo para o prior Philip reunir dinheiro bastante para contratar artífices.

Tom encontrara um madeireiro e um mestre de pedreira em Salisbury, onde o palácio do bispo Roger estava quase pronto. O madeireiro e seus homens já estavam trabalhando há duas semanas, procurando e cortando pinheiros altos e carvalhos maduros. Concentravam os esforços nas áreas próximas ao rio, a montante de Kingsbridge, pois era dispendioso o transporte pelas sinuosas estradas enlameadas, e muito dinheiro podia ser economizado se se deixasse a madeira simplesmente flutuar correnteza abaixo até o local da construção. A madeira seria grosseiramente desbastada para servir na construção de andaimes, modelada como gabaritos, que serviriam para o trabalho dos pedreiros e entalhadores, ou – no caso das árvores mais altas – posta de lado para uso futuro como vigas do telhado. Boa madeira estava chegando a Kingsbridge com regularidade, e tudo o que Tom tinha a fazer era pagar aos madeireiros todas as tardes de sábado.

Os homens que iam trabalhar na pedreira tinham chegado nos últimos dias. O mestre, Otto Cara Preta, trouxera consigo os dois filhos, que eram ambos canteiros; quatro netos, todos aprendizes, e dois serventes – um primo e um cunhado. Tal nepotismo era normal, e Tom não fazia objeções; grupos familiares geralmente compunham boas equipes.

Por enquanto ainda não havia ninguém trabalhando em Kingsbridge, a não ser pelo construtor e pelo carpinteiro do priorado. Era uma boa ideia estocar alguns materiais. Mas em breve Tom contrataria os homens que representavam a espinha dorsal da turma de construção, os pedreiros. Eram eles que punham uma pedra em cima da outra e faziam subir as paredes. Então a grande aventura teria início. Tom andava como se tivesse molas nos pés: era por aquilo que havia esperado e trabalhado durante dez anos.

O primeiro pedreiro a ser contratado, já decidira, seria seu filho Alfred. Ele estava com dezesseis anos, aproximadamente, e já adquirira as habilidades básicas de um pedreiro: sabia cortar pedras em esquadro e construir uma parede no prumo. Assim que tivesse início a contratação, Alfred começaria a receber salário integral.

O outro filho de Tom, Jonathan, estava com quinze meses e crescia depressa. Criança robusta, era o queridinho de todo o mosteiro. Tom se preocupara um pouco, no princípio, por ver o filho entregue a Johnny Oito Pence, mas, apesar da ligeira deficiência mental, o monge era tão atencioso quanto qualquer mãe, e tinha mais tempo que a maioria delas para dedicar à criança. Os religiosos ainda não suspeitavam que Tom fosse o pai de Jonathan e provavelmente nunca suspeitariam.

Martha, com sete anos, exibia uma falha nos dentes da frente e sentia falta de Jack. Era quem mais preocupava Tom, pois precisava de uma mãe.

Não faltavam mulheres que quisessem se casar com o construtor e cuidar de sua filha pequena. Ele não era um homem feio, sabia disso, e sua subsistência parecia garantida, agora que o prior Philip começava de fato a construção. Tom saíra da casa de hóspedes e construíra para si uma boa casa de dois cômodos, com chaminé, na aldeia. Um dia, como mestre construtor encarregado de todo o projeto, poderia esperar um salário e vantagens que seriam motivo de inveja para a maior parte da pequena nobreza. Mas não podia conceber desposar qualquer pessoa que não fosse Ellen. Ele era como um homem que, depois de se acostumar a beber o mais fino dos vinhos, achava agora que o vinho de todos os dias tinha gosto de vinagre. Havia uma viúva na aldeia, uma mulher roliça e bonita, de rosto sorridente e busto generoso e dois filhos bem-comportados, que lhe assara diversas tortas e o beijara ardentemente no banquete de Natal, e que se casaria com Tom tão depressa quanto ele desejasse. Mas o construtor sabia que seria infeliz com ela, pois sempre ansiaria pela excitação de ser casado com a imprevisível, arrebatada, fascinante e apaixonada Ellen.

Ela prometera voltar, um dia, para uma visita. Tom estava convicto de que cumpriria sua palavra e agarrava-se obstinadamente a isso, mesmo que já se passasse mais de um ano que ela tivesse ido embora. Quando voltasse ia lhe pedir para se casar com ele.

Achava que agora Ellen podia aceitá-lo. Não era mais um homem desvalido: era capaz de alimentar sua família e a dela também. Acreditava ainda que Alfred e Jack poderiam ser impedidos de brigar, desde que devidamente controlados. Se o menino fosse posto para trabalhar, Alfred não ficaria tão ressentido, na opinião de Tom. Ele iria se oferecer para tomar Jack como aprendiz. O garoto mostrara interesse pela arte da construção, era muito inteligente e em um ano seria grande o bastante para o trabalho pesado. Então Alfred não poderia dizer que ele era vagabundo. Tom ia pedir a Ellen para ensinar Alfred a ler e a escrever. Poderia lhe dar aulas aos domingos. Desse modo seu filho poderia sentir que tinha o mesmo valor que Jack. Os meninos seriam iguais, ambos instruídos, ambos trabalhando, e, antes que decorresse muito tempo, do mesmo tamanho.

Sabia que Ellen gostara verdadeiramente de viver com ele, a despeito de todas as provações por que tinham passado. Ela apreciava seu corpo e sua cabeça. Ia querer voltar para ele.

Contudo, se seria capaz de endireitar as coisas com o prior Philip era outra questão. Ellen insultara a religião de Philip de um modo que não deixara margem a dúvidas. Era difícil imaginar algo mais ofensivo a um prior do que o que ela fizera. Tom ainda não resolvera esse problema.

Enquanto isso, toda a sua energia intelectual estava voltada para o projeto da catedral. Otto e sua equipe construiriam uma cabana rústica na pedreira, onde poderiam dormir à noite. Quando estivessem estabelecidos, construiriam casas de verdade, e os casados poderiam trazer as famílias para morar com eles.

De todos os ofícios relacionados à construção, a exploração de pedreiras era o que requeria menos talento e mais força. O mestre fazia o trabalho intelectual: decidia que zonas deviam ser escavadas e em que ordem; providenciava as escadas e os aparelhos de içar pesos; se iam trabalhar numa superfície lisa, projetava o andaime; além disso, certificava-se de que um constante suprimento de ferramentas viesse do ferreiro. Escavar as pedras era relativamente simples. O canteiro usava um alvião de ferro para abrir uma fresta inicial na rocha, depois a aprofundava com um martelo e uma talhadeira. Quando o buraco estivesse grande o bastante para enfraquecer a pedra, metia uma cunha de madeira dentro dele. Se tivesse avaliado corretamente a rocha, ela se partiria bem onde queria.

Os serventes removiam as pedras da pedreira, ou carregando-as em padiolas, ou levantando-as com uma corda presa a uma imensa roda. No galpão, os canteiros com suas ferramentas cortariam as pedras na forma especificada pelo mestre construtor. O trabalho mais preciso seria feito em Kingsbridge, é claro.

O maior problema seria o transporte. A pedreira ficava a um dia de viagem do local da obra, e um carroceiro cobraria quatro pence a viagem – sem poder carregar mais que oito ou nove das pedras grandes, para não quebrar a carroça ou matar o cavalo. Assim que os homens da pedreira estivessem instalados, Tom tinha que explorar a área e ver se havia algum curso de água que pudesse ser usado para encurtar a viagem.

Tinham saído de Kingsbridge ao raiar do dia. Ao caminharem através da floresta, as árvores arqueadas sobre a estrada fizeram Tom pensar nos pilares da catedral que construiria. As folhas novas estavam começando a nascer. Tom sempre fora ensinado a decorar os capitéis que encimavam os pilares com arabescos ou zigue-zague, mas agora ocorreu-lhe que uma decoração na forma de folhas teria um aspecto mais surpreendente.

Progrediram bem, de modo que por volta do meio da tarde estavam na vizinhança da pedreira. Para sua surpresa, Tom ouviu, a distância, o barulho de metal batendo na rocha, como se houvesse alguém trabalhando ali. Tecnicamente a pedreira pertencia ao conde de Shiring, Percy Hamleigh, mas o rei dera ao priorado de Kingsbridge o direito de explorá-la para a obra da catedral. Talvez, especulou Tom, o conde Percy tencionasse explorar a pedreira ao mesmo tempo que o priorado. O rei provavelmente não proibira isso de modo específico, mas seria muito inconveniente.

Ao se aproximarem mais, Otto, um homem de pele escura e maneiras rudes, franziu a cara com o barulho, mas nada disse. Os outros homens murmuraram uns com os outros, inquietos. Tom ignorou-os mas caminhou mais depressa, ansioso para descobrir o que estava acontecendo.

A estrada fazia uma curva ao atravessar um bosque e terminava no sopé de uma montanha. Essa montanha em si era a pedreira, e um imenso pedaço já tinha sido tirado do lado dela. A impressão inicial de Tom foi de que seria fácil trabalhar: uma elevação sempre era melhor que uma escavação, já que sempre havia menos problema em descer pedras pesadas que em levantá-las de dentro de um buraco.

A pedreira estava sendo explorada, sem dúvida alguma. Havia um galpão ao sopé, um andaime forte com vinte pés ou mais de altura, no lado cortado da pedreira, e uma pilha de pedras esperando para serem apanhadas. Tom pôde ver pelo menos dez homens. Uma dupla de homens de armas mal-encarados, uma visão sinistra, mandriava do lado de fora do galpão, jogando pedras num barril.

– Não estou gostando do jeito disso – disse Otto.

Tom tampouco gostou, mas fingiu não se perturbar. Entrou com passo firme dentro da pedreira, como se fosse seu proprietário, e dirigiu-se rapidamente para os homens de armas. Eles se puseram de pé, atrapalhados, com aquele ar levemente culpado de sentinelas que estão de guarda há muitos dias sem que nada aconteça. Tom avaliou rapidamente suas armas. Cada um tinha uma espada e uma adaga e usava um pesado gibão de couro, mas não estavam de armadura. Quanto ao construtor, tinha um martelo de pedreiro pendurado no cinto. Não estava em posição de se meter numa briga. Caminhou direto até os dois homens sem nada falar, e no último minuto desviou-se deles, continuando até o galpão. Eles se olharam, sem saber o que fazer: se Tom fosse menor, ou não tivesse um martelo, poderiam tê-lo detido com mais rapidez, mas agora era tarde demais.

Ele entrou no galpão. Era uma construção de madeira espaçosa, com uma lareira. Havia ferramentas limpas penduradas nas paredes e uma pedra grande num canto para amolá-las. Dois homens, de pé diante de um imponente banco de madeira chamado "banco de pedreiro", aparavam uma pedra.

— Saudações, irmãos — disse o construtor, usando a forma de tratamento comum entre artesãos. — Quem é o mestre aqui?

— Eu sou o mestre — disse um deles. — Meu nome é Harold de Shiring.

— Sou o mestre construtor da catedral de Kingsbridge. Meu nome é Tom.

— Saudações, Tom Construtor. Para que está aqui?

Tom examinou Harold por um momento antes de responder. Era um homem pálido e poeirento, com pequenos olhos verdes poeirentos que estreitava ao falar, como se tentasse se livrar do pó de pedra que havia neles. Recostou-se casualmente no banco, mas não estava tão calmo quanto queria parecer. Estava nervoso, desconfiado e apreensivo. Ele sabe exatamente por que estou aqui, pensou Tom.

— Trouxe meu mestre para trabalhar aqui na pedreira, é claro.

Os dois homens de armas tinham seguido Tom, e Otto e sua equipe entraram atrás deles. Depois um ou dois homens da turma de Harold apareceram também, curiosos para ver que confusão era aquela.

— A pedreira é de propriedade do conde — disse Harold. — Se quiser tirar pedra, terá que falar com ele.

— Não, não terei — retrucou Tom. — Quando o rei deu a pedreira ao conde Percy, deu também ao priorado de Kingsbridge o direito de extrair pedra. Não precisamos mais de nenhuma permissão.

— Bem, não podemos trabalhar nela ao mesmo tempo, podemos?

— Talvez — disse Tom. — Eu não iria privar seus homens do emprego que têm. Há toda uma montanha de pedra, o bastante para mais de duas catedrais. Acharemos uma maneira de administrar a pedreira de modo a podermos trabalhar ao mesmo tempo.

— Não posso concordar com isso — disse Harold. — Sou empregado do conde.

— Bem, sou empregado do prior de Kingsbridge, e meus homens começam a trabalhar aqui amanhã de manhã, quer você goste, quer não.

Um dos homens de armas ergueu a voz então.

— Vocês não estarão trabalhando aqui nem amanhã nem em dia algum.

Até aquele momento Tom estivera se agarrando à ideia de que, embora estivesse violando o espírito do édito real por explorar a pedreira, se pressionado, Percy cumpriria o acordo, permitindo que o priorado tirasse a pedra de que precisava. Mas aquele homem de armas obviamente fora instruído para expulsar dali os homens do priorado. Aquilo era diferente. Tom percebeu, desolado, que não ia levar pedra alguma sem luta.

O homem de armas que falara era um sujeito de baixa estatura, atarracado, com uma expressão belicosa. Parecia estúpido, mas teimoso – o tipo mais difícil com quem argumentar. Tom lançou-lhe um olhar desafiador e perguntou:

— Quem é você?

— Sou um beleguim do conde de Shiring. Ele me disse para guardar esta pedreira e é exatamente o que vou fazer.

— E como você se propõe a fazer isso?

— Com esta espada. — Ele tocou no punho da espada pendurada no cinto.

— E o que você acha que o rei lhe fará quando for levado à sua presença por violar a paz que ele decretou?

— É um risco que corro.

— Mas só há dois de vocês — disse Tom, adotando um tom de voz moderado. — Somos sete homens e quatro rapazes, e temos a permissão do rei para trabalhar aqui. Se matarmos vocês, ele não mandará nos enforcar.

Os dois homens de armas ficaram pensativos, mas antes que Tom pudesse pressionar para ampliar a vantagem, Otto disse:

— Só um minuto — disse a Tom. — Trouxe meu pessoal aqui para cortar pedra, não para lutar.

Tom sentiu que estava tudo perdido. Se os homens de Otto não estavam dispostos a defender sua posição, não havia esperança.

— Não seja tão tímido! — exclamou. — Vocês vão ficar sem trabalho só por causa de dois tipos fanfarrões?

Otto parecia irritado.

— Não vou lutar com homens armados — replicou. — Tenho trabalhado sem parar nos últimos dez anos e não estou tão desesperado assim por dinheiro. Além disso, não conheço os certos e errados desse assunto... no que me diz respeito, é a sua palavra contra a deles.

O construtor olhou para o resto da equipe de Otto. Os dois canteiros tinham a mesma expressão obstinada. Claro que seguiriam a liderança dele; era seu pai, além de ser seu mestre. E Tom podia compreender o ponto de vista de Otto. Na verdade, se estivesse em sua posição provavelmente agiria do mesmo modo. Não se meteria numa briga com homens armados a menos que estivesse desesperado.

Mas saber que o outro estava sendo ponderado não trouxe nenhum conforto a Tom; na verdade, fez com que se sentisse mais frustrado ainda. Decidiu fazer mais uma tentativa.

— Não haverá nenhuma luta — disse. — Eles sabem que o rei os enforcará se nos machucarem. Vamos simplesmente acender nosso fogo, nos acomodar para passar a noite e começar a trabalhar pela manhã.

Mencionar a noite foi um erro. Um dos filhos de Otto disse:

— Como poderíamos dormir, com esses vilões assassinos nas proximidades?

Os outros murmuraram sua aprovação.

— Organizaremos uma vigilância — sugeriu Tom, desesperado.

Otto sacudiu a cabeça decididamente.

– Estamos partindo hoje à noite. Agora.

Tom olhou em torno e viu que estava derrotado. Acordara naquela manhã com tantas esperanças, e mal podia acreditar que seus planos tinham sido frustrados por aqueles bandidos menores. Era humilhante demais para ser traduzido em palavras. Não pôde resistir a uma amargurada observação final:

– Vocês estão indo contra o rei, o que é uma coisa perigosa – disse a Harold. – Vá e diga isso ao conde de Shiring. E diga também que sou Tom Construtor de Kingsbridge, e que se eu um dia puser as mãos naquele seu pescoço gordo talvez o aperte até ele sufocar.

Johnny Oito Pence fez para o pequeno Jonathan uma miniatura completa de um hábito de monge, com mangas largas e capuz. O bebê ficava tão encantador metido naquela roupa que derretia o coração de todo mundo. Porém, ela não era muito prática: o capuz vivia caindo para a frente, tapando seus olhos, e quando ele engatinhava o manto atrapalhava seus joelhos.

No meio da tarde, quando Jonathan já tinha tirado sua soneca (e os monges, a deles), o prior Philip se encontrou por acaso com o bebê, junto com Johnny Oito Pence, naquilo que tinha sido a nave da igreja e agora era pátio de recreio dos noviços. Aquela era a hora do dia em que eles eram autorizados a liberar a pressão, e Johnny os observava brincar de pegador, enquanto Jonathan investigava a trama de cavilhas e cordas com que Tom Construtor marcara a planta baixa da extremidade leste da nova catedral.

Philip parou ao lado de Johnny por alguns poucos momentos em afável silêncio, observando os jovens correrem. O prior gostava muito de Oito Pence, que compensava a falta de cérebro com o coração extraordinariamente bom.

O bebê estava de pé agora, apoiado numa estaca que Tom enfiara no local onde seria o pórtico norte. Ele se segurou na corda amarrada na estaca e, com aquele apoio inseguro, deu dois passinhos desajeitados e lentos.

– Logo ele estará andando – disse Philip a Johnny.

– Ele está sempre tentando, padre, mas geralmente cai sentado.

Philip agachou-se e ergueu as mãos para Jonathan.

– Ande para mim – disse. – Venha.

Jonathan sorriu, mostrando alguns dentes. Deu mais um passo, segurando a corda de Tom. Depois apontou para Philip, como se aquilo fosse ajudar, e, com um súbito acesso de ousadia, atravessou o espaço que o separava do prior com três passinhos rápidos e decisivos.

– Muito bem! – disse Philip. Pegou-o e abraçou-o, sentindo-se tão orgulhoso como se o feito tivesse sido seu, e não do bebê.

Johnny estava igualmente animado.

— Ele andou! Ele andou!

O bebê lutou para ser posto no chão. Philip colocou-o de pé, para ver se andava de novo; porém, ele já estava satisfeito, e imediatamente caiu de joelhos e engatinhou até Johnny.

Alguns monges tinham se escandalizado, recordou Philip, quando trouxera Johnny e o bebê Jonathan para Kingsbridge; mas o monge era fácil de lidar, desde que não se esquecesse de que era essencialmente uma criança num corpo de homem; e Jonathan suplantara toda a oposição pela pura força do seu encanto pessoal.

O bebê não fora a única causa de inquietação durante aquele primeiro ano. Tendo votado num bom provedor, os monges se sentiram tapeados quando Philip introduziu uma campanha de austeridade para reduzir as despesas diárias. Ele se sentira um pouco magoado: achara ter deixado claro que sua maior prioridade seria a nova catedral. Os monges com funções administrativas também resistiram ao seu plano de lhes tirar a independência financeira, muito embora soubessem perfeitamente que sem reformas o priorado estava destinado à ruína. E quando gastara dinheiro aumentando os rebanhos de carneiros do monastério tinha havido quase um motim. Mas os monges eram essencialmente pessoas que queriam que lhes dissessem o que fazer; e o bispo Waleran, que podia ter encorajado os rebeldes, passara a maior parte do ano em viagens a Roma; assim, no fim de tudo, a única coisa que os monges conseguiram foi resmungar.

Philip sofrera alguns momentos de solidão, mas estava certo de que seria vingado pelos resultados. Suas medidas já estavam surtindo efeitos muito satisfatórios. O preço da lã subira de novo, e o prior já começara a tosquia: era por isso que estava em condições de contratar madeireiros e exploradores da pedreira. Quando a situação financeira melhorasse e a construção da catedral progredisse, sua posição como prior se tornaria inabalável.

Deu um tapinha afetuoso na cabeça de Johnny Oito Pence e saiu caminhando pelo local da obra. Com a ajuda de alguns criados do priorado, Tom e Alfred haviam começado a escavar as fundações. No entanto, só tinham cinco ou seis pés de profundidade. Tom dissera a Philip que deveriam ter cerca de vinte e cinco pés em alguns pontos. Ele precisaria de um grande efetivo de operários, assim como equipamento especial, para cavar tão fundo.

A igreja nova seria maior que a velha, mas ainda assim pequena para uma catedral. Uma parte de Philip queria que fosse a maior, a mais rica e a mais bonita do reino, mas suprimiu esse desejo e disse a si próprio para ser agradecido por qualquer tipo de igreja.

Entrou no galpão de Tom e viu o trabalho de madeira na bancada. O construtor passara a maior parte do inverno ali dentro, trabalhando com uma vara de ferro para medidas e um conjunto de talhadeiras de boa qualidade, fazendo o que ele chamava de "gabaritos" – modelos de madeira para os pedreiros usarem como guias quando estivessem cortando as pedras. Com admiração, o prior observara Tom, um homem de mãos enormes, escavar a madeira com precisão e minúcia, dando-lhe curvas perfeitas, cantos retos e ângulos exatos. Philip apanhou um deles e o examinou. A forma lembrava a de uma margarida, um quarto de círculo com diversas projeções redondas como pétalas. Que tipo de pedra precisava ter aquela forma? Ele achava aquelas coisas difíceis de visualizar e constantemente se deixava impressionar pela força da imaginação de Tom. Deu uma olhada nos desenhos dele, riscados em gesso e protegidos por molduras de madeira, concluiu que estava segurando um gabarito dos pilares da arcada, que pareceriam cachos de fustes. Philip pensara que seriam mesmo feixes de fustes, mas percebia agora que se tratava de uma ilusão: os pilares seriam sólidas colunas de pedra com enfeites que dariam a impressão de vários fustes.

Cinco anos, dissera Tom, e a extremidade leste estaria concluída. Cinco anos, e Philip seria capaz de oficiar novamente numa catedral. Tudo o que tinha a fazer era arranjar dinheiro. Naquele ano seria difícil juntar uma quantia suficiente para um início modesto, porque suas reformas seriam lentas para apresentar resultados; mas no seguinte, depois que tivesse vendido a nova lã da primavera, seria capaz de contratar mais artífices e começar a construir num ritmo mais intenso.

Tocou o sino para as vésperas. Philip deixou o pequeno galpão e caminhou até a entrada da cripta. Olhando para o portão do priorado, ficou atônito ao ver Tom Construtor entrando com todos os homens contratados para trabalhar na pedreira. Por que estariam voltando? Tom dissera que ficaria fora por uma semana, e os outros teriam que permanecer ali indefinidamente. O prior apressou-se em ir ao encontro deles.

Ao chegar perto viu que pareciam cansados e desanimados, como se alguma coisa terrivelmente desencorajadora tivesse acontecido.

– O que há? – perguntou. – Por que estão aqui?

– Más notícias – respondeu Tom Construtor.

Philip ardeu de raiva contida durante todo o ofício de vésperas. O que o conde Percy fizera era ultrajante. Não havia dúvida acerca do que era certo e errado naquele caso, nenhuma ambiguidade quanto às instruções do rei: o conde em pessoa estivera presente quando a decisão fora tornada pública, e o direito de o priorado explorar a pedreira estava protegido por um documento oficial, uma carta régia. O pé direito de Philip bateu na pedra do piso da cripta num ritmo urgente e raivoso. Estava sendo roubado. O que Percy estava fazendo era o mesmo que roubar pence da tesouraria de uma igreja. Não havia a menor desculpa para uma coisa daquelas. O conde estava flagrantemente desafiando tanto Deus quanto o rei. Mas o pior era que Philip não podia construir a nova catedral a menos que pudesse extrair a pedra gratuitamente daquela pedreira. Já estava trabalhando com um orçamento mínimo, e se tivesse que pagar o preço de mercado pela pedra e transportá-la de mais longe ainda não poderia construir nada. Precisaria esperar um ano ou mais, e então seriam seis ou sete anos até que pudesse oficiar de novo numa catedral. Não dava para tolerar a simples ideia.

Convocou um cabido de emergência imediatamente após as vésperas e contou as notícias aos monges.

Philip desenvolvera uma técnica para as reuniões do cabido. Remigius, o subprior, ainda guardava ressentimento contra ele por tê-lo derrotado na eleição, e com frequência deixava seu ressentimento transparecer quando eram discutidos assuntos do mosteiro. Era um homem conservador, pedante e sem imaginação, e cuja abordagem nas questões de direção do priorado sempre conflitava com a de Philip. Os irmãos que tinham apoiado Remigius na eleição tendiam a apoiá-lo no cabido: Andrew, o sacristão apoplético; Pierre, o encarregado da disciplina, cujas atitudes mesquinhas aparentemente combinavam com a sua função; e John Pequeno, o tesoureiro preguiçoso. Da mesma forma, os colegas mais chegados a Philip eram os que tinham feito campanha por ele: Cuthbert Cabeça Branca, o velho despenseiro, e o jovem Milius, a quem o prior confiara o posto recentemente criado de controlador das finanças do priorado. Philip sempre deixava Milius discutir com Remigius. Normalmente analisava com ele o que houvesse de importante antes da reunião, mas quando não o fazia, podia ter como certo que ele exporia um ponto de vista semelhante ao seu. Depois então o prior avaliava tudo como um árbitro imparcial, e, embora Remigius raramente conseguisse impor suas ideias, Philip frequentemente aceitava alguns de seus argumentos, ou adotava parte de sua proposta, para manter a sensação de governo por consenso.

Os monges ficaram enfurecidos com a atitude do conde Percy. Todos tinham se rejubilado quando o rei Estêvão dera ao priorado madeira e pedra em quantidades ilimitadas, e agora ficaram escandalizados com Percy, por desafiar a ordem do rei.

Quando os protestos amainaram, contudo, Remigius tinha outro ponto a levantar.

– Lembro-me de ter dito isso um ano atrás – começou. – O pacto de acordo com o qual a pedreira é do conde e os direitos de exploração são nossos sempre foi insuficiente. Deveríamos ter resistido e tentado a propriedade total.

O fato de haver alguma justiça naquela observação não fez com que fosse mais fácil para Philip engoli-la. Propriedade total era o que ele combinara com Lady Regan, mas ela o enganara e modificara a cláusula no último minuto. Sentiu-se tentado a dizer que obtivera o melhor acordo possível e que gostaria de ver Remigius se sair melhor naquele labirinto traiçoeiro que era a corte real; mas mordeu a língua, pois afinal de contas era o prior e tinha que assumir a responsabilidade quando as coisas saíam errado.

Milius veio em seu auxílio:

— Está muito bem desejar que o rei nos tivesse dado o direito total de propriedade da pedreira, mas não deu, e a pergunta principal é: o que fazemos agora?

— Penso que é bastante óbvio — disse Remigius imediatamente. Não podemos expulsar os homens do conde nós mesmos, de modo que teremos que arranjar para que o rei o faça. Temos que mandar uma representação a ele e pedir-lhe que faça cumprir a carta régia.

Houve um murmúrio de concordância. Andrew, o sacristão, disse:

— Deveríamos mandar nossos oradores mais sábios e fluentes.

Philip percebeu que Remigius e Andrew se viam liderando a delegação.

— Depois que o rei souber o que aconteceu — disse Remigius —, não creio que Percy Hamleigh continue sendo o conde de Shiring por muito tempo.

Philip não tinha tanta certeza disso.

— Onde está o rei? — perguntou Andrew, como se só agora se lembrasse daquilo. — Alguém sabe?

O prior estivera recentemente em Winchester, e soubera dos movimentos do rei.

— Ele foi para a Normandia — disse.

— Vai ser preciso muito tempo até se conseguir falar com ele — apressou-se a dizer Milius.

— A busca da justiça sempre requer paciência — disse Remigius pomposamente.

— Mas durante o tempo que gastarmos buscando a justiça não estaremos construindo a nova catedral — replicou Milius. Seu tom de voz demonstrava que estava exasperado com a pronta aceitação de Remigius do adiamento do programa de construção. Philip compartilhava esse sentimento. O monge continuou:

— E esse não é o nosso único problema. Quando encontrarmos o rei, teremos que persuadi-lo a nos ouvir. Isso poderá levar semanas. E depois talvez ele dê uma chance a Percy para se defender: mais atraso...

— Como Percy poderá se defender? — perguntou Remigius, testando Milius.

— Não sei — retrucou o monge —, mas tenho certeza de que ele imaginará alguma coisa.

— Mas no fim tudo indica que o rei fará com que seja cumprida a sua palavra.

Uma nova voz foi ouvida:

— Não esteja tão seguro! — Todos se viraram para olhar. Quem falara fora o irmão Timothy, o monge mais velho do priorado. Pequeno, modesto, raramente falava, mas quando o fazia valia a pena ouvir. De vez em quando Philip achava que ele deveria ter sido prior. Normalmente se sentava durante o cabido parecendo meio adormecido, mas agora estava inclinado para a frente, os olhos brilhando de convicção. – Um rei é uma criatura do momento – prosseguiu ele. – Está constantemente sob ameaça: de rebeldes dentro do próprio reino e de monarcas vizinhos. Precisa de aliados. O conde Percy é um homem poderoso, com uma porção de cavaleiros. Se o rei precisar de Percy no momento em que apresentarmos a nossa petição, receberemos uma recusa, seja qual for a justiça do nosso caso. O rei não é perfeito. Há apenas um único juiz verdadeiro, que é Deus. – Ele se recostou de novo, apoiando-se na parede e semicerrando os olhos, como se não estivesse nem um pouco interessado em saber como seu discurso fora recebido. Philip conteve um sorriso: Timothy tinha formulado precisamente os seus receios quanto à ideia de ir procurar o rei para pedir justiça.

Remigius relutou em desistir de uma longa e excitante viagem até a França e de uma estada na corte real; ao mesmo tempo, porém, não pôde contradizer a lógica de Timothy.

– O que mais podemos fazer, então?

Philip não estava certo. O xerife poderia não ser capaz de intervir num caso daqueles: Percy era poderoso demais para ser controlado por um mero xerife. E também não se poderia confiar no bispo. Era frustrante. Mas Philip não estava disposto a sentar e aceitar a derrota. Assumiria aquela pedreira nem que tivesse que fazê-lo sozinho...

Agora tinha uma ideia.

– Espere um minuto – disse.

Envolveria todos os irmãos capazes do mosteiro... Teria que ser cuidadosamente organizada, como uma operação militar sem armas... Precisariam de alimento para dois dias...

– Não sei se dará certo, mas vale a pena tentar – disse ele. – Ouçam.

Ele lhes contou seu plano.

Partiram em viagem quase imediatamente: trinta monges, dez noviços, Otto Cara Preta e sua equipe, Tom Construtor e Alfred, dois cavalos e uma carroça. Quando a escuridão caiu, acenderam lampiões para lhes mostrar o caminho. À meia-noite pararam para descansar e comer o lanche que a cozinha tinha preparado apressadamente: galinha, pão branco e vinho tinto. Philip sempre acreditara que o trabalho árduo devia ser recompensado com boa comida. Quando prosseguiram seu deslocamento, cantaram o serviço religioso que deveria ter sido oficiado no priorado.

Em um determinado ponto, durante a hora mais escura, Tom, que liderava o caminho, levantou uma das mãos para detê-los.

– Só mais uma milha até a pedreira.

— Ótimo — disse Philip. Virou-se para os monges: — Tirem os tamancos e as sandálias e calcem as botas de feltro. — Em seguida ele próprio tirou as sandálias e calçou botas de feltro, como a que os camponeses usavam no inverno. Escalou dois noviços. — Edward e Philemon, fiquem aqui com os cavalos e a carroça. Conservem-se em silêncio e aguardem até que seja dia claro; então juntem-se a nós. Está entendido?

— Sim, padre — responderam eles, juntos.

— Está bem, os demais agora — disse Philip — sigam Tom *em completo silêncio*, por favor.

Todos prosseguiram a caminhada.

Soprava um leve vento oeste, e o farfalhar das folhas das árvores abafava o barulho de cinquenta homens respirando e de cinquenta pares de botas de feltro pisando o chão. Philip começou a se sentir tenso. Seu plano parecia um tanto louco, agora que estava para ser concretizado. Rezou silenciosamente pelo seu sucesso.

A estrada fazia uma curva para a esquerda. Depois a luz bruxuleante dos lampiões mostrou, indistintamente, um galpão de madeira, uma pilha de blocos de pedra parcialmente acabados, algumas escadas e andaimes, e, ao fundo, uma colina escura desfigurada pelas manchas claras da extração de pedras. Philip de repente perguntou-se se os homens que dormiam no galpão teriam cachorros. Se tivessem, perderia o elemento-surpresa, e todo o esquema estaria correndo perigo. Mas era tarde demais para recuar agora.

Passaram todos pelo galpão. O prior prendeu a respiração, esperando a qualquer momento ouvir latidos. Mas não havia cães.

Fez o seu pessoal parar em torno da base do andaime. Sentia-se muito orgulhoso por terem conseguido se manter em silêncio. Era difícil ficar quieto, mesmo na igreja. Talvez estivessem assustados demais para fazer barulho.

Tom Construtor e Otto Cara Preta começaram silenciosamente a colocar os homens do mestre de pedreira em posição. Eles foram divididos em dois grupos. Um foi reunido perto da face da rocha, no nível do solo. Os outros subiram no andaime. Quando estavam todos prontos, Philip dirigiu os monges, com gestos, colocando-os de pé ou sentados em torno dos trabalhadores. Ele próprio ficou afastado, a um ponto no meio do caminho entre o galpão e a face da rocha.

A maneira como empregaram o tempo foi perfeita. O dia raiou apenas uns poucos momentos após Philip ter executado suas disposições finais. Pegou uma vela na parte interna da capa e acendeu-a no lampião. Depois virou-se para os monges e levantou-a. Era um sinal previamente combinado. Cada um dos quarenta monges e noviços pegou uma vela e acendeu-a numa das três lanternas. O efeito foi dramático. O dia raiou numa pedreira ocupada por vultos fantasmagóricos e silenciosos, cada um empunhando uma luzinha bruxuleante.

O prior virou-se de novo, para ficar de frente para o galpão. Por enquanto ainda não havia sinal de vida. Acomodou-se para esperar. Os monges eram bons nisso de esperar. Ficar parados por horas a fio fazia parte de sua vida cotidiana. Os trabalhadores não estavam acostumados, contudo, e começaram a se impacientar após algum tempo, esfregando os pés e cochichando uns com os outros; mas já não tinha importância.

Quer tenha sido o barulho, quer a luz do dia mais intensa, o fato é que os habitantes do galpão acordaram. Philip ouviu alguns tossirem e cuspirem, e depois um barulho rascante de uma tranca sendo levantada atrás de uma porta. Ergueu a mão pedindo silêncio total.

A porta do galpão abriu. O prior manteve a mão erguida. Um homem saiu esfregando os olhos. Philip viu, graças à descrição feita por Tom, que era Harold de Shiring, o mestre de pedreira do conde Percy. Harold não viu nada de diferente a princípio. Encostou-se na ombreira da porta e tossiu de novo, a tosse grave e cheia de um homem que tem pó de pedra em demasia nos pulmões. Philip baixou a mão. Em algum ponto atrás dele o chantre entoou uma nota e imediatamente todos os monges começaram a cantar. A pedreira foi invadida por estranhas harmonias.

O efeito em Harold foi devastador. Sua cabeça se levantou com um movimento brusco, como se tivesse sido puxada por uma corda. Seus olhos arregalaram-se e o queixo caiu quando ele se deu conta do coro espectral que aparecera, como que por mágica, na sua pedreira. Um grito de medo escapou de sua boca aberta. Cambaleou de volta para dentro do galpão.

Philip permitiu-se um sorriso de satisfação. Era um bom começo.

O temor do sobrenatural não duraria muito tempo, contudo. Ele levantou a mão de novo e acenou sem se virar. Em resposta ao seu sinal, os homens de Otto começaram a trabalhar, e o barulho do ferro batendo na rocha passou a pontuar a música do coro.

Dois ou três rostos apareceram medrosamente na porta. Os homens logo perceberam que se tratava de monges comuns, de carne e osso, e de trabalhadores como eles, não de visões ou espíritos, e saíram do galpão para ver melhor. Dois homens de armas também apareceram, afivelando os cintos. Aquele era o momento crucial para Philip: o que fariam?

Vê-los, dois homens grandes, barbados e sujos, de cota de malhas, espada, adaga e gibão de couro pesado, trouxe a Philip a evocação vívida e clara como o cristal dos dois soldados que haviam irrompido em sua casa quando tinha seis anos, matando seu pai e sua mãe. Sentiu uma pontada de dor, aguda, repentina e inesperada, pela falta dos pais de quem mal se lembrava. Ficou olhando fixamente para os homens do conde Percy, sem vê-los, e sim um homem feio com o nariz torto e um homem escuro com sangue na barba; sentiu-se cheio de raiva e nojo e com uma feroz determinação — aqueles rufiões indiferentes, brutos e sem Deus tinham que ser derrotados.

Durante algum tempo eles nada fizeram. Aos poucos, todos os homens do conde saíram do galpão. Philip contou-os: eram doze trabalhadores mais os homens de armas.

O sol despontou por cima da linha do horizonte.

Os homens de Kingsbridge já estavam escavando pedras. Se os homens de armas quisessem detê-los, teriam que deitar as mãos nos monges que os cercavam e protegiam. Philip apostava que hesitariam em praticar violência contra monges que rezavam.

Até agora tinha razão: eles estavam hesitantes.

Os dois noviços que tinham sido deixados para trás chegaram, à frente dos cavalos e da carroça. Olharam à sua volta temerosamente. O prior indicou com um gesto onde deveriam parar. Depois se virou, seu olhar encontrou o de Tom e ele balançou a cabeça.

Diversas pedras já tinham sido cortadas àquela altura, e Tom mandou que alguns dos monges mais moços as apanhassem e levassem para a carroça. Os homens do conde observavam com interesse. As pedras eram pesadas demais para serem carregadas por um único homem, de modo que precisaram ser arriadas dos andaimes por intermédio de cordas e depois carregadas em padiolas. Quando a primeira pedra foi colocada na carroça, os homens de armas deram início a uma conferência com Harold. Outra pedra foi colocada na carroça. Os dois homens de armas se afastaram do grupo em torno do galpão e caminharam até a carroça. Um dos noviços, Philemon, subiu na carroça e sentou-se em cima das pedras, com ar de desafio. Bravo rapaz, pensou Philip, embora com medo.

Os homens aproximaram-se da carroça. Os quatro monges que tinham carregado as duas pedras ficaram na frente deles, formando uma barreira. Philip sentiu-se tenso. Os homens pararam, encarando os monges. Ambos levaram as mãos ao punho da espada. O canto cessou e todos ficaram olhando, a respiração contida.

Certamente, pensou Philip, não serão capazes de se obrigar a passar monges indefesos pelo fio da espada. Depois achou que seria muito fácil para eles, homens fortes e grandes, acostumados com o morticínio do campo de batalha, cortar com as espadas afiadas aquelas pessoas de quem nada tinham a temer, nem mesmo retaliação. Contudo, precisavam pensar no risco da punição divina em que incorreriam por matar homens de Deus. Até mesmo bandidos como aqueles dois deviam saber que eventualmente compareceriam diante de Deus, no dia do Juízo Final. Teriam medo das chamas eternas? Talvez, mas também tinham medo de seu empregador, o conde Percy. Philip supôs que se perguntavam se havia uma desculpa adequada para o seu fracasso em manter os homens de Kingsbridge fora da pedreira. Observou-os hesitar diante de um punhado de jovens monges, as mãos nas espadas, e imaginou-os comparando o perigo de falhar no cumprimento de uma ordem de Percy com a ira de Deus.

Os dois homens olharam um para o outro. Um sacudiu a cabeça. O outro deu de ombros. Juntos, afastaram-se da pedreira.

O chantre entoou outra nota e os monges começaram um hino triunfante. Um grito de vitória foi a reação dos homens de Otto. Philip suspirou, aliviado. Por um momento tudo parecera horrivelmente perigoso. Não pôde conter um radiante sorriso de satisfação. A pedreira era sua.

Apagou a vela com um sopro e foi até a carroça. Abraçou cada um dos quatro monges que haviam enfrentado os homens de armas, e os dois noviços que tinham trazido a carroça.

— Estou orgulhoso de vocês — disse calorosamente. — E acredito que Deus também esteja.

Os monges e os trabalhadores estavam todos se apertando as mãos e se congratulando. Otto aproximou-se de Philip e disse:

— Foi muito bom, padre Philip. O senhor é um homem corajoso, se me permite dizer.

— Deus nos protegeu — disse o prior. Seu olhar pousou sobre os homens do conde, que compunham um grupo desconsolado nas proximidades da porta do galpão. Não queria transformá-los em inimigos, pois, enquanto estivessem sem uma ocupação definida, sempre haveria o perigo de Percy usá-los para causar mais encrenca. Decidiu falar com eles.

Pegou Otto pelo braço e levou-o até o galpão.

— A vontade de Deus foi cumprida aqui hoje — disse para Harold.

— Espero que não haja ressentimentos.

— Estamos sem trabalho — disse o mestre de pedreira. — Aí está um ressentimento.

Philip viu de súbito um modo de trazer os homens de Harold para o seu lado, e disse, impulsivamente:

— Vocês podem voltar ao trabalho ainda hoje, se quiserem. Trabalhem para mim. Contratarei a equipe toda. Não terão sequer de se mudar do galpão.

Harold se surpreendeu com o desenrolar dos acontecimentos. Ficou atônito e depois recuperou o controle e perguntou:

— Com que salários?

— Os normais — replicou Philip prontamente. — Dois pence por dia para um artífice, um penny por dia para os serventes, quatro para você, que paga aos aprendizes.

Harold virou-se e olhou para os colegas. O prior tirou Otto dali para deixá-los discutir à vontade. Na realidade não tinha condições de contratar mais doze homens, e se eles aceitassem sua oferta precisaria adiar o dia em que contrataria os pedreiros. Aquilo significava exploração da pedreira num ritmo mais rápido do que seria capaz de utilizar as pedras. Ele as estocaria, claro, mas seria ruim para o seu fluxo de caixa. No entanto, ter todos os homens de Percy na folha de pagamento do priorado seria uma boa jogada defensiva. Se o conde quisesse explorar a pedreira numa nova tentativa, precisaria primeiro contratar uma nova equipe, o que poderia ser difícil, uma vez que se espalhasse a notícia dos acontecimentos daquele dia. E, se no futuro Percy tentasse outro estratagema para fechar a pedreira, Philip teria um estoque de pedras.

Harold parecia estar discutindo com seus homens. Após alguns momentos ele os deixou e se aproximou novamente de Philip.

— Quem será o encarregado, se resolvermos trabalhar para você? Eu ou o seu mestre?

— Otto aqui é o encarregado — respondeu Philip sem hesitação. Certamente Harold não poderia ser o responsável, no caso de sua lealdade ser reconquistada por Percy. E não podia haver dois mestres, pois isso resultaria em brigas. — Você ainda pode dirigir sua própria equipe — disse Philip a Harold. — Mas Otto estará numa posição superior à sua.

O mestre pareceu desapontado e retornou para junto de seus homens. A discussão continuou. Tom Construtor juntou-se a Philip e Otto.

— Seu plano deu certo, padre — disse, com um sorriso largo. Reconquistamos a pedreira sem que fosse derramada uma gota de sangue. Você é espantoso.

Philip estava inclinado a concordar, mas percebeu que incorria no pecado do orgulho.

— Foi Deus quem operou o milagre — disse, numa observação que servia tanto a si próprio quanto a Tom.

— Padre Philip propôs a Harold contratá-lo e a seus homens para trabalharem comigo — disse Otto.

— É mesmo? — Tom não pareceu satisfeito. Era o mestre construtor quem deveria contratar artífices, não o prior. — Não pensei que pudesse pagar-lhes.

— Não posso — admitiu Philip. — Mas não quero esses homens circulando por aí sem terem o que fazer, aguardando que Percy imagine outro modo de nos tirar a pedreira.

Tom ficou pensativo e aquiesceu.

— Além disso, não fará mal algum ter uma reserva de pedra, para o caso de Percy ter êxito.

Philip ficou satisfeito por ver que o construtor entendera o sentido do que fizera.

Harold parecia estar chegando a um acordo com seus homens. Voltou ao prior e perguntou:

– Você me pagará os salários e me deixará distribuir o dinheiro do jeito que eu achar apropriado?

Philip ficou na dúvida. Aquilo significava que o mestre poderia ficar com uma parte maior do que a que lhe era devida. Mas disse:

– Isso é com o mestre construtor.

– É algo bastante comum – disse Tom. – Se é o que a sua equipe deseja, concordo.

– Nesse caso, nós aceitamos – disse o mestre de pedreira. Harold e Tom apertaram-se as mãos.

– Então todos conseguiram o que queriam – disse Philip. – Ótimo!

– Há uma pessoa que não ganhou o que queria – disse Harold.

– Quem é?

– A mulher do conde Percy, Regan – disse Harold lugubremente. – Quando descobrir o que aconteceu aqui vai haver sangue derramado pelo chão.

2

Não havia caçada, de modo que os jovens em Earlscastle se dedicaram a um dos jogos favoritos de William Hamleigh: apedrejar o gato.

Havia sempre muitos gatos no castelo, de modo que um a mais ou a menos não fazia diferença. Os homens fechavam as portas e as janelas do salão da fortaleza e afastavam a mobília, empurrando-a para junto da parede, de modo que o gato não pudesse se esconder atrás de nada; depois empilhavam pedras no meio do salão. O gato, um animal já velho, sentiu o cheiro de sangue no ar e sentou-se perto da porta, na esperança de dar o fora.

Cada homem tinha de pôr um penny no pote para cada pedra que atirasse, e o homem que arremessasse a pedra fatal levaria tudo o que houvesse nele.

Enquanto tiravam a sorte para determinar a ordem dos arremessos, o gato ficou agitado, andando de um lado para outro na frente da porta.

Walter foi o primeiro. Era uma sorte, pois embora o gato estivesse com medo, não conhecia a natureza do jogo, e podia ser apanhado de surpresa. De costas para o animal, Walter pegou uma pedra na pilha e a escondeu na mão; depois virou-se devagar e arremessou-a de repente.

Errou. A pedra bateu no chão e o gato pulou e correu. Os outros riram, debochando.

Era uma falta de sorte fazer o segundo arremesso, pois o gato estava descansado e alerta, ao passo que mais tarde estaria cansado e possivelmente ferido. Um jovem escudeiro foi o seguinte. Ele ficou observando o gato correr em volta da sala, procurando uma saída, e esperou que diminuísse a velocidade; então arremessou a pedra, mas o gato a viu se aproximar e desviou-se. Os homens gemeram.

O animal correu em torno da sala de novo, mais depressa agora, entrando em pânico, pulando por cima dos cavaletes e tábuas empilhadas de encontro à parede e pulando de volta para o chão. Um cavaleiro mais velho jogou a seguir. Simulou um arremesso, para ver para que lado o bicho pularia, depois atirou de verdade quando ele estava correndo, apontando um pouco à frente. Os outros aplaudiram sua esperteza, mas o gato viu a pedra e parou de repente, evitando-a.

Desesperado, o animal tentou se espremer por trás de uma arca de carvalho a um canto. O jogador seguinte viu uma oportunidade e aproveitou-a: arremessou rapidamente, enquanto o gato estava parado, e acertou na sua anca. Ouviu-se um grito entusiasmado. O bicho desistiu de se enfiar atrás da arca e voltou a correr em torno da sala, mas agora estava mancando e era mais vagaroso.

Era a vez de William a seguir.

Ele pensou que provavelmente poderia matar o gato se fosse cuidadoso. A fim de cansá-lo mais um pouco, gritou, fazendo-o correr depressa por algum tempo; depois simulou um arremesso, com o mesmo resultado. Se algum dos outros houvesse demorado tanto, teria sido vaiado, mas William era o filho do conde, de modo que esperaram pacientemente. O gato reduziu a velocidade, obviamente sentindo dor. Aproximou-se da porta, esperançoso. William levantou o braço, atrás da cabeça. De inopino o bicho parou, encostado à parede, ao lado da porta. William começou o arremesso. Mas antes que a pedra saísse de sua mão a porta foi aberta e apareceu um padre de preto. William atirou a pedra, mas o gato pulou como uma seta disparada por um arco, guinchando vitoriosamente. O padre, no portal, deu um grito esganiçado de medo e arregaçou o hábito. Os rapazes caíram na risada. O gato bateu nas suas pernas, caiu nas quatro patas e voou porta afora. O padre permaneceu imóvel, numa atitude de medo, como uma velha assustada por um camundongo, e os rapazes urraram de tanto rir.

William reconheceu o religioso. Era o bispo Waleran.

Riu ainda mais. O fato de o padre afeminado que se assustara com o gato também ser rival da sua família fez com que se sentisse melhor.

O bispo recuperou a compostura muito rapidamente. Ficou vermelho e, apontando um dedo acusador para William, disse, por entre os dentes:

– Você sofrerá eternamente nas profundezas do inferno.

A alegria de William transformou-se em terror no mesmo instante. Sua mãe lhe provocara pesadelos quando ele era criança, contando-lhe o que os demônios faziam com as pessoas no inferno, queimando-as no fogo, furando-lhes os olhos e cortando suas partes íntimas com facas amoladas, e desde então ele odiava ouvir falar nisso.

— Cale-se! — gritou com o bispo. O salão ficou em silêncio. William desembainhou a faca e encaminhou-se para Waleran. — Não venha aqui com seus sermões, sua cobra! — O bispo não parecia nem um pouco assustado, só intrigado, como se estivesse interessado por ter descoberto o ponto fraco do jovem; e isso o enfureceu mais ainda. — Serei enforcado por sua causa, de modo que...

Ele estava furioso o bastante para esfaquear o bispo, mas foi detido por uma voz vinda da escada às suas costas.

— William! Basta!

Era seu pai.

William parou e, após um momento, embainhou sua faca.

Waleran entrou no salão. Outro padre o seguiu e fechou a porta: o deão Baldwin.

— Estou surpreso por vê-lo, bispo — disse Percy.

— Porque da última vez em que nos vimos você induziu o prior de Kingsbridge a me trair? Sim, suponho que é mesmo o caso de se espantar. Normalmente não sou um homem magnânimo. — Dirigiu o olhar glacial para William, por um momento, e depois olhou de novo para o conde. — Mas não cultivo um ressentimento quando é contra meus interesses. Precisamos conversar.

Percy Hamleigh aquiesceu pensativamente.

— É melhor subir. Você também, William.

O bispo Waleran e o deão Baldwin subiram a escada que levava aos aposentos do conde, e William os seguiu. Sentia-se deprimido porque o gato tinha escapado. Por outro lado, reconhecia que ele também escapara por pouco: se houvesse tocado no bispo provavelmente seria enforcado. Mas havia algo na delicadeza de Waleran, nos seus maneirismos, que William odiava. Entraram na alcova do conde, o aposento onde William estuprara Aliena. Lembrava-se da cena cada vez que entrava ali: seu luxurioso corpo muito alvo, o medo no seu rosto, o modo como gritara, a expressão contorcida do irmão menor quando fora forçado a olhar, e depois — o golpe de mestre de William — a maneira como deixara Walter se aproveitar dela. Quisera tê-la mantido ali como prisioneira, para que pudesse possuí-la sempre que quisesse.

Pensava obsessivamente em Aliena desde então. Tentara inclusive localizá-la. Um guarda-florestal fora apanhado tentando vender o cavalo de batalha de William em Shiring, e confessara, sob tortura, que o roubara de uma garota cuja descrição correspondia à de Aliena. Soubera pelo carcereiro de Winchester que ela visitara o pai antes de ele morrer. E sua amiga, a senhora Kate, proprietária do bordel que ele frequentava, dissera-lhe ter oferecido a Aliena um lugar na sua casa. Mas o rastro não dera em nada. "Não deixe que a lembrança dela o atormente, Willy, meu garoto", dissera Kate compreensivamente. "Você quer peitos grandes e cabelo comprido? Nós temos. Pegue Betty e Millie juntas hoje, quatro grandes tetas só para você; por que não as pega?" Mas Betty e Millie não eram inocentes, de pele alva e assustadas até a morte, e não lhe agradavam. Na verdade, não sentia verdadeira satisfação com uma mulher desde a noite em que estuprara Aliena na alcova do conde.

Expulsou-a da cabeça.

O bispo Waleran estava conversando com sua mãe.

– Suponho que saiba que o prior de Kingsbridge tomou posse da sua pedreira – disse ele.

Eles não sabiam. William ficou atônito, e sua mãe furiosa.

– O quê?! – vociferou ela. – Como?

– Aparentemente seus homens de armas conseguiram expulsar a equipe de operários deles, mas no dia seguinte, quando acordaram, encontraram a pedreira invadida por monges que entoavam hinos e tiveram medo de pôr as mãos em homens de Deus. O prior Philip depois contratou os seus operários, e agora estão todos trabalhando juntos em perfeita harmonia. Estou surpreso com o fato de os homens de armas não terem voltado aqui para relatar o acontecido.

– Onde estão eles, os covardes? – berrou Lady Hamleigh, com o rosto vermelho. – Farei com que... farei com que lhes cortem os bagos...

– Estou vendo por que não voltaram – disse Waleran.

– Esqueça os homens de armas – disse o conde. – Eles são apenas soldados. Aquele prior ardiloso é o único responsável. Nunca imaginei que fosse se sair com um truque desses. Foi mais esperto que todos nós, mais nada.

– Exatamente – disse Waleran. – Apesar de todo o seu ar de santa inocência, ele é mais esperto que um rato.

William pensou que Waleran também parecia um rato, um rato preto de focinho pontudo e cabelo luzidio, sentado num canto com uma côdea de pão nas patinhas, lançando olhares amedrontados à sua volta enquanto roía seu jantar. Por que ele estava interessado em quem ocupasse a pedreira? Era tão astucioso quanto o prior Philip; ele também estava tramando alguma coisa.

– Não podemos deixar que ele saia impune – disse Regan. – Os Hamleighs não podem ser vistos derrotados. Aquele prior tem que ser humilhado.

O conde não estava tão seguro.

– É apenas uma pedreira – disse. – E o rei...

– Não é só uma pedreira, é a honra da família – interrompeu a condessa. – Não interessa o que o rei disse.

William concordou. Philip de Kingsbridge desafiara os Hamleighs, e tinha que ser esmagado. Se as pessoas não têm medo de você, você não tem nada. Mas ele não via qual era o problema.

— Por que não entramos lá com alguns homens e simplesmente expulsamos o pessoal do prior?

Seu pai sacudiu a cabeça.

— Uma coisa é obstruir os desejos do rei passivamente, como fizemos explorando a pedreira nós mesmos; outra coisa bem diferente é mandar homens armados expulsar trabalhadores que estão lá por expressa permissão real. Posso perder o condado por uma coisa dessas.

Relutantemente, William reconheceu seu ponto de vista. Seu pai era sempre cauteloso, mas em geral tinha razão.

— Tenho uma sugestão — disse o bispo Waleran. William estava certo de que havia alguma coisa escondida em sua manga preta bordada. — Acredito que a catedral não deva ser construída em Kingsbridge.

William ficou desorientado com essa observação. Não via sua pertinência. Tampouco seu pai. Entretanto, os olhos de Regan arregalaram-se, ela parou de coçar a cara por um momento e disse, pensativa:

— É uma ideia interessante.

— Antigamente a maioria das catedrais ficava em vilas como Kingsbridge — prosseguiu Waleran. — Muitas se transferiram para cidades maiores há sessenta ou setenta anos, no tempo do primeiro rei Guilherme. Kingsbridge é uma pequena vila no meio de nada. Não há nada ali senão um mosteiro em ruínas, sem dinheiro suficiente para manter uma catedral, quanto mais para construir uma.

— E onde *você* queria que fosse construída? — perguntou Regan.

— Shiring — respondeu Waleran. — É uma cidade grande, a população deve ser de mil habitantes, ou mais, que tem um mercado e uma feira anual de lã. E está situada numa estrada principal. Shiring faz sentido. E se ambos fizermos uma campanha nesse sentido... o bispo e o conde unidos... poderemos ter êxito.

— Mas, se a catedral fosse em Shiring — disse o conde —, os monges de Kingsbridge não poderiam cuidar dela.

— Esse é o ponto — disse sua mulher, impaciente. — Sem a catedral, Kingsbridge não seria nada, o priorado mergulharia de volta à obscuridade e Philip seria novamente um joão-ninguém, que é o que ele merece.

— E quem tomaria conta da nova catedral? — insistiu Percy.

— Um novo cabido — respondeu Waleran. — Nomeado por mim.

William estivera intrigado tanto quanto seu pai, mas agora começou a entender o raciocínio de Waleran: ao transferir a catedral para Shiring, passaria a controlá-la pessoalmente.

– E o que me diz do dinheiro? – quis saber o conde. – Quem pagaria pela nova catedral, não sendo o priorado de Kingsbridge?

– Penso que descobriremos que a maior parte da propriedade do priorado é vinculada à catedral – disse Waleran. – Se a catedral for transferida, a propriedade irá junto com ela. Por exemplo, quando o rei Estêvão dividiu o antigo condado de Shiring, deu as fazendas situadas em regiões montanhosas ao priorado de Kingsbridge, como sabemos muito bem; mas ele o fez a fim de ajudar a financiar a construção da nova catedral. Se eu lhe dissesse que era outra pessoa quem estava construindo a catedral, ele esperaria que o priorado liberasse aquelas terras para o novo construtor. Os monges iriam brigar, é claro; mas o exame das cartas régias resolveria a questão.

O quadro estava se tornando mais claro para William. Waleran não só passaria a controlar a catedral com aquele estratagema; também poria as mãos na riqueza do priorado.

Seu pai estava pensando na mesma coisa.

– É um grande esquema para você, bispo, mas que vantagem ele contém para mim?

Foi sua mulher quem respondeu, irritada.

– Não está vendo? Você é o dono de Shiring. Pense em quanta prosperidade beneficiará a cidade juntamente com a catedral. Haverá centenas de artesãos e operários construindo a igreja por anos: todos terão que morar em algum lugar e lhe pagar aluguel, e comprar comida e roupa no seu mercado. Depois teremos os cônegos que administrarão a catedral; e os crentes que virão a Shiring e não a Kingsbridge na Páscoa e na festa de Pentecostes para os grandes ofícios; e os peregrinos que virão visitar os santuários... Todos gastarão dinheiro. – Os olhos dela brilhavam de cobiça. William não a via tão entusiasmada há muito tempo. – Se manobrarmos direito, poderemos transformar Shiring numa das mais importantes cidades do reino!

E será minha, pensou William. Quando meu pai morrer serei o conde.

– Está bem – disse Percy. – Arruinará Philip, trará poder a você, bispo, e me fará rico. Como isso pode ser feito?

– A decisão de transferir o local da catedral tem de ser tomada pelo arcebispo de Canterbury, teoricamente.

Regan o encarou com um olhar penetrante.

– Por que "teoricamente"?

– Porque não há um arcebispo no momento. William de Corbeil morreu no Natal, e o rei Estêvão ainda não designou o seu sucessor. Sabemos, no entanto, quem deve ficar com a posição: nosso velho amigo Henry de Winchester. Ele quer o lugar, o papa já lhe deu o controle interino, e o irmão dele é o rei.

– Até que ponto ele é amigo? – perguntou Percy. – Não fez muito por você quando tentou ficar com este condado.

Waleran deu de ombros.

— Ele me ajudará se puder. Teremos que apresentar um caso convincente.

— Ele não vai querer fazer inimigos poderosos agora, justamente quando está esperando ser nomeado arcebispo — disse a condessa.

— Correto. Mas Philip não é poderoso o bastante para ter importância. Não é provável que seja consultado a respeito da escolha do arcebispo.

— Então por que Henry simplesmente não nos dá o que desejamos? — quis saber William.

— Porque ainda *não* é o arcebispo; e sabe que está sendo observado; querem ver como se comporta durante sua interinidade. Faz questão de ser visto tomando decisões judiciosas, e não apenas fazendo favores aos amigos. Haverá bastante tempo para isso *depois* da eleição.

— Então — disse Regan, pensativa —, o melhor que pode ser dito é que ouvirá com simpatia o nosso caso. Qual é o nosso caso?

— Que Philip não pode construir uma catedral, e nós podemos.

— E como o persuadiremos disso?

— Tem estado em Kingsbridge ultimamente?

— Não.

— Estive lá na Páscoa — disse Waleran, com um sorriso. — Ainda não começaram a construir. Tudo o que têm é um pedaço de terra plana com algumas estacas enfiadas e cordas marcando onde esperam erguer a catedral. Já começaram a cavar as fundações, mas não foram muito além de alguns pés. Há um pedreiro trabalhando lá com seu aprendiz, e o carpinteiro do priorado, e ocasionalmente um ou dois monges ajudando. Não é um quadro muito impressionante, sobretudo na chuva. Eu gostaria que o bispo Henry o visse.

A condessa assentiu, circunspeta. William pôde ver que o plano era bom, embora detestasse a ideia de colaborar com aquele odioso Waleran Bigod.

Waleran prosseguiu:

— Instruiremos Henry antes, sobre a pequenez e a insignificância de Kingsbridge, e sobre a pobreza do mosteiro; depois lhe mostraremos o local onde foi preciso mais de um ano para escavar uns buracos rasos; em seguida o traremos a Shiring e o impressionaremos mostrando a rapidez com que poderíamos construir uma catedral aqui, com o bispo, o conde e a população da cidade juntos, dirigindo todas as energias para o projeto.

— Henry virá? — perguntou Regan, ansiosamente.

— Tudo o que podemos fazer é convidá-lo — respondeu Waleran.

— Pedirei que faça a visita durante a festa de Pentecostes, desempenhando seu papel arquiepiscopal. Isso o lisonjeará, porque estaremos dando a entender que já o consideramos arcebispo.

— Temos que conservar isso em segredo do prior Philip – disse o conde.

— Não creio que seja possível – disse Waleran. – O bispo não pode fazer uma visita de surpresa a Kingsbridge; pareceria muito estranho.

— Mas se Philip souber antecipadamente da visita do bispo Henry, poderá fazer um grande esforço para adiantar o programa da construção.

— Com quê? Ele não tem dinheiro algum, especialmente agora que contratou todos os seus operários. E operários de pedreira não sabem levantar paredes. – Waleran balançou a cabeça de um lado para o outro com um sorriso de satisfação. – Na verdade, não há nada que ele possa fazer senão esperar que o sol brilhe no domingo de Pentecostes. A princípio Philip ficou satisfeito com a visita do bispo de Winchester a Kingsbridge. Significaria um serviço ao ar livre, claro, mas tudo bem. Seria celebrado onde ficava a antiga catedral. Em caso de chuva, o carpinteiro do priorado construiria um abrigo temporário sobre o altar e a área imediatamente em torno para conservar o bispo seco; a congregação simplesmente se molharia. A visita parecia ser um ato de fé da parte do bispo Henry, como se ele estivesse dizendo que ainda considerava Kingsbridge uma catedral e a falta de uma igreja de verdade apenas um problema temporário.

Ocorreu-lhe, no entanto, cismar sobre qual seria o motivo de Henry. A razão usual para um bispo visitar um mosteiro era ter comida, bebida e alojamento para si próprio e sua comitiva de graça; Kingsbridge, porém, era notória – para não dizer desacreditada – pela modéstia de sua comida e pela austeridade de suas acomodações, e as reformas de Philip tinham apenas elevado o seu padrão de horrível para minimamente adequado. Henry também era o mais rico clérigo do reino, de modo que certamente não estava indo a Kingsbridge por sua comida e bebida. Entretanto, ele parecera ser a Philip um homem que não fazia nada sem motivo.

Quanto mais o prior pensava a esse respeito, mais suspeitava que o bispo Waleran tivesse algo a ver com aquela visita. Ele esperara que Waleran chegasse a Kingsbridge um ou dois dias depois da carta, para discutir as providências relativas à hospitalidade com que Henry seria recebido, assim como para se assegurar de que ele ficaria satisfeito e impressionado com o priorado; porém, à medida que os dias se passavam e Waleran não aparecia, as suspeitas de Philip se aprofundavam.

No entanto, nem mesmo nos seus momentos de maior desconfiança, sonhara com a traição que foi revelada, dez dias antes de Pentecostes, por uma carta do prior da Catedral de Canterbury. Como Kingsbridge, Canterbury era uma catedral administrada por monges beneditinos, e os monges sempre se ajudavam, se pudessem. O prior de Canterbury, que trabalhava em íntima ligação com o arcebispo interino, soubera que Waleran convidara Henry a Kingsbridge com o propósito expresso de persuadi-lo a transferir a diocese e a nova catedral para Shiring.

Philip ficou chocado. Seu coração bateu mais rápido, e a mão que segurava a carta tremeu. Era uma jogada demoniacamente astuciosa de Waleran, e o prior não a antecipara nem tampouco imaginara nada de parecido.

Foi sua falta de visão que o chocou. Sabia como Waleran era traiçoeiro. O bispo tentara traí-lo um ano antes, por causa do condado de Shiring. E Philip jamais se esqueceria de como Waleran ficara furioso ao ser passado para trás. Ainda se lembrava de seu rosto, congestionado de ódio, quando ele dissera: *Juro por tudo quanto é sagrado que você não construirá sua igreja.* Com o passar do tempo, porém, a ameaça contida naquele juramento se esmaecera, e Philip baixara a guarda. Agora ali estava um lembrete de que Bigod tinha boa memória.

– O bispo Waleran diz que você não tem dinheiro, e que em quinze meses nada construiu – escreveu o prior de Canterbury. Diz que o bispo Henry verá com os próprios olhos que a catedral jamais será construída se ficar por conta do priorado de Kingsbridge. Argumenta que a oportunidade é agora, antes que algum progresso seja feito.

Waleran era demasiado esperto para ser apanhado numa mentira completa, de modo que estava usando um exagero gritante. Na verdade, Philip conseguira muita coisa. Limpara os escombros, aprovara o projeto, demarcara a nova extremidade leste, iniciara os alicerces e começara a cortar árvores e a explorar a pedreira. Mas não tinha muito para mostrar a um visitante. E precisara vencer obstáculos terríveis para conseguir o que realizara – reformando as finanças do priorado, ganhando uma importante concessão de terras do rei e derrotando o conde Percy na questão da pedreira. Não era justo!

Com a carta de Canterbury na mão, dirigiu-se à janela e olhou para o lugar da construção. As chuvas da primavera o haviam transformado num mar de lama. Dois jovens monges com o capuz puxado sobre a cabeça carregavam madeira desde a margem do rio. Tom Construtor fizera um aparelho com uma corda e uma roldana para tirar barris de terra de dentro do buraco do alicerce, e operava a manivela, enquanto seu filho, Alfred, dentro do buraco, os enchia de lama. A impressão que se tinha era de que eles poderiam trabalhar naquele ritmo para sempre e ninguém veria a diferença. Com exceção de um profissional, qualquer pessoa que visse aquela cena concluiria que nenhuma catedral seria construída ali antes do dia do Juízo Final.

Philip deixou a janela e retornou à escrivaninha. O que poderia ser feito? Por um momento sentiu-se tentado a não fazer nada. Que o bispo Henry viesse e olhasse, para tomar sua decisão, pensou. Se a catedral tivesse que ser construída em Shiring, que fosse. Que o bispo Waleran assumisse o controle dela e a usasse para as próprias finalidades; que fosse levada prosperidade à cidade de Shiring e à pérfida dinastia Hamleigh. A vontade de Deus seria feita.

Sabia que não seria assim, claro. Ter fé em Deus não significa ficar sentado sem fazer nada. Significa crer que se terá sucesso se se fizer o melhor possível, sincera e energicamente. O dever sagrado de Philip era fazer tudo o que estivesse a seu alcance para impedir que a catedral caísse nas mãos daquela gente cínica e imoral que a exploraria para o próprio engrandecimento. Isso significava mostrar ao bispo Henry que seu programa de construção estava caminhando muito bem e que Kingsbridge tinha energia e determinação para concluí-lo.

E era verdade? A verdade era que Philip ia achar mortalmente difícil construir uma catedral ali. Já fora quase forçado a abandonar o projeto só porque o conde lhe recusara acesso à pedreira. Mas sabia que no fim conseguiria, porque Deus o ajudaria. No entanto, sua convicção não bastava para persuadir o bispo Henry.

Decidiu que faria o melhor possível para tornar o local mais impressionante, pois valia a pena. Poria todos os monges para trabalhar nos dez dias que faltavam para Pentecostes. Talvez conseguissem cavar parte do buraco do alicerce até a profundidade devida, de modo que Tom e Alfred pudessem começar a assentar as pedras. Talvez fosse possível completar uma parte do alicerce até o nível do chão, para que Tom tivesse condições de começar a construir uma parede. Seria um pouco melhor que o presente estágio, mas não muito. O que Philip realmente precisava era de uma centena de operários, mas não tinha dinheiro nem mesmo para dez.

O bispo Henry chegaria num domingo, claro, de modo que ninguém estaria trabalhando, a menos que Philip convocasse a congregação. Imaginou-se na frente dos fiéis, anunciando um novo tipo de serviço de Pentecostes: Em vez de cantarmos e dizer orações, vamos cavar buracos e carregar pedras. Ficariam atônitos. Eles...

O que fariam eles, afinal?

Provavelmente cooperariam de todo o coração.

Ele fechou a cara. Ou estou maluco, pensou, ou esta ideia pode dar certo.

Pensou nela mais um pouco. Eu me levanto ao final do culto e digo que a penitência do dia para o perdão de todos os pecados será meio dia de trabalho no local de construção da catedral. Pão e cerveja serão servidos na refeição.

Eles concordariam. Claro que sim.

Sentiu necessidade de testar a ideia com outra pessoa. Pensou em Milius, mas rejeitou-o: os processos mentais dele eram muito semelhantes aos seus. Precisava de alguém com uma visão ligeiramente diferente da sua. Decidiu falar com Cuthbert Cabeça Branca, o despenseiro. Vestiu a capa e, puxando o capuz para a frente, a fim de proteger o rosto da chuva, saiu.

Atravessou correndo o enlameado local da construção, passou por Tom com um aceno ligeiro e seguiu para o pátio da cozinha. Aquela série de casas incluía agora um galinheiro, um abrigo para vacas e uma queijaria, pois Philip não gostava de gastar o pouco dinheiro que possuíam com coisas simples de que pudessem ter seu próprio abastecimento, como ovos e manteiga.

Entrou no depósito de gêneros situado na galeria sob a cozinha. Respirou o ar seco e fragrante, com o cheiro das ervas e temperos que Cuthbert estocava. O despenseiro estava contando alho, verificando as réstias e resmungando números baixinho. Philip percebeu, com um ligeiro choque, que Cuthbert estava ficando velho: sua carne parecia estar sumindo por baixo da pele.

— Trinta e sete – disse o monge em voz alta. — Gostaria de um copo de vinho?

— Não, muito obrigado. – Philip descobrira que tomar vinho durante o dia o deixava preguiçoso e mal-humorado. Sem dúvida era por esse motivo que são Bento aconselhava os monges a beber com moderação. — Quero seu conselho, não o seu vinho. Sente-se comigo.

Abrindo caminho por entre as caixas e os barris, Cuthbert tropeçou num saco e quase caiu antes de se sentar num banco de três pernas em frente a Philip. A despensa já não estava tão arrumada quanto antigamente, percebeu Philip. Um pensamento o assaltou.

— Está tendo problemas com a vista, Cuthbert?

— Já não é a mesma, mas dá para o gasto – respondeu o despenseiro laconicamente.

Decerto fazia anos que seus olhos eram deficientes – e era bem possível que fosse por isso que ele não tinha aprendido a ler muito bem. No entanto, era evidentemente sensível a esse respeito, de modo que Philip não disse mais nada, mas tomou nota na mente de que devia começar a preparar um despenseiro substituto.

— Recebi uma carta muito inquietante do prior de Canterbury – disse, e em seguida contou a Cuthbert o esquema do bispo Waleran. Concluiu dizendo: — O único modo de fazer o lugar da obra parecer uma colmeia, com intensa atividade, é pôr a congregação para trabalhar. Pode imaginar alguma razão pela qual eu não deva fazer isso?

Cuthbert não pôde.

— Pelo contrário, é uma boa ideia – disse imediatamente.

— Não é muito ortodoxo, não é mesmo? – disse Philip.

— Já foi feito antes.

— É mesmo? – Philip ficou espantado e satisfeito. — Onde?

— Já ouvi falar disso em diversos lugares.

Philip ficou animado.

— E funciona?

— Às vezes. Provavelmente depende do tempo que fizer.

— Como é que se faz? O padre dá um aviso ao final do culto, ou o quê?

— É mais organizado que isso. O bispo, ou o prior, manda mensageiros às paróquias, anunciando que o perdão dos pecados poderá ser concedido em troca de trabalho na obra.

— É uma grande ideia — disse Philip, entusiasmado. — Podemos ter até uma congregação maior que a normal, atraída pela novidade.

— Ou menor — disse Cuthbert. — Algumas pessoas preferem dar dinheiro ao padre, ou acender uma vela para um santo, a gastar o dia inteiro patinhando na lama e carregando pedras pesadas.

— Não pensei nisso — disse Philip, subitamente desanimado. — Afinal talvez não seja uma ideia assim tão boa.

— Quais são as outras ideias que você tem?

— Nenhuma.

— Então vai ter que tentar essa e esperar pelo melhor, não é mesmo?

— É — concordou Philip. — E esperar pelo melhor.

3

Philip não dormiu durante toda a noite que antecedeu o domingo de Pentecostes.

Tinha feito uma semana de sol perfeita para o seu plano — mais gente deveria se apresentar como voluntária com tempo bom —, mas quando caiu a noite de sábado, começou a chover. Ele ficou acordado, ouvindo desconsoladamente os pingos de chuva no telhado e o vento nas árvores. Achava que havia rezado bastante. Deus já devia estar totalmente ciente das circunstâncias.

No domingo anterior, todos os monges do priorado tinham visitado uma ou mais igrejas para dizer às congregações que poderiam ganhar perdão para os seus pecados trabalhando na obra da igreja aos domingos. Em Pentecostes seriam perdoados pelo ano anterior, e dali em diante um dia de trabalho valeria por uma semana de pecados de rotina, ou seja, excluindo-se assassinato e sacrilégio. Philip em pessoa fora à cidade de Shiring, e falara em cada uma das quatro paróquias. Mandara dois monges a Winchester para visitar o maior número possível da imensa quantidade de pequenas igrejas lá existentes.

A cidade ficava a dois dias de marcha, mas, sendo Pentecostes um feriado de seis dias, era comum que as pessoas fizessem uma viagem dessas por causa de uma grande feira ou de um serviço religioso espetacular. No total, muitos milhares de pessoas tinham recebido a mensagem. Não se sabia quantas poderiam responder.

Durante o tempo restante todos eles estiveram trabalhando na obra. O tempo bom e os dias longos do início do verão ajudaram, tendo se conseguido quase tudo o que Philip esperara conseguir. O alicerce fora lançado para a parede do extremo leste do coro. Uma parte das fundações para a parede norte havia sido escavada completamente, pronta para receber as pedras. Tom construíra um número suficiente de mecanismos de içar peso para manter um grande número de pessoas ocupadas escavando o resto do grande buraco, se é que ia aparecer um grande número de pessoas. Além disso, a margem do rio estava cheia de troncos e de pedras, e tudo tinha que ser carregado elevação acima até o local da obra. Havia trabalho ali para centenas.

Mas alguém viria?

À meia-noite Philip se levantou e caminhou através da chuva até a cripta para as matinas. Quando retornou, depois do serviço, a chuva tinha parado. Não voltou para a cama, mas ficou sentado, lendo. Agora aquele período entre a meia-noite e a madrugada era a única hora que tinha para estudo e meditação, pois o resto do dia fora tomado pela administração do mosteiro.

Naquela noite, contudo, teve dificuldade em se concentrar, e sua mente insistia em se voltar para a perspectiva do dia que tinha à frente, e as chances de sucesso ou fracasso. No dia seguinte poderia perder tudo por que trabalhara no ano anterior e mais. Ocorreu-lhe, talvez por estar se sentindo fatalista, que não deveria desejar o sucesso apenas pelo sucesso. Seria o seu orgulho que estava em jogo ali? O orgulho era o pecado ao qual era mais vulnerável. Depois pensou em todas as pessoas que dependiam dele para apoio, proteção e emprego: os monges, os empregados do priorado, os homens da pedreira, Tom e Alfred, os aldeões de Kingsbridge e os fiéis de todo o condado. Waleran não se incomodaria com eles do modo como Philip o fazia. O bispo parecia pensar que tinha o direito de usar as pessoas como bem entendesse a serviço de Deus. O prior acreditava que se importar com as pessoas era o serviço de Deus, e que era disso que se tratava a salvação. Não, não podia ser a vontade de Deus que Waleran ganhasse aquela competição. Talvez meu orgulho esteja em jogo, admitiu Philip para si próprio, mas há almas em jogo também.

Finalmente a madrugada rompeu a noite, e novamente ele se encaminhou para a cripta, dessa vez para o serviço das primas. Os monges estavam irrequietos e excitados; sabiam que aquele dia seria crucial para o seu futuro. O sacristão imprimiu um ritmo rápido ao culto, e daquela vez Philip o desculpou.

Quando deixaram a cripta e se dirigiram ao refeitório onde fariam o desjejum, o dia já estava claro e o céu, azul. Deus mandara o tempo pelo qual tinha rezado, pelo menos. Era um bom início.

* * *

Tom sabia que seu futuro estava em jogo.

Philip lhe mostrara a carta do prior de Canterbury. Tom tinha certeza de que se a catedral fosse construída em Shiring, Waleran contrataria seu próprio mestre construtor. Não iria querer usar um projeto que Philip aprovara nem se arriscaria a empregar alguém que poderia ser leal ao prior. Para Tom, era Kingsbridge ou nada. Aquela era a única oportunidade que teria para construir uma catedral, e estava em perigo naquele dia.

Foi convidado a comparecer a um cabido com os monges de manhã. Acontecia ocasionalmente. Em geral porque iriam discutir o programa de construção e poderiam precisar de sua opinião técnica em questões de projeto, custo ou cronograma. Nesse dia ele acertaria os detalhes para empregar os trabalhadores voluntários, se viesse algum. Tom queria que o lugar da obra fosse uma verdadeira colmeia de eficiente atividade quando o bispo Henry chegasse.

Sentou-se pacientemente por entre as leituras e as orações, sem entender as palavras latinas, pensando nos seus planos para o dia; então Philip passou para o inglês e o chamou para descrever a organização do trabalho.

– Construirei a parede leste da catedral, e Alfred, colocará pedra nas fundações – começou Tom. – O objetivo, em ambos os casos, é mostrar ao bispo Henry como a construção está adiantada.

– Quantos homens vocês dois precisarão para ajudá-los? – perguntou Philip.

– Alfred precisará de dois serventes para lhe trazer pedras. Ele usará material das ruínas da velha igreja. Necessitará ainda de alguém para fazer massa. Também precisarei de um homem para preparar massa e dois serventes. Alfred pode usar pedras tortas no alicerce, desde que sejam lisas na parte de cima e na de baixo; as minhas, porém, terão de ser muito boas, já que serão visíveis acima do solo, de modo que trouxe dois canteiros da pedreira para me ajudarem.

– Tudo isso é muito importante para impressionar o bispo Henry – disse o prior –, mas a maioria dos voluntários estará escavando as fundações.

– Correto: as fundações estão marcadas para o conjunto do coro da catedral, e, em sua maioria, ainda se encontram com apenas alguns pés de profundidade. Os monges terão que guarnecer as engrenagens de içamento... instruí diversos a fazer isso... e os voluntários poderão encher os barris.

– E se recebermos mais voluntários do que formos capazes de empregar? – perguntou Remigius.

– Poderemos empregar qualquer número – respondeu Tom. – Se não tivermos um número suficiente de engrenagens de içar, as pessoas poderão retirar a terra do buraco em baldes ou cestas. O carpinteiro terá que ficar de plantão, pronto para fazer escadas extras; temos a madeira.

– Mas há um limite para o número de pessoas que podem descer no buraco do alicerce – insistiu o subprior.

Tom teve a impressão de que Remigius estava querendo apenas discutir e disse, irritado:

— Usarei algumas centenas de pessoas. É um buraco enorme.

— E há outro trabalho a ser feito, além de cavar — disse Philip.

— É verdade. A outra área principal de trabalho é carregar madeira e pedra da margem do rio para o local da obra. Vocês, monges, têm que se assegurar de que os materiais sejam empilhados nos lugares certos na obra. As pedras deverão ficar ao lado dos buracos das fundações, mas do *lado de fora da igreja*, onde não irão atrapalhar. O carpinteiro lhes dirá onde pôr a madeira.

— Todos os voluntários serão pessoas sem qualificações profissionais? — perguntou o prior.

— Não obrigatoriamente. Se recebermos gente das cidades, poderá haver alguns artesãos no meio... espero que sim. Temos que descobrir quem são e usá-los. Carpinteiros poderão construir galpões para o trabalho de inverno. Pedreiros poderão cortar pedras e assentar alicerces. Se houver um ferreiro, nós o poremos para trabalhar na forja da aldeia, fazendo ferramentas. Todas essas coisas serão tremendamente úteis.

— Está tudo muito claro — disse Milius, o controlador das finanças. — Alguns aldeões já chegaram, e esperam que lhes digam o que fazer.

Havia algo mais que Tom precisava lhes contar, algo importante mas sutil, e ele estava procurando as palavras certas. Os monges podiam ser arrogantes, o que afastaria os voluntários. Tom queria que a operação daquele dia tivesse um andamento cômodo e fosse festiva.

— Trabalhei com voluntários antes — começou ele. — É importante não... não tratá-los como servos. Podemos achar que estão trabalhando para obter uma recompensa celestial, e por isso deveriam trabalhar mais arduamente do que o fariam por dinheiro; porém esta não é, obrigatoriamente, a atitude deles. Sentem que estão trabalhando de graça, e, por isso mesmo, nos fazendo um grande favor; se parecermos ingratos eles trabalharão lentamente e cometerão erros. O melhor será dirigi-los com mão leve.

Surpreendeu o olhar de Philip e viu que o prior estava contendo um sorriso, como se soubesse que temores se ocultavam sob as palavras doces de Tom.

— Um bom plano — disse Philip. — Se soubermos agir, essas pessoas se sentirão felizes e animadas, e isso criará uma boa atmosfera, o que dará uma impressão positiva ao bispo Henry. — Olhou em torno, para os monges. — Se não há mais perguntas, vamos começar.

Aliena desfrutara de um ano de segurança e prosperidade sob a proteção do prior Philip. Todos os seus planos tinham dado certo. Ela e Richard haviam percorrido o interior comprando lá dos camponeses durante a primavera e o verão e vendendo a Philip todas as vezes que tinham um saco-padrão. Terminaram a estação com cinco libras de prata.

O pai morrera poucos dias depois de eles o haverem visto, embora Aliena só tivesse tomado conhecimento disso no Natal. Localizara seu túmulo, após gastar muito dinheiro suado com gorjetas, num cemitério de indigentes, em Winchester. Chorara muito, não só por ele mas pela vida que tinham levado juntos, segura e descuidada, uma vida que nunca voltaria. De certo modo despedira-se do pai antes de sua morte: ao sair da cadeia sabia que nunca mais o veria de novo. De outra maneira, ele ainda estava com ela, presa como se sentia ao juramento a que a obrigara, estando resignada a passar a vida fazendo sua vontade.

Durante o inverno ela e Richard viveram numa casinha encostada à parede do priorado de Kingsbridge. Construíram uma carroça, adquirindo as rodas do carroceiro da aldeia, e na primavera compraram um boi novo para puxá-la. A estação de tosa estava agora em pleno andamento e eles já tinham ganhado mais do que o preço pago pela carroça e pelo boi. No ano seguinte talvez empregasse um homem para ajudá-la e arranjasse um lugar para Richard como pajem na casa de um pequeno nobre, para que ele pudesse começar seu treinamento de cavaleiro.

Mas tudo dependia do prior Philip.

Sendo uma garota de dezoito anos que vivia por conta própria, ainda era considerada como caça livre por todos os ladrões e por muitos mercadores legítimos. Tentara vender um saco de lã a mercadores de Shiring e Gloucester, só para ver o que aconteceria, e em ambas as oportunidades tinham lhe oferecido a metade do preço. Nunca havia mais que um mercador em cada cidade, de modo que eles sabiam não ter alternativa. Um dia ela possuiria seu próprio depósito, e venderia todo o estoque diretamente aos compradores flamengos, mas ainda faltava muito tempo para isso. Por enquanto dependia de Philip.

E a posição do prior tornara-se de súbito precária.

Vivia constantemente em alerta contra os perigos representados pelos fora da lei e ladrões, mas fora um grande choque, quando tudo ia tão bem, ver sua vida ameaçada de modo tão inesperado.

Richard não quisera trabalhar na obra da catedral no domingo de Pentecostes – não passava de um ingrato –, mas Aliena o forçara a concordar, e os dois percorreram as poucas jardas que os separavam do adro de Kingsbridge logo depois do nascer do sol. Quase toda a aldeia fora: trinta ou quarenta homens, alguns dos quais com a mulher e os filhos. Aliena ficou surpresa, até que ponderou que o prior Philip era o seu senhor e, quando o senhor pede voluntários, provavelmente é pouco sábio recusar-se. Durante aquele ano ela ganhara uma nova perspectiva sobre a vida das pessoas comuns que era, no mínimo, surpreendente.

Tom Construtor estava dando instruções às pessoas da aldeia. Richard foi imediatamente falar com Alfred, o filho de Tom. Eram quase da mesma idade – Richard tinha quinze anos e Alfred, cerca de um ano a mais – e jogavam futebol com os outros garotos da aldeia todos os domingos. A garotinha, Martha, estava ali também, mas a mulher, Ellen, e o garotinho de cara engraçada e cabelo ruivo tinham desaparecido, ninguém sabia onde. Aliena se lembrava de quando a família de Tom fora a Earlscastle. Não tinham recursos, naquele tempo. Como Aliena, haviam sido salvos pelo prior Philip.

Deram uma pá a Aliena e outra a Richard e lhes disseram para cavar os alicerces. O chão estava molhado, mas o sol logo secaria a superfície. Aliena começou a cavar de maneira enérgica. Mesmo com cinquenta pessoas trabalhando, era preciso muito tempo para tornar o buraco visivelmente mais fundo. Richard descansava apoiado na sua pá com frequência. Uma das vezes Aliena disse: "Se quer ser cavaleiro um dia, cave!", mas não fez diferença.

Estava mais magra e mais forte do que um ano antes, graças a tanto palmilhar as estradas e a carregar fardos pesados de lã crua, mas descobriu que cavar podia fazer com que suas costas doessem. Ficou agradecida quando o prior tocou um sino e declarou uma pausa. Os monges trouxeram pão quente da cozinha e serviram cerveja fraca. O sol se tornava mais forte, e alguns homens ficaram nus da cintura para cima.

Enquanto descansavam, um grupo de estranhos atravessou o portão. Aliena olhou para eles esperançosamente. Não havia muitos, mas talvez fossem precursores de uma grande multidão. Aproximaram-se da mesa onde estavam sendo servidos o pão e a cerveja, e o prior Philip lhes deu as boas-vindas.

– De onde vocês são? – perguntou ele enquanto os homens bebiam, reconfortados.

– De Horsted – respondeu um deles, enxugando a boca na manga. Era promissor: Horsted, uma aldeia com uns duzentos ou trezentos habitantes, ficava poucas milhas a oeste de Kingsbridge. Com sorte podiam esperar cerca de cem voluntários.

– E quantos de vocês virão, ao todo? – perguntou Philip.

O homem pareceu surpreso com a pergunta.

– Só nós quatro – respondeu.

Durante a hora seguinte as pessoas foram pingando pelo portão do priorado até que, por volta do meio da manhã, havia setenta ou oitenta voluntários trabalhando, inclusive os aldeões. Então o fluxo parou completamente.

Não era o bastante.

Philip demorou-se na extremidade leste, observando Tom construir uma parede. Ele já construíra a base de dois arcobotantes até o nível da terceira fileira de pedras, e agora erguia a parede no meio. Provavelmente nunca terminaria, pensou Philip, desanimado.

A primeira coisa que Tom fazia, quando os serventes lhe entregavam uma pedra, era pegar um instrumento de ferro modelado em L e verificar se a pedra tinha ângulos retos. Depois assentava uma camada de massa na parede, fazendo um sulco nela com a ponta da colher de pedreiro, punha a nova pedra em cima e raspava o excesso da massa. Ao colocar a pedra, era guiado por um barbante esticado entre os dois arcobotantes.

Philip notou que a pedra era quase tão lisa em cima e embaixo, onde ficava a massa, como no lado que iria aparecer. Aquilo o surpreendeu, e ele perguntou o motivo a Tom.

— Uma pedra nunca deve tocar na de cima ou na de baixo — respondeu Tom. — É para isso que serve a massa.

— Por que não devem se tocar?

— Causa rachaduras. — Tom endireitou o corpo para responder. — Se você pisar num telhado de ardósia, seu pé o atravessará; mas se você atravessar uma tábua no telhado, poderá caminhar em cima dela sem o danificar. A tábua espalha o peso, e é isso o que a massa faz.

Philip nunca pensara naquilo. Construir era um negócio intrigante, especialmente com alguém como Tom, capaz de explicar o que estava fazendo.

A parte mais áspera da pedra era a de trás. Será que, pensou Philip, vai ser vista de dentro da igreja? Lembrou então que Tom estava na verdade construindo uma parede com duas faces e uma cavidade no meio, de modo que a parte posterior de todas as pedras ficaria escondida.

Depois de Tom assentar a pedra sobre uma camada de massa, apanhou o nível. Era um triângulo de ferro com uma tira de couro presa no vértice e umas marcas na base. A tira de couro tinha um peso de chumbo amarrado na ponta, de modo que sempre ficava na vertical. Ele punha a base do instrumento em cima da pedra e observava como a tira de couro caía. Se o peso da ponta pendesse para um dos lados da linha central, dava umas batidinhas na pedra com o martelo até que ela ficasse exatamente no nível. Depois deslocava o instrumento até que ficasse a cavaleiro de duas pedras adjacentes, para verificar se a parte superior das duas pedras estava exatamente em linha. Finalmente, virava o instrumento de lado, para se certificar de que a nova pedra não estava tombando para um ou outro lado. Antes de apanhar outra pedra, puxava um pouco o barbante, que estalava de tão retesado, para se assegurar de que as faces da pedra estavam em linha reta. Philip nunca se dera conta da importância de as paredes de pedra estarem tão perfeitamente retas e no prumo.

Ergueu os olhos para o resto do canteiro da obra. Era tão grande que oitenta homens e mulheres e algumas crianças se perdiam ali dentro. Trabalhavam alegremente à luz do sol, mas eram tão poucos que lhe parecia ver um ar de futilidade nos seus esforços. A princípio esperara uma centena de pessoas, mas agora via que nem mesmo isso teria sido suficiente.

Outro grupinho atravessou o portão, e Philip forçou-se a ir dar as boas-vindas com um sorriso. Não precisava que eles soubessem que seus esforços seriam desperdiçados. De qualquer forma ganhariam perdão para os pecados.

Era um grupo grande, conforme verificou ao se aproximar. Contou doze pessoas, e depois chegaram outras duas. Talvez afinal contasse com cem pessoas por volta do meio-dia, quando o bispo estava sendo esperado.

– Deus abençoe todos vocês – disse. Quando ia indicar onde deveriam começar a cavar, foi interrompido por um grito:

– Philip!

Fechou a cara, desaprovadoramente. A voz pertencia ao irmão Milius. Até mesmo ele devia chamá-lo de "padre" em público. Philip olhou na direção da voz. Milius estava se equilibrando em cima do muro do priorado numa posição não muito digna. Numa voz calma mas autoritária, Philip disse:

– Irmão Milius, saia de cima do muro.

Para seu assombro, o monge continuou lá em cima e gritou:

– Venha só dar uma olhada!

Os recém-chegados estavam tendo uma má impressão da obediência monástica, pensou o prior, mas não pôde deixar de se perguntar o que seria bom a ponto de fazer Milius ficar tão animado que se esquecesse por completo das boas maneiras.

– Venha cá e me conte! – disse ele, num tom de voz que normalmente reservava para os noviços barulhentos.

– Você tem que olhar! – berrou Milius.

Seria melhor que ele tivesse uma boa justificativa para aquilo, pensou Philip, furioso; porém, como não queria repreender seu colega mais íntimo na frente daqueles estranhos, foi obrigado a sorrir e a fazer o que ele pedia. Sentindo-se irritado, já com raiva, atravessou a lama acumulada em frente ao estábulo e pulou em cima do muro baixo.

– O que *significa* este seu comportamento? – perguntou, falando por entre os dentes.

– Olhe só! – disse Milius, apontando.

Seguindo seu gesto, Philip olhou, por cima dos telhados da aldeia, depois do rio, a estrada que seguia a ondulação do terreno para oeste. A princípio não pôde crer no que via. Entre os campos muito verdes, a estrada ondulante era uma sólida massa de gente, centenas de pessoas, todas caminhando na direção de Kingsbridge.

— O que é aquilo? — disse, sem compreender. — Um exército? Então percebeu que obviamente eram os seus voluntários. Seu coração pulou de alegria. — Olhe só! — gritou. — Devem ser quinhentos... mil... mais!

— Isso mesmo! — disse Milius com alegria. — Eles vieram, afinal!

— Estamos salvos! — Philip ficou tão emocionado que se esqueceu do motivo pelo qual deveria estar zangado com Milius. A massa de gente enchia a estrada até a ponte, e a linha seguia através da aldeia até o portão do priorado. As pessoas que cumprimentara eram a vanguarda de uma legião. Estavam se despejando através do portão, e rodando em torno da extremidade oeste do canteiro da obra, esperando que alguém lhes dissesse o que fazer.

— Aleluia! — gritou Philip imprudentemente. Não era o bastante se regozijar; tinha que usar aquela gente. Pulou de cima do muro. Vamos! — gritou para Milius. — Chame todos os monges, tire-os do trabalho. Vamos precisar deles como capatazes. Diga ao cozinheiro para assar todo o pão que puder e separar alguns barris de cerveja. Vamos precisar de mais baldes e pás. Temos que pôr todas essas pessoas trabalhando antes que o bispo Henry chegue!

Durante a hora seguinte Philip esteve freneticamente atarefado. No princípio, só para tirar gente do caminho, mandou que umas cem pessoas ou mais trouxessem a madeira e a pedra da margem do rio. Assim que Milius reuniu um grupo de monges supervisores, começou a mandar os voluntários trabalharem nos alicerces. Em pouco tempo acabaram as pás, os barris e os baldes. Philip mandou que todas as panelas fossem trazidas da cozinha e determinou que alguns voluntários preparassem umas caixas rústicas de madeira e pratos de vime para carregar terra. Não havia escadas ou máquinas de içar em número suficiente, de modo que fizeram uma rampa numa ponta do maior buraco do alicerce para que as pessoas pudessem entrar e sair. Percebeu que não dera atenção bastante à questão de onde seria colocada a imensa quantidade de terra que sairia da escavação dos alicerces. Agora era tarde demais para ficar pensando muito tempo: tomou uma decisão rápida e mandou que a terra fosse despejada num terreno pedregoso perto do rio. Talvez se tornasse cultivável. Enquanto estava dando essa ordem, Bernard Cozinheiro veio procurá-lo, em pânico, dizendo que só previra comida para cerca de duzentas pessoas no máximo, e que parecia haver mais de mil.

— Acenda um fogo no pátio da cozinha e faça sopa num caldeirão de ferro — disse Philip. — Adicione água à cerveja. Use todas as provisões. Faça com que alguns aldeões preparem comida em suas casas. Improvise! — Deu as costas ao cozinheiro e continuou a organizar os trabalhadores.

Ainda estava dando ordens quando bateram no seu ombro e uma voz disse em francês:

— Prior Philip, pode me dar sua atenção por um momento? Era o deão Baldwin, associado de Waleran Bigod.

Philip virou-se e viu a comitiva visitante, todos a cavalo e suntuosamente vestidos, contemplando, atônitos, a cena que se desenrolava à sua volta. Ali estava o bispo Henry, corpulento e de baixa estatura, exibindo uma expressão combativa, o corte de cabelo de monge contrastando estranhamente com o casaco vermelho bordado. Ao seu lado estava o bispo Waleran, vestido de preto como sempre, seu espanto não totalmente disfarçado pela expressão habitual de frio desdém. Viam-se também o gordo Percy Hamleigh, seu filho enorme, William, e a mulher hedionda, Regan; Percy e William pareciam estar achando graça, mas Regan compreendeu exatamente o que Philip fizera e estava furiosa.

O prior voltou a atenção para o bispo Henry e descobriu, para sua surpresa, que ele o distinguia com um olhar de intenso interesse. Philip também o encarou francamente. A expressão do bispo Henry denotava surpresa, curiosidade e uma espécie de respeito bem-humorado. Após um momento, o prior aproximou-se do bispo, segurou a cabeça do seu cavalo e beijou a mão cheia de anéis oferecida por ele.

Henry desmontou com um movimento ágil e desembaraçado, e o resto da comitiva o imitou. Philip chamou dois monges para estabular os cavalos. Henry tinha aproximadamente a mesma idade do prior, mas sua pele corada e seu maior peso o faziam parecer mais velho.

— Bem, prior Philip — disse ele. — Vim verificar relatos que diziam que você não era capaz de conseguir construir uma nova catedral aqui em Kingsbridge. — Fez uma pausa, olhando para as centenas de trabalhadores em volta, e fitou Philip novamente. — Parece que eu estava mal-informado.

O coração do prior chegou a falhar. Dificilmente Henry poderia ter deixado mais claro: Philip vencera.

O prior virou-se para Waleran. Seu rosto era uma máscara de fúria contida. Sabia que fora derrotado de novo. Philip ajoelhou-se, baixando a cabeça para esconder a expressão de triunfante alegria, e beijou a mão do bispo.

Tom estava gostando de construir a parede. Fazia tanto tempo que não fazia aquilo que se esquecera da profunda tranquilidade que vinha de colocar uma pedra em cima da outra seguindo perfeitas linhas retas e de observar a estrutura crescer.

Quando os voluntários começaram a chegar às centenas e ele viu que o esquema de Philip ia funcionar, gostou ainda mais do que estava fazendo. Aquelas pedras eram parte da catedral de Tom; e a parede, que agora tinha apenas um pé de altura, chegaria ao céu. Tom sentiu que aquele era o começo do resto da sua vida.

Soube quando o bispo Henry chegara. Como uma pedra lançada num lago, a presença do bispo emitira ondas por entre a massa de trabalhadores, no momento em que todos pararam de trabalhar para ver as figuras ricamente vestidas escolhendo, com afetação, seu caminho através da lama. Tom continuou a assentar pedras. O bispo devia estar desconcertado com a visão de milhares de voluntários trabalhando com alegria e entusiasmo para construir sua nova catedral. Agora Tom precisava causar uma impressão igualmente boa. Nunca se sentia à vontade com gente bem-vestida, mas precisava parecer competente e sábio, calmo e seguro, o tipo do homem a quem se confiaria de boa vontade as preocupantes complexidades de um vasto e dispendioso projeto.

Ficou à espreita dos visitantes e descansou a colher de pedreiro quando a comitiva se aproximou. O prior Philip conduziu o bispo Henry até Tom, e este se ajoelhou e beijou-lhe a mão.

— Tom é o nosso construtor — disse Philip —, que nos foi mandado por Deus no dia em que a velha igreja se incendiou.

Tom ajoelhou-se de novo para o bispo Waleran, depois olhou para o resto do grupo. Lembrou a si próprio que era o mestre construtor, e não devia ser excessivamente subserviente. Reconheceu Percy Hamleigh, para quem uma vez construíra meia casa.

— Lorde Percy — disse, com uma pequena reverência. Reconheceu a horrível mulher do conde. — Lady Regan. — Depois seus olhos se detiveram no filho. Lembrou-se de que William quase derrubara Martha com o seu cavalo de batalha, e de como ele tentara comprar Ellen na floresta. Aquele rapaz era um tipo sórdido. Mas Tom transformou o rosto numa máscara polida. — E o jovem lorde William. Cumprimentos.

O bispo Henry fixou um olhar penetrante em Tom.

— Você desenhou seu projeto, Tom Construtor?

— Sim, milorde bispo. Gostaria de ver os desenhos?

— Sem dúvida alguma.

— Talvez seja possível vir por aqui.

Henry concordou e Tom liderou o caminho até seu galpão, a poucas jardas. Entrou na pequena construção de madeira e trouxe a planta baixa, riscada no gesso e protegida por uma moldura de madeira com mais de quatro pés. Apoiou-a na parede do galpão e recuou.

Aquele era um momento delicado. A maioria das pessoas não era capaz de ler uma planta, mas bispos e lordes detestavam admitir isso, de modo que era necessário explicar a ideia para eles de uma forma que não revelasse sua ignorância ao resto do mundo. Alguns bispos compreendiam, é claro, e se sentiam insultados quando um mero construtor imaginava poder instruí-los.

Nervoso, Tom apontou para a planta.

— Esta é a parede que eu estava construindo.

— Sim, a fachada leste, é óbvio — disse Henry. Aquilo respondia a questão: ele podia ler uma planta muito bem. — Por que os transeptos não ganharam um corredor?

— Por economia — respondeu Tom prontamente. — No entanto, não começaremos a construí-los senão dentro de cinco anos, e se o mosteiro continuar a prosperar como neste primeiro ano sob o prior Philip, é bem possível que nessa época sejamos capazes de construir transeptos com corredores. — Ele elogiara Philip e respondera à pergunta ao mesmo tempo, e se sentiu muito sagaz.

Henry assentiu, aprovando o que ouvira.

— É sensato planejar modestamente e deixar espaço para a expansão. Mostre-me a projeção vertical.

Tom apanhou-a no galpão. Nada comentou, agora que sabia que Henry compreendia o que estava vendo. Isso foi confirmado quando ele disse:

— As proporções são agradáveis.

— Muito obrigado — disse Tom. O bispo parecia satisfeito com tudo. Acrescentou: — É uma catedral modesta, mas será mais leve e mais bonita que a antiga.

— E quanto tempo levará para ser completada?

— Quinze anos, se o trabalho não for interrompido.

— O que nunca acontece. Mas não importa. Pode nos mostrar como será a aparência dela, isto é, para alguém colocado do lado de fora?

Tom compreendeu o que ele queria.

— O senhor quer ver um esboço.

— Sim.

— Certamente. — Tom retornou à sua parede, com a comitiva do bispo a reboque. Ajoelhou-se sobre a tábua onde misturava massa e espalhou uma camada uniforme na parede, alisando a superfície. Depois, com a ponta da colher de pedreiro, riscou um esboço do lado oeste da igreja. Ele sabia que era bom naquilo. O bispo, sua comitiva e todos os monges e voluntários que se encontravam por perto o observaram, fascinados. Desenhar sempre parece um milagre para quem não é capaz de fazê-lo. Em poucos momentos Tom traçou um esquema da fachada oeste, com seus três portais em arco, sua grande janela, suas torres laterais. Era um truque simples, mas nunca deixava de impressionar.

— Notável — disse o bispo Henry quando o desenho ficou pronto. — Que Deus abençoe o seu talento.

Tom sorriu. Aquilo significava um vigoroso endosso da sua designação.

— Milorde bispo — disse o prior Philip —, quer comer alguma coisa antes de conduzir o culto?

— Com satisfação.

Tom sentiu-se aliviado. Seu teste terminara, e ele fora aprovado.

— Talvez seja melhor dar uma passada na casa do prior — disse Philip ao bispo —, logo aqui em frente. — A comitiva começou a se afastar. O prior apertou o braço de Tom e disse, num murmúrio de júbilo contido: — Conseguimos!

Tom deixou escapar um suspiro de alívio quando os dignitários se afastaram. Sentia-se satisfeito e orgulhoso. Sim, pensou, conseguimos. O bispo Henry ficara mais que impressionado: ficara estupefato, a despeito de sua pose. Obviamente Waleran o preparara para um quadro de letargia e inatividade, e por isso a realidade fora ainda mais surpreendente. No fim, a maldade de Bigod trabalhara contra ele próprio e ampliara o triunfo de Philip e Tom.

Justamente quando estava se comprazendo ao calor de uma vitória honesta, ouviu uma voz familiar:

— Olá, Tom Construtor!

Virou-se e viu Ellen.

Foi a vez de ele ficar estupefato. A crise da catedral lhe ocupara tanto a mente que não pensara nela o dia inteiro. Fitou-a, alegre. Tinha a mesma aparência do dia em que fora embora: esbelta, a pele morena, o cabelo escuro que se movia como ondas numa praia, e aqueles luminosos e fundos olhos dourados. Ela sorriu com aqueles lábios cheios que sempre o faziam pensar em beijá-la.

Foi tomado pelo ímpeto de estreitá-la nos braços, mas resistiu. Com alguma dificuldade, conseguiu dizer:

— Olá, Ellen!

— Olá, Tom! — disse um rapaz a seu lado.

O construtor olhou para ele, curioso.

— Não se lembra de Jack? — perguntou ela.

— Jack! — exclamou, aturdido. O rapaz havia mudado. Estava um pouco mais alto que a mãe e tinha uma estrutura ossuda, dessas que fazem muitas avós dizer que um menino cresceu além da sua força. Ainda tinha um luminoso cabelo ruivo, pele branca e olhos azuis, mas suas feições haviam adquirido proporções mais atraentes, e um dia poderia até mesmo ser bonito.

Tom olhou de novo para Ellen. Por um momento limitou-se a desfrutar sua visão. Quis dizer: *Senti sua falta, nem sei como dizer como senti a sua falta*, e quase disse, mas perdeu a coragem e limitou-se a perguntar:

— Bem, onde tem andado?

— Estamos morando no mesmo lugar de sempre, na floresta — disse ela.

— E o que a fez voltar hoje aqui, logo hoje, entre tantos dias?

— Soubemos do apelo para voluntários e tivemos curiosidade de saber como você estava se saindo. E não me esqueci de que prometi voltar um dia.

— Fico muito contente com isso — disse Tom. — Eu estava ansiando por vê-la.

Ela se mostrou cautelosa.

– É mesmo?

Aquele era o momento pelo qual esperara e planejara durante um ano; agora que chegara, estava apavorado. Até aquele dia tinha sido capaz de viver de esperança, mas, se ela o rejeitasse, saberia que a perdera para sempre. Estava com medo. O silêncio se arrastou. Respirou fundo.

– Escute – disse. – Quero que você volte para mim. Agora, por favor, não diga nada até ouvir tudo o que tenho a lhe dizer, está bem?

– Está bem – concordou ela, em tom neutro.

– Philip é um excelente prior. O mosteiro está enriquecendo, graças à sua boa administração. Meu emprego aqui está seguro. Não teremos que palmilhar as estradas de novo, nunca mais, prometo.

– Não era isso que...

– Eu sei, mas quero lhe dizer tudo.

– Está bem.

– Construí uma casa na vila, com dois aposentos e uma chaminé, e posso aumentá-la. Não teríamos que viver no priorado.

– Mas Philip é o dono da vila.

– Ele está em dívida comigo, neste exato momento. – Tom acenou com um braço para indicar a cena à volta. – Ele sabe que não poderia ter feito isso sem mim. Se eu lhe pedir para perdoar o que você fez, e para considerar seu ano de exílio como penitência suficiente, ele concordará. Não poderá me negar isso, principalmente hoje.

– E o que me diz dos garotos? Vou ter que assistir a Alfred derramando o sangue de Jack toda vez que se sentir irritado?

– Francamente, acho que tenho a resposta para isso – disse Tom. – Alfred é pedreiro, agora. Tomarei Jack como aprendiz. Desse modo, meu filho não se ressentirá da ociosidade do seu. E você pode ensiná-lo a ler e escrever, de modo que os dois rapazes serão iguais: ambos trabalhadores, ambos alfabetizados.

– Você pensou muito nisso, não pensou?

– Pensei.

Esperou pela reação dela. Não era bom quando tentava ser persuasivo. Tudo o que podia fazer era definir a situação. Se ao menos pudesse desenhar um esboço! Achou que tinha se antecipado a todas as objeções possíveis; agora ela não podia deixar de concordar! Mas Ellen ainda hesitou.

– Não estou muito segura – disse.

Ele perdeu o autocontrole.

– Oh, Ellen, não diga isso! – Tom teve medo de chorar na frente de todas aquelas pessoas, e estava tão asfixiado que mal podia falar. – Eu a amo tanto! Por favor, não vá embora de novo – suplicou. A única coisa que me impede de ir embora é a esperança de que você volte. Simplesmente não consigo suportar a vida sem você. Não feche as portas do paraíso. Será que você não vê que eu a amo de todo o coração?

A atitude de Ellen mudou instantaneamente.

– Por que não disse, então? – sussurrou, e adiantou-se na direção de Tom. Ele passou os braços em torno dela. – Eu o amo também, seu tolo.

Ele sentiu que perdia as forças de tanta alegria. *Ela me ama, ela me ama*, pensou. Abraçou-a com força e depois encarou-a.

– Você se casará comigo, Ellen?

Havia lágrimas nos seus olhos, mas ela também sorria.

– Sim, Tom, eu me casarei com você – disse. E ergueu o rosto. Ele a puxou para junto de si e beijou-a na boca. Sonhava com aquilo há um ano. Fechou os olhos e concentrou-se no delicioso contato dos seus lábios carnudos. A boca de Ellen estava ligeiramente aberta, e os lábios, úmidos. O beijo foi tão delicioso que por um momento se esqueceu de tudo. Então alguém por perto disse:

– Não vá engoli-la, homem!

– Estamos numa igreja! – disse Tom, recuando e afastando-se dela.

– Eu não me importo – retrucou ela, alegremente, e beijou-o de novo.

O prior Philip passara a perna neles mais uma vez, pensou William amarguradamente, sentado na casa do prior, bebendo o vinho aguado de Philip e comendo doces da cozinha do priorado. William precisara de algum tempo para apreciar o brilho da vitória de Philip e a maneira como fora completa. Não havia nada de errado na avaliação feita originalmente pelo bispo Waleran; era verdade que o prior estava com pouco dinheiro e que teria grande dificuldade para construir uma catedral em Kingsbridge. Mas, a despeito disso, o astucioso monge progredira obstinadamente: contratara um mestre construtor, começando a obra, e, de repente, conseguira fazer surgir, como que por encanto, uma imensa multidão para trabalhar e enganar o bispo Henry. E este ficara mesmo muito impressionado, sobretudo porque Waleran antecipara um quadro tão desolador.

O maldito monge sabia que tinha ganhado também. Não conseguia tirar da cara o sorriso de triunfo. Agora estava mergulhado numa profunda conversação com Henry, falando animadamente sobre raças de carneiro e o preço da lã, e o bispo o ouvia com atenção, quase que com respeito, ignorando de modo rude a mãe e o pai de William, muito mais importantes que um mero prior.

Philip ia se arrepender daquele dia. Ninguém podia vencer os Hamleighs e sair impune. Não tinham alcançado a posição que desfrutavam agora permitindo que monges os suplantassem. Bartholomew de Shiring os insultara e morrera numa cela, como traidor. Philip não se sairia melhor.

Tom Construtor era outro homem que ia se arrepender de ter contrariado os Hamleighs. William não se esquecera de como Tom o desafiara em Durstead, segurando a cabeça do seu cavalo e forçando-o a pagar aos operários. Nesse domingo o chamara desrespeitosamente de "jovem lorde William". Era óbvio que estava associado em termos íntimos com Philip, construindo catedrais, e não casas de nobres. Haveria de aprender que era melhor se arriscar com os Hamleighs do que juntar forças com os inimigos deles.

William ficou sentado em silêncio, pensando nessas coisas, até que o bispo Henry se levantou e disse que estava pronto para oficiar o culto. O prior Philip fez um gesto para um noviço, que saiu correndo, e, poucos momentos depois, um sino começou a tocar.

Todos deixaram a casa, o bispo Henry em primeiro lugar, o bispo Waleran em segundo, depois o prior Philip e por fim os leigos. Todos os monges estavam esperando do lado de fora, e fizeram uma coluna atrás de Philip, formando uma procissão. Os Hamleighs tiveram que compor a retaguarda.

Os voluntários tomaram toda a metade ocidental do adro, sentando-se em muros e telhados. Henry subiu numa plataforma no meio do canteiro da obra. Os monges formaram fileiras atrás dele, onde seria o coro da nova catedral. Os Hamleighs e os outros membros leigos da comitiva do bispo dirigiram-se para onde viria a ser a nave.

Quando se ajeitaram em seus lugares, William viu Aliena.

Ela estava muito diferente. Usava roupa de tecido barato e áspero e tamancos de madeira, e a massa de cachos que ornava sua cabeça estava molhada de suor. Mas era mesmo Aliena, ainda tão bonita que sua garganta ficou seca enquanto a observava fixamente, incapaz de desviar os olhos, ao mesmo tempo que o culto tinha início e o adro se enchia com o som de milhares de vozes recitando o Pai-Nosso.

Ela pareceu sentir seu olhar intenso, pois deu a impressão de ficar perturbada, mudando o peso do corpo de um pé para o outro a todo instante, e olhando em torno como se procurasse alguém. Finalmente encontrou os olhos de William. Uma expressão de horror e medo surgiu no seu rosto, e ela se encolheu, embora estivesse a cerca de dez jardas de distância ou mais e separada dele por dúzias de pessoas. Seu medo a tornou ainda mais desejável para ele, que sentiu seu corpo reagir de um modo como não acontecia há um ano. O desejo que sentia por ela era mesclado com ressentimento por causa do encanto que havia lançado sobre ele. Aliena corou e baixou os olhos, como se estivesse envergonhada. Falou rapidamente com um menino a seu lado – aquele era o irmão, claro, pensou William, rememorando o rosto num lampejo de lembrança erótica – e depois se virou e desapareceu na multidão.

O jovem Hamleigh ficou decepcionado. Sentiu-se tentado a segui-la, mas obviamente não podia fazê-lo, em meio a um serviço religioso, na frente de seus pais, dois bispos, quarenta monges e mil fiéis. Assim, virou-se para a frente, desapontado. Perdera a chance de descobrir onde ela morava.

Embora tivesse se retirado, Aliena ainda ocupava sua mente. William perguntou-se se seria pecado ter uma ereção dentro da igreja.

Notou que seu pai parecia agitado.

– Olhe! – estava dizendo para Regan. – Olhe lá aquela mulher!

A princípio William pensou que ele deveria estar falando a respeito de Aliena. Mas ela não estava à vista, e ao seguir a direção do seu olhar, viu uma mulher com cerca de trinta anos, não tão voluptuosa quanto Aliena, mas com um jeito ágil e rebelde que a tornava interessante. Estava um pouco afastada, ao lado de Tom, o mestre construtor, e William achou que provavelmente era a mulher dele, a tal que tentara comprar na floresta há mais ou menos um ano. Mas por que seu pai haveria de conhecê-la?

– É ela? – perguntou Percy.

A mulher virou a cabeça, quase como se os tivesse ouvido, e os encarou diretamente; William viu mais uma vez seus olhos dourados, claros e penetrantes.

– É ela, por Deus! – confirmou Regan, por entre os dentes.

O olhar fixo da mulher abalou o conde. Seu rosto vermelho empalideceu e as mãos tremeram.

– Que Jesus Cristo nos proteja! – disse ele. – Pensei que estivesse morta.

E William pensou: De que diabo será que se trata?

Jack receara aquilo.

Durante todo um ano soubera que sua mãe sentia falta de Tom.

Perdera um pouco da tranquilidade anterior; com frequência tinha uma expressão sonhadora e distante; e de noite às vezes ofegava ruidosamente, como se estivesse sonhando ou imaginando que fazia amor com Tom. Jack soubera o tempo todo que ela voltaria. E agora concordara em ficar.

Detestava a ideia.

Os dois sempre tinham sido felizes juntos. Ele amava a mãe e a mãe o amava, e não havia mais ninguém para interferir.

A vida na floresta de certa forma era desinteressante, sem dúvida. Sentia falta do fascínio das multidões e das cidades que vira no breve período que vivera com a família de Tom. Sentia saudade de Martha. Aliviava o tédio da floresta devaneando acerca da garota na qual pensava como Princesa, embora soubesse que seu nome era Aliena, mesmo que isso fosse um tanto estranho. Estava interessado em trabalhar com Tom, e descobrir como eram construídos os edifícios. Entretanto, não seria mais livre. As pessoas lhe diriam o que fazer. Precisaria trabalhar, quisesse ou não. E compartilhar sua mãe com o resto do mundo.

Estava sentado no muro perto do portão do priorado, ruminando desconsoladamente essas coisas, quando ficou atônito ao ver a Princesa.

Ele piscou. Ela estava abrindo caminho por entre a massa de pessoas dirigindo-se para o portão, parecendo muito aflita. Era ainda mais bonita do que se lembrava. Antes seu corpo era mais cheio e voluptuoso, mais de garota, e se vestia com roupas caras. Agora estava mais magra e parecia mais mulher que garota. A roupa ensopada de suor colara ao seu corpo, mostrando os seios fartos e as costelas, a barriga chata, os quadris estreitos e as pernas compridas. Seu rosto estava sujo de lama, e os cachos, desalinhados. Alguma coisa a preocupava, deixando-a cheia de medo e angústia, mas a emoção apenas fazia seu rosto ficar mais radiante. Jack ficou cativado com a imagem dela. Sentiu um ardor peculiar na virilha que nunca experimentara antes.

Seguiu-a. Não foi uma decisão consciente. Estava sentado em cima do muro olhando para ela de boca aberta, e no momento seguinte atravessara o portão correndo, atrás dela. Emparelhou com Aliena na rua do lado de fora. Cheirava a almíscar, embora tivesse trabalhado duro. Lembrou-se de que antes costumava cheirar a flores.

– Algo errado? – perguntou.

– Não, não há nada errado – respondeu ela laconicamente, e apressou o passo.

Jack acompanhou seu ritmo.

– Você não se lembra de mim. A última vez em que nos encontramos me explicou como os bebês eram concebidos.

– Oh, cale-se e vá embora!

Jack parou e deixou que seguisse. Sentiu-se desapontado. Evidentemente dissera a coisa errada.

Tratara-o como a uma criança irritante. Ele tinha treze anos, mas provavelmente parecia um menino aos olhos dela, do alto dos seus dezoito anos ou mais.

Viu que se dirigia a uma casa; pegou uma chave pendurada numa correia passada em torno do pescoço e abriu a porta.

Ela morava ali mesmo!

Aquilo tornava tudo diferente.

De uma hora para a outra, a perspectiva de deixar a floresta e morar em Kingsbridge não parecia tão ruim. Veria a Princesa todos os dias, o que compensaria um bocado de coisas.

Ficou parado onde se encontrava, observando a porta, mas ela não reapareceu. Era uma coisa estranha para fazer, ficar parado na rua, na esperança de ver alguém que mal o conhecia; porém Jack não quis se mover. Estava fervilhando por dentro, com uma nova emoção. Nada mais parecia importante, exceto a Princesa. Só conseguia pensar nela. Estava encantado. Estava possuído.

Estava apaixonado.

Parte três

1140-1142

Capítulo 8

1

A prostituta que William escolheu não era muito bonita, mas tinha seios grandes e sua imensa cabeleira crespa o atraíra. Circulou em torno dele, balançando as cadeiras, e William viu que era um pouco mais velha do que pensara, talvez vinte e cinco ou trinta anos, e, embora sua boca sorrisse inocentemente, tinha olhos duros e calculistas. Walter escolheu a outra. Preferiu uma garota pequena que parecia vulnerável, com corpo de garoto, de peito chato. Depois que William e Walter fizeram sua escolha, os outros quatro cavaleiros entraram.

William os trouxera ao bordel porque precisavam se aliviar de algum modo. Não participavam de uma batalha havia meses e estavam se tornando descontentes e brigões.

A guerra civil que irrompera um ano antes, entre o rei Estêvão e sua rival Matilde, chamada de Imperatriz, atingira um intervalo de calmaria. William e seus homens seguiram Estêvão por todo o Sudoeste da Inglaterra. A estratégia dele era enérgica mas caprichosa. Atacava uma das fortalezas de Matilde com tremendo entusiasmo, mas, se não conquistasse logo uma vitória, rapidamente se cansava do sítio e seguia em frente. A liderança militar dos rebeldes não cabia a Matilde, e sim a seu meio-irmão Robert, conde de Gloucester; e até aquele momento Estêvão não conseguira forçá-lo a um confronto. Era uma guerra indefinida, com muito movimento e pouco combate de verdade, e assim os homens ficavam inquietos.

O prostíbulo era dividido por biombos em pequenos aposentos, com um colchão de palha em cada um. William e seus cavaleiros levaram as mulheres que escolheram para esses quartinhos. A de William ajustou o biombo para assegurar sua privacidade e arriou a parte de cima da camisa, expondo os seios. Eram fartos, como William vira antes, mas tinham os mamilos grandes e as pequenas veias de uma mulher que amamentara, e ele ficou um pouco desapontado.

Mesmo assim, puxou-a para junto de si e os tomou nas mãos, apertando-os e beliscando os mamilos.

– Devagar – disse ela, num tom de suave protesto. Depois o abraçou e puxou-lhe os quadris, esfregando-se contra ele. Após alguns momentos enfiou a mão por entre os corpos unidos e procurou seu membro.

William resmungou uma praga. Seu corpo não estava reagindo. – Não se preocupe – murmurou ela. Seu tom condescendente o enfureceu, mas ele nada disse quando a mulher se soltou do seu abraço e, ajoelhando-se, ergueu a parte da frente da sua túnica e começou a trabalhar com a boca.

A princípio a sensação lhe agradou, e ele pensou que tudo fosse dar certo, mas logo perdeu o interesse de novo. Olhou para o rosto dela, coisa que às vezes o inflamava, mas que agora só serviu para se lembrar do papel nada admirável que estava fazendo. Começou a se sentir furioso, o que fez seu pênis encolher mais ainda.

A mulher parou.

– Tente relaxar – disse, mas quando começou de novo, chupou com tanta força que o machucou. Ele recuou, e os dentes dela arranharam a pele delicada da glande, fazendo-o gritar. Com as costas da mão deu uma bofetada no seu rosto. Ela arquejou e caiu de lado.

– Puta desajeitada! – rosnou William. A mulher ficou deitada no colchão a seus pés, olhando-o receosamente. Ele deu-lhe um pontapé ao acaso, mais de irritação que de maldade. Pegou na barriga. Foi com mais força do que tencionara, e ela se dobrou ao meio de dor.

William percebeu que seu membro finalmente estava reagindo.

Ajoelhou-se, rolou o corpo dela para que ficasse de costas e montou. A mulher fitou-o com dor e medo nos olhos. William puxou-lhe a saia até a cintura. O pelo entre as pernas era grosso e crespo. Ele gostou disso. Acariciou a si próprio enquanto olhava para o seu corpo. A ereção ainda não estava completa. O medo começava a desaparecer dos olhos dela. Ocorreu-lhe que podia estar deliberadamente se esquivando, tentando esvaziar seu desejo para não ter que servi-lo. A ideia o enfureceu. Cerrou o punho e deu-lhe um soco com força no rosto.

Ela gritou e tentou sair de baixo dele, William descansou o peso sobre a mulher, prendendo-a no chão, mas ela continuou a lutar e a gritar. Agora o pênis estava totalmente ereto. Tentou abrir-lhe as coxas à força, mas ela resistiu.

O biombo foi empurrado para um lado e Walter entrou, usando apenas as botas e a camisa de baixo, com o membro duro lembrando um mastro de bandeira. Dois outros cavaleiros o seguiram: Gervase Feio e Hugh Machado.

– Segurem-na para mim, rapazes – ordenou William. Os três cavaleiros ajoelharam-se em torno da mulher e a imobilizaram.

William colocou-se em posição para penetrá-la e parou, desfrutando a expectativa.

– O que aconteceu, milorde? – perguntou Walter.

— Mudou de ideia quando viu o tamanho dele — disse William, com um sorriso.

Todos caíram na gargalhada. William penetrou-a. Gostava quando tinha gente olhando. Começou a se mover para dentro e para fora.

— Você me interrompeu quando eu ia enfiar o meu — disse Walter.

William pôde ver que Walter ainda não ficara satisfeito.

— Pois enfie o pau na boca desta aqui — disse. — Ela gosta.

— Vou experimentar. — Walter mudou de posição e agarrou a mulher pelos cabelos, levantando sua cabeça. A essa altura estava assustada o bastante para fazer qualquer coisa, e cooperou prontamente. Gervase e Hugh não eram mais necessários para segurá-la, mas ficaram para assistir. Pareciam fascinados. Provavelmente nunca tinham visto uma mulher servindo a dois homens ao mesmo tempo. William também nunca vira. Havia algo curiosamente excitante naquilo. Walter parecia sentir o mesmo, porque, após alguns momentos, começou a respirar com força e a se mexer mais e mais, até que gozou. Vendo-o, William gozou também um segundo ou dois mais tarde.

Um instante depois eles se levantaram. William ainda se sentia excitado.

— Por que vocês dois não trepam com ela? — disse a Gervase e a Hugh. Agradava-lhe a ideia de assistir à repetição do espetáculo.

Eles não se mostraram entusiasmados, contudo.

— Tenho uma bonequinha me esperando — disse Hugh.

— E eu também — disse Gervase. A mulher se levantou e ajeitou o vestido. A expressão do seu rosto era imperscrutável.

— Não foi tão ruim, foi? — perguntou-lhe William.

Ela parou na sua frente, encarou-o por um momento, contraiu os lábios e cuspiu. William sentiu o rosto coberto por um líquido quente e viscoso: ela retivera o sêmen de Walter na boca. Aquilo toldou-lhe a vista. Furioso, ergueu a mão para bater nela, mas a mulher fugiu, esgueirando-se por entre os biombos. Walter e os outros cavaleiros caíram na risada. William não achou nada engraçado, mas não podia correr atrás dela com o rosto coberto de sêmen, e concluiu que o único modo de preservar a dignidade era fingir que não se importava, de modo que riu também.

— Bem, milorde — disse Gervase Feio —, espero que não vá ter um bebê de Walter agora! — E todos caíram na gargalhada mais uma vez. Até mesmo William achou engraçado.

Saíram juntos do pequeno reservado, apoiando-se uns nos outros e esfregando os olhos. As outras mulheres os olhavam, ansiosas; tinham ouvido o grito da que estava com William e sentiam medo. Um ou dois clientes olharam curiosamente de seus compartimentos.

— Primeira vez que vejo aquele tipo de coisa cuspido por uma mulher! — disse Walter, fazendo com que todos começassem a rir novamente.

Um dos escudeiros de William estava de pé junto à porta, parecendo ansioso. Não passava de um rapazinho, e provavelmente nunca estivera num bordel. Sorriu, nervoso, sem saber se tinha direito de se associar às gargalhadas.

– O que você está fazendo aqui, seu cara de tacho? – perguntou William.

– Chegou uma mensagem para o senhor, milorde – disse o escudeiro.

– Bem, não perca tempo, diga-me o que é!

– Sinto muito, milorde – disse o menino. Estava tão assustado que William achou que ia se virar e sair correndo.

– O que você sente tanto, seu monte de estrume? – vociferou o lorde. – Passe-me a mensagem!

– Seu pai está morto – deixou escapar o rapaz, caindo no choro.

William arregalou os olhos, estupefato. Morto?, pensou. Morto?

– Mas ele está em perfeito estado de saúde! – gritou estupidamente. Era verdade que seu pai já não era capaz de lutar num campo de batalha, mas isso não era de espantar num homem de quase cinquenta anos. O escudeiro continuou a chorar. William rememorou a aparência de seu pai na última vez em que o vira: corpulento, o rosto vermelho, vigoroso e irascível, tão cheio de vida quanto um homem poderia ser, e isso apenas há... William percebeu, com um pequeno choque, que já fazia quase um ano que não via o pai.

– O que aconteceu? – perguntou ao escudeiro. – O que aconteceu a ele?

– Teve um ataque, milorde – soluçou o escudeiro.

Um ataque. A notícia começou a ser digerida. Seu pai estava morto. Aquele homem grande, forte, dado a rompantes, irritadiço, estava deitado impotente e frio sobre uma laje de pedra.

– Tenho que ir para casa – disse William, de súbito.

– Primeiro vai ter que pedir ao rei para liberá-lo – lembrou Walter delicadamente.

– Sim, sim, tem razão – concordou ele, meio confuso. – Tenho que pedir permissão. – Não conseguia pensar direito.

– Devo dar dinheiro à cafetina? – perguntou Walter.

– Sim. – William entregou-lhe sua bolsa. Alguém pôs a capa dele sobre os seus ombros. Walter murmurou qualquer coisa para a cafetina e lhe deu dinheiro. Hugh abriu a porta para William. Todos saíram.

Atravessaram as ruas da cidadezinha em silêncio. William se sentia alheio, como se estivesse observando tudo de cima. Não podia aceitar o fato de que seu pai já não existia. Quando se aproximou do quartel-general, tentou recuperar o controle.

O rei Estêvão instalara sua corte na igreja, pois não havia castelo ou prefeitura ali. Era uma igreja pequena e simples, de pedra, com as paredes internas pintadas de vermelho, azul e laranja brilhantes. Um fogo fora aceso no meio do chão.

O rei, um homem bonito, de cabelo castanho-alourado, estava sentado perto do fogo num trono de madeira, com as pernas esticadas na posição em que costumava relaxar. Usava roupas de soldado, botas altas e túnica de couro, mas tinha uma coroa em vez de um elmo. William e Walter abriram caminho por entre a multidão de peticionários nas proximidades da porta da igreja, balançaram a cabeça para os guardas que mantinham o público em geral a distância e entraram. Estêvão conversava com um conde recém-chegado, mas viu William e interrompeu imediatamente.

– William, meu amigo. Você já soube...

William fez uma reverência.

– Majestade.

Estêvão levantou-se.

– Lamento por você – disse. Abraçou William por um momento.

Sua solidariedade trouxe as primeiras lágrimas aos olhos do lorde.

– Tenho que lhe pedir licença para ir à minha casa – disse ele.

– Concedida de boa vontade, embora não alegremente – disse o rei. – Sentiremos falta de seu forte braço direito.

– Muito obrigado, majestade.

– Concedo-lhe também a custódia do condado de Shiring, e todas as rendas por ele geradas, até que a questão da sucessão seja decidida. Vá para casa, enterre seu pai e volte para nós o mais cedo que puder.

William fez outra reverência e retirou-se. O rei retornou à sua conversa. Cortesãos acercaram-se de William para lhe apresentar os pêsames. Foi nessa hora que o significado do que o rei lhe dissera o atingiu. Ele dera a William a custódia do condado *até que a questão da sucessão fosse decidida*. Que questão? William era filho único. Como poderia haver uma questão? Olhou para os rostos à sua volta e se deteve num jovem padre que era o mais inteligente dos clérigos do rei. Puxou-o para junto de si e perguntou baixinho:

– Que diabo ele quis dizer com a "questão" da sucessão, Joseph?

– Há outro pretendente ao condado – respondeu Joseph.

– Outro pretendente? – repetiu William, atônito. Não tinha meios-irmãos, irmãos ilegítimos, primos... – Quem é?

Joseph apontou para um vulto de costas para eles. Estava com os recém-chegados. Usava traje de escudeiro.

– Mas ele não é nem sequer cavaleiro! – disse William, em voz alta. – Meu pai era o conde de Shiring!

O escudeiro o ouviu e se virou.

– Meu pai também era o conde de Shiring.

A princípio William não o reconheceu. Era um rapaz bonito, de ombros largos, de cerca de dezoito anos, bem-vestido para um escudeiro, e com uma bela espada. Havia confiança e até mesmo arrogância na sua atitude. O mais impressionante de tudo era que o olhava com tanto ódio que William se encolheu.

O rosto era muito familiar, mas mudado. Ainda assim, não conseguiu se lembrar de quem era. Depois viu que havia uma feia cicatriz na orelha direita do escudeiro, onde o lobo fora cortado. Num lampejo vívido da memória ele viu um pedacinho de carne branca caindo no peito arfante de uma virgem aterrorizada, e ouviu o grito de dor de um menino. Aquele era Richard, o filho do traidor Bartholomew, irmão de Aliena. O garotinho que tinha sido forçado a assistir a dois homens estuprando sua irmã crescera e se tornara um homem temível, com o brilho da vingança nos olhos azul-claros. William sentiu-se, de repente, terrivelmente amedrontado.

— Você se lembra, não se lembra? — perguntou Richard, num tom delicado que não disfarçou o frio ódio que sentia.

— Eu me lembro — assentiu William.

— Eu também, William Hamleigh — disse Richard. — Eu também.

William estava sentado na cadeira grande, à cabeceira da mesa, onde seu pai costumava sentar-se. Sempre soubera que ocuparia aquele lugar um dia. Imaginara que se sentiria imensamente poderoso quando o fizesse, mas na verdade estava um pouco assustado. Tinha medo de que dissessem que ele não era o homem que seu pai fora e que o desrespeitassem.

Sua mãe ficava à sua direita. Frequentemente a observara, com seu pai sentado à cabeceira, e vira o modo como jogava com os medos e fraquezas do marido para conseguir o que queria. Estava determinado a não deixar que fizesse o mesmo com ele.

À sua esquerda estava sentado Arthur, um homem grisalho e de maneiras conciliadoras que tinha sido alcaide de Bartholomew. Depois que se tornara conde, Percy contratara Arthur por ter um bom conhecimento da propriedade. William sempre tivera suas dúvidas quanto a esse argumento. Os empregados de outras pessoas sempre tendem a se manter aferrados aos hábitos do antigo empregador.

— O rei Estêvão *não pode* fazer de Richard o conde — estava dizendo sua mãe furiosamente. — Ele não passa de um escudeiro!

— Não compreendo nem como conseguiu ser escudeiro — disse William, irritado. — Pensei que tinha ficado completamente sem dinheiro. Mas estava bem-vestido e com uma boa espada. Onde arranjou o dinheiro?

— Ele se estabeleceu como mercador de lã — disse Regan. — Tem muito dinheiro. Ou melhor, sua irmã tem; soube que é Aliena que dirige o negócio.

Aliena. Então ela estava por trás daquilo. William nunca a esquecera, mas ela não atormentava tanto os seus pensamentos desde que a guerra irrompera, até que tinha encontrado Richard. Desde então estivera em sua lembrança continuamente, tão jovem e bonita, tão frágil e desejável como sempre. William a odiava pelo poder que exercia sobre ele.

— Então Aliena está rica agora? — perguntou, afetando indiferença.

— Sim. Mas você combateu pelo seu rei durante um ano. Ele não pode recusar sua herança.

— Parece que Richard lutou corajosamente também — disse William. — Fiz investigações. Pior ainda, sua coragem chegou ao conhecimento do rei.

A expressão de sua mãe mudou do escárnio colérico para um ar pensativo.

— Então ele realmente tem uma chance.

— Receio que sim.

— Certo. Então temos que repeli-lo.

— Como? — perguntou William automaticamente. Tinha resolvido não deixar sua mãe assumir o comando, mas acabara de lhe dar mais uma oportunidade.

— Você precisa voltar para junto do rei com um maior efetivo de cavaleiros, novas armas e melhores cavalos, e com muitos escudeiros e homens de armas.

William teria gostado de discordar, mas viu que ela estava com a razão. No final o rei provavelmente daria o condado ao homem que prometesse ser seu partidário mais efetivo, a despeito do que fosse certo ou errado no caso.

— E isso não é tudo — prosseguiu sua mãe. — Você deve se cuidar para ter atitudes e aparência de um conde. Assim o rei começará a ver sua designação como algo inevitável.

A despeito de si próprio, William ficou intrigado. — E como um conde deve parecer e agir?

— Diga mais o que pensa. Tenha uma opinião a respeito de tudo: como o rei deveria conduzir a guerra, a melhor tática para cada batalha, a situação política no Norte e, especialmente isto, a capacidade e a lealdade dos outros condes. Fale com um homem sobre o outro. Diga ao conde de Huntingdon que o conde de Warenne é um grande combatente; diga ao bispo de Ely que não confia no xerife de Lincoln. As pessoas dirão ao rei: "William de Shiring está na facção do conde de Warenne", ou "William de Shiring e seus seguidores são contra o xerife de Lincoln". Se você parecer poderoso, o rei se sentirá à vontade lhe dando mais poder.

William tinha pouca fé em tamanha sutileza.

— Acredito que o tamanho do meu exército terá mais importância. — Ele se virou para o alcaide. — Quanto há no meu tesouro, Arthur?

— Nada, milorde — respondeu Arthur.

— Que diabo é isso que você está falando? — perguntou William de modo áspero. — Tem que haver alguma coisa! Quanto é?

Arthur tinha um ar ligeiramente superior, como se não tivesse nada a temer de William.

— Milorde, não há dinheiro algum no tesouro. — William teve ímpetos de estrangulá-lo.

— Isto aqui é o condado de Shiring! — exclamou, alto o bastante para fazer os cavaleiros e os funcionários do castelo sentados mais longe levantarem a cabeça. — Tem que haver dinheiro!

— O dinheiro entra o tempo todo, milorde, é claro — disse Arthur, maneirosamente. — Mas sai de novo, sobretudo em tempo de guerra.

William examinou o rosto pálido e barbeado. Arthur era por demais pretensioso. Seria honesto? Não havia como dizer. Gostaria de ter olhos capazes de enxergar o coração de um homem.

Regan sabia o que o filho estava pensando.

— Arthur é honesto — disse, sem se importar com a presença do homem ao seu lado. — Está velho, é indolente e teimoso, mas é honesto.

William ficou desolado. Acabara de se sentar naquela cadeira e seu poder já estava encolhendo, como que por mágica. Sentiu-se amaldiçoado. Parecia haver uma lei dizendo que William seria sempre um menino entre os homens, não importa quão velho ficasse.

— Como foi que isso aconteceu? — perguntou debilmente.

— Seu pai esteve doente a maior parte do ano antes de morrer — disse a mãe. — Vi que estava deixando as coisas se descontrolarem, mas não pude fazer com que tomasse uma providência qualquer.

Era novidade para William que sua mãe não fosse onipotente.

Jamais a vira antes incapaz de conduzir os acontecimentos ao seu modo. Virou-se para Arthur:

— Temos algumas das melhores fazendas do reino aqui. Como podemos estar sem dinheiro?

— Algumas das fazendas passam por dificuldades, e diversos arrendatários estão em atraso com suas contribuições.

— Mas por quê?

— Uma das razões que ouço frequentemente é que os rapazes não querem trabalhar na terra; preferem ir para as cidades.

— Então temos que detê-los!

Arthur deu de ombros.

— Uma vez que um servo tenha vivido numa cidade por um ano, torna-se um homem livre. É a lei.

— E o que me diz dos rendeiros que não pagaram? O que fez com eles?

— O que se pode fazer? Tirando seu ganha-pão, jamais serão capazes de pagar. Temos então que ser pacientes, e esperar que uma boa colheita os capacite a pagar o que devem.

Arthur estava alegre demais com sua incapacidade para resolver qualquer problema, pensou William furioso; porém, conteve a irritação por aquele momento.

— Bem, se todos os rapazes estão indo para as cidades, o que há com os aluguéis das casas de nossa propriedade em Shiring? Devia entrar algum dinheiro por aí.

— Pode parecer estranho, mas não tem entrado nada — disse Arthur. — Há muitas casas vazias em Shiring. Os jovens devem estar indo para algum outro lugar.

— Ou as pessoas estão mentindo para você — disse William. — Suponho que vá dizer que a receita do mercado de Shiring e da feira de lá também caiu?

— Sim...

— Então por que não aumenta os aluguéis e os impostos?

— Já aumentamos, milorde, seguindo ordens do seu falecido pai, mas assim mesmo a receita continuou caindo.

— Com uma propriedade tão improdutiva, como Bartholomew conseguia sobreviver? — exclamou William, exasperado.

Arthur tinha uma resposta até mesmo para isso.

— Ele também tinha a pedreira. Gerava uma grande soma de dinheiro, antigamente.

— E agora está nas mãos daquele maldito monge! — William estava abalado. Justamente quando precisava fazer uma dispendiosa exibição, diziam-lhe que não tinha dinheiro. A situação era muito perigosa. O rei apenas lhe concedera a custódia de um condado. Era uma espécie de prova. Se retornasse à corte com um exército diminuto, pareceria ingrato, até mesmo desleal.

Além disso, o quadro que Arthur pintara não podia ser inteiramente verdadeiro. William tinha certeza de que as pessoas o estavam enganando — e que provavelmente riam às suas costas, também. A ideia o enfureceu. Não iria tolerar aquilo. Mostraria a eles. Haveria sangue derramado antes que aceitasse a derrota.

— Você tem uma desculpa para tudo — disse a Arthur. — A verdade é que deixou esta propriedade se deteriorar durante a doença do meu pai, quando deveria ter sido mais cuidadoso.

— Mas, milorde...

— Cale a boca ou mandarei açoitá-lo — disse William, erguendo a voz.

Arthur empalideceu e ficou em silêncio.

— A partir de amanhã — disse William —, vamos percorrer o condado. Visitaremos todas as aldeias de minha propriedade, e vamos sacudi-las. Você pode não saber como lidar com camponeses chorões e mentirosos, mas eu sei. Verificaremos quanto o meu condado está empobrecido. E, se você tiver mentido, juro por Deus que será o primeiro de muitos enforcados.

* * *

Juntamente com Arthur, ele levou seu criado Walter, e os outros quatro cavaleiros que haviam combatido com ele no último ano: Gervase Feio, Hugh Machado, Gilbert de Rennes e Miles Dados. Eram todos homens grandes, violentos, que se enfureciam rapidamente e estavam sempre prontos para lutar. Montaram seus melhores cavalos e se armaram até os dentes, para assustar os camponeses. William acreditava que um homem era impotente a menos que o temessem.

Era um dia quente do final do verão, e o trigo podia ser visto empilhado em feixes volumosos no campo. A abundância daquela riqueza visível enfureceu William mais ainda. Alguém *tinha* que estar roubando o condado de Shiring. Era preciso que ficassem tão assustados que não se atrevessem a roubá-lo. Sua família ganhara o condado quando Bartholomew caíra em desgraça, e no entanto ele estava sem dinheiro, enquanto o filho de Bartholomew tinha muito! A ideia de que o estivessem roubando e rindo de sua ignorância ingênua assaltou-o como uma dor de estômago, e ele ficou ainda mais furioso à medida que prosseguia a viagem.

Decidira começar por Northbrook, uma pequena aldeia um tanto afastada do castelo. Os aldeões eram uma mistura de servos com homens livres. Os servos eram propriedade de William, e não podiam fazer nada sem a sua permissão. Eles lhe deviam um certo número de dias de trabalho em determinadas épocas do ano, mais uma fração daquilo que colhiam. Os homens livres só lhe pagavam aluguel, em dinheiro ou em espécie. Cinco deles estavam atrasados. William achava que eles pensavam que ficariam impunes, por causa da grande distância do castelo. Talvez fosse um lugar bom para começar a acenar as coisas.

Era uma longa jornada, e o sol estava alto quando se aproximaram do vilarejo. Havia vinte ou trinta casas cercadas por três campos extensos, todos agora ceifados. Perto delas, na orla de um dos campos, havia um grupo de três grandes carvalhos. Quando William e seus homens se aproximaram, viram que a maioria dos aldeões parecia estar sentada à sombra das árvores, comendo. Esporeou seu cavalo, diminuindo o galope nas últimas centenas de jardas, e os outros o seguiram. Pararam em frente aos aldeões, em meio a uma nuvem de pó.

Enquanto estes se punham de pé apressadamente, engolindo o pão de massa grossa e tentando impedir que a poeira lhes entrasse nos olhos, o olhar desconfiado de William acompanhou um curioso pequeno drama. Um homem de meia-idade de barba preta falou baixo mas com premência com uma garota de cara vermelha e gorda, que tinha no colo um bebê também gordo e de bochechas vermelhas. Um rapaz juntou-se a eles e foi afastado pelo homem mais velho. Então a garota saiu na direção das casas, aparentemente sob protesto, e desapareceu na poeira. William ficou intrigado. Havia algo de furtivo naquela cena, e ele gostaria que sua mãe estivesse presente para interpretá-la.

Decidiu nada fazer por ora. Dirigiu-se a Arthur falando alto o bastante para que todos o ouvissem:

— Cinco dos meus arrendatários livres aqui estão atrasados no pagamento, está correto?

— Sim, milorde.

— Quem é o pior?

— Athelstan não paga há dois anos, mas tem tido muita falta de sorte com seus porcos...

William falou por cima de Arthur, interrompendo-o.

— Qual de vocês é Athelstan?

Um homem alto, de ombros curvados e cerca de quarenta e cinco anos, adiantou-se. Seu cabelo era ralo, e os olhos, lacrimosos.

— Por que você não me paga o aluguel? — indagou William.

— Milorde, é uma pequena propriedade arrendada, e não tenho ninguém para me ajudar, agora que meus filhos foram trabalhar na cidade, e houve a febre suína...

— Espere um pouco — interrompeu William. — Para onde seus filhos foram?

— Para Kingsbridge, lorde, trabalhar na obra da nova catedral, pois querem se casar, como todos os rapazes, e minha terra não dá para sustentar três famílias.

William guardou num canto da memória, para reflexão futura, a informação de que os rapazes tinham ido trabalhar na Catedral de Kingsbridge.

— A sua terra é suficiente para sustentar uma família, de qualquer modo, mas ainda assim você não paga o que deve.

Athelstan começou a falar sobre os porcos de novo. William fixou nele um olhar malévolo, sem ouvir o que falava. Eu sei por que você não pagou, pensou ele; você sabia que o seu lorde estava doente e decidiu enganá-lo enquanto ele era incapaz de fazer valer seus direitos. Os outros quatro delinquentes pensaram da mesma forma. Vocês nos roubam quando estamos fracos!

Por um momento ele se encheu de autocomiseração. Os cinco haviam rido um bocado, exultantes com a sua esperteza, não tinha dúvida. Pois bem, agora aprenderiam sua lição.

— Gilbert e Hugh — disse serenamente. — Peguem este camponês e o imobilizem.

Athelstan ainda estava falando. Os dois cavaleiros desmontaram e se aproximaram dele. Sua história de febre suína deu em nada. Os cavaleiros o seguraram pelos braços. Ele ficou branco de medo.

William dirigiu-se a Walter no mesmo tom de voz sereno.

— Trouxe suas luvas de cota de malha?

— Sim, milorde.

– Calce-as. Dê uma lição em Athelstan. Mas assegure-se de que ele viva, para espalhar a notícia.

– Sim, milorde. – Walter apanhou no alforje um par de manoplas de couro com uma fina malha de ferro costurada nos nós e na parte de trás dos dedos. Calçou-as lentamente. Todos os aldeões assistiam, aterrorizados, e Athelstan começou a gemer de medo.

Walter desmontou, aproximou-se do camponês e deu-lhe um soco no estômago com punho de ferro. O barulho foi incrivelmente alto. Athelstan dobrou-se ao meio, tão sem ar que não pôde gritar. Gilbert e Hugh o puseram na vertical, e Walter acertou-lhe o rosto. O sangue jorrou da sua boca e do nariz. Um dos observadores, uma mulher, que presumivelmente era sua esposa, pulou em cima de Walter, gritando:

– Pare! Deixe-o! Não o mate!

Walter empurrou-a para longe, e duas outras mulheres a agarraram e puxaram para trás. Ela continuou a lutar e a gritar. Os outros camponeses observaram em silêncio revoltado Walter surrar Athelstan sistematicamente até que seu corpo arriou, o rosto coberto de sangue e os olhos fechados, inconscientes.

– Soltem-no – disse William por fim.

Gilbert e Hugh o largaram. Ele caiu no chão e ficou imóvel. As mulheres soltaram a esposa dele, e ela correu, soluçando, indo ajoelhar-se ao seu lado. Walter tirou as manoplas e limpou o sangue e os pedaços de carne que tinham ficado presos na malha.

William já perdera o interesse em Athelstan. Correndo os olhos pela aldeia, viu uma estrutura de madeira que parecia nova, com dois andares, erguida às margens de um regato. Apontou para ela e perguntou a Arthur:

– O que é aquilo?

– Ainda não tinha visto, milorde – respondeu Arthur, nervosamente.

William achou que ele estava mentindo.

– É um moinho d'água, não é?

Arthur deu de ombros, mas sua indiferença não foi convincente.

– Não posso imaginar o que mais poderia ser, estando ali na margem do riacho.

Como podia ser tão insolente, quando acabara de ver um camponês ser espancado quase até a morte por sua ordem? Quase em desespero, William perguntou:

– Os meus servos podem construir moinhos sem a minha permissão?

– Não, milorde.

– Sabe *por que* isso é proibido?

– Para que eles tenham que levar seu cereal aos moinhos do lorde e paguem pela moagem.

– E com isso o lorde lucra.

– Sim, milorde. – Arthur falou no tom condescendente de quem explica alguma coisa elementar a uma criança. – Mas se pagarem uma multa pela construção do moinho, o lorde lucrará do mesmo modo.

William achou seu tom de voz exasperador.

– Não, ele não lucrará a mesma coisa. A multa nunca representa o mesmo que os camponeses teriam que pagar de outro modo. É por isso que eles adoram construir moinhos. E é por isso que meu pai nunca lhes concedeu permissão. – Sem dar a Arthur uma chance para replicar, William esporeou o cavalo e foi até o moinho. Seus cavaleiros o seguiram, e os aldeões vieram atrás, um bando esfarrapado.

William desmontou. Não havia dúvida do que era a construção.

Uma grande roda de moinho girava sob a pressão da rápida correnteza do riacho. A roda acionava um eixo que atravessava a parede lateral do moinho. Era uma sólida construção de madeira, feita para durar. Quem quer que a tivesse levantado, esperava claramente ser livre para usá-la por muitos anos.

O moleiro ficou parado do lado de fora da porta aberta, exibindo uma expressão ensaiada de inocência ofendida. No aposento às suas costas havia sacos de grão em pilhas bem arrumadas. O moleiro fez uma reverência polida, mas não haveria um quê de escárnio no seu olhar? Mais uma vez William teve a penosa sensação de que aquela gente pensava que ele era um joão-ninguém, e sua incapacidade de impor sua vontade fazia com que se sentisse impotente. A indignação e a frustração o dominaram e ele gritou com o moleiro furiosamente:

– O que o fez pensar que conseguiria sair impune com isso? Imagina que sou estúpido? É isso? É isso o que pensa? – Nesse momento ele deu um soco na cara do homem.

O moleiro deu um grito exagerado de dor e caiu no chão desnecessariamente.

William passou por cima dele e entrou. O eixo da roda do moinho estava ligado, por um conjunto de engrenagens de madeira, ao eixo da pedra do moinho no andar de cima. O grão moído caía por uma calha na eira, no nível do solo. O segundo andar, que tinha que sustentar o peso da pedra de amolar, era escorado por quatro vigas grossas (tiradas da floresta de William sem permissão, indubitavelmente). Se as vigas fossem cortadas, toda a construção desmoronaria.

William saiu. Hugh carregava a arma que lhe dera o nome, amarrada na sela.

– Dê-me seu machado de batalha – disse William. O cavaleiro obedeceu. William entrou de novo e começou a dar machadadas nas vigas que sustentavam o andar de cima.

Deu-lhe grande satisfação ouvir o barulho surdo da lâmina do machado batendo na construção que os camponeses tinham levantado tão cuidadosamente, na sua tentativa de fraudá-lo, não pagando as taxas de moagem. Não estão rindo de mim agora, pensou, furioso.

Walter entrou e ficou olhando. O lorde abriu uma incisão profunda em um dos suportes e partiu para outro. A plataforma acima, que sustentava o peso enorme da pedra do moinho, começou a tremer.

— Arranje uma corda — disse William. Walter saiu.

O lorde cortou mais duas vigas tão profundamente quanto se atreveu. A construção estava pronta para ruir. Walter voltou com um pedaço de corda. William amarrou a corda a uma das vigas e carregou a outra ponta para fora, atando-a ao pescoço do seu cavalo de batalha.

Os camponeses assistiram a tudo em taciturno silêncio.

— Onde está o moleiro? — perguntou William, quando a corda foi amarrada.

O moleiro se aproximou, ainda tentando parecer uma pessoa que estava sendo tratada injustamente.

— Gervase — disse William —, amarre-o e coloque-o lá dentro.

O moleiro tentou fugir, mas Gilbert o derrubou e se sentou em cima dele; Gervase amarrou-lhe as mãos e os pés com tiras de couro. Os dois cavaleiros o levantaram. Ele começou a lutar e a suplicar misericórdia.

— Você não pode fazer isto — disse um dos aldeões, destacando-se da multidão. — É assassinato. Nem mesmo um lorde pode cometer assassinatos.

William apontou um dedo trêmulo para ele.

— Se você abrir de novo a boca eu o porei lá dentro com ele.

Por um momento o homem pareceu disposto a continuar desafiando William; depois pensou melhor e desistiu, afastando-se.

Os cavaleiros saíram do moinho. William fez seu cavalo adiantar-se até esticar a corda. Bateu na garupa do animal e ele começou a puxar.

Dentro do moinho, o moleiro começou a gritar. O barulho era pavoroso, de um homem tomado por terror mortal, um homem que sabia que dentro de momentos seria esmagado até morrer.

O cavalo balançou a cabeça, tentando afrouxar a corda passada no seu pescoço. William gritou e bateu na sua garupa para obrigá-lo a puxar, depois gritou com os cavaleiros:

— Puxem a corda, homens!

Os quatro agarraram a corda e puxaram juntamente com o cavalo. Os aldeões gritaram, protestando, mas estavam por demais apavorados para interferir. Arthur ficou de lado, parecendo nauseado.

Os gritos do moleiro ficaram mais agudos. William imaginou o terror cego que devia estar se apoderando do homem enquanto aguardava sua morte horrorosa. Nenhum daqueles camponeses jamais se esquecerá da vingança dos Hamleighs, pensou.

A viga rangeu ruidosamente; em seguida houve um forte estalo quando quebrou. O cavalo deu um pulo para a frente e os cavaleiros largaram a corda. Um canto do telhado cedeu. As mulheres começaram a gemer. As paredes de madeira do moinho pareceram estremecer; os gritos do moleiro ficaram mais altos; houve um estrondo violento quando o andar de cima cedeu; e os gritos cessaram abruptamente quando a pedra caiu no andar térreo. As paredes se estilhaçaram, o telhado desabou e, num instante, o moinho não passava de uma pilha de lenha com um homem morto embaixo.

William começou a sentir-se melhor.

Alguns aldeões correram e começaram a cavar freneticamente por entre os escombros. Se esperavam encontrar o moleiro vivo, ficariam desapontados. Seu corpo seria uma visão medonha. Tanto melhor.

Olhando em torno, William localizou a garota de rosto vermelho com o bebê de rosto também vermelho, bem atrás da multidão, como se tentasse passar despercebida. Lembrou-se de como o homem da barba escura – presumivelmente seu pai – insistira para que se mantivesse escondida. Decidiu resolver aquele mistério antes de deixar o vilarejo. Seu olhar encontrou o dela, e fez um sinal para que se aproximasse. Ela olhou para trás, na esperança de que William estivesse indicando outra pessoa.

– Você – confirmou William. – Venha cá.

O homem de barba preta a viu e deixou escapar um grunhido de exasperação.

– Quem é o seu marido, garota? – perguntou William.

– Ela não tem... – começou o pai.

Era tarde demais, contudo, pois a garota respondeu:

– Edmund.

– Então você *é* casada. Mas quem é o seu pai?

– Sou eu – disse o homem da barba preta. – Theobald.

William virou-se para Arthur.

– Theobald é um homem livre?

– É um servo, lorde.

– E quando a filha de um servo se casa, o lorde não tem o direito, como seu dono, de desfrutá-la na noite de núpcias?

Arthur ficou chocado.

– Milorde! Esse costume primitivo não tem sido obedecido nesta parte do mundo há tanto tempo que não há lembrança de quando era!

– É verdade – concordou William. – Em vez disso, o pai paga uma multa. Quanto foi que Theobald pagou?

– Ele ainda não pagou, milorde, mas...

– Não pagou! E ela com um filho gordo de cara vermelha!

– Nunca tivemos o dinheiro – disse Theobald –, e ela ficou grávida de Edmund e quis se casar, mas agora podemos pagar, pois a safra já foi colhida.

William sorriu para a garota.

– Deixe-me ver o bebê.

Ela o encarou medrosamente.

– Venha. Dê-me a criança.

Ela estava com medo, mas não foi capaz de resistir. William adiantou-se e pegou a criança delicadamente. Os olhos da mulher encheram-se de terror, mas ela não foi capaz de fazer nada.

O bebê começou a gritar. William segurou-o por um momento, depois o agarrou pelos tornozelos com uma das mãos e, com um movimento rápido, atirou-o no ar, o mais alto que pôde.

A mãe berrou como uma alma do outro mundo anunciando uma morte e ficou olhando para cima, vendo o bebê voar para o alto.

O pai correu com os braços estendidos para pegá-lo quando caísse.

Enquanto a garota olhava o que acontecia com seu filho e gritava, William agarrou um pedaço do seu vestido e o rasgou. Seu corpo era redondo, cor-de-rosa.

O pai pegou o bebê em segurança.

A garota virou-se para correr, mas William pegou-a e atirou-a ao chão.

Edmund entregou o bebê a uma mulher e virou-se para encarar William.

– Como não me foi dado o devido na noite de núpcias, e a multa não foi paga, tomarei o que me é devido agora.

O pai correu para cima dele. William desembainhou a espada. O pai se deteve.

O lorde olhou para a garota, caída no chão, tentando cobrir a nudez com as mãos. O medo dela o excitou.

– E quando eu tiver acabado, meus cavaleiros a possuirão também – disse, com um sorriso satisfeito.

2

Em três anos Kingsbridge mudara ao ponto de não poder ser reconhecida. William não ia lá desde o domingo de Pentecostes, quando Philip e seu exército de voluntários frustraram o esquema de Waleran Bigod. Havia então umas quarenta ou cinquenta casas de madeira agrupadas em torno do portão do priorado e espalhadas ao longo da trilha lamacenta que levava à ponte. Agora, ele podia ver, ao se aproximar da aldeia atravessando os campos ondulados, que havia um número de casas três vezes maior, no mínimo. Formavam uma orla marrom à volta do muro cinzento de pedra, e enchiam por completo o espaço entre o priorado e o rio. Diversas casas pareciam grandes. No interior do adro havia novas construções de pedra, e as paredes da igreja pareciam estar subindo depressa. Havia dois novos embarcadouros na margem do rio, Kingsbridge tornara-se uma cidade.

A aparência do lugar confirmou uma suspeita que viera aumentando na sua cabeça desde que voltara da guerra. Ao percorrer o condado, cobrando aluguéis em atraso e aterrorizando servos desobedientes, sempre ouvia falar em Kingsbridge. Rapazes sem terra iam para lá, a fim de trabalhar; famílias prósperas mandavam os filhos estudarem na escola do priorado; pequenos arrendatários vendiam ovos e queijos aos homens que trabalhavam no canteiro da obra; e todos que podiam iam lá nos dias santos, muito embora não houvesse uma catedral. Aquele era um dia santo – dia de são Miguel, que, naquele ano, caíra num domingo. Era uma manhã de início de outono, com uma temperatura agradável para viajar, de modo que devia encontrar uma boa multidão. William esperava descobrir o que atraía toda aquela gente a Kingsbridge.

Seus cinco sequazes o acompanhavam. Tinham feito um excelente trabalho nas aldeias. A notícia da viagem de William pelo condado espalhou-se com fantástica rapidez, e depois dos primeiros dias, todos sabiam o que esperar. Quando o lorde se aproximava mandavam as crianças e as mulheres novas se esconderem nos bosques. Agradava a William causar medo no coração daquela gente. Sem dúvida nenhuma agora sabiam quem estava no comando!

Quando o grupo se aproximou de Kingsbridge, ele esporeou o cavalo, passando para um trote, e os outros o imitaram. Chegar numa andadura mais rápida era sempre mais impressionante. As pessoas se encolhiam do lado da estrada ou pulavam no mato, para sair da frente dos enormes cavalos.

Atravessaram ruidosamente a ponte de madeira, ignorando o posto de pedágio, mas a rua estreita adiante deles estava bloqueada por uma carroça carregada de barris de cal e puxada por uma parelha de bois enormes e lentos; os cavalos foram forçados a reduzir a marcha de maneira abrupta.

William olhou em torno enquanto subiam a elevação atrás do carro de boi. Casas novas, construídas apressadamente, enchiam os espaços entre as antigas. Notou uma locanda, uma cervejaria, um ferreiro e um fabricante de calçados. O ar de prosperidade era inconfundível. William sentiu inveja.

Não havia muita gente na rua, contudo. Talvez todos estivessem no priorado.

Com os cavaleiros à sua retaguarda, ele seguiu o carro de boi quando passou pelo portão do priorado. Não era o tipo de entrada que preferia, e sentiu uma pontada de ansiedade, com medo de que notassem sua presença e rissem dele, mas por sorte ninguém sequer olhou.

Por contraste com a cidade deserta do lado de fora das muralhas, o adro fervilhava de atividade.

William sofreou sua montaria e deu uma olhada em torno, tentando registrar tudo. Havia tanta gente, e tanta coisa estava acontecendo, que a princípio achou tudo aquilo estonteante. Depois a cena pôde ser classificada em três seções.

Bem perto dele, na extremidade oeste do adro, havia um mercado. As bancas eram dispostas em fileiras no sentido norte-sul, e centenas de pessoas circulavam por entre elas, comprando comida e bebida, chapéus e sapatos, facas, cintos, patinhos, cachorrinhos, panelas, brincos, lã, linha, corda, e dúzias de outras necessidades e luxos. Não havia dúvida de que o mercado era muito próspero, e o dinheiro que trocava de mãos ali devia constituir uma grande soma.

Não era de admirar, pensou William amarguradamente, que o mercado de Shiring estivesse em declínio, quando havia uma alternativa florescente ali em Kingsbridge. Os aluguéis das bancas, o pedágio cobrado dos fornecedores e os impostos sobre as vendas deviam estar enchendo as burras do priorado de Kingsbridge.

Mas um mercado precisava de uma licença do rei, e William tinha certeza de que o prior Philip não possuía essa licença. Provavelmente planejava requerê-la assim que fosse apanhado, como o moleiro de Northbrook. Lamentavelmente não seria tão fácil para William dar-lhe uma lição, como acontecera com o moleiro.

Após o mercado havia uma zona de tranquilidade. Do lado do claustro, onde era antes a interseção da nave com os transeptos da igreja velha, havia um altar sob um dossel, com um monge de cabelos brancos em frente, lendo qualquer coisa que estava num livro. Do lado mais distante do altar, monges dispostos em fileiras precisas cantavam hinos, embora a distância seu canto desaparecesse com o barulho do mercado. A congregação era pequena; com certeza eram as nonas, um culto que só dizia respeito aos monges, pensou William; todo o trabalho e as vendas no mercado seriam interrompidos pelo culto principal de são Miguel, claro.

Na ponta mais longíqua do adro, a extremidade leste da catedral estava sendo construída. Era ali que o prior Philip gastava o lucro imerecido que tinha com o mercado, pensou William, amargurado. As paredes estavam com trinta ou quarenta pés de altura, e já era possível ver o contorno das janelas e dos arcos. Trabalhadores fervilhavam por toda parte. William estranhou a aparência deles, e após um momento se deu conta de que era a roupa colorida. Não eram trabalhadores regulares, claro – o efetivo que trabalhava por dinheiro certamente estaria de folga. Eram voluntários.

Não esperava que houvesse *tantos*. Centenas de homens e mulheres carregavam pedras e madeira, rolavam barris e empurravam carroças de areia da margem do rio, todos trabalhando por nada, a não ser a remissão dos pecados.

O astuto prior tinha um esquema tão astuto quanto ele, observou William invejosamente. As pessoas que vinham trabalhar na catedral gastavam dinheiro no mercado. As pessoas que iam ao mercado davam algumas horas de trabalho à catedral, pelos seus pecados. Uma mão lavava a outra.

Esporeou o cavalo e atravessou o cemitério, curioso para ver mais de perto o canteiro da obra.

Os oito maciços pilares da arcada situavam-se de ambos os lados, em quatro pares opostos. A distância, William pensara ter visto os arcos redondos unindo uma pilastra com a seguinte, mas agora percebia que ainda não haviam sido construídos – o que vira eram moldes de madeira, feitos com a mesma forma, sobre os quais as pedras descansariam enquanto os arcos eram edificados e a massa secava. O molde não se apoiava no solo, e sim nos capitéis.

Paralelas às arcadas, erguiam-se as paredes externas, com espaços regulares para as janelas. A meio caminho entre a abertura de cada uma, um arcobotante projetava-se da linha da parede. Olhando as extremidades abertas das paredes inacabadas, William pôde ver que não eram de pedra sólida; na verdade eram paredes duplas, com um espaço no meio. A cavidade parecia ter sido enchida com fragmentos de pedras e massa.

O andaime era feito de sólidas vigas amarradas por cordas, com cavaletes de arbusto flexíveis e caniços entrelaçados por entre elas.

Muito dinheiro tinha sido gasto ali, observou William. Contornou a parte externa do coro, seguido por seus cavaleiros.

De encontro às paredes havia galpões de meia-água, que serviam como oficinas e depósitos para os artesãos. A maioria estava trancada, pois naquele dia não havia pedreiros assentando pedras ou carpinteiros fazendo formas – eles estavam dirigindo o trabalho dos voluntários, dizendo onde empilhar as pedras, a madeira, a areia e a cal que traziam da margem do rio.

William contornou a extremidade leste da igreja seguindo para o lado sul, onde seu caminho foi bloqueado pelas construções monásticas. Voltou então, maravilhado com a espertez do prior Philip, que tinha seus mestres artesãos ocupados num domingo e os operários trabalhando de graça.

Ao refletir no que estava vendo, pareceu-lhe devastadoramente claro que o prior Philip era o grande responsável pelo declínio do condado de Shiring. As fazendas estavam perdendo seus braços jovens para a obra da catedral nova, e Shiring – a pérola do condado – começava a ser eclipsada pela crescente e nova cidade de Kingsbridge. Os residentes ali pagavam o aluguel a Philip e não a William, e as pessoas que compravam e vendiam bens naquele mercado geravam renda para o priorado, e não para o condado. E Philip tinha a madeira, os pastos de carneiros e a pedreira que antes enriqueciam o conde.

William e seus homens atravessaram o adro de volta na direção do mercado. Decidiu olhar mais de perto. Meteu o cavalo no meio da multidão. O cavalo avançou com dificuldade. As pessoas não se espalhavam apavoradas, saindo do caminho. Quando o animal encostava nelas, olhavam para William com irritação e aborrecimento, em vez de medo, e saíam da frente quando bem entendiam, com uma expressão condescendente. Ninguém ali tinha medo dele. E isso o deixou nervoso. Se as pessoas não tinham medo, era impossível dizer o que seriam capazes de fazer.

Desceu por uma passagem e subiu pela seguinte, com os cavaleiros à retaguarda. Ficou frustrado com o movimento vagaroso da multidão. Haveria sido mais rápido caminhar; mas então, tinha certeza, aquela insubordinada gente de Kingsbridge provavelmente seria atrevida o bastante para empurrá-lo.

Percorrera a metade do caminho de volta quando viu Aliena. Deteve o cavalo de súbito e olhou-a fixamente, imóvel.

Não era mais a garota magra, tensa e assustada, calçando tamancos, que vira num domingo de Pentecostes, três anos antes. Seu rosto, desfigurado naquele tempo pela tensão, ficara cheio de novo, e a aparência dela era feliz e saudável. Seus olhos escuros brilhavam de alegria, e os cachos balançavam em torno do seu rosto quando sacudia a cabeça.

Estava tão bonita que William sentiu uma vertigem de desejo.

Vestia um manto vermelho, ricamente bordado, e suas mãos expressivas cintilavam com vários anéis. Havia uma mulher mais velha com ela, um pouco para o lado, como uma criada. "Muito dinheiro", dissera sua mãe; tinha sido assim que Richard conseguira tornar-se escudeiro e integrar o exército do rei Estêvão equipado com boas armas. Maldita. Fora deixada sem dinheiro, impotente, desvalida – como conseguira enriquecer?

Ela estava numa banca que vendia agulhas de osso, linha de seda, dedais de madeira e outros artigos de costura, e discutia animadamente com o judeu baixinho e de cabelos escuros que os vendia. Sua atitude era positiva, e ela estava relaxada e autoconfiante. Havia recuperado a pose que tinha como filha do conde.

Parecia mais velha. Estava mais velha, claro: se William tinha vinte e quatro anos, ela devia ter agora vinte e um. Mas parecia ser mais velha. Não havia mais nada de criança em Aliena. Era uma mulher madura.

Ela ergueu a cabeça e encontrou seu olhar.

Da última vez em que a encarara, ficara ruborizada de vergonha e fugira. Dessa vez sustentou sua posição e o encarou.

Ele tentou um sorriso elegante.

Uma expressão de cáustico desprezo surgiu no rosto dela.

William sentiu que ruborizava. Aliena ainda era arrogante como sempre fora, e o menosprezava tal como cinco anos antes. Ele a humilhara e a estuprara, mas ela não tinha mais medo dele. Teve vontade de lhe falar e dizer que poderia fazer de novo tudo o que fizera antes, mas não estava disposto a gritar isso por cima da multidão de cabeças. O olhar firme de Aliena o fez sentir-se pequeno. Tentou sorrir com uma expressão escarninha, mas não conseguiu, e não teve dúvida de que estava fazendo uma careta ridícula. Na agonia do embaraço que sentiu, virou-se e esporeou o cavalo; mesmo assim, a multidão o reteve, e o olhar fulminante de Aliena ficou queimando um ponto da sua nuca enquanto se afastava poucas e penosas polegadas.

Quando por fim emergiu do mercado, defrontou-se com o prior Philip.

O galês de baixa estatura estava com as mãos nas cadeiras e o queixo projetado de maneira agressiva para a frente. Não era mais tão magro como antes, e o pouco cabelo que tinha estava ficando prematuramente grisalho. Também não parecia mais tão jovem para o cargo. Seus olhos azuis faiscavam de raiva.

— Lorde William! — exclamou em tom desafiador.

William obrigou-se a esquecer Aliena e lembrou que tinha uma acusação a fazer contra Philip.

— Que bom encontrá-lo aqui, prior!

— O mesmo digo eu — disse Philip, irritado; porém a sombra de uma dúvida cruzou-lhe a fisionomia.

— Estou vendo que tem um mercado aqui — disse William acusadoramente.

— E daí?

— Não creio que o rei Estêvão jamais tenha licenciado um mercado em Kingsbridge, nem tampouco qualquer outro rei, que seja do meu conhecimento.

— Como se atreve? — disse Philip.

— Eu ou qualquer pessoa...

— Você! — gritou Philip, mais alto do que ele. — Como se atreve a vir aqui falar em licença? Você, que no mês passado atravessou este condado incendiando, roubando, estuprando e cometendo pelo menos um assassinato!

— Isso não tem nada a ver...

— Como se atreve a entrar num mosteiro e falar de licença? — gritou Philip. Adiantou-se, sacudindo um dedo para William, e o seu cavalo andou de lado, nervosamente. A voz do prior era mais aguda que a de William, que não conseguia fazer ouvir uma só palavra. Bandos de monges, trabalhadores voluntários e fregueses do mercado começaram a se juntar, assistindo à briga. Nada era capaz de deter Philip. — Depois do que fez, só há *uma* coisa que deveria dizer: "Padre, pequei!" Devia ajoelhar-se neste priorado! Devia implorar perdão para os seus pecados, se é que quer escapar das chamas do inferno!

William ficou lívido. Mencionar o inferno o enchia de terror incontrolável. Tentou desesperadamente interromper a torrente de palavras de Philip, dizendo:

— E o seu mercado? E o seu mercado?

O prior mal o ouvia, tomado por um acesso de fúria.

— Implore perdão pelas coisas horríveis que fez! — gritou. — De joelhos! De joelhos, se não quiser arder no inferno!

William estava tão assustado que quase acreditou que iria mesmo para o inferno se não se ajoelhasse e rezasse na frente de Philip ali mesmo. Sabia que já devia ter se confessado, pois matara muita gente na guerra, para não falar nos pecados que cometera durante a inspeção do condado. E se ele morresse antes de se confessar? Começou a se sentir muito inseguro ao pensar nas chamas eternas e nos demônios com suas facas amoladas.

— De joelhos! — gritou Philip, apontando o dedo e avançando sobre ele.

O lorde fez o cavalo recuar. Olhou à sua volta desesperadamente. A multidão o cercou. Seus cavaleiros estavam atrás dele, parecendo achar graça: não podiam decidir como lidar com uma ameaça espiritual vinda de um monge desarmado. William não podia mais aguentar tanta humilhação. Depois de Aliena, aquilo era demais. Sofreou as rédeas, fazendo o imponente cavalo de batalha recuar. A multidão afastou-se ante seus cascos poderosos. Quando as patas dianteiras tocaram no chão de novo, William esporeou o animal com força e ele deu um pulo para a frente. Os observadores se dispersaram. Repetiu a dose e o cavalo rompeu num pequeno galope. Ardendo de vergonha, fugiu rapidamente pelo portão do priorado, seguido pelos cavaleiros, como um bando de cachorros, rosnando mas perseguidos por uma velha com uma vassoura.

William confessou os pecados, apavorado e trêmulo, sobre o chão de pedra fria da capelinha do palácio do bispo. Waleran escutou em silêncio, o rosto numa máscara de aversão, enquanto o lorde desfiava a lista das mortes, surras e estupros de que era culpado. Mesmo enquanto se confessava, William sentia ódio do arrogante bispo, com suas mãos brancas e limpas entrelaçadas sobre o coração e as translúcidas narinas também muito brancas ligeiramente abertas, como se sentisse mau cheiro no ar poeirento. Afligia-o pedir a Waleran sua absolvição, mas os pecados que cometera eram tão graves que nenhum padre comum poderia perdoá-los. Assim ele se ajoelhou, tomado de medo, e Waleran mandou que acendesse uma vela perpetuamente na capela de Earlscastle, e disse que seus pecados estavam perdoados.

O medo foi desaparecendo lentamente, como neblina.

Saíram da capela para a enfumaçada atmosfera do salão grande e se sentaram junto ao fogo. O outono estava se transformando em inverno e fazia frio na grande casa de pedra. Um ajudante de cozinha trouxe pão quente temperado, feito com mel e gengibre. William começou a se sentir bem, por fim.

Então se lembrou dos seus outros problemas. O filho de Bartholomew, Richard, estava pleiteando o condado, e William, com pouco dinheiro, não tinha como organizar um exército grande o bastante para impressionar o rei. Conseguira recolher uma quantia considerável no mês anterior, mas ainda não era suficiente.

— Aquele maldito monge está sugando o sangue do condado de Shiring — disse, suspirando.

Waleran pegou um pedaço de pão com a mão pálida, de dedos compridos, que lembrava uma garra.

— Eu estava me perguntando quanto tempo você levaria para chegar a essa conclusão.

Claro que o bispo teria resolvido o problema muito antes de William. Ele era tão superior!... O lorde preferia não ter que lhe falar, mas queria a opinião do bispo sobre um ponto legal.

— O rei já licenciou algum mercado em Kingsbridge?

— Que eu saiba, não.

— Então Philip está contrariando a lei.

— Sem garantir que seja uma coisa importante, está.

Waleran parecia desinteressado, mas William insistiu.

— Ele devia ser detido.

O bispo deu um sorriso de superioridade.

— Você não pode lidar com ele do mesmo modo como lida com um servo que casou a filha sem sua permissão.

William ficou vermelho: ele se referia a um dos pecados que acabara de confessar.

— Como se pode lidar com ele, então?

Waleran pensou um pouco.

— Mercados são uma prerrogativa do rei. Em tempos mais pacíficos ele provavelmente cuidaria disso em pessoa.

O sorriso do lorde foi escarninho. Apesar de toda a sua esperteza, o bispo não conhecia o rei tão bem quanto ele.

— Nem mesmo em tempos de paz o rei me agradeceria por me queixar de um mercado sem licença.

— Bem, então o seu representante, para tratar dos problemas locais, é o xerife de Shiring.

— O que ele pode fazer?

— Pode apresentar um mandado contra o priorado no tribunal do condado.

William sacudiu a cabeça.

— Isso é a última coisa que quero. O tribunal imporia uma multa, e o mercado continuaria. Seria quase o mesmo que conceder uma licença.

— O problema é que, na verdade, não há motivo para não deixar que Kingsbridge tenha um mercado.

— Há, sim! — exclamou o lorde, indignado. — Rouba os negócios do mercado de Shiring.

– Shiring fica a um dia inteiro de viagem de Kinsgbridge.

– As pessoas andarão essa distância.

O bispo deu de ombros novamente. William percebeu que ele fazia esse gesto quando discordava.

– A tradição – disse Waleran – afirma que um homem gasta um terço do dia andando até o mercado, um terço do dia no mercado e um terço andando de volta para casa. Assim sendo, um mercado serve para as pessoas que estão a uma distância de um terço de dia de viagem, ou seja, cerca de sete milhas. Se dois mercados se encontram separados mais de catorze milhas, suas áreas de influência não se sobrepõem. Shiring fica a vinte milhas de Kingsbridge. De acordo com a regra, Kingsbridge tem direito a um mercado, e o rei deverá conceder sua permissão.

– O rei faz o que bem entender – esbravejou William, mas estava preocupado. Não conhecia aquela regra. Ela deixava o prior Philip numa posição mais forte.

– De qualquer forma – disse o bispo –, não estaremos tratando com o rei, e sim com o xerife. – Ele fechou a cara. – O xerife poderia simplesmente ordenar que o priorado desistisse de manter um mercado sem licença.

– Seria perda de tempo – disse o lorde desdenhosamente. – Quem dá atenção a uma ordem que não seja reforçada por uma ameaça?

– Philip poderia dar.

William não acreditou.

– Por que haveria ele de atender a uma ordem dessas?

Um sorriso zombeteiro brincou nos lábios descorados de Waleran.

– Não sei se sou capaz de lhe explicar – disse. – Philip acredita que a lei deve reinar.

– Uma ideia estúpida – comentou William. – Quem reina é o rei.

– Eu disse que você não entenderia.

Seu ar de sapiência enfureceu William, que se levantou e foi até a janela. Podia ver do lado de fora, no topo da elevação vizinha, o movimento de terra no lugar onde Waleran começara a construir seu castelo quatro anos antes. O bispo esperara pagá-lo com a receita do condado de Shiring. Philip frustrara os planos dele, e o capim crescera em cima dos montes de terra e espinheiros enchiam a vala seca. William lembrou que Waleran tivera esperanças de usar na construção a pedra a ser retirada do condado. Agora Philip tinha a pedreira.

– Se eu recuperasse minha pedreira – disse William, pensativo –, poderia usá-la como garantia e levantar o dinheiro necessário para armar um exército.

– Então por que não a toma de volta? – perguntou Waleran.

O lorde sacudiu a cabeça.

– Já tentei.

– E Philip manobrou de modo a passá-lo para trás. Mas não há monges lá agora. Você poderia mandar uma esquadra de homens para despejar os operários.

— E como impediria Philip de voltar, como da última vez?

— Construa uma cerca alta em torno da pedreira e deixe uma guarda permanente.

Era possível, pensou William, animado. E resolveria seu problema de um golpe. Mas qual seria o motivo pelo qual o bispo sugeria aquilo? Sua mãe o advertira para ter cuidado com aquele homem inescrupuloso. "A única coisa que você precisa saber sobre Waleran Bigod", disse ela, "é que tudo o que faz é cuidadosamente calculado. Nada espontâneo, nada descuidado, nada casual, nada supérfluo. Acima de tudo, nada generoso." Mas Waleran odiava Philip, e tinha jurado impedi-lo de construir a catedral. Era motivo suficiente.

William olhou-o pensativamente. A carreira dele estava estagnada. Fora nomeado bispo muito jovem, mas Kingsbridge era uma diocese insignificante e pobre, e Waleran certamente tencionara transformá-la num degrau para maiores conquistas. No entanto, era o prior e não o bispo quem estava ganhando fortuna e fama. Estava definhando à sombra de Philip tanto quanto William. Ambos tinham motivo para querer destruí-lo.

O lorde decidiu, ainda uma vez, vencer a aversão que sentia por Waleran em benefício de seus interesses de longo prazo.

— Muito bem – disse. – Pode ser que funcione. Mas suponha que Philip se queixe ao rei?

— Você dirá que agiu assim em represália ao mercado sem licença de Philip – sugeriu Waleran.

— Qualquer desculpa serve, desde que eu volte para a guerra com um exército suficientemente grande.

Os olhos de Waleran faiscaram de maldade.

— Tenho a impressão de que Philip não poderá construir a catedral se tiver que comprar pedra a preços de mercado. E se ele parar a obra, Kingsbridge entrará em declínio. Isso poderá resolver todos os seus problemas, William.

Hamleigh não ia mostrar gratidão.

— Você realmente odeia Philip, não é?

— Ele está no meu caminho – disse Waleran, mas por um momento William vislumbrou toda a crueldade existente por baixo dos modos frios e calculistas do bispo.

O lorde voltou a tratar de assuntos práticos.

— Deve haver uns trinta operários lá, alguns com mulheres e filhos – disse.

— E daí?

— Pode haver derramamento de sangue.

O bispo levantou as sobrancelhas negras.

— É mesmo? Então lhe darei a absolvição.

3

Quando saíram ainda estava escuro, a fim de chegarem ao raiar do dia. Carregavam archotes acesos, o que deixava os cavalos nervosos. Além de Walter e dos outros quatro cavaleiros, William levou seis homens de armas. À retaguarda seguiam doze camponeses que cavariam a trincheira e construiriam a cerca.

William acreditava firmemente em planejamento militar cuidadoso – motivo pelo qual ele e seus homens eram tão úteis ao rei Estêvão –, mas naquela oportunidade não tinha um plano de batalha. Era uma operação tão fácil que seria aviltante fazer preparativos como se fosse um combate de verdade. Uns poucos operários cortadores de pedra e suas famílias não poderiam apresentar oposição muito forte; e, de qualquer maneira, William lembrava que tinham lhe contado que o líder deles – o nome era Otto? Sim, Otto Cara Preta – se recusara a lutar, no primeiro dia em que Tom Construtor levara seus homens à pedreira.

Raiou um dia frio de dezembro, com trapos e frangalhos de neblina parecendo pender das árvores, como roupa lavada de gente pobre. William não gostava daquela época do ano. Era frio de manhã e escurecia cedo; além disso o castelo estava sempre úmido. Era servida uma quantidade excessiva de carne e peixe salgados. Sua mãe ficava irritadiça, e os criados, mal-humorados. Seus cavaleiros brigavam a toda hora. Aquele pequeno combate faria bem a eles. Seria bom também para os Hamleighs: William já arranjara um empréstimo de duzentas libras com os judeus de Londres dando a pedreira como garantia. Ao fim daquele dia o seu futuro estaria assegurado.

Quando estavam a uma milha da pedreira, William parou, escolheu dois homens e mandou-os à frente, a pé.

– Pode ser que haja uma sentinela, ou cachorros – advertiu. – Tenham um arco à mão, com uma flecha pronta para ser disparada.

Um pouco depois a estrada fazia uma curva para a esquerda, e terminava de repente junto a um morro mutilado. Era a pedreira. Tudo estava quieto. Ao lado da estrada, os homens de William seguravam um garoto apavorado – presumivelmente um aprendiz que fora mandado como sentinela – e a seus pés havia um cão sangrando até a morte com uma flecha atravessada no pescoço.

O destacamento atacante deteve os cavalos, sem fazer esforço algum para guardar silêncio. William também parou e examinou a cena. Grande parte do morro desaparecera desde a última vez que o vira. O andaime subia até áreas inacessíveis, e descia numa escavação profunda aberta ao pé do morro. Blocos de pedra de diferentes formas e tamanhos se empilhavam do lado da estrada, e havia dois enormes carros de madeira, com imensas rodas, carregados de pedra pronta para ser levada. Tudo estava coberto de pó cinzento, inclusive arbustos e árvores. Uma grande área do bosque tinha sido derrubada – *Meu* bosque, pensou William, furioso –, e havia umas dez ou doze construções de madeira, algumas com pequenas hortas e uma com um chiqueiro. Era uma pequena aldeia.

A sentinela provavelmente estivera dormindo – e seu cachorro também.

– Quantos homens há aqui, rapaz?

O garoto podia estar assustado, mas era corajoso.

– Você é lorde William, não é?

– Responda à pergunta, menino, ou lhe cortarei a cabeça com esta espada.

Ele ficou branco de medo, mas replicou, com uma voz de trêmulo desafio:

– Está tentando roubar esta pedreira do prior Philip?

O que será que há comigo?, pensou William. Não consigo sequer assustar uma criança magrela, imberbe? Por que as pessoas pensam que podem me desafiar?

– Esta pedreira é minha! – disse, por entre os dentes. – Esqueça o prior Philip; ele não pode fazer nada por você agora. Quantos homens?

Em vez de responder, o garoto atirou a cabeça para trás e começou a gritar:

– Socorro! Cuidado! Ataque! Ataque!

William levou a mão à espada, mas hesitou, olhando para as casas. Um rosto assustado apareceu num portal. Decidiu esquecer o aprendiz. Pegou uma tocha com um dos seus homens e esporeou o cavalo.

Galopou na direção das casas, carregando a tocha bem alto, ouvindo seus homens atrás. A porta da cabana mais próxima se abriu e um homem de olhos vermelhos e camisa de baixo apareceu. William atirou a tocha em chamas por cima dele. Caiu no chão, às suas costas, e incendiou imediatamente a palha. William soltou um grito de vitória e seguiu em frente.

Avançou por entre o pequeno grupo de casas. Às suas costas, seus homens gritavam e atiravam as tochas nos telhados de palha.

Todas as portas se abriram, e homens aterrorizados, mulheres e crianças começaram a surgir, gritando e tentando se desviar dos cascos do cavalo. Ficaram rodando em pânico, enquanto as chamas progrediam. William parou o cavalo na orla da confusão e ficou olhando por um momento. Os animais domésticos se soltaram, e um porco desesperado começou a girar cegamente, enquanto uma vaca ficava parada no meio de tudo, a cabeça estúpida balançando de um lado para o outro, espantada. Até mesmo os homens mais moços, normalmente o grupo mais beligerante, estavam confusos e amedrontados. A madrugada era de fato a melhor hora para aquele tipo de luta: havia qualquer coisa quanto a estar meio nu que eliminava a agressividade das pessoas.

Um homem moreno, de cabeleira negra, saiu de uma das cabanas, com as botas calçadas, e começou a dar ordens. Devia ser Otto Cara Preta. William não podia ouvir o que estava dizendo. Mas pelos gestos podia adivinhar que Otto mandava que as mulheres pegassem as crianças e se escondessem na floresta; porém, o que estaria falando com os homens? Um momento depois William descobriu. Dois rapazes correram até um galpão separado dos outros e abriram a porta, que estava trancada pelo lado de fora. Entraram e saíram logo depois com os pesados martelos usados na extração de pedras. Otto mandou que outros homens fossem até a mesma barraca, que obviamente era o depósito de ferramentas. Eles iam resistir.

Três anos antes Otto se recusara a lutar por Philip. O que o fizera mudar de ideia? Fosse o que fosse, ia lhe custar a vida. William sorriu tristemente e desembainhou a espada.

Havia agora seis ou oito homens armados com marretas e machados de cabo comprido. William esporeou o cavalo e avançou contra o grupo reunido em torno do depósito de ferramentas. Os homens se dispersaram, fugindo do seu caminho, mas ele brandiu a espada e conseguiu pegar um deles com um corte profundo no braço. O homem largou o machado.

William afastou-se galopando e depois virou o cavalo. Respirava fundo e se sentia bem: no calor da batalha não havia medo, só excitação. Alguns de seus homens tinham visto o que estava acontecendo e olharam para William, em busca de orientação. Fez um sinal para que o seguissem, e carregou contra os operários de novo. Eles não podiam se esquivar de seis cavaleiros tão facilmente quanto de um. William pegou dois, e diversos outros caíram sob as espadas dos seus homens, embora ele estivesse se movendo depressa demais para ver se estavam mortos ou apenas feridos.

Ao se virar de novo, Otto estava reunindo as forças. Quando os cavaleiros carregaram, os operários se dispersaram por entre as cabanas em chamas. Foi uma tática inteligente, lastimou William. Os cavaleiros o seguiram, mas era mais fácil para os operários se esquivarem, estando separados, e os cavalos se amedrontaram com as chamas. William perseguiu um homem de cabelos grisalhos com uma marreta e deixou de acertá-lo por muito pouco diversas vezes, até que ele fugiu, metendo-se numa casa cujo telhado pegava fogo.

O lorde percebeu que o problema era Otto. Não só dava coragem para os seus homens como também os organizava. Assim que caísse, os outros desistiriam. Ele conteve o seu cavalo e procurou o homem moreno. Todas as mulheres e crianças haviam desaparecido, exceto por duas crianças de cinco anos, no meio do campo de batalha, de mãos dadas e chorando. Os cavaleiros de William galopavam por entre as casas, caçando os operários. Para sua surpresa, viu que um dos seus homens de armas fora derrubado, e jazia no chão, gemendo e chorando. Ficou atônito. Não antecipara baixas do seu lado.

Uma mulher desesperada entrava e saía das casas em chamas, gritando qualquer coisa que William não conseguia distinguir. Estava procurando alguém. Finalmente viu as duas crianças e pegou uma com cada braço. Quando correu, quase esbarrou em um dos cavaleiros de William, Gilbert de Rennes. Gilbert levantou a espada para golpeá-la. De repente, Otto pulou de trás de uma cabana e atirou um machado de cabo comprido. O lançamento foi feito com extrema perícia e a lâmina do machado atravessou a coxa de Gilbert, ficando presa na madeira da sela. A perna cortada caiu no chão, e o cavaleiro gritou e caiu.

Nunca mais lutaria.

Gilbert era um cavaleiro valoroso. Cheio de ódio, William esporeou seu cavalo. A mulher com as crianças desaparecera. Otto lutava para arrancar a lâmina do seu machado da sela de Gilbert. Levantou a cabeça e viu William se aproximando. Se tivesse corrido naquele momento poderia ter escapado, mas ficou às voltas com o machado. Conseguiu liberá-lo quando o lorde estava quase em cima dele. O cavaleiro levantou a espada. Otto sustentou sua posição e levantou o machado. Só no último momento William percebeu que o machado seria usado contra o cavalo, e Otto poderia estropiar o animal antes que ele pudesse se aproximar o bastante para derrubá-lo. Puxou as rédeas desesperadamente, e o cavalo escorregou mas parou, empinando, e assim afastou a cabeça. O golpe pegou em cheio o pescoço do animal, com a lâmina do machado entrando fundo nos músculos poderosos. O sangue jorrou como de um chafariz, e o cavalo caiu, e William desmontou antes que o corpo gigantesco caísse no chão.

Estava furioso. O cavalo de batalha custara uma fortuna e sobrevivera com ele um ano de guerra civil; era de enlouquecer de raiva perdê-lo para o machado de um trabalhador de pedreira. Pulou por cima do seu corpo e arremeteu furiosamente contra Otto.

O mestre não era uma vítima fácil. Segurou o machado com ambas as mãos e usou seu cabo de carvalho muito duro para aparar os golpes da espada de William. Este investiu cada vez com mais força, obrigando-o a recuar. A despeito da idade, Otto era um homem de músculos poderosos, e os golpes de Hamleigh praticamente não tinham efeito sobre ele. William empunhou a espada com ambas as mãos e bateu mais forte. O cabo do machado aparou o golpe novamente, mas agora a lâmina ficou presa na madeira. Otto passou à ofensiva, com o lorde recuando. William estava quase em cima dele.

De repente, Hamleigh temeu pela própria vida.

Otto levantou o machado, William esquivou-se, para trás. Seu calcanhar prendeu em alguma coisa, e ele caiu sobre o corpo do cavalo. Mergulhou numa poça de sangue quente, mas conseguiu continuar empunhando a espada. Otto parou em cima dele, com o machado no ar. Quando a ferramenta desceu, William rolou freneticamente para o lado. Sentiu o vento da lâmina cortando o ar junto ao rosto; então pôs-se de pé de um pulo e investiu com a espada contra Otto.

Um soldado teria se desviado para um lado antes de libertar a arma presa no chão, sabendo que um homem é mais vulnerável quando acaba de desfechar um golpe e errar; porém Otto não era soldado, só um tolo corajoso, e estava de pé com uma das mãos no cabo do machado e o outro braço esticado, para se equilibrar, tornando assim todo o seu corpo um alvo fácil. A estocada de William foi às cegas, mas, mesmo assim, acertou o alvo. A ponta da espada perfurou o tórax de Otto. William empurrou com mais força e a lâmina deslizou por entre as costelas do homem. O mestre largou o cabo do machado, e no seu rosto surgiu uma expressão que William conhecia bem. Os olhos demonstravam surpresa, a boca abriu-se como se fosse gritar, embora não saísse som algum, e sua pele ficou repentinamente acinzentada. Era a expressão de um homem ferido mortalmente. O lorde empurrou mais a espada, para evitar dúvidas, e depois a puxou. Os olhos de Otto giraram para cima das órbitas, uma mancha vermelha viva apareceu na sua camisa, alargando-se logo, e ele caiu.

William olhou em torno, examinando a cena. Viu dois operários fugirem correndo, presumivelmente por causa da morte do seu líder. Ao correrem, gritaram para os outros. O combate transformou-se numa retirada. Os cavaleiros perseguiram os fugitivos.

Ele ficou parado, respirando com dificuldade. Os malditos tinham resistido! Olhou para Gilbert. Jazia imóvel, numa poça de sangue, os olhos fechados. Pôs a mão no seu peito: o coração não batia.

Estava morto.

Deu uma volta por entre as casas ainda em chamas, contando os corpos. Três operários estavam mortos, mais uma mulher e uma criança que pareciam ter sido pisoteadas pelos cavalos. Três dos homens de armas de William estavam feridos, e quatro cavalos mortos ou estropiados.

Quando completou a contagem, veio parar junto ao corpo do seu cavalo. Gostara dele mais do que da maioria das pessoas. Após uma batalha normalmente se sentia animado, mas agora estava deprimido. Aquilo fora uma carnificina. Era para ter sido uma operação simples, destinada a expulsar um grupo de operários desarmados de uma pedreira, mas se transformara numa batalha campal, com grande número de baixas.

Os cavaleiros perseguiram os fugitivos até o bosque, mas ali os cavalos não seriam úteis, de modo que voltaram. Walter foi ao lugar onde estava William e viu Gilbert morto no chão. Fez o sinal da cruz e disse:

— Gilbert matou mais homens que eu.

— Não há muitos iguais a ele, para que eu possa me dar ao luxo de perdê-lo numa disputa com um maldito monge — disse William amargamente. — Para não falar dos cavalos.

— Que resultado mais inesperado! — comentou Walter. — Essa gente lutou com mais empenho que os rebeldes de Robert de Gloucester!

William balançou a cabeça, revoltado.

— Não sei — disse, olhando para os corpos. — Por que diabo eles pensavam que estavam combatendo?

Capítulo 9

1

Logo após o amanhecer, quando a maioria dos irmãos estava na cripta para o serviço das primas, havia apenas duas pessoas no dormitório: Johnny Oito Pence, varrendo o chão num canto do salão comprido, e Jonathan, brincando de escola no outro.

O prior Philip parou à porta e observou Jonathan. Estava quase com cinco anos e era um garoto esperto e confiante, com uma gravidade infantil que encantava a todos. Johnny ainda o vestia com uma miniatura de hábito de monge. Ele estava fazendo de conta que era o mestre dos noviços, dando aulas para uma fileira imaginária de alunos.

— Está errado, Godfrey! — disse severamente para o banco vazio. — Não vai ter jantar se não aprender os bervos! — Ele queria dizer "verbos". Philip sorriu, afetuoso. Não poderia ter amado mais a um filho. Jonathan era a única coisa na vida que lhe dava uma alegria absolutamente pura.

A criança corria por todo o priorado como um cachorrinho de estimação, protegido e mimado por todos os monges. Para a maioria deles era mesmo como um animalzinho, um brinquedo divertido; porém, para Philip e Johnny, era mais. Este o amava como uma mãe; e aquele, embora procurasse ocultá-lo, se sentia como o pai do menino. Ele próprio tinha sido criado desde muito novo por um abade bondoso, e lhe parecia a coisa mais natural do mundo desempenhar o mesmo papel com Jonathan. Não lhe fazia cócegas ou corria atrás dele do jeito como faziam os outros monges, mas narrava-lhe histórias da Bíblia, brincava de contar e ficava de olho em Johnny.

Entrou no dormitório, sorriu para o monge e sentou-se no banco junto com os alunos imaginários.

— Bom-dia, padre — disse Jonathan, solene. Oito Pence o ensinara a ser cuidadosamente polido.

— Você gostaria de ir para a escola? — perguntou Philip.

— Já sei latim — gabou-se Jonathan.

— É mesmo?

— É. Ouça: ommus pluvius buvius tuvius nomine patri amen.

Philip tentou não rir.

— Isso *parece* mas não é bem latim. O irmão Osmund, o mestre dos noviços, ensinará você a falar latim direito.

Jonathan ficou um pouco sem graça por descobrir que afinal não sabia latim.

— De qualquer modo – disse ele –, posso correr muito, muito depressa, olhe! – E correu em alta velocidade de um lado para o outro do dormitório.

— Maravilhoso! – aplaudiu Philip. – Você corre realmente muito depressa.

— Sim, e posso correr ainda mais depressa...

— Agora não – disse Philip. – Ouça-me por um instante. Vou me afastar por algum tempo.

— Volta amanhã?

— Não, não voltarei tão depressa.

— Semana que vem?

— Nem mesmo a semana que vem.

Jonathan ficou atônito. Não podia conceber um tempo além de uma semana. Outro mistério ocorreu-lhe:

— Mas por quê?

— Tenho que falar com o rei.

— Oh! – Isso também não tinha grande significado para Jonathan.

— E gostaria que você fosse para a escola enquanto eu estiver fora. Você gostaria de ir?

— Sim!

— Você já tem quase cinco anos. Seu aniversário é na semana que vem. Veio para nós no primeiro dia do ano.

— De onde foi que vim?

— De Deus. Todas as coisas vêm de Deus.

Jonathan sabia que aquilo não era resposta.

— Mas onde eu estava *antes*?

— Não sei.

Jonathan franziu a testa. Era engraçado ver aquilo numa carinha tão despreocupada.

— Eu tinha que estar *em algum lugar*.

Um dia, Philip sabia disso, alguém teria que contar a Jonathan como os bebês nasciam. Fez uma careta ante essa ideia. Ainda bem que não era agora. Mudou de assunto.

— Enquanto eu estiver fora, quero que aprenda a contar até cem.

— Sei contar – disse Jonathan: – um dois três quatro cinco seis sete oito nove dez onze doze treze catorze catorze cinco quinze seis dezessete oito...

— Nada mau – disse Philip –, mas o irmão Osmund vai lhe ensinar mais. Você tem que se sentar quieto na sala de aula e fazer tudo que ele mandar.

— Vou ser o melhor da escola! – disse Jonathan.

— Veremos. – Philip examinou-o por mais algum tempo. Fascinava-o o desenvolvimento da criança, o modo como aprendia as coisas e as fases que atravessava. A atual insistência em saber falar latim, contar ou correr depressa era curiosa; seria um prelúdio necessário ao verdadeiro aprendizado? Devia atender a algum propósito nos planos de Deus. E um dia Jonathan se tornaria um homem. Como seria ele? O pensamento fez Philip ficar impaciente para que Jonathan crescesse. Mas isso levaria tanto tempo quanto a construção da catedral.

— Dê-me um beijo, então, e diga adeus – disse Philip.

O menino levantou o rosto e Philip beijou a bochecha macia.

— Adeus, padre.

— Adeus, meu filho.

Ele apertou afetuosamente o braço de Johnny Oito Pence e saiu.

Os monges estavam saindo da cripta e se dirigindo para o refeitório. Philip foi no rumo contrário, e entrou na cripta para rezar pelo sucesso da sua missão.

Ficara profundamente desgostoso quando lhe contaram o que acontecera na pedreira. Cinco pessoas mortas, uma delas uma garotinha! Cinco integrantes do seu rebanho, dizimados por William Hamleigh e seu bando de animais. Philip conhecera todos: Harry de Shiring, que tinha sido o capataz de lorde Percy; Otto Cara Preta, o homem de pele escura encarregado da exploração da pedreira desde o primeiro dia; o bonito filho de Otto, Mark; a mulher de Mark, Alwen, que tocava músicas nas sinetas dos carneiros à noite; e a pequena Norma, a neta de sete anos de Otto e sua favorita. Gente trabalhadora, de bom coração e temente a Deus, que tinha o direito de esperar paz e justiça dos seus lordes. William os trucidara como uma raposa mata galinhas. Aquilo com certeza fizera chorar os anjos.

Philip se mortificara por eles, e depois fora a Shiring exigir justiça. O xerife se recusara, sem a menor cerimônia, a fazer qualquer coisa. "Lorde William tem um pequeno exército, como eu poderia prendê-lo?", dissera o xerife Eustace. "O rei precisa de cavaleiros para lutar contra Matilde. O que dirá se eu encarcerar um de seus melhores homens? Se eu acusar William de assassinato, ou serei morto imediatamente pelos seus cavaleiros, ou enforcado como traidor mais tarde pelo rei Estêvão."

A primeira baixa numa guerra civil era a justiça, constatou Philip. Em seguida o xerife lhe dissera que William apresentara uma reclamação formal contra o mercado de Kingsbridge.

Era ridículo, claro, que ele pudesse sair impune de um homicídio e ao mesmo tempo acusasse Philip de não cumprir uma tecnicidade; mas o prior se sentiu impotente. Era verdade que não possuía permissão para ter um mercado, que estava errado, falando num sentido estrito. Entretanto não podia permanecer em erro. Era o prior de Kingsbridge. Tudo o que tinha era sua autoridade moral. William podia convocar um exército de cavaleiros; o bispo Waleran podia usar os seus contatos nas altas esferas; o xerife podia alegar autoridade real; mas tudo o que Philip podia fazer, porém, era dizer que *isto* era certo e *aquilo*, errado; se fosse abdicar dessa posição realmente ficaria desamparado. Por isso mandara suspender o mercado.

O que o deixou numa posição verdadeiramente desesperadora.

As finanças do priorado tinham melhorado de modo impressionante, graças, por um lado, aos controles mais estritos, e, por outro, às receitas sempre maiores do mercado e da criação de carneiros; mas Philip sempre gastara cada penny na construção, e se endividara pesadamente com os judeus de Winchester, um empréstimo que ainda tinha que pagar. Agora, de um golpe só, perdera seu suprimento de pedras grátis e a receita gerada pelo mercado, e seus voluntários – a maioria dos quais tinha um interesse maior pelo mercado – provavelmente diminuiriam de número.

Perguntou-se se a crise seria culpa sua. Fora confiante demais, ambicioso demais? O xerife Eustace não fizera por menos. "Você quer voar alto demais, Philip", dissera, irritado. "Dirige um mosteiro pequeno e não passa de um priorzinho, mas quer mandar no bispo, no conde e no xerife. Pois muito bem, não pode. Somos poderosos demais para você. A única coisa que pode fazer é causar encrenca." Eustace era um homem feio, estrábico e com dentes irregulares, e estava vestindo um manto amarelo sujo; porém, por menos impressionante que fosse a aparência dele, suas palavras tinham apunhalado Philip no coração. O prior sentia-se dolorosamente convicto de que aquelas cinco pessoas não teriam morrido se ele não houvesse feito de William Hamleigh um inimigo. Só que não podia ser outra coisa senão inimigo do lorde. Se desistisse, mais pessoas ainda iriam sofrer, gente como o moleiro que ele matara e a filha do servo que ele e seus cavaleiros haviam estuprado. Philip precisava continuar sua luta.

E isso significava que teria de ir ver o rei.

Detestava a ideia. Aproximara-se do rei uma vez, em Winchester, quatro anos antes, e embora tivesse obtido o que desejava, sentira-se horrivelmente mal na corte. Estêvão era cercado por pessoas astuciosas e sem escrúpulos que disputavam sua atenção e lutavam por seus favores, e Philip considerou-as desprezíveis. O que tentavam era conseguir uma riqueza e uma posição que não mereciam. Não compreendia verdadeiramente seu jogo: no seu mundo, o melhor modo de conseguir alguma coisa era fazer por merecer, e não bajular o doador. Entretanto, agora não tinha alternativa senão entrar naquele mundo e jogar aquele jogo. Somente o rei poderia conceder-lhe permissão para ter um mercado. Só o rei poderia salvar a catedral.

Terminou as preces e deixou a cripta. O sol estava nascendo e havia um leve tom de rosa nas paredes cinzentas de pedra da catedral em construção. Os operários, que trabalhavam do raiar ao pôr do sol, estavam começando, abrindo seus galpões e amolando as ferramentas, ou misturando a primeira massa. A perda da pedreira ainda não afetara a obra: sempre a haviam explorado mais depressa do que poderiam usar as pedras, e agora tinham um estoque que duraria muitos meses.

Era hora de Philip partir. Todas as providências haviam sido tomadas. O rei estava em Lincoln. O prior teria um companheiro de viagem: Richard, o irmão de Aliena. Após combater por um ano como escudeiro, ele fora sagrado cavaleiro pelo rei. Tinha ido para casa se reequipar e agora se reintegraria ao exército real.

Aliena se saíra estupendamente bem como comerciante de lã. Não vendia mais para Philip, negociando direto com os compradores flamengos. Na verdade, naquele ano ela quisera comprar toda a produção do priorado. Teria pago menos que os flamengos, mas o prior receberia o dinheiro antes. Ele não aceitara sua oferta. O simples fato de haver feito tal proposta, contudo, era uma boa medida do seu sucesso.

Ela estava no estábulo com o irmão, foi o que Philip viu quando atravessou o pátio. Uma multidão havia se formado para dizer adeus aos viajantes. Richard estava montado num cavalo de batalha castanho que devia ter custado a Aliena vinte libras. Ele se transformara num bonito rapaz de ombros largos, as feições regulares prejudicadas apenas por uma feia cicatriz na orelha direita; o lobo fora cortado, sem dúvida num acidente de esgrima. Estava esplendidamente vestido de vermelho e verde, e equipado com nova espada, lança, machado de batalha e adaga. Sua bagagem era carregada por um segundo cavalo que puxava por uma correia. Com ele seguiam dois homens de armas, montados em corcéis, e um escudeiro, num cavalo robusto e de pernas curtas.

Aliena desmanchava-se em lágrimas, embora Philip não pudesse dizer se lamentava ver o irmão partir, se estava orgulhosa por vê-lo tão bonito ou se tinha medo de que ele pudesse não voltar. Todas as três coisas, talvez. Alguns aldeões haviam vindo para se despedir, inclusive a maioria dos rapazes e meninos. Sem dúvida Richard era o herói deles. Todos os monges estavam presentes também, a fim de desejar a seu prior uma viagem em segurança.

Os cavalariços trouxeram dois cavalos, um palafrém arriado para Philip e um cavalinho baixo carregado com sua bagagem modesta – basicamente comida para a viagem. Os operários descansaram as ferramentas e se aproximaram, liderados por Tom e seu ruivo enteado, Jack.

Philip abraçou formalmente Remigius, seu subprior, despediu-se de maneira calorosa de Milius e Cuthbert, e por fim montou. Estaria sentado naquela sela dura por longo tempo, pensou, com tristeza. Da sua posição elevada abençoou a todos. Os monges, trabalhadores e aldeões acenaram e gritaram suas despedidas enquanto ele e Richard saíam lado a lado pelos portões do priorado.

Desceram a rua estreita que atravessava a aldeia, acenando para as pessoas que olhavam das portas de suas casas, e, transpondo ruidosamente a ponte de madeira, pegaram a estrada que seguia por entre os campos. Um pouco mais tarde, Philip olhou para trás, por cima do ombro, e viu o sol nascente brilhando através do espaço da janela na face leste semiconstruída da nova catedral. Se falhasse em sua missão, a obra talvez nunca fosse terminada. Depois de tudo por que passara para chegar àquele ponto, não podia tolerar a ideia de derrota agora. Virou-se de novo e concentrou a atenção na estrada à frente.

Lincoln era uma cidade que ficava em cima de uma elevação. Philip e Richard aproximaram-se dela pelo sul, numa estrada antiga e movimentada chamada Ermine Street. Mesmo de longe podiam ver, lá em cima, as torres da catedral e as ameias do castelo. Mas ainda se encontravam a três ou quatro milhas de distância, quando, para assombro de Philip, chegaram a um portão da cidade. Os subúrbios devem ser *imensos,* pensou; e a população deve atingir *milhares* de pessoas.

No Natal a cidade fora tomada por Ranulf de Chester, o homem mais poderoso no Norte da Inglaterra, e parente de Matilde. O rei Estêvão retomara a cidade, mas as forças de Ranulf ainda estavam de posse do castelo. Ao se aproximarem mais, Philip e Richard souberam que Lincoln estava na posição peculiar de ter dois exércitos rivais acampados dentro das muralhas.

Philip não simpatizara com Richard nas quatro semanas que haviam passado juntos. O irmão de Aliena era um jovem revoltado, que odiava os Hamleighs e estava decidido a se vingar; falava como se o prior sentisse do mesmo modo. Mas havia uma diferença. Philip detestava os Hamleighs pelo que tinham feito a seus vassalos: sem eles o mundo seria um lugar melhor. Richard só poderia fazer as pazes consigo próprio quando tivesse derrotado os Hamleighs: seu motivo era inteiramente egoísta.

O cavaleiro, fisicamente corajoso e sempre pronto para lutar, era, sob outros aspectos, contudo, fraco. Confundia seus homens de armas, tratando-os às vezes como seus iguais e em outras ocasiões dando-lhes ordens como se fossem criados comuns. Nas tavernas tentava impressionar pagando cerveja para estranhos. Fingia saber o caminho, quando na realidade não tinha certeza, e às vezes fazia o grupo se perder, porque era incapaz de admitir que cometera um erro. Quando chegaram a Lincoln, Philip estava convencido de que Aliena valia dez Richards.

Passaram por um lago cheio de barcos; depois, ao pé da colina, cruzaram o rio que formava a fronteira sul da cidade propriamente dita. Lincoln, era óbvio, vivia de atividades relacionadas com o rio. Ao lado da ponte havia um mercado de peixe. Atravessaram outro portão guardado por sentinelas. A partir desse portão, deixaram para trás a vasta extensão dos subúrbios e entraram na cidade fervilhante. Uma rua estreita, apinhada de gente, subia a colina bem em frente a eles. As casas, erguidas lado a lado em ambas as calçadas, eram parcial ou totalmente de pedra, sinal de considerável riqueza.

A colina era tão íngreme que a maioria das casas tinha o andar principal vários pés acima do nível do solo num lado e abaixo do outro. A área situada na parte de baixo era, invariavelmente, uma oficina de um artesão ou uma loja. Os únicos espaços abertos eram os cemitérios perto das igrejas, e em cada um havia um mercado, onde se vendiam cereais, aves, lã, couro e outros. Philip e Richard, juntamente com a escolta deste, tiveram que lutar para abrir caminho por entre a densa multidão de moradores comuns, homens de armas, animais e carroças. Philip percebeu, com assombro, que havia pedras sob seus pés. A rua era toda pavimentada! Que fortuna deve haver aqui, pensou, para calçar as ruas com pedras, como se fosse um palácio ou uma catedral. O piso ainda era um pouco escorregadio, por causa do lixo e do estrume dos animais, mas mesmo assim era muito melhor que o rio de lama em que se transformavam as ruas da maioria das cidades no inverno.

Atingiram a crista da elevação e passaram por mais um portão.

Entravam agora na parte mais central da cidade e, de repente, a atmosfera se modificou por completo: ficou mais silenciosa, e contudo tensa. Imediatamente à esquerda ficava a entrada do castelo. A grande porta guarnecida de ferro na passagem em arco estava trancada. Vultos obscuros moviam-se atrás das seteiras, e sentinelas de armadura patrulhavam as fortificações providas de ameias, o sol fraco rebrilhando nos elmos polidos. Philip observou-os andando de um lado para o outro. Não havia conversa entre eles, nada de troças e risadas, ou de se debruçar na balaustrada a fim de assobiar para as garotas que passavam: estavam alertas, atentos e cautelosos.

À direita de Philip, a não mais de um quarto de milha do portão do castelo, ficava a fachada oeste da catedral, e Philip viu imediatamente que a despeito de sua proximidade do castelo ela estava sendo usada como quartel-general do rei. Uma linha de sentinelas barrava a estreita rua entre a casa do cabido e a igreja. Além das sentinelas, cavaleiros e homens de armas entravam e saíam pelas três portas da catedral. O cemitério era um acampamento militar, com barracas, cozinhas e cavalos pastando. Não havia prédios monásticos: a Catedral de Lincoln não era administrada por monges, mas por padres denominados cônegos, que moravam em casas comuns nas proximidades da igreja.

O espaço entre a catedral e o castelo estava vazio, exceto por Philip e seus companheiros. De repente o prior percebeu que estavam merecendo toda a atenção dos guardas do lado do rei e das sentinelas nas ameias opostas. Ele se encontrava numa terra de ninguém entre os dois campos armados, provavelmente o ponto mais perigoso em Lincoln. Olhando em torno, viu que Richard e os outros tinham seguido em frente e apressou-se a alcançá-los.

As sentinelas do rei deixaram-nos entrar de imediato: Richard era bem conhecido. Philip admirou a fachada oeste da catedral. Tinha um arco de entrada enormemente alto e dois outros arcos auxiliares, um de cada lado, da metade da altura do central mas mesmo assim imponentes. Parecia o portão do céu – o que era mesmo, de certa forma. Decidiu no mesmo instante que queria arcos altos na fachada oeste de sua catedral.

Deixando os cavalos com o escudeiro, Philip e Richard atravessaram o acampamento e entraram na igreja. Estava ainda mais apinhada do lado de dentro do que de fora. Os corredores tinham sido transformados em estábulos, e centenas de cavalos estavam amarrados nas colunas da arcada. Homens armados aglomeravam-se na nave, e aqui e ali havia fogos acesos para preparação de comida e acomodações para dormir. Alguns falavam inglês, outros francês e uns poucos flamengo, a língua gutural dos mercadores de lã de Flandres. De modo geral, os cavaleiros estavam no interior da igreja e os homens de armas, do lado de fora. Philip lamentou ver diversos homens jogando o jogo das nove pedras a dinheiro, e ficou ainda mais perturbado com a aparência de algumas mulheres, vestidas muito sumariamente para o inverno e parecendo estar flertando com os homens – quase, pensou ele, como se fossem pecadoras, ou mesmo, santo Deus, prostitutas.

A fim de não olhar para elas, ergueu os olhos para o teto. Era de madeira e lindamente pintado com tintas de cores vivas, mas representava um terrível risco de incêndio, com toda aquela gente cozinhando na nave. Seguiu Richard por entre a multidão. Ele parecia à vontade ali, seguro e confiante, cumprimentando barões e lordes e dando tapinhas nas costas de cavaleiros.

A interseção e a extremidade leste estavam demarcadas com cordas. A extremidade leste parecia ter sido reservada para os padres – Eu faria o mesmo, pensou Philip –, e a interseção passara a ser o alojamento do rei.

Havia outra linha de guardas atrás da corda, depois um grupo de cortesãos, e por fim um círculo mais fechado de condes, com Estêvão ao centro, sentado num trono de madeira. O rei envelhecera desde a última vez em que o vira, em Winchester, há cinco anos.

Havia agora rugas de ansiedade no seu rosto bonito e fios brancos no cabelo alourado; além disso, um ano de guerra fizera com que emagrecesse. Parecia estar tendo uma discussão amável com os condes, discordando, mas sem raiva. Richard caminhou até a orla do círculo mais fechado e fez uma larga reverência cerimonial. O rei olhou-o e, reconhecendo-o, disse numa voz retumbante:

— Richard de Kingsbridge! Que bom tê-lo de volta!

— Muito obrigado, majestade — disse Richard.

Philip colocou-se ao lado dele e fez uma reverência igual.

— Trouxe um monge como seu escudeiro? — disse Estêvão, fazendo rir todos os cortesãos.

— Este é o prior de Kingsbridge, majestade — disse Richard. Estêvão o fitou de novo, e Philip viu o brilho do reconhecimento nos seus olhos.

— Claro, conheço o prior... Philip — disse, mas seu tom de voz não foi mais tão caloroso como quando cumprimentara Richard. — Veio combater por mim? — Os cortesãos riram mais uma vez.

Philip ficou satisfeito com o fato de o rei ter se lembrado do seu nome.

— Estou aqui porque a obra divina de reconstrução da Catedral de Kingsbridge precisa da ajuda urgente de vossa majestade.

— Tenho que saber de tudo a respeito — interrompeu Estêvão apressadamente. — Venha me ver amanhã, quando teremos mais tempo. — Com isso ele se virou de novo para os condes e retomou a conversa, agora num tom de voz mais baixo.

Philip não falou com o rei Estêvão no dia seguinte, nem no outro dia e tampouco no que se seguiu.

Na primeira noite ficou numa cervejaria, mas se sentiu oprimido com o cheiro constante de carne assando e com a risada das mulheres da vida. Infelizmente não havia um mosteiro na cidade. Normalmente o bispo lhe teria oferecido acomodações, mas o rei estava morando no palácio do bispo e todas as casas em torno da catedral estavam superlotadas com membros da comitiva real. Na segunda noite Philip saiu da cidade e se dirigiu para além do subúrbio de Wigford, onde havia um mosteiro que mantinha um asilo para leprosos. Ali teve pão de massa grossa e cerveja aguada na ceia, um colchão duro no chão, silêncio do pôr do sol até a meia-noite, cultos religiosos na madrugada e um desjejum de mingau ralo sem sal, e se sentiu feliz.

Philip ia à catedral todos os dias, de manhã bem cedo, levando a preciosa carta régia que dava ao priorado o direito de explorar a pedreira. Dia após dia o rei não notava a sua presença. Enquanto os outros peticionários conversavam entre si, discutindo quem estava e quem não estava nas graças do rei, Philip se mantinha alheado.

Sabia por que o faziam esperar. Toda a Igreja estava tendo uma rixa com o rei. Estêvão não cumprira as promessas generosas que lhe haviam extraído no início do reinado. Fizera do próprio irmão, o astuto bispo Henry de Winchester, um inimigo, por dar seu apoio a outro, para o cargo de arcebispo de Canterbury;

o que também desapontara Waleran Bigod, que queria subir agarrado à batina de Henry. Mas o maior pecado de Estêvão, aos olhos da Igreja, tinha sido prender o bispo Roger de Salisbury e dois sobrinhos seus, que eram os bispos de Lincoln e Ely, todos no mesmo dia, sob a acusação de estarem construindo castelos sem licença. Um coro de reclamações se fizera ouvir, partindo das catedrais e dos mosteiros de todo o país, contra aquele sacrilégio. Estêvão ficara magoado. Como homens de Deus, os bispos não precisavam de castelos, disse; e se os construíam, não podiam esperar ser tratados puramente como homens de Deus. Era sincero, embora ingênuo.

O rompimento fora remendado, mas Estêvão não se mostrava mais ansioso por ouvir as petições de religiosos, de modo que Philip teve que esperar. Aproveitou a oportunidade para meditar. Era uma coisa para a qual tinha pouco tempo, como prior, e de que sentia falta. Agora, de repente, não tinha nada para fazer por horas a fio, e passava o tempo imerso em meditações.

Os outros cortesãos foram deixando um espaço à sua volta, tornando-o bastante conspícuo, e devia ter sido cada vez mais difícil para Estêvão ignorá-lo. Estava profundamente mergulhado na contemplação do sublime mistério da Santíssima Trindade, na manhã do seu sétimo dia em Lincoln, quando percebeu que havia alguém bem à sua frente, olhando-o e falando com ele, e que essa pessoa era o rei.

— Está dormindo com os olhos abertos, homem? — dizia Estêvão, com um tom de voz entre irritado e divertido.

— Desculpe, majestade, eu estava pensando — disse Philip, fazendo uma reverência tardia.

— Não faz mal. Quero suas roupas emprestadas.

— O quê? — Philip ficou surpreso demais para se preocupar com as boas maneiras.

— Quero dar uma olhada no castelo, e se eu for vestido de monge eles não atirarão flechas em mim. Venha; entre numa das capelas e tire o hábito.

Philip estava só com uma camisa por baixo.

— Mas, majestade, o que irei vestir?

— Esqueci como vocês monges são recatados. — Estêvão estalou os dedos para um jovem cavaleiro. — Robert, empreste-me sua túnica, rápido.

O cavaleiro, que estava conversando com uma garota, tirou a túnica com um movimento rápido, deu-a ao rei com uma reverência e fez um gesto vulgar para a garota. Seus amigos riram e aplaudiram.

O rei Estêvão entregou a túnica a Philip.

O prior meteu-se na pequenina capela de são Dunstan, pediu perdão ao santo com uma prece rápida, depois tirou o hábito e vestiu a túnica escarlate e curta do cavaleiro. Pareceu-lhe verdadeiramente muito estranho: usava roupas monásticas desde os seis anos de idade, e não poderia ter se sentido mais esquisito nem se tivesse se vestido de mulher. Saiu da capela e entregou o hábito a Estêvão, que o enfiou pela cabeça rapidamente.

– Venha comigo, se quiser – disse o rei, surpreendendo-o. – Poderá me falar a respeito da Catedral de Kingsbridge.

Philip ficou atônito. Seu primeiro instinto foi recusar. Uma sentinela do castelo poderia se ver tentada a dar-lhe uma flechada, já que não estaria protegido pelo traje religioso. Mas estava lhe sendo oferecida uma oportunidade de ficar inteiramente a sós com o rei, com tempo bastante para explicar as questões da pedreira e do mercado. Talvez nunca mais tivesse uma chance como aquela.

Estêvão apanhou seu manto, que era púrpura com uma guarnição de pele branca na gola e na bainha.

– Use isto – disse a Philip. – Você atrairá o fogo inimigo, desviando-o de mim.

Os outros cortesãos ficaram quietos, observando, perguntando-se o que aconteceria.

O rei queria demonstrar algo, pensou Philip. Estava dizendo que o prior não tinha nada que fazer ali, num campo armado, e não podia esperar que lhe concedessem privilégios à custa de homens que arriscavam a vida pelo rei. Não era injusto. Entretanto, Philip sabia também que, se aceitasse esse ponto de vista, podia muito bem voltar para casa e desistir de retomar a pedreira ou de reabrir o mercado. Precisava aceitar o desafio.

– Talvez seja vontade de Deus que eu morra para salvar a vida do rei – disse, respirando fundo, e colocou o manto púrpura.

Houve um murmúrio de surpresa na multidão, e o próprio Estêvão deu a impressão de ter se espantado. Todos esperavam que Philip recusasse. Quase imediatamente ele desejou que o tivesse feito. Mas agora já se comprometera.

Estêvão virou-se e caminhou na direção da porta norte. Philip o seguiu. Diversos cortesãos fizeram menção de acompanhá-los, mas o rei os dispensou, dizendo:

– Até mesmo um monge pode atrair a atenção, se for seguido por toda a corte real. – Depois cobriu a cabeça com o capuz do hábito de Philip e os dois passaram para o cemitério.

O rico manto real atraiu olhares de curiosidade quando atravessaram o acampamento: os homens presumiram que ele fosse um barão e ficaram intrigados por não reconhecê-lo. Os olhares fizeram-no sentir-se culpado, como se fosse um impostor. Ninguém olhou para Estêvão.

Não foram diretamente para o portão principal do castelo. Seguiram por um labirinto de vielas muito estreitas e foram sair ao lado da Igreja de St.-Paul-in-the-Bail, em frente ao canto nordeste do castelo. As muralhas do castelo se erguiam sobre vastas rampas de terra, e um fosso seco as cercava. Havia um espaço limpo de cinquenta jardas de largura entre a orla do fosso e as construções mais próximas. Estêvão pisou na grama e começou a caminhar no rumo oeste, estudando a muralha norte do castelo, permanecendo junto dos fundos das casas na orla externa do espaço limpo. O prior o acompanhou. O rei o fez caminhar à sua esquerda, entre ele e o castelo. O espaço aberto estava ali a fim de dar aos arqueiros um bom campo de tiro para flechar quem se aproximasse das muralhas, claro. O prior não tinha medo de morrer, mas temia sentir dor, e o pensamento predominante na sua cabeça era quanto *doeria* uma flecha.

– Com medo, Philip? – perguntou Estêvão.

– Apavorado – respondeu ele, com sinceridade; em seguida, o medo tornando-o atrevido, acrescentou: – E você?

O rei riu da audácia dele.

– Um pouco – admitiu.

Philip se lembrou de que aquela era a sua chance de falar a respeito da catedral. Mas não podia se concentrar, com sua vida correndo tanto perigo. Seus olhos desviavam-se constantemente para o castelo, e ele esquadrinhava a muralha, na expectativa de ver um homem manejando um arco.

O castelo ocupava todo o canto sudoeste da parte central da cidade, e sua muralha oeste fazia parte da muralha da cidade, de modo que, se alguém caminhasse o tempo todo em torno dele, teria que sair da cidade. Estêvão levou Philip a cruzar o portão oeste, e então eles passaram para o subúrbio chamado Newland. Ali as casas pareciam choças de camponeses, feitas de taipa, com grandes pomares, como era característico numa aldeia. Um cortante vento frio soprava da direção dos campos abertos além das casas. Estêvão virou para o sul, ainda margeando o castelo. Apontou para uma portinha na muralha.

– Foi por ali que Ranulf de Chester fugiu quando tomei a cidade, presumo – disse.

Philip estava menos assustado ali. Havia outras pessoas no caminho, e as fortificações daquele lado eram menos defendidas, pois os ocupantes do castelo temiam um ataque vindo da cidade, não do campo. Philip respirou fundo e perguntou, impulsivamente:

– Se eu morrer, você dará um mercado a Kingsbridge e fará William Hamleigh devolver a pedreira?

Estêvão não respondeu de imediato. Desceram a colina até o canto sudoeste do castelo e olharam para cima, examinando a fortaleza. Da posição em que estavam, parecia magnificamente inexpugnável. Logo abaixo daquele canto passaram por outro portão e entraram na parte baixa da cidade, seguindo agora ao longo do lado sul do castelo. Philip sentiu-se em perigo de novo. Não seria difícil para alguém no interior do castelo deduzir que os dois homens que faziam um circuito em torno das muralhas deveriam estar numa expedição de reconhecimento, e, dessa forma, eram alvos legítimos, sobretudo o de manto púrpura. Para esquecer o medo, resolveu estudar a fortaleza. Havia pequenos buracos na muralha, que serviam para escoar as latrinas, e o lixo e a sujeira resultantes das lavagens simplesmente iam se amontoando e ficavam ali até que apodrecessem. Não era de admirar aquele fedor. Philip tentou não respirar fundo, e os dois homens se apressaram.

Havia outra torre menor no canto sudeste. Philip e Estêvão já tinham percorrido três lados do quadrilátero. O prior perguntou-se se o rei esquecera sua pergunta. Sentia-se apreensivo, para repeti-la. Estêvão podia achar que estava sendo pressionado e se ofender.

Chegaram à rua principal, que cortava o meio da cidade, e viraram de novo, mas antes que Philip tivesse tempo de se sentir aliviado, passaram por outro portão e entraram na parte mais central da cidade; momentos depois, estavam na terra de ninguém entre a catedral e o castelo. Para horror de Philip, o rei se deteve ali.

Ele parou para falar com o prior, colocando-se de tal modo que podia examinar o castelo por cima do ombro de Philip. Suas costas vulneráveis, cobertas de arminho e púrpura, estavam expostas ao portão, que fervilhava de sentinelas e arqueiros. O prior ficou imóvel como uma estátua, esperando uma flecha ou uma lança nas costas a qualquer momento. Começou a suar, apesar do vento frio.

– Dei-lhe a pedreira há alguns anos, não foi? – disse o rei Estêvão.

– Não exatamente – respondeu Philip, com os dentes rangendo. – Ganhamos o direito de explorar a pedreira para a construção da catedral. Mas ela foi entregue a Percy Hamleigh. Agora o filho de Percy, William, expulsou de lá os meus homens, matando cinco pessoas – inclusive uma mulher e uma criança –, e se recusa a nos dar acesso.

– Ele não devia fazer essas coisas, especialmente se quer que eu o faça conde de Shiring – disse Estêvão pensativamente. Philip animou-se. Mas um momento depois o rei disse: – Diabos me levem se consigo ver um jeito de entrar nesse castelo!

– Por favor, faça William reabrir a pedreira! – pediu Philip. – Ele o está desafiando e roubando de Deus.

Estêvão pareceu não ouvir.

– Não creio que eles tenham muitos homens aí dentro – disse ele, no mesmo tom pensativo. – Suspeito que quase todos estejam na muralha, para uma exibição de força. O que disse sobre um mercado?

Aquilo tudo era parte do teste, decidiu Philip; fazê-lo ficar em campo aberto, de costas para um bando de arqueiros. Enxugou a testa com o arminho do punho do manto do rei.

– Majestade, todos os domingos vem gente de toda parte para assistir ao culto em Kingsbridge e para trabalhar, de graça, no canteiro de obra da catedral. Quando começamos, uns poucos homens empreendedores apareceram para vender tortas de carne, vinho, chapéus e facas para os voluntários. Assim, gradualmente se formou um mercado. E agora estou lhe pedindo para licenciá-lo.

– Você pagará pela licença?

Um pagamento era normal, Philip sabia, mas também podia ser dispensado, quando se tratava de uma organização religiosa.

– Sim, milorde, eu pagarei... a menos que seja sua vontade nos conceder a licença sem pagamento, pela maior glória de Deus.

Estêvão o encarou diretamente pela primeira vez.

– Você é um homem corajoso, para ficar aí, com o inimigo às costas, e barganhar comigo.

Philip o encarou com igual franqueza.

– Se Deus decidir que minha vida deve acabar, nada poderá me salvar – disse, parecendo mais corajoso do que se sentia. – Mas se Deus quiser que eu viva e construa a Catedral de Kingsbridge, nem dez mil arqueiros poderão me abater.

– Muito bem dito! – exclamou Estêvão, e batendo com a mão no ombro de Philip, virou-se na direção da catedral. Fraco, de tão aliviado, o prior caminhou ao lado dele, sentindo-se melhor a cada passo que o afastava mais do castelo. Parecia ter passado no teste. Mas era importante conseguir uma declaração direta do rei. A qualquer momento ele lhe escaparia no meio dos cortesãos novamente. Ao passarem pela linha de sentinelas, Philip reuniu toda a coragem e disse:

– Majestade, se escrever uma carta para o xerife de Shiring...

Foi interrompido. Um dos condes aproximou-se correndo, parecendo perturbado.

– Robert de Gloucester se aproxima daqui, majestade – disse ele.

– O quê? A que distância?

– Está perto. Um dia, no máximo...

– Por que não fui alertado? Coloquei homens por toda parte!

– Eles vieram pela via do fosso e saíram da estrada para se aproximarem através do campo.

– Quem está com ele?

– Todos os condes e cavaleiros que perderam suas terras nos últimos dois anos. Ranulf de Chester também o acompanha...

– Claro! Cão traiçoeiro...

– Ele trouxe todos os seus cavaleiros de Chester, mais um bando de galeses selvagens e gananciosos.

– Quantos homens ao todo?

— Cerca de mil.

— Maldito! Cem a mais do que tenho.

A essa altura diversos barões tinham se reunido em torno do rei.

— Majestade — disse um deles —, se ele está se aproximando através do campo, vai ter que atravessar o rio no vau...

— Bem pensado, Edward! — disse Estêvão. — Leve os seus homens para o vau e veja se consegue detê-lo. Precisará de arqueiros, também.

— A que distância eles estão daqui, alguém sabe? — perguntou Edward.

Foi o primeiro conde que trouxera a notícia quem respondeu.

— Muito perto, segundo o mensageiro. Pode ser que cheguem ao vau antes de você.

— Irei imediatamente — afirmou Edward.

— Bom homem! — disse o rei Estêvão. Cerrou o punho direito e deu um soco na palma da mão esquerda. — Finalmente vou me encontrar com Robert de Gloucester no campo de batalha. Só quisera dispor de mais homens. Ainda assim... uma vantagem de cem não é muito.

Philip ouviu tudo aquilo em amargurado silêncio. Tinha certeza de que estivera quase conseguindo a concordância de Estêvão. Agora a cabeça do rei estava em outra coisa. O prior, contudo, não se sentia pronto para desistir. Ainda vestia o manto do rei. Tirou-o de cima dos ombros e o levantou, dizendo:

— Talvez devêssemos voltar a ser o que somos, majestade.

Estêvão concordou distraidamente. Um cortesão adiantou-se e ajudou-o a tirar o hábito do monge. Philip entregou o manto real e disse:

— Majestade, achei-o inclinado a conceder meu pedido.

Estêvão deu a impressão de ficar irritado por ser lembrado. Enfiou o manto e estava a ponto de falar quando uma nova voz foi ouvida.

— Majestade!

Philip reconheceu a voz. Seu coração desfaleceu. Virou-se e deu com William Hamleigh.

— William, meu garoto! — exclamou o rei, no tom de voz cordial que usava com seus guerreiros. — Chegou bem a tempo!

O lorde fez uma reverência.

— Majestade — disse —, trouxe cinquenta cavaleiros e duzentos homens do meu condado.

As esperanças de Philip se desfizeram em pó. Estêvão ficou visivelmente jubiloso.

— Que homem bom você é! — exclamou de maneira calorosa. — Isso nos dá vantagem sobre o inimigo! — Passou um braço pelos ombros de William e caminhou com ele na direção da catedral.

Philip ficou parado onde estava, olhando os dois se afastarem. Estivera incrivelmente perto do sucesso, mas no fim o exército de William fora mais importante que a justiça, pensou, amargurado. O cortesão que ajudara o rei a tirar o hábito de Philip entregou-o de volta. Philip o apanhou; seguiu o rei e o seu séquito e todos entraram na catedral. O prior vestiu o hábito monástico. Estava profundamente decepcionado. Olhou para os três imensos portais em arco da catedral. Tivera esperança de construir arcos como aqueles em Kingsbridge. Mas Estêvão ficara do lado de William Hamleigh. O rei se defrontara com um dilema onde só havia duas alternativas: a justiça do caso apresentado por Philip ou a vantagem representada pelo exército de William. O prior falhara no seu teste.

Restava-lhe apenas uma única esperança: que o rei Estêvão fosse derrotado na batalha que se aproximava.

2

O bispo rezou a missa na catedral quando o céu estava começando a mudar de preto para cinzento. A essa altura os cavalos já estavam selados, os cavaleiros envergavam a cota de malha, os homens de armas tinham sido alimentados, e uma medida de vinho forte fora servida a todos para dar coragem.

William Hamleigh ajoelhou-se na nave com outros cavaleiros e condes, enquanto os cavalos de batalha batiam os cascos e bufavam nos corredores, e foi perdoado por antecedência pela matança que realizaria mais tarde.

O medo e a excitação deixaram-no um pouco aturdido. Se o rei conquistasse uma vitória naquele dia, o nome de William estaria associado para sempre a ela, pois diriam que ele trouxera os reforços que haviam desequilibrado a balança. Se o rei perdesse... qualquer coisa poderia acontecer. Estremeceu sobre o chão frio de pedra.

O rei estava na frente, num manto branco de tecido leve, com uma vela na mão. Quando a hóstia foi elevada, a vela se partiu e a chama apagou. William tremeu de medo: era um mau agouro. Um padre trouxe uma vela nova e levou embora a quebrada. Estêvão riu indiferentemente, mas a sensação do horror sobrenatural permaneceu com William, que, ao olhar em torno, pôde dizer que os outros sentiam a mesma coisa.

Após o culto o rei vestiu sua armadura, ajudado por um valete. Tinha uma cota de malha da altura do joelho feita de couro com anéis de ferro costurados. O casaco era aberto até a cintura na frente e atrás, para que pudesse montar. O valete o apertou com força no pescoço. Depois ele colocou um gorro justo onde estava preso um capuz comprido de malha, cobrindo o cabelo alourado e protegendo o pescoço. Por cima do gorro pôs um elmo de ferro com um protetor de nariz. Suas botas de couro tinham enfeites de malha e esporas pontudas.

Quando Estêvão pôs a armadura, os condes se reuniram à sua volta. William seguiu o conselho da mãe e agiu como se já fosse um deles, abrindo caminho por entre a multidão para se juntar ao grupo em torno do rei. Após escutar por um momento, percebeu que estavam tentando persuadir o rei a bater em retirada e deixar Lincoln com os rebeldes.

— Você tem mais território que Matilde; pode montar um exército maior — disse um homem mais velho, que William reconheceu como lorde Hugh. — Vá para o Sul, consiga reforços, volte e lute com efetivo maior que o deles.

Após o augúrio da vela partida, Hamleigh quase desejava bater em retirada, ele mesmo; o rei porém, não tinha tempo para esse tipo de conversa.

— Somos fortes o bastante para batê-los agora — disse animadamente. — Onde está sua fibra? — Afivelou um cinto com uma espada de um lado e uma adaga do outro, ambas com bainhas de madeira e couro.

— Os exércitos estão praticamente com a mesma força — disse um homem alto, de cabelo grisalho e barba aparada rente: o conde de Surrey. — É arriscado demais.

Aquele argumento era muito fraco para usar com Estêvão, e William sabia disso: o rei era um cavaleiro de verdade, nobre e audaz.

— A mesma força? — repetiu com escárnio. — Pois prefiro um combate justo. — Calçou as manoplas com malha na parte de trás dos dedos. O valete lhe entregou um escudo comprido, de madeira coberta com couro. William prendeu o tirante do escudo no pescoço e segurou-o com a mão esquerda.

— Temos pouco a perder, nos retirando neste ponto — insistiu Hugh. — Não estamos sequer de posse do castelo.

— Eu perderia a chance de me encontrar com Robert de Gloucester no campo de batalha — disse Estêvão. — Há dois anos ele me evita. Agora que tenho uma oportunidade para acabar com o traidor de uma vez por todas, não vou retrair só porque temos efetivos praticamente iguais!

Um cavalariço trouxe o seu cavalo, já arreado. Quando Estêvão estava prestes a montar, houve uma movimentação na porta da fachada oeste da catedral, e um cavaleiro avançou correndo pela nave, coberto de lama e sangue. William teve uma premonição de que trazia uma má notícia. Quando fez uma reverência para o rei, reconheceu-o como sendo um dos homens de Edward, que fora mandado para defender o vau.

— Chegamos tarde demais, majestade — disse ele, ofegante. O inimigo atravessou o rio.

Era outro mau sinal. William de repente sentiu frio. Agora não havia senão campo aberto entre o inimigo e Lincoln.

Estêvão também pareceu abatido por um momento, mas recuperou a compostura rapidamente.

– Não faz mal! – disse. – Nós os encontraremos mais cedo! E montou seu cavalo de batalha.

O rei tinha um machado de guerra amarrado na sela. O valete entregou-lhe uma lança de madeira com uma ponta de ferro brilhante, completando seu armamento. Estêvão estalou a língua, e o cavalo, obediente, deslocou-se para a frente.

À medida que ia progredindo pela nave, os condes, barões e cavaleiros montaram e seguiram à sua retaguarda, e assim todos deixaram a catedral em procissão. No lado de fora, os homens de armas se incorporaram. Aquela era a hora em que os homens começavam a sentir medo e a procurar uma chance para fugir; porém, seu ritmo digno e a atmosfera quase cerimonial, com os habitantes da cidade observando, tornavam muito difícil a fuga para os fracos de coração.

Seu efetivo foi aumentado por uma centena ou mais de habitantes da cidade, padeiros gordos, tecelões míopes e cervejeiros rubicundos, mal armados e montando cavalinhos de perna curta ou animais bem mansos. A presença daquela gente era um sinal da impopularidade de Ranulf.

O exército não poderia passar pelo castelo, pois os homens ficariam expostos aos tiros dos arqueiros, de modo que deixaram a cidade pelo portão norte, que era chamado de Arco Newport, e viraram para oeste. Era ali que a batalha seria travada.

William estudou o terreno com um olhar penetrante. Embora a colina do lado sul da cidade mergulhasse subitamente no rio, a oeste a elevação era suave, até se confundir com a planície. Viu imediatamente que Estêvão escolhera a posição correta para defender a cidade, pois fosse qual fosse o modo como o inimigo se aproximasse, estaria sempre num plano inferior ao do exército do rei.

Quando Estêvão estava a um quarto de milha de distância da cidade, dois batedores subiram a elevação, a galope. Localizaram o rei e foram diretamente até ele. William juntou-se ao grupo que queria ouvir seu relatório.

– O inimigo está se aproximando depressa, majestade – disse um dos batedores.

William dirigiu o olhar para a planície. Sem dúvida, podia ver uma massa negra a distância, deslocando-se lentamente na direção onde eles se encontravam: o inimigo. Sentiu um calafrio de medo. Sacudiu-se, mas o medo persistiu. Desapareceria quando a batalha tivesse início.

– Qual é o dispositivo deles? – perguntou o rei Estêvão.

– Ranulf e os cavaleiros de Chester formam o centro, majestade – começou o batedor. – Estão a pé.

William perguntou-se como o batedor teria sabido daquilo. Devia ter entrado no campo inimigo e ouvido as ordens de combate serem dadas. Exigia muita coragem e frieza.

— Ranulf no centro? Como se ele fosse o líder, e não Robert?

— Robert de Gloucester está no seu flanco esquerdo, com um exército de homens que se autodenominam os Deserdados — prosseguiu o batedor. William sabia por que usavam aquele nome: todos tinham perdido suas terras desde que a guerra civil começara.

— Robert então deu a Ranulf o comando da operação — disse Estêvão pensativamente. — Uma pena. Conheço bem Robert — praticamente fui criado com ele —, e poderia adivinhar sua tática. Ranulf é um estranho para mim. Não faz mal. Quem está na direita?

— Os galeses, majestade.

— Arqueiros, suponho. Os homens de Gales do Sul têm boa reputação como arqueiros.

— Não são esses — contrapôs o batedor. — No caso é uma multidão de loucos furiosos, de rosto pintado, cantando canções bárbaras e armados de martelos e porretes. Muito poucos têm cavalos.

— Devem ser de Gales do Norte — ponderou Estêvão. — Acredito que Ranulf lhes tenha prometido o fruto da pilhagem. Que Deus ajude Lincoln se conseguirem entrar na cidade. Mas não entrarão! Qual é o seu nome, batedor?

— Roger, chamado de Sem-Terra — respondeu o homem.

— Sem-Terra? Você terá dez acres por esse trabalho.

O homem ficou entusiasmado.

— Muito obrigado, majestade!

— Agora... — Estêvão virou-se e olhou para os seus condes. Estava prestes a tomar decisões. William ficou tenso, perguntando-se qual seria o papel que o rei lhe designaria. — Onde está o meu lorde Alan da Bretanha?

Alan fez seu cavalo adiantar-se. Ele liderava uma força de mercenários bretões, homens sem raízes, que combatiam por dinheiro e cuja única lealdade era para com eles próprios.

— Terei você e os seus bravos bretões na linha de frente, à minha esquerda — disse-lhe Estêvão.

William percebeu a sabedoria daquela ordem: mercenários bretões contra aventureiros galeses, indignos de confiança *versus* indisciplinados.

— William de Ypres! — exclamou Estêvão.

— Majestade... — Um homem moreno, num cavalo de batalha negro, levantou a lança. Aquele William era o líder de outra força de mercenários, homens flamengos, pouco mais confiáveis que os bretões, segundo o que se dizia.

— Você também irá à minha esquerda – disse Estêvão –, mas à retaguarda dos bretões de Alan.

Os dois líderes mercenários fizeram uma volta e retornaram para junto dos seus homens, a fim de organizá-los. William perguntou-se onde seria colocado. Não tinha a menor vontade de estar na linha de frente. Já fizera bastante para se distinguir, trazendo seu exército. Uma posição segura e tranquila na retaguarda seria bem-vinda.

— Meus lordes de Worcester, Surrey, Northampton, York e Hertford, com seus cavaleiros, formarão o meu flanco direito.

Uma vez mais William reconheceu o bom-senso das disposições de Estêvão. Os condes e seus cavaleiros, a maioria a cavalo, enfrentariam Robert de Gloucester e os nobres "deserdados" que o apoiavam, que, na maioria, estariam montados também. Entretanto, William ficou desapontado por não ter sido incluído no grupo dos condes. Teria o rei se esquecido dele?

— Ficarei no centro, desmontado, com soldados a pé – disse Estêvão.

Pela primeira vez William desaprovou uma decisão sua. Sempre era melhor ficar montado o maior tempo possível. Mas Ranulf, à frente do exército adversário, estava a pé, segundo as informações, e o espírito cavalheiresco de Estêvão o compelia a enfrentar o inimigo em igualdade de condições.

— Comigo no centro terei William de Shiring e seus homens – disse o rei.

William não sabia se ficava emocionado ou apavorado. Era uma grande honra ser escolhido para ficar ao lado do rei – sua mãe teria se sentido gratificada –, mas essa escolha o colocava na mais perigosa das posições. Pior ainda, estaria a pé. O que significava também que o rei poderia vê-lo e julgar seu desempenho. Teria que aparentar não ter medo e se antecipar, levando o combate ao inimigo, em vez de se manter fora de problemas e combater só quando se visse forçado, como era sua tática favorita.

— Os leais cidadãos de Lincoln comporão a retaguarda – disse Estêvão, no que era uma mistura de compaixão e bom-senso militar. Os cidadãos não seriam de muita utilidade em parte alguma, mas na retaguarda poderiam causar menos prejuízo e sofreriam menos baixas.

William levantou o estandarte do conde de Shiring. Tratava-se de outra ideia de sua mãe. No sentido estrito, ele não tinha direito ao estandarte, porque não era o conde; porém, os homens que o acompanhavam estavam acostumados a seguir o estandarte de Shiring – ou pelo menos era o que diria, se houvesse comentários. E, ao final do dia, se a batalha fosse bem-sucedida, ele poderia ser conde.

Seus homens reuniram-se em torno dele. Walter ao seu lado, como sempre, uma presença forte e tranquilizadora. Da mesma forma Gervase Feio, Hugh Machado e Miles Dados. Gilbert, que morrera na pedreira, tinha sido substituído por Guillaume de St. Clair, um jovem de ar petulante e caráter perverso.

Olhando à sua volta, William ficou furioso ao ver Richard de Kingsbridge usando uma reluzente armadura nova e montado num esplêndido cavalo de batalha. Estava com o conde de Surrey. Não trouxera um exército para o rei, como William, mas impressionava – rosto jovem, vigoroso, bravo –, e se fizesse grandes coisas naquele dia poderia ganhar os favores reais. As batalhas eram imprevisíveis, assim como os monarcas.

Por outro lado, talvez Richard viesse a perder a vida. Com um pouco de sorte, era o que aconteceria. William desejou a morte do irmão de Aliena mais do que jamais desejara uma mulher.

Olhou para oeste. O inimigo estava mais próximo.

Philip estava no telhado da catedral e podia ver Lincoln como num mapa. A cidade velha cercava a catedral no topo da colina. Tinha ruas retas, jardins e pomares bem tratados e o castelo no canto sudoeste. A parte nova, barulhenta e superpovoada, ocupava a parte mais íngreme ao sul, entre a cidade velha e o rio William. Aquela região normalmente fervilhava de atividade comercial, mas naquele dia estava coberta por um silêncio temeroso, como um pano mortuário, e as pessoas tinham ido para cima dos telhados a fim de assistir à batalha. O rio vinha do leste, corria ao longo do sopé da elevação, e depois se alargava num grande porto natural, chamado Brayfield Pool, cercado de atracadouros e cheio de navios e barcos. Um canal chamado Fosdyke corria na direção oeste a partir de Brayfield Pool – até o rio Trem, segundo o que haviam dito a Philip. Ali de cima, Philip maravilhou-se ao constatar como seguia reto por milhas e milhas. Dizia-se que fora construído nos tempos antigos.

O canal formava o limite do campo de batalha. Philip viu o exército do rei Estêvão marchar para fora da cidade, uma multidão esfarrapada, e lentamente se organizar em três colunas sobre a colina. O prior sabia que Estêvão colocara os condes à sua direita porque eram os mais coloridos, com suas túnicas vermelhas e amarelas e seus estandartes vistosos. Eram também os mais ativos, indo e vindo em seus cavalos, dando ordens, consultando uns e outros e fazendo planos. O grupo à esquerda do rei, na parte da colina que descia até o canal, vestia-se de cinza e marrom, tinha menos cavalos e se agitava menos, economizando energia – deviam ser os mercenários.

Além do exército de Estêvão, onde a linha do canal se tornava indistinta e se confundia com a vegetação da margem, a tropa rebelde cobria os campos como um enxame de abelhas. A princípio parecia estar parado; porém, quando se olhava de novo após algum tempo, via-se que tinha se aproximado mais; agora, prestando bastante atenção, já dava para distinguir o movimento. Gostaria de saber seu efetivo. Todas as indicações eram de que os dois lados estavam bem equilibrados.

Não havia nada que Philip pudesse fazer para influenciar o resultado – uma situação que detestava. Tentou acalmar o espírito e ser fatalista. Se Deus quisesse uma nova catedral em Kingsbridge, faria com que Robert de Gloucester derrotasse o rei Estêvão hoje, de modo que Philip pudesse pedir à vitoriosa Matilde para que o reintegrasse na posse da pedreira e o deixasse reabrir o mercado. E se Estêvão viesse a derrotar Robert, Philip teria que aceitar a vontade de Deus, desistir dos seus planos ambiciosos e deixar Kingsbridge mais uma vez mergulhar na sua sonolenta obscuridade.

Por mais que se esforçasse, não conseguia pensar desse jeito.

Queria que Robert *vencesse.*

Um vento forte soprou sobre as torres da catedral e ameaçou derrubar os espectadores mais frágeis de cima das folhas de chumbo do telhado e atirá-los no cemitério ali embaixo. O vento era cortantemente frio. Philip estremeceu e se enrolou com mais força na capa.

Os dois exércitos estavam agora a uma milha de distância.

O exército rebelde parou quando estava a uma milha da linha de frente do rei. Era uma verdadeira tortura ser capaz de ver a massa do exército deles, mas não conseguir distinguir os detalhes. William queria saber quão bem armados estavam, se se mostravam determinados e agressivos ou cansados e relutantes, e até mesmo qual seria sua altura. Continuaram a avançar lentamente, enquanto os que se encontravam à retaguarda, motivados pela mesma ansiedade que William estava sentindo, pressionavam para a frente a fim de ver o inimigo.

No exército de Estêvão, os condes e seus cavaleiros alinharam-se nos cavalos, com as lanças em posição de combate, como se estivessem num torneio, prontos a dar início à justa. Relutantemente, William mandou todos os cavalos do seu contingente para a retaguarda. Disse aos escudeiros que não voltassem à cidade com os animais, mas sim que os segurassem mantendo-os disponíveis para o caso de serem necessários – para fugir, foi o que pensou, embora não tivesse falado. Quando se perdia uma batalha, era melhor fugir do que morrer.

Houve uma calmaria, quando teve a impressão de que o combate jamais começaria. O vento cedeu e os cavalos se acalmaram, embora os homens não. O rei Estêvão tirou o elmo e coçou a cabeça. William ficou desassossegado. Combater não era problema, mas pensar no combate o deixava nauseado.

Então, sem nenhum motivo aparente, a atmosfera tornou-se tensa de novo. Um grito de batalha subiu aos céus. Todos os cavalos de repente ficaram irritadiços. Um grito de encorajamento teve início, quase que instantaneamente abafado pelo tropel dos cascos. A batalha começava. William sentiu o cheiro azedo e suado do medo.

Olhou em torno de si, desesperado, tentando descobrir o que estava acontecendo, mas tudo era uma grande confusão e, estando de pé, só conseguia enxergar o que o cercava mais de perto. Os condes à sua direita pareciam ter iniciado a batalha, carregando contra o inimigo. Presumivelmente, as forças que se antepunham a eles, o exército de nobres deserdados do conde Robert, reagiam do mesmo modo, atacando em formação. Quase que ao mesmo tempo ouviu um grito à esquerda; virou-se e viu os mercenários bretões que estavam montados esporearem os cavalos. Com isso, um horrendo som ergueu-se da seção correspondente do exército inimigo – a horda galesa, ao que parecia. Não deu para ver quem levou vantagem.

William perdera Richard de vista.

Dúzias de flechas, como um bando de pássaros, vieram de trás das linhas inimigas e começaram a cair em torno dele. O lorde segurou o escudo acima da cabeça. Odiava flechas – matavam aleatoriamente.

O rei Estêvão urrou o seu grito de guerra e investiu. William desembainhou a espada e precipitou-se para a frente, gritando para que seus homens o seguissem. Entretanto, os cavaleiros tinham se aberto em leque quando partiram para o ataque, colocando-se entre ele e o inimigo.

Da sua direita veio o barulho ensurdecedor de ferro batendo em ferro, e o ar se encheu com um cheiro metálico que ele conhecia muito bem. Os condes e os Deserdados tinham entrado na batalha. Ele só conseguia ver homens e cavalos colidindo, girando, investindo, caindo. O relinchar dos animais era indistinguível dos gritos de guerra dos homens, e em algum lugar, em meio a todo aquele barulho, William ouviu os gritos pavorosos, de congelar os ossos, dos homens feridos que agonizavam. Esperava que Richard fosse um dos que estavam gritando.

Olhou para a esquerda e ficou horrorizado ao ver que os bretões recuavam ante os porretes e os machados dos selvagens galeses; estes, tomados de fúria cega, gritavam, berravam e se atropelavam na ânsia de atacar o inimigo. Talvez estivessem sôfregos para pilhar a rica cidade. Os bretões, sem nada mais que a perspectiva de outra semana de pagamento para estimulá-los, lutavam defensivamente, cedendo terreno. William ficou enojado.

Sentiu-se frustrado por não ter desferido ainda um único golpe. Estava cercado pelos seus cavaleiros, e mais adiante se encontravam os cavalos dos condes e dos bretões. Adiantou-se, colocando-se ligeiramente à frente e ao lado do rei. Havia luta por toda parte: cavalos tombados, homens brigando corpo a corpo com a ferocidade de leões, o retinir ensurdecedor das espadas e o cheiro enjoativo de sangue; William e o rei Estêvão, porém, estavam naquele momento presos numa zona morta.

* * *

Philip podia ver tudo, mas não entendia nada. Não tinha ideia do que estava acontecendo. Era tudo uma confusão: lâminas faiscando, cavalos investindo, estandartes voando e caindo, e o barulho da batalha, carregado pelo vento, abafado pela distância. Era enlouquecedoramente frustrante. Alguns homens caíam e morriam, outros venciam e continuavam lutando, mas ele não podia dizer quem estava ganhando e quem estava perdendo.

– O que é que está acontecendo? – perguntou-lhe um padre a seu lado, com uma capa de pele.

– Não sei dizer – respondeu Philip, sacudindo a cabeça. Entretanto, no próprio momento em que falava ele conseguiu discernir um movimento. À esquerda do campo de batalha, alguns homens desciam correndo a colina na direção do canal. Tratava-se de mercenários vestidos com roupas pardacentas e, pelo que Philip podia dizer, eram os homens do rei que fugiam e os da tribo galesa de rosto pintado que os perseguiam. Os gritos vitoriosos dos galeses podiam ser ouvidos dali de cima. Philip se encheu de esperanças: os rebeldes estavam vencendo!

Houve então uma transformação no outro lado. À direita, onde os homens montados estavam engajados, o exército do rei parecia recuar. O movimento a princípio foi insignificante, depois firme e por fim rápido; e enquanto Philip olhava, a retirada transformou-se numa debandada, e inúmeros homens do rei viraram o cavalo e começaram a fugir do campo de batalha.

Philip ficou exultante: aquela devia ser a vontade de Deus! Poderia estar terminando tão rapidamente? Os rebeldes avançavam, mas o centro ainda se mantinha firme. Os homens à volta do rei Estêvão lutavam mais impetuosamente que os dos lados. Seriam capazes de deter o fluxo? Talvez Estêvão e Robert de Gloucester lutassem um com o outro: o combate entre dois líderes às vezes podia resolver a questão independentemente do que estivesse acontecendo no resto do campo de batalha. Ainda não terminara.

A maré virou com horrível velocidade. Num momento os dois exércitos estavam em igualdade de condições, e no momento seguinte os homens do rei recuavam depressa. William sentiu-se profundamente desalentado. À sua esquerda, os mercenários bretões desciam correndo a colina, perseguidos até o canal pelos galeses; e, à direita, os condes, com seus cavalos de batalha, viravam de costas e tentavam fugir na direção de Lincoln. Só o centro sustentava sua posição: o rei Estêvão estava onde a luta era mais renhida, dando golpes de espada a torto e a direito, com os homens de Shiring à sua volta como uma alcateia. Mas a situação era instável. Se os flancos continuassem a se retrair, o rei terminaria cercado. William queria que Estêvão recuasse. Mas o rei era mais corajoso que sábio, e continuou lutando.

O lorde sentiu que toda a batalha dava uma guinada para a esquerda. Olhando à sua volta, viu que os mercenários flamengos vinham de trás e caíam sobre os galeses, que foram forçados a parar de perseguir os bretões na encosta da colina para se defenderem. Por um momento houve uma tremenda confusão. Em seguida, os homens de Ranulf de Chester, no meio da linha de frente do inimigo, atacaram os flamengos, que assim se viram espremidos entre os homens de Chester e os galeses.

Ao ver a incursão inimiga, o rei Estêvão instou seus homens para que pressionassem mais frontalmente. William achou que Estêvão tinha cometido um erro. Se as forças do rei pudessem estreitar contato com os homens de Ranulf, seria este quem se veria encurralado entre dois lados.

Um dos cavaleiros de William caiu na frente dele, que subitamente se viu no meio do combate.

Um nortista musculoso, com sangue na espada, investiu contra ele. O lorde aparou o golpe facilmente: estava descansado, e seu antagonista, pelo contrário, já bastante fatigado. William procurou atingir a cara do homem, errou, e teve que aparar outro golpe. Então levantou a espada bem alto, abrindo a guarda deliberadamente; quando o outro adiantou-se com outra estocada, William esquivou-se e, segurando a espada com as duas mãos, acertou o ombro. O golpe partiu-lhe a armadura, quebrando a clavícula, e ele caiu.

O lorde desfrutou um momento de júbilo. Seu medo desaparecera.

– Venham, seus cachorros! – trovejou.

Dois outros homens tomaram o lugar do cavaleiro caído e atacaram William simultaneamente. Ele os manteve afastados mas foi forçado a ceder terreno.

Houve um movimento maior à direita, e um dos seus oponentes teve que se virar e se defender de um homem de rosto vermelho armado com uma machadinha, e que parecia um açougueiro enlouquecido. Isso deixou apenas um antagonista para Hamleigh. Ele sorriu selvagemente e pressionou. Seu oponente entrou em pânico e arremeteu desvairado contra a cabeça de William. Este desviou e acertou o homem na coxa, logo abaixo da franja da sua jaqueta curta de malha. A perna vergou e o homem caiu.

Uma vez mais William não tinha com quem lutar. Ficou imóvel, ofegante. Por um momento pensara que o exército do rei seria destroçado, mas suas fileiras tinham se reorganizado, e agora nenhum dos dois lados parecia ter vantagem. Olhou para o lado direito, perguntando-se o que teria destruído um dos seus dois adversários. Para seu assombro, viu que os habitantes de Lincoln apresentavam uma resistência ferrenha ao inimigo. Talvez fosse porque estivessem defendendo as próprias casas. Mas quem os organizara, depois que os condes naquele flanco tinham batido em retirada? A pergunta foi prontamente respondida: para seu espanto, viu Richard de Kingsbridge, em seu cavalo de batalha, insistindo que os moradores de Lincoln persistissem. O coração de William desfaleceu. Se o rei visse sua bravura, poderia pôr a perder todo o trabalho de Hamleigh. Deu uma olhada em Estêvão. Justo naquele instante o rei surpreendeu o olhar de Richard e acenou, encorajando-o. William deixou escapar uma praga de ressentimento.

A pressão dos habitantes de Lincoln aliviou a situação do rei, mas apenas por um momento. À esquerda, os homens de Ranulf tinham desbaratado os mercenários flamengos, e agora Ranulf se voltou contra a posição central das forças defensivas. Ao mesmo tempo, os chamados Deserdados investiram contra Richard e os habitantes de Lincoln, e o combate tornou-se furioso.

William foi atacado por um homem imenso armado com um machado de guerra. Esquivou-se, desesperado, receando pela própria vida. A cada golpe ele pulava para trás, e constatava, apavorado, que o grosso do exército do rei estava recuando no mesmo ritmo. À sua esquerda, os galeses retornaram ao topo da colina e, inacreditavelmente, começaram a jogar pedras. Era ridículo mas efetivo, pois agora William tinha que, ao mesmo tempo, ficar de olho nas pedras e se defender do gigante com a machadinha. Parecia haver um número muito maior de inimigos agora do que antes, e William sentiu, em desespero, que o efetivo do rei fora suplantado. Um terror histérico subiu-lhe pela garganta ao constatar que a batalha estava praticamente perdida e ele se encontrava em perigo mortal. O rei deveria fugir agora. Por que ainda estava lutando? Era insano; ele seria morto... Todos seriam mortos! O adversário de William levantou o machado bem alto. Os instintos de guerreiro de Hamleigh o dominaram por um instante, e em vez de recuar, como vinha fazendo antes, pulou para a frente e arremeteu contra a cara do homem enorme. A ponta da sua espada entrou no pescoço dele logo abaixo do queixo. William imprimiu força à estocada. Os olhos do homem se fecharam, proporcionando-lhe um momento de grato alívio. Em seguida ele puxou a espada e pulou para trás, agora para escapar do machado que caía das mãos do morto.

Deu uma rápida olhada no rei, algumas jardas à sua esquerda. Enquanto olhava, Estêvão baixou a espada com força no elmo de um homem e ela se partiu em duas, como um galho seco. Pronto, pensou William com alívio; a batalha estava acabada. O rei recuaria e se pouparia para combater em outra ocasião. Mas a esperança foi prematura. Hamleigh começara a se virar, pronto para correr, quando um habitante de Lincoln ofereceu ao rei um machado de lenhador, de cabo comprido. Para assombro de William, Estêvão o aceitou e continuou a combater.

Hamleigh sentiu-se tentado a fugir. Mas olhando para a sua direita, viu Richard a pé, lutando como um louco, pressionando, dando um golpe atrás do outro com a espada, abatendo homens à esquerda, à direita e no centro. William não podia retrair enquanto seu rival ainda estava lutando.

Foi atacado de novo, dessa vez por um homem de baixa estatura que se movia muito rapidamente, a espada faiscante à luz do sol. Quando suas armas se chocaram, percebeu que estava se defrontando com um combatente temível. Mais uma vez se viu na defensiva e receando pela própria vida; saber que a batalha estava perdida minava sua vontade de lutar. Aparou as rápidas estocadas que lhe foram dirigidas, querendo poder encaixar um golpe com força bastante para atravessar a armadura do homem. Viu uma chance e investiu. O outro esquivou-se e arremeteu também – William sentiu o braço ficar dormente. Tinha sido ferido. Ficou nauseado de tanto medo. Continuou a recuar ante o assalto do outro, sentindo-se estranho e desequilibrado, como se o chão estivesse se mexendo sob seus pés. Seu escudo ficou pendurado no pescoço, solto: não era capaz de segurá-lo firmemente com seu braço esquerdo inútil. O baixinho pressentiu a vitória e intensificou o ataque. Hamleigh anteviu seu fim e encheu-se de pavor mortal.

De repente Walter apareceu ao seu lado.

William recuou. Seu cavaleiro brandiu a espada, segurando-a com as duas mãos. Pegando o baixinho de surpresa, cortou-o como um arbusto. William subitamente sentiu-se tonto de alívio. Pôs uma das mãos no ombro do companheiro.

– Perdemos! – gritou Walter. – Vamos dar o fora!

Recobrou a calma. O rei ainda lutava, embora a batalha estivesse perdida. Se ao menos ele desistisse agora, e tentasse fugir, poderia deslocar-se para o Sul e montar outro exército. Mas quanto mais ficasse ali lutando, maior a probabilidade de ser capturado ou morto, o que poderia significar apenas uma única coisa: Matilde seria a rainha.

William e Walter deslocaram-se imperceptivelmente para trás. Por que o rei estava sendo tão tolo? Tinha que provar coragem. A galanteria seria sua morte. William sentiu-se tentado a abandonar o rei. Mas Richard de Kingsbridge ainda estava ali, mantendo o flanco direito com a firmeza de uma rocha, brandindo a espada e derrubando inimigos como se fosse uma ceifadeira.

– Ainda não! – exclamou William para Walter. – Observe o rei!

Recuaram passo a passo. O combate tornou-se menos feroz quando os homens perceberam que o resultado já estava decidido e que não adiantava nada se arriscar. William e Walter cruzaram espadas com dois cavaleiros, mas, como estes se contentaram em forçá-los a recuar, aqueles lutaram defensivamente. Golpes fortes eram trocados, mas ninguém se expunha ao perigo.

William recuou dois passos e arriscou olhar para o rei. Naquele exato momento uma pedra atravessou o campo de luta e acertou o elmo de Estêvão. O rei cambaleou e caiu de joelhos. O adversário de William virou a cabeça para ver o que este estava olhando. O machado caiu das mãos de Estêvão. Um cavaleiro inimigo correu e tirou-lhe o elmo.

– O rei! – gritou, triunfante. – Eu tenho o rei!

* * *

William, Walter e todo o exército real se viraram e saíram correndo.

Philip sentiu-se jubiloso. A retirada começou no meio do exército do rei e espalhou-se como uma onda para os flancos. Em questão de momentos todo o exército real estava batendo em retirada. Era a recompensa do rei Estêvão pela injustiça praticada.

Os atacantes perseguiram os fugitivos. Havia quarenta ou cinquenta cavalos na retaguarda do exército do rei, seguros por escudeiros, e alguns dos fugitivos montaram neles e saíram galopando, não na direção da cidade de Lincoln, mas buscando campo aberto.

Philip perguntou-se o que teria acontecido a Estêvão.

Os cidadãos de Lincoln deixaram apressadamente os telhados. Crianças e animais foram recolhidos. Algumas famílias desapareceram dentro de casa, fechando as janelas e trancando as portas. Houve uma certa agitação nos barcos do lago: alguns cidadãos tentavam fugir usando o rio. As pessoas começaram a se dirigir à catedral, buscando refúgio.

Em cada entrada da cidade, corria gente para fechar os imensos portões guarnecidos de ferro. De repente, os homens de Ranulf de Chester irromperam do castelo. Dividiram-se em grupos, decerto seguindo um plano previamente combinado, e cada grupo foi para um portão. Enérgicos, investiram contra os cidadãos, derrubando-os à direita e à esquerda, e reabriram os portões para admitir os rebeldes vitoriosos.

Philip decidiu sair de cima do telhado da catedral. Os outros que estavam com ele, em sua maior parte cônegos, tiveram a mesma ideia. Todos se abaixaram para passar pela pequena porta que dava na torre. Ali encontraram o bispo e os arcediagos, que tinham ficado numa posição mais alta. Philip achou que o bispo Alexander parecia assustado. Era uma pena: ele precisaria de coragem para compartilhar com os outros naquele dia.

Todos desceram cuidadosamente a comprida e estreita escada em espiral, indo sair na nave da igreja, do lado oeste. Já havia cerca de cem cidadãos ali dentro, e não parava de chegar mais gente pelas três grandes portas. Enquanto Philip estava olhando, dois cavaleiros entraram no pátio da catedral, manchados de sangue e enlameados, galopando; obviamente vinham da batalha. Os dois entraram direto na igreja sem desmontar. Ao verem o bispo, um deles gritou:

— O rei foi capturado!

O coração de Philip deu um salto. O rei não só fora derrotado, como também aprisionado! As forças leais a Estêvão em todo o reino certamente cairiam. As implicações se atropelaram umas sobre as outras na imaginação do prior, mas antes que pudesse ordená-las, ouviu o bispo Alexander gritar:

— Fechem as portas!

Philip mal pôde acreditar no que ouvia.

– Não! – gritou, por sua vez. – Não pode fazer isso!

O bispo o encarou, branco de medo. Não tinha certeza de quem era Philip. O prior lhe fizera uma visita formal, por cortesia, mas não se falavam desde então. Foi com visível esforço que Alexander se lembrou dele.

– Esta não é a sua catedral, prior Philip, é a minha. Fechem as portas! – Diversos padres foram cumprir o que ele ordenara.

Philip ficou horrorizado com aquela demonstração de egoísmo da parte de um clérigo.

– Não pode trancar as pessoas do lado de fora! – gritou, furioso. – Podem ser mortas!

– Se não trancarmos as portas nós todos seremos mortos! – berrou histericamente Alexander.

Philip agarrou-o pela parte da frente do hábito.

– Lembre-se de quem você é – disse, por entre os dentes. – Não se espera que tenhamos medo, especialmente da morte. Controle-se!

– Façam com que ele me largue! – gritou Alexander.

Vários cônegos puxaram Philip, afastando-o do bispo.

– Não veem o que ele está fazendo? – perguntou-lhes Philip.

– Se é tão corajoso – disse um dos cônegos –, por que não vai lá fora e os protege você mesmo?

Philip libertou-se das mãos dos cônegos.

– É exatamente o que vou fazer – disse.

Virou-se. A grande porta central estava sendo fechada. Correu pela nave. Três padres empurravam a porta, enquanto mais gente lutava para ver se conseguia entrar pela passagem cada vez mais estreita. Espremendo-se, Philip conseguiu sair pouco antes do fechamento.

Nos momentos seguintes, uma pequena multidão havia se reunido na entrada da catedral. Homens e mulheres batiam e gritavam, pedindo que os deixassem entrar, mas não havia resposta dentro da igreja.

Subitamente Philip sentiu medo. O pânico no rosto daquelas pessoas trancadas ali fora o assustou. Sentiu que tremia. Defrontara-se com um exército vitorioso quando tinha seis anos de idade, e o horror que sentira então voltou agora. O momento em que os homens de armas invadiram a casa de seus pais foi evocado tão vividamente como se tivesse acontecido na véspera. Ficou imobilizado no lugar onde estava, tentando parar de tremer, enquanto a multidão fervilhava à sua volta. Fazia muito tempo que não era atormentado por aquele pesadelo. Viu a avidez por sangue estampada no rosto dos homens, o modo como a espada transfixara sua mãe, a visão horrível das vísceras do seu pai saltando do abdômen, e sentiu de novo aquele mesmo terror histérico, insano, incompreensível, esmagador. Então viu um monge entrar com uma cruz na mão; os gritos cessaram. O monge ensinou a ele e a seu irmão como fechar os olhos da mãe e do pai, para que pudessem dormir o longo sono. Philip se lembrou, como se tivesse acabado de acordar de um sonho, que não era mais uma criança assustada, que era um homem adulto e um monge; e assim como o abade Peter salvara a ele e a seu irmão naquele dia horrível, vinte e sete anos antes, o homem-feito Philip, hoje fortalecido pela fé e protegido por Deus, iria em auxílio daqueles que tinham medo.

Obrigou-se a dar um passo à frente; uma vez feito isso, o segundo passo seria um pouco menos difícil, e o terceiro quase fácil.

Quando chegou à rua que seguia na direção do portão oeste quase foi derrubado por uma multidão de fugitivos: homens e mulheres carregando fardos com suas preciosas propriedades, velhos arquejando, garotas gritando, mulheres com crianças esquálidas nos braços. A pressão daquela gente o empurrou de volta algumas jardas, mas depois ele lutou contra o fluxo. As pessoas se encaminhavam para a catedral. Queria lhes dizer que estava fechada, e que eles deveriam ficar quietos em suas casas e trancarem as portas. Entretanto, todos estavam gritando e ninguém estava ouvindo.

Progrediu vagarosamente ao longo da rua, deslocando-se no sentido contrário ao do fluxo das pessoas. Avançara apenas algumas jardas quando apareceu um grupo de quatro cavaleiros, a galope. Eram eles a causa da correria. Algumas pessoas se achatavam de encontro às paredes das casas, mas outras não podiam sair da frente a tempo e muitas caíam sob as patas dos cavalos. Philip ficou horrorizado, mas não havia nada que pudesse fazer, e se meteu numa viela para não se tornar uma vítima. Um momento mais tarde os cavaleiros haviam passado e a rua ficou deserta.

Diversos corpos ficaram no chão. Quando Philip saiu da viela viu um deles se mover: um homem de meia-idade, de casaco vermelho, tentava se arrastar, a despeito de uma perna ferida. O prior atravessou a rua, tencionando carregar o homem; antes que chegasse ali, porém, apareceram dois soldados de elmo de ferro e escudo de madeira.

— Aquele ali está vivo, Jake — disse um deles.

Philip estremeceu. Teve a impressão, pelas maneiras dos soldados, por suas vozes e roupas, e até mesmo pela expressão do rosto, que eram os mesmos homens que haviam matado seus pais.

— Ele vai render um resgate: olhe aquele casaco vermelho — disse o que se chamava Jake e, virando-se, pôs os dedos na boca e deu um assobio. Um terceiro homem apareceu correndo. — Leve o Casaco Vermelho ali para o castelo e o amarre.

O terceiro homem passou os braços pelo tórax do cidadão ferido e o arrastou. Quando suas pernas machucadas começaram a bater nas pedras, ele gritou de dor.

– Parem! – ordenou Philip. Todos pararam por um momento, olharam para ele e riram; depois prosseguiram.

Philip gritou de novo, mas eles o ignoraram. Ficou observando, impotente, o ferido ser levado embora. Outro homem de armas saiu de uma casa, vestido num casaco de pele comprido e com seis pratos de prata debaixo do braço. Jake viu e reparou no produto da pilhagem.

– Essas casas são ricas – disse ao companheiro. – Devíamos entrar numa delas e ver o que podemos encontrar. – Eles subiram até a porta de uma casa de pedra e a atacaram com um machado de guerra.

Philip sentia-se inútil, mas não estava disposto a desistir. No entanto, Deus não o pusera naquela posição para defender as propriedades dos ricos, e ele deixou Jake e seus companheiros e apressou-se na direção do portão oeste. Mais homens de armas surgiram correndo ao longo das ruas. Em meio a eles havia diversos homens morenos, baixos, de rosto pintado, vestidos com casacos de pele de carneiro e armados com porretes. Eram os selvagens galeses, percebeu Philip, envergonhando-se por ser da mesma terra que aqueles brutos. Encostou-se a uma parede e tentou passar despercebido.

Dois homens saíram de uma casa de pedra arrastando pelas pernas um homem de barba branca e solidéu. Um deles espetou uma faca no pescoço do homem e perguntou:

– Onde está seu dinheiro, judeu?

– Não tenho dinheiro – lamentou-se o homem.

Ninguém acreditaria naquilo, pensou Philip. A fortuna dos judeus de Lincoln era famosa; e, de qualquer forma, o homem morava numa casa de pedra.

Outro homem de armas apareceu, arrastando uma mulher pelos cabelos. Era de meia-idade, e devia ser a esposa do judeu. O primeiro homem gritou:

– Diga onde está o dinheiro, ou enfio a lâmina na boceta dela. – Ergueu a saia da mulher, expondo seus pelos púbicos grisalhos, e apontou uma adaga comprida.

Philip estava a ponto de intervir, mas o velho cedeu imediatamente.

– Não a machuquem, o dinheiro está nos fundos – disse, nervoso. – Está enterrado na horta, perto da pilha de lenha. Por favor, soltem-na.

Os três homens correram para os fundos da casa. A mulher ajudou o homem a se pôr de pé. Outro grupo de cavaleiros surgiu galopando na rua estreita, e Philip saiu da frente mais que depressa. Quando se ajeitou de novo, os judeus tinham sumido.

Viu um rapaz de armadura correndo para salvar a vida, com três ou quatro galeses no seu encalço. Eles o alcançaram justamente quando emparelhou com Philip. O perseguidor que ia mais à frente brandiu a espada e tocou na barriga da perna do rapaz. Não pareceu a Philip uma ferida profunda, mas foi o suficiente para fazer o jovem tropeçar e cair no chão. Outro galês correu até ele e levantou um machado.

Com o coração na boca, o prior deu um passo em frente:
– Pare! – gritou ele.

O homem levantou mais ainda o machado.

Philip correu em sua direção.

O homem brandiu o machado, mas o prior o empurrou no último instante. A lâmina da arma bateu ruidosamente no pavimento de pedra a um pé da cabeça da vítima. O atacante recuperou o equilíbrio e olhou atônito para Philip. O religioso o encarou também, tentando não tremer, querendo poder se lembrar de uma ou duas palavras de galês. Antes que qualquer um deles se mexesse, os outros dois perseguidores chegaram aonde eles estavam, e um tropeçou em Philip, derrubando-o – o que provavelmente salvou sua vida, conforme percebeu um momento depois. Quando se recuperou, todos o tinham esquecido. Estavam chacinando o pobre rapaz com inacreditável selvageria. Philip conseguiu se levantar, mas já era tarde demais: seus martelos e machados estavam golpeando um cadáver. Philip olhou para o céu e gritou, furioso:

– Se não posso salvar ninguém, por que me mandou para cá?

Como que em resposta a sua pergunta, ouviu um grito vindo de uma casa próxima. Era uma construção de pedra e madeira, de um só andar, não tão cara quanto as que a cercavam. A porta estava aberta. Philip entrou correndo. Havia dois cômodos separados por um arco, e palha no chão. Uma mulher com dois filhos pequenos estava encolhida num canto, aterrorizada. Três homens de armas no meio da casa confrontavam-se com um homem pequeno e calvo. Uma jovem de cerca de dezoito anos jazia no chão. Seu vestido fora rasgado e um dos três soldados estava ajoelhado sobre o seu tórax, mantendo as coxas dela abertas. Era evidente que o careca tentava evitar que estuprassem a filha. Quando Philip entrou, atirou-se contra um dos homens de armas, que o empurrou para um lado. O careca recuou, cambaleando. O soldado enfiou a espada na sua barriga. A mulher no canto gritou como uma alma perdida.

– Parem! – gritou o prior.

Todos olharam para ele como se fosse maluco.

– Vocês todos irão para o inferno se fizerem isto! – disse Philip, no seu tom de voz mais autoritário.

O tipo que matara o careca levantou a espada para Philip.

– Espere um minuto – disse o homem no chão, ainda segurando as pernas da garota. – Quem é você, monge?

– Sou Philip de Gwynedd, prior de Kingsbridge, e ordeno em nome de Deus que deixem essa garota em paz, se têm amor a sua alma imortal.

— Um prior! Logo vi! — disse o homem no chão. — Vale um resgate.

— Vá para o canto com a mulher, que é o seu lugar — disse o primeiro homem, embainhando a espada.

— Não ponha as mãos no hábito de um monge — disse Philip, tentando parecer perigoso, mas percebendo muito bem a nota de desespero que havia em sua voz.

— Leve-o para o castelo, John — disse o homem que estava sentado em cima da garota. Ele parecia ser o líder.

— Vá para o inferno — disse John. — Quero trepar com ela primeiro. — Ele agarrou Philip pelos braços e, antes que pudesse resistir, jogou-o no canto. O prior caiu no chão ao lado da mulher.

O homem chamado John ergueu a parte da frente da túnica e atirou-se sobre a garota. Sua mãe virou de lado e começou a soluçar.

— Não vou assistir a isto! — exclamou Philip. Levantou-se e agarrou o estuprador pelo cabelo, afastando-o da garota. O homem grunhiu de dor.

O terceiro homem levantou um porrete. O prior viu o golpe se aproximando, mas já era tarde demais. O porrete atingiu sua cabeça. Sentiu uma dor agonizante por um momento, depois tudo escureceu, e ele perdeu a consciência antes de cair no chão.

Os prisioneiros foram levados ao castelo e trancados em celas. Estas eram sólidas estruturas de madeira, como casas em miniatura, com seis pés de comprimento e três de largura, e apenas um pouco mais altas que a cabeça de um homem. Em vez de paredes inteiriças, tinham barras verticais não muito espaçadas, que possibilitavam ao carcereiro ver o lado de dentro. Em tempos normais, quando eram usadas para confinar ladrões, assassinos e hereges, havia apenas uma ou duas pessoas por cela. Naquela oportunidade, os rebeldes puseram oito ou dez em cada uma, e ainda havia mais prisioneiros. Os cativos excedentes foram amarrados com cordas e arrebanhados para um canto do conjunto. Poderiam ter escapado facilmente, mas não o fizeram, decerto porque estavam mais seguros ali do que do lado de fora, na cidade.

Philip sentou-se no canto de uma cela, com uma terrível dor de cabeça, sentindo-se tolo e fracassado. No fim ele tinha sido tão inútil quanto o covarde bispo Alexander. Não salvara uma única vida; nem sequer impedira um só golpe. Os cidadãos de Lincoln não teriam estado em pior situação sem ele. Ao contrário do abade Peter, ele fora impotente para deter a violência. Simplesmente não sou o homem que o abade Peter era, pensou ele.

Pior ainda: em sua vã tentativa de ajudar os moradores de Lincoln ele provavelmente tinha jogado fora a chance de conseguir as concessões que queria, se Matilde se tornasse rainha. Agora era prisioneiro do exército dela. Assim, presumiriam que estivera com as forças do rei Estêvão. O priorado de Kingsbridge teria que pagar um resgate pela sua libertação. Era bem provável que a coisa toda chegasse aos ouvidos de Matilde; nesse caso ela tomaria posição contra Philip. Sentiu-se nauseado, desapontado e cheio de remorsos.

Mais prisioneiros foram trazidos durante o dia. O fluxo terminou por volta do anoitecer, mas o saque da cidade prosseguiu fora das muralhas do castelo: Philip podia ouvir os gritos, brados e demais sons da destruição. Ao se aproximar a meia-noite o barulho diminuiu, presumivelmente quando os soldados ficaram tão bêbados com o vinho roubado e tão saciados de estupros e violência que não mais puderam causar danos. Um número pequeno deles voltou cambaleando para o castelo, jactando-se dos seus triunfos, discutindo e brigando uns com os outros e vomitando no capim; acabaram por cair no chão, insensíveis, e dormiram.

Philip adormeceu também, embora não tivesse espaço suficiente para deitar e precisasse se encolher no canto com as costas apoiadas nas barras de madeira da cela. Acordou de madrugada, tremendo de frio, mas a dor aguda na cabeça abrandara, misericordiosamente, transformando-se numa dor mais difusa. Levantou-se para esticar as pernas e bateu com os braços do lado do corpo para se aquecer. Todos os prédios do castelo estavam superlotados. Os estábulos, com a parte da frente aberta, revelavam homens dormindo nas baias, enquanto os cavalos haviam sido amarrados do lado de fora. Pares de pernas saíam pela porta da padaria e da cozinha. A pequena minoria de soldados armara barracas. Havia cavalos por toda parte. No canto sudeste do conjunto do castelo ficava a fortaleza, um castelo dentro de um castelo, construída sobre uma alta elevação, com as poderosas muralhas de pedra circundando meia dúzia ou mais de construções de madeira. Os condes e cavaleiros do lado vencedor estariam ali dentro dormindo, após as comemorações.

A cabeça de Philip voltou-se para as implicações da batalha da véspera. Aquilo significava que a guerra terminara? Provavelmente. Estêvão tinha uma esposa, a rainha Matilda, que podia continuar a luta: ela era a condessa de Boulogne, e com seus cavaleiros franceses tomara o Castelo de Dover no início da guerra e agora controlava grande parte de Kent em nome do marido. No entanto, encontraria dificuldade para conseguir apoio dos barões enquanto Estêvão estivesse na prisão. Poderia manter Kent por algum tempo, mas era improvável que obtivesse mais vitórias.

O fato é que os problemas de Matilde ainda não estavam terminados. Tinha ainda que consolidar sua vitória militar, ganhar a aprovação da Igreja e ser coroada em Westminster. No entanto, com determinação e um pouco de sabedoria, provavelmente teria êxito.

E isso seria uma boa notícia para Kingsbridge; ou poderia ser, se Philip pudesse sair dali sem ser considerado partidário de Estêvão.

Não havia sol, mas esquentou um pouco quando o dia clareou. Os companheiros de prisão de Philip foram acordando gradualmente, gemendo de dor: a maioria tinha, no mínimo, sofrido equimoses, e se sentiam pior após uma noite fria, com apenas a proteção mínima do teto e das barras da cela. Alguns eram cidadãos ricos; outros, cavaleiros aprisionados na batalha. Quando a maioria havia acordado, Philip perguntou:

— Alguém viu o que aconteceu com Richard de Kingsbridge? Ele esperava que Richard tivesse sobrevivido, pelo bem de Aliena.

— Ele lutou como um leão — disse um homem com uma atadura ensanguentada na cabeça. — Liderou os habitantes da cidade quando as coisas ficaram feias.

— Viveu ou morreu?

O homem sacudiu a cabeça ferida lentamente.

— Não o vi no final.

— E William Hamleigh? — Seria uma bênção se William tivesse ficado no campo de batalha.

— Esteve junto do rei a maior parte do tempo. Mas fugiu no fim; eu o vi num cavalo, a galope, bem à frente de todos.

— Ah! — O restinho de esperança desapareceu. Os problemas de Philip não seriam resolvidos tão facilmente.

A conversa cessou e a cela ficou em silêncio. Do lado de fora, os soldados já se mexiam, tratando de sua ressaca, verificando o que tinham pilhado, certificando-se de que os prisioneiros ainda permaneciam em cativeiro, pegando o desjejum na cozinha. Philip perguntou-se se os prisioneiros seriam alimentados. Era preciso, pensou, pois de outro modo morreriam e não haveria resgates; mas quem assumiria a responsabilidade de alimentar toda aquela gente? Esse tipo de ideia o fez começar a pensar no período de tempo que ficaria ali. Seus captores teriam que mandar uma mensagem a Kingsbridge, exigindo um resgate. Os irmãos precisariam mandar um deles para negociar sua libertação. Quem seria? Milius seria o melhor, mas Remigius, como subprior, era o encarregado na ausência de Philip, e poderia mandar um de seus amigos ou até mesmo vir em pessoa. Remigius faria tudo lentamente: era incapaz de ação pronta e decisiva, mesmo no seu próprio interesse. Poderia levar meses. Philip ficou ainda mais abatido.

Outros prisioneiros tinham mais sorte. Logo após o raiar do sol, suas esposas, filhos e parentes começaram a aparecer no castelo, temerosos e hesitantes a princípio, depois com mais confiança, para negociar o resgate. Barganhariam com os captores por algum tempo, alegando falta de dinheiro, oferecendo joias baratas ou outros bens; por fim chegariam a um acordo, voltariam a suas casas e retornariam um pouco mais tarde com o resgate que tivesse ficado acertado, normalmente em espécie. O butim ficaria cada vez mais alto, e as celas iriam se esvaziando.

Pelo meio-dia metade dos prisioneiros já se fora. Philip presumiu que se tratava de gente da localidade. Os remanescentes, provavelmente cavaleiros aprisionados durante a batalha, deviam ser de cidades distantes. A impressão foi confirmada quando o guardião do castelo apareceu e perguntou os nomes de todos os prisioneiros: a maioria era de cavaleiros do Sul. Philip notou que em uma das celas havia um único homem, preso numa espécie de tronco, como se alguém quisesse ter certeza absoluta de que não poderia fugir. Após observar o prisioneiro especial por alguns minutos, Philip percebeu de quem se tratava.

– Vejam! – disse aos três homens da sua cela. – Aquele homem ali, sozinho. É mesmo quem estou pensando que é?

Os outros olharam.

– Por Cristo, é o rei! – disse um deles, e os outros concordaram.

O prior ficou olhando para o homem enlameado, de cabelos alourados e mãos e pés desconfortavelmente presos nos estreitos orifícios do tronco. Parecia ser igual aos demais. Ainda na véspera era o rei da Inglaterra, e recusara conceder a Kingsbridge uma licença para o funcionamento de um mercado. Nesse dia não poderia sequer se levantar sem que alguém lhe desse licença. O rei tivera o que merecera, mas mesmo assim Philip sentiu pena dele.

No início da tarde deram comida aos prisioneiros. Eram restos mornos do jantar servido aos combatentes, mas eles se atiraram àquela comida sofregamente. O prior relutou em servir-se, deixando que os outros tivessem a maior parte, porque, além de considerar a fome uma fraqueza básica contra a qual, de vez em quando, se devia resistir, via qualquer jejum forçado como uma oportunidade para mortificar a carne.

Quando os prisioneiros raspavam as tigelas, houve uma agitação na fortaleza, e entrou um grupo de condes. Enquanto desciam as escadas e atravessavam o conjunto do castelo, Philip observou que dois iam à frente dos demais e eram tratados com deferência. Deviam ser Ranulf de Chester e Robert de Gloucester, mas Philip não sabia quem era quem. Eles se aproximaram da cela de Estêvão.

– Bom-dia, primo Robert – disse Estêvão, enfatizando fortemente a palavra "primo".

Foi o mais alto dos dois homens quem respondeu.

– Não era minha intenção que você passasse a noite preso no tronco. Mandei que o tirassem, mas a ordem não foi obedecida. No entanto, parece que sobreviveu.

Um homem em trajes religiosos separou-se do grupo e dirigiu-se à cela de Philip. A princípio, este não lhe deu atenção, porque Estêvão estava perguntando o que iria ser feito com ele, e Philip queria ouvir a resposta; porém, o padre perguntou:

– Qual de vocês é o prior de Kingsbridge?

– Eu – respondeu Philip.

– Solte-o – disse o religioso para um dos homens de armas que haviam aprisionado Philip.

O prior ficou assombrado. Nunca vira aquele padre na vida. Era evidente que seu nome fora descoberto na lista preparada pelo guardião do castelo. Mas por quê? Ficaria contente em sair da cela, mas não era hora de se rejubilar – não sabia o que o aguardava.

O homem de armas protestou.

– Ele é meu prisioneiro!

– Não é mais – retrucou o padre. – Solte-o!

– Por que eu deveria libertá-lo sem receber um resgate? – contestou o homem beligerantemente.

O padre replicou com igual energia.

– Primeiro, porque ele não é um combatente do exército do rei nem um cidadão desta cidade, de modo que você cometeu um crime aprisionando-o. Segundo, porque é monge, e você é culpado de sacrilégio por ter posto as mãos num homem de Deus. Terceiro, porque o secretário da rainha Matilde diz que você tem que libertá-lo, e se se recusar terminará preso nessa cela, mais depressa que um piscar de olhos, de modo que é bom que seja *rápido*.

– Está bem – resmungou o homem.

Philip ficou consternado. Havia nutrido uma leve esperança de que Matilde não tomasse conhecimento de sua prisão. Mas se o secretário da rainha pedira para vê-lo, essa esperança estava perdida. Sentindo-se como se tivesse atingido o fundo do poço, saiu da cela.

– Venha comigo – disse o padre.

Philip seguiu-o.

– Vou ser libertado? – perguntou.

– Imagino que sim. – O padre pareceu surpreso com a pergunta. – Não sabe quem vai ver agora?

– Não tenho a menor ideia.

O padre sorriu.

– Vou deixar que ele lhe faça uma surpresa.

Atravessaram o conjunto até a fortaleza e subiram a longa escadaria que galgava o aterro e dava no portão. Philip fez um esforço enorme, mas não conseguiu adivinhar por que um secretário de Matilde estaria interessado nele.

Seguiu o padre, passando pelo portão. O forte de pedra, que era circular, tinha casas de dois andares construídas de encontro à muralha. No meio havia um pátio minúsculo com um poço. O religioso reconduziu Philip ao interior de uma dessas casas.

Dentro dela havia outro padre, de pé ante o fogo e de costas para a porta. Era baixo e esguio como Philip e tinha o mesmo cabelo preto, mas sem tonsura nem fios brancos. De costas, era muito familiar. Philip mal pôde crer na sua sorte. Um largo sorriso iluminou-lhe o rosto.

O padre virou-se. Tinha olhos azuis brilhantes, como os do prior, e também estava sorrindo. Estendeu os braços.

– Philip!

– Deus seja louvado! – exclamou Philip, atônito. – Francis!

Os dois irmãos se abraçaram, e os olhos do prior encheram-se de lágrimas.

3

A recepção real no Castelo de Winchester foi bem diferente. Os cachorros desapareceram, da mesma forma como o trono simples de madeira do rei Estêvão, os bancos e as peles de animais penduradas nas paredes. Em vez disso agora havia cortinas bordadas, tapetes ricamente coloridos, grandes taças cheias de confeitos e cadeiras pintadas. O salão cheirava a flores.

Philip nunca se sentia à vontade na corte real, e uma corte *feminina* foi o suficiente para pô-lo em estado de palpitante ansiedade. Matilde representava sua única esperança de reaver a pedreira e reabrir o mercado, mas não confiava na justiça daquela mulher soberba e voluntariosa.

A Imperatriz, de vestido azul, sentou-se num trono dourado, delicadamente entalhado. Era alta e magra, com orgulhosos olhos escuros e cabelo preto liso e brilhante. Sobre o vestido usava uma pelica, uma capa de seda comprida até os tornozelos, com a cintura justa e a saia larga – um estilo não muito visto na Inglaterra até a sua chegada, mas agora muito imitado. Fora casada com o primeiro marido por onze anos e com o segundo por catorze, mas ainda parecia ter menos de quarenta anos de idade. Todos falavam com entusiasmo de sua beleza. Para Philip parecia um tanto angulosa e antipática; porém, ele era mau juiz dos encantos femininos, sendo mais ou menos indiferente a eles.

Philip, Francis, William Hamleigh e o bispo Waleran fizeram uma reverência e esperaram. Ela os ignorou por algum tempo, e continuou conversando com uma dama de companhia. O assunto parecia ser bastante frívolo, pois ambas riam muito; Matilde, contudo, não interrompeu a conversa para cumprimentar os visitantes.

Francis trabalhava intimamente com a rainha, e a via quase todos os dias, mas não eram grandes amigos. Robert, irmão de Matilde e antigo senhor de Francis, o cedera a ela por ocasião de sua chegada à Inglaterra, pois precisava de um secretário de primeira classe. No entanto, não fora esse o único motivo. O religioso agia como elo de ligação entre irmão e irmã, e ficava atento à impetuosa Matilde. Não tinha grande importância que irmãos se traíssem, naquela vida falsa da corte real, e o verdadeiro papel de Francis era tornar difícil para a rainha fazer qualquer coisa furtivamente. Matilde sabia disso e aceitava a situação, mas mesmo assim seu relacionamento com Francis era difícil.

Fazia dois meses desde a batalha de Lincoln, e nesse período tudo correra bem para Matilde. O bispo Henry lhe dera as boas-vindas em Winchester (traindo desta forma o irmão *dele,* Estêvão) e convocara um grande conselho de bispos e abades que a aceitara como rainha; agora ela estava negociando com a comuna de Londres sua coroação em Westminster. O rei David, da Escócia, que por acaso era seu tio, estava a caminho para lhe fazer uma visita oficial, de um soberano para outro.

O bispo Henry era fortemente apoiado pelo bispo Waleran de Kingsbridge; e, de acordo com Francis, Waleran persuadira William Hamleigh a trocar de lado, jurando-lhe fidelidade. Agora o lorde viera buscar sua recompensa.

Os quatro homens esperaram: William com o homem que o apoiava, o bispo Waleran, e Philip com seu protetor, Francis. Era a primeira vez que o prior punha os olhos em Matilde. A aparência dela não o tranquilizou: a despeito do seu ar soberano, achou-a volúvel.

Quando a rainha terminou a conversa, virou-se para eles com uma expressão de triunfo na fisionomia, como se dissesse: Vejam como vocês têm pouca importância, até mesmo minha dama de companhia tem prioridade sobre os seus assuntos. Ela encarou Philip firmemente, até deixá-lo embaraçado, e disse então:

– Bem, Francis. Você me trouxe seu irmão gêmeo?

– Um tanto velho e grisalho para ser gêmeo, majestade – disse o prior, fazendo uma nova reverência. Era o tipo da observação trivial, de autocondenação, que os cortesãos pareciam achar divertida, mas ela lançou-lhe um olhar glacial e o ignorou. Ele decidiu abandonar qualquer tentativa de ser agradável.

Matilde virou-se para William.

– E Sir William Hamleigh, que combateu corajosamente contra o meu exército na batalha de Lincoln, mas que agora reconheceu seus erros.

William fez uma reverência, e, sabiamente, manteve a boca fechada.

Ela se voltou de novo para Philip.

– Você me pede que lhe conceda uma licença para o funcionamento de um mercado.

– Sim, majestade.

– A renda do mercado será toda gasta na construção da catedral, majestade – disse Francis.

– Em que dia da semana você quer seu mercado?

– Domingo.

Ela ergueu as sobrancelhas depiladas.

– Vocês, homens santos, geralmente se opõem a mercados dominicais. Não afastam as pessoas da Igreja?

— Não no nosso caso — disse Philip. — As pessoas vão trabalhar na obra e assistir à missa, e também compram e vendem suas coisas.

— Então você já está operando um mercado? — perguntou ela asperamente.

Philip percebeu que havia cometido um erro grosseiro. Teve vontade de dar um pontapé na própria canela.

Francis o salvou.

— Não, majestade, o mercado não está funcionando nos dias de hoje — disse. — Começou informalmente, mas o prior Philip ordenou sua extinção até que fosse concedida a licença.

Era verdade, mas não totalmente. Matilde, contudo, pareceu aceitá-la. Philip rezou para que Francis fosse perdoado.

— Não há outro mercado na região? — perguntou Matilde. Foi William quem respondeu.

— Há, sim, em Shiring; e a feira de Kingsbridge veio roubando negócios de Shiring.

— Mas Shiring fica a vinte milhas de Kingsbridge! — disse Philip.

— Majestade — disse Francis —, a lei diz que os mercados devem estar separados pelo menos por catorze milhas. Por esse critério, Kingsbridge e Shiring não competem.

Ela aquiesceu, aparentemente disposta a aceitar a informação prestada por Francis a respeito de matéria legal. Até aqui, pensou Philip, está se encaminhando para o nosso lado.

— Você também pede o direito de explorar a pedreira do conde de Shiring — disse Matilde.

— Tivemos esse direito por muitos anos, mas há pouco tempo William expulsou de lá os nossos homens, matando cinco...

— Quem lhe deu esse direito? — interrompeu ela.

— O rei Estêvão.

— O usurpador!

— Majestade — apressou-se a dizer Francis —, o prior Philip naturalmente aceita o fato de que nenhum dos decretos do pretendente Estêvão vigora, a menos que validados pela senhora.

Philip não aceitava aquilo, mas viu que não seria sábio dizê-lo.

— Fechei a pedreira como contrapartida ao seu mercado ilegal! — explodiu William.

Era impressionante, pensou Philip, como um caso evidente de injustiça podia parecer tão equilibrado quando discutido na corte.

— Toda essa briga aconteceu porque a decisão original de Estêvão foi tola — disse Matilde.

O bispo Waleran falou pela primeira vez.

— Nesse ponto concordo com vossa majestade de todo o coração — disse servilmente.

— Era querer causar problemas, dar uma pedreira a uma pessoa e o direito de exploração a outra — disse ela. — A pedreira deve pertencer a um ou a outro.

Era verdade, pensou Philip. E se ela fosse seguir o espírito da decisão original de Estêvão, a pedreira pertenceria a Kingsbridge.

— Minha decisão — disse Matilde — é que a pedreira pertencerá a meu nobre aliado, Sir William.

Philip ficou desolado. A construção da catedral não poderia ter progredido tão bem sem livre acesso à pedreira. Agora precisaria andar mais devagar, esperando pelo dinheiro que ele pudesse arranjar para comprar pedra. E tudo por causa do capricho daquela mulher! Philip teve um acesso de cólera.

— Muito obrigado, majestade — disse William.

— No entanto — prosseguiu Matilde —, Kingsbridge terá tanto direito de explorar um mercado quanto Shiring.

Philip animou-se de novo. O mercado não pagaria inteiramente a pedra, mas já seria uma grande ajuda. Significava que teria que brigar por dinheiro em toda parte, como no princípio, mas também que poderia tocar a obra.

Matilde dera a cada um uma parte do pleiteado. Talvez não fosse tão tola, afinal.

— Direitos de mercado iguais aos de Shiring, majestade?

— Foi o que eu disse.

Philip não estava certo quanto ao motivo pelo qual Francis repetira aquilo. Era comum que as licenças se referissem a direitos desfrutados por outras cidades: tratava-se de uma questão de justiça e de economia de trabalho de quem tivesse de redigir o decreto. Philip precisaria verificar o que dizia exatamente a carta régia de Shiring. Poderia haver restrições ou privilégios extras.

— Dessa forma — disse Matilde —, os dois saíram ganhando. William fica com a pedreira, e o prior Philip, com o mercado. Em troca cada um me pagará cem libras. É só. — Ela se afastou.

Philip ficou estupefato. Cem libras! O priorado não tinha cem libras no momento. Como levantaria tanto dinheiro? O mercado levaria anos para gerar cem libras. Era um golpe devastador que faria o programa de construção estagnar em caráter permanente. Ele a encarou, mas ela aparentemente voltara a se envolver numa animada conversa com sua dama de companhia. Francis lhe deu uma cotovelada. Philip abriu a boca para falar. Seu irmão levou um dedo aos lábios.

— Mas... — começou o prior. Francis sacudiu a cabeça, nervoso.

Philip sabia que Francis estava com a razão. Deixou cair os ombros, derrotado. Aturdido, virou-se e retirou-se da presença real.

* * *

Francis ficou impressionado quando Philip correu com ele o priorado de Kingsbridge.

— Estive aqui há dez anos, e era uma pocilga — disse irreverentemente. — Você deu mesmo vida a isto aqui.

Ele gostou muito da sala de escrita, que Tom terminara enquanto Philip estava em Lincoln. Era um pequeno prédio ao lado da casa do cabido, com grandes janelas, lareira com chaminé, uma fila de mesas para escrever e um grande armário de carvalho para os livros. Quatro irmãos já a estavam utilizando, de pé ante as altas escrivaninhas, trabalhando com penas em folhas de pergaminho. Um copiava os Salmos de Davi, outro, o Evangelho de são Mateus, e o terceiro, a Regra de são Bento. Além deles, o irmão Timothy estava escrevendo uma história da Inglaterra; entretanto, por ter começado com a criação do mundo, Philip receava que o bom monge não fosse ter tempo para terminá-la. Apesar de pequena — Philip não quisera desviar muitas pedras da catedral —, a sala era seca, quente e bem iluminada: exatamente do que precisavam.

— Desgraçadamente o priorado tem poucos livros, e como eles são muito caros para serem comprados, este é o único modo de aumentar nossa coleção — explicou Philip.

Na cripta sob a sala, havia uma oficina onde um velho monge ensinava dois jovens a esticar a pele de um carneiro para preparar pergaminho, a fazer tinta e a encadernar as folhas para fazer o livro.

— Você poderá vender livros também — comentou Francis.

— Oh, sim. A sala de escrita pagará muitas vezes o que custou.

Eles deixaram o prédio e atravessaram o claustro. Era hora de estudo. A maioria dos monges lia. Uns poucos meditavam, atividade suspeitamente parecida com cochilar, conforme Francis observou, cético. No canto noroeste havia vinte garotos recitando verbos em latim. Philip parou e apontou.

— Está vendo aquele garotinho na ponta do banco?

— Escrevendo numa lousa, com a língua de fora?

— É o bebê que você encontrou na floresta.

— Mas é tão grande!

— Tem cinco anos e meio, e é precoce.

Francis balançou a cabeça, admirado.

— O tempo passa tão depressa! Como vai ele?

— É mimado pelos monges, mas sobreviverá. Você e eu sobrevivemos.

— Quem são os outros alunos?

— Noviços, ou filhos de mercadores e da pequena nobreza local aprendendo a ler e contar.

Deixaram o claustro e passaram para o canteiro da obra. Agora, mais da metade do braço leste da nova catedral estava construída. A grande fileira dupla de enormes colunas tinha quarenta pés de altura, e todos os arcos entre elas estavam prontos. Acima da arcada, a galeria da tribuna ia tomando forma. De cada um dos lados, erguiam-se as paredes mais baixas da nave lateral, com seus arcobotantes salientes. Ao contornarem a obra, Philip viu que os pedreiros estavam trabalhando nos meios arcos que ligariam o topo dos arcobotantes ao topo da galeria da tribuna, permitindo que estes sustentassem o peso do telhado.

— Você fez tudo isso, Philip — disse Francis, quase reverente. A sala de escrita, a escola, a igreja nova, até mesmo todas aquelas casas novas na cidade. Está tudo aí porque você fez acontecer.

O prior ficou comovido. Ninguém jamais lhe dissera aquilo. Se lhe perguntassem, diria que Deus abençoara seus esforços. Mas bem no fundo do coração sabia que o que Francis dissera era verdade: aquela cidade florescente e fervilhante era sua criação. O reconhecimento causou-lhe um cálido rubor, especialmente por vir do seu irmão mais moço, cínico e sofisticado.

Tom Construtor os viu e se aproximou.

— Você conseguiu um progresso maravilhoso — disse-lhe Philip.

— Sim, mas olhe só para aquilo. — Tom apontou para o canto nordeste do adro, onde era empilhada a pedra. Havia normalmente centenas de pedras arrumadas em fileiras, mas agora não passavam de umas vinte e cinco, espalhadas pelo chão. — Lastimavelmente, esse maravilhoso progresso significa que usamos nosso estoque de pedras.

O entusiasmo de Philip desvaneceu-se. Tudo o que obtivera estava em perigo, graças à impiedosa decisão de Matilde.

Eles foram caminhando ao longo do lado norte do canteiro da obra, onde os pedreiros mais talentosos trabalhavam em suas bancadas, lavrando as pedras com seus martelos e cinzéis. Philip parou atrás de um artesão e estudou seu trabalho. Era um capitel, a pedra larga e saliente que sempre ficava no topo de uma coluna. Usando um martelo leve e um cinzel pequeno, o artesão estava cinzelando um desenho de folhas. As folhas eram cortadas fundo, num trabalho delicado. Para surpresa de Philip, viu que o artesão era o jovem Jack, o enteado de Tom.

— Pensei que Jack fosse ainda um aprendiz — disse.

— E é. — Tom seguiu andando e, quando não mais podiam ser ouvidos, disse: — O garoto é notável. Há homens aqui que vêm cinzelando pedra desde que Jack nasceu, e nenhum consegue se igualar a ele. — Riu, ligeiramente embaraçado. — E não é nem mesmo meu filho!

O filho de Tom, Alfred, era mestre pedreiro e tinha o próprio grupo de aprendizes e serventes, mas Philip sabia que eles não executavam o trabalho delicado. Gostaria de saber como o construtor se sentiria a esse respeito, no fundo do seu coração.

A cabeça de Tom retornara ao problema do pagamento da licença.

— Certamente o mercado vai gerar um bocado de dinheiro — disse.

– Sim, mas não o suficiente. Serão cerca de cinquenta libras por ano no princípio.

Tom aquiesceu, melancólico.

– Será quase que exatamente o que teremos de pagar pela pedra.

– Poderíamos dar um jeito, se eu não precisasse pagar a Matilde cem libras.

– E a lã?

A lã que estava se amontoando nos depósitos de Philip seria vendida na Feira de Lã de Shiring em poucas semanas, e representava cerca de cem libras.

– É esse dinheiro que vou usar para pagar à rainha. Mas então não me sobrará nada para pagar aos operários nos próximos doze meses.

– Não pode pedir emprestado?

– Já pedi. Os judeus não me emprestarão mais. Perguntei, quando estava em Winchester. Eles não emprestam dinheiro se acham que você não pode pagar.

– E Aliena?

Philip se espantou. Não tinha pensado em pedir-lhe dinheiro emprestado. A jovem tinha ainda mais lã que ele em seus depósitos. Após a feira poderia ter duzentas libras.

– Mas ela precisa do dinheiro para viver. E cristãos não podem cobrar juros. Se ela me emprestar o dinheiro não vai ter como negociar. No entanto... – enquanto falava, Philip começou a ter uma nova ideia. Lembrou-se de que Aliena quisera comprar toda a sua produção de lã do ano. Talvez eles pudessem encontrar uma solução. – Acho que falarei com ela, de qualquer modo – disse Philip. – Será que está em casa agora?

– Acho que sim; eu a vi hoje de manhã.

– Vamos, Francis. Você vai conhecer uma jovem notável.

Os dois irmãos deixaram Tom e saíram apressadamente do adro, indo para a cidade. Aliena tinha duas casas, uma do lado da outra, encostadas no muro oeste do priorado. Morava numa e usava a outra como depósito. Estava muito rica. Tinha que haver um modo de poder ajudar o priorado a pagar a extorsiva taxa que Matilde cobrara para conceder a licença. Uma vaga ideia começou a tomar forma na cabeça de Philip.

Aliena estava no depósito, supervisionando a descarga de um carro de boi carregado com uma pilha enorme de sacos de lã. Usava uma capa de brocado, como a que Matilde vestira na audiência, e seu cabelo estava preso numa touca branca. Tinha um ar autoritário, como sempre, e os dois homens que descarregavam o carro de boi obedeciam às suas ordens sem questionamentos. Todos a respeitavam, embora – o que era estranho – não tivesse amigos íntimos. Cumprimentou Philip calorosamente.

– Quando soubemos da batalha ficamos com medo de que você pudesse ter morrido! – disse. Havia real preocupação em seus olhos, e Philip ficou comovido ao pensar que havia pessoas que tinham se afligido por sua causa. Apresentou-a a Francis.

— Conseguiu obter justiça em Winchester? — perguntou Aliena.

— Não exatamente — respondeu Philip. — A rainha nos concedeu o mercado, mas negou a pedreira. Um compensa relativamente o outro. Porém, me cobrou cem libras pela licença do mercado.

Aliena ficou chocada.

— Que horror! Você lhe disse que a renda se destina à construção da catedral?

— Oh, sim.

— Mas onde vai arranjar cem libras?

— Achei que você podia ajudar.

— Eu? — Aliena levou um susto.

— Dentro de poucas semanas, depois que vender sua lã para os flamengos, terá duzentas libras ou mais.

Aliena ficou perturbada.

— E eu as daria para você alegremente, mas vou precisar delas para comprar mais lã no ano que vem.

— Lembra que queria comprar minha lã?

— Sim, mas é demasiado tarde agora. Quis comprá-la no início da estação. Além disso, você mesmo poderá vendê-la em breve.

— Eu estava pensando... — disse Philip. — Poderia lhe vender a lã do *próximo* ano?

Ela franziu a testa.

— Mas você ainda não a tem!

— Não posso vendê-la antes de tê-la?

— Não vejo como.

— Simples. Você me dá o dinheiro agora. Eu lhe dou a lã dentro de um ano.

Evidentemente Aliena não sabia o que dizer daquela proposta: era diferente de qualquer maneira conhecida de fazer negócio. Era nova para Philip também: ele acabara de inventá-la.

— Eu teria que lhe oferecer um preço um pouco menor do que o que você poderia obter, para compensar a espera — disse Aliena, lenta e pensativamente. — Além disso, talvez o preço suba até o próximo verão, como tem acontecido todos os anos desde que estou neste negócio.

— Então perderei um pouco e você ganhará um pouco — disse Philip. — Mas serei capaz de tocar a obra por mais um ano.

— E o que fará no outro?

— Não sei. Talvez lhe venda antecipadamente a nossa lã mais uma vez.

Aliena aquiesceu.

— Tem sentido.

Philip segurou-lhe as mãos e fitou-a nos olhos.

– Se fizer isso, Aliena, salvará a catedral – disse fervorosamente. Ela assumiu uma expressão muito solene.

– Você me salvou uma vez, não foi?

– Foi.

– Então farei o mesmo por você.

– Deus a abençoe! – Num excesso de gratidão ele a abraçou; depois lembrou que se tratava de uma mulher e afastou-se rapidamente. – Não sei como lhe agradecer – disse. – Já estava começando a perder o juízo.

Aliena riu.

– Não estou certa se mereço tanta gratidão. Provavelmente me sairei muito bem com esse trato.

– Espero que sim.

– Vamos beber um copo de vinho juntos para selar o compromisso – disse ela. – Só vou pagar ao carroceiro.

O carro de boi estava vazio, e a lã, empilhada cuidadosamente. Philip e Francis saíram, enquanto Aliena acertava as contas com o carroceiro. O sol estava se pondo e os trabalhadores na construção retornavam para suas casas. A animação de Philip voltou. Encontrara um modo de continuar, apesar de todos os percalços.

– Graças a Deus por Aliena! – disse.

– Você não me disse que ela era tão bonita – comentou Francis.

– Bonita? Suponho que seja.

Francis riu.

– Philip, você é cego! Ela é uma das mulheres mais bonitas que já vi na vida. Bonita a ponto de fazer um homem desistir do sacerdócio.

Philip lançou um olhar severo para Francis.

– Você não devia falar assim.

– Desculpe.

Aliena saiu também e trancou o depósito; depois foram todos para a sua casa. Era grande, com um salão principal e um quarto de dormir separado. Havia um barril de cerveja a um canto, um presunto inteiro pendurado no teto e uma toalha de linho branco estendida em cima da mesa. Uma criada de meia-idade serviu vinho para os convidados em cálices de prata. Aliena vivia confortavelmente. Se é tão bonita, pensou Philip, por que não tem marido? Não havia falta de pretendentes: já fora cortejada por todos os homens do condado em condições de se casar, mas repelira a todos. Philip se sentia tão agradecido que queria que ela fosse feliz.

A cabeça da jovem ainda estava ocupada com assuntos práticos.

– Não terei o dinheiro senão depois da Feira de Lã de Shiring – disse, depois que brindaram ao acordo.

Philip virou-se para Francis.

— Matilde esperará?
— Quanto tempo?
— A feira é três semanas depois da quinta-feira.
Francis fez que sim.
— Eu lhe falarei. Ela esperará.
Aliena desamarrou a touca da cabeça e soltou o cabelo escuro ondulado. Deixou escapar um suspiro de cansaço.
— Os dias são demasiadamente curtos! Não consigo dar conta de tudo o que tenho para fazer. Quero comprar mais lá, mas tenho que achar carroceiros em número suficiente para transportar tudo para Shiring.
— E no ano que vem vai ter mais ainda — disse Philip.
— Gostaria que pudéssemos fazer os flamengos virem aqui para comprar. Seria muito mais fácil para nós do que levar toda a lã para Shiring.
— Mas vocês podem — interpôs Francis.
Ambos olharam para ele.
— Como? — perguntou Philip.
— Façam sua própria feira de lã.
Philip começou a ver aonde ele queria chegar.
— Podemos?
— Matilde lhe deu os mesmos direitos que Shiring. Fui eu mesmo que escrevi a carta régia. Se Shiring pode organizar uma feira de lã, Kingsbridge também pode.
— Puxa, seria maravilhoso! — disse Aliena. — Não teríamos que transportar toda essa lã a Shiring. Faríamos todos os negócios aqui e despacharíamos a lã diretamente para Flandres.
— E isso para não falar no resto — disse Philip, entusiasmado. — Uma feira de lã faz tanto dinheiro numa semana quanto um mercado funcionando aos domingos num ano inteiro. Isso não acontecerá este ano, é claro — ninguém terá conhecimento da nossa feira. Mas podemos espalhar a notícia por ocasião da Feira de Shiring, assegurando-nos de que todos os compradores saibam a data...
— Fará muita diferença para Shiring — comentou Aliena. — Você e eu somos os maiores vendedores de lã do condado, e se ambos nos retirarmos, a feira deles se reduzirá a menos da metade do seu atual tamanho.
— William Hamleigh perderá dinheiro — disse Francis. — Vai ficar furioso como um touro.
Philip não pôde evitar um estremecimento de irritação. Um touro furioso era exatamente o que William era.
— E daí? — disse Aliena. — Se Matilde nos deu permissão, podemos ir em frente. Não há nada que William possa fazer, há?
— Espero que não — disse Philip fervorosamente. — Espero que não.

Capítulo 10

1

O trabalho terminou ao meio-dia no dia de santo Agostinho. A maioria dos operários saudou o sino com um suspiro de alívio. Normalmente trabalhavam do raiar ao pôr do sol, seis dias por semana, e precisavam do descanso que tinham nos dias santos. Jack, contudo, estava por demais absorvido no trabalho para ouvir o sino.

Fascinava-o o desafio de gravar formas macias e arredondadas na pedra dura. A pedra tinha vontade própria; se tentasse fazer algo que ela não queria, lutaria contra ele, e o cinzel lhe escaparia da mão, ou se enterraria com demasiada força, estragando as formas. Mas, uma vez que conseguisse conhecer o pedaço de pedra à sua frente, seria capaz de transformá-la. Quanto mais difícil a tarefa, mais fascinado se sentia. Começou a achar que a talha decorativa imaginada por Tom era fácil demais. Zigue-zagues, losangos, dentículos, espirais e volutas o entediavam; até mesmo aquelas folhas eram um tanto desgraciosas e repetitivas. Queria entalhar folhagem com aspecto natural, flexível e irregular, e copiar as diferentes formas de folhas reais, de carvalho, freixo e bétula, mas Tom não deixava. Desejava acima de tudo gravar cenas de histórias bíblicas. Adão e Eva, Davi e Golias e o dia do Juízo Final, com monstros, demônios e gente nua, mas não se atrevia a pedir.

Algum tempo depois Tom o fez parar.

— É feriado, rapaz — disse. — Além disso, você ainda é meu aprendiz e quero que me ajude a arrumar tudo. Todas as ferramentas têm que estar guardadas antes da refeição.

Jack guardou o martelo e os cinzéis e depositou cuidadosamente a pedra em que estivera trabalhando no galpão de Tom; depois foi percorrer a obra com ele. Os outros aprendizes estavam arrumando tudo e varrendo os fragmentos de pedra, areia, torrões de massa seca e cavacos de madeira que juncavam o chão. Tom apanhou seus compassos e o nível, Jack, as medidas de comprimento menores e os fios de prumo, e, juntos, os dois levaram tudo para o depósito.

Era ali que Tom guardava suas varas de medida. Eram barras de ferro de seção quadrangular e absolutamente retas, todas exatamente do mesmo tamanho. Eram guardadas num suporte especial de madeira, que estava trancado.

Enquanto continuavam a caminhar pela obra, apanhando pranchas de mexer massa e pás, Jack pensava nelas.

— Qual é o tamanho de uma vara? — perguntou.

Alguns pedreiros ouviram e deram risada. Frequentemente achavam engraçadas as perguntas de Jack.

— Uma vara é uma vara — disse Edward Baixo, um homem pequeno de pele enrugada e nariz torto. Todos riram de novo.

Eles gostavam de provocar os aprendizes, sobretudo quando tinham chance de exibir seu conhecimento. Jack detestava que rissem dele, mas aguentava firme porque era muito curioso.

— Não compreendo — disse pacientemente.

— Uma polegada é uma polegada, um pé é um pé e uma vara é uma vara — disse Edward.

Então a vara era uma unidade de comprimento.

— E quantos pés há numa vara?

— Ah! Isto depende. Dezoito, em Lincoln. Dezesseis, na Anglia Oriental.

Tom interrompeu para dar uma resposta sensata.

— Nesta obra uma vara tem quinze pés.

— Em Paris não usam a vara, só a medida de uma jarda — disse uma mulher de meia-idade, que também trabalhava na construção.

Tom dirigiu-se a Jack.

— Todo o projeto da igreja é baseado em varas. Apanhe uma para mim que lhe mostrarei. Está na hora de você entender essas coisas. — Deu uma chave a Jack.

O rapaz foi até o depósito e apanhou uma vara na prateleira.

Era bastante pesada. Tom gostava de dar explicações, e Jack adorava ouvir. A organização do canteiro da obra tinha um padrão intrigante, como a trama de um casaco de brocado, e quanto mais entendia, mais fascinado ficava.

Tom o esperava na extremidade aberta do coro semiconstruído, onde seria a interseção da nave com os transeptos. Ele pegou a vara e a colocou no chão, de modo a atravessar todo o corredor.

— Da parede externa até a metade do pilar da arcada é uma vara. — Ele virou o instrumento. — Dali até o meio da nave é uma vara. — Ele o virou mais uma vez, alcançando a metade do pilar oposto. — A nave tem duas varas de largura. — Tom repetiu a operação e dessa vez foi até a parede da nave lateral mais afastada. — A igreja toda tem quatro varas de largura.

— Sim — disse Jack. — E cada intercolúnio tem que ter uma vara de comprimento.

Tom pareceu ficar ligeiramente irritado.

— Quem foi que lhe disse isto?

— Ninguém. Os intercolúnios são quadrados, de modo que, se têm uma vara de comprimento, têm que ter uma vara de largura. E os intercolúnios da nave são do mesmo tamanho dos das naves laterais, é claro.

— Evidentemente — concordou Tom. — Você devia ser filósofo. Na sua voz havia uma mistura de orgulho e irritação. Gostava que Jack fosse rápido para entender, e se irritava ao ver os mistérios do seu ofício serem entendidos com tanta facilidade por um mero garoto.

Jack estava demasiado absorvido pela esplêndida lógica de tudo aquilo para prestar atenção às suscetibilidades de Tom.

— Então o coro tem quatro varas de comprimento — disse. — E a igreja, quando pronta, terá doze. — Outra ideia lhe ocorreu. — Quanto terá de altura?

— Seis varas. Três para a arcada, uma para a galeria e duas para o clerestório.

— Mas qual a vantagem de planejar tudo medido por varas? Por que não construir de qualquer maneira, como numa casa?

— Primeiro porque é mais barato assim. Todos os arcos da arcada são idênticos, e assim podemos reutilizar as formas de madeira. Quanto menos tamanhos diferentes e formatos de pedras, menos gabaritos terei que fazer. E assim por diante. Segundo, simplifica cada um dos aspectos daquilo que estamos fazendo, desde a planta baixa original — onde tudo é baseado numa vara quadrada — até a pintura das paredes — será mais fácil estimar de quanta cal precisaremos. E quando as coisas são simples, menos erros são cometidos. O que mais encarece uma construção são os erros. Terceiro, quando tudo é baseado no comprimento de uma vara, a igreja parece simplesmente certa. A proporção é a essência da beleza.

Jack assentiu, encantado. O esforço para controlar uma operação tão ambiciosa e complicada quanto a construção de uma catedral era interminavelmente fascinante. A noção de que os princípios da regularidade e da repetição podiam simplificar a construção e resultar numa obra harmoniosa era sedutora. Mas não estava convicto de que a proporção fosse a essência da beleza. Gostava de coisas selvagens, que se espalhassem, desordenadas: altas montanhas, velhos carvalhos, e o cabelo de Aliena.

Comeu ávida mas rapidamente e depois foi para a aldeia, na direção norte. Era um dia quente de início de verão, e estava descalço. Desde que ele e sua mãe tinham ido morar em Kingsbridge definitivamente e começara a trabalhar, gostava de voltar à floresta de vez em quando. A princípio passava o tempo liberando a energia que sobrava, correndo e pulando, trepando em árvores e matando patos com sua funda. Isso enquanto estava se acostumando com seu novo corpo, mais alto e mais forte. A novidade acabara por cansar. Agora, quando ia à floresta, pensava em coisas: por que a proporção devia ser bonita, como os edifícios não caíam, e que tal seria acariciar os seios de Aliena.

Há anos a adorava a distância. A visão permanente que tinha dela era a da primeira vez em que a encontrara, descendo a escada no castelo em Earlscastle, e ele pensara que devia ser a princesa de uma história. Aliena continuara sendo uma figura remota. Falava com o prior Philip, com Tom Construtor, com o judeu Malachi e com outras pessoas ricas e poderosas de Kingsbridge; porém, Jack nunca tivera um motivo para lhe dirigir a palavra. Simplesmente a observava, rezando na igreja, ou atravessando a ponte montada no seu palafrém, sentada ao sol, do lado de fora da sua casa; usando peles caras no inverno e os mais finos linhos no verão, com o cabelo rebelde emoldurando o lindo rosto. Antes de dormir pensava em como seria tirar suas roupas, vê-la nua e beijar-lhe delicadamente a boca.

Nas últimas semanas tornara-se insatisfeito e deprimido com esses devaneios sem esperança. O fato de vê-la a distância, ouvir suas conversas com os outros e imaginar-se fazendo amor com ela não mais o satisfazia. Precisava de coisas concretas.

Havia diversas garotas de sua própria idade que poderiam lhe dar coisas concretas. Entre os aprendizes havia muita conversa sobre quais das jovens de Kingsbridge eram lascivas e sobre o que exatamente cada uma delas deixava um rapaz fazer. A maioria estava determinada a permanecer virgem até o casamento, de acordo com os ensinamentos da Igreja, mas havia certas coisas que se podia fazer e ainda assim continuar virgem, ou pelo menos era o que os aprendizes diziam. Todas as garotas achavam Jack um pouco estranho – e provavelmente estavam certas, na opinião dele próprio –, mas uma ou duas haviam considerado tal estranheza atraente. Um domingo, após a missa, ele ficara conversando com Edith, irmã de um colega; porém, quando dissera quanto gostava de cinzelar pedra, ela caíra na risada. No domingo seguinte fora passear nos campos com Ann, a loura filha do alfaiate. Não lhe dissera muitas coisas, mas a beijara e depois sugerira que se deitassem num campo de cevada. Então a beijara outra vez, passara a mão nos seus seios, e ela retribuíra o beijo entusiasticamente; após algum tempo, contudo, afastara-se e perguntara: "Quem é ela?" Jack estava pensando em Aliena naquele exato momento e ficou estupefato. Tentou fingir que não ligara e quis beijá-la de novo, mas ela virou o rosto e disse: "Quem quer que seja, é uma garota de sorte." Voltaram juntos para Kingsbridge, e, quando se separaram, Ann disse: "Não perca seu tempo tentando esquecê-la. É uma causa perdida. É ela quem você quer, de modo que o melhor é tentar conquistá-la." Ela sorriu afetuosamente e acrescentou: "Você tem o rosto bonito. Pode ser que não seja tão difícil quanto pensa."

Sua delicadeza fez com que ele se sentisse mal, ainda mais porque, sendo uma das garotas que os aprendizes diziam ser libidinosa, ele dissera a todo mundo que ia tentar apalpá-la. Agora isso lhe parecia tão juvenil que se retorceu de raiva. Mas se lhe houvesse dito o nome da mulher em que pensava, talvez não tivesse se mostrado tão encorajadora. Jack e Aliena eram o casal mais improvável que se podia conceber. Aliena tinha vinte e dois anos, e ele, dezessete; ela era filha de um conde, e ele, bastardo; ela era uma rica comerciante de lã, e ele, um aprendiz sem dinheiro. Pior ainda, ela era famosa pelo número de pretendentes que rejeitara. Todos os jovens lordes apresentáveis do condado e os primogênitos dos comerciantes mais prósperos tinham ido a Kingsbridge para lhe fazer a corte, e todos voltaram a suas casas desapontados. Que chance haveria para Jack, sem nada para oferecer, a não ser o "rosto bonito"?

Ele e Aliena tinham uma coisa em comum: gostavam da floresta. Eram diferentes, nesse aspecto: a maioria das pessoas preferia a segurança dos campos e das aldeias, e mantinha-se distante das florestas. Mas Aliena frequentemente ia caminhar num bosque perto de Kingsbridge, onde havia um lugar afastado em que gostava de parar e se sentar. Jack a vira ali uma ou duas vezes. Aliena não o tinha visto: ele caminhava silenciosamente, como aprendera em criança, no tempo em que era preciso encontrar seu almoço na floresta.

Dirigia-se para a tal clareira sem a menor ideia do que faria se a encontrasse. Sabia qual era seu desejo: deitar-se ao seu lado e acariciar-lhe o corpo. Podia lhe falar, mas o que iria dizer? Era fácil conversar com garotas da sua idade. Brincara com Edith, dizendo: "Não acredito em nenhuma das coisas terríveis que seus irmãos contam de você", e é claro que ela quisera saber que coisas terríveis eles falavam. Com Ann fora direto: "Você gostaria de passear comigo nos campos, hoje à tarde?" Entretanto, quando tentara imaginar uma frase de abordagem para Aliena, dera um branco na sua cabeça. Não podia deixar de pensar nela como pertencendo a uma geração mais velha. Era tão séria e responsável! Não fora sempre assim, ele sabia; com dezessete anos Aliena gostava de brincar. Sofrera terríveis problemas desde então, mas a garota brincalhona ainda devia se esconder em algum lugar no interior da mulher solene. Para Jack isso a tornava ainda mais fascinante.

Faltava pouco para o lugar favorito de Aliena. A floresta estava quieta, na hora mais quente do dia. Jack deslocou-se silenciosamente por baixo das árvores. Queria vê-la antes que ela o visse. Ainda não estava seguro se teria coragem para abordá-la. Acima de tudo temia ofendê-la. Falara com ela no primeiro dia do seu retorno a Kingsbridge, no domingo de Pentecostes em que todos os voluntários foram trabalhar na obra da catedral, e lhe dissera a coisa errada; por isso ele mal lhe dirigira de novo a palavra naqueles quatro anos. Não queria cometer um erro tão grosseiro quanto aquele agora.

Poucos momentos depois se escondeu atrás do tronco de uma faia e a viu.

Aliena escolhera um lugar extraordinariamente bonito. Havia uma pequena queda-d'água escorrendo para um laguinho fundo cercado de pedras cobertas de limo. O sol brilhava nas suas margens, mas uma ou duas jardas atrás havia a sombra das árvores. Aliena estava sentada ao sol, lendo um livro.

Jack ficou atônito. Uma mulher? Lendo um livro? Ao ar livre?

As únicas pessoas que liam livros eram os monges, e mesmo assim muitos nada liam a não ser os textos dos cultos. Era um livro pouco comum também – muito menor que os tomos que havia na biblioteca do priorado, como se tivesse sido feito especialmente para uma mulher, ou para alguém que o quisesse carregar. Ficou tão espantado que se esqueceu de ser tímido. Abriu caminho por entre os arbustos e apareceu na clareira, perguntando:

– O que você está lendo?

Ela se sobressaltou e encarou-o com terror nos olhos, Jack percebeu que a assustara. Sentiu-se muito desajeitado, com medo de mais uma vez ter começado com o pé esquerdo. Aliena levou depressa a mão direita à manga esquerda. Ele se lembrou que antigamente era onde carregava uma faca – talvez ainda fosse. No momento seguinte Aliena o reconheceu, e seu medo desapareceu com a mesma rapidez com que surgira. Pareceu aliviada, e, logo em seguida – para mortificação de Jack –, levemente irritada. Sentiu que não era bem-vindo e teve vontade de se virar e desaparecer na floresta. Mas como isso tornaria muito difícil falar com ela outra vez, ele ficou, enfrentando seu olhar nada amistoso, e disse:

– Desculpe por ter assustado você.

– Você não me *assustou* – contrapôs Aliena rapidamente. Jack sabia que não era verdade, mas não ia discutir. Repetiu a pergunta inicial:

– O que está lendo?

Ela deu uma olhada no livro sobre os joelhos e a expressão do seu rosto se modificou de novo: ficou tristonha.

– Meu pai me trouxe este livro de sua última viagem à Normandia. Poucos dias depois foi preso.

Jack aproximou-se mais e deu uma olhada na página aberta.

– É em francês! – exclamou.

– Como você sabe? – quis saber ela, espantada. – Sabe ler?

– Sei, mas pensava que todos os livros fossem em latim.

– Quase todos. Este é diferente. É um poema chamado *O romance de Alexandre*. Consegui, estou falando com ela!, pensava Jack. É maravilhoso! Mas o que vou dizer a seguir? Como sustentar esta conversação?

– Hum, bem... de que se trata? – perguntou.

– É a história de um rei chamado Alexandre, o Grande, e de como ele conquistou terras maravilhosas no Oriente, onde as pedras preciosas crescem em videiras e as plantas podem falar.

Jack ficou suficientemente intrigado para esquecer a ansiedade.
— Como as plantas falam? Elas têm boca?
— Aqui não diz.
— Você acha que a história é verdadeira?

Ela o fitou, com interesse, e ele se perdeu naqueles lindos olhos escuros.
— Não sei — respondeu. — Sempre fico pensando se as histórias são verdadeiras ou não. A maioria das pessoas não liga, simplesmente gosta delas.
— Exceto os padres. Eles acham sempre que as histórias sagradas são verdadeiras.
— Bem, mas é claro que essas são verdadeiras.

Jack era cético em relação à veracidade das histórias sagradas tanto quanto em relação às demais; mas sua mãe, que o ensinara a ser cético, o ensinara também a ser discreto, de modo que não discutiu. Estava tentando não olhar para o colo de Aliena, bem no limite de sua visão; claro que se baixasse os olhos ela saberia o que estaria fitando. Tentou pensar em outra coisa qualquer para dizer.
— Sei um bocado de histórias — afirmou. — Sei *A canção de Rolando,* e *A peregrinação de Guilherme de Orange...*
— O que quer dizer com *saber* essas histórias?
— Sou capaz de recitá-las.
— Como um menestrel?
— O que é um menestrel?
— Um homem que anda por aí contando histórias.

Era uma ideia nova para Jack.
— Nunca ouvi falar em homens assim.
— Há muitos na França. Eu costumava ir à França com meu pai quando era criança. Adorava os menestréis.
— Mas o que eles fazem? Ficam parados no meio da rua e falam?
— Depende. São admitidos nas casas dos lordes em dias de festa. Apresentam-se em mercados e feiras. Entretêm os peregrinos do lado de fora das igrejas. Os grandes barões às vezes têm o seu próprio menestrel.

Ocorreu a Jack que não apenas estava conversando com ela, mas que aquela conversa não seria possível com nenhuma outra garota de Kingsbridge. Tinha certeza de que ele e Aliena eram as únicas pessoas na cidade, com exceção de sua mãe, que conheciam os poemas românticos franceses. Tinham um interesse em comum e estavam conversando sobre ele. A ideia o entusiasmou tanto que ele perdeu o fio da meada, esqueceu o que estava dizendo e se sentiu confuso e estúpido.

Por sorte ela prosseguiu.
— Geralmente o menestrel toca um violino enquanto recita a história. Toca rápido e alto quando fala numa batalha, baixo e devagar quando duas pessoas estão apaixonadas, aos saltos nas partes engraçadas.

Jack gostou da ideia; música de fundo para sublinhar os pontos altos da história.

— Eu gostaria de saber tocar violino — disse ele.

— Você sabe mesmo recitar histórias?

Ele mal podia crer que ela estivesse realmente interessada, fazendo perguntas a seu respeito. E o seu rosto era ainda mais lindo quando animado pela curiosidade.

— Minha mãe me ensinou — disse. — Nós morávamos na floresta, só nós dois. Ela me contou as histórias um sem-número de vezes.

— Mas como você consegue se lembrar delas? Algumas levam *dias* para chegarem ao fim.

— Não sei. É como aprender um caminho na floresta. Você não guarda toda a floresta na cabeça, mas, em qualquer lugar que esteja, sabe aonde ir em seguida. — Dando uma olhada no texto do livro dela, Jack percebeu uma coisa. Sentou-se na grama ao lado de Aliena para olhar mais de perto. — As rimas são diferentes — disse.

Ela não entendeu direito o que ele quis dizer.

— De que maneira?

— Essas são melhores. Em *A canção de Rolando* a palavra "espada" rima com "cavalo", ou "perdido", ou "baile". No seu livro, "espada" rima com "fada", mas não com "fala"; com "nada", mas não com "ninguém"; com "amada", mas não com "amor". É um modo completamente diferente de rimar. Mas é muito, muito melhor. Gosto dessas rimas.

— Será que você... — ela interrompeu-se, hesitante. — Você me contaria um pedaço da *Canção de Rolando*?

Jack mudou de posição um pouco para poder fitá-la. A intensidade do seu olhar e o brilho da ansiedade naqueles olhos fascinantes quase o deixaram sem poder respirar. Engoliu em seco e começou.

> "O lorde e rei de toda a França, Carlos, o Grande,
> Passou sete longos anos lutando na Espanha.
> Conquistou as montanhas e a planície.
> Diante dele nem um único forte fica de pé,
> Nenhuma cidade ou muralha a ele resiste,
> A não ser Saragoça, numa montanha alta,
> Governada pelo rei Marsilly, o Sarraceno.
> Ele serve a Maomé e reza a Apolo,
> Mas mesmo ali nunca estará em segurança."

Jack fez uma pausa.

– Você sabe! Você sabe mesmo! Igualzinho a um menestrel!
– Entendeu o que falei sobre as rimas, não?
– Sim, mas não faz mal; é a história que gosto.
Os olhos dela cintilaram de felicidade.
– Conte-me mais.
Jack teve a impressão de que ia desmaiar de felicidade.
– Já que você quer... – disse, baixinho. Fitou-a nos olhos e começou a segunda estrofe.

2

A primeira brincadeira da festa que celebrava a véspera do solstício de verão era comer o pão do *quantos*. Como muitos desses jogos, tinha um travo de superstição que deixava Philip contrafeito. No entanto, se tentasse banir todos os rituais derivados das antigas religiões, metade das tradições do povo seria proibida, e, de qualquer forma, todos o desafiariam; assim, tolerava discretamente a maioria das coisas e controlava com firmeza um ou dois excessos.

Os monges tinham instalado mesas no gramado situado na extremidade ocidental do adro. Ajudantes de cozinha já carregavam caldeirões fumegantes. O prior era o lorde da propriedade, de modo que tinha a responsabilidade de servir um banquete para os seus inquilinos nos feriados importantes. A política de Philip era ser generoso com a comida e mesquinho com a bebida, e por isso servia cerveja aguada e nenhum vinho. Mesmo assim, havia cinco ou seis incorrigíveis que conseguiam beber até desmaiar em todos os dias de festa.

Os principais cidadãos de Kingsbridge se sentavam à mesa de Philip: Tom Construtor e sua família; os mestres artesãos mais velhos, entre eles o filho de Tom, Alfred; e os comerciantes, inclusive Aliena, mas não Malachi, o Judeu, que se incorporaria às festividades mais tarde, após o culto religioso.

Philip pediu silêncio e deu graças; depois entregou o pão do *quantos* a Tom. À medida que os anos se passavam, mais e mais Philip valorizava o construtor. Não havia muitas pessoas que diziam o que pensavam e que faziam o que diziam. Tom reagia a surpresas, crises e desastres analisando com calma as consequências, avaliando os danos e planejando a melhor reação. Philip olhou para ele afetuosamente. Tom se tornara bem diferente do homem que aparecera no priorado cinco anos antes implorando trabalho. Naquele dia estava exausto, perturbado, e tão magro que seus ossos pareciam prestes a furar a pele curtida. Desde então ele ganhara peso, especialmente depois que sua mulher voltara. Não estava gordo, mas agora via-se carne na sua grande estrutura, e há muito tempo o desespero desaparecera dos seus olhos. Estava dispendiosamente vestido, de túnica verde de Lincoln, sapatos de couro macio e cinto com fivela de prata.

Philip tinha que fazer a pergunta que seria respondida pelo pão do *quantos*:

– Quantos anos vai levar para terminar a catedral?

Tom deu uma mordida no pão. Ele era assado com sementes pequenas e duras, e quando Tom as cuspiu na mão, todos contaram em voz alta. Às vezes, quando o número de sementes era muito elevado, os circunstantes não sabiam contar tudo; porém não havia mais perigo de ocorrer isso, com todos os comerciantes e artesãos presentes. A resposta foi trinta. Philip fingiu ficar consternado.

– Vou ter que viver um bocado de tempo! – disse Tom, e todos riram.

O construtor passou o pão para sua mulher, Ellen. O prior desconfiava muito daquela mulher. Como Matilde, Ellen tinha poder sobre os homens, um tipo de poder com que Philip não podia competir. No dia em que fora expulsa do priorado, ela fizera uma coisa horrorosa, uma coisa a respeito da qual o prior ainda não podia nem pensar. Presumira que jamais a veria de novo, mas, para seu horror, ela voltara e Tom lhe implorara para perdoá-la. Astutamente, ele argumentara que se Deus podia perdoar seu pecado, Philip não tinha o direito de recusar-lhe a absolvição. O prior suspeitava que ela não se arrependera muito. Entretanto, Tom lhe fizera o pedido no dia em que os voluntários tinham aparecido e salvado a catedral, e Philip acabara cedendo, contrariando todos os seus instintos. Haviam se casado na igreja da paróquia, uma pequena construção de madeira na aldeia, mais antiga que o priorado. Desde então Ellen se comportara e não dera motivo a Philip para se arrepender da decisão. Mesmo assim, ela o deixava inquieto.

– Quantos homens a amam? – perguntou Tom.

Ela deu uma mordida minúscula no pão, o que fez todo mundo rir de novo. Naquele jogo as perguntas tendiam a ser levemente sugestivas. Philip achou que se não estivesse presente eles se comportariam com mais irreverência.

Ellen contou três sementes. Tom fingiu estar se sentindo ultrajado. – Eu lhe direi quem são os meus três amantes – disse Ellen.

Philip torceu para que ela não dissesse nada ofensivo. – O primeiro é Tom. O segundo, Jack. E o terceiro, Alfred.

Houve uma salva de palmas pela saída inteligente, e o pão foi passado adiante. A seguir era a vez de Martha, a filha de Tom. Estava com doze anos de idade e era tímida. O pão predisse que teria três maridos, o que era altamente improvável.

Martha passou o pão para Jack, e nessa hora Philip viu um brilho de adoração nos olhos da garota; não havia dúvida de que idolatrava o filho da madrasta como quem adorava um herói.

Jack intrigava o prior. Fora uma criança feia, de cabelo cor de cenoura, pele branca e olhos azuis arregalados, mas agora era um rapaz cujas feições tinham se harmonizado, e seu rosto era tão atraente que fazia estranhos se virarem para olhá-lo. Mas de temperamento era tão selvagem quanto a mãe. Tinha muito pouca disciplina e nenhuma ideia de obediência. Como servente de pedreiro fora quase inútil, pois em vez de assegurar um fluxo contínuo de massa e pedras, tentava empilhar o suprimento de um dia e ia fazer outra coisa qualquer. Estava sempre desaparecendo. Um dia decidiu que nenhuma das pedras que havia ali no canteiro da obra servia para um determinado trabalho de cinzelagem que estava fazendo, e, sem falar com ninguém, fora até a pedreira escolher uma de que gostasse. Trouxe-a num pônei emprestado, dois dias mais tarde. Mas desculpavam suas transgressões, em parte porque ele era verdadeiramente um gravador excepcional, e em parte porque era uma pessoa de quem todos gostavam – uma característica que, em definitivo, não herdara da mãe, na opinião de Philip. O prior andara pensando no que Jack faria da vida. Se entrasse para a igreja poderia facilmente terminar como bispo.

– Quantos anos se passarão até você se casar? – perguntou Martha a Jack.

O rapaz deu uma mordida pequena: aparentemente estava interessado em se casar. Philip perguntou-se se teria alguém em mente.

Para clara constemação dele, sua boca se encheu de sementes, e quando foram contadas, seu rosto se transformou numa máscara de indignação. O total foi trinta e um.

– Estarei com quarenta e oito anos de idade! – protestou. Todos acharam muito engraçado, exceto Philip, que fez o cálculo, achou correto e maravilhou-se com o fato de Jack tê-lo realizado tão depressa. Nem mesmo Milius, que tomava conta do dinheiro do priorado, seria capaz daquilo.

Jack estava sentado ao lado de Aliena. Philip se deu conta de que tinha visto os dois juntos diversas vezes naquele verão. Provavelmente era por serem tão inteligentes. Não havia muitas pessoas em Kingsbridge que pudessem conversar com Aliena no nível dela; e Jack, apesar de seus modos rebeldes, era mais amadurecido que os outros aprendizes. Ainda assim, sentiu-se intrigado com a amizade deles, pois, naquela idade, cinco anos faziam uma grande diferença.

Jack passou o pão para Aliena e lhe fez a pergunta que Martha lhe fizera:

– Quantos anos se passarão até você se casar?

Todos resmungaram, reclamando, pois era muito fácil repetir uma pergunta. O jogo visava ser uma prova de inteligência, dando ensejo a muitas zombarias. Mas Aliena, que era famosa pelo número de pretendentes que rejeitara, fez com que todos rissem dando uma mordida enorme no pão, indicando assim que não queria se casar. Entretanto, seu truque não teve êxito: cuspiu apenas uma semente.

Se ela fosse se casar no ano seguinte, pensou Philip, o noivo ainda não fizera sua entrada em cena. Claro que ele não acreditava no poder de predição do pão. Provavelmente morreria solteirona mas não virgem, de acordo com os boatos, pois fora seduzida ou estuprada por William Hamleigh, segundo dizia o povo.

Aliena passou o pão para Richard, seu irmão, mas o prior não ouviu o que lhe perguntou. Ainda estava pensando nela. Inesperadamente, tanto Aliena quanto o próprio Philip não tinham vendido toda a lã naquele ano. A sobra não fora grande – menos de um décimo do estoque do prior, e uma proporção menor ainda para Aliena –, mas mesmo assim era desencorajador. Depois disso, Philip receara que Aliena não cumprisse o trato referente à lã do ano seguinte; ela porém lhe pagara cento e sete libras.

A grande notícia na Feira de Lã de Shiring fora o anúncio feito por Philip de que no ano seguinte Kingsbridge teria sua própria feira. A maioria das pessoas gostara da ideia, pois os aluguéis e taxas cobrados por William Hamleigh eram extorsivos, e o prior planejava cobrar preços muito mais baixos. Até agora o conde William não dera a conhecer sua reação.

De um modo geral, Philip achava que as perspectivas do priorado eram muito mais brilhantes agora do que haviam sido seis meses antes. Sobrepujara o problema causado pelo fechamento da pedreira e derrotara a tentativa de William de fechar o seu mercado. O mercado de domingo agora prosperava e gerava dinheiro suficiente para comprar uma pedra cara, extraída em Marlborough. Durante toda a crise, a construção da catedral continuara inalterada, embora praticamente sem sobras. A única ansiedade remanescente de Philip era Matilde ainda não ter sido coroada. Embora fosse indiscutível que estivesse no comando, tendo sido aprovada pelos bispos, a autoridade dela se apoiava exclusivamente no seu poder militar, até haver uma coroação adequada. A mulher de Estêvão ainda controlava Kent, e a comuna de Londres não se definira. Um único golpe de azar ou uma decisão errada poderia derrubá-la, como a batalha de Lincoln destruíra Estêvão, e então haveria anarquia de novo.

Philip disse a si próprio para não ser pessimista. Olhou para as pessoas sentadas à mesa. O jogo terminara e estavam comendo. Eram homens e mulheres honestos e de bom coração, que trabalhavam duro e iam à igreja. Deus olharia por eles.

A comida era sopa de verduras, peixe assado temperado com pimenta e gengibre, pato e um creme habilmente colorido com listras vermelhas e verdes. Após o jantar todos carregaram seus bancos para a igreja inacabada, a fim de assistir à peça.

Os carpinteiros tinham feito dois biombos, que foram colocados nas naves laterais, fechando o espaço entre a parede e a primeira pilastra da arcada, de modo que escondiam efetivamente o último intercolúnio de cada nave lateral. Os monges que representariam os papéis já estavam atrás dos biombos, aguardando o momento de entrar no meio da nave e encenar a história. O que faria o papel de santo Adolfo, um noviço imberbe de rosto angelical, estava deitado sobre uma mesa no lado mais afastado da nave, enrolado numa mortalha, fingindo estar morto e se esforçando para não rir.

A mesma dúvida que assaltava Philip com relação ao pão do *quantos* o assaltava também com relação a representações teatrais: era possível escorregar facilmente para a irreverência e a vulgaridade. Mas todos gostavam tanto que, se não permitisse, representariam sua própria peça, longe da igreja, e aí sim, livres da supervisão dele, a coisa ficaria mesmo indecente. Além disso, quem mais gostava do teatro eram os monges que trabalhavam como atores. Vestir roupas diferentes, fingir ser outra pessoa e agir de modo extravagante – até mesmo sacrílego – parecia lhes servir de válvula de escape, provavelmente por passarem o resto da vida sendo tão solenes.

Antes da peça tiveram um culto regular, que o sacristão tornou bastante breve. Em seguida Philip fez um relato sucinto da vida imaculada e dos milagres de santo Adolfo. Depois sentou-se junto com a plateia para assistir ao espetáculo.

De trás do biombo do lado esquerdo surgiu uma figura grande, vestida com o que parecia ser um traje sem forma e alegremente colorido, mas que, se examinado com mais atenção, não passava de pedaços de pano coloridos enrolados em torno do seu corpo e presos com alfinetes. Seu rosto estava pintado, e carregava uma bolsa de dinheiro bojuda. Era o bárbaro rico. Houve um murmúrio de admiração pela composição do ator, seguido por risadas quando a plateia descobriu quem estava por baixo da roupa do personagem: o gordo irmão Bernard, o cozinheiro, que todos conheciam e amavam.

Ele desfilou de um lado para o outro diversas vezes, a fim de que todos pudessem admirá-lo, e correu na direção de umas criancinhas na primeira fila, causando gritinhos de medo; depois esgueirou-se na direção do altar, olhando em torno como que para se certificar de que estava sozinho, e colocou a bolsa de dinheiro atrás dele. Virou-se para a plateia, lançou um olhar de soslaio e disse, bem alto:

– Esses tolos cristãos vão ficar com medo de roubar minha prata, porque imaginam que está protegida por santo Adolfo. Ah! – E com isso desapareceu atrás do biombo.

Do lado oposto entrou um grupo de fora da lei, vestindo roupas esfarrapadas, com espadas e machadinhas de madeira, as caras sujas de fuligem e giz. Andaram pela nave, parecendo atemorizados, até que um deles viu a bolsa de dinheiro atrás do altar. Seguiu-se uma discussão: deveriam furtá-la ou não? O Bom Fora da Lei alegou que a bolsa certamente lhes traria má sorte; o Mau Fora da Lei disse que um santo morto não lhes poderia causar mal algum. No final eles pegaram a bolsa e se retiraram para um canto a fim de contar o dinheiro.

O bárbaro reapareceu e, depois de procurar seu tesouro em toda parte, afastou-se num ataque de raiva. Foi até o túmulo e amaldiçoou santo Adolfo por não ter protegido o seu dinheiro.

Nesse ponto, o santo levantou-se da tumba.

O bárbaro tremeu violentamente de medo. O santo ignorou-o e aproximou-se dos proscritos. Dramaticamente, derrubou-os um por um, apenas apontando para eles, que simularam as convulsões da agonia, rolando no chão de forma grotesca e fazendo caretas horrorosas.

Foi poupado apenas o Bom Fora da Lei, que pôs o dinheiro de volta atrás do altar. Com isso, o santo se virou para a audiência e disse:

– Cuidado, todos vocês que duvidam do poder de santo Adolfo!

A plateia gritou entusiasmada e bateu palmas. Os atores ficaram no meio da nave por algum tempo, exibindo sorrisos alvares. O propósito do drama era sua moral, claro, mas Philip sabia que as partes de que todos gostavam mais eram as grotescas, o ataque de raiva do bárbaro e as convulsões da morte dos fora da lei.

Quando os aplausos cessaram, Philip levantou-se, agradeceu aos atores e anunciou que as corridas começariam dentro de pouco tempo no pasto ao lado do rio.

Foi naquele dia que Jonathan, aos cinco anos de idade, descobriu que não era, afinal, o corredor mais veloz de Kingsbridge. Entrou na corrida infantil, envergando seu hábito de monge em miniatura, e fez com que todos caíssem na gargalhada quando o enrolou na cintura e expôs o traseiro minúsculo ao mundo. Estava, contudo, competindo entre crianças mais velhas e terminou entre os últimos. Sua expressão quando percebeu que tinha perdido foi de tão grande desapontamento que Tom morreu de pena e o pegou no colo para consolá-lo.

O relacionamento especial entre Tom e o órfão do priorado intensificara-se gradualmente, e ninguém na aldeia se perguntava se não haveria uma razão secreta para aquilo. O construtor passava o dia inteiro no adro, onde Jonathan corria de um lado para o outro em liberdade, de modo que era inevitável que se vissem muito; e Tom estava naquela idade em que os filhos são muito velhos para serem engraçadinhos mas ainda não deram netos ao pai, que às vezes se interessa pelos filhos dos outros. Pelo que sabia, ninguém jamais suspeitara que ele fosse o pai de Jonathan. Se houvesse alguma suspeita, seria de Philip ser o pai verdadeiro do garoto. Uma suposição muito mais natural – embora o prior, sem dúvida, ficaria horrorizado se tomasse conhecimento dela.

Jonathan localizou Aaron, o filho mais velho de Malachi, e livrou-se dos braços de Tom para ir brincar com seu amigo, o desapontamento esquecido.

Enquanto as corridas dos aprendizes estavam sendo disputadas, o prior sentou-se na grama ao lado de Tom. Era um dia quente e ensolarado, e a tonsura de

Philip estava coberta de gotas de suor. A admiração de Tom por ele crescia de ano para ano. Olhando em torno, os rapazes correndo, os velhos cochilando à sombra, as crianças chapinhando no rio, ele pensou que era Philip quem conservara tudo aquilo junto. Ele governava a aldeia, distribuindo justiça, decidindo onde deveriam ser construídas as casas novas e resolvendo brigas; empregava também a maior parte dos homens e das mulheres, como operários da obra ou como criados do priorado; e administrava o mosteiro, que era o coração de tudo. Lutou com barões ambiciosos, negociou com reis, e manteve o bispo a distância. Todas aquelas pessoas bem alimentadas, divertindo-se ao sol, deviam sua prosperidade, de alguma maneira, a ele. O próprio Tom era um magnífico exemplo.

Tom era perfeitamente cônscio da profundidade da clemência de Philip ao perdoar Ellen. Era uma coisa extraordinária para um monge perdoar o que ela fizera. E o significado fora tão grande para ele!

Quando Ellen partiu, a sua alegria por estar construindo a catedral fora toldada pela solidão. Agora que ela estava de volta, sentia-se completo. Ainda era caprichosa, irritante, brigona e intolerante, mas, de alguma forma, essas coisas não tinham importância: havia uma paixão em Ellen que queimava como uma vela e iluminava sua vida.

Tom e Philip assistiram a uma corrida em que os garotos precisavam se apoiar nas mãos, de cabeça para baixo. Jack ganhou.

— Aquele menino é excepcional — disse Philip.

— Não são muitas as pessoas capazes de andar tão depressa se apoiando nas mãos — disse Tom.

Philip riu.

— É verdade, mas eu não estava me referindo a suas habilidades acrobáticas.

— Eu sei. — Há muito tempo a inteligência de Jack era, simultaneamente, uma fonte de alegria e dor para Tom. O garoto tinha viva curiosidade quanto a construções — uma coisa que Alfred nunca tivera —, e Tom gostava de lhe ensinar os truques da profissão. Entretanto Jack não tinha tato, e discutia com os mais velhos. Sempre era melhor ocultar a própria superioridade, mas ele ainda não aprendera isso, nem mesmo após tantos anos de perseguição de Alfred.

— Esse garoto devia receber educação — prosseguiu Philip.

Tom franziu a testa, sem entender. Jack estava sendo educado. Era um aprendiz.

— O que você está querendo dizer?

— Devia aprender a escrever bem, estudar gramática latina e ler os filósofos antigos.

Tom ficou ainda mais intrigado.

— Com que finalidade? Ele vai ser pedreiro.

Philip o encarou bem nos olhos.

– Tem certeza? – perguntou. – Jack é um garoto que nunca faz o que se espera.

Tom nunca tinha pensado naquilo. Havia jovens que desafiavam as expectativas: filhos de condes que se recusavam a combater, filhos de reis que ingressavam em mosteiros, camponeses bastardos que se tornavam bispos. Sim, era verdade, Jack era daquele tipo.

– Bem, o que você pensa que ele fará?

– Depende do que aprender – respondeu Philip. – Mas o quero para a Igreja.

Tom ficou surpreso: Jack parecia um clérigo muito pouco provável. E, estranhamente, ficou também um pouco magoado. Estava ansioso para que Jack viesse a ser mestre pedreiro, e ficaria terrivelmente desapontado se o menino escolhesse outro rumo para sua vida.

– Deus precisa que os rapazes melhores e mais inteligentes trabalhem para Ele – continuou Philip, sem perceber a tristeza de Tom. Olhe só esses aprendizes, competindo para ver quem pula mais alto. Todos são capazes de se tornar carpinteiros, pedreiros ou cortadores de pedra. Mas quantos poderiam ser bispos? Somente um: Jack.

Aquilo era verdade, pensou Tom. Se o rapaz tivesse chance para uma carreira na Igreja, com um protetor poderoso em Philip, provavelmente a aproveitaria, pois poderia ganhar muito mais dinheiro e poder do que como simples pedreiro. Foi com relutância que Tom perguntou:

– O que você está pensando, exatamente?

– Quero que Jack se torne um monge noviço.

– Um monge! – No caso de Jack parecia ainda mais improvável do que ser padre. O garoto se impacientava com a disciplina de um canteiro de obra – como iria tolerar a regra monástica?

– Ele passaria a maior parte do tempo estudando – disse Philip. – Aprenderia tudo o que nosso mestre de noviços pode ensinar, e eu também lhe daria aulas.

Quando um menino ia ser monge, era normal que seus pais fizessem uma doação generosa ao mosteiro. Tom perguntou-se quanto lhe custaria essa proposta. Philip adivinhou seus pensamentos.

– Eu não ia esperar que você desse um presente ao priorado – disse. – Basta que dê um filho a Deus.

O que Philip não sabia era que Tom já dera um filho ao priorado: o pequeno Jonathan, que agora estava brincando na água, na margem do rio, mais uma vez com o pequeno manto amarrado na cintura . No entanto, Tom sabia que tinha de reprimir o que sentia a esse respeito. A proposta de Philip era generosa: obviamente ele queria muito Jack. A oferta era uma tremenda oportunidade para o rapaz. Qualquer pai daria o braço direito para capacitar um filho a tal carreira. Tom sofreu uma pontada de ressentimento por ser a seu enteado, e não a Alfred, que aquela oportunidade maravilhosa estava sendo oferecida. Mas era um sentimento indigno e ele o abafou. Devia ficar alegre e esperar que o rapaz se adaptasse ao regime monástico.

– Deve ser feito logo – acrescentou Philip. – Antes que ele se apaixone por alguma garota.

Tom assentiu. Na campina, a corrida das mulheres chegava ao ponto culminante. Tom ficou olhando, pensativo. Após um momento percebeu que Ellen estava na dianteira. Aliena a perseguia muito de perto, mas quando cruzaram a linha de chegada, Ellen ainda estava um pouco à frente. Ela ergueu as mãos num gesto de vitória.

Tom apontou para ela.

– Não sou eu que tem de ser persuadido – disse para Philip. – É ela.

Aliena ficou surpresa por ter sido vencida por Ellen. Embora esta fosse muito moça para ter um filho de dezessete anos, mesmo assim devia ser pelo menos dez anos mais velha que a garota. Sorriram uma para a outra, ofegantes e suando, na linha de chegada. Aliena observou que Ellen tinha pernas esguias, musculosas e bronzeadas e corpo compacto. Todos aqueles anos na floresta a haviam tornado vigorosa.

Jack apareceu para congratular sua mãe pela vitória. Eles gostavam muito um do outro, Aliena não tinha a menor dúvida. Os dois diferiam muito: Ellen era uma morena bronzeada, de olhos dourados, fundos, e Jack era ruivo, de olhos azuis. Devia ser parecido com o pai, pensou Aliena. Nada jamais fora dito a respeito do pai de Jack, o primeiro marido de Ellen. Talvez tivessem vergonha dele.

Vendo os dois juntos, ocorreu a Aliena que Jack devia lembrar a Ellen o marido que perdera. Devia ser por isso que gostava tanto dele. Talvez o filho fosse tudo o que restava de um homem a quem adorara. A semelhança física podia ser excessivamente poderosa num caso desses. Richard às vezes fazia com que Aliena se lembrasse do pai, e era nessas oportunidades que sentia uma onda de afeto pelo irmão, embora isso não a impedisse de desejar que fosse mais parecido com o pai no caráter.

Sabia que não devia se sentir insatisfeita com Richard. Ele fora à guerra e lutara corajosamente, e isso era tudo o que era exigido dele. Mesmo assim, andava desgostosa. Tinha riqueza e segurança, uma casa e criados, roupas finas, lindas joias e uma posição de respeito na cidade. Se alguém lhe perguntasse, teria dito que se sentia feliz. Mas sob a superfície havia uma inequívoca inquietude. Nunca perdera o entusiasmo pelo trabalho, mas em algumas manhãs se perguntava se tinha importância que vestido poria ou se usaria joias ou não. Ninguém se importava com sua aparência, então por que ela deveria importar-se? Paradoxalmente, tomara mais consciência do corpo, Ao caminhar, podia sentir o balanço dos seios.

Quando descia para a praia das mulheres a fim de tomar banho, sentia-se embaraçada por ser muito peluda. Montada, era perfeitamente consciente das partes do corpo que tocavam na sela. Era algo esquisito. Como se um *voyeur* a observasse o tempo todo, tentando enxergar através de suas roupas para vê-la nua, e esse *voyeur* fosse ela mesma, invadindo sua própria privacidade.

Deitou-se na grama, sem fôlego. O suor corria por entre seus seios e pela parte interna das coxas. Impaciente, desviou a atenção para um problema mais imediato. Não tinha vendido toda a lã naquele ano. A culpa não fora sua; com a maior parte dos comerciantes acontecera o mesmo, assim como com o prior Philip. Este mostrava-se muito calmo, mas Aliena estava ansiosa. O que ia fazer com toda aquela lã? Podia guardá-la até o ano seguinte, claro. Mas e se não conseguisse vendê-la de novo? Não sabia quanto tempo a lã crua levava para se deteriorar. Tinha a impressão de que talvez ressecasse, tornando-se quebradiça e difícil de trabalhar.

Se as coisas saíssem muito mal seria incapaz de sustentar Richard. Ser cavaleiro era um negócio muito dispendioso. O cavalo, que custara vinte libras, perdera a coragem após a batalha de Lincoln e agora era praticamente inútil; em breve ele iria querer outro. Aliena poderia comprá-lo, mas faria um enorme rombo nas suas finanças. Richard não se sentia à vontade por depender dela – não era a situação usual para um cavaleiro –, e esperara ganhar bastante com as pilhagens para se sustentar, mas nos últimos tempos havia estado do lado perdedor. Se era para Richard recuperar o condado, Aliena teria que continuar a prosperar.

No seu pior pesadelo, ela perdia todo o dinheiro, e os dois voltavam a ser miseráveis, presa fácil de padres desonestos, nobres devassos e fora da lei sanguinários; e terminariam na masmorra fedorenta em que vira seu pai pela última vez, acorrentado à parede e moribundo.

Para contrastar com esse pesadelo, tinha um sonho de felicidade. Nele, ela e Richard moravam juntos no castelo, sua antiga casa. Richard governava tão sabiamente quanto Bartholomew, e Aliena o ajudava como ajudara o pai, recebendo convidados importantes, assegurando hospitalidade a todos e sentando-se à sua esquerda na mesa do jantar. Mas até mesmo esse sonho a estava deixando descontente.

Sacudiu a cabeça, para dissipar aquela onda de melancolia, e pensou de novo na lã. O modo mais simples de lidar com o problema seria não fazer nada. Podia armazenar o excesso até o ano seguinte, e então, se não conseguisse vendê-la, assumiria o prejuízo. Era possível assumi-lo. Havia, contudo, o perigo remoto de que o mesmo acontecesse no outro ano, dando início a uma tendência declinante; tinha que tentar arranjar outra solução. Tentara vendê-la para um tecelão de Kingsbridge, mas ele já havia comprado tudo de que precisava.

Ocorreu-lhe agora, olhando para as mulheres de Kingsbridge, enquanto elas voltavam à calma após a corrida, que praticamente todas sabiam tecer a partir da lã crua. Era um negócio tedioso, mas simples: os camponeses faziam isso desde Adão e Eva. A lã tinha que ser lavada, depois penteada com um pente de cardar, para ficar desemaranhada, e então era tecida em fio, que era urdido e transformado em pano. Por fim, frouxamente tecido, era feltrado ou pisoado, encolhendo e engrossando, transformando-se assim em algo que podia ser usado na confecção de roupas. As mulheres da cidade provavelmente estariam dispostas a fazer isso por um penny por dia. Mas quanto tempo seria necessário? E que preço alcançaria a lã transformada em tecido?

Teria que experimentar o plano com uma pequena quantidade.

Depois, se desse certo, poderia arranjar diversas pessoas para fazer o serviço durante as longas noites de inverno.

Sentou-se direito, animada com a nova ideia. Ellen estava deitada ao seu lado. Jack, sentado do outro lado da mãe, sorriu timidamente e desviou o rosto, como se houvesse ficado envergonhado por ter sido apanhado olhando para ela. Era um garoto engraçado, com a cabeça cheia de ideias. Aliena se lembrava dele quando era pequeno, com uma aparência esquisita, sem saber como as crianças eram concebidas. Mal percebera quando ele viera morar em Kingsbridge, contudo. E agora parecia tão diferente, uma pessoa tão completamente nova, que era como se tivesse surgido do nada, uma flor que desabrocha uma manhã onde na véspera havia apenas terra nua. Para começar, sua aparência não era mais estranha. Na verdade, pensou Aliena, examinando-o com um leve sorriso, as garotas decerto o consideravam terrivelmente bonito. Claro que tinha um lindo sorriso. A jovem não se preocupava muito com a aparência dele, mas ficava um pouco intrigada com sua estonteante imaginação. Descobrira que não só sabia diversas narrativas completas – algumas com milhares e milhares de versos –, como também podia inventar o que dizia, quando recitava, de tal modo que Aliena nunca tinha certeza se estava se recordando ou improvisando. E as histórias não eram a única coisa surpreendente nele. Jack era curioso a respeito de tudo e se intrigava com coisas que todas as pessoas tomavam como certas e definitivas. Um dia perguntara de onde vinha toda a água do rio. "A cada hora, milhares e milhares de galões de água passam por Kingsbridge, dia e noite, o ano inteiro. Tem sido assim desde antes de nascermos, de antes de nossos pais nascerem, ou de os pais dos nossos pais terem nascido. De onde vem toda essa água? Existe algum lago imenso que alimenta o rio? Esse lago então deve ser do tamanho de toda a Inglaterra! E se um dia secar?" Jack estava sempre dizendo coisas desse tipo, algumas menos fantasiosas, o que fazia com que Aliena percebesse quanto ansiava por uma conversa inteligente. Quase todo mundo em Kingsbridge só era capaz de falar sobre agricultura e adultério, assuntos que não a interessavam. O prior Philip era diferente, claro, mas não era com frequência que se entregava a conversas ociosas: estava sempre ocupado, vendo coisas no canteiro da obra, às voltas com os monges ou com a cidade. Aliena suspeitava que Tom Construtor também fosse muito inteligente, mas era do tipo que pensava mais que falava. Jack era o primeiro amigo verdadeiro que fizera. Uma descoberta maravilhosa, apesar da sua pouca idade. Na verdade, quando se afastava de Kingsbridge, surpreendia-se às vezes ansiosa por voltar a fim de conversar com ele.

Gostaria de saber de onde viriam suas ideias. Esse pensamento fez com que reparasse na mãe dele. Que mulher estranha devia ser, para criar um filho na floresta! Aliena conversara com Ellen e encontrara nela um espírito parecido com o seu, uma mulher independente e autossuficiente, de certa forma ressentida com o modo como a vida a tratara. Cedendo a um impulso, Aliena perguntou:

— Ellen, onde *você* aprendeu as histórias?

— Com o pai de Jack — respondeu ela sem pensar. Uma expressão reservada toldou-lhe a fisionomia e Aliena percebeu que não devia fazer mais perguntas.

Outro pensamento lhe ocorreu.

— Você sabe tecer?

— Claro — disse Ellen. — Todo mundo sabe.

— Gostaria de tecer por dinheiro?

— Talvez. Em que você está pensando?

Aliena explicou. Ellen não precisava de dinheiro, claro, era Tom quem o ganhava, e Aliena suspeitava que ela podia querer ganhar o seu próprio.

A suspeita estava correta.

— Sim, vou fazer uma tentativa — disse ela.

Naquele momento, Alfred, enteado de Ellen, apareceu. Como o pai, Alfred era um gigante. A maior parte do seu rosto se ocultava atrás de uma barba cerrada, mas os olhos acima dela eram implantados muito próximos um do outro, dando-lhe um ar interessante. Sabia ler, escrever e fazer contas, mas a despeito disso era bastante estúpido. Não obstante ele prosperara, e tinha o seu próprio grupo de pedreiros, aprendizes e serventes. Aliena observara que homens grandes com frequência conquistavam posições de poder, independentemente de sua inteligência. Como capataz Alfred tinha outra vantagem, claro: podia ter certeza de conseguir sempre trabalho para os seus operários, pois o pai era mestre construtor da Catedral de Kingsbridge.

Alfred sentou-se na grama ao lado dela. Tinha pés enormes, metidos em botas de couro cinzentas de tanto pó de pedra. Aliena raramente lhe dirigia a palavra. Deviam ter muita coisa em comum, pois eram os únicos jovens pertencentes à nata de Kingsbridge, a classe que vivia nas casas mais próximas do muro do priorado; Alfred contudo parecia sempre tão sem graça!

— Devia haver uma igreja de pedra — disse ele abruptamente, após um momento.

Era evidente que os outros tinham que descobrir o contexto a que se aplicava aquela observação. Aliena pensou um pouco e disse:

— Você está se referindo à igreja da paróquia?

— Sim — disse ele, como se fosse óbvio.

A igreja da paróquia agora era muito usada, pois a cripta da catedral, utilizada pelos monges, era apertada e abafada, e a população de Kingsbridge crescera. No entanto, era uma construção de madeira com telhado de palha e chão de terra.

— Você tem razão — disse ela. — Deveríamos ter uma igreja de pedra.

Alfred olhava para ela, ansioso. Aliena perguntou-se o que estaria querendo que dissesse.

— Em que está pensando, Alfred? — perguntou Ellen, que provavelmente estava acostumada a fazer com que ele se expressasse de modo compreensível.

— Como é que se começa a construir igrejas, afinal? — perguntou ele. — O que quero saber é: se queremos uma igreja de pedra, o que fazemos?

Ellen deu de ombros.

— Não tenho a menor ideia.

Aliena parou para pensar.

— Você podia formar uma associação paroquial — sugeriu. Ela se referia a uma associação de pessoas que davam banquetes de vez em quando e arrecadavam dinheiro entre elas próprias, geralmente a fim de comprar velas para a sua igreja ou de ajudar viúvas e órfãos da vizinhança. Algumas aldeias não tinham associações, mas Kingsbridge não era mais uma aldeia.

— Como é que funcionaria? — perguntou Alfred.

— Os membros da associação arcariam com as despesas da nova igreja — disse Aliena.

— Então deveríamos fundar uma associação — disse Alfred.

A jovem perguntou-se se não teria se enganado a respeito dele.

Nunca lhe parecera ser do tipo piedoso, mas ali estava ele tentando levantar dinheiro para construir uma igreja nova. Talvez tivesse facetas ocultas. Só então se lembrou de que Alfred era o único empreiteiro de Kingsbridge, de modo que estava certo de que lhe incumbiria o trabalho de construção. Podia não ser inteligente, mas era bastante esperto.

Mesmo assim, ela gostou da ideia. Kingsbridge estava se transformando numa cidade, e as cidades sempre têm mais que uma igreja. Com uma alternativa para a catedral, a cidade não seria dominada tão completamente pelo mosteiro. Naquele momento Philip era o lorde e senhor inconteste ali. Era um tirano benevolente, mas Aliena podia antever uma época em que poderia atender aos interesses dos comerciantes a existência de uma igreja alternativa.

— Você explicaria essa coisa da associação para alguns dos outros? — perguntou Alfred.

Aliena recuperara o fôlego após a corrida. Relutava em trocar a companhia de Ellen e Jack pela de Alfred, mas estava um bocado entusiasmada com a ideia dele, e, de qualquer modo, teria sido um pouco grosseiro recusar.

– Será um prazer – disse, e saiu com ele.

O sol estava se pondo. Os monges tinham acendido a fogueira e serviam a tradicional cerveja temperada com gengibre. Jack queria fazer uma pergunta à sua mãe, agora que se encontravam sozinhos, mas estava nervoso. Então alguém começou a cantar, e como sabia que ela cantaria também a qualquer momento, deixou escapar:

– Meu pai era menestrel?

Ela o encarou. Estava espantada, mas não zangada.

– Quem lhe ensinou essa palavra? Você nunca viu um menestrel.

– Aliena. Ela costumava ir à França com o pai.

Sua mãe olhou na direção da fogueira, no outro lado da campina escura.

– Sim, era menestrel. Foi ele quem me ensinou todos aqueles poemas, exatamente como os ensinei a você. Você agora os está recitando para Aliena?

– Sim. – Jack se sentiu um pouco sem graça.

– Você a ama de verdade, não é?

– É tão evidente assim?

Ela sorriu afetuosamente.

– Só para mim, creio. Ela é muito mais velha que você.

– Cinco anos.

– Mas você a conquistará, mesmo assim. Você é como seu pai. Ele podia conquistar qualquer mulher que quisesse.

Jack estava embaraçado de falar sobre Aliena, mas entusiasmado por saber coisas a respeito do pai, e ansioso por mais informações; para seu enorme aborrecimento, porém, Tom surgiu naquele exato instante e sentou-se com eles. Começou a falar imediatamente.

– Estive conversando com o prior Philip a respeito de Jack – disse. O tom de sua voz era leve, mas o rapaz percebeu que havia nele uma certa tensão, e viu que vinha problema. – Philip diz que o garoto deveria ser educado.

A reação de Ellen foi previsivelmente indignada.

– Ele é educado – disse. – Sabe ler e escrever em inglês e francês, conhece números, é capaz de recitar livros inteiros de poesia...

– Não me entenda mal deliberadamente – disse Tom, com firmeza. – Philip não disse que Jack é ignorante. Muito pelo contrário. O que está dizendo é que ele é tão inteligente que deveria ter *mais* instrução.

O rapaz não ficou satisfeito com aqueles elogios. Ele partilhava das suspeitas que a mãe nutria com relação a religiosos. Decerto tinha uma armadilha qualquer escondida naquela conversa.

— Mais? — contrapôs Ellen ironicamente. — O que mais aquele monge quer que ele aprenda? Eu lhe digo. Teologia. Latim. Retórica. Metafísica. Estrume de vaca. Bobagens.

— Não faça pouco de tudo tão rapidamente — disse Tom, com brandura. — Se Jack aceitar a oferta de Philip e for para a escola aprender a escrever com rapidez e a boa caligrafia de um secretário, estudar latim, teologia e todos os outros assuntos que você chama de estrume de vaca, poderá trabalhar para um conde ou para um bispo, e acabar sendo um homem rico e poderoso. "Nem todos os barões são filhos de barões", como diz o ditado.

Ellen semicerrou os olhos perigosamente.

— Se ele aceitar a oferta de Philip, foi o que você disse. E qual é a oferta de Philip, exatamente?

— Que Jack se torne um monge noviço...

— Só por cima do meu cadáver! — gritou Ellen, pondo-se de pé com um salto. — A maldita Igreja não vai levar o meu filho! Aqueles padres mentirosos e traiçoeiros me tiraram o pai dele mas não vão me tirar Jack. Antes enfiarei uma faca na sua barriga, juro por todos os deuses!

Tom já vira Ellen ter ataques como aquele antes, de modo que não ficou tão impressionado como ficaria se fosse novidade.

— Que diabo há com você, mulher? — perguntou calmamente. Ofereceram ao garoto uma magnífica oportunidade.

O que deixou Jack mais intrigado foi a frase: "Aqueles padres mentirosos e traiçoeiros me tiraram o pai dele." O que ela teria querido dizer com aquilo? Sentiu vontade de perguntar, mas Ellen não lhe deu oportunidade.

— Ele não vai ser monge! — berrou ela.

— Se ele não quiser ser monge, não terá que ser monge.

Ellen pareceu ficar emburrada.

— Aquele prior ardiloso sempre dá um jeito de no fim conseguir o que deseja — disse ela.

Tom se virou para Jack.

— Está na hora de dizer alguma coisa, rapaz. O que *você* quer fazer da sua vida?

Jack nunca pensara naquilo, mas a resposta veio sem hesitação, como se tivesse se decidido muito tempo antes.

— Vou ser mestre construtor, como você — disse ele. — Vou construir a mais linda catedral que o mundo já viu.

As franjas vermelhas do sol mergulharam debaixo do horizonte e a noite caiu. Hora do último ritual da véspera do solstício de verão: pedidos flutuantes. Jack já tinha um toco de vela e um pedaço de madeira. Ele olhou para Ellen e Tom. Ambos o encaravam, de certa forma perplexos: a convicção com que se manifestara sobre seu futuro os surpreendera. Bem, não era de admirar: surpreendera também o próprio Jack.

Vendo que nada mais tinham a dizer, o garoto ficou de pé de um pulo e correu para a fogueira. Acendeu um galhinho seco no fogo, derreteu um pouco a base da vela e prendeu-a no pedaço de madeira, acendendo-a. A maioria dos aldeões estava fazendo o mesmo. Os que não podiam comprar uma vela faziam uma espécie de barquinho com capim seco e torciam o capim na parte central para fazer um pavio.

Jack viu que Aliena estava bem do seu lado. Seu perfil era delineado pelo clarão da fogueira, e ela parecia imersa em profunda meditação. Cedendo a um impulso, ele perguntou:

– Qual é o seu pedido, Aliena?

– Paz – respondeu ela, sem parar para pensar. Depois, parecendo assustada, virou o rosto.

Jack perguntou-se se não seria maluco por amar Aliena. Ela gostava dele, sem dúvida – tinham se tornado amigos –, mas a ideia de se virem nus, deitados lado a lado, acariciando a pele quente um do outro, estava tão longe do coração dela quanto perto do seu.

Quando todos estavam prontos, ajoelharam-se à margem do rio ou entraram dentro d'água, nas partes mais rasas. Segurando as velas bruxuleantes, fizeram um pedido. Jack fechou os olhos com força e visualizou Aliena, deitada numa cama, com os seios nus para fora da colcha, abrindo os braços para ele e dizendo: "Faça amor comigo, marido." Depois todos colocaram cuidadosamente suas velas sobre a água. Se o barquinho afundasse ou o fogo se apagasse, o pedido jamais seria atendido. Assim que Jack largou o seu, e a pequenina embarcação se afastou, a base de madeira tornou-se invisível, e apenas a chama pôde ser vista. Ele permaneceu olhando intensamente para ela durante algum tempo, e depois a perdeu entre as centenas de luzes que dançavam, boiando na superfície da água, trêmulos pedidos descendo a correnteza, até que desapareceram na curva do rio e não mais puderam ser vistos.

3

Todo aquele verão, Jack contou histórias a Aliena.

Eles se encontravam aos domingos, a princípio ocasionalmente e depois com regularidade, na clareira perto da pequena queda-d'água. Ele lhe falou sobre Carlos Magno e seus cavaleiros, e Guilherme de Orange e os sarracenos. Jack ficava completamente absorto nas histórias quando as estava contando. Aliena gostava de ver como as expressões mudavam no seu rosto jovem. Mostrava-se indignado com a injustiça, horrorizado com a traição, emocionado com a coragem de um cavaleiro e comovido até as lágrimas com uma morte heroica; e, como suas emoções eram contagiosas, ela também ficava comovida. Alguns dos poemas eram longos demais para serem recitados numa tarde, e quando ele tinha que contar uma história em capítulos, interrompia sempre num momento de tensão, de modo que Aliena passava a semana inteira imaginando o que aconteceria a seguir.

Ela nunca falou a ninguém sobre aqueles encontros. Não sabia ao certo por quê. Talvez os outros não fossem entender o fascínio das histórias. Qualquer que fosse a razão, deixou que pensassem que estava saindo na sua costumeira caminhada dos domingos, e, sem consultá-la, Jack fez o mesmo; assim, chegaram a um ponto em que já não poderiam contar a ninguém sem que dessem a impressão de estar confessando algo de que se sentiam culpados. Dessa forma, quase que por acidente, os encontros se tornaram secretos.

Um domingo Aliena leu *O romance de Alexandre* para ele, só para variar. Diferentemente dos poemas de Jack, de intriga nas cortes, política internacional e morte súbita no campo de batalha, o romance de Aliena tratava de casos de amor e magias. Jack ficou muito impressionado com esses novos elementos, e no domingo seguinte deu início a um novo romance de sua própria invenção.

Era um dia quente, no final de agosto. Aliena, de sandálias, trajava um vestido leve de linho. A floresta estava em silêncio, a não ser pelo rumorejar da água e a modulação da voz de Jack, ora mais alta, ora mais baixa. A história começou do modo convencional, com a descrição de um bravo cavaleiro, grande e forte, poderoso nas batalhas e armado com uma espada mágica, a quem fora ordenada uma tarefa difícil: viajar até um distante país no Oriente e trazer uma videira que desse rubis. Mas ele rapidamente a desviou do padrão comum. O cavaleiro foi morto e o foco passou para o seu escudeiro, um bravo mas pobre jovem de dezessete anos perdidamente apaixonado pela filha do rei, uma linda princesa. O escudeiro jurou cumprir a missão dada a seu amo, muito embora fosse jovem e inexperiente e tivesse apenas um cavalinho malhado e um arco.

Em vez de vencer o inimigo com um tremendo golpe de uma espada mágica, como o herói costumava fazer nessas histórias, o escudeiro lutava desesperadamente e ganhava suas batalhas apenas por sorte ou esperteza, quase sempre escapando da morte por um triz. Com frequência tinha medo dos inimigos com que se defrontava – ao contrário dos cavaleiros destemidos de Carlos Magno –, mas nunca se desviava de seu compromisso. Mesmo assim, tanto a missão quanto seu amor pela princesa pareciam não ter esperanças.

Aliena descobriu que ficava mais cativada pela bravura do escudeiro que pela força do seu amo. Mordia os nós dos dedos de ansiedade quando ele cavalgava pelo território inimigo, assustava-se quando a espada de um gigante por pouco não o acertava e suspirava quando ele deitava a cabeça solitária para dormir e sonhar com a distante princesa. Seu amor por ela parecia ser da mesma qualidade da constância do seu espírito.

No final, o escudeiro trouxe a videira que produzia rubis, espantando toda a corte.

— Mas não se importou *muito* — afirmou Jack, estalando desdenhosamente os dedos — no que dizia respeito a todos aqueles barões e condes. Estava interessado numa pessoa apenas. Naquela noite conseguiu entrar no quarto dela, usando um brilhante ardil que aprendera na viagem ao Oriente. Até que por fim se viu de pé ao lado da cama da princesa, olhando para o seu rosto. — E Jack olhou dentro dos olhos de Aliena. — Ela acordou imediatamente, mas não teve medo. Ele adiantou-se e, com delicadeza, segurou-lhe a mão. — Jack representou a história, pegando a mão de Aliena e segurando-a entre as suas. Ela estava fascinada pela intensidade do seu olhar e pelo poder do amor do jovem escudeiro, e mal sentiu que ele estava segurando sua mão. — O escudeiro lhe disse: "Eu a amo muito", e beijou-a nos lábios. — Jack inclinou-se e beijou Aliena. Seus lábios tocaram nos dela tão suavemente que Aliena mal sentiu. Aconteceu muito depressa, e ele retomou a narrativa prontamente: — A princesa dormiu — continuou. E Aliena pensou: Isto realmente aconteceu? Jack me beijou mesmo? Mal podia crer, mas ainda sentia o toque da boca dele na sua. — No dia seguinte, o escudeiro perguntou ao rei se podia se casar com a princesa, como recompensa por ter trazido a videira que produzia rubis. — Jack me beijou sem pensar, decidiu Aliena. Era só parte da história. Ele nem mesmo sabe que o fez. Vou simplesmente esquecer o que houve. — O rei não consentiu. O escudeiro ficou com o coração partido. Todos os cortesãos riram. Naquele dia mesmo o escudeiro deixou aquele reino, montado no seu cavalinho malhado; porém, jurou que voltaria, e que no dia de seu regresso desposaria a linda princesa. — Jack calou-se e largou a mão de Aliena.

— E o que aconteceu depois?

— Não sei — respondeu Jack. — Ainda não pensei.

Todas as pessoas importantes de Kingsbridge entraram para a associação da paróquia. A ideia era nova para a maioria, mas gostaram de ver que Kingsbridge agora era uma cidade, e não mais uma aldeia, e sua vaidade sensibilizou-se com o apelo feito a eles para que, como cidadãos importantes, doassem uma igreja de pedra.

Aliena e Alfred recrutaram os membros e organizaram o primeiro jantar da associação em meados de setembro. Os grandes ausentes foram o prior Philip, que de certa forma era hostil ao empreendimento, embora não o bastante para proibi-lo; Tom Construtor, que declinou, devido ao modo de pensar de Philip; e Malachi, excluído pela sua religião.

Nesse espaço de tempo, Ellen tecera um rolo de fazenda com lã da sobra de Aliena. Era áspera e sem cor, mas boa o bastante para confeccionar hábitos de monge, e o despenseiro do priorado, Cuthbert Cabeça Branca, a comprara. Embora fosse barata, ainda tinha o dobro do preço da lã crua, e mesmo depois de haver pago um penny por dia a Ellen, Aliena lucrara meia libra. Cuthbert foi perspicaz o bastante para comprar mais tecido àquele preço, de modo que Aliena comprou a sobra de lã de Philip, a fim de aumentar seu estoque, e arranjou mais doze pessoas, a maioria mulheres, para fazer o serviço de tecelagem. Ellen concordou em fazer outro fardo de tecido, mas não em pisoá-lo, já que, conforme alegou, o trabalho era muito duro. Aliena disse a suas tecelãs que fossem em frente e fizessem um pano frouxamente tecido; depois contrataria homens para pisoá-lo ou venderia para um mestre pisoeiro em Winchester.

O almoço da associação foi na igreja de madeira. Aliena organizou-o. Dividiu a responsabilidade da preparação com os outros membros, a maioria dos quais tinha pelo menos uma criada doméstica. Alfred e seus homens construíram uma mesa comprida de tábuas, apoiada em cavaletes. Compraram cerveja forte e um barril de vinho.

Sentaram-se dos dois lados da mesa, sem ninguém nas cabeceiras, pois todos eram iguais dentro da associação. Aliena pôs um vestido de seda vermelho-escuro, ornamentado por um broche de ouro com rubis, e uma capa comprida cinza-escuro com mangas largas, como era moda. O pároco deu graças: é claro que estava deleitado com a ideia da associação, pois uma nova igreja aumentaria seu prestígio e multiplicaria sua renda.

Alfred apresentou um orçamento e um cronograma para a construção da nova igreja. Falou como se tudo fosse fruto do seu trabalho, mas Aliena sabia que Tom fizera quase todos os cálculos. A obra levaria dois anos e custaria noventa libras, e Alfred propôs que cada um dos quarenta membros da associação desse seis pence por semana. Era um pouco mais do que alguns tinham imaginado, Aliena podia assegurar, examinando-lhes o rosto. Todos concordaram, mas a jovem achou que a associação podia prever uma ou duas desistências.

Ela poderia dar aquela contribuição com facilidade. Olhando para as pessoas sentadas em torno da mesa, constatou que provavelmente era a pessoa mais rica presente. Estava numa pequena minoria de mulheres: as únicas outras eram uma cervejeira com fama de fabricar uma boa cerveja forte, uma alfaiata que empregava duas costureiras e algumas aprendizes, e a viúva de um sapateiro, que administrava o negócio deixado pelo marido. Aliena era a mais jovem, sendo mais jovem também que todos os homens, exceto Alfred, um ou dois anos mais moço que ela.

Aliena sentiu falta de Jack. Ainda não ouvira o segundo capítulo da história do jovem escudeiro. Aquele dia era feriado, e seria bom se tivesse ido encontrá-lo na clareira. Talvez ainda fosse, mais tarde.

À mesa conversavam sobre a guerra civil. A mulher de Estêvão, a rainha Matilda, apresentara uma resistência mais forte do que se esperara: recentemente tomara Winchester e capturara Robert de Gloucester. Robert era irmão de Matilde, a Imperatriz, e comandante-chefe de suas forças militares. Algumas pessoas diziam que ela era apenas testa de ferro, e que Robert era o verdadeiro líder da rebelião. De qualquer modo, a captura dele fora quase tão ruim para Matilde quanto a de Estêvão para os legalistas, e todo mundo tinha uma opinião sobre o rumo que a guerra tomaria a seguir.

A bebida era muito mais forte que a habitualmente servida pelo prior Philip, e, à medida que a refeição progredia, os convivas iam falando mais alto. O pároco não exerceu uma influência restritiva, provavelmente por estar bebendo tanto quanto os demais. Algo parecia preocupar Alfred, sentado ao lado de Aliena, mas o rosto dele também estava congestionado. Quanto a Aliena, não gostava de bebidas fortes e tomou um copo de sidra com o seu jantar.

Quando a maior parte da comida tinha sido consumida, alguém propôs um brinde a Alfred e Aliena. Alfred ficou radiante de satisfação. Depois que o canto começou, Aliena começou a se perguntar em quanto tempo conseguiria dar o fora.

– Nós nos saímos bem juntos – disse-lhe Alfred.

Aliena sorriu.

– Vamos ver quantos deles ainda estarão pagando *seis* pence por semana dentro de um ano.

Alfred não queria saber de apreensões ou dúvidas.

– Nós nos saímos bem – repetiu. – Somos uma boa equipe. – Ergueu o copo na direção dela e bebeu. – Não acha que somos uma boa equipe?

– Certamente que sim – respondeu, para agradar Alfred.

– Gostei disso – prosseguiu ele. – Quero dizer, de fazer isso com você, organizar a associação.

– Também gostei – disse ela polidamente.

– É mesmo? Isso me faz muito feliz.

Ela o fitou com mais cuidado. Por que estaria sendo tão insistente? Sua fala era clara e precisa, não exibia sinais de embriaguez.

– Foi agradável – disse ela, procurando manter um tom neutro.

Ele pôs uma das mãos sobre o seu ombro. Aliena detestava ser tocada, mas treinara não se esquivar, porque os homens ficavam ofendidos.

— Diga-me uma coisa – disse ele, baixando a voz para um tom mais íntimo. – O que você está procurando num marido?

Espero que ele não vá me pedir em casamento, pensou Aliena, desolada. Deu sua resposta padronizada.

— Não preciso de marido. Meu irmão já me dá bastante trabalho.

— Mas precisa de amor – disse ele.

Ela gemeu no íntimo.

Estava prestes a responder quando ele ergueu a mão para silenciá-la – um hábito masculino que achava particularmente irritante.

— Não me diga que não precisa de amor – disse. – Todo mundo precisa.

Ela o encarou com firmeza. Sabia que havia algo de diferente em si: a maioria das mulheres gostava da ideia de se casar, e se ainda estavam solteiras, como Aliena, aos vinte e dois anos de idade, mostravam-se mais que interessadas – desesperadas – para se casar. Alfred era jovem, saudável e próspero: metade das garotas de Kingsbridge gostaria de se casar com ele. Por um momento brincou com a ideia de dizer sim. Mas a ideia de morar com Alfred, almoçar com ele todos os dias, cear todas as noites, ir à missa em sua companhia e ter os seus filhos era aterrorizante. Preferia ficar sozinha. Sacudiu a cabeça.

— Esqueça, Alfred – disse resolutamente. – Não preciso de marido, por amor ou por qualquer outra coisa.

Ele não se desencorajou.

— Eu a amo, Aliena – disse. – Trabalhando com você me senti verdadeiramente feliz. Preciso de você. Quer ser minha mulher?

Pronto, ele concretizara o pedido. Era uma pena, porque agora precisava rejeitá-lo formalmente. Aprendera que não adiantava tentar proceder com delicadeza nesses casos: os homens tomavam uma recusa bondosa como sinal de indecisão e pressionavam mais ainda.

— Não, não quero – disse ela. – Não o amo, não gostei muito de ter trabalhado em sua companhia e não o desposaria nem que fosse o último homem na face da Terra.

Alfred ficou ofendido. Devia ter pensado que suas chances eram boas. Aliena tinha certeza de que nada fizera para encorajá-lo. Tratara-o como um sócio, em igualdade de condições, ouvindo quando falava, falando com ele franca e diretamente, cumprindo suas responsabilidades e esperando que Alfred cumprisse as dele. Só que alguns homens encaram essas coisas como sinal de encorajamento.

— Como você pode dizer isso? – gaguejou Alfred.

Ela suspirou. Estava magoado, e tinha pena dele; mas dentro de um instante se mostraria indignado, e agiria como se tivesse sido acusado injustamente; por fim se convenceria de que ela o insultara sem motivos, e se tornaria ofensivo.

Nem todos os pretendentes rejeitados se comportavam assim, mas um certo tipo sempre repetia tal padrão, e Alfred era desse tipo. Ia ter que se retirar.

Ela se levantou.

— Respeito sua proposta e agradeço a honra que me concede — disse. — Por favor, respeite minha recusa, e não me peça de novo.

— Suponho que você esteja saindo para correr ao encontro daquele desprezível garotinho que é o filho da minha madrasta — disse Alfred grosseiramente. — Não posso imaginar que Jack seja capaz de lhe dar uma boa trepada.

Aliena corou, envergonhada. Então estavam começando a notar sua amizade com Jack. Podia contar com Alfred para uma interpretação obscena. Pois bem, estava correndo *mesmo* para ir ver Jack, e não ia deixar que Alfred a impedisse. Abaixou-se e quase encostou o rosto ao dele. O rapaz ficou espantado. Calma e deliberadamente, ela disse:

— Vá. Para. O inferno.

Então se virou e foi embora.

O prior Philip instalava um tribunal na cripta uma vez por mês. Antes o fazia uma vez por ano, e mesmo assim raramente tomava o dia inteiro. Mas a população triplicara, e o número de violações da lei decuplicara.

A natureza das transgressões mudara também. Antes a maior parte tinha a ver com a terra, as colheitas ou o gado. Um camponês ambicioso tentava sub-repticiamente mudar o limite de um campo para expandir sua terra à custa de um vizinho; um trabalhador furtava um saco de milho da viúva que o empregara; uma mulher pobre com muitos filhos ordenhava uma vaca que não era sua. Agora a maior parte dos casos envolvia dinheiro, pensou Philip, enquanto atuava na sua corte, naquele primeiro dia de dezembro. Aprendizes furtavam dinheiro dos mestres, um marido roubava as economias da mulher, comerciantes passavam dinheiro falso e mulheres ricas pagavam quantias miseráveis às suas criadas ignorantes, que mal sabiam contar os salários semanais. Não havia crimes desse tipo em Kingsbridge cinco anos antes, porque naquele tempo ninguém tinha muito dinheiro em espécie.

Philip arbitrava para quase todas as violações uma multa. Podia também mandar açoitar, prender no tronco ou aprisionar na cela que ficava sob o dormitório dos monges, mas essas punições estavam ficando cada vez mais raras, reservadas basicamente para crimes violentos. Ele tinha o direito de enforcar ladrões, e o priorado era dono de uma forca de madeira bastante forte; porém ele nunca a usara, e tinha a secreta esperança de que jamais a usaria. Os crimes mais sérios — assassinato, abate de um dos veados do rei e roubo em estradas — eram julgados pela corte real em Shiring, presidida pelo xerife Eustace, que já enforcava mais do que o suficiente.

Nesse dia Philip tivera sete casos de moagem de grãos sem autorização. Deixou todos para o fim, para resolvê-los juntos. O priorado construíra um novo moinho de água para funcionar juntamente com o velho – Kingsbridge agora precisava de dois. Mas o mais recente tinha que ser pago, o que significava que todos precisavam levar seus grãos para o moinho do priorado. Falando num sentido estrito, a lei sempre fora assim, em cada grande propriedade no país: os camponeses não eram autorizados a moer seus grãos em casa; tinham que pagar ao seu lorde para fazer isso por eles. Nos últimos anos, quando a cidade crescera e o velho moinho começara a quebrar com frequência, Philip fizera vista grossa ao número crescente de moagens ilícitas, mas agora precisava pôr fim àquilo.

Mandou que escrevessem os nomes dos transgressores numa lousa e os leu em voz alta, um por um, começando pelo mais rico. – Richard Longacre, você tinha um moinho grande operado por dois homens, segundo o irmão Franciscus. – Franciscus era o moleiro do priorado.

Um pequeno proprietário rural de aparência próspera adiantou-se.

– Sim, milorde prior, mas já o quebrei.

– Pague sessenta pence. Enid Brewster, você tinha um moinho manual na sua cervejaria. Eric Enidson foi visto utilizando-o, de modo que ele também é acusado.

– Sim, milorde – disse Enid, uma mulher de rosto vermelho e ombros vigorosos.

– E onde está o moinho agora?

– Joguei-o no rio, milorde.

Philip não acreditou, mas não havia muito que pudesse fazer. – Multada em vinte e quatro pence, e doze pelo seu filho. Walter Curtidor?

Philip foi até o fim da lista, multando as pessoas de acordo com a escala de suas operações ilegítimas, até que chegou à última e mais pobre. – Viúva Goda?

Uma mulher de aparência miserável, com roupas pretas desbotadas, adiantou-se.

– O irmão Franciscus diz que a viu moendo grão com uma pedra.

– Eu não tinha um penny para o moinho, milorde – disse ela, ressentida.

– Mas teve o penny para comprar o grão – disse Philip. – Será punida como todos os outros.

– Vai querer que eu morra de fome? – retrucou ela desafiadoramente.

Philip suspirou. Gostaria que o irmão Franciscus tivesse fingido não ver Goda violando a lei.

– Quando foi a última vez em que alguém morreu de fome aqui em Kingsbridge? – Olhou para os cidadãos ali reunidos. – Alguém aqui se lembra de quando foi a última vez em que alguém morreu de fome na nossa cidade? – Parou por um momento, como que esperando uma resposta, e depois disse: – Acho que vão descobrir que foi antes do meu tempo.

— Dick Casa Pequena morreu no inverno passado — disse Goda.

Philip se lembrava do homem, um mendigo que dormia nos chiqueiros e estábulos.

— Dick desmaiou de tanta bebida na rua, à meia-noite, e morreu congelado quando nevou — disse. — Não morreu de fome, e se estivesse sóbrio o bastante para caminhar até o priorado, tampouco teria morrido de frio. Se você tiver fome, não tente me enganar — vá me procurar e conte com a nossa caridade. E se for orgulhosa demais para isso, e preferir violar a lei, vai ter que ser punida como todos os outros. Está me ouvindo?

— Sim, milorde — disse a mulher, emburrada.

— Multada em um *farthing* — disse Philip. — A corte está encerrada.

Ele se levantou e saiu, subindo a escada que levava da cripta ao andar térreo.

O trabalho na nova catedral tivera seu ritmo reduzido de maneira drástica, como sempre acontecia mais ou menos um mês antes do Natal. As superfícies laterais e a parte de cima das pedras colocadas mais recentemente eram cobertas com palha e estrume — recolhido dos estábulos do priorado — para evitar o efeito do frio. Os pedreiros não podiam construir no inverno, devido ao frio intenso, segundo diziam. Philip perguntara por que não podiam descobrir as paredes todas as manhãs e cobri-las de novo à noite; com frequência não fazia tanto frio assim durante o dia. Tom disse que as paredes construídas no inverno caíam. Philip acreditava, mas não achava que fosse por causa do frio. O motivo verdadeiro talvez fosse o de que a massa levasse alguns meses para endurecer apropriadamente. A pausa do inverno permitia que isso acontecesse, antes que novas pedras fossem colocadas. Isso explicaria também a superstição dos pedreiros de que dava má sorte construir mais que vinte pés de altura num único ano; se excedessem isso as fileiras mais baixas seriam deformadas com o peso colocado por cima antes de a massa secar.

Philip ficou surpreso ao ver todos os pedreiros ao ar livre, onde seria o coro da igreja. Foi verificar o que estavam fazendo.

Tinham construído um arco semicircular de madeira e colocado na vertical, sustentando-o em ambos os lados por estacas. Philip sabia que o arco de madeira era uma peça daquilo que chamavam de forma; sua finalidade era escorar o arco de pedra enquanto este estivesse sendo construído. Agora, contudo, os pedreiros estavam montando o arco de pedra no nível do solo, sem massa, para verificar se as pedras se ajustavam perfeitamente. Aprendizes e serventes erguiam as pedras e as colocavam na forma, sob a supervisão dos pedreiros.

— Para que é isto? — perguntou Philip, depois de atrair a atenção de Tom.

— É um arco para a galeria da tribuna.

Philip ergueu os olhos pensativamente. A arcada fora completada no último ano e a galeria sobre ela ficaria pronta no ano seguinte. Então, o último nível, o do clerestório, ficaria para ser construído antes que o telhado tivesse início. Agora que as paredes haviam sido cobertas para o inverno, os pedreiros cortavam as pedras para o trabalho do ano seguinte. Se aquele arco estivesse correto, as pedras para todos os outros seriam cortadas de acordo com os mesmos padrões.

Os aprendizes, entre os quais Jack, o enteado de Tom, montaram o arco começando de ambos os lados, com pedras em forma de cunha, chamadas de aduelas. Embora o arco fosse destinado a ficar numa parte alta da igreja, teria elaborados trabalhos de cinzelagem; assim, cada pedra exibiria na superfície visível uma linha de grandes dentículos, outra de pequenos medalhões e uma terceira, por baixo, de volutas, ou espirais simples. Quando as pedras estivessem dispostas em seus lugares, o trabalho de cinzelagem ficaria perfeitamente alinhado, formando três arcos contínuos, com cada um daqueles motivos. Isso dava a impressão de que ele era feito de diversos arcos semicirculares de pedra, um em cima do outro, mesmo que, na verdade, consistisse em pedras em forma de cunha colocadas lado a lado. No entanto, tinham que ficar perfeitamente ajustadas, pois de outro modo as cinzeladuras não se alinhariam e a ilusão se perderia.

Philip observou Jack baixando a pedra central para colocá-la em posição. Agora o arco estava completo. Quatro pedreiros pegaram marretas e derrubaram as cunhas que sustentavam a forma de madeira algumas polegadas acima do chão. De uma forma impressionante, o suporte de madeira caiu. Mas, embora não houvesse massa entre as pedras, o arco resistiu de pé. Tom Construtor deixou escapar um grunhido de satisfação.

Alguém puxou a manga de Philip. Ele se virou e viu que era um jovem monge.

— Visita para o senhor, padre. Está esperando na sua casa.

A visita era seu irmão, Francis. Philip o abraçou calorosamente. Francis parecia ansioso.

— Já lhe ofereceram algo para comer? — perguntou Philip. — Você está com ar fatigado.

— Trouxeram-me pão e carne, obrigado. Passei o outono percorrendo a cavalo o caminho entre Bristol, onde o rei Estêvão estava aprisionado, e Rochester, onde conde Robert era prisioneiro.

— Você usou o verbo no passado.

Francis aquiesceu.

— Negociei uma troca: Estêvão por Robert. Foi concretizada no Dia de Todos os Santos. O rei Estêvão está agora de novo em Winchester.

Philip ficou surpreso.

— Parece-me que Matilde ficou com a pior parte da barganha, deu um rei para ganhar um conde.

Francis sacudiu a cabeça.

— Matilde nada podia fazer sem Robert. Ninguém gosta dela, ninguém confia nela. O apoio de que dispunha estava entrando em colapso. Precisava recuperá-lo. A rainha Matilda foi esperta. Não aceitava nada menos que o rei Estêvão para ceder Robert. Agarrou-se a essa posição e no fim conseguiu o que queria.

Philip foi até a janela. Começara a ventar e a chover, uma chuva fria que escurecia as paredes altas da catedral e gotejava dos telhados baixos de palha dos galpões dos artesãos.

— O que significa isto? — perguntou.

— Significa que Matilde mais uma vez não passa de uma pretendente ao trono. Afinal de contas, Estêvão foi coroado, enquanto ela nunca chegou a sê-lo, propriamente.

— Mas foi Matilde quem licenciou meu mercado.

— Sim. Isso pode vir a ser um problema.

— Minha licença perdeu o valor?

— Não. Ela foi concedida de forma adequada por um governante legítimo que tinha sido aprovado pela Igreja. O fato de não ter sido coroada não faz a menor diferença, mas Estêvão pode cancelá-la.

— O mercado é que está pagando a pedra — disse Philip ansiosamente. — Não posso construir sem ele. Isso foi mesmo uma má notícia.

— Sinto muito.

— E as minhas cem libras?

Francis deu de ombros.

— Estêvão lhe dirá para recebê-las de Matilde.

Philip ficou angustiado.

— Todo aquele dinheiro!... Era dinheiro de Deus, e o perdi.

— Você ainda não o perdeu — contrapôs Francis. — Pode ser que Estêvão não revogue sua licença. De um modo ou de outro, ele nunca demonstrou muito interesse em mercados.

— O conde William pode pressioná-lo.

— William trocou de lado, lembra? Apostou tudo em Matilde. Já não terá muita influência sobre Estêvão.

— Espero que tenha razão — disse Philip fervorosamente. — Espero em Deus que você esteja com a razão.

Quando ficou frio demais para se sentar na clareira, Aliena passou a visitar a casa de Tom Construtor todas as noites. Alfred estava normalmente na cervejaria, de modo que a família consistia em Tom, Ellen, Jack e Martha. Agora que Tom estava indo tão bem, tinham cadeiras confortáveis, um bom fogo e muitas velas. Ellen e Aliena trabalhavam, tecendo. Tom desenhava planos e diagramas, riscando pedaços de lousa polida com uma pedra aguçada. Jack fingia fazer um cinto, amolar facas ou trançar um cesto, embora passasse a maior parte do tempo contemplando furtivamente o rosto de Aliena iluminado pelas velas, observando seus lábios se moverem quando falava ou estudando seu alvo pescoço quando bebia um copo de cerveja. Riram muito naquele inverno. Jack amava fazer Aliena rir. Ela em geral era tão controlada e reservada que era uma alegria vê-la se soltar, quase como se a vislumbrasse nua. Ele estava constantemente pensando em coisas para dizer que a divertissem. Fazia imitações dos artífices que trabalhavam no canteiro da obra, reproduzia o sotaque de um pedreiro parisiense ou o caminhar das pernas arqueadas de um ferreiro. Uma vez inventou uma narrativa cômica da vida com os monges, dando a cada um pecados plausíveis – orgulho para Remigius, gula para Bernard Cozinheiro, embriaguez para o encarregado da hospedaria e luxúria para Pierre Circuitor. Martha quase sempre não se aguentava de tanto rir e até mesmo o taciturno Tom arriscava um sorriso.

– Não sei se vou conseguir vender todo este tecido – disse Aliena numa dessas noites.

De certa forma eles ficaram espantados.

– Então por que estamos tecendo? – perguntou Ellen.

– Não abandonei a esperança – respondeu Aliena. – Só tenho um problema.

Tom levantou os olhos da lousa.

– Pensei que o priorado estivesse ansioso para comprar seu tecido.

– O problema não é esse. Não consigo encontrar quem faça o trabalho de pisoar, e o priorado não quer o tecido frouxo, ninguém quer.

– É um trabalho exaustivo – disse Ellen. – Não admira que ninguém queira fazê-lo.

– Você não consegue homens para o pisoamento? – sugeriu Tom.

– Não aqui, na próspera Kingsbridge. Todos os homens têm bastante trabalho. Nas grandes cidades há pisoeiros profissionais, mas a maioria trabalha para teceláos e estão proibidos de pisoar para os rivais dos seus empregadores. De qualquer modo, custaria muito caro o transporte de ida e volta para Winchester.

– De fato é um problema – reconheceu Tom, e voltou ao seu trabalho.

Jack foi assaltado por uma ideia.

– É uma pena que não possamos dar esse trabalho para os bois fazerem.

Os outros riram.

– Você bem que poderia ensinar bois a construir igrejas – disse Tom.

– Ou um moinho – persistiu Jack. – Geralmente há maneiras fáceis de fazer o trabalho mais duro.

– Ela quer pisoar o tecido, não moê-lo – disse Tom.

Jack não estava ouvindo.

— Nós usamos equipamento especial e sarilhos para levantar as pedras até a parte superior dos andaimes.

— Oh, se houvesse algum mecanismo engenhoso para pisoar tecidos seria uma maravilha — disse Aliena.

Jack pensou em como ela ficaria satisfeita se pudesse resolver aquele problema. Decidiu que tinha que achar um jeito.

— Já ouvi falar de um moinho de água usado para acionar o fole de uma forja, mas nunca o vi — disse Tom pensativamente.

— Aí está! — exclamou Jack. — Prova que é possível a minha ideia!

— Um moinho gira circularmente — disse Tom —, e a mó também, de modo que um pode acionar o outro; mas o bastão do pisoeiro sobe e desce. Você não pode fazer um moinho acionar um bastão de pisoeiro.

— Mas o fole tem movimento vertical — ele sobe e desce.

— É verdade, é verdade; porém, nunca vi essa forja, só ouvi falar que existia.

Jack tentou visualizar a maquinaria de um moinho. A força da água acionava a roda. O eixo dessa roda era conectado a outra roda dentro do moinho. A roda interior, que era vertical, tinha dentes engraxados com os dentes de outra roda que girava na horizontal. Esta última roda girava a pedra do moinho.

— Uma roda vertical pode fazer girar uma roda horizontal — murmurou Jack, pensando em voz alta.

Martha riu.

— Jack! Pare! Se os moinhos pudessem pisoar tecidos, as pessoas espertas já teriam pensado nisso.

Jack ignorou-a.

— Os bastões podiam ser fixados ao eixo da roda do moinho — disse. — O tecido podia ficar na horizontal onde os bastões caíssem.

— Mas os bastões bateriam uma vez e ficariam presos — disse Tom. — E a roda pararia. Eu lhe disse: rodas giram, mas bastões têm que subir e descer.

— Deve haver um jeito — disse Jack obstinadamente.

— Não há — disse seu padrasto, no tom de voz que usava para encerrar conversas.

— Mesmo assim, aposto que há — resmungou Jack, rebelde; e Tom fingiu que não escutou.

No domingo seguinte, Jack desapareceu.

Foi à igreja de manhã e comeu em casa, como sempre; mas não apareceu na hora da ceia. Aliena estava na sua cozinha, preparando um caldo grosso de presunto e repolho com pimenta, quando Ellen apareceu procurando por ele.

— Não o vejo desde a missa — disse Aliena.

— Desapareceu depois do almoço – disse Ellen. – Achei que estivesse com você.

Aliena ficou um pouco envergonhada por ela ter feito aquela suposição tão prontamente.

— Está preocupada?

Ellen deu de ombros.

— Mães sempre se preocupam.

— Ele brigou com Alfred? – perguntou Aliena, nervosa.

— Fiz a mesma pergunta. Alfred diz que não. – Ellen suspirou. – Não acho que tenha lhe acontecido algum mal. Já fez isso antes e me atrevo a dizer que fará de novo. Nunca lhe ensinei a cumprir horários.

Mais tarde, pouco antes da hora de dormir, Aliena passou pela casa de Tom para ver se Jack reaparecera. Não. Foi para a cama preocupada. Richard estava fora, em Winchester, de modo que se encontrava sozinha. Ficou pensando que Jack podia ter caído no rio e morrido afogado, ou qualquer coisa assim. Como devia ser terrível para Ellen: Jack era seu único filho! Os olhos de Aliena encheram-se de lágrimas quando imaginou a dor de Ellen por perder Jack. Aquilo era estupidez, pensou: Estou chorando por causa da dor de outra pessoa causada por uma coisa que não aconteceu. Controlou-se e tentou pensar no trabalho. A sobra de tecido era seu grande problema. Normalmente podia ficar metade da noite pensando em negócios, mas daquela vez não conseguia esquecer Jack. E se ele houvesse quebrado a perna, e estivesse na floresta, incapaz de se mover?

Acabou caindo num sono que não lhe possibilitou descansar. Acordou à primeira luz da madrugada, ainda se sentindo cansada. Enfiou a capa pesada por cima da camisa de dormir, calçou as botas guarnecidas de pele e saiu para procurá-lo.

Ele não estava atrás da cervejaria, onde os homens em geral caíam dormindo e eram salvos do congelamento pelo calor da fétida pocilga. Desceu até a ponte e caminhou, cheia de medo, ao longo da margem, até uma curva onde o lixo era despejado. Uma família de patos ciscava por entre os pedaços de madeira, sapatos usados, facas enferrujadas e ossos apodrecidos. Jack não estava ali, graças a Deus.

Subiu de novo a colina e entrou no priorado, onde os operários que construíam a catedral começavam o dia de trabalho. Encontrou Tom no seu depósito.

— Jack já voltou? – perguntou esperançosamente.

Tom sacudiu a cabeça.

— Ainda não.

Quando ia saindo, o mestre carpinteiro apareceu, preocupado.

— Todos os nossos martelos desapareceram – disse a Tom.

— Engraçado – disse Tom. – Eu estava procurando um maneio e não consegui achar nenhum.

A seguir foi a vez de Alfred aparecer na porta e perguntar:

— Onde estão as talhadeiras dos pedreiros?

Tom coçou a cabeça.

— Parece que todos os martelos da obra desapareceram — murmurou, desconcertado. Depois sua expressão se modificou e ele disse: — Aquele garoto, Jack, está por trás disso, sou capaz de apostar.

Claro, pensou Aliena. Martelos. Pisoar. O moinho.

Sem dizer o que estava pensando, deixou o galpão de Tom, atravessou apressadamente o adro, passando pela cozinha, na direção do canto sudoeste, onde um canal desviado do rio acionava dois minhos, um velho e um novo. Como suspeitara, a roda do velho estava girando. Entrou no seu interior.

O que viu a deixou confusa e assustada a princípio. Havia uma fila de martelos presos numa vara horizontal. Parecendo ter vontade própria, os martelos ergueram a cabeça, como cavalos levantando o focinho. Depois desceram, todos juntos, e bateram simultaneamente com um estrondo tão forte que fez seu coração parar. Deu um grito de espanto. Os martelos ergueram de novo a cabeça, como se a tivessem ouvido, e desfecharam outro golpe. Estavam batendo num pedaço do seu tecido frouxo, imerso em uma ou duas polegadas de água, num cocho raso de madeira do tipo usado pelos preparadores de massa no canteiro da obra. Os martelos estavam pisoando o tecido, Aliena se deu conta, e não teve mais medo, embora parecessem assustadoramente vivos. Mas como aquilo era feito? Viu que a vara onde haviam sido presos corria paralela ao eixo da roda do moinho. Uma tábua fixa no eixo girava quando ele girava. Num determinado ponto da sua volta, ela se conectava aos cabos dos martelos, empurrando-os para baixo, de modo que as cabeças subiam. Quando a tábua continuava a rodar, os cabos eram liberados. Então caíam e batiam no tecido, dentro do cocho. Exatamente o que Jack dissera naquele domingo: um moinho podia pisoar tecidos.

Ouviu a voz dele:

— Os martelos deveriam ser mais pesados para cair com mais força. — Aliena virou-se e o viu, cansado mas triunfante. — Acho que resolvi seu problema — disse, com um sorriso encabulado.

— Estou tão feliz por ver que você está bem! Estávamos preocupados por sua causa! — exclamou ela. Sem pensar, atirou os braços em torno dele e o beijou. Foi um beijo muito rápido, quase não passando de um beijinho estalado; mas depois, quando seus lábios se separaram, os braços de Jack a envolveram pela cintura, segurando-lhe o corpo delicada mas firmemente, e Aliena teve que fitá-lo nos olhos. Só conseguia pensar em como se sentia feliz por ele estar vivo e inteiro. Deu-lhe um abraço afetuoso. De repente, porém, teve consciência da própria pele; sentiu a aspereza do tecido da camisa de baixo e a maciez do pelo que forrava as botas, assim como sentiu também o bico dos seios comprimidos de encontro ao peito dele.

— Estava preocupada comigo? — perguntou Jack, admirado.

— Claro! Nem consegui dormir direito!

Aliena sorria, alegre, mas a expressão dele era de uma terrível solenidade, e, após um momento, seu estado de espírito sobrepôs-se ao dela, que se sentiu estranhamente perturbada. Ouviu o coração bater, a respiração se acelerar. As suas costas, os martelos, em uníssono, sacudiam a estrutura de madeira do moinho com cada golpe, e Aliena teve a impressão de sentir aquela vibração no seu íntimo.

— Estou bem — disse ele. — Está tudo bem.

— Estou tão feliz! — repetiu ela, dessa vez num sussurro.

Aliena viu Jack fechar os olhos, inclinar o rosto na direção do seu, e, em seguida, sentiu o contato da sua boca. O beijo de Jack foi delicado. Seus lábios eram cheios e a barba, macia, de adolescente.

Fechou os olhos para se concentrar na sensação. A boca de Jack moveu-se contra a sua e pareceu-lhe natural entreabrir os lábios. De repente sua boca se tornou ultrassensível, e ela foi capaz de sentir o mais leve dos toques, o menor dos movimentos. A ponta da língua de Jack acariciou a parte interna do seu lábio superior. Aliena sentiu-se tão feliz que teve vontade de chorar. Estreitou o corpo dele, comprimindo os seios macios de encontro ao seu peito musculoso, sentindo-lhe os ossos dos quadris na barriga. Não estava mais simplesmente aliviada por vê-lo são e salvo, e feliz por tê-lo ali. Agora sentia uma emoção nova. Sua presença física a encheu com uma sensação de êxtase que a deixou ligeiramente tonta. Abraçando-lhe o corpo, quis tocá-lo mais, senti-lo mais, chegar ainda mais perto. Esfregou-lhe as costas com as mãos. Queria sentir sua pele, mas as roupas dele a frustraram. Sem pensar, abriu a boca e empurrou a língua entre seus lábios. Ouviu um som vindo da garganta de Jack, como um abafado gemido de prazer.

A porta do moinho se abriu, com uma batida. Aliena afastou-se de Jack. Subitamente se sentiu aturdida, como se estivesse dormindo e alguém a tivesse esbofeteado para que acordasse. Ficou horrorizada com o que estavam fazendo — beijando-se e esfregando-se como uma prostituta e um bêbado num bordel! Recuou e virou-se. Entre todas as pessoas do mundo, o intruso era Alfred, o que a fez se sentir pior. Ele a pedira em casamento três meses antes, e ela o rejeitara desdenhosamente. Agora ele a via como uma cadela no cio. Parecia, de certa forma, hipócrita. Corou, envergonhada. Alfred a olhava fixamente, a expressão uma mistura de luxúria e desprezo que a fez se recordar de William Hamleigh. Ficou enojada de si própria por ter dado razão a Alfred para desprezá-la, e furiosa com Jack por sua participação.

Desviou o olhar de Alfred e virou-se para Jack. Quando os olhos dele encontraram os seus, ele registrou o choque. Aliena percebeu que a raiva que sentia estava expressa no seu rosto, mas nada pôde fazer. A expressão de Jack de aturdida felicidade transformou-se em confusão e mágoa. Normalmente isso a teria feito ceder, mas agora estava demasiadamente irritada. Odiou-o pelo que lhe tinha feito fazer. Rápida como um raio, deu-lhe uma bofetada no rosto. Jack não se mexeu, mas havia agonia no seu olhar. O rosto do rapaz ficou vermelho no lugar atingido. Ela não aguentou ver a dor nos seus olhos e obrigou-se a virar o rosto.

Não podia ficar ali. Correu para a porta com o incessante barulho dos martelos nos seus ouvidos. Alfred saiu da frente depressa, parecendo quase assustado. Passou por ele correndo e cruzou a porta. Tom Construtor estava do lado de fora, com uma pequena multidão de operários. Todos haviam se dirigido ao moinho para descobrir o que estava se passando. Aliena passou correndo por eles, sem falar nada. Um ou dois a olharam com curiosidade, fazendo-a arder de vergonha; porém, estavam mais interessados no barulho das marteladas vindo do moinho. A parte friamente lógica da cabeça de Aliena lembrou que Jack tinha resolvido o problema de pisoar o seu tecido; mas a ideia de que ele ficara acordado a noite inteira fazendo algo para ela só serviu para que se sentisse pior. Passou pelo estábulo, atravessou o portão do priorado e seguiu pela rua, as botas escorregando e deslizando na lama, até chegar em casa.

Quando entrou, encontrou Richard. Estava sentado à mesa da cozinha, com um pedaço de pão e uma jarra de cerveja.

– O rei Estêvão está em marcha – disse. – A guerra começou de novo. Preciso de outro cavalo.

4

Nos três meses seguintes Aliena mal falou duas palavras seguidas com Jack.

Ele se sentiu profundamente pesaroso. Ela o beijara como se o amasse, não havia engano quanto a isso. Quando Aliena saíra do moinho, ele estava certo de que se beijariam daquele jeito de novo muito em breve. Andara por toda parte numa espécie de deslumbramento erótico, pensando: Aliena me ama! Aliena me ama! Ela acariciara suas costas, pusera a língua dentro de sua boca e pressionara os seios contra ele. Não podia fingir que não o amava após aquele beijo. Esperou que ela vencesse a timidez. Com a ajuda do carpinteiro do priorado fez um mecanismo de pisoar mais forte e permanente para o moinho velho, e Aliena teve o seu tecido pisoado. Ela lhe agradeceu com sinceridade, mas também com frieza na voz e fugindo do seu olhar.

Quando a coisa continuou assim não apenas por uns poucos dias, mas por diversas semanas, ele foi forçado a admitir que havia algo seriamente errado. Uma onda de desilusão o envolveu e foi como se estivesse se afogando em tristeza. Ficou aturdido. Desejou angustiadamente ser mais velho; queria ter mais experiência com as mulheres, para poder dizer se Aliena era normal ou diferente, e se deveria ignorá-la ou se defrontar com ela. Estando incerto, e também temendo dizer a coisa errada e piorar tudo, acabou não fazendo nada; depois o constante sentimento de rejeição começou a importuná-lo, e ele se sentiu inútil, estúpido e impotente. Pensou em como era tolo por ter imaginado que a mulher mais desejável e inalcançável do condado pudesse se apaixonar por ele, um mero garoto. Ele a divertira por algum tempo, com suas histórias e anedotas, mas assim que a beijara como um homem ela fugira. Que tolo fora por ter esperanças de qualquer outra coisa!

Após uma ou duas semanas dizendo a si próprio que era um idiota, começou a ficar furioso. Irritava-se no trabalho e os outros começaram a tratá-lo com cautela. Foi perverso com Martha, magoando-a quase tanto quanto Aliena o magoara. Nas tardes de domingo, gastava o dinheiro que ganhava jogando em brigas de galo. Toda a sua paixão se expressava através do seu trabalho. Estava cinzelando modilhões, pedras salientes que dão a impressão de suportar arcos ou colunas que não chegam ao chão. Frequentemente eram decorados com folhas, mas uma alternativa tradicional era cinzelar um homem que parecesse estar segurando o arco com as mãos ou escorando-o nas costas. Jack alterou só um pouco o padrão costumeiro, mas o efeito foi mostrar uma figura humana perturbadoramente retorcida, com uma expressão de dor, condenada à eterna agonia de sustentar o imenso peso da pedra. Ele sabia que seu trabalho era brilhante: ninguém mais era capaz de gravar uma figura que parecesse estar sentindo dor. Quando Tom o viu, sacudiu a cabeça, sem saber se se maravilhava com a expressividade da cinzelagem ou se desaprovava sua heterodoxia. Philip ficou muito emocionado. Jack não se importou com o que pensavam: achava que quem não gostasse daquilo era cego.

Uma segunda-feira, na Quaresma, quando todo mundo estava irritadiço por não comer carne há três semanas, Alfred foi trabalhar com uma expressão de triunfo na fisionomia. Estivera em Shiring na véspera. Jack não sabia o que fora fazer ali, mas era claro que estava satisfeito.

Na pausa da metade da manhã, quando Enid Brewster punha um barril de cerveja no meio do coro e vendia aos operários, Alfred pegou um penny e gritou:

– Ei, Jack, filho de Tom, apanhe um pouco de cerveja para mim.

Já sei que vai falar algo a respeito do meu pai, pensou Jack. Ignorou Alfred.

– É melhor fazer o que lhe mandam, garoto – disse um dos carpinteiros, um homem mais velho chamado Peter. – Um aprendiz sempre devia obedecer a um mestre.

— Não sou filho de Tom — disse Jack. — Tom é meu padrasto, e Alfred sabe disso.

— Faça o que ele manda mesmo assim — insistiu Peter, num tom de voz conciliador.

Relutantemente, Jack pegou o dinheiro de Alfred e entrou na fila.

— O nome de meu pai era Jack Shareburg — disse, em voz alta. Vocês todos podem me chamar de Jack, filho de Jack, se quiserem fazer uma diferença entre mim e Jack Ferreiro.

— Jack Bastardo seria mais conveniente — disse Alfred.

— Alguma vez já procuraram descobrir por que Alfred não amarra as botas? — perguntou Jack. Todos olharam para os pés de Alfred. Sim, suas botas pesadas e cheias de lama, que eram para ser amarradas até em cima, estavam abertas. — É para poder ver rapidamente os dedos dos pés, no caso de precisar contar acima de dez. — Os artesãos sorriram e os aprendizes gargalharam. Jack entregou o penny de Alfred a Enid e pegou um caneco de cerveja. Levou-o para Alfred e o entregou com uma pequena reverência satírica. O outro ficou aborrecido, mas não muito; ainda tinha um trunfo escondido na manga. Jack afastou-se e foi beber sua cerveja com os aprendizes, esperando que Alfred desistisse.

Mas não haveria desistências. Poucos momentos depois ele o seguiu e disse:

— Se Jack Shareburg fosse meu pai eu não diria a todo mundo tão depressa. Você não sabe o que ele era?

— Menestrel — disse Jack, procurando dar um tom de confiança à voz, mas com medo do que Alfred ia dizer. — Não creio que saiba o que quer dizer "menestrel".

— Ele era ladrão — disse Alfred.

— Oh, cale a boca, seu cabeça de merda. — Jack virou-se e tomou um gole da cerveja, mas quase não pôde engolir. Alfred tinha algum motivo para dizer aquilo.

— Você não sabe como foi que ele morreu? — insistiu Alfred.

Aí está, pensou Jack; foi isso que ele soube ontem em Shiring; é este o motivo pelo qual está exibindo esse sorriso idiota. Virou-se, relutantemente, e encarou Alfred.

— Não, não sei como meu pai morreu, Alfred, mas acho que você vai me contar.

— Ele foi enforcado, por ser um ladrão sujo.

Jack soltou um grito involuntário de angústia. Sabia intuitivamente que era verdade. Alfred estava tão absolutamente seguro de si que não poderia ter inventado aquilo. E, num relâmpago, Jack viu que assim se explicava a reticência de sua mãe. Há anos ele temia secretamente algo assim. O tempo todo fingira que não havia nada de errado, que não era bastardo, que tinha um pai de verdade com um nome de verdade. Mas sempre temera que houvesse alguma desgraça envolvendo seu pai, que os insultos tivessem base real, que existisse mesmo algo de que se envergonhar. Já estava por baixo: a rejeição de Aliena o deixara se sentindo indigno e desprezível. A verdade sobre seu pai o atingiu como uma bofetada.

Alfred ficou parado, sorrindo, extremamente satisfeito consigo mesmo: o efeito daquela revelação o deleitara. Sua expressão enfureceu Jack. Já era bastante ruim o fato de seu pai ter sido enforcado. O fato de Alfred se sentir feliz por causa disso, então, era demais para tolerar. Sem pensar, atirou a cerveja no seu rosto sorridente.

Os outros aprendizes, que assistiam satisfeitos à discussão entre o filho e o enteado de Tom Construtor, recuaram depressa um ou dois passos. Alfred limpou a cerveja dos olhos, urrou de raiva e lançou à frente o punho enorme, num movimento surpreendentemente rápido para um homem tão grande. O soco atingiu o rosto de Jack com tanta força que, em vez de causar dor, provocou amortecimento.

Antes que tivesse tempo de reagir, o outro punho de Alfred o acertou no meio do corpo. Esse soco doeu terrivelmente. Jack achou que nunca mais fosse respirar de novo. Encolheu-se e caiu no chão. Em seguida, Alfred lhe deu um pontapé na cabeça e Jack por um momento nada viu, exceto uma luz branca.

Rolou no chão, às cegas, e lutou para se levantar. Mas Alfred ainda não estava satisfeito. Assim que Jack ficou de pé, sentiu que fora agarrado. Começou a debater-se. Estava assustado agora. Alfred não teria piedade. Seria espancado e reduzido a nada, se não conseguisse fugir. Por um momento Alfred segurou-o com muita força e Jack não conseguiu se libertar, mas então recuou um dos punhos enormes para dar mais um soco, e nesse instante Jack caiu fora.

Disparou como uma flecha e Alfred correu atrás dele. Jack desviou-se de um barril de cal, puxando-o para que ficasse no caminho de Alfred e derramando cal no chão. Alfred pulou por cima do barril mas bateu num tonel de água que também derramou. Quando a água entrou em contato com a cal esta ferveu e chiou. Alguns operários, vendo o desperdício do dispendioso material, gritaram protestos, mas Alfred estava surdo a eles e Jack não podia pensar em nada a não ser fugir de Alfred. E seguiu correndo, ainda dobrado ao meio de dor e meio cego devido ao pontapé na cabeça.

Alfred estava tão junto dele que esticou um pé e o derrubou, Jack se estatelou no chão. Vou morrer, pensou, enquanto rolava de lado; Alfred vai me matar agora. Parou debaixo de uma escada encostada a um andaime que ia até a parte mais alta da obra. Alfred lançou-se sobre ele. Jack sentiu-se como um coelho encurralado. A escada o salvou. Quando Alfred passou por trás dela, Jack esquivou-se pela parte da frente e pulou nos degraus. Subiu a escada como um rato numa vala de lixo.

Sentiu a escada balançar quando Alfred subiu no seu encalço.

Normalmente era mais rápido que ele, mas ainda estava meio tonto e recurvado. Chegou ao topo da escada e passou para o andaime, Tropeçou e caiu contra a parede. As pedras tinham sido assentadas naquela manhã e a massa ainda estava úmida. Quando Jack as percorreu, toda uma seção deslocou-se e três ou quatro pedras escorregaram de lado e caíram. Pensou que fosse cair junto delas. Oscilou em cima da parede e, quando olhou para baixo, viu as grandes pedras rolando sobre si próprias enquanto caíam mais de oitenta pés em cima dos telhados de meia-água dos galpões, construídos ao pé da parede. Endireitou-se, esperando que não houvesse ninguém nos galpões. Alfred acabou de subir a escada e avançou na sua direção por cima do instável andaime.

Ele estava vermelho e ofegante, com os olhos cheios de ódio.

Jack não tinha dúvida de que, naquele estado, era capaz de matar. Se me pegar, pensou, vai me atirar lá embaixo. À medida que Alfred avançava, Jack recuava. Tropeçou em algo macio e percebeu que era um monte de massa. Inspirado, abaixou-se rapidamente, pegou um punhado e atirou com precisão nos olhos de Alfred.

Cego, Alfred parou de avançar e sacudiu a cabeça, tentando se livrar da massa. Finalmente Jack tinha uma chance de fugir. Correu para a outra ponta da plataforma, tencionando descer, fugir do priorado o mais depressa possível e passar o resto do dia escondido na floresta. Mas, para seu horror, não havia escada na outra ponta. Não podia descer o andaime, pois este não chegava ao chão; era construído sobre travessas enfiadas em buracos na parede. Estava perdido.

Olhou para trás. Alfred recuperara a visão e avançava. Não havia outro jeito de descer.

Na parte inacabada da parede, onde o coro se encontraria com o transepto, cada carreira de pedras tinha a metade do comprimento da inferior criando um lance íngreme de degraus estreitos, às vezes usados pelos serventes mais ousados como meio alternativo de subir na plataforma. Com o coração na boca, Jack subiu, cuidadosa mas rapidamente, tentando não ver o tamanho do tombo que levaria caso escorregasse. Parou no topo e olhou para baixo. Chegou a ficar um pouco tonto. Olhou para trás. Alfred vinha vindo, sobre a parede. Ele desceu.

Jack não conseguia entender por que Alfred estava tão destemido: nunca fora muito corajoso. Era como se o ódio tivesse amortecido sua noção de perigo. Enquanto desciam os degraus assustadoramente íngremes, ele se aproximou. Encontravam-se ainda a mais de doze pés do chão quando Jack percebeu que Alfred estava muito perto. Em desespero, saltou sobre o telhado de palha do galpão dos carpinteiros. Pulou para o chão, mas caiu de mau jeito, torcendo um tornozelo e levando um tombo.

Cambaleando, pôs-se de pé. Os segundos que perdera caindo tinham possibilitado a Alfred chegar ao chão e correr para o galpão. Por uma fração de segundo Jack ficou de costas para a parede, e Alfred parou, esperando para ver em que direção ele pularia. Jack sofreu um momento de aterrorizada indecisão; depois, inspirado, deu um pulo e entrou no galpão.

Não havia ninguém ali, pois todos estavam à volta do barril de Enid. Sobre os bancos havia os martelos, serrotes e formões dos carpinteiros, assim como as peças em que estavam trabalhando. No meio do chão havia um pedaço grande de uma forma nova, para ser usada na construção de um arco; no fundo, junto à parede da igreja, crepitava um fogo, alimentado pelas aparas e sobras de madeira.

Não havia saída.

Jack virou-se para enfrentar Alfred. Estava encurralado. Por um momento ficou paralisado de medo. Então o medo cedeu lugar à raiva. Não importa que eu morra, pensou, desde que faça Alfred sangrar antes. Não esperou que Alfred atacasse. Baixou a cabeça e arremeteu. Estava com tanta raiva que nem mesmo usou os punhos. Simplesmente se atirou contra ele com toda a força.

Foi a última coisa pela qual Alfred esperava. A testa de Jack bateu na sua boca. O rapaz era duas ou três polegadas mais baixo e muito mais leve, mas assim mesmo o choque fez Alfred recuar. Quando Jack recuperou o equilíbrio, viu sangue nos lábios do outro e ficou satisfeito.

Por um momento, o filho de Tom ficou surpreso demais para reagir. E foi nesse mesmo instante que Jack percebeu uma grande marreta de madeira encostada a um banco. Quando Alfred se recuperou e avançou, Jack levantou a marreta e a brandiu selvagemente. O primeiro esquivou-se, recuando, e a marreta não o pegou. De repente era o mais novo quem estava com a vantagem. Encorajado, saiu atrás do outro, já antecipando a sensação de ver aquela marreta de sólida madeira esmagando-lhe os ossos. Dessa vez pôs toda a força no golpe; novamente não atingiu Alfred; atingiu, contudo, a viga que sustentava o telhado do galpão.

O galpão não era solidamente construído. Ninguém morava dentro dele. Sua única função era capacitar os carpinteiros a trabalhar em dias de chuva. Quando Jack atingiu a viga com a marreta, a viga se deslocou. As paredes eram frágeis painéis de ramos entrelaçados, e não participavam da sustentação do telhado, que cedeu. Alfred olhou para cima, atemorizado. Jack levantou a marreta. O filho de Tom recuou pela porta. Jack foi atrás dele de novo. Alfred recuou e, tropeçando numa pilha de madeira de pouca altura, caiu sentado pesadamente. Jack ergueu a marreta bem alto para desferir o golpe de misericórdia. Nesse momento seu braço foi fortemente imobilizado. Ele olhou para trás e viu o prior Philip, com uma expressão que não podia ser mais ameaçadora. Este torceu sua mão e o fez largar a marreta.

Por trás do prior, o telhado do galpão desmoronou. Jack e Philip olharam. Quando caiu em cima do fogo, a palha seca se incendiou imediatamente e no momento seguinte o fogo já estava bem alto.

Tom apareceu e apontou para os três operários mais próximos. – Você, você e você: tragam aquela pipa d'água que está em frente à ferraria. – Em seguida, virou-se para três outros: – Peter, Rolf, Daniel, apanhem baldes. Vocês, aprendizes, joguem terra em cima do fogo. E depressa com isso!

Nos minutos que se seguiram todos se concentraram no incêndio, e Jack e Alfred foram esquecidos. O mais jovem saiu do caminho e ficou olhando, atônito, incapaz de fazer qualquer coisa. O filho de Tom se manteve a uma certa distância. Eu ia realmente esmagar a cabeça dele com uma marreta?, pensou Jack, incrédulo. A coisa toda parecia irreal. Ainda se encontrava em estado de choque quando a combinação de água e terra apagou as chamas.

O prior Philip parou, contemplando toda aquela confusão, ofegante após tanto exercício.

– Olhe só para isto! – exclamou para Tom, furioso. – Um galpão arruinado. O trabalho dos carpinteiros perdido. Um barril de cal desperdiçado e toda uma seção de pedras recém-assentadas destruída.

Jack percebeu que Tom estava encrencado; era sua obrigação manter a ordem no canteiro da obra, e Philip o responsabilizava pelo prejuízo. O fato de os culpados serem os filhos dele ainda piorava tudo.

– A associação dos pedreiros resolverá o problema – disse com brandura, pondo a mão no braço do prior.

Philip não estava disposto a ceder.

– Eu trato disso – retrucou. – Sou o prior e todos vocês trabalham para mim.

– Então permita que os pedreiros deliberem antes de tomar sua decisão – disse Tom, numa voz calma e ponderada. – Podemos sugerir uma solução que seja do seu agrado. Caso contrário, terá liberdade de fazer o que quiser.

Philip relutava visivelmente em deixar a iniciativa sair de suas mãos, mas a tradição estava do lado de Tom: os pedreiros se autodisciplinavam.

– Muito bem – disse o prior após uma pausa. – Mas seja qual for a decisão de vocês, não aceitarei que seus dois filhos continuem trabalhando nesta obra. Um deles terá que ir embora. – Ainda fervendo de raiva, afastou-se com largas passadas.

Lançando um olhar sombrio a Jack e Alfred, Tom afastou-se e entrou no maior galpão dos pedreiros.

Seguindo Tom, Jack sabia que se metera em uma encrenca feia.

Geralmente, quando os pedreiros puniam um deles, era por transgressões como beber no trabalho e furtar material de construção. O mais comum dos castigos era a aplicação de uma multa. Briga entre aprendizes costumava resultar em os dois brigões sendo postos num tronco por um dia, mas claro que Alfred não era aprendiz, e, de qualquer modo, brigas não causavam tantos danos. A associação podia expulsar quem trabalhasse por menos que o salário-mínimo combinado. Podia também punir o membro que houvesse cometido adultério com a mulher de outro pedreiro, embora Jack nunca tivesse visto esse tipo de coisa. Teoricamente, os aprendizes podiam ser chicoteados; no entanto, embora às vezes houvesse a ameaça, Jack também nunca vira isso acontecer.

Os mestres pedreiros encheram o galpão de madeira, sentados nos bancos e encostados à parede dos fundos, que, na realidade, era uma das laterais da igreja.

— Nosso empregador está furioso, e com razão – disse Tom, quando todos entraram. – Esse incidente causou um bocado de danos. Pior ainda, trouxe desonra para nós, pedreiros. Temos que ser firmes com os culpados. Será o único modo de recuperar nossa boa reputação de operários orgulhosos e disciplinados, homens tão senhores de si próprios quanto do ofício que exercem.

— Muito bem dito – aprovou Jack Ferreiro, e houve um murmúrio de concordância.

— Só vi o fim da briga – prosseguiu Tom. – Alguém viu o começo?

— Alfred atacou o rapaz – disse Peter Carpinteiro, o tal que havia aconselhado Jack a ser obediente e ir buscar a cerveja de Alfred.

— Jack jogou cerveja na cara de Alfred – disse um jovem pedreiro que se chamava Dan e trabalhava para Alfred.

— Mas Jack foi provocado – disse Peter. – Alfred insultou o pai natural do rapaz.

Tom olhou para Alfred.

— Isso é verdade?

— Eu disse que o pai dele era ladrão – respondeu Alfred. – É verdade. Foi enforcado por roubo em Shiring. O xerife Eustace me disse ontem.

Jack Ferreiro deu sua opinião.

— Vai ser terrível se um mestre artesão tiver que conter a língua, temendo que o aprendiz não goste do que diz.

Houve um murmúrio de aprovação. Jack percebeu, desanimado, que, o que quer que acontecesse, não ia conseguir se livrar daquela facilmente. Talvez meu destino seja me tornar um criminoso, como meu pai, pensou; talvez eu também termine na forca.

— Ainda assim – retrucou Peter Carpinteiro, que estava assumindo o papel de defensor de Jack –, afirmo que faz diferença se o artesão se dá ao trabalho de ir enfurecer o aprendiz.

— Continua sendo necessário punir o aprendiz – disse Jack Ferreiro.

— Não digo o contrário – retrucou Peter. – Só acho que o artesão precisa ser punido também. Os mestres artesãos têm que usar a sabedoria da sua idade para trazer paz e harmonia ao canteiro de obra. Se provocarem brigas estarão deixando de cumprir seu dever.

Pareceu haver alguma concordância quanto a isso, mas Dan, que apoiava Alfred, disse:

— É um princípio perigoso perdoar o aprendiz porque o mestre foi mau. Os aprendizes sempre acham que os mestres são maus. Desse jeito vamos terminar com os mestres sem nunca falar com os aprendizes, com medo de que os agridam devido a uma descortesia.

Esse argumento teve acalorada aprovação, para revolta de Jack. Só demonstrava que a autoridade do mestre tinha que ser protegida, sem se dar importância a quem pudesse ter a razão em cada caso. Perguntou-se qual seria seu castigo. Não tinha dinheiro para pagar uma multa. Odiava a ideia de ser posto num tronco: o que Aliena pensaria? Mas o pior seria o açoitamento. Achava que ia querer esfaquear quem tentasse açoitá-lo.

— Não podemos nos esquecer — disse Tom — de que o nosso empregador também tem uma forte posição a respeito disso. Diz que não terá Alfred e Jack trabalhando na obra ao mesmo tempo. Um deles terá que ir embora.

— Ele poderá ser convencido a desistir dessa posição? — perguntou Peter.

Tom ficou pensativo.

— Não — respondeu, após uma pausa.

Jack ficou chocado. Não tomara o ultimato do prior Philip a sério. Mas Tom, sem dúvida, tomara.

— Se um deles tem que ir embora — disse Dan —, acredito que não haja dúvida quanto a quem será. — Dan era um dos pedreiros que trabalhava para Alfred, e não para o priorado, e se Alfred fosse embora provavelmente ele também precisaria ir.

Mais uma vez Tom ficou pensativo e mais uma vez disse:

— Não, não há dúvida. — Ele olhou para o enteado. — Jack vai ter que ir embora.

Jack se deu conta de que subestimara fatidicamente as consequências da briga. No entanto, mal podia crer que fossem pô-lo para fora. Como seria a vida se não trabalhasse na Catedral de Kingsbridge? Desde que Aliena se recolhera à sua concha, a catedral era tudo o que lhe importava. Como poderia ir embora?

— O priorado poderia ceder e aceitar um compromisso — disse Peter Carpinteiro. — Jack seria suspenso por um mês.

Sim, por favor, pensou Jack.

— Fraco demais — disse Tom. — Temos que ser vistos agindo decisivamente. O prior Philip não aceitará nenhuma solução branda.

— Então, que seja assim — disse Peter, desistindo. — Esta catedral perde o mais talentoso jovem cinzelador que a maioria de nós já viu, só porque Alfred não consegue manter a maldita boca fechada. — Diversos pedreiros exprimiram sua aprovação a esse sentimento. Encorajado, Peter continuou: — Eu o respeito, Tom Construtor, mais do que respeitei qualquer outro mestre para quem tenha trabalhado, mas é preciso que se diga que é cego no que diz respeito a esse teimoso do seu filho.

— Nada de injúrias, por favor – disse Tom. – Vamos nos ater aos fatos do caso.

— Está bem – anuiu Peter. – Digo então que Alfred deve ser punido.

— Por quê? – indagou Alfred, indignado. – Por ter batido num aprendiz?

— Ele não é seu aprendiz, é meu – disse Tom. – E você fez mais que bater nele. Você o perseguiu por todo o canteiro da obra. Se o tivesse deixado fugir, a cal não teria sido derramada, o trabalho de cantaria, danificado, e o galpão dos carpinteiros, incendiado; e você poderia ter resolvido o caso com ele quando voltasse. Não havia necessidade de fazer o que fez.

Os pedreiros concordaram.

Dan, que parecia ter se tornado o porta-voz dos pedreiros de Alfred, disse:

— Espero que você não proponha a expulsão de Alfred da associação. Eu, por exemplo, lutaria contra isso.

— Não – disse Tom. – Já é bastante ruim perder um aprendiz talentoso. Não quero perder também um bom pedreiro, que chefia um grupo confiável. Alfred deve ficar – mas penso que deve ser multado.

Os homens de Alfred pareceram aliviados.

— Uma multa pesada – disse Peter.

— Uma semana de salário – propôs Dan.

— Um mês; duvido que o prior Philip se satisfaça com menos.

— Sim – concordaram diversos homens.

— Estamos todos pensando da mesma forma a esse respeito, irmãos pedreiros? – perguntou Tom, usando uma fórmula costumeira.

— Sim – todos votaram, concordando.

— Então comunicarei ao prior a nossa decisão. E quanto a vocês, é melhor que retornem ao trabalho.

Jack, desconsolado, ficou observando os homens saírem, um após o outro. Alfred, cheio de si, lançou-lhe um olhar triunfante. Tom esperou que todos tivessem saído e se virou para Jack:

— Fiz o melhor que pude por você. Espero que sua mãe veja isso.

— Você nunca fez nada por mim! – explodiu Jack. – Não podia me alimentar, vestir ou me dar uma casa para morar. Éramos felizes até você aparecer, e então passamos fome!

— Mas no fim...

— Você nem sequer me protegeu desse bruto irracional que chama de seu filho!

— Eu tentei...

— Você nunca teria conseguido esse emprego se eu não tivesse incendiado a velha catedral!

— O que foi que você disse?
— Sim, eu incendiei a velha catedral.
Tom ficou pálido.
— Aquilo foi um relâmpago...
— Não houve relâmpago. Era uma noite linda. E ninguém tinha acendido nada na catedral. Fui eu que incendiei o telhado.
— Mas por quê?
— Para que você pudesse arranjar trabalho. De outro modo minha mãe teria morrido na floresta.
— Ela não...
— Sua primeira mulher morreu, não foi?

Tom ficou branco. De repente, pareceu muito mais velho. Jack percebeu que o ferira profundamente. Ganhara a discussão, mas decerto perdera um amigo. Sentiu-se amargurado e triste.

— Dê o fora daqui — sussurrou Tom.

Jack saiu.

Afastou-se das imponentes paredes da catedral quase chorando.

Sua vida fora devastada em poucos momentos. Era inacreditável que estivesse se afastando daquela igreja para sempre. No portão do priorado ele parou e se virou. Havia tantas coisas que estivera planejando!

Queria cinzelar um portal inteiro sozinho, e persuadir Tom a ter anjos no clerestório; tinha um desenho inovador para a arcatura nos transeptos, que ainda não mostrara a ninguém. Agora nunca mais faria nenhuma dessas coisas. Era tão injusto! Seus olhos encheram-se de lágrimas.

Voltou para casa com a visão enevoada. Sua mãe e Martha estavam sentadas à mesa da cozinha. Ellen estava ensinando a garota a escrever com uma pedra aguçada e uma lousa. Ficaram surpresas ao vê-lo.

— Não pode ser hora do jantar — disse Martha. Ellen leu a expressão do filho.
— O que foi?
— Tive uma briga com Alfred e fui expulso do canteiro da obra — disse ele, carrancudo.
— Alfred não foi expulso? — quis saber Martha. Jack balançou a cabeça.
— Não é justo! — exclamou Martha.
— Por que brigaram desta vez? — perguntou Ellen, cansada daquele tipo de coisa.
— Meu pai foi enforcado em Shiring por roubo? — perguntou Jack. Martha levou um susto.

Ellen pareceu triste.

— Ele não era ladrão. Mas é verdade que foi enforcado em Shiring.

Jack estava farto de declarações enigmáticas acerca de seu pai, e exclamou, brutalmente:

— Por que você nunca me diz a verdade?

— Porque ela me faz sentir muita tristeza!

Para horror de Jack, sua mãe começou a chorar. Ele nunca a vira derramar uma lágrima sequer. Sempre fora tão forte! Quase cedeu também. Engoliu em seco e insistiu.

— Se não era ladrão, por que foi enforcado?

— Não sei! — exclamou Ellen. — Nunca soube. Tampouco ele soube o motivo. Disseram que roubou um cálice ornamentado com pedrarias.

— De onde?

— Daqui, do priorado de Kingsbridge.

— Kingsbridge! Foi o prior Philip quem o acusou?

— Não, não, foi muito tempo antes de Philip. — Ela fitou Jack com os olhos cheios de lágrimas. — Não comece a me perguntar quem o acusou e por quê. Não se deixe prender nesta armadilha. Você poderia passar o resto da vida tentando consertar um erro cometido antes de ter nascido. Não criei você para se vingar. Não faça disso a sua vida.

Jack gostaria de saber mais alguma coisa a respeito do que ela estava dizendo; mas naquele exato momento só queria que parasse de chorar. Sentou-se ao lado dela no banco e passou um braço pelos seus ombros.

— Bem, parece que a catedral não será mais a minha vida.

— O que você vai fazer, Jack? — perguntou Martha.

— Não sei. Não posso viver em Kingsbridge, posso?

Martha ficou profundamente agitada.

— Mas por que não?

— Alfred tentou me matar e Tom me expulsou. Não vou morar com eles. De qualquer forma, sou homem. Tenho que deixar minha mãe.

— Mas o que você vai fazer? — Jack deu de ombros.

— A única coisa que sei tem a ver com construção.

— Você poderia trabalhar em outra igreja.

— Suponho que eu seja capaz de amar outra catedral tanto quanto esta — disse ele, desanimado. Na verdade estava pensando: Mas nunca amarei outra mulher como amo Aliena.

— Como foi que Tom fez isso com você? — indagou Ellen.

Jack suspirou.

— Não creio que fosse sua vontade. O prior Philip disse que não aceitaria ter Alfred e eu trabalhando ao mesmo tempo na obra.

— Então aquele maldito monge está por trás disso! — exclamou sua mãe, furiosa. — Juro que...

— Ele ficou muito zangado com o estrago que causamos.
— Eu só queria saber se ele se deixaria convencer pela lógica.
— O que você quer dizer com isso?
— Dizem que Deus é misericordioso... Os monges talvez devessem ser misericordiosos também.
— Você acha que eu deveria implorar a Philip? — perguntou Jack, de certa forma surpreso com o rumo do pensamento de sua mãe.
— Eu estava pensando em falar com ele — disse ela.
— Você! — Aquilo era ainda mais estranho. Para Ellen estar disposta a pedir misericórdia a Philip, devia estar terrivelmente perturbada.
— O que você acha? — ela lhe perguntou.

Tudo indicava que Tom pensara que Philip não seria misericordioso, rememorou Jack. Mas naquele momento a principal preocupação de Tom fora conseguir que a decisão partisse da associação dos pedreiros. Tendo prometido a Philip que seriam firmes, Tom não podia pedir misericórdia. Ellen não se encontrava na mesma posição. Jack começou a se sentir um pouco mais esperançoso. Podia ser que não tivesse que ir embora, afinal de contas. Talvez pudesse ficar em Kingsbridge, perto da catedral e de Aliena. Não tinha mais esperanças de que ela o amasse, mas mesmo assim odiava a ideia de ir embora e nunca mais vê-la de novo.

— Está bem — disse ele. — Vamos pedir ao prior Philip. Nada temos a perder senão o nosso orgulho.

Ellen enfiou a capa e eles saíram juntos, deixando Martha sentada sozinha na mesa, ansiosa.

Entraram no adro e foram direto para a casa do prior. Ellen bateu à porta e entrou. Tom estava ali com o prior Philip. Jack soube imediatamente, pela expressão deles, que Tom não contara a Philip que fora ele, Jack, quem incendiara a velha igreja. Sentiu-se aliviado. Provavelmente nunca mais contaria. Esse segredo estava salvo.

Tom pareceu ansioso, se é que não um pouco amedrontado, quando viu Ellen. Jack recordou o que ele dissera: *Fiz o melhor que pude por você. Espero que sua mãe veja isso.* Tom estava se lembrando da última vez em que Jack e Alfred tinham brigado. Em consequência disso, Ellen o deixara. Tinha medo de que ela o deixasse agora.

Philip não parecia mais furioso, na opinião de Jack. Talvez a decisão da associação de pedreiros o tivesse deixado satisfeito. Podia inclusive estar se sentindo um pouco culpado por causa da sua dureza.

— Vim aqui para lhe suplicar que seja misericordioso, prior Philip — disse Ellen.

Tom imediatamente pareceu aliviado.

— Estou ouvindo — disse Philip.

— Você está propondo mandar meu filho para longe de tudo o que ele ama: sua casa, sua família e seu trabalho.

E a mulher que ele adora, pensou Jack.

— Estou? — disse Philip. — Pensei que simplesmente o estivesse dispensando do seu trabalho.

— Jack nunca aprendeu outro tipo de trabalho senão este, e não há outro canteiro de obra em Kingsbridge com serviço para ele. E o desafio de construir a imensa igreja entrou no seu sangue. Jack irá para onde quer que alguém esteja construindo uma catedral. Irá para Jerusalém, se lá houver pedra para ser cinzelada com anjos e demônios. — Como é que ela sabe?, pensou Jack. Ele próprio mal pensara naquilo. Mas era verdade. Ela continuou: — Pode ser que nunca mais eu o reveja. — Sua voz tremeu um pouco no fim da frase, e Jack pensou, admirado, que ela devia amá-lo muito. Sabia que nunca suplicara em seu próprio benefício daquele jeito.

Philip pareceu compreensivo, mas foi Tom quem respondeu:

— Não podemos ter Jack e Alfred trabalhando na mesma obra — disse obstinadamente. — Eles vão brigar de novo. Você sabe disso.

— Alfred podia ir embora — disse Ellen.

Tom ficou triste.

— Alfred é *meu* filho.

— Mas tem vinte anos de idade, e é ruim como um urso! — Embora ela falasse em tom afirmativo, seu rosto estava molhado de lágrimas. — Ele não liga para a catedral mais do que eu, e se sentiria perfeitamente feliz construindo casas para açougueiros e padeiros em Winchester e Shiring.

— A associação não pode expulsar Alfred e ficar com Jack — disse Tom. — Além disso, a decisão já foi tomada.

— Mas é a decisão errada!

— Pode ser que haja outra resposta — disse Philip.

Todos olharam para ele.

— Pode ser que haja um jeito para Jack permanecer em Kingsbridge e se devotar à catedral, sem esbarrar em Alfred.

Jack perguntou-se o que estava por vir. Aquilo era bom demais... para ser verdade.

— Preciso de alguém para trabalhar comigo — continuou Philip. — Gasto muito tempo tomando decisões parceladas sobre a obra. Preciso de uma espécie de assistente, que preencha o papel de encarregado da construção. Deverá resolver a maior parte dos problemas, trazendo-me apenas as questões mais importantes. Terá também que controlar o dinheiro e a matéria-prima, efetuando os pagamentos aos fornecedores e aos carroceiros, e encarregando-se também dos salários.

Jack sabe ler e escrever, e é capaz de fazer contas mais depressa do que qualquer pessoa que eu já tenha conhecido...

— E compreende cada um dos aspectos da construção da catedral — interrompeu Tom. — Eu me responsabilizo por isso.

A cabeça de Jack estava girando a toda a velocidade. Ia poder ficar, afinal! Seria o escrevente da obra. Não faria trabalho de cinzelagem, mas supervisionaria todo o projeto em nome de Philip. Era uma proposta estonteante. Lidaria com Tom de igual para igual. Mas sabia que era capaz. E Tom sabia, também.

Havia um obstáculo. Jack o expressou em voz alta:

— Não posso mais morar na mesma casa que Alfred.

— Já está na hora de Alfred ter uma casa — disse Ellen. — Se nos deixasse, talvez se dedicasse mais à procura de uma mulher.

— Você não para de imaginar razões para se livrar de Alfred! — exclamou Tom, furioso. — Não vou atirar meu filho para fora de minha casa!

— Vocês não me entenderam, nenhum de vocês — disse Philip. Não compreenderam totalmente minha proposta. Jack não estaria vivendo em sua companhia.

Ele fez uma pausa. Jack adivinhou o que estava por vir, e foi o último e maior choque do dia.

— Jack teria que morar aqui no priorado — disse Philip. Ele olhou para os três com a testa ligeiramente franzida, como se não tivesse conseguido perceber por que não tinham compreendido o que quisera dizer.

Jack compreendera. Lembrou-se de Ellen dizendo, na véspera da entrada do verão, no ano anterior: *Aquele prior ardiloso sempre dá um jeito de no fim conseguir o que deseja.* Ela estava com a razão. Philip renovava agora a proposta que lhes tinha feito então. Mas dessa vez era diferente. A alternativa com que Jack se defrontava agora era desoladora. Sair de Kingsbridge e abandonar tudo o que amava. Podia também ficar, e perder a liberdade.

— Meu escrevente da obra não pode ser leigo, é claro — concluiu Philip, num tom de voz de quem estava afirmando o óbvio. — Jack terá que se tornar monge.

5

Na noite anterior à Feira de Lã de Kingsbridge, o prior Philip ficou acordado após os serviços da meia-noite, como sempre; mas em vez de ler e meditar em sua casa, deu uma volta pelo priorado. Era uma noite quente de verão, de céu claro e enluarada, e podia enxergar sem a ajuda de um lampião.

Todo o adro fora tomado pela feira, com exceção dos prédios monásticos e do claustro, que eram sagrados. Em cada um dos quatro cantos fora escavada uma imensa latrina, para que o resto do adro não ficasse inteiramente sujo, e as latrinas foram protegidas com biombos, a fim de salvaguardar a sensibilidade dos monges. Literalmente centenas de bancas haviam sido construídas. As mais simples não passavam de balcões de madeira crua apoiados em cavaletes. A maioria deles era um pouco mais elaborada: tinham uma placa com o nome do comerciante que a ocuparia, um desenho dos seus artigos, uma mesa separada para fazer as pesagens e um armário ou depósito. Algumas bancas incorporavam barracas, fosse como defesa da chuva, fosse para realizar negócios em separado. As mais elaboradas eram pequenas casas, com grandes áreas de armazenamento, diversos balcões, mesas e cadeiras, onde o comerciante poderia oferecer sua hospitalidade aos fregueses importantes. Philip se espantara quando o primeiro carpinteiro dos comerciantes chegara, uma semana antes da feira, e exigira que lhe mostrassem o lugar onde construiria sua banca. Entretanto, a estrutura que ele erigira levara quatro dias para ser feita e dois para ser abastecida.

Philip planejara inicialmente a disposição das bancas em duas avenidas largas, seguindo a mesma configuração do mercado semanal, mas logo percebeu que não seria suficiente. As duas avenidas de bancas corriam agora também ao longo do lado norte da igreja, virando depois para leste, até a casa de Philip; e havia inclusive estandes dentro da igreja inacabada, nos corredores entre os pilares. Os arrendatários não eram, de modo algum, exclusivamente mercadores de lã; tudo era vendido na feira, desde pão de massa grossa a rubis.

Philip seguiu ao longo das fileiras de bancas iluminadas pelo luar. Estavam todas prontas agora, claro: nenhuma outra construção seria autorizada no dia da feira. A maioria já estava com os produtos que seriam vendidos. O priorado, até agora, recolhera mais de dez libras em taxas e direitos. As únicas coisas que poderiam ser trazidas naquele dia eram comidas recém-preparadas, pão, tortas quentes e maçãs assadas. Até mesmo os barris de cerveja tinham sido trazidos na véspera.

Enquanto Philip seguia seu caminho, era observado por dúzias de olhos semiabertos, e cumprimentado por diversos grunhidos sonolentos. As pessoas que tinham montado estandes não iriam deixar seus preciosos artigos sem uma guarda: a maioria dormira neles, e os mais ricos deixaram criados tomando conta.

Ele ainda não estava certo de quanto dinheiro faria com a feira, mas o sucesso dela estava virtualmente garantido, e Philip confiava em atingir sua estimativa original de cinquenta libras. Tinha havido momentos, naqueles últimos meses, em que temera que a feira não fosse se realizar. A guerra civil se arrastara, sem que Matilde ou Estêvão conseguissem superioridade um sobre o outro, mas sua licença não fora revogada. William Hamleigh tentara sabotar a feira de diversos modos. Dissera ao xerife que a interditasse, mas o xerife pedira uma ordem de um dos dois monarcas rivais, que, no entanto, não fora expedida. William proibira os moradores de suas propriedades de vender lá em Kingsbridge; porém, de qualquer forma a maioria deles já tinha o hábito de vender para mercadores como Aliena em vez de comerciá-la pessoalmente, de modo que o principal efeito da sua determinação fora criar mais negócios para ela. Por fim ele tinha anunciado que ia reduzir as taxas de aluguel e impostos da Feira de Lã de Shiring para os níveis que Philip estava cobrando; mas seu comunicado chegou muito tarde para fazer diferença, pois os grandes compradores e vendedores já haviam feito seus planos.

Agora, com o céu ficando perceptivelmente mais claro no Oriente, na manhã do grande dia, William não podia fazer mais nada. Os vendedores ali se encontravam com seus artigos, e em breve os compradores estariam começando a chegar. Philip achava que William acabaria por descobrir que a feira de Kingsbridge iria prejudicar a de Shiring menos do que ele temia. As vendas de lã pareciam crescer todos os anos, sem falhar: o volume dos negócios era suficiente para duas feiras.

Ele fizera a volta completa em torno do adro até o canto sudoeste, onde ficavam os moinhos e o lago dos peixes. Parou um pouco, observando a água correr silenciosamente pelos dois moinhos. Um agora era usado apenas para pisoar tecidos, e rendia um bocado de dinheiro. O jovem Jack era o responsável por isso. Tinha um cérebro engenhoso. Ele ia ser uma tremenda vantagem para o priorado. Parecia ter se acomodado bem como noviço, embora tendesse a considerar os serviços religiosos como uma distração da obra da catedral, em vez de ser o contrário. No entanto, aprenderia. A vida monástica era uma influência santificante. Philip achava que Deus tinha um propósito para Jack. No fundo, bem no fundo do coração, ele nutria uma esperança secreta para o futuro distante: que um dia Jack tomasse o seu lugar como prior de Kingsbridge.

Jack se levantou de madrugada e esgueirou-se para fora do dormitório antes do serviço da prima para fazer uma última inspeção do canteiro da obra. O ar da manhã era frio e claro, como a água pura de uma nascente. Seria um dia quente e ensolarado, bom para os negócios, bom para o priorado.

Contornou as paredes da catedral, certificando-se de que todas as ferramentas e peças em processo de confecção tivessem sido seguramente trancadas dentro dos galpões. Tom construíra leves cercas em torno das pilhas de madeira e pedra, a fim de protegê-las de danos acidentais causados por visitantes descuidados ou bêbados. Não queriam que indivíduos mais afoitos resolvessem galgar a estrutura da obra, de modo que todas as escadas foram escondidas, e as escadas em espiral embutidas nas grossas paredes fechadas com portas temporárias. Da mesma forma, as extremidades inacabadas das paredes, que podiam servir de degraus, foram obstruídas por blocos de madeira. Alguns dos mestres artesãos estariam patrulhando o canteiro da obra o dia inteiro, para não ter dúvida de que não haveria danos.

Jack conseguia escapulir de um grande número de serviços, de um jeito ou de outro. Havia sempre algo a ser feito na obra. Não tinha o ódio da sua mãe pela religião cristã, mas era mais ou menos indiferente. Não sentia entusiasmo, mas estava disposto a fazer o que era esperado, se isso atendesse às suas conveniências. Fazia questão de comparecer a um serviço por dia, geralmente um a que comparecesse também ou o prior Philip ou o mestre dos noviços, que eram os dois monges decanos que mais provavelmente notariam sua presença ou sua ausência. Não daria para aguentar se tivesse que comparecer a tudo. Ser monge era o modo de vida mais estranho e pervertido que ele podia imaginar. Os monges passavam metade da vida submetendo-se a dores e desconfortos que poderiam evitar, com facilidade, e a outra metade resmungando uma algaravia sem sentido em igrejas vazias a todas as horas do dia e da noite. Abstinham-se deliberadamente de tudo o que fosse bom – garotas, esportes, boa comida e vida em família. Jack notara, no entanto, que os mais felizes entre eles tinham, em geral, encontrado alguma atividade que lhes dava profunda satisfação: ilustrar manuscritos, escrever história, cozinhar, estudar filosofia, ou – como Philip – transformar Kingsbridge numa cidade próspera com uma catedral.

Jack não gostava do prior, mas gostava de trabalhar com ele. Não simpatizava com religiosos profissionais mais que sua mãe. Sentia-se embaraçado com a piedade de Philip; não gostava de sua inocência ingênua; e desconfiava da sua tendência de crer que Deus cuidaria de tudo o que ele, Philip, não conseguisse resolver. Mesmo assim, era bom trabalhar com ele. Suas ordens eram claras, deixava espaço para Jack decidir sozinho, e nunca culpava os outros pelos seus erros.

Jack era noviço há três meses, de modo que não lhe pediriam que fizesse os votos senão dentro de nove meses. Os três votos eram pobreza, celibato e obediência. O voto de pobreza não era bem o que parecia. Os monges não tinham propriedades pessoais ou dinheiro, mas viviam mais como lordes que como camponeses – tinham boa comida, roupas quentes e belas casas de pedra para morar. O celibato não era problema, pensou Jack com amargura. Sentira uma certa satisfação ao contar pessoalmente a Aliena que ia entrar para o mosteiro. Ela lhe parecera abalada e culpada. Agora, sempre que sentia a irritabilidade advinda da falta de companhia feminina, pensava em como Aliena o tratara – os encontros secretos na floresta, as noites de inverno, as duas vezes em que a beijara – e depois se lembrava de como de repente ela se tornara fria como gelo e dura como uma rocha. Pensar nisso o fazia sentir que jamais iria querer ter coisa alguma com as mulheres. No entanto, o voto de obediência seria difícil de cumprir, podia afirmar desde já. Gostava de receber ordens de Philip, que era inteligente e organizado; porém, era difícil obedecer ao idiota do subprior, Remigius, ou ao bêbado do mestre dos noviços, ou ainda ao pomposo sacristão.

Mesmo assim, estava pensando em fazer os votos. Não tinha que cumpri-los. Tudo o que lhe importava era a construção da catedral. Os problemas de suprimento, construção e administração eram absorventes e nunca terminavam. Um dia podia ter que ajudar Tom a imaginar um método para se assegurar de que o número de pedras que chegavam ao canteiro da obra fosse igual ao número que saía da pedreira – um problema complexo, porque o tempo de viagem variava de dois a quatro dias, de modo que não era possível ter um simples registro diário. Outro dia os pedreiros podiam se queixar de que os carpinteiros não estavam fazendo as formas adequadamente. Os problemas que representavam o maior desafio eram os de engenharia, tais como descobrir o modo de levantar toneladas de pedras até o topo das paredes usando equipamento improvisado preso em andaimes frágeis. Tom Construtor discutia esses problemas com Jack de igual para igual. Parecia ter perdoado aquele seu discurso furioso, em que afirmara que Tom nunca tinha feito nada por ele. E agia como se tivesse esquecido a revelação de que Jack ateara fogo à velha catedral. Trabalhavam juntos entusiasmadamente, e os dias passavam voando. Até mesmo durante os tediosos cultos religiosos, a mente de Jack estava ocupada com alguma questão complicada de construção ou planejamento. Seu conhecimento estava se ampliando com rapidez. Em vez de passar anos cinzelando pedras, estava aprendendo a construir uma catedral. Dificilmente poderia haver melhor treinamento para quem queria ser mestre construtor. Para ter isso, Jack estava preparado para bocejar durante qualquer número de matinas rezadas à meia-noite.

O sol estava aparecendo sobre a muralha leste do adro. Tudo estava em ordem no canteiro da obra. Os comerciantes que tinham passado a noite nas bancas começavam a dobrar e guardar os colchões e arrumar seus artigos. Os primeiros fregueses logo chegariam. Um padeiro passou por Jack carregando uma bandeja de pães recém-assados. O cheiro do pão quente fez Jack salivar. Virou-se e voltou para o mosteiro, dirigindo-se para o refeitório, onde em breve serviriam o desjejum.

Os primeiros fregueses foram as famílias dos comerciantes e os habitantes da cidade, todos curiosos para ver a primeira Feira de Lã de Kingsbridge, nenhum deles muito interessado em comprar. As pessoas econômicas tinham enchido a barriga em casa com pão e mingau, de modo que não se sentiriam tentadas pelas ofertas muito temperadas e coloridas das bancas de comida. As crianças andavam por toda parte com os olhos arregalados, aturdidas com a exibição de tantas coisas desejáveis. Uma prostituta madrugadora e otimista, com lábios e botas vermelhas, saracoteava de um lado para o outro, sorrindo esperançosamente para os homens de meia-idade, mas não havia fregueses àquela hora.

Aliena a tudo assistia do seu estande, que era um dos maiores.

Nas semanas anteriores recebera todo o produto do rebanho do priorado, a lã pela qual pagara cento e sete libras no último verão. Comprara também de fazendeiros, como sempre fazia – esse ano houvera mais vendedores que o comum, porque William Hamleigh proibira seus arrendatários de vender na feira de Kingsbridge, de modo que eles tinham vendido tudo para os comerciantes. E, entre eles, coubera a Aliena a maior parte dos negócios, por ser baseada em Kingsbridge, onde a feira seria realizada. Saíra-se tão bem que ficara sem dinheiro para continuar comprando, e pedira quarenta libras a Malachi para tocar o negócio. Agora, no depósito que formava a parte de trás do seu estande, tinha cento e sessenta sacos de lã crua, o produto de quarenta mil carneiros, que lhe tinham custado mais de duzentas libras, mas que venderia por trezentas, dinheiro suficiente para pagar os salários de um pedreiro qualificado por mais de um século. A escala do seu negócio a assombrou, quando repassou os números.

Não esperava ver seus compradores senão ao meio-dia. Seriam apenas cinco ou seis. Todos se conheceriam, e ela conheceria quase todos dos anos anteriores. Daria a cada um deles um copo de vinho, se sentaria e conversaria um pouco. Depois mostraria sua lã. O comprador lhe pediria para abrir um saco ou dois – nunca o de cima da pilha, claro. Enfiaria a mão no fundo do saco e traria um punhado de lã. Esticaria os fios, para determinar seu comprimento, esfregaria entre o indicador e o polegar para testar a maciez e cheiraria. Por fim proporia a compra de todo o estoque por um preço ridiculamente baixo, que Aliena recusaria. Ela lhe diria o preço que desejava, e ele sacudiria a cabeça. Os dois tomariam outro copo de vinho.

Aliena passaria pelo mesmo ritual com os outros compradores.

Daria almoço a todos que ali estivessem ao meio-dia. Alguém lhe ofereceria comprar uma grande quantidade de lã por um preço não muito acima do que ela pagara. Ela faria uma contraproposta, abaixando seu preço um pouquinho. No início da tarde começaria a fechar negócios. Sua primeira venda seria a um preço mais baixo. Os outros mercadores exigiriam que fizesse esse negócio com eles pelo mesmo preço, mas se recusaria. Seu preço iria subindo no decurso da tarde. Se subisse rápido demais, as transações seriam lentas, enquanto os comerciantes calculavam quanto tempo levariam para preencher suas cotas em outra parte. Se pedisse menos do que eles estavam dispostos a pagar, ela saberia, pela relativa rapidez com que chegassem a um acordo. Fecharia os negócios um por um, e seus criados iriam dando início ao carregamento dos carros de boi com suas enormes rodas de madeira, e Aliena pesaria o dinheiro.

Não tinha dúvida de que nesse dia ganharia mais do que nunca. Tinha uma quantidade duas vezes maior para vender, e os preços da lã estavam subindo. Planejava comprar a produção de Philip novamente com um ano de antecedência, e tinha um plano secreto para construir uma casa de pedra, com depósitos espaçosos para armazenar lã, um salão elegante e confortável e um lindo quarto no segundo andar só para ela. Seu futuro estava seguro, e tinha confiança de que seria capaz de sustentar Richard enquanto ele precisasse dela. Tudo estava perfeito.

Por isso mesmo era tão estranho que se sentisse tão completamente infeliz.

Fazia quatro anos, quase que exatamente, que Ellen retornara a Kingsbridge, e tinham sido os melhores quatro anos da vida de Tom.

A dor pela morte de Agnes já não era tão aguda. Ainda o acompanhava, mas não tinha mais aquela sensação embaraçosa de que ia irromper em lágrimas a qualquer instante, sem um motivo aparente. Ainda travava conversas imaginárias com ela, nas quais lhe falava sobre as crianças, o prior Philip e a catedral, mas eram menos frequentes. Sua agridoce lembrança não matara o amor que tinha por Ellen. Era capaz de viver com o presente. Ver Ellen e tocá-la, falar-lhe e dormir com ela eram as alegrias da sua vida.

Ficara profundamente sentido no dia da briga de Jack com Alfred, porque seu enteado dissera que nunca tomara conta dele; essa acusação ofuscara inclusive a terrível revelação de que fora Jack quem ateara fogo à velha catedral. Sofrera com aquilo por diversas semanas, mas no fim decidira que o rapaz estava errado. Fizera o máximo que pudera, e nenhum homem poderia ter feito mais. Tendo chegado a essa conclusão, parara de se preocupar.

Construir a Catedral de Kingsbridge era o trabalho mais satisfatório que jamais fizera. Era o responsável pelo projeto e pela execução. Ninguém interferia em suas decisões, e não havia ninguém mais para culpar se algo saísse errado. À medida que as imponentes paredes subiam, com seus arcos cheios de ritmo, suas cornijas graciosas e seus trabalhos de cinzelagem, ele podia contemplar tudo e pensar: Fiz isto, e fiz bem.

O pesadelo de que se veria de novo na estrada, sem dinheiro, sem trabalho, sem meios de alimentar as crianças, parecia muito afastado, agora que tinha uma arca reforçada cheia até a boca com pence de prata enterrada no chão da cozinha. Ainda estremecia quando se lembrava daquela noite extremamente fria em que Agnes dera à luz Jonathan e morrera; mas achava que nada assim tão ruim iria acontecer de novo.

Às vezes se perguntava por que ele e Ellen não haviam tido filhos. Ambos tinham sido comprovadamente férteis no passado, e não faltavam oportunidades para ela engravidar – ainda faziam amor quase todas as noites, mesmo após quatro anos. Não era, contudo, causa de grande mágoa. O pequenino Jonathan era a menina dos seus olhos.

Tom sabia, de experiência passada, que o melhor modo de aproveitar uma feira era com uma criancinha, e por isso procurou Jonathan na metade da manhã, quando as multidões começavam a chegar. O menino era quase uma atração por si só, vestido com o seu hábito pequenino. Ultimamente pedira que lhe raspassem a cabeça; Philip consentira – o prior gostava tanto do garotinho quanto Tom –, e o resultado era que agora se parecia mais que nunca com um monge em miniatura. Havia diversos anões de verdade no meio da multidão, fazendo truques e mendigando, e eles fascinaram Jonathan. Tom teve que fazê-lo sair correndo de perto de um que atraíra um bando de gente ao expor seu pênis avantajado.

Havia malabaristas, acrobatas e músicos se exibindo e pedindo dinheiro a quem assistia a eles; adivinhos, cirurgiões e prostitutas procurando aliciar fregueses; provas de força, competições de luta e jogos de azar. Todos usavam suas roupas mais coloridas, e quem podia tinha se banhado de perfume e passado óleo nos cabelos. Todos pareciam ter dinheiro para gastar, e o que mais se ouvia era o retinir das moedas de prata.

Jonathan nunca vira um urso e ficou fascinado com o esporte que estava por se iniciar. Tratava-se de açular cães contra um urso acorrentado. O pelo castanho-acinzentado do urso tinha cicatrizes em diversos pontos, indicando que sobrevivera pelo menos à prova anterior. Uma corrente pesada fora passada na sua cintura e presa numa estaca enterrada fundo no chão. O urso caminhava de quatro no limite da corrente, olhando colérico para a multidão que aguardava. Tom teve a impressão de distinguir um brilho de astúcia nos olhos da fera. Fosse um jogador, teria apostado no urso.

Os latidos frenéticos vinham de uma caixa fechada nas proximidades. Os cães estavam ali dentro e podiam sentir o cheiro do seu inimigo. De vez em quando o urso parava de andar de um lado para o outro, olhava para a caixa e grunhia; então o ladrar se intensificava até chegar às raias da histeria.

O proprietário dos cães e guardião do urso estava aceitando apostas. Jonathan ficou impaciente e Tom já estava prestes a ir embora quando ele finalmente destrancou a caixa. O urso ficou de pé nas patas de trás, no limite máximo da corrente, e rosnou. O homem gritou qualquer coisa e escancarou a porta da caixa.

Cinco galgos pularam de dentro dela. Eram leves e se moviam rapidamente; as bocas abertas exibiam dentes pequenos e agudos. Todos correram na direção do urso, que os golpeou com as imensas patas. Acertou num cachorro e o atirou no ar; os outros recuaram.

A multidão comprimiu-se, querendo aproximar-se mais. Tom avaliou a posição de Jonathan; o garoto estava na frente, mas ainda bem longe do alcance do urso. Este foi bastante esperto, recuou para junto da estaca, fazendo com que a corrente ficasse frouxa. Desse modo não seria detido assim que arremetesse contra algum cachorro. Mas os cães também foram espertos. Depois do frustrado ataque inicial, eles se agruparam e se dispuseram em círculo. O urso, agitado, começou a rodar, tentando ver todos ao mesmo tempo.

Um dos cachorros atirou-se contra o urso, latindo ferozmente. A fera foi ao seu encontro e atacou. O cachorro se retraiu e os outros quatro adiantaram-se correndo, vindo de todas as direções. O urso girou, procurando varrê-los. A multidão urrou quando três deles enfiaram os dentes na carne das suas ancas. Ele se levantou nas patas traseiras com um urro de dor, sacudindo-os, e eles se espalharam de qualquer maneira, fugindo ao seu alcance.

Os cachorros repetiram a tática. Tom pensou que o urso fosse cair na esparrela de novo. O primeiro cão se lançou, colocando-se ao alcance da fera, que reagiu, fazendo-o recuar; mas quando os outros cães avançaram, o urso estava preparado – virou-se rapidamente, atacou o mais próximo e deu-lhe uma patada na ilharga. A multidão se entusiasmou tanto com o urso quanto antes, com os cachorros. As garras afiadas do animal deixaram três riscos de sangue na pele sedosa do cão, que ganiu e retirou-se da briga para lamber as feridas. A multidão vaiou sua retirada.

Os quatro cães restantes circulavam em torno do urso cautelosamente, encenando o ataque ocasional mas recuando bem antes do ponto perigoso. Alguém começou a bater palmas devagar. Um cão executou um ataque frontal. Avançou com a rapidez de um relâmpago, esgueirou-se por baixo da trajetória das patadas do urso e saltou no seu pescoço. A multidão enlouqueceu. O cachorro mergulhou os dentes pontiagudos no pescoço possante do urso. Os outros atacaram. O urso ficou de pé, batendo no que estava preso ao seu pescoço, depois desceu e rolou no chão. Por um momento Tom não foi capaz de dizer o que estava acontecendo: era só uma confusão de pelos. Até que três cachorros pularam fora e o urso se endireitou e ficou em cima das quatro patas, deixando o cão que o mordera esmagado no chão, morto.

A multidão ficou tensa. O urso eliminara dois cachorros, deixando três; mas sangrava nas costas, pescoço e patas traseiras, e parecia assustado. O ar estava impregnado pelo cheiro de sangue e do suor de toda aquela gente. Os cachorros haviam parado de latir e circulavam em torno do urso silenciosamente. Também pareciam assustados, mas tinham provado o gosto de sangue e queriam matar.

Seu novo ataque começou do mesmo modo: um deles avançou e se retraiu rapidamente. Sem muita convicção, o urso lhe deu uma patada e se virou para encarar o segundo cachorro. Mas dessa vez este também recuou depressa e colocou-se fora do alcance; depois o terceiro fez o mesmo. Os cães surgiam e sumiam como flechas, um de cada vez, mantendo o urso em constante movimento. Em cada corrida se aproximavam mais da fera, bem como as garras desta se aproximavam mais deles. Os espectadores perceberam o que estava acontecendo e a excitação da turba aumentou. Jonathan ainda estava na frente, a poucos passos de Tom, parecendo atemorizado. Este olhou de novo para a briga no momento em que as garras do urso atingiam um cão, e outro avançava por entre as patas traseiras da enorme fera e mordia sua barriga macia. O urso produziu um barulho que parecia um grito. O cão recuou velozmente e conseguiu escapar. Outro cachorro atacou. O urso reagiu, errando por polegadas; então o mesmo cão o atacou na parte inferior da barriga. Dessa vez, quando fugiu, deixou a fera com uma enorme ferida sangrando no abdômen. O urso levantou-se e voltou a ficar sobre as quatro patas. Por um momento Tom pensou que o animal estivesse liquidado, mas se enganou: ainda era capaz de lutar. Quando foi atacado, reagiu com uma débil patada, virou a cabeça, viu o segundo cão se aproximando, girou com rapidez surpreendente e o atingiu com um golpe poderoso que o mandou longe, voando pelos ares. A multidão urrou, deleitada. O animal caiu ao chão como um saco de carne. Tom observou-o por um momento. O cão estava vivo, mas parecia incapaz de se mover. Talvez tivesse quebrado a espinha. O urso o ignorou, pois estava fora de alcance e de ação.

Agora só havia dois cachorros remanescentes. Ambos atacaram e recuaram diversas vezes, com velocidade, até que suas arremetidas se tornaram perfunctórias; então começaram a circular em torno do urso, sempre mais e mais depressa. O urso girava, tentando não perdê-los de vista. Exausto e sangrando copiosamente, mal conseguia ficar de pé. Os cães prosseguiram o movimento giratório, com círculos cada vez menores. A terra embaixo das poderosas patas do urso tinha virado lama, de tanto sangue. De um modo ou de outro, o final estava à vista. Enfim os dois cachorros atacaram ao mesmo tempo. Um a garganta, e o outro, a barriga. Com uma última e desesperada patada, o urso acenou o que o pegara no pescoço. O sangue saiu em jorro. A turba berrou sua aprovação. A princípio Tom pensou que o cão matara o urso, mas foi o contrário: o sangue vinha do galgo, que caiu no chão com a garganta aberta. Seu sangue bombeou mais um pouco, e depois parou. Estava morto. Mas nesse meio-tempo o último cão rasgara a barriga do urso, cujas tripas estavam caindo. A fera tentava se defender, sem forças, mas o cão se evadia facilmente e atacava de novo, mordendo seus intestinos.

O urso oscilou e pareceu que ia cair. O rugido da multidão foi aumentando. As vísceras do animal exalavam um fedor repugnante. Ele reuniu o resto de suas forças e atacou de novo. A pancada pegou no cachorro, que pulou de lado, com sangue escorrendo de uma ferida nas costas; porém, era uma coisa superficial, e o cão sabia que o urso estava liquidado, de modo que voltou imediatamente à ofensiva, mordendo as tripas dele até que, por fim, o grande animal fechou os olhos e desabou no chão, morto.

O dono do urso adiantou-se e pegou o cão vitorioso pela coleira. O açougueiro de Kingsbridge e seu aprendiz avançaram e começaram a cortar o urso, para aproveitar sua carne: Tom supôs que tivessem combinado um preço antecipadamente. Os que tinham ganho suas apostas exigiram pagamento. Todos queriam fazer festa no cão sobrevivente. Tom procurou Jonathan. Não conseguiu vê-lo.

A criança estivera apenas a algumas jardas de distância durante toda a briga. Como conseguira desaparecer? Devia ter acontecido nos momentos mais emocionantes, em que Tom se concentrara no espetáculo. Agora estava com raiva de si próprio. Procurou-o no meio da multidão. Tom era umas oito polegadas mais alto que todo mundo, e Jonathan podia ser facilmente localizado, com seu hábito de monge e sua cabeça raspada, porém não conseguia vê-lo em parte alguma.

A criança não tinha muito o que temer no priorado, mas era bem possível que deparasse com coisas que o prior Philip preferia que não visse: prostitutas atendendo seus clientes junto ao muro, por exemplo. Olhando à sua volta, Tom viu um andaime bem alto, encostado à obra da catedral; levantando a cabeça, distinguiu em cima dali um pequeno vulto vestido de monge.

Teve um momento de pânico. Quis gritar: *Não se mexa, você vai cair!,* mas suas palavras teriam se perdido no barulho da feira. Abriu caminho através da multidão, na direção da catedral. Jonathan estava correndo ao longo do andaime, absorto em alguma brincadeira imaginária, sem tomar conhecimento do perigo de escorregar e cair de oitenta pés de altura para a morte...

Tom sufocou o terror que subia como bílis para a sua boca.

O andaime não repousava no solo, e sim em cima de vigas pesadas, inseridas em buracos construídos para isso, bem no alto das paredes. Elas se projetavam da parede cerca de seis pés. Estacas bem sólidas eram colocadas sobre as vigas e amarradas. Depois se colocavam em cima das estacas painéis de colmo entrelaçado e galhos flexíveis. Normalmente ia-se para o andaime pelas escadas em espiral embutidas nas paredes. Mas essas escadas estavam fechadas nesse dia, por causa da feira. Então, como Jonathan subira? Não havia escadas – Tom verificara, e depois Jack se certificara novamente. O garoto devia ter trepado pelo lado não concluído da parede. As seções inacabadas, que formavam naturalmente uma espécie de escada, haviam sido bloqueadas; Jonathan, porém, podia ter escalado justo os blocos de madeira.

O menino tinha muita autoconfiança – mesmo que levasse um tombo por dia, no mínimo.

Tom chegou junto à parede e olhou para cima, apavorado. Jonathan estava brincando alegremente a oitenta pés de altura. O medo apertou o coração de Tom com garras de gelo, e ele berrou com toda a força:

– Jonathan!

As pessoas à sua volta se espantaram e olharam para cima, querendo saber com quem estava gritando. Quando localizaram uma criança no andaime, apontaram para que os amigos também a vissem. Uma pequena multidão se reuniu.

Jonathan não escutou. Tom pôs as duas mãos em torno da boca, em forma de concha, e gritou de novo:

— Jonathan! Jonathan!

Dessa vez o menino ouviu. Olhou para baixo, viu Tom e acenou.

— Desça! — gritou Tom.

O menino parecia prestes a obedecer, mas olhou a parede em cima da qual teria que caminhar e o íngreme lance de degraus que precisaria descer, e mudou de ideia.

— Não posso! — gritou, em resposta, e sua voz aguda veio flutuando até as pessoas que estavam ali embaixo, olhando para ele.

Tom percebeu que ia ter de subir para pegá-lo.

— Fique onde está até que eu o apanhe! — gritou. Empurrou para longe os blocos de madeira que obstruíam os degraus mais baixos e subiu por cima da parede.

Ela media cerca de quatro pés na base, mas se estreitava à medida que ficava mais alta. Tom subiu com calma. Teve ímpetos de correr, mas se controlou. Ao olhar para cima viu Jonathan sentado na beira do andaime, balançando as perninhas curtas sobre o espaço vazio.

No topo a parede tinha apenas dois pés de espessura. Mesmo assim, era larga o bastante para que uma pessoa andasse por cima, desde que tivesse nervos fortes, e Tom os tinha. Progrediu ao longo da parede, pulou para o andaime e pegou Jonathan no colo. O alívio que sentiu foi imenso.

— Seu bobo — disse, mas sua voz estava cheia de amor, e Jonathan o abraçou com força.

Após um momento Tom olhou para baixo de novo. Viu um mar de rostos: mais de cem pessoas assistiam a tudo. Provavelmente pensavam que fosse outro espetáculo, como o do urso e dos cachorros.

— Tudo bem — disse Tom para Jonathan. — Vamos descer agora. — Colocou o menino em cima da parede. — Estarei logo atrás de você, de modo que não precisa se preocupar.

Jonathan não se convenceu.

— Estou com medo — disse. Levantou os bracinhos para ser apanhado no colo e, quando Tom hesitou, desatou a chorar.

— Não faz mal, eu carrego você — disse Tom. Não ficou muito satisfeito, mas do jeito que Jonathan estava não se podia confiar nele. Adiantou-se, ajoelhou-se ao seu lado, pegou-o no colo e se levantou.

Jonathan se segurou com força. Com o menino no colo, Tom não conseguiu ver as pedras que estavam diretamente sob seus pés. Mas não tinha outro jeito. Com o coração na boca, caminhou cautelosamente, colocando os pés devagar sobre a parede, um na frente do outro. Não tinha medo por si, mas, com o garoto nos braços, estava aterrorizado. Finalmente viu o início dos degraus. Não era mais largo no princípio, mas de certa forma parecia menos íngreme. Começou a descida, agradecido. A cada passo se sentia mais calmo. Quando atingiu o nível da galeria e a parede alargou-se para quase três pés, parou para esperar que o coração batesse mais devagar.

Olhou para fora, para além do adro, por cima de Kingsbridge, e viu algo que o intrigou nos campos que precediam a cidade: uma nuvem de poeira sobre a estrada que levava ao priorado, a quase uma milha de distância. Após um momento percebeu que estava olhando para o efetivo de uma grande tropa a cavalo, aproximando-se da cidade a trote. Tentou descobrir de que se tratava. A princípio pensou que podia ser um comerciante muito rico, ou um grupo de mercadores, com uma grande comitiva, mas eles eram numerosos, e de certa forma não pareciam gente dedicada a atividades comerciais. Quando se aproximaram, viu que muitos montavam cavalos de batalha, a maioria usava elmos, e todos estavam armados até os dentes.

De repente teve medo.

– Jesus Cristo, quem são aquelas pessoas? – exclamou, em voz alta.

– Não diga o nome de Cristo – repreendeu-o Jonathan.

Quem quer que fossem, representavam encrenca.

Tom desceu correndo o resto dos degraus. A multidão bateu palmas quando pulou no chão. Ignorou todas aquelas pessoas, preocupado em descobrir onde estariam Ellen e as crianças. Não as viu por perto.

Jonathan tentou se libertar dos seus braços. Tom o segurou com força. Como estava com seu caçula ali, a primeira coisa que tinha a fazer era colocá-lo em algum lugar seguro. Depois podia procurar os outros. Abriu caminho por entre a multidão até a porta que dava para o claustro. Estava fechada por dentro, a fim de preservar a privacidade do mosteiro durante a feira. Tom bateu nela e gritou:

– Abram! Abram!

Nada aconteceu.

Não tinha certeza de que havia alguém no claustro, mas não havia tempo para especular. Recuou, pôs Jonathan no chão, levantou o pé direito enorme, calçado com uma bota, e chutou a porta. A madeira em torno da fechadura se lascou. Chutou de novo, com mais força. A porta se escancarou. Logo do outro lado estava um monge já velho, parecendo atônito. Tom pegou Jonathan e o colocou no interior do claustro.

– Prenda-o aí dentro – disse para o velho monge. – Vai haver confusão.

O monge assentiu silenciosamente e pegou a mão de Jonathan.

Tom fechou a porta.

Agora precisava encontrar o resto de sua família numa multidão de mais de mil pessoas.

A quase impossibilidade da tarefa o assustou. Não localizou um rosto conhecido. Subiu num barril de cerveja vazio para ver melhor. Era meio-dia e a feira estava no auge. A multidão se deslocava como um rio vagaroso pelas avenidas por entre os estandes, e havia remoinhos em torno dos vendedores de comida ou bebida, onde se formavam filas para comprar o almoço. Tom examinou aquela gente toda, mas não pôde ver ninguém da sua família. Ficou desesperado. Olhou por cima dos telhados das casas. Os cavaleiros estavam quase na ponte, e tinham passado a galopar. Eram homens de armas, todos eles, e carregavam archotes. Tom ficou horrorizado. Haveria um massacre.

De repente viu Jack ao seu lado, fitando-o com uma expressão divertida.

– Por que está aí em cima desse barril? – perguntou ele.

– Vai haver problema! – disse Tom nervosamente. – Onde está sua mãe?

– No estande de Aliena. Que tipo de problema?

– Coisa séria. Onde estão Alfred e Martha?

– Martha está com mamãe. Alfred, nas brigas de galo. O que é?

– Veja você mesmo – Tom deu a mão para ajudar Jack, que se equilibrou precariamente na borda do barril, em frente a ele. Os cavaleiros atravessavam a ponte a galope e entravam na aldeia.

– Cristo Jesus! – disse Jack. – Quem são eles?

Tom examinou o líder, um homem grande num cavalo de batalha. Reconheceu o cabelo louro e o corpanzil.

– É William Hamleigh – disse.

Quando os cavaleiros atingiram a região construída atiraram os archotes nos telhados, ateando fogo à palha.

– Estão queimando a cidade! – explodiu Jack.

– Vai ser pior ainda do que eu pensava – disse Tom. – Desça.

Os dois pularam para o chão.

– Vou buscar mamãe e Martha – disse Jack.

– Leve-as para o claustro – disse Tom, aflito. – Será o único lugar seguro. Se os monges reclamarem, mande-os à merda.

– E se eles trancarem a porta?

– Acabei de arrombar o fecho. Vá depressa! Vou buscar Alfred. Ande!

Jack saiu correndo. Tom dirigiu-se para a rinha de galos, empurrando rudemente quem estivesse à sua frente. Alguns homens não gostaram, mas ele os ignorou, e todos se calaram ao ver seu tamanho e a férrea determinação expressa no seu rosto. Não se passou muito tempo e a fumaça das casas incendiadas chegou ao priorado. Tom sentiu o cheiro e notou uma ou duas pessoas fungando o ar, curiosas. Tinha apenas alguns momentos antes de o pânico se apoderar de todos.

A rinha ficava perto do portão do priorado. Havia uma multidão barulhenta em torno dela. Tom abriu caminho à força, procurando Alfred. No meio da multidão havia um buraco raso com uns poucos pés de diâmetro. No centro desse buraco, dois galos se rasgavam mutuamente em tiras com o bico e as esporas. Havia penas e sangue por toda parte. Alfred estava perto da primeira fila, observando atentamente, gritando a plenos pulmões, encorajando uma ou outra das infortunadas aves. Tom forçou o caminho e agarrou Alfred pelo ombro.

– Venha! – gritou.

– Estou com seis pence no preto! – respondeu Alfred, com outro grito.

– Temos que sair daqui! – berrou Tom. Àquela altura uma nuvem de fumaça passou por cima da rinha. – Não está sentindo o cheiro do fogo?

Um ou dois espectadores ouviram a palavra "fogo" e lançaram um olhar de curiosidade para Tom. O cheiro veio de novo, e eles o sentiram. Alfred também sentiu.

– O que está acontecendo?

– A cidade está pegando fogo! – respondeu Tom.

De repente todo mundo quis ir embora. Os homens se dispersaram em todas as direções, se empurrando e se acotovelando. Na rinha, o galo preto matou o marrom, mas ninguém se importou. Alfred partiu na direção errada. Tom o agarrou.

– Vamos para o claustro – disse. – É o único lugar seguro.

A fumaça começou a chegar em grandes nuvens, e o medo se espalhou pela multidão. Todo mundo ficou agitado, mas ninguém sabia o que fazer. Olhando por cima da cabeça dos outros, Tom viu que estavam procurando sair pelo portão do priorado; porém o portão era estreito e, de qualquer forma, não estariam mais seguros do lado de fora do que ali. Mesmo assim, mais e mais pessoas tiveram a mesma ideia, e Tom e Alfred de súbito se viram lutando contra uma onda de gente seguindo freneticamente na direção oposta. Depois, ainda mais súbito, a maré virou, e todos passaram a querer ir na mesma direção que eles. Tom olhou para trás a fim de descobrir a razão da mudança, e viu que o primeiro dos homens a cavalo entrara no adro.

Nesse ponto a multidão se transformou numa turbamulta.

Os cavaleiros constituíam uma visão aterradora. Seus imensos cavalos, quase tão amedrontados quanto as pessoas, arremetiam, empinavam e avançavam, derrubando gente por todos os lados. Os cavaleiros armados e protegidos por elmos se atiravam sobre o povaréu com porretes e archotes, derrubando homens, mulheres e crianças, e ateando fogo nos estandes, nas roupas e nos cabelos das pessoas. Todo mundo gritava. Mais cavaleiros passaram pelo portão, e mais gente desapareceu sob as patas gigantescas. Tom gritou no ouvido de Alfred:

– Vá para o claustro! Quero me certificar de que os outros conseguiram sair. Corra! – E empurrou o filho, que saiu correndo.

Tom disparou para o estande de Aliena. Quase que no mesmo instante, tropeçou em alguém e caiu no chão. Praguejando, ficou de joelhos, mas antes que pudesse pôr-se de pé viu um cavalo de batalha caindo sobre ele. As orelhas do animal estavam projetadas para trás, e suas narinas, dilatadas; Tom pôde ver o branco dos seus olhos aterrorizados. Acima da cabeça do cavalo, Tom viu o rosto gordo de William Hamleigh, retorcido numa careta de ódio e triunfo. Como um relâmpago, passou pela sua cabeça a ideia de que seria bom ter Ellen nos braços uma vez mais. Nesse instante uma pata enorme o acertou no centro exato da testa, ele sentiu uma dor horrível e assustadora, quando seu crânio pareceu abrir-se, e o mundo inteiro ficou preto.

A primeira vez em que Aliena sentiu o cheiro de fumaça, pensou que viesse da refeição que estava servindo.

Três compradores flamengos estavam sentados na mesa ao ar livre, em frente ao seu depósito. Eram homens corpulentos e de barba negra, que falavam inglês com forte sotaque germânico e usavam roupas de tecido requintadamente fino. Tudo ia correndo bem. Estava prestes a dar início às vendas, e decidira servir primeiro a refeição a fim de dar aos compradores tempo para ficarem ansiosos. Não obstante isso, ficaria contente quando aquela fortuna em lã passasse para as mãos de outra pessoa. Colocou a travessa de costelas de porco tostadas na frente deles e as examinou criticamente. A carne tinha sido assada ao ponto, com a beira de gordura crocante e dourada. Serviu o vinho. Um dos compradores fungou, procurando sentir o cheiro, e depois todos olharam ansiosos. Aliena sentiu-se de repente apavorada. O fogo era o pesadelo do comerciante de lã. Olhou para Ellen e Martha, que a estavam ajudando a servir a comida.

– Estão sentindo cheiro de fumaça? – perguntou.

Antes que elas pudessem responder, Jack apareceu. Aliena ainda não se habituara a vê-lo vestido de monge, com o cabelo cor de cenoura raspado na parte superior da cabeça. Havia uma expressão agitada no seu rosto doce. Sentiu ímpeto de tomá-lo nos braços e fazer aquela ruga de preocupação desaparecer da sua testa com um beijo. Mas virou-se rapidamente, lembrando como ele se decepcionara com ela no moinho velho, seis meses antes. Ainda ficava ruborizada sempre que rememorava o incidente.

– Há problemas – gritou ele, nervoso. – Temos que nos refugiar no claustro.

Ela o encarou.

– O que está acontecendo? É um incêndio?

– É o conde William e seus homens de armas – disse ele.

Aliena se sentiu rapidamente tão fria quanto um túmulo. William. De novo.

– Eles tacaram fogo na cidade – disse Jack. – Tom e Alfred estão indo para o claustro. Venha comigo, por favor.

Sem a menor cerimônia, Ellen largou a tigela de legumes que carregava em cima da mesa, em frente a um assustado comprador flamengo.

– Certo – disse ela. Agarrou Martha pelo braço. – Vamos.

Aliena lançou um olhar de pânico para o seu depósito. Tinha centenas de libras em lã crua ali dentro e era preciso protegê-la do fogo – mas como? Olhou para Jack. Ele a fitava, cheio de expectativa. Os compradores deixaram a mesa apressadamente. Aliena disse a Jack:

– Vá. Tenho que tomar conta do meu estande.

– Jack – disse Ellen. – Vamos!

– Já vou – respondeu ele, e se voltou para Aliena.

A jovem viu que Ellen hesitava. Estava claramente dividida entre salvar Martha e esperar por Jack. Mais uma vez ela chamou:

– Jack! Jack!

– Mãe! Leve Martha! – disse ele, virando-se.

– Está bem! – disse ela. – Mas *por favor*, ande depressa! – Ela e Martha foram embora.

– A cidade está em chamas – disse Jack. – O claustro será o lugar mais seguro: é feito de pedra. Venha comigo, rápido!

Aliena podia ouvir gritos vindos da direção do portão do priorado. De repente a fumaça estava por toda parte. Ela olhou em torno, tentando fazer uma ideia do que estava acontecendo. Tinha a sensação de que suas vísceras estavam cheias de nós, de tanto medo. Tudo aquilo por que trabalhara durante mais de seis anos estava empilhado ali no depósito.

– Aliena! – gritou Jack. – Vamos para o claustro; estaremos a salvo lá!

– Não posso! Minha lã!

– Ao inferno com a sua lã!

– É tudo o que tenho!

– De nada vai adiantar se você estiver morta!

– É fácil para você dizer isso, mas levei todos esses anos até chegar à posição em que estou...

– Aliena! *Por favor!*

De repente, as pessoas logo ali perto do estande estavam gritando, mortalmente aterrorizadas. Os cavaleiros haviam entrado no adro e arremetiam contra a multidão, indiferentes a quem derrubavam, ateando fogo aos estandes. As pessoas, apavoradas, se esmagavam umas às outras, em suas desesperadas tentativas para sair da frente das patas dos cavalos e dos archotes. A frágil cerca de madeira que formava a frente do estande de Aliena, pressionada pela multidão, logo cedeu e foi derrubada. Homens e mulheres espalharam-se no espaço aberto à frente do depósito e viraram a mesa com seus pratos de comida e copos de vinho. Jack e Aliena se viram forçados a recuar. Dois cavaleiros carregaram sobre o estande, um deles brandindo aleatoriamente um porrete e o outro, um archote flamejante. Jack colocou-se na frente de Aliena, protegendo-a. O porrete desceu sobre a cabeça dela, mas Jack ergueu o braço e recebeu o impacto no pulso. A jovem sentiu o vento produzido pelo golpe e quando levantou a cabeça viu o rosto do segundo cavaleiro.

Era William Hamleigh.

Aliena gritou.

Ele olhou para ela por um momento, com o archote ardendo na mão e o brilho do triunfo cintilando nos olhos. Depois esporeou o cavalo e o obrigou a entrar no depósito.

– Não! – gritou Aliena.

Ela lutou para se libertar de todos aqueles empurrões, murros e acotovelamentos que a cercavam, inclusive de Jack. Finalmente conseguiu e correu para o depósito. William continuava montado, mas se abaixara para encostar o archote nos sacos de lã.

– Não! – gritou ela de novo. Atirou-se sobre ele e tentou arrancá-lo de cima do cavalo. William a empurrou e Aliena caiu no chão. Ele encostou o archote nos sacos de lã novamente. A lã pegou fogo com uma forte crepitação. O cavalo recuou e gritou, aterrorizado com as chamas. Subitamente Jack apareceu e tirou Aliena do caminho. William fez sua montaria girar e saiu depressa do depósito. A jovem levantou-se. Pegou um saco vazio e tentou abafar as chamas com ele.

– Aliena, você vai morrer! – gritou Jack. O calor ficou insuportável. Ela agarrou um saco que ainda não incendiara e tentou puxá-lo. De repente percebeu um barulho junto aos ouvidos e sentiu um calor intenso no rosto; percebeu, apavorada que seu cabelo pegara fogo. No instante seguinte Jack jogou-se de encontro a ela, passando os braços em torno da sua cabeça e puxando-a com força de encontro ao próprio corpo. Ambos caíram no chão. Ele ainda a segurou com força por um momento e depois reduziu a pressão. O cabelo de Aliena cheirava a chamuscado mas já não estava em chamas. Ela viu que o rosto de Jack estava queimado e suas sobrancelhas tinham desaparecido. Ele a agarrou por um tornozelo e arrastou-a porta afora. Continuou puxando, a despeito da reação dela, até que estavam a salvo.

A área do estande se esvaziara. Jack largou-a. Ela tentou se levantar, mas ele a agarrou de novo e forçou-a a ficar abaixada. Aliena continuou a lutar, olhando fixa e furiosamente para o fogo que estava consumindo todos os seus anos de trabalho e preocupações, toda a sua riqueza e segurança, até que não teve mais energia para lutar com Jack. Então se deixou ficar ali sentada e gritou.

Philip estava no depósito embaixo da cozinha do priorado, contando dinheiro com Cuthbert Cabeça Branca, quando ouviu o barulho. Ele e Cuthbert se entreolharam, preocupados, e depois se levantaram para ver o que estava acontecendo.

Ao atravessarem a porta, deram com um tumulto.

Philip ficou horrorizado. As pessoas corriam em todas as direções, se empurrando, caindo e tropeçando umas nas outras. Homens e mulheres gritavam e crianças choravam. O ar estava impregnado de fumaça. Todo mundo parecia querer fugir do priorado. A não ser pelo portão principal, a única saída era pelo intervalo entre as construções da cozinha e o moinho. Não havia parede ali, mas uma vala funda que conduzia água do lago do moinho para a cervejaria. Philip quis gritar, avisando que tivessem cuidado com a vala, mas ninguém estava ouvindo ninguém.

A causa da correria era obviamente um incêndio, e de grandes proporções. O ar estava denso de fumaça. Philip encheu-se de medo. Com tanta gente reunida ali, a tragédia poderia ser horrível. O que havia a fazer?

Primeiro tinha que descobrir o que estava acontecendo exatamente. Subiu correndo a escada da porta da cozinha para ter uma visão melhor. O que viu o encheu de terror.

Toda a cidade de Kingsbridge estava em chamas.

Um grito de horror e desespero escapou de sua garganta.

Como aquilo poderia estar ocorrendo?

Foi então que viu os cavaleiros galopando por entre a multidão com seus archotes e percebeu que não fora um acidente. Sua primeira ideia foi de que estava se travando ali uma batalha entre os dois lados da guerra civil. Mas os homens de armas atacavam os cidadãos, e não uns aos outros. Aquilo não era uma batalha: era um massacre.

Philip viu um homem grande e louro, montado num imenso cavalo de batalha, esmagando a multidão. Era William Hamleigh.

O ódio subiu à garganta de Philip. Pensar que todas aquelas mortes e tanta destruição eram causadas deliberadamente, por orgulho e ambição, deixou-o meio enlouquecido. Gritou com toda a força dos pulmões:

— Estou vendo você, William Hamleigh!

William ouviu seu nome por cima dos gritos da multidão. Sofreou o cavalo e encarou Philip.

— Você irá para o inferno por causa disto! — gritou Philip.

A sede de sangue congestionara o rosto de William. Nem mesmo a ameaça daquilo que mais temia fez efeito sobre ele. Parecia um louco. Brandiu o archote no ar como uma bandeira.

— O inferno é isto aqui, monge! — retrucou, com outro grito.

Depois girou o cavalo e foi embora.

De repente tudo desaparecera, tanto os cavaleiros quanto toda aquela gente. Jack soltou Aliena e levantou-se. Sua mão direita estava dormente. Lembrou-se de que recebera o golpe destinado à cabeça dela. Ficou satisfeito porque sua mão doía. Seria bom que doesse por muito tempo, para relembrá-lo.

O depósito de lã era um verdadeiro inferno de chamas, com incêndios menores por toda parte. O chão estava juncado de corpos, uns se mexendo, outros sangrando, e outros ainda imóveis. A não ser pelo crepitar das chamas, tudo estava em silêncio. A multidão se retirara, de um modo ou de outro, deixando para trás seus mortos e feridos. Jack sentiu-se atordoado. Nunca vira um campo de batalha, mas imaginava que deveria ser algo assim.

Aliena começou a chorar. Jack pôs uma das mãos em seu ombro, querendo consolá-la. Ela a afastou. Salvara sua vida, mas isso não importava; a única coisa que tinha importância era sua maldita lã, agora irrecuperavelmente transformada em fumaça. Fitou-a por um momento, sentindo-se triste. A maior parte do seu cabelo queimara, e sua aparência já não podia ser considerada bonita; no entanto, amava-a assim mesmo. Magoava-o vê-la sofrer tanto e não ser capaz de fazer nada por ela.

Jack tinha certeza de que ela não tentaria entrar no depósito agora. Estava preocupado com o resto de sua família, de modo que deixou Aliena.

Seu rosto doía. Tocou-o com a mão, o que foi muito doloroso. Devia ter se queimado também. Olhou para os corpos no chão. Queria fazer algo pelos feridos, mas não sabia como começar. Procurou rostos familiares no meio de tanta gente estranha, na esperança de não achar nenhum. Sua mãe e Martha haviam ido para o claustro muito tempo antes da multidão.

E Tom, teria encontrado Alfred? Virou-se na direção do claustro. Foi então que viu o padrasto.

Seu corpo muito alto estava esticado no chão lamacento. Absolutamente imóvel. O rosto era reconhecível, e tinha mesmo uma expressão de tranquilidade, até as sobrancelhas; mas a testa estava aberta e o crânio, completamente esmagado. Jack ficou horrorizado. Não podia aceitar o que via. Não era possível que Tom estivesse morto. Mas aquele homem não podia estar vivo. Desviou o olhar, e examinou de novo. Era Tom, e estava morto.

Jack ajoelhou-se ao lado do corpo. Ansiava por fazer algo, ou por dizer qualquer coisa, e pela primeira vez entendeu por que as pessoas gostavam de rezar pelos mortos.

— Mamãe vai sentir muito a sua falta! — exclamou.

Lembrou-se do discurso furioso que lhe fizera, no dia da briga com Alfred.

— A maior parte daquilo não era verdade — disse, e as lágrimas começaram a correr. — Você não falhou. Você me alimentou, tomou conta de mim e fez minha mãe feliz, verdadeiramente feliz.

Entretanto, havia algo mais importante que tudo aquilo, pensou. O que Tom lhe dera não era nada tão comum quanto alimento e abrigo. Era algo único, que nenhum outro homem tinha, que nem mesmo seu próprio pai poderia ter lhe dado; uma paixão, uma técnica, uma arte, um modo de ganhar a vida.

— Você me deu a catedral — sussurrou para o homem morto. — Muito obrigado.

Parte quatro

1142-1145

Capítulo 11

1

O triunfo de William foi arruinado pela profecia de Philip; em vez de se sentir satisfeito e exultante, ficou aterrorizado porque iria para o inferno devido ao que fizera.

Respondera corajosamente a Philip, mas na excitação do combate. Quando este acabou, e ele levou seus homens para longe da cidade em chamas, quando a andadura dos cavalos e o ritmo dos corações ficaram mais lentos, quando teve tempo para rememorar a incursão e pensar em quantas pessoas havia ferido, queimado e matado, então se lembrou do rosto colérico de Philip, do seu dedo apontando diretamente para as profundezas da terra, e das palavras fatídicas: "Você irá para o inferno por causa disto!"

No começo da noite estava completamente deprimido. Seus homens de armas queriam falar sobre a operação, revivendo os pontos altos e deleitando-se com a matança, mas logo se contaminaram com o seu estado de espírito e caíram em melancólico silêncio. Passaram aquela noite na propriedade de um dos mais importantes arrendatários de William. Na hora da ceia, os homens beberam, carrancudos, até perderem os sentidos. O dono da casa, sabendo como normalmente os homens se sentem após uma batalha, trouxe algumas prostitutas de Shiring; mas elas fizeram pouco negócio. William ficou acordado a noite inteira, apavorado com a perspectiva de morrer durante o sono e ir direto para o inferno.

Na manhã seguinte, em vez de retornar a Earlscastle, foi ver o bispo Waleran. Ele não estava no palácio quando chegaram, mas o deão Baldwin lhe disse que era esperado naquela tarde. William aguardou na capela, olhando fixamente para a cruz no altar e tremendo, apesar do calor de verão.

Quando afinal Waleran chegou, William teve ímpetos de beijar-lhe os pés.

O bispo entrou na capela, vestido de negro, e perguntou com frieza:

— O que você está fazendo aqui?

William levantou-se, tentando esconder seu terror abjeto atrás de uma fachada de autocontrole.

— Acabei de queimar a cidade de Kingsbridge.

— Eu sei — interrompeu Waleran. — Não ouvi outra coisa o dia inteiro. O que deu em você? Ficou maluco?

Aquela reação tomou William completamente de surpresa. Não discutira a operação com Waleran antes por estar certo de que ele aprovaria: o bispo odiava tudo o que dissesse respeito a Kingsbridge, em especial ao prior Philip. Esperara que ele se mostrasse satisfeito, quando não exultante.

— Acabei de arruinar o seu maior inimigo. Agora preciso confessar meus pecados.

— Não me surpreende — disse Waleran. — Dizem que mais de cem pessoas morreram queimadas. — Ele estremeceu. — Uma maneira horrível de morrer.

— Estou pronto para confessar — disse William.

Waleran sacudiu a cabeça.

— Não sei se posso lhe dar a absolvição.

Um grito de medo escapou dos lábios de William.

— Por que não?

— Você sabe que o bispo Henry de Winchester e eu passamos para o lado do rei Estêvão novamente. Não creio que o rei aprove o fato de eu absolver um partidário da rainha Matilde.

— Maldito seja, Waleran! Foi você quem me convenceu a mudar de lado!

— Mude de novo — retrucou o bispo, dando de ombros.

William percebeu que era aquele o objetivo de Waleran. Queria que William retornasse para o lado de Estêvão. O horror do bispo com relação ao incêndio de Kingsbridge fora simulado. Apenas estivera estabelecendo uma base para a barganha. Tal percepção trouxe enorme alívio para Hamleigh, pois significava que Waleran não se opunha irremediavelmente a absolvê-lo. Mas queria ele mudar de lado mais uma vez? Por um momento não disse nada, tentando pensar com calma.

— Estêvão tem obtido vitórias todo o verão — continuou Waleran. — Matilde está implorando ao marido para que venha da Normandia a fim de ajudá-la, mas ele não virá. A maré está a nosso favor.

Uma perspectiva horrível abriu-se diante de William: a Igreja se recusava a absolvê-lo de seus crimes; o xerife o acusava de homicídio; um vitorioso rei Estêvão apoiava o xerife e a Igreja; e William era julgado e enforcado...

— Faça como eu, e siga o bispo Henry: ele sabe de que lado sopra o vento — instou Waleran. — Se tudo der certo, Winchester será promovida a arquidiocese, e Henry será o arcebispo de Winchester, no mesmo nível do de Canterbury. E quando Henry morrer, quem sabe? Poderei ser o arcebispo seguinte. Após isso... bem. Já existem cardeais ingleses; um dia poderá haver um papa inglês...

William olhou para o bispo, fascinado, a despeito do medo que sentia, pela ambição revelada na sua fisionomia normalmente inexpressiva. Waleran como papa? Tudo era possível. Mas as consequências imediatas das aspirações do bispo eram mais importantes. William podia ver que era um peão em seu jogo. Waleran ganhara prestígio com o bispo Henry, pela sua capacidade de fazer William e os cavaleiros de Shiring trocarem de lado na guerra civil. Era o preço que William tinha de pagar para que a Igreja fechasse os olhos para os seus crimes.

— Você está querendo dizer... — Sua voz estava rouca. Tossiu e tentou outra vez. — Você está querendo dizer que ouvirá minha confissão se eu jurar fidelidade a Estêvão e voltar para o seu lado?

O brilho desapareceu dos olhos de Waleran e seu rosto ficou inexpressivo de novo.

— É exatamente o que quis dizer — confirmou.

William não tinha escolha, mas de qualquer modo não via razão para recusar. Passara para o lado de Matilde quando tudo indicava que ela estava vencendo, e se dispunha a trocar mais uma vez agora que Estêvão parecia estar levando vantagem. De qualquer modo, teria consentido em fazer qualquer coisa para se livrar daquele horrível terror do inferno.

— Aceito, então — disse, sem mais hesitações. — Só quero que ouça minha confissão, depressa.

— Muito bem — disse Waleran. — Oremos.

À medida que cumpriam as formalidades do sacramento, William foi sentindo o fardo da culpa ficar mais leve, e gradualmente começou a se sentir satisfeito com o seu triunfo. Quando emergiu da capela seus homens puderam ver a mudança de estado de espírito que se operara, e logo se entusiasmaram. William lhes disse que mais uma vez estavam lutando do lado do rei Estêvão, de acordo com a vontade de Deus, assim expressa pelo bispo Waleran, e eles usaram a notícia como desculpa para uma celebração. Waleran pediu vinho.

— Agora Estêvão deve me confirmar no meu condado — disse William, enquanto esperavam o jantar.

— Deve — concordou Waleran. — Mas não quer dizer que o fará.

— Mas voltei para o lado dele!

— Richard de Kingsbridge nunca saiu.

William permitiu-se um sorriso pretensioso.

— Acho que liquidei a ameaça da parte de Richard.

— Sim? Como?

— Richard nunca teve terras. Só tem sido capaz de manter seus homens, como cavaleiro, usando o dinheiro da irmã.

— Não é ortodoxo, mas até aqui tem dado certo.

— Mas agora sua irmã não tem mais dinheiro. Toquei fogo no seu depósito de lã ontem. Ela não tem mais nada como também Richard.

Waleran balançou a cabeça.

— Nesse caso é apenas uma questão de tempo ele sair de cena. Então, acho que eu poderia dizer que o condado será seu.

O jantar foi servido. Os homens de armas de William se sentaram ao lado dos criados e seus dependentes e flertaram com as lavadeiras do palácio. William ficou à cabeceira da mesa, com Waleran e seus arcediagos. Agora que estava relaxado, invejou os homens com as lavadeiras; arcediagos eram uma companhia muito monótona.

O deão Baldwin ofereceu a William um prato de ervilhas.

— Lorde William, como impedirá uma pessoa de fazer o que o prior Philip tentou, ou seja, ter sua própria feira de lã? — perguntou ele.

William ficou surpreso com a pergunta.

— Ninguém se atreveria!

— Outro monge talvez não; mas um conde poderia.

— Precisaria de uma licença.

— Poderia conseguir, se tivesse lutado por Estêvão.

— Não neste condado.

— Baldwin está certo, William — disse o bispo Waleran.

— Em toda a volta dos limites do seu condado, há cidades que poderiam abrigar uma feira de lã: Wilton, Devizes, Wells, Marlborough, Wallingford...

— Queimei Kingsbridge, posso queimar qualquer lugar — disse William, irritado. Tomou um gole de vinho. Enfurecia-o ter sua vitória diminuída.

Waleran pegou um pedaço de pão fresco e o partiu, sem comer.

— Kingsbridge é um alvo fácil — ponderou. — Não tem muralha, castelo, nem mesmo uma igreja grande para as pessoas se refugiarem no seu interior. E é governada por um monge que não tem cavaleiros ou homens de armas. Kingsbridge é indefesa. A maioria das cidades não é.

— E quando a guerra civil terminar — acrescentou o deão Baldwin —, seja quem for que vença, não será possível queimar uma cidade como Kingsbridge impunemente. Seria violar a paz real. Nenhum rei deixaria de tomar providências em épocas normais.

William entendeu o argumento deles e ficou furioso.

— Então tudo o que foi feito talvez tenha sido inútil — disse. Pôs de lado a faca. A tensão revirava seu estômago e ele não pôde comer mais.

— É claro que se Aliena estiver arruinada — disse Waleran —, abriu-se uma espécie de lacuna.

William não entendeu.

— O que está querendo dizer?

— A maior parte da lã neste condado foi vendida a ela este ano. O que acontecerá no ano que vem?

— Não sei.

Waleran continuou, no mesmo jeito pensativo.

— Exceto pelo prior Philip, todos os produtores de lã em muitas e muitas milhas ocupam terras do condado ou do bispado. Você é o conde, em tudo menos no título, e eu, o bispo. Se forçarmos os nossos rendeiros a nos vender sua lã, controlaremos dois terços do comércio do condado. E venderemos na feira de Shiring. Aí não haverá negócios suficientes para justificar outra feira, mesmo que alguém consiga uma licença.

Uma ideia brilhante, William viu imediatamente.

— E ganharemos tanto dinheiro quanto Aliena — ressaltou.

— Sem dúvida. — Waleran serviu-se de um delicado pedacinho de carne e mastigou, pensativamente. — Assim, você incendiou Kingsbridge, arruinou seu pior inimigo e estabeleceu uma nova fonte de renda para si. Nada mau para um dia de trabalho.

William tomou um gole avantajado de vinho e sentiu um calor no estômago. Olhou para a outra extremidade da mesa e se deteve numa garota gordinha e de cabelos escuros que sorria coquetemente para dois de seus homens. Talvez trepasse com ela à noite. Sabia como seria. Quando a encurralasse, a jogasse no chão e levantasse sua saia, se lembraria do rosto de Aliena e de sua expressão de terror e desespero ao ver a lã consumida pelas chamas; então ele seria capaz de possuí-la. Sorriu com a perspectiva, e pegou outra fatia do pernil de veado.

O prior Philip foi profundamente abalado pelo incêndio de Kingsbridge. A surpresa da ação de William, a brutalidade do ataque, as cenas horríveis da multidão em pânico, a matança pavorosa e sua completa impotência, tudo combinado o deixou atônito.

O pior mesmo fora a morte de Tom Construtor. Um homem no auge do seu talento, mestre de todos os aspectos da sua profissão, Tom deveria continuar como encarregado da construção da catedral até o seu término. Era também o mais íntimo amigo de Philip fora do claustro. Conversavam pelo menos uma vez por dia, e se esforçavam juntos na busca de soluções para a interminável variedade de problemas com que se defrontavam no seu imenso projeto. Tom tinha uma rara combinação de sabedoria e humildade que tornava um prazer trabalhar com ele. Parecia impossível que houvesse morrido.

Philip achava que não compreendia mais nada, que não tinha nenhum poder de verdade e que não era competente para tomar conta de um curral, muito menos de uma cidade do tamanho de Kingsbridge. Sempre acreditara que, se fizesse o melhor que podia e confiasse em Deus, tudo acabaria dando certo no fim. O incêndio de Kingsbridge parecia ter provado que estava enganado. Perdera toda a motivação, ficando sentado em sua casa no priorado o dia inteiro, observando a vela queimando no pequeno altar, às voltas com pensamentos desconexos e desolados, sem nada fazer.

Foi o jovem Jack que tratara do que tinha de ser feito. Providenciara para que os mortos fossem levados para a cripta, pusera os feridos no dormitório dos monges e organizara um esquema de alimentação de emergência para os vivos na campina do outro lado do rio. O tempo estava quente, e todos dormiam ao ar livre. No dia seguinte ao do massacre, organizara os aturdidos moradores em equipes de trabalho e os fizera limpar as cinzas e escombros do adro do priorado, enquanto Cuthbert Cabeça Branca e Milius Tesoureiro encomendavam comida nas fazendas próximas. No segundo dia enterraram os mortos em cento e noventa e três sepulturas novas no lado norte do adro.

Philip simplesmente expediu as ordens propostas por Jack. Este argumentara que a maioria dos cidadãos sobreviventes ao incêndio perdera muito pouca coisa de valor material – só uma choça e uns poucos móveis vagabundos, na maioria dos casos. As safras ainda estavam nos campos, e as economias onde haviam sido enterradas, em geral sob as lareiras da casa, bem fundo, a salvo das chamas que varreram a cidade. Os mercadores cujos estoques haviam pegado fogo foram os maiores sofredores: alguns estavam arruinados, como Aliena; outros tinham parte de sua fortuna em prata, bem enterrada, e seriam capazes de começar de novo. Jack propôs reconstruir a cidade de imediato.

Por sugestão dele, Philip concedeu uma permissão extraordinária para cortar árvores gratuitamente nas florestas do priorado, com o objetivo de construir casas, mas apenas por uma semana. Em consequência, Kingsbridge ficou deserta por sete dias, enquanto todas as famílias selecionavam e derrubavam as árvores que empregariam em suas novas casas. Durante essa semana, Jack pediu a Philip que desenhasse uma planta da nova cidade. A ideia incendiou a imaginação do prior e ele saiu de sua depressão.

Trabalhou no plano, sem parar, por quatro dias. Haveria casas grandes em toda a volta dos muros do priorado, para os artesãos e comerciantes ricos. Lembrava-se do padrão das ruas de Winchester, e planejou uma nova Kingsbridge na mesma base. Ruas retas, largas o bastante para permitir a passagem de duas carroças, desceriam até o rio, com as ruas transversais mais estreitas. O lote seria padronizado na largura de vinte e quatro pés, o que era uma ampla frente para uma casa na cidade. Cada lote teria cento e vinte pés de comprimento, proporcionando espaço para um quintal decente com uma latrina, uma horta e um estábulo ou pocilga. A ponte se incendiara, e outra seria construída em posição mais conveniente, no fim da nova rua principal. A estrada que passava pela cidade agora subiria diretamente a colina, a partir da ponte, e passaria pela catedral, saindo do outro lado, como em Lincoln. Outra rua larga ligaria o portão do priorado a um novo cais na margem do rio, seguiria na mesma direção da correnteza a partir da ponte e contornaria a curva do rio. Desse modo, os suprimentos em grosso poderiam chegar ao priorado, sem usar a principal rua do comércio. Haveria um distrito inteiramente novo de casas pequenas em torno do cais a ser construído: os pobres ficariam a jusante do priorado e seus hábitos sujos não poluiriam o suprimento de água do mosteiro.

Planejar a reconstrução tirou Philip do seu transe, mas toda vez que levantava os olhos dos desenhos era invadido por uma onda de raiva e de dor pelas pessoas que tinham morrido. Perguntava-se se William Hamleigh seria de fato o demônio encarnado: causava mais sofrimento do que seria humanamente possível. Philip via sempre a mesma mistura de esperança e aflição no rosto dos moradores da cidade, ao voltarem da floresta com seus carregamentos de madeira. Jack e os outros monges balizaram o plano da nova cidade no chão, com estacas e cordas, e ao escolher o lote, de vez em quando alguém dizia melancolicamente: "De que adianta? Pode ser incendiada de novo no ano que vem!" Se houvesse qualquer esperança de justiça, alguma expectativa de que os malfeitores seriam punidos, talvez não se sentissem tão inconsoláveis; mas embora Philip tivesse escrito a Estêvão, a Matilde, ao bispo Henry, ao arcebispo de Canterbury e ao papa, sabia que em tempo de guerra havia pouca chance de que um homem tão poderoso e importante quanto William fosse levado a julgamento.

Os lotes maiores do plano de Philip foram muito procurados, a despeito dos aluguéis mais caros, de modo que ele alterou o plano a fim de permitir um número maior. Quase ninguém quis construir no bairro mais pobre, mas Philip decidiu deixar a planta como estava, para uso futuro. Dez dias após o incêndio, novas casas de madeira estavam subindo na maior parte dos lotes, e em mais uma semana a maioria delas estava terminada. Uma vez que as casas foram construídas, o trabalho recomeçou na catedral. Os operários foram pagos e quiseram gastar seu dinheiro; as lojas reabriram, e os pequenos agricultores trouxeram seus ovos e cebolas para a cidade; as copeiras e lavadeiras recomeçaram a trabalhar para os comerciantes e artesãos; assim, dia a dia, a vida material em Kingsbridge voltou ao normal.

Mas havia tantos mortos que parecia uma cidade de fantasmas.

Cada família perdera pelo menos um membro: uma criança, a mãe, o marido, uma irmã. Não se usavam distintivos de luto, mas as rugas nos rostos exibiam a mágoa tão perfeitamente quanto as árvores nuas denunciavam o inverno. Um dos mais atingidos foi o pequeno Jonathan, com seis anos. Ele se arrastava pelo adro do mosteiro como uma alma perdida, e Philip acabou por perceber que sentia a falta de Tom, que, ao que parecia, passara mais tempo com o menino do que qualquer pessoa tivesse notado. Quando o prior se deu conta disso, fez questão de reservar uma hora por dia para Jonathan, durante a qual lhe narrava histórias, brincava de contar e ouvia sua volúvel tagarelice.

Philip escreveu aos abades de todos os principais mosteiros beneditinos da Inglaterra e França, perguntando se podiam recomendar um mestre construtor para substituir Tom. Um prior na posição de Philip normalmente consultaria seu bispo a esse respeito, pois os bispos viajavam muito e tinham possibilidade de tomar conhecimento de bons construtores, mas o bispo Waleran não o ajudaria. O fato de os dois estarem em constante desavença tornava o cargo de Philip ainda mais solitário do que deveria ser.

Enquanto o prior aguardava as respostas dos abades, os artífices instintivamente se voltaram para Alfred, em busca de liderança. Ele era filho de Tom e mestre pedreiro, e já há algum tempo vinha conduzindo sua equipe semiautônoma no canteiro da obra. Não tinha o cérebro do Tom, infelizmente, mas era instruído e tinha autoridade, de modo que aos poucos foi preenchendo o vazio deixado pela morte do pai.

Parecia haver muito mais problemas e dúvidas a respeito da obra que no tempo de Tom, e Alfred dava a impressão de sempre aparecer com uma pergunta quando não se podia encontrar Jack em parte alguma. Sem dúvida, aquilo era natural: todos em Kingsbridge sabiam que os dois se odiavam. O resultado final, contudo, foi que Philip se viu mais uma vez atormentado por intermináveis questões relativas a detalhes.

Mas à medida que as semanas passavam, Alfred foi ganhando confiança, até que um dia procurou Philip e perguntou:

– Não preferia que a catedral tivesse um teto de pedra abobadado?

O projeto de Tom previa um teto de madeira no centro da igreja, e tetos de pedra abobadados nas naves laterais mais estreitas.

– Sim, preferia – respondeu Philip. – Mas decidimos por um teto de madeira para economizar dinheiro.

Alfred assentiu.

– O problema é que um teto de madeira pode pegar fogo. Uma abóbada de pedra, não.

Philip examinou-o por um momento, perguntando-se se teria subestimado Alfred. Não imaginava que ele apresentasse uma variação do projeto do pai; aquilo era mais o tipo de coisa que se podia esperar que Jack fizesse. Mas a ideia de uma igreja à prova de fogo era tentadora, especialmente depois que a cidade fora incendiada.

– A única construção que ficou de pé na cidade após o incêndio foi a igreja nova da paróquia – acrescentou Alfred, seguindo a mesma linha de raciocínio.

E a igreja nova da paróquia – construída por Alfred – tinha um teto abobadado de pedra, pensou Philip. Mas lhe ocorreu uma dificuldade.

– As paredes, do jeito que estão, aguentariam o peso extra de um teto de pedra?

— Teríamos que reforçar os arcobotantes. Ficariam um pouco mais salientes do lado de fora, mais nada.

Ele já pensara naquilo, percebeu Philip.

— E o custo?

— Vai custar mais caro a longo prazo, é claro, e a igreja precisará de mais três ou quatro anos para ficar pronta, mas não fará diferença no seu desembolso anual.

Philip gostava cada vez mais da ideia.

— Mas isso significará esperar mais um ano para usar o coro nos serviços?

— Não. Madeira ou pedra, não podemos começar a trabalhar no teto senão na próxima primavera. O clerestório precisa endurecer antes que se ponha qualquer peso sobre ele. O teto de madeira é mais rápido de construir, por alguns meses; mas, de qualquer modo, o coro estará coberto no final do ano que vem.

Philip ficou pensativo. Era uma questão de pesar a vantagem de um teto à prova de fogo contra a desvantagem de outros quatro anos de obra – e de gastos. O custo extra parecia estar bastante longe, no futuro. E o lucro em segurança era imediato.

— Acho que discutirei o assunto com os irmãos no cabido – disse. – Mas me parece uma boa ideia.

Alfred agradeceu-lhe e saiu, e depois que foi embora Philip continuou sentado, olhando para a porta, perguntando-se se afinal precisava realmente procurar um novo mestre construtor.

Kingsbridge fez uma brava exibição no dia em que se comemorava a colheita. De manhã cada casa da cidade preparou um pão – a safra estava começando, e a farinha de trigo era barata e abundante. Os que não tinham forno em casa assaram o seu na casa de um vizinho, ou nos grandes fornos pertencentes ao priorado ou aos dois padeiros da cidade, Peggy Baxter e Jack-atte-Noven. Por volta do meio-dia o ar recendia a pão fresco, deixando todo mundo com fome. Os pães foram exibidos em mesas arrumadas no gramado do outro lado do rio, e todos caminhavam por entre elas, admirando-os. Não havia dois iguais. Muitos continham frutas ou especiarias: havia pães com ameixas, passas, gengibre, açúcar, cebola, alho e muitos mais. Outros tinham sido coloridos de verde com salsa, de amarelo com gema de ovo, de vermelho com sândalo ou de púrpura com tornassol. Havia vários de formas estranhas: viam-se triângulos, cones, bolas, estrelas, ovais, pirâmides, flautas, rolinhos e até mesmo oitos. Alguns eram mais ambiciosos: pães em forma de coelhos, ursos, macacos e dragões. Havia casas e castelos de pão. O mais magnífico, contudo, na opinião de todos, foi o de Ellen e Martha, que era uma representação da catedral, baseada no projeto do seu falecido marido, Tom.

A dor de Ellen tinha sido terrível de ver. Chorara como uma alma atormentada, noite após noite, e ninguém fora capaz de consolá-la. Mesmo agora, dois meses depois, ainda estava pálida e com os olhos fundos; porém, ela e Martha pareciam capazes de se ajudar, e fazer o pão com a forma da catedral lhes proporcionara um pouco de consolo.

Aliena passou longo tempo contemplando o trabalho de Ellen. Gostaria de ter uma atividade que lhe trouxesse conforto. Não sentia entusiasmo por nada. Quando começaram as provas, foi para a mesa apaticamente, sem comer. Nem mesmo havia tido vontade de construir outra casa, até que o prior Philip a instigou a reagir e Alfred lhe trouxe a madeira e designou alguns homens para ajudá-la. Ainda estava comendo no mosteiro todos os dias, pelo menos quando se lembrava de comer. Não tinha energia. Quando lhe ocorria a ideia de fazer qualquer coisa para si mesma – um banco de cozinha com sobras da madeira, ou o acabamento às paredes da casa, tapando as fendas com lama do rio, ou ainda uma armadilha para pegar pássaros, de modo que pudesse se alimentar –, ela se lembrava de como trabalhara duro para chegar a uma boa posição como mercadora de lã, e de como rapidamente tudo se arruinara, e perdia o entusiasmo. Assim ia vivendo dia a dia, sem planos, acordando tarde, indo ao mosteiro almoçar se tivesse fome, contemplando quase que o tempo todo o fluir das águas do rio e indo dormir na palha da casa nova quando escurecia.

A despeito da sua prostração, sabia que aquele festival que celebrava a colheita não passava de uma farsa. A cidade fora reconstruída, e as pessoas se dedicavam aos seus trabalhos como antes, mas era comprida a sombra projetada pelo massacre, e ela podia perceber, sob a aparência de bem-estar, uma profunda sensação de medo. A maioria das pessoas estava melhor do que Aliena, agindo como se tudo corresse bem, mas na verdade todos se sentiam do mesmo modo que ela, achando que aquilo não podia durar e que tudo o que construíssem seria destruído de novo.

Enquanto estava ali olhando apaticamente para as pilhas de pão, Richard chegou. Atravessou a ponte, vindo da cidade deserta, puxando o cavalo. Tinha estado fora, combatendo por Estêvão, desde antes do massacre, e ficou atônito com o que encontrou.

– Que diabo aconteceu aqui? – perguntou. – Não consigo encontrar nossa casa; a cidade toda mudou!

– William Hamleigh apareceu no dia da feira de lã, com uma tropa de homens de armas, e incendiou a cidade – disse Aliena.

Richard empalideceu com o choque e a cicatriz na sua orelha direita ficou lívida.

– William! – exclamou. – Aquele demônio!

– Temos uma casa nova, contudo – disse Aliena inexpressivamente. – Os homens de Alfred construíram para mim. Mas é muito menor, e fica perto do novo cais.

– O que aconteceu com você? – disse ele, examinando-a. – Está praticamente careca e sem sobrancelhas.

— Meu cabelo pegou fogo.
— Ele não...
Aliena sacudiu a cabeça.
— Desta vez não.
Uma das garotas trouxe pão de sal para Richard provar. Ele pegou um pedaço mas não comeu. Parecia atônito.
— De qualquer forma, estou satisfeita por vê-lo bem — disse Aliena.
Ele assentiu.
— Estêvão está marchando sobre Oxford, onde Matilde se encontra entocada. A guerra poderá terminar em breve. Mas preciso de uma espada nova; vim buscar dinheiro. — Ele comeu o pão. A cor voltou ao seu rosto. — Por Deus, que gosto bom! Você pode cozinhar um pouco de carne para mim mais tarde.
De repente, teve medo dele. Sabia que ia ficar furioso e não tinha forças para enfrentá-lo.
— Não tenho carne.
— Então compre no açougueiro.
— Não fique zangado, Richard. — Ela começou a tremer.
— Não estou zangado — disse ele, irritado. — O que há com você?
— Toda a minha lã foi queimada no incêndio — respondeu Aliena, com os olhos fixos no irmão, esperando que explodisse.
Ele franziu a testa, olhou para ela, engoliu e jogou fora a casca do pão.
— Toda?
— Toda.
— Mas você ainda deve ter algum dinheiro.
— Nenhum.
— Por que não? Sempre teve um cofre cheio de dinheiro enterrado no chão...
— Não em maio. Eu tinha gasto tudo em lã... até o último penny. E pedi quarenta libras ao pobre Malachi, que não posso pagar. É claro que não posso lhe comprar uma nova espada. Não posso nem mesmo comprar um pedaço de carne para a sua ceia. Estamos completamente sem dinheiro.
— Então como vou poder continuar? — gritou ele, furioso. Seu cavalo levantou as orelhas e se mexeu, inquieto.
— Não sei! — disse Aliena, lacrimosa. — Não grite, está assustando o cavalo. — Ela começou a chorar.
— William Hamleigh fez isto — disse Richard, por entre os dentes. — Um dia desses vou esquartejá-lo como um porco gordo, juro por todos os santos.
Alfred apareceu nessa hora, com a barba espessa cheia de migalhas e uma fatia de pão de ameixa na mão.
— Experimente este — sugeriu a Richard.

— Não estou com fome — disse o rapaz, rudemente.
— O que há? — perguntou Alfred, olhando para Aliena.

Richard respondeu a pergunta.

— Ela acaba de me dizer que não temos um penny.

Alfred assentiu.

— Todos perderam alguma coisa, mas Aliena perdeu tudo.

— Você entende o que isso significa para mim — disse Richard, falando com Alfred mas olhando acusadoramente para Aliena. — Estou liquidado. Se não posso substituir armas, pagar meus homens e comprar cavalos, então não posso combater pelo rei Estêvão. Minha carreira como cavaleiro está terminada... e jamais serei o conde de Shiring.

— Aliena podia se casar com um homem rico — disse Alfred.

Richard riu sarcasticamente.

— Ela rejeitou todos!

— Um deles pode pedi-la em casamento de novo.

— Sim. — O rosto de Richard se contorceu num sorriso cruel. — Poderíamos mandar cartas a todos os pretendentes rejeitados, dizendo que ela perdeu todo o dinheiro e que está disposta a reconsiderar...

— Chega — disse Alfred, segurando o braço de Richard, que se calou. Virou-se depois para Aliena. — Lembra-se do que eu lhe disse, um ano atrás, no primeiro jantar da associação da paróquia?

O coração dela angustiou-se. Não podia acreditar que Alfred fosse começar com aquilo outra vez. Não tinha forças para enfrentar sua insistência.

— Eu me lembro — disse ela. — E espero que você se lembre da minha resposta.

— Eu ainda a amo.

Richard ficou espantado.

— Ainda quero me casar com você, Aliena — continuou Alfred. — Quer ser minha mulher?

— Não! — exclamou ela. Queria falar mais, acrescentar algo que tornasse sua resposta definitiva e irreversível, mas estava muito cansada. Olhou de Alfred para Richard e deste novamente para Alfred, e súbito não aguentou mais. Afastou-se dos dois, saiu caminhando depressa e atravessou a ponte para a cidade.

Ficou zangada com Alfred por ter repetido sua proposta na frente de Richard. Preferia que seu irmão não tomasse conhecimento dela. Tinham se passado três meses desde o incêndio — por que Alfred nada falara até agora? Era como se tivesse aguardado a chegada de Richard para executar sua jogada.

Ela foi caminhando pelas ruas novas, desertas. Todos estavam na festa, provando pão. A casa de Aliena ficava no bairro pobre, perto do cais. O aluguel era barato, mas mesmo assim não tinha ideia de como poderia pagar.

Richard a alcançou, desmontou e foi caminhando ao seu lado.

— Toda a cidade cheira a madeira nova — disse ele, em tom de conversa. — E tudo é tão limpo!

Aliena já se acostumara com a nova aparência da cidade, mas ele a estava vendo pela primeira vez. Era *artificialmente* limpa. O incêndio tinha acabado com a madeira podre e úmida das construções mais velhas, com os telhados de palha grossos da fuligem de anos e anos de fumaça de cozinha, com os imundos estábulos antigos e com as fétidas esterqueiras. Havia um cheiro de novo por toda parte: madeira nova, palha nova nos telhados e no chão, e até mesmo caiação nova nas paredes das residências mais ricas. O fogo parecia ter enriquecido o solo, e flores silvestres cresciam em cantos estranhos. Alguém observara que um número muito pequeno de pessoas caíra doente desde o incêndio, e pensava-se que isso confirmava a teoria, defendida por muitos filósofos, de que as doenças eram disseminadas por vapores malignos.

Sua mente estava longe. Richard dissera qualquer coisa.

— O quê? — perguntou ela.

— Eu disse que não sabia que Alfred a pedira em casamento no ano passado.

— Você tinha coisas mais importantes em que pensar. Foi no tempo em que prenderam Robert de Gloucester.

— Alfred foi bom, construindo uma casa para você.

— Sim, foi. E aqui está ela. — Aliena olhou para Richard enquanto ele olhava a casa. Estava desconcertado. Teve pena do irmão; nascera no castelo de um conde, e até mesmo a casa grande que tinham antes do incêndio significara um rebaixamento para ele. Agora tinha que se acostumar com o tipo de casa em que moravam operários e viúvas.

Aliena segurou as rédeas do seu cavalo.

— Venha. Há espaço para o cavalo nos fundos. — Ela conduziu o enorme animal por dentro da casa de um cômodo e saiu pela porta dos fundos. Havia cercas rústicas e baixas separando os quintais. Amarrou o cavalo numa viga da cerca e começou a tirar a pesada sela de madeira. Vindas não se sabe de onde, grama e ervas nasciam na terra calcinada. Quase todos tinham escavado uma privada, plantado verduras e construído uma pocilga ou um galinheiro no quintal, mas o de Aliena permanecia intocado.

Richard ficou dentro da casa, mas não havia muito para ver e, após um momento, seguiu Aliena no quintal.

— A casa está um pouco vazia — sem móveis, pratos, tigelas...

— Não tenho dinheiro — disse Aliena, apática.

— Não plantou nada também — disse ele, olhando à sua volta desgostosamente.

— Não tenho energia — disse ela, irritada. Entregou-lhe a sela enorme e entrou.

Ela se sentou no chão, com as costas para a parede. Estava frio ali dentro. Dava para ouvir Richard tratando do cavalo no quintal. Após ter ficado sentada imóvel por alguns momentos viu um rato pôr o focinho para fora da palha. Milhares de ratos e camundongos deviam ter morrido no incêndio, mas agora começavam a ser vistos de novo. Procurou alguma coisa com que pudesse matá-lo, mas não havia nada à mão, e de qualquer modo o bicho sumiu outra vez.

O que vou fazer?, pensou ela. Não posso ficar assim o resto da vida. Mas a simples ideia de dar início a um novo negócio a deixava exausta. Salvara a si própria e a seu irmão da penúria uma vez, mas o esforço gastara todas as suas reservas, e era incapaz de repetir a dose. Teria que descobrir algum tipo de vida passiva, controlada por alguém, para que pudesse viver sem tomar decisões ou iniciativas. Pensou na mulher chamada Kate, de Winchester, que beijara seus lábios e lhe apertara os seios, dizendo que nunca mais sentiria falta de dinheiro ou de qualquer outra coisa, e que se trabalhasse para ela as duas ficariam ricas. Não, pensou, aquilo não; nunca mais.

Richard entrou carregando seus alforjes.

– Se você não pode cuidar de si própria, é melhor encontrar alguém que possa.

– Sempre tive você.

– Não posso tomar conta de você! – protestou ele.

– Por que não? – Uma minúscula centelha de raiva se acendeu dentro dela. – Cuidei de você por seis longos anos!

– Estive combatendo numa guerra, e só o que fez foi vender lá.

E esfaquear um fora da lei, pensou ela; e atirar um padre desonesto no chão; e alimentar, vestir e proteger você, que não era capaz de fazer nada senão roer os nós dos dedos e tremer de medo. Mas a centelha se apagou e a raiva esmoreceu; ela limitou-se a dizer que estava brincando.

Richard resmungou, sem saber ao certo se deveria se sentir ofendido com a observação da irmã, até que sacudiu a cabeça, irritado. – De qualquer modo – disse ele –, você não devia ser tão rápida em rejeitar Alfred.

– Oh, pelo amor de Deus, cale-se!

– O que é que há de errado com ele?

– Não há nada de errado com ele. Será que você não entende? Há algo de errado *comigo*.

Ele deixou a sela no chão e apontou-lhe um dedo.

– É isso mesmo, e eu sei o que é. Você é completamente egoísta. Só pensa em si própria.

Aquilo era tão monstruosamente injusto que ela foi incapaz de sentir raiva. As lágrimas transbordaram dos seus olhos.

– Como pode dizer isso? – protestou, angustiada.

– Porque tudo se ajeitaria com você desposando Alfred, em vez de recusá-lo.
– Meu casamento com Alfred não ajudaria você.
– Claro que ajudaria.
– Como?
– Alfred disse que poderia me financiar, se eu fosse seu cunhado. Eu teria que cortar um pouco as despesas, ele não pode pagar todos os meus homens de armas, mas me prometeu o suficiente para um cavalo de batalha, novas armas e meu próprio escudeiro.
– Quando? – perguntou Aliena, atônita. – Quando foi que ele disse isso?
– Agora mesmo. Lá no priorado.

Aliena sentiu-se humilhada, e Richard teve a consideração de parecer um pouco envergonhado. Os dois homens tinham negociado Aliena como negociantes de cavalos. Ela se levantou, e sem mais uma palavra retirou-se.

Voltou ao priorado e entrou no adro pelo lado sul, pulando a vala junto do velho moinho d'água. O moinho estava em silêncio, já que era feriado. Não teria andado naquela direção se estivesse funcionando, pois o estrondo dos martelos pisoando o tecido sempre lhe dava dor de cabeça.

O adro estava deserto, conforme antecipara. No canteiro da obra havia silêncio. Aquela era a hora em que os monges estudavam ou descansavam, e o resto das pessoas estava na festa. Aliena vagou pelo cemitério no lado norte da obra. As sepulturas cuidadosamente tratadas, com as cruzes de madeira bem-feitas e as flores frescas, diziam a verdade: a cidade ainda não se recuperara do massacre. Parou ao lado do túmulo de Tom, adornado com um anjo de mármore simples, esculpido por Jack. Sete anos atrás, pensou, meu pai arranjou um casamento perfeitamente razoável para mim. William Hamleigh não era velho, não era feio e não era pobre. Teria sido aceito com um suspiro de alívio por qualquer outra garota em minha posição. Mas o recusei, e veja só os problemas que se seguiram: nosso castelo atacado, meu pai aprisionado, meu irmão e eu completamente sem dinheiro – até mesmo o incêndio de Kingsbridge e a morte de Tom são consequências da minha obstinação.

De algum modo a morte de Tom parecia pior que todas as outras tristezas, talvez porque ele tivesse sido amado por tanta gente, talvez por ter sido o segundo pai que Jack perdera.

E agora estou rejeitando outra proposta perfeitamente razoável, pensou ela. O que me dá o direito de ser tão exigente? A dificuldade que tenho de me satisfazer já causou muitos problemas. Eu deveria aceitar Alfred, e ser grata por não ter que trabalhar na casa de mulheres da senhora Kate.

Afastou-se da sepultura de Tom e caminhou na direção da obra.

Parou no que iria ser a interseção e olhou para o coro. Estava pronto, exceto pelo telhado, e os operários se preparavam para a fase seguinte, os transeptos;

a planta baixa já tinha sido balizada no chão, com estacas e cordéis, em ambos os lados, e os homens haviam começado a escavar os alicerces. As altas paredes à sua frente projetavam sombras compridas no sol de fim de tarde. A temperatura naquele dia era amena, mas na catedral fazia frio. Aliena olhou por longo tempo as fileiras de arcos redondos, grandes no nível do solo, pequenos em cima e médios na parte central. Havia algo profundamente satisfatório naquele ritmo regular de arco, pilar, arco, pilar.

Se Alfred estava mesmo disposto a financiar Richard, Aliena ainda tinha uma chance de cumprir o juramento que fizera ao pai, de cuidar de Richard até ele reconquistar o condado. No fundo do coração sabia que teria que desposar Alfred, embora fosse uma coisa que não tivesse coragem de enfrentar.

Caminhou ao longo da nave lateral sul, arrastando a mão na parede, sentindo a textura áspera das pedras, passando as unhas nos sulcos rasos feitos pelos dentes da talhadeira do pedreiro. Ali nas naves laterais, sob as janelas, a parede era decorada com arcaturas, uma série de arcos falsos, sem nenhum outro objetivo senão o de aumentar o senso de harmonia que Aliena sentia ao olhar para a obra. Na catedral de Tom tudo parecia ter um objetivo. Talvez sua vida também fosse assim, com tudo predeterminado num grande projeto, e ela agisse como um construtor estúpido que quisesse uma queda d'água no coro.

No canto sudeste da igreja, uma porta baixa levava a uma estreita escada em espiral. Num impulso, Aliena passou pela porta e subiu a escada. Ao perder a entrada de vista e ainda assim não haver chegado ao topo, teve uma sensação esquisita, com a impressão de que aquela escadaria não ia terminar nunca. Então viu a luz do sol; era uma janelinha estreita na parede da torre, posta ali para iluminar a escada. Após algum tempo chegou à larga galeria sobre a nave. Não tinha janelas que dessem para o exterior, mas no interior dava para a igreja sem telhado. Sentou-se na soleira de um dos arcos interiores, encostando-se ao pilar. A pedra fria acariciou-lhe o rosto. Perguntou-se se teria sido Jack quem cortara aquela pedra. Ocorreu-lhe que se caísse dali poderia morrer. Mas não era bastante alto na realidade: poderia apenas quebrar as pernas e ficar no chão, em agonia, até que os monges viessem e a achassem.

Decidiu subir até o clerestório. Voltou à escada do torreão e prosseguiu a escalada. O estágio seguinte era mais curto, mas ainda assim achou assustador, deixando-a com o coração batendo ruidosamente na hora em que alcançou o topo. Entrou na passagem do clerestório, um túnel estreito dentro da parede. Esgueirou-se ao longo da passagem até que deu no peitoril interno de uma das janelas. Segurou-se no pilar que a dividia. Quando olhou para baixo, de uma altura de mais de setenta e cinco pés, começou a tremer.

Aliena ouviu passos na escada do torreão. Começou a respirar com dificuldade, como se tivesse corrido. Não havia ninguém mais à vista quando subira. Será que alguém a seguira? Os passos vinham do corredor estreito que acabara de percorrer. Largou o pilar e ficou na beirada, trêmula. Um vulto apareceu na soleira. Era Jack. O coração de Aliena batia tão alto que ela era capaz de ouvi-lo.

– O que está fazendo? – perguntou ele cautelosamente.

– Eu... eu estava vendo como sua catedral está indo.

Jack apontou para o capitel acima da cabeça dela.

– Fui eu que fiz.

Aliena ergueu os olhos. Fora esculpida na pedra a figura de um homem que parecia estar sustentando o peso do arco nas costas. O corpo dele era retorcido, como se agonizasse de tanta dor. Aliena o contemplou por algum tempo. Nunca vira nada parecido. Sem pensar, disse:

– É assim que me sinto.

Quando olhou de novo para Jack, ele estava do seu lado, segurando-lhe o braço, delicada mas firmemente.

– Eu sei – disse ele.

Aliena olhou para baixo. A ideia de cair deixou-a doente de medo. Jack puxou-lhe o braço. Ela deixou-se ser conduzida para a passagem.

Desceram a escada sem paradas, até o chão. Aliena sentia-se fraca. Jack virou-se e lhe disse, em tom de conversação:

– Eu estava lendo no claustro, olhei para a igreja e vi você no clerestório.

Aliena fitou seu rosto jovem, tão cheio de preocupação e ternura, e se lembrou do motivo pelo qual fugira de todo mundo e buscara a solidão dali. Teve vontade de beijá-lo, e viu a mesma vontade em seus olhos. Seu corpo inteiro lhe dizia para atirar-se nos seus braços, mas ela sabia o que tinha a fazer. Queria dizer: *Eu o amo como uma trovoada, como um leão, como uma fúria desorientada,* mas, em vez disso, suas palavras foram:

– Acho que vou me casar com Alfred.

Ele a encarou. Parecia atônito. Então seu rosto ficou triste, com uma tristeza sábia e antiga, que excedia em muito a sua idade. Aliena pensou que fosse chorar, mas não. No lugar de lágrimas, havia raiva nos seus olhos. Jack abriu a boca para falar, mudou de ideia, hesitou e por fim se resolveu.

– Seria melhor se você tivesse pulado do clerestório – disse, numa voz fria como o vento norte.

Afastou-se dela e retornou para o mosteiro.

Perdi-o para sempre, pensou Aliena, sentindo que seu coração ia se partir.

2

Jack foi visto fugindo do mosteiro no dia da festa da colheita. Não era uma transgressão grave, por si só, mas ele já fora apanhado diversas vezes antes, e o fato de ter saído para falar com uma mulher que não era casada tornava a coisa mais séria. Sua transgressão foi discutida no cabido no dia seguinte e ele recebeu ordem para ficar confinado. Isso significava que estava restrito aos edifícios monásticos, o claustro e a cripta, e que cada vez que fosse de um prédio para outro teria que ser acompanhado.

Ele mal se deu conta da restrição. Ficara tão devastado com a notícia dada por Aliena que nada mais fazia muita diferença. Sua impressão era de que, se houvesse sido açoitado em vez de apenas confinado, teria sido igualmente indiferente.

Não havia qualquer dúvida quanto ao seu trabalho na catedral, claro; porém, grande parte do prazer desaparecera desde que Alfred se tornara o encarregado. Agora passava as tardes livres lendo. Seu latim melhorara a passos largos e já era capaz de ler qualquer coisa, mesmo que lentamente; e como se esperava que lesse para aperfeiçoar seu latim, e não para qualquer outro propósito, lhe era permitido pegar qualquer livro que quisesse. Embora a biblioteca fosse pequena, tinha diversas obras de filosofia e matemática, nas quais mergulhou com entusiasmo.

Muito do que leu era desapontador. Havia páginas de genealogias, narrativas repetitivas de milagres realizados por santos mortos há muito tempo e interminável especulação teológica. O primeiro livro que realmente prendeu a atenção de Jack contava toda a história do mundo desde a Criação até a fundação do priorado de Kingsbridge, e depois que o leu achou que sabia tudo o que já acontecera. Percebeu, após algum tempo, que a pretensão do livro de contar *todos* os acontecimentos era implausível, pois, afinal de contas, as coisas estavam acontecendo em toda parte o tempo todo, não apenas em Kingsbridge e na Inglaterra, como também na Normandia, Anjou, Paris, Roma, Etiópia e Jerusalém, de modo que o autor devia ter deixado um bocado de coisas fora. De qualquer modo, o livro deu a Jack uma sensação que nunca tivera, de que o passado era como uma história, na qual uma coisa levava a outra, e que o mundo não era um mistério infinito, mas sim uma coisa finita que podia ser compreendida.

Mais intrigantes ainda eram os quebra-cabeças. Um filósofo perguntava por que um homem fraco era capaz de deslocar uma pedra pesada com uma alavanca. Aquilo nunca parecera estranho a Jack antes, mas agora a questão o atormentava. Passara diversas semanas na pedreira numa ocasião e se lembrava de que quando uma pedra não podia ser deslocada com uma alavanca de um pé de comprimento, a solução geralmente era usar uma de dois. Por que motivos o mesmo homem incapaz de deslocar a pedra com uma alavanca mais curta podia fazê-lo com outra mais comprida? Essa questão levava a outras. Os operários da obra na catedral usavam uma imensa roda para içar pedras grandes e vigas até o teto. O peso na extremidade da corda era demasiado para um homem erguer com as mãos, mas o mesmo homem podia girar a roda que enrolava a corda, içando a carga. Como isso era possível?

Tais especulações o distraíam por algum tempo, mas seus pensamentos voltavam sempre para Aliena. Às vezes estava no claustro, de pé defronte da estante onde havia um livro volumoso, e se lembrava daquela manhã no velho moinho quando a beijara. Podia recordar cada instante daquele beijo, desde o toque macio dos lábios até a arrebatadora sensação da língua da jovem na boca. O corpo de Jack comprimira o de Aliena das coxas aos ombros, de modo que podia sentir os contornos dos seus seios e quadris. A lembrança era tão intensa que era como experimentar tudo aquilo de novo.

Por que Aliena mudara? Ele acreditava que o beijo fosse verdadeiro e sua subsequente frieza, falsa. Achava que a conhecia. Era amorosa, sensual, romântica, imaginativa e ardente. Também era inconsiderada e autoritária, e aprendera a ser dura; mas não era fria, cruel ou sem coração. Não combinava com o seu caráter se casar por dinheiro com um homem a quem não amava. Seria infeliz, se arrependeria, adoeceria de tanto sofrimento; ele sabia disso e, no seu coração, ela também.

Um dia, quando estava na sala de escrita, um criado do priorado que varria o chão parou para descansar, apoiou-se na vassoura e disse:

– Grande festa na sua família.

Jack estava estudando um mapa do mundo desenhado numa grande folha de papel velino. Ergueu a cabeça. Quem falara era um velho torto, fraco demais para serviços pesados. Provavelmente confundira Jack com alguém.

– O que é, Joseph?

– Você não sabia? Seu irmão vai se casar.

– Não tenho irmãos – disse Jack automaticamente, mas seu coração congelou-se.

– O filho do seu falecido padrasto, então – disse Joseph.

– Não, eu não sabia. – Jack teve que fazer a pergunta. Cerrou os dentes: – Com quem ele vai se casar?

– Com aquela tal de Aliena.

Então ela estava determinada a ir até o fim. Jack entretivera uma secreta esperança de que fosse mudar de ideia. Desviou o rosto para que Joseph não pudesse ver seu desespero.

– Ora, ora – disse, tentando fazer com que sua voz não traduzisse nenhuma emoção.

– Isso mesmo, com aquela que era arrogante até perder tudo no incêndio.

– Você disse... você disse que será quando?

– Amanhã. Eles vão se casar na nova igreja da paróquia que Alfred construiu. No dia seguinte!

Aliena ia se casar com Alfred no dia seguinte. Até então não acreditara realmente que fosse acontecer. A realidade explodiu em cima dele como um raio. Aliena ia se casar no dia seguinte. A vida de Jack ia terminar no mesmo dia.

Olhou para o mapa em cima da estante. O que interessava se o centro do mundo fosse em Jerusalém ou Wallingford? Seria mais feliz se soubesse como as alavancas funcionavam? Dissera a Aliena que seria melhor que ela saltasse do clerestório do que se casasse com Alfred. Deveria ter dito era que ele, Jack, é que podia muito bem pular lá de cima.

Desprezava o priorado. Ser monge era uma coisa estúpida. Se não pudesse trabalhar na catedral e Aliena se casasse com outro, não teria mais motivo para viver.

O que tornava tudo pior era saber que Aliena sofreria horrivelmente se desposasse Alfred. Havia algumas garotas que podiam se sentir contentes casadas com ele: Edith, por exemplo, aquela que rira quando Jack lhe falara como gostava de trabalhar cinzelando pedra. Edith não esperaria muito de Alfred, e ficaria satisfeita de lisonjeá-lo e obedecer-lhe desde que ele continuasse próspero e gostasse dos seus filhos. Mas Aliena odiaria cada minuto. Detestaria a grossura física, o desprezaria pelo seu jeito agressivo, ficaria enojada com sua perversidade e consideraria irritante sua lentidão de raciocínio. O casamento com Alfred seria o inferno para ela.

Por que Aliena não era capaz de ver isso? Jack não conseguia entender. O que estava se passando na sua cabeça? Certamente que *qualquer coisa* seria melhor do que se casar com um homem a quem não amava. Causara sensação recusando-se a desposar William Hamleigh sete anos antes, e no entanto agora aceitava, passiva, uma proposta de uma pessoa igualmente inadequada. O que estaria pensando?

Jack tinha que saber.

Precisava falar com ela, e ao inferno com o mosteiro.

Enrolou o mapa, recolocou-o no armário e foi até a porta. Joseph ainda estava apoiado na vassoura.

– Está saindo? – perguntou ele. – Pensei que tivesse que ficar aqui até que o encarregado da disciplina viesse buscá-lo.

– Ele que vá à merda – disse Jack, e saiu.

Quando saiu na calçada leste do claustro, atraiu a atenção do prior Philip, que vinha do canteiro da obra, ao norte. Virou-se rapidamente, mas Philip gritou:

– Jack! O que está fazendo? Você deveria estar confinado!

Jack não tinha paciência para a disciplina monástica naquela hora. Ignorou Philip e seguiu no rumo contrário, na direção da passagem entre a calçada sul e as casas pequenas em torno do novo cais. Mas não era seu dia de sorte. Naquele momento, o irmão Pierre, que era o encarregado da disciplina, veio andando pela passagem, seguido por seus dois assistentes. Viram Jack e ficaram imóveis. Uma expressão de atônita indignação espalhou-se pelo rosto redondo de Pierre.

— Detenha esse noviço, irmão! — gritou Philip.

Pierre ergueu uma das mãos para segurar Jack. Este o empurrou de lado. O encarregado da disciplina ficou vermelho e agarrou o braço do rapaz que conseguiu libertar-se e lhe deu um soco no nariz. O monge gritou, mais de ultraje que de dor. Então seus dois assistentes pularam em cima do noviço.

Jack lutou como um louco, e quase conseguiu escapar, mas, quando Pierre se recuperou do soco no nariz e se juntou a eles, os três conseguiram derrubá-lo e conservá-lo deitado. Ele continuou a lutar, furioso por ver que aquela bobagem monástica o estava impedindo de algo realmente importante, ou seja, falar com Aliena. Repetiu inúmeras vezes:

— Soltem-me, seus idiotas!

Os dois assistentes se sentaram em cima dele. Pierre levantou-se, esfregando o sangue do nariz na manga do hábito. Philip apareceu ao seu lado.

A despeito da própria raiva, Jack viu que Philip também estava furioso, mais furioso do que jamais o vira.

— Não vou tolerar esse comportamento em ninguém — disse ele, numa voz dura como ferro. — Você é um noviço e *vai me obedecer*. Ele se virou para Pierre. — Ponha-o na sala de obediência.

— Não! — gritou Jack. — Você não pode!

— Certamente que posso — disse Philip, indignado.

A sala de obediência era uma cela pequena e sem janela na cripta sob o dormitório, na extremidade sul, perto das latrinas. Era usada principalmente para deter transgressores da lei aguardando julgamento na corte do prior, ou transferência para a prisão do xerife em Shiring; porém, prestava serviços ocasionais como cela de punição para monges que tivessem cometido sérias transgressões disciplinares, como, por exemplo, atos impuros com criados do priorado.

Não era o confinamento solitário que assustava Jack, e sim o fato de não poder sair para ver Aliena.

— Você não compreende! — gritou com Philip. — Tenho que falar com Aliena!

Era a pior coisa que poderia ter dito. Philip ficou ainda mais furioso.

— Foi por falar com ela que você foi confinado! — disse irritado.

— Mas preciso falar com ela!

— A única coisa que você precisa é aprender a temer a Deus e obedecer a seus superiores.

— Você não é meu superior, seu imbecil! Você não é nada para mim! Soltem-me, seus malditos!

— Levem-no daqui — disse Philip, inflexível.

Uma pequena multidão tinha se reunido àquela altura, e diversos monges ergueram Jack pelos braços e pernas. Agitou-se como um peixe apanhado num anzol, mas eles eram em grande número. Não podia acreditar que aquilo lhe estivesse acontecendo. Carregaram-no; ele deu pontapés e bracejou até a porta da sala de obediência. Alguém a abriu. Ouviu a voz do irmão Pierre, vingativa:

— Joguem-no lá dentro!

Eles balançaram Jack uma vez para fora e depois o soltaram no ar. Caiu de qualquer maneira, no chão de pedra. Levantou-se, com a ajuda das mãos, insensível a seus ferimentos, e correu, mas a porta foi trancada no momento exato em que bateu nela, e no instante seguinte a pesada barra de ferro foi ruidosamente passada do outro lado e a chave girou na fechadura.

Jack socou a porta com toda a sua força.

— Deixem-me sair! — berrou, histérico. — Tenho que impedi-la de se casar com ele! Soltem-me! — Contudo não havia nenhum barulho do lado de fora. Continuou gritando, mas suas exigências se transformaram em súplicas, e sua voz tornou-se um gemido e depois um murmúrio, e ele derramou muitas lágrimas de raiva frustrada.

Por fim seus olhos secaram e Jack não pôde chorar mais.

Afastou-se da porta. A cela não era escura como breu: passava um pouco de luz por baixo da porta e era possível ter uma ideia de onde se encontrava. Deu uma volta acompanhando as paredes, sentindo-as com as mãos. Pelo padrão das marcas de cinzel nas pedras soube que a cela fora construída muito tempo antes. Era um cômodo praticamente desprovido de características especiais. Parecia ser um quadrado com cerca de seis pés de lado, uma coluna num canto e teto de arco: evidentemente fora parte de um cômodo maior, emparedado para ser usado como prisão. Em uma parede havia o que fora a abertura para uma seteira, mas estava compactamente tapada, e mesmo que não estivesse, teria sido pequena demais para permitir a passagem de uma pessoa. O chão de pedra era úmido. Jack percebeu um barulho constante e se deu conta de que o canal que atravessava o priorado do lago do moinho para as latrinas devia passar por baixo da cela. Isso explicaria por que o chão era de pedra em vez de terra batida.

Sentiu-se exausto. Sentou-se no chão, com as costas na parede e o olhar fixo na fresta de luz sob a porta, torturante lembrete de onde desejava estar. Como se metera naquela confusão? Nunca acreditara no mosteiro, nunca tencionara dedicar sua vida a Deus — nunca acreditara realmente em Deus. Tornara-se um noviço como solução de um problema imediato, um recurso para permanecer em Kingsbridge, perto do que amava. Tinha pensado: Sempre poderei ir embora quando quiser. Mas agora que queria mesmo ir, mais do que qualquer outra coisa que jamais imaginara, não podia: era prisioneiro. Vou estrangular o prior Philip assim que sair daqui, pensou, nem que seja enforcado depois.

Aquilo fez com que ele começasse a pensar quando seria libertado. Ouviu o sino anunciando a ceia. Certamente tencionavam deixá-lo ali a noite inteira. Talvez estivessem discutindo seu caso naquele exato momento. Os piores monges diriam que precisava ficar preso por uma semana – ele podia ver Remigius e Pierre defendendo uma disciplina férrea. Outros, que gostavam dele, poderiam dizer que uma noite era punição suficiente. E o que Philip diria? Ele gostava de Jack, mas estava terrivelmente furioso, sobretudo depois que Jack dissera: *Você não é meu superior, seu imbecil! Você não é nada para mim!* O prior se sentiria tentado a deixar o pessoal da linha dura sair ganhando daquela vez. A única esperança era de que quisessem botar Jack para fora do mosteiro imediatamente, o que para eles seria uma sentença mais severa. Desse modo conseguiria falar com ela antes do casamento. Mas Philip seria contrário, Jack não tinha dúvida. Veria sua expulsão como uma admissão de derrota.

A luz sob a porta estava ficando mais fraca. Escurecia lá fora. Jack perguntou-se como os prisioneiros deviam satisfazer suas necessidades. Não havia um vasilhame na cela. Não era característico dos monges passar por cima de um detalhe como esse: eles acreditavam em limpeza, mesmo para os pecadores. Examinou o chão de novo, polegada por polegada, e encontrou um buraco pequeno perto de um dos cantos. O barulho da água era mais alto ali, e ele presumiu que fosse dar no canal subterrâneo. Aquilo era, presumivelmente, sua latrina.

Pouco depois dessa descoberta, o postigo se abriu. Jack pôs-se de pé num pulo. Uma tigela e um pedaço de pão foram postos no peitoril. Jack não pôde ver o rosto do homem que os colocou ali.

– Quem é? – perguntou.

– Não tenho permissão para conversar com você – disse o homem, numa voz monótona. Mesmo assim, Jack o reconheceu: era um velho monge chamado Luke.

– Luke, eles disseram por quanto tempo eu vou ficar aqui?

Ele repetiu a fórmula:

– Não tenho permissão para conversar com você.

– Por favor, Luke, diga-me se você sabe! – implorou Jack, sem se importar com quão patético pudesse parecer.

– Pierre disse uma semana – respondeu o monge num sussurro –, mas Philip decidiu dois dias. – O postigo foi fechado com um estrondo.

– Dois dias! – disse Jack desesperadamente. – Mas ela estará casada em dois dias!

Não houve resposta.

Jack pemaneceu imóvel, olhando para o nada. A luz que entrara pela pequena abertura fora forte, em comparação com a escuridão quase total do interior da cela, e não pôde ver por uns momentos, até que sua vista se readaptou à obscuridade; então seus olhos se encheram com novas lágrimas, e ele ficou cego de novo.

Deitou-se no chão. Não havia mais nada a ser feito. Estava trancado ali até segunda-feira, e na segunda-feira Aliena já seria mulher de Alfred, acordando na cama de Alfred, com o sêmen de Alfred dentro dela. A ideia o deixou nauseado.

Em breve ficou escuro como breu. Com dificuldade, Jack deslocou-se até o peitoril e tomou o conteúdo da tigela. Era água pura. Pegou um pedacinho de pão e pôs na boca, mas não estava com fome e mal pôde engolir. Bebeu o resto da água e deitou de novo.

Não dormiu, mas caiu numa espécie de sonolência, quase que um transe, em que reviveu, como num sonho ou visão, as tardes de domingo que passara com Aliena no verão anterior, quando lhe contara a história do escudeiro que amava a princesa e que viajara ao Oriente em busca da videira que dava pedras preciosas.

O sino da meia-noite o despertou. Estava acostumado ao horário monástico, e se sentia bem desperto à meia-noite, embora com frequência precisasse dormir de tarde, especialmente se tivesse comido carne. Os monges deveriam estar se levantando da cama e formando filas para a procissão do dormitório à igreja. A posição deles era imediatamente acima da de Jack, mas não era possível ouvir nada: a cela era à prova de som. Pareceu-lhe que foi logo depois, quando o sino soou de novo para as laudes, ou seja, uma hora após a meia-noite. O tempo estava passando depressa, depressa demais, pois no dia seguinte Aliena estaria casada.

Nas primeiras horas da madrugada, a despeito do seu sofrimento, ele adormeceu.

Acordou com um sobressalto. Havia alguém na cela com ele.

Ficou aterrorizado.

A cela estava escura como breu. O barulho da água parecia mais alto.

– Quem é? – perguntou, com a voz trêmula.

– Sou eu. Não tenha medo.

– Mãe! – Ele quase desmaiou, aliviado. – Como soube que eu estava aqui?

– O velho Joseph foi me contar o que tinha acontecido – respondeu ela, num tom de voz normal.

– Fale baixo! Os monges poderão ouvir você!

– Não, não ouvem. Pode-se cantar e berrar aqui dentro sem ser ouvido lá fora. Eu sei, já fiz isso.

A cabeça dele estava tão cheia de perguntas que nem sabia o que perguntar primeiro.

– Como foi que entrou aqui? A porta está aberta? – Ele se adiantou na direção da mãe, com os braços estendidos. – Oh, você está molhada!

– O canal passa aqui embaixo. Há uma pedra solta no chão.

– Como sabia?

– Seu pai passou dez meses nesta cela – respondeu Ellen, e na sua voz havia a amargura do tempo.

— Meu pai? *Esta cela?* Dez meses?
— Foi quando me ensinou todas aquelas histórias.
— Mas por que ele estava aqui?
— Nunca descobrimos — disse ela, ressentida. — Ele foi sequestrado, ou preso — nunca descobrimos qual dos dois — na Normandia, e trazido para cá. Não falava inglês ou latim e não tinha ideia de onde se encontrava. Trabalhou nos estábulos mais ou menos por um ano; foi como o conheci. — A voz dela suavizou-se, nostálgica. — Amei-o desde o momento em que pus os olhos nele. Era delicado, e parecia tão assustado e infeliz, e mesmo assim cantava como um passarinho. Ninguém lhe falava há meses. Ficou tão satisfeito quando lhe dirigi umas poucas palavras em francês que acho que se apaixonou por mim só por isso. — A raiva endureceu de novo a voz de Ellen. — Após algum tempo o puseram nesta cela. Foi quando descobri como entrar aqui.

Ocorreu a Jack que deveria ter sido concebido ali mesmo, naquele chão de pedra fria. A ideia o deixou envergonhado, e ficou contente por estar escuro demais para que ele e a mãe se vissem.

— Mas meu pai deve ter feito algo para ser preso desse jeito.
— Ele não fazia a menor ideia do motivo. E no fim inventaram um crime. Alguém lhe deu uma taça cravejada de pedras e lhe disse para ir embora. A poucas milhas daqui ele foi preso e acusado de ter furtado a taça. Enforcaram-no por isso. — Ela estava chorando.
— Quem fez tudo isso?
— O xerife de Shiring, o prior de Kingsbridge... não interessa *quem*.
— E a família de meu pai? Ele deve ter tido pais, irmãos e irmãs...
— Sim, ele tinha uma família grande, na França.
— Por que não fugiu e voltou para lá?
— Ele tentou uma vez, mas o pegaram e trouxeram de volta. Foi quando o puseram nesta cela. Podia ter tentado de novo, claro, uma vez que tínhamos descoberto como sair daqui. Mas seu pai não sabia o caminho de volta para a França, não conhecia uma palavra de inglês e não tinha uma única moeda. Suas chances eram mínimas. Deveria ter tentado de qualquer modo, sabemos agora; mas naquele tempo nunca imaginamos que fossem enforcá-lo.

Jack a envolveu com os braços, para confortá-la. Ellen estava encharcada e tremendo. Precisava sair dali e se secar. Jack percebeu, com um choque, que se ela pudera entrar, ele poderia sair. Por alguns momentos quase se esquecera de Aliena, enquanto sua mãe falava a respeito de seu pai; mas agora se dava conta de que seu desejo fora atendido: poderia falar com Aliena antes do casamento.

— Mostre-me a saída — disse abruptamente.
Ellen fungou e engoliu as lágrimas.

— Segure meu braço.

Os dois atravessaram a cela, e Jack sentiu que a mãe se abaixava.

— Basta deixar o corpo cair no canal — disse ela. — Respire fundo e mergulhe. Depois engatinhe contra a correnteza. Não siga no sentido da água, ou terminará na latrina dos monges. Vai se sentir quase sem fôlego quando estiver chegando, mas mantenha a calma e continue engatinhando que conseguirá. — Ela se abaixou mais ainda e desapareceu.

Jack encontrou o buraco e desceu. Seus pés encostaram na água quase que imediatamente. Quando pisou no fundo, os ombros ainda estavam na cela. Antes de se abaixar mais, recolocou a pedra no lugar, pensando com malícia que os monges ficariam desorientados quando encontrassem a cela vazia.

A água estava fria. Ele respirou fundo, abaixou-se e ficou sobre os joelhos e as mãos. Progrediu o mais rápido que pôde, na direção contrária à correnteza. À medida que avançava, ia imaginando os edifícios que estavam por cima dele. Primeiro a passagem, depois o refeitório, a cozinha e a padaria. Não era longe, mas pareceu levar uma eternidade. Tentou a superfície, mas bateu com a cabeça no teto do túnel. Entrou em pânico, mas se lembrou do que sua mãe dissera. Estava quase chegando. Poucos momentos depois viu luz à sua frente. O dia devia ter nascido enquanto conversavam na cela. Continuou até ficar sob a luz, quando se levantou e respirou fundo, aliviado. Depois de recuperar o fôlego, escalou a vala.

Sua mãe já trocara de roupa. Estava com um vestido limpo e seco e torcia o molhado. Trouxera roupas secas para ele também. Empilhadas cuidadosamente sobre a margem da vala, Jack viu roupas que não usava há um ano e meio: uma camisa de linho, uma túnica verde de lã, meias cinzentas e botas de couro. Sua mãe se virou de costas e Jack despiu o hábito monástico, tirou as sandálias e vestiu rapidamente as próprias roupas.

Jogou o hábito dentro da vala. Nunca mais o usaria de novo.

— O que fará agora? — quis saber Ellen.

— Vou procurar Aliena.

— Neste instante? É cedo.

— Não posso esperar.

Ela assentiu.

— Seja delicado. Ela está magoada.

Jack inclinou-se para beijá-la e, impulsivamente, abraçou-a.

— Você me tirou de uma prisão — disse, e deu uma risada. — Que mãe!

Ellen sorriu, mas seus olhos estavam úmidos.

Jack fez-lhe um último carinho e afastou-se.

Embora o dia já estivesse inteiramente claro, não havia ninguém no caminho, porque não se trabalhava no domingo e as pessoas aproveitavam a oportunidade para dormir após o nascer do sol. Jack não tinha certeza se deveria temer ser visto. Será que o prior Philip tinha o direito de perseguir um noviço fugitivo e forçá-lo a voltar para o mosteiro? Mesmo que tivesse esse direito, iria querer exercê-lo? Jack não saberia responder. De qualquer maneira, Philip era a lei em Kingsbridge e Jack o desafiara, de modo que era bem provável que houvesse um problema qualquer. Fosse como fosse, naquela hora ele não estava preocupado com outra coisa que não os próximos minutos.

Chegou à casa de Aliena. Ocorreu-lhe que Richard poderia estar. Esperava que não. Mas se estivesse, não havia nada que pudesse fazer. Subiu até a porta e bateu delicadamente.

Inclinou a cabeça e prestou atenção. Ninguém se mexeu dentro da casa. Bateu de novo, com mais força, e dessa vez foi recompensado com o barulho da palha, provocado por alguém se mexendo.

– Aliena! – sussurrou, o mais alto que pôde.

Ouviu-a aproximando-se. E uma voz assustada:

– Sim?

– Abra a porta!

– Quem é?

– Eu, Jack.

– Jack!

Houve uma pausa. Jack esperou.

Aliena fechou os olhos, em desespero, e curvou-se para a frente apoiando-se na porta, com a testa na madeira áspera. Não, Jack, pensou; hoje não, agora não.

A voz dele fez-se ouvir de novo, num sussurro baixo, nervoso, intenso.

– Aliena, por favor, abra a porta, depressa! Se me pegarem vão me prender na cela de novo!

Ela soubera da sua prisão – toda a cidade soubera. Obviamente ele fugira. E viera direto procurá-la. Seu coração acelerou. Não podia mandá-lo embora.

Ergueu a tranca e abriu a porta.

O cabelo cenoura de Jack estava encharcado de água, como se tivesse acabado de tomar banho. Usava roupas comuns, não o hábito de monge. Sorriu para ela, como se vê-la fosse a melhor coisa que já tivesse lhe acontecido na vida. Depois ficou sério.

– Você andou chorando – disse ele.

– Por que veio aqui? – perguntou Aliena.

– Eu tinha que vê-la.

– Vou me casar hoje.

– Eu sei. Posso entrar?

Seria errado deixá-lo entrar, ela sabia; mas ocorreu-lhe então que no dia seguinte já seria mulher de Alfred, de modo que aquela podia ser a última vez em que pudesse conversar com Jack a sós. Pensou: Não me importo se for errado. Abriu mais a porta. O rapaz entrou, e ela passou a tranca de novo.

Os dois se encararam. Agora Aliena se sentiu envergonhada. Ele a fitou com um desejo desesperado, do jeito como um homem morrendo de sede olha para uma cascata.

– Não me olhe assim – disse, e se afastou.
– Não se case com ele – disse Jack.
– Tenho que me casar.
– Você vai sofrer muito.
– Já sofro agora.
– Olhe para mim, por favor.

Ela virou o rosto para ele e ergueu os olhos.

– Por favor, diga-me por que está fazendo isso – pediu Jack.
– Por que devo lhe dizer?
– Por causa do modo como me beijou no moinho velho.

Ela baixou o olhar e sentiu que corava violentamente. Traíra-se naquele dia e sentia vergonha de si própria desde então. Agora ele usava aquilo contra ela. Nada disse. Não tinha defesa.

– Depois daquilo, você ficou fria.

Ela manteve os olhos baixos.

– Nós éramos tão amigos! – prosseguiu ele impiedosamente. Aquele verão inteiro, na sua clareira, perto da queda-d'água... minhas histórias... Éramos tão felizes! Eu a beijei uma vez, lembra?

Ela se lembrava, claro, embora sempre fizesse de conta que não tinha acontecido. A lembrança comoveu seu coração, e ela o fitou com os olhos marejados de lágrimas.

– Então dei um jeito para o moinho pisoar seu pano – disse ele. – Fiquei tão satisfeito em poder ajudá-la no seu negócio! Você ficou entusiasmada quando viu aquilo. E nos beijamos de novo, mas não foi um beijinho, como o primeiro. Dessa vez foi um... beijo apaixonado. – Oh, meu Deus, foi apaixonado sim, pensou ela, e corou de novo, começando a respirar depressa; quis que ele parasse, mas ele continuou: – Nós nos abraçamos com força. Nós nos beijamos por longo tempo. Você abriu a boca...

– Pare! – exclamou Aliena.

– Por quê? – indagou ele brutalmente. – O que há de errado nisso? Por que ficou fria?

– Porque estou apavorada! – disse ela sem pensar e rompeu a chorar. Enfiou o rosto nas mãos, e soluçou. Um momento depois sentiu as mãos dele nos ombros encolhidos. Não fez nada, e logo Jack a tomou delicadamente nos braços. Aliena tirou as mãos do rosto e chorou na túnica verde dele.

Após algum tempo passou os braços pela cintura de Jack.

Ele encostou o rosto no seu cabelo — feio, curto, sem forma, ainda não recuperado do incêndio — e a afagou como se fosse um bebê. Ela gostaria de ficar assim para sempre. Mas Jack se afastou, para poder olhar para ela, e perguntou:

— O que a deixa tão amedrontada?

Ela sabia, mas não podia dizer. Sacudiu a cabeça e recuou um passo; ele segurou-lhe os pulsos, conservando-a junto de si.

— Escute, Aliena — disse Jack. — Quero que saiba como isto tem sido terrível para mim. Primeiro você parecia me amar, depois me odiar, e agora vai se casar com o filho do meu padrasto. Não compreendo. Não sei nada a respeito dessas coisas. Nunca estive apaixonado antes. Só sei que machuca demais. Não sei quais são as palavras para descrever como tudo isto é ruim. Não acha que devia pelo menos tentar me explicar por que tenho que sofrer tanto?

Ela se sentiu cheia de remorsos. Pensar que o magoara tão profundamente quando o amava tanto! Envergonhou-se de como o tratara. Ele nada lhe tinha feito senão coisas boas, e ela arruinara sua vida. Tinha direito a uma explicação. Procurou se fortalecer.

— Jack, aconteceu uma coisa comigo muito tempo atrás, uma coisa verdadeiramente horrível, algo que me fez esquecer de mim mesma por muitos anos. Nunca mais quis pensar nisso, mas quando você me beijou daquele jeito tudo voltou à minha cabeça e não consegui suportar.

— O que aconteceu? Que coisa foi essa?

— Depois que meu pai foi aprisionado, ficamos morando no castelo, Richard, eu e um criado chamado Matthew; e uma noite William Hamleigh apareceu e nos expulsou de lá.

Jack semicerrou os olhos.

— E aí?

— Mataram o pobre Matthew.

Ele sabia que Aliena não estava lhe contando toda a verdade.

— Por quê?

— O que você quer saber?

— Por que mataram o seu criado?

— Porque ele tentou detê-los. — As lágrimas corriam pelo seu rosto, e um nó constrangia sua garganta sempre que tentava falar, como se as palavras a sufocassem. Sacudiu a cabeça, impotente, e tentou se virar, mas Jack não a soltou.

— Ele queria impedi-los de fazer o quê? — perguntou ele, numa voz delicada como um beijo.

De repente ela soube que podia lhe contar e saiu tudo de uma vez. – Eles me forçaram – disse. – O criado de William me prendeu no chão e William montou em cima de mim, mesmo assim não deixei, e então eles cortaram um pedaço da orelha de Richard e disseram que cortariam mais. – Ela soluçou, extraordinariamente aliviada por ser afinal capaz de contar aquilo. Fitou Jack nos olhos e disse:

– Aí abri as pernas e William fez aquilo comigo, enquanto o criado dele forçava Richard a olhar.

– Sinto muito – murmurou Jack. – Eu tinha ouvido boatos, mas nunca pensei... Querida Aliena, como eles foram capazes?

Era preciso lhe contar tudo.

– Depois que William acabou, foi a vez do criado.

Jack fechou os olhos. Seu rosto estava branco e tenso. Aliena continuou.

– Veja então: quando você e eu nos beijamos, quis fazer aquilo com você, e isso me fez pensar em William e no seu criado; e me senti horrível, e assustada, e fugi correndo. Essa foi a razão pela qual fui tão má com você, e o fiz sofrer. Desculpe-me.

– Eu a perdoo – sussurrou ele. Puxou-a para junto de si, e Aliena deixou mais uma vez que a abraçasse. Era tão reconfortante!

Sentiu que ele estremecia.

– Eu o deixo enojado? – perguntou, ansiosa.

Jack fitou-a.

– Eu a adoro – disse. Ele inclinou a cabeça e beijou sua boca.

Ela gelou. Não era aquilo que queria. Ele afastou-se um pouco e a beijou de novo. O contato com seus lábios era muito suave. Sentindo-se agradecida e amiga dele, contraiu os lábios, só um pouquinho, depois relaxou de novo, num débil eco do seu beijo. Encorajado, Jack moveu os lábios de encontro aos dela mais uma vez. Aliena podia sentir seu hálito quente no rosto. Ele abriu a boca, uma coisa mínima. Ela recuou rapidamente.

Jack pareceu magoado.

– É assim tão ruim?

Na verdade, Aliena não estava mais assustada que da outra vez. Contara-lhe a horrível verdade a seu respeito e ele não se afastara enojado; na verdade, mostrava-se tão terno e gentil como sempre. Inclinou a cabeça e ele a beijou de novo. Aquilo não era assustador. Não havia nada ameaçador, nada violentamente incontrolável, nem força, ódio ou dominação; apenas o contrário. Aquele beijo era um prazer compartilhado.

Os lábios dele se abriram e ela sentiu a ponta da sua língua. Ficou tensa. Ele insistiu e fez com que Aliena abrisse a boca. Ela relaxou de novo. Ele sugou delicadamente seu lábio inferior. Ela se sentiu um pouco tonta.

– Você faria o que fez da última vez? – perguntou ele.

– O que fiz?

– Eu lhe mostrarei. Abra a boca, só um pouquinho.

Fez o que Jack pediu, e sentiu de novo a língua dele roçando-lhe os lábios, passando por entre os dentes e explorando-lhe a boca até encontrar sua língua. Afastou-se.

– É isso – disse ele. – Foi o que você fez.

– Fiz mesmo? – Ela estava chocada.

– Fez. – Ele sorriu e, de repente, assumiu um ar solene. – Se fizesse de novo, compensaria todo o meu sofrimento dos últimos nove meses.

Aliena inclinou a cabeça de novo e fechou os olhos. Após um momento sentiu sua boca na dela. Abriu os lábios, hesitou, depois nervosamente enfiou a língua na boca dele. Ao fazê-lo se lembrou da outra vez, no moinho velho, e a mesma sensação de êxtase a assaltou. Invadiu-a uma imensa necessidade de segurá-lo, acariciar-lhe a pele e o cabelo, sentir-lhe os músculos e os ossos, estar dentro dele e tê-lo dentro de si. Sua língua encontrou a de Jack, e em vez de experimentar vergonha ou uma leve repugnância, sentiu-se excitada por estar fazendo uma coisa tão íntima.

Os dois agora estavam respirando com dificuldade. Jack segurou-lhe a cabeça com ambas as mãos. Aliena acariciou-lhe os braços, as costas e por fim os quadris, sentindo-lhe os músculos tensos. O coração dela batia com força. Por fim interrompeu o beijo, sem fôlego.

Aliena o fitou. Jack estava vermelho e ofegante, e seu rosto brilhava de desejo. Após um momento ele se inclinou para a frente de novo, mas em vez de beijar-lhe a boca, ergueu-lhe o queixo e beijou a pele delicada do pescoço. Aliena ouviu seu próprio gemido de prazer. Jack abaixou mais a cabeça e roçou os lábios sobre os seus seios. Os mamilos, sob o tecido áspero da camisa de dormir, tinham aumentado de volume e estavam insuportavelmente sensíveis. Os lábios de Jack fecharam-se sobre um deles. Ela sentiu o calor do seu hálito na pele.

– Devagarzinho – sussurrou, temerosa.

Ele beijou o bico do seu seio através da fazenda, e embora houvesse sido incrivelmente gentil, a sensação de prazer que a invadiu foi tão pungente como se a tivesse mordido.

Então Jack ajoelhou-se diante dela.

Ele comprimiu o rosto no seu colo. Até aquele momento, a sensação se concentrara nos seios, mas agora, de repente, sentiu a vibração passar para entre as pernas. Jack pegou a bainha da camisa e levantou-a até a cintura. Ela o observou, com medo da sua reação; sempre se sentira envergonhada por ser tão peluda. Mas ele não sentiu repugnância; na verdade, inclinou-se e beijou-a delicadamente, bem ali, como se fosse a coisa mais bonita do mundo.

Aliena deixou-se cair sobre os joelhos, na frente dele. Sua respiração agora era aos arrancos, como se tivesse corrido uma milha. Sua garganta estava seca, de tanto desejo. Pôs as mãos nos joelhos dele, depois escorregou uma delas por baixo da sua túnica. Nunca tocara no pênis de um homem. Era quente, seco e duro como um pedaço de ferro. Jack fechou os olhos e gemeu, quando ela explorou sua extensão com a ponta dos dedos. Aliena ergueu-lhe a túnica, abaixou-se e o beijou. Exatamente como ele a beijara, um delicado roçar de lábios. A glande estava crescida, com a pele esticada como um tambor e umedecida por um líquido qualquer.

Aliena viu-se dominada pelo súbito desejo de lhe mostrar os seios.

Endireitou o corpo. Ele abriu os olhos. Fitando-o, ela puxou depressa a camisola por cima da cabeça e a pôs de lado. Agora estava nua. Tinha uma aguda consciência de si mesma, mas era uma sensação boa, deliciosamente indecente. Jack olhou fascinado para os seus seios.

— São lindos — disse.

— Acha mesmo? Sempre pensei que fossem grandes demais.

— Grandes demais! — repetiu Jack, como se ela tivesse dito algo ultrajante. Adiantou-se e tocou no seu seio esquerdo com a mão direita. Acariciou-lhe a pele delicadamente, com a ponta dos dedos.

Ela baixou a cabeça, para acompanhar o que estava fazendo. Logo quis que ele fosse mais firme. Pegou ambas as mãos de Jack com as suas e comprimiu-as de encontro aos seios.

— Com mais força — pediu, a voz rouca. — Quero sentir mais você. As palavras de Aliena o inflamaram. Apertou-lhe os seios, depois pegou os mamilos e os beliscou de leve, o suficiente para doer um pouco. A sensação deixou-a maluca. Parou inteiramente de raciocinar e deixou-se dominar pela sensação do corpo dele e do seu próprio.

— Tire a roupa — disse. — Quero ver você.

Ele tirou a túnica e a camisa de baixo, as botas e as meias, e ajoelhou-se de novo em frente a ela. Seu cabelo cenoura ia secando em cachos indisciplinados. O corpo era esguio e branco, de ombros e ancas ossudas. Parecia rijo e ágil, jovem e sadio. O pênis era uma árvore levantando-se em meio à floresta ruiva de pelos. De repente ela quis beijar-lhe o peito. Inclinou-se e roçou os lábios nos seus mamilos chatos de homem. Eles se contraíram, exatamente como os dela. Aliena sugou-os com delicadeza, querendo que ele tivesse o mesmo prazer que lhe dera. Jack acariciou-lhe o cabelo.

Aliena o desejou dentro dela, rapidamente.

Dava para ver que ele não estava certo sobre o que fazer a seguir.

— Jack — perguntou —, você é virgem?

Ele fez que sim, sentindo-se meio bobo.

– Que bom! – disse ela ardorosamente. – Fico tão feliz!

Pegou a mão de Jack e a pôs entre suas pernas. Estava sensível e um pouco inchada, e o contato da mão dele foi um choque.

– Toque-me – disse. Ele mexeu os dedos, explorando. – Toque-me lá dentro. – Hesitantemente, Jack enfiou um dedo dentro dela. Estava molhada de desejo. – Aí – aprovou Aliena, com um suspiro de satisfação –, é aí que ele tem que entrar. – Largou a mão dele e deitou-se para trás, na palha.

Jack deitou-se sobre Aliena e, apoiando-se num dos cotovelos, beijou-lhe a boca. Ela sentiu que ele a penetrava um pouco e parava.

– O que há? – perguntou.

– Parece muito pequena. Estou com medo de machucar você.

– Meta com força – disse ela. – Eu o quero tanto que não me importo se doer.

Sentiu Jack arremeter. Doeu mais do que antecipara, mas apenas por um momento, e logo se sentiu maravilhosamente completada. Ele recuou e avançou um pouco. Ela sorriu.

– Nunca pensei que fosse tão bom – suspirou, sonhadora. Fechou os olhos, como se não aguentasse tanta felicidade.

Jack começou a arremeter ritmadamente. As estocadas constantes impuseram um ritmo de prazer em algum lugar dentro dela. Aliena ouviu-se dando gritinhos de satisfação cada vez que seus corpos se aproximavam. Ele abaixou-se, para que seu peito pudesse encontrar os seios dela, fazendo-a sentir seu hálito quente. Aliena cravou os dedos com força nas suas costas. Seus arquejos transformaram-se em gritos. De repente precisou beijá-lo. Beijou-lhe os lábios com força e enfiou a língua na sua boca, aumentando cada vez mais o ritmo. Ter o pênis de Jack dentro de si e a própria língua na boca dele foi uma coisa que a descontrolou, de tanto prazer. Sentiu um grande espasmo de gozo sacudi-la tão violentamente que foi como cair de um cavalo e bater no chão. Gritou bem alto. Abriu os olhos, disse seu nome, e outra onda a engolfou, e mais outra. Então sentiu o corpo dele se convulsionar. Jack gritou e Aliena sentiu um jato quente esguichando no seu íntimo, o que a inflamou mais ainda, a tal ponto que estremeceu de prazer tantas vezes que perdeu a conta, até que por fim a última sensação se desvaneceu e ela foi ficando gradualmente imóvel.

Estava cansada demais para falar ou se mexer, mas podia sentir o peso de Jack, os quadris ossudos sobre os seus, o peito chato esmagando-lhe os seios macios, a boca junto ao seu ouvido, os dedos entrelaçados no seu cabelo. Uma parte de sua cabeça pensou vagamente: Então é assim que deve ser entre homem e mulher; é por isso que todos fazem tanta confusão a esse respeito; e é esse o motivo pelo qual marido e mulher se amam tanto.

A respiração de Jack passou a ser leve e regular, e seu corpo relaxou até ficar completamente imóvel. Ele dormiu.

Aliena virou a cabeça e beijou-lhe o rosto. Jack não era muito pesado. Queria que ficasse ali para sempre, dormindo em cima dela.

Esse pensamento a fez lembrar.

Aquele era o dia do seu casamento.

Meu Deus, o que fiz?

Começou a chorar.

Após um momento, Jack acordou.

Beijou as lágrimas do seu rosto com uma ternura intolerável.

– Oh, Jack, quero me casar com você.

– Então será o que faremos – disse ele, numa voz de profunda satisfação.

Ele a entendera mal, o que piorou tudo mais ainda.

– Mas não podemos – disse ela, as lágrimas correndo mais depressa.

– Mas depois disso...

– Eu sei...

– Depois disso você tem que se casar comigo!

– Não podemos nos casar. Perdi todo o meu dinheiro e você não tem nada.

Ele se levantou, apoiado nos cotovelos.

– Tenho as minhas mãos! – exclamou, arrebatado. – Sou o melhor cinzelador em muitas milhas.

– Você foi mandado embora...

– Não faz diferença. Posso conseguir trabalho em qualquer canteiro de obra no mundo.

Ela sacudiu a cabeça angustiadamente.

– Não basta. Tenho que pensar em Richard.

– Por quê? – indagou ele, indignado. – O que isso tudo tem a ver com Richard? Ele é capaz de cuidar de si próprio.

De repente Jack pareceu meio infantil, e Aliena sentiu a diferença de idade que havia entre eles: Jack era cinco anos mais moço e ainda pensava que tinha o direito de ser feliz.

– Jurei para o meu pai, quando ele estava morrendo, que cuidaria de Richard até que ele se tornasse o conde de Shiring.

– Mas pode ser que isso não aconteça nunca!

– Mas um juramento é um juramento!

Jack ficou perplexo. Rolou de cima dela. Seu pênis mole escorregou para fora de Aliena, que experimentou uma dolorosa sensação de perda. Nunca mais o sentirei dentro de mim, pensou, angustiada.

– Você não pode estar falando sério – disse ele. – Um juramento são apenas palavras! Não é nada, comparado com *isto*! Isto é real, eu e você. – Jack olhou para os seus seios e acariciou o pelo crespo entre suas pernas. Foi tão pungente que Aliena sentiu o contato da mão dele como uma chicotada. Ele a viu estremecer e parou.

Por um momento Aliena esteve prestes a dizer: *Sim, está bem, vamos fugir agora,* e o teria feito se ele continuasse acariciando-a; mas a razão retornou, e ela disse:

— Vou me casar com Alfred.

— Não seja ridícula.

— É o único jeito.

Ele a encarou.

— Eu simplesmente não acredito em você.

— É verdade.

— Não posso desistir de você. Não posso, não posso. — A voz dele falhou e Jack sufocou um soluço.

Aliena tentou ponderar, argumentando tanto consigo quanto com ele:

— De que adianta quebrar um juramento que fiz a meu pai, para fazer outro a você no casamento? Se quebro o primeiro, o segundo nada vale.

— Não me interessa. Não quero seus juramentos. Só quero que estejamos juntos o tempo todo e que possamos fazer amor sempre que tivermos vontade.

Era uma visão do casamento típica de quem tinha dezoito anos, pensou Aliena, mas não disse nada. Teria aceitado aquela visão de bom grado, caso fosse livre.

— Não posso fazer o que quero — disse tristemente. — Não é o meu destino.

— O que você está fazendo é errado — disse ele. — É uma coisa *má*. Desistir da felicidade deste modo é como atirar joias no mar. É muito pior do que qualquer pecado.

Inesperadamente, veio à cabeça de Aliena a ideia de que sua mãe teria concordado com aquilo. Não estava certa sobre como ela própria se sentia.

— Eu não poderia ser feliz nunca, nem mesmo com você, se tivesse que viver sabendo ter quebrado uma promessa feita a meu pai.

— Você se importa mais com seu pai e com seu irmão do que comigo — disse Jack, levemente petulante pela primeira vez.

— Não...

— O que é então?

Ele estava apenas querendo discutir, mas ela considerou a pergunta seriamente.

— Suponho que o juramento que fiz a meu pai é mais importante para mim do que o amor que sinto por você.

— É mesmo? De verdade?

— Sim, é — respondeu ela, com o coração pesado. Suas palavras soaram como um sino fúnebre.

— Então não há mais nada a ser dito.

— Só que... só que sinto muito.

Ele se levantou. Virou as costas para ela e apanhou a camisa de baixo. Aliena contemplou seu rosto comprido e esbelto. Havia um bocado de pelos vermelho-dourados nas suas pernas. Ele vestiu a camisa e a túnica, depois calçou as meias e enfiou as botas. Tudo muito depressa.

— Você vai se sentir terrivelmente infeliz — disse Jack.

Tentava ser desagradável com ela, mas a tentativa foi um fracasso, pois Aliena detectou compaixão em sua voz.

— Sim, vou — disse. — Mas você pelo menos... pelo menos diria que me respeita pela decisão que tomei?

— Não — respondeu ele sem hesitar. — Não a respeito. Eu a desprezo pela sua decisão.

Ela permaneceu sentada, nua, olhando para ele, e começou a chorar.

— É melhor que eu vá embora — disse Jack, e sua voz falhou na última palavra.

— Sim, vá — soluçou ela.

Ele foi até a porta.

— Jack!

Ele se voltou.

— Deseja-me boa sorte, Jack?

Ele levantou a tranca.

— Boa... — parou, incapaz de falar. Olhou para o chão e para ela de novo. Dessa vez sua voz saiu num sussurro. — Boa sorte — disse.

Então saiu.

A casa que fora de Tom agora era de Ellen, mas também de Alfred, e naquela manhã estava cheia de gente preparando o banquete de casamento, organizado por Martha, a filha de treze anos de Tom, Com a mãe de Jack a tudo assistindo desconsoladamente. Alfred estava com uma toalha na mão, pronto a descer até o rio — as mulheres se banhavam uma vez por mês, e os homens, na Páscoa e no dia de são Miguel, mas era tradicional tomar banho também no dia do casamento. Todos ficaram em silêncio quando Jack entrou.

— O que você quer? — perguntou Alfred.

— Que você cancele o casamento — respondeu Jack.

— Dê o fora.

Jack percebeu que começara mal. Tinha que tentar não transformar aquilo numa provocação. O que propunha era também do interesse de Alfred, e tinha que tentar fazê-lo entender.

— Alfred, ela não o ama — disse Jack, o mais delicadamente que pôde.

— Você não sabe de nada, garoto.

— Sei, sim — insistiu ele. — Ela não o ama. Está se casando por causa de Richard. Ele é o único que ficará feliz com este casamento.

— Volte para o mosteiro — disse Alfred desdenhosamente. — A propósito, onde está seu hábito?

Jack respirou fundo. Nada havia a fazer senão lhe contar a verdade.

— Alfred. *Ela me ama.*

Esperava que Alfred fosse ficar enfurecido, mas, ao contrário, foi a sombra de um sorriso dissimulado que apareceu no seu rosto. Jack ficou perplexo. O que significava aquilo? Gradualmente, a explicação se fez clara na sua cabeça.

— Você já sabia! — exclamou, incrédulo. — Sabe que ela me ama e não se importa! Você a quer de qualquer maneira, não importa se o ame ou não. Só quer que seja sua.

O sorriso furtivo de Alfred tornou-se mais visível e malicioso, e Jack viu que tudo o que estava dizendo era verdade; entretanto havia algo mais, outra coisa qualquer a ser lida na expressão de Alfred. Uma suspeita inacreditável surgiu na cabeça de Jack.

— Por que você a quer? Será que só quer se casar com Aliena para tirá-la de mim? — A raiva aumentou o volume da sua voz. — Será que a está desposando por *despeito*? — Uma expressão ardilosa de triunfo espalhou-se na cara de parvo de Alfred, e mais uma vez Jack viu que tinha razão. Ficou desolado. A ideia de que o outro estivesse fazendo aquilo tudo, não devido a um compreensível desejo arrebatado por Aliena, mas de pura maldade, era intolerável. — Maldito seja, é melhor tratá-la bem! — gritou.

Alfred riu.

A suprema perversidade contida no objetivo de Alfred atingiu Jack com a força de um soco. Ele não ia tratá-la bem. Seria a vingança final dele contra Jack. Ia se casar com Aliena e fazê-la sofrer.

— Seu lixo! — disse Jack amargamente. — Seu lodo humano. Seu merda. Seu retardado, estúpido, feio, malvado, *asqueroso*.

Sua insolência finalmente atingiu Alfred, que deixou cair a toalha e avançou, com a mão cerrada. Jack estava preparado e adiantou-se, disposto a bater primeiro. Mas a mãe de Jack meteu-se entre os dois, e a despeito de ser menor que ambos, deteve-os com uma palavra.

— Alfred. Vá tomar seu banho.

O enteado acalmou-se rapidamente. Sabia que ganhara o dia sem ter que brigar com Jack, e seus pensamentos foram revelados por uma expressão de quem se sentia muito satisfeito consigo próprio. Deixou a casa.

— O que você vai fazer, Jack? — perguntou Ellen.

O rapaz descobriu que estava tremendo de raiva. Teve que respirar fundo diversas vezes para poder falar. Não podia cancelar o casamento, admitiu. Mas tampouco poderia assistir a ele.

– Tenho que deixar Kingsbridge.

Ele viu uma sombra de tristeza cruzar o seu rosto, mas ela assentiu.

– Eu receava que você fosse dizer isso. Mas acho que está com a razão.

Um sino começou a tocar no priorado.

– A qualquer momento vão descobrir que fugi.

Ela baixou a voz.

– Vá rapidamente, mas se esconda perto do rio, num lugar de onde possa ver a ponte. Vou levar umas coisas para você.

– Está bem. – Ele se virou.

Martha colocou-se entre ele e a porta com as lágrimas correndo pelo rosto. Ele a abraçou. Ela o apertou com força. Seu corpo de menina era chato e ossudo, como o de um garoto.

– Volte um dia – disse impetuosamente.

Ele a beijou uma vez, depressa, e saiu.

Havia muita gente na rua agora, apanhando água ou aproveitando a manhã amena de outono. A maior parte das pessoas sabia que ele entrara para o mosteiro como noviço – a cidade ainda era pequena o bastante para que todos soubessem da vida uns dos outros –, e seus trajes leigos atraíram olhares, embora ninguém chegasse a lhe perguntar nada. Desceu rapidamente a colina e atravessou a ponte, caminhando ao longo da margem do rio até encontrar uma moita de juncos. Agachou-se ali atrás e ficou olhando para a ponte, esperando a mãe.

Não tinha ideia de para onde estava indo. Talvez andasse em linha reta até chegar a uma cidade onde estivessem construindo uma catedral e parasse lá. Estava falando sério, quando dissera a Aliena que encontraria trabalho: sabia que era bastante bom para ser empregado em qualquer lugar. Mesmo que o canteiro de obras estivesse com o efetivo de operários completo, teria apenas que mostrar ao mestre construtor como sabia cinzelar e seria aproveitado. Mas não adiantava mais nada. Nunca mais amaria outra mulher depois de Aliena, e se sentia do mesmo modo em relação à Catedral de Kingsbridge. Queria trabalhar numa obra *ali*, e não em qualquer parte.

Talvez simplesmente entrasse na floresta, se deitasse e morresse. Pareceu-lhe uma boa ideia. A temperatura era agradável, as árvores estavam verdes e douradas; teria um fim cheio de paz. Sua única mágoa seria não ter descoberto mais coisas sobre seu pai antes de morrer.

Estava se imaginando deitado num leito de folhas de outono e mergulhando delicadamente nos braços da morte, quando viu sua mãe atravessar a ponte. Ela puxava um cavalo.

Levantou-se e correu até ela. O cavalo, na verdade, era a égua alazã que sempre montava.

– Quero que você leve minha égua – disse. Ele apertou-lhe a mão, agradecido.

Os olhos de Ellen encheram-se de lágrimas.

— Nunca tomei conta de você muito bem — disse. — Primeiro o criei na floresta. Depois quase o deixei morrer de fome com Tom. E depois o fiz viver com Alfred.

— Você tomou conta de mim muito bem, mãe — disse ele. — Fiz amor com Aliena hoje de manhã. Agora posso morrer feliz.

— Menino bobo! Exatamente como eu. Se não pode ter o amante que quer, não se interessa por mais ninguém.

— É assim que você é?

Ela balançou a cabeça.

— Depois que seu pai morreu, preferi viver sozinha, em vez de aceitar um pretendente qualquer. Nunca quis outro homem até ver Tom. E isso foi onze anos depois. — Ela retirou a mão da sua. — Estou lhe dizendo isso por uma razão: pode ser que demore onze anos, mas *você amará* outra mulher um dia; eu lhe garanto.

Ele sacudiu a cabeça.

— Isto não parece possível.

— Eu sei. — Ela olhou nervosamente por cima do ombro, na direção da cidade. — É melhor você ir.

Jack encaminhou-se para a égua. Estava carregada com dois alforjes muito cheios.

— O que há nesses sacos? — perguntou.

— Um pouco de comida, dinheiro e vinho, neste aqui — respondeu ela. — O outro tem as ferramentas de Tom.

Jack ficou comovido. Sua mãe insistira em guardar as ferramentas de Tom, depois de ele morrer, como lembrança. Agora as estava dando para ele. Abraçou-a.

— Muito obrigado.

— Para onde você irá? — perguntou ela.

Ele pensou de novo no pai.

— Onde os menestréis contam suas histórias?

— Na estrada dos peregrinos de Santiago de Compostela.

— Acha que os menestréis se lembrarão de Jack Shareburg?

— É possível. Diga que se parecia com você.

— Onde fica Santiago de Compostela?

— Na Espanha.

— Então vou para a Espanha.

— É uma longa viagem, Jack.

— Tenho bastante tempo.

Ela passou os braços em volta do filho e o abraçou com força. Jack perguntou-se quantas vezes ela fizera aquilo nos seus dezoito anos de vida, consolando-o por causa de um joelho ralado, um brinquedo perdido, um desapontamento infantil... e agora por uma dor essencialmente adulta. Pensou nas coisas que ela fizera, desde criá-lo na floresta até tirá-lo da cela. Sempre estivera disposta a lutar pelo filho como uma leoa. Doía ter que deixá-la.

Ela o libertou. Ele montou.

Jack olhou para Kingsbridge. Era uma aldeia atrasada, com uma catedral em ruínas quando chegara ali. Ateara fogo à velha catedral, embora ninguém soubesse disso. Agora Kingsbridge era uma cidadezinha operosa, que se atribuía bastante importância. Bem, havia outras cidades. Abandonar Kingsbridge era uma separação dolorosa, mas ele estava no limiar do desconhecido, prestes a embarcar numa aventura, e isso amenizava a dor de abandonar tudo o que amava.

— Volte um dia, por favor, Jack — pediu Ellen.

— Eu voltarei.

— Promete?

— Prometo.

— Se ficar sem dinheiro antes de encontrar trabalho, venda o cavalo, não as ferramentas — disse ela.

— Eu a amo, mãe.

Os olhos dela se encheram de lágrimas.

— Tome cuidado, filho.

Ele bateu com os calcanhares na montaria e foi embora. Virou-se e acenou. Ela acenou também. Então ele forçou a égua a trotar e depois não olhou mais para trás.

Richard chegou em casa justo a tempo para o casamento.

Estêvão lhe dera, generosamente, dois dias de licença, explicou.

O exército do rei estava em Oxford, sitiando o castelo onde tinham encurralado Matilde, de modo que não havia muita coisa para os cavaleiros fazerem.

— Eu não podia perder o casamento da minha irmã — disse Richard, fazendo Aliena pensar, amargamente: Você só queria ter certeza absoluta de que o trato era cumprido, para poder receber o que Alfred lhe prometeu.

Ainda assim, ficou contente porque ele estava ali para entrar com ela na igreja e entregá-la ao noivo. De outro modo não teria ninguém.

Vestiu uma camisa de baixo nova, de linho, e um vestido branco no estilo mais recente. Não havia muito que pudesse fazer com seu cabelo mutilado, mas mesmo assim trançou as partes mais compridas e as prendeu com elegantes lenços brancos de seda. Uma vizinha emprestou um espelho. Estava pálida, e seus olhos mostravam que passara a noite em claro. Bem, não havia nada que pudesse fazer a esse respeito. Richard a observava. Sua expressão era vagamente envergonhada, como se se sentisse culpado, e ele se remexia sem parar. Talvez tivesse medo que ela fosse cancelar tudo no último minuto.

Havia momentos em que se sentia inclinada a fazer justamente isso. Imaginava-se saindo de Kingsbridge de mãos dadas com Jack, a fim de começar vida nova em algum outro lugar, uma vida simples de trabalho honesto, livre dos grilhões de antigos juramentos e pais mortos. Mas era um sonho tolo. Nunca poderia ser feliz se abandonasse o irmão.

Ao chegar a essa conclusão, imaginou-se descendo até o rio e atirando-se nas suas águas, e chegou a ver seu corpo imóvel, o vestido do casamento encharcado, descendo a correnteza, o rosto virado para cima, o cabelo flutuando em torno da cabeça; então concluiu que se casar com Alfred era melhor que aquilo e voltou para o ponto inicial, considerando o casamento como a melhor solução disponível para a maioria dos seus problemas.

Como Jack faria pouco de um pensamento desses!

O sino da igreja soou.

Aliena se levantou.

Ela nunca visualizara o dia do seu casamento daquele jeito. Quando pensava nele, nos tempos de menina, imaginava-se de braço com o seu pai, caminhando da fortaleza do castelo pela ponte levadiça até a capela no pátio inferior, com os cavaleiros e homens de armas, criados e moradores amontoados por toda parte para gritar vivas e lhe desejar felicidades. O rapaz à sua espera na capela sempre fora indistinto no seu devaneio, mas sabia que a adorava e a fazia rir e que o achava maravilhoso. Bem. Nada em sua vida acontecera do jeito que esperara. Richard manteve aberta a porta da sua pequena casa de um único cômodo e ela saiu.

Para sua surpresa, alguns vizinhos esperavam do lado de fora de suas portas para vê-la passar. Diversas pessoas exclamaram: "Deus a abençoe!" e "Boa sorte!" quando apareceu. Sentiu-se terrivelmente grata a elas. Jogaram-lhe milho enquanto subia a rua. Milho era para sua fertilidade. Teria filhos, e eles a amariam.

A igreja da paróquia ficava do outro lado da cidade, no bairro rico, onde passaria a morar a partir daquela noite. Passaram pelo mosteiro. Os monges estariam realizando um dos seus serviços naquele momento, mas o prior Philip prometera aparecer no banquete nupcial e abençoar o feliz casal. Aliena esperava que ele fosse mesmo. Ele tinha sido uma força importante na sua vida, desde aquele dia, seis anos antes, quando comprara lã para ela em Winchester.

Chegaram à igreja nova, construída por Alfred com a ajuda de Tom. Havia uma multidão do lado de fora. O casamento seria celebrado na varanda, em inglês; haveria depois uma missa em latim no interior da igreja. Todos que trabalhavam para Alfred estavam ali, da mesma forma como a maioria das pessoas que haviam tecido para Aliena nos velhos tempos. Todos aplaudiram quando ela chegou.

Alfred estava aguardando, com a irmã, Martha, e um dos seus pedreiros, Dan. Envergava uma túnica escarlate nova e botas limpas. Seu cabelo era comprido e brilhante, como o de Ellen. Aliena percebeu que ela não estava. Ficou desapontada. Ia perguntar a Martha onde se encontrava sua madrasta quando o sacerdote apareceu e a cerimônia começou.

Aliena se lembrou de que sua vida tomara um novo rumo seis anos antes, quando fizera um juramento para o pai, e de que agora uma nova era se iniciava com outro juramento a um homem. Raramente fazia algo para si. A exceção chocante fora aquela manhã, com Jack. Ao rememorar o que fizera, mal pôde crer. Parecia um sonho, ou uma das histórias fantásticas de Jack, algo sem ligação com a vida real. Jamais contaria o que se passara. Seria um segredo lindo que guardaria para si própria e de que se lembraria de vez em quando, como um avarento contando um tesouro oculto na calada da noite.

Estavam chegando aos votos. Seguindo a indicação do padre, Aliena disse:

— Alfred, filho de Tom Construtor, eu o tomo como marido e juro ser fiel para sempre. — Ao dizer isso teve vontade de chorar.

Alfred fez seu juramento em seguida. Ouviu-se um barulho entre as pessoas mais afastadas enquanto ele falava, e uma ou duas pessoas olharam para trás. Aliena atraiu a atenção de Martha, que lhe cochichou:

— É Ellen.

O padre fez uma expressão de desagrado.

— Alfred e Aliena estão agora casados aos olhos de Deus — disse ele —, e possa a bênção...

Nunca concluiu a frase. Uma voz alta fez-se ouvir às costas de Aliena.

— Eu amaldiçoo este casamento!

Era Ellen.

Um frêmito de horror escapou da boquiaberta congregação.

O padre tentou continuar.

— E possa a bênção... — Mas se calou, pálido, e fez o sinal da cruz. Aliena se virou. Ellen estava de pé, à sua retaguarda. A multidão se afastara, abrindo-lhe espaço. Ela segurava um galo vivo numa das mãos e uma faca comprida na outra. Havia sangue na faca e sangue jorrando do pescoço da ave.

— Amaldiçoo este casamento com infortúnio — disse, e suas palavras gelaram o coração de Aliena. — Amaldiçoo este casamento com esterilidade. Amaldiçoo este casamento com amargura, ódio, com a angústia causada pela privação e pelo arrependimento. Eu o amaldiçoo com a impotência. — Quando ela disse a palavra "impotência", arremessou o galo sangrando no ar. Diversas pessoas gritaram e recuaram, amedrontadas. O galo voou, esparzindo sangue, e pousou em Alfred, que deu um pulo para trás, aterrorizado. Aquela coisa horrenda caiu no chão, ainda sangrando.

Quando todos levantaram a cabeça, Ellen tinha ido embora.

Martha trocara os lençóis e pusera um novo tapete de lã na cama, a grande cama de penas que fora de Ellen e Tom e que agora era de Alfred e Aliena. Sua madrasta não fora vista desde a cerimônia do casamento. O banquete fora uma coisa contida, como um piquenique num dia frio, com todo mundo executando melancolicamente o ritual de comer e beber, porque não havia mais nada a fazer. Os convidados tinham ido embora ao pôr do sol, sem nenhuma das habituais e grosseiras piadas sobre a primeira noite dos recém-casados. Martha foi para sua caminha no outro quarto. Richard retornara à pequenina casa de Aliena, que agora seria dele.

Alfred estava falando em construir uma casa de pedra para eles no verão seguinte. Estivera se gabando dela com Richard, durante o banquete. "Terá um quarto de dormir, um salão e uma galeria", dissera. "Quando a mulher de John Prateiro a vir vai querer uma igual. Logo, logo, todos os homens prósperos de Kingsbridge vão querer uma casa de pedra."

"Você já fez o projeto?", perguntara Richard, e Aliena percebera em sua voz uma ponta de ceticismo, embora ninguém mais parecesse ter notado.

"Tenho alguns desenhos antigos de meu pai, feitos a tinta em velino. Um desses desenhos é a casa que começamos a construir para Aliena e William Hamleigh, há muito tempo. Eu o tomarei como base."

Aliena afastara-se deles, enojada. Como poderia alguém ser tão grosso ao ponto de mencionar aquilo no dia do seu casamento? Alfred andara fanfarronando a tarde inteira, servindo vinho, contando piadas e trocando piscadelas maliciosas com os seus colegas. Parecia feliz.

Agora estava sentado na beirada da cama, descalçando as botas. Aliena tirou as fitas do cabelo. Não sabia o que pensar quanto à maldição de Ellen. Aquilo a deixara chocada, e não tinha ideia do que ela teria em mente, mas, fosse como fosse, não se apavorara como a maioria das pessoas.

O mesmo não podia ser dito de Alfred. Quando o galo ensanguentado batera nele, o rapaz desandara a falar de forma incompreensível e sem parar, até que Dan literalmente o arrancara daquele estado, segurando-o pela parte da frente da túnica e sacudindo-o. Ele se recuperara bastante depressa, contudo, e desde então o único indício do seu medo tinha sido sua excessiva animação, bebendo sofregamente cerveja e mostrando-se amistoso demais.

Aliena sentia uma estranha calma. Não gostava do que estava prestes a fazer, mas pelo menos não estava sendo forçada, e, embora pudesse ser um pouco desagradável, não seria humilhante. Haveria apenas um único homem e ninguém mais olhando.

Tirou o vestido.

– Por Cristo, é uma faca comprida – disse Alfred.

Ela desamarrou a tira que prendia a faca ao antebraço esquerdo e foi para a cama com a camisa.

Alfred por fim tirou as botas, tirou as meias e pôs-se de pé. Lançou-lhe um olhar lúbrico.

— Tire a roupa de baixo — disse. — Tenho o direito de ver os peitos de minha mulher.

Aliena hesitou. Relutou em ficar nua, fosse qual fosse o motivo.

Mas seria tolice negar-lhe a primeira coisa que queria. Obediente, sentou-se e tirou a camisa de baixo, puxando-a pela cabeça e procurando suprimir com energia a lembrança de como havia se sentido de modo diferente quando fizera a mesma coisa, ainda naquela manhã, para Jack.

— Que par de belezas! — disse Alfred. Ele aproximou-se, parou do lado da cama e segurou o seio direito. A pele das suas mãos enormes era áspera, com sujeira embaixo das unhas. Ele apertou com força demais e ela estremeceu. Alfred riu e soltou-a. Recuou, tirou a túnica e pendurou-a num gancho. Voltou para a cama e tirou a coberta de cima dela.

Aliena engoliu em seco. Sentia-se vulnerável daquele jeito, nua e examinada por ele.

— Meu Deus — disse Alfred — como é peluda! — Ele abaixou-a e pôs a mão entre suas pernas. Ela retesou-se, mas depois se obrigou a relaxar e abriu os joelhos. — Boa garota — disse ele, e enfiou um dedo dentro dela. Doeu; Aliena estava seca. Ela não conseguiu entender; ainda naquela manhã, com Jack, estivera molhada e escorregadia. Alfred resmungou e enfiou o dedo com mais força.

Aliena teve vontade de chorar. Sabia que não ia gostar, mas não esperava que ele fosse ser tão insensível. Nem a beijara ainda. Ele não me ama, pensou; nem mesmo gosta de mim. Sou um cavalo bonito que está prestes a montar. Na verdade trataria um cavalo melhor que isso: daria palmadinhas no animal e o afagaria, para que pudesse se acostumar com ele, e falaria baixinho para acalmá-lo. Esforçou-se para conter as lágrimas. Fui eu que escolhi isso, pensou; ninguém me obrigou a casar com ele, de modo que agora tenho que aguentar.

— Seca como pó de serragem — resmungou Alfred.

— Sinto muito — sussurrou ela.

Ele tirou a mão, cuspiu nela por duas vezes e esfregou a saliva entre suas pernas. Pareceu uma coisa horrivelmente desrespeitosa. Ela mordeu o lábio e desviou os olhos.

Alfred abriu suas coxas. Aliena fechou os olhos, mas se obrigou a fitá-lo pensando: Vá se acostumando com isso, porque é o que vai fazer o resto da vida. Alfred foi para a cama e ajoelhou-se entre as suas pernas. A sombra de uma preocupação cruzou-lhe o rosto. Pôs uma das mãos entre as coxas dela, abrindo-a mais, e enfiou a outra sob a própria camisa de baixo. Ela pôde ver que a mão dele se movimentava sob o pano. A preocupação dele agravou-se.

— Cristo Jesus! — murmurou. — Você é tão sem vida que me deixa desinteressado; é como estar apalpando um cadáver.

Pareceu-lhe profundamente injusto que ele a culpasse.

— Não sei o que devo fazer! — exclamou, em lágrimas.

— Algumas garotas gostam.

Gostam! Impossível! Depois se lembrou de como, naquela manhã mesmo, gemera e gritara de prazer. Mas era como se não houvesse ligação entre o que fizera de manhã e o que estava fazendo agora.

Aquilo era tolice. Alfred estava se esfregando por baixo da camisa.

— Deixe comigo — disse ela, enfiando a mão por entre as pernas dele. Seu pênis estava mole e sem vida. Não tinha certeza do que fazer. Apertou com delicadeza, depois fez carinho com a ponta dos dedos. Examinou o rosto dele, em busca de uma reação. Alfred só parecia furioso. Continuou, mas não fez diferença.

— Faça com mais força — disse ele.

Ela começou a esfregar vigorosamente. O pênis continuou mole, mas Aliena mexeu os quadris, como se estivesse gostando. Encorajada, esfregou com mais força. De repente ele deu um grito de dor e se afastou.

— Sua vaca estúpida! — disse, e bateu-lhe no rosto, com o dorso da mão, tão violentamente que a fez girar de lado.

Aliena deixou-se ficar deitada na cama, chorando de dor e de medo.

— Você não presta, está amaldiçoada! — disse ele furiosamente.

— Fiz o melhor que pude!

— Você não funciona como mulher! — exclamou, com veemência. — Sua boceta está morta! — Ele a segurou pelos braços, obrigou-a a sentar-se e empurrou-a para fora da cama. Ela caiu na palha que havia sobre o chão. — Aquela bruxa queria que isso acontecesse — disse ele. — Sempre me odiou.

Aliena rolou e ajoelhou-se no chão, olhando para ele. Não parecia que fosse bater nela de novo. Não estava mais com raiva, só amargurado.

— Pode ficar aí mesmo — disse ele. — Você não me serve como mulher, de modo que pode ficar fora da minha cama. Como um cachorro, pode dormir no chão! — Fez uma pausa. — Não suporto que fique olhando para mim! — exclamou, com uma nota de pânico na voz. Procurou o lampião e, ao encontrá-lo, apagou-o com um sopro e derrubou-o no chão.

Aliena ficou imóvel na escuridão. Ouviu Alfred se mexer no colchão de penas, deitando-se, puxando o cobertor e trocando os travesseiros. Tinha medo até de respirar. Ele ficou irrequieto por longo tempo, mexendo-se e virando na cama, mas não se levantou de novo, nem falou com ela. Acabou por ficar imóvel, com a respiração uniforme. Quando teve certeza de que ele estava dormindo, rastejou pelo chão, tentando fazer a palha não estalar, e encontrou o caminho para um canto.

Encolheu-se ali e permaneceu inteiramente acordada. Com o tempo, acabou por chorar. Tentou conter-se, com medo de acordá-lo, mas não foi possível segurar as lágrimas, e soluçou baixinho. Se o barulho o acordou, ele não deu sinal. Aliena ficou deitada sobre a palha do chão, num canto do quarto, chorando, até que por fim dormiu.

Capítulo 12

1

Aliena esteve doente todo aquele inverno.

Dormiu mal todas as noites, enrolada na sua capa no chão, ao pé da cama de Alfred, e durante o dia era dominada por uma lassidão contra a qual nada conseguia fazer. Com frequência se sentia enjoada, e por isso comia muito pouco, mas assim mesmo parecia ganhar peso; tinha certeza de que seus seios e seus quadris estavam maiores, e sua cintura, mais grossa.

Deveria estar dirigindo a casa de Alfred, mas era Martha quem na verdade fazia a maior parte do trabalho. Os três moravam juntos num triste arremedo de família. Martha jamais gostara do irmão, e Aliena agora o abominava com todas as forças, de modo que não era de estranhar que ele passasse a maior parte do tempo possível longe da casa, no trabalho durante o dia e na cervejaria todas as noites. Martha e Aliena compravam os gêneros e faziam comida sem o menor entusiasmo; à noite, costuravam. Aliena ansiava pela chegada da primavera, quando a temperatura mais uma vez seria quente o bastante para ir visitar sua clareira secreta nas tardes de domingo. Ali poderia ficar em paz e pensar em Jack.

Por enquanto, seu consolo era Richard. Ele tinha um corcel negro fogoso, uma espada nova e um escudeiro com um pônei, e mais uma vez lutava pelo rei Estêvão, embora com um grupo reduzido. A guerra se arrastava por mais um ano: Matilde fugira do Castelo de Oxford e escapara novamente das mãos de Estêvão; o irmão dela, Robert de Gloucester, reconquistara Wareham, e assim tinha prosseguimento a velha gangorra, com cada lado ganhando um pouco e perdendo logo em seguida. Mas Aliena estava cumprindo sua palavra, e podia encontrar satisfação nisso, mesmo que nada mais a deixasse feliz.

Na primeira semana do ano, Martha teve a primeira menstruação.

Aliena a fez tomar uma bebida quente feita com ervas e mel para abrandar as cólicas, respondeu a suas perguntas sobre o assunto e foi pegar a caixa de panos que tinha para as suas regras. A caixa, contudo, não estava em casa, e constatou que não a trouxera quando se casara.

Mas isso fora há três meses.

O que significava que não menstruava há três meses.

Desde o dia do seu casamento.

Desde que fizera amor com Jack.

Deixou Martha sentada junto do fogo da cozinha, tomando sua bebida de mel e brindando aos dedos dos pés, e atravessou a cidade até sua antiga casa. Richard não se encontrava, mas Aliena tinha uma chave. Encontrou a caixa sem nenhuma dificuldade, mas não voltou na mesma hora. Sentou-se em frente à lareira apagada, embrulhada na sua capa, imersa em profunda meditação.

Tinha se casado com Alfred no dia de são Miguel, 29 de setembro. Agora já passara o Natal. Decorrera um quarto de ano. Três luas novas. Deveria ter menstruado três vezes. No entanto, sua caixa de panos estava na prateleira mais alta, junto com a pedra que Richard usava para amolar as facas de cozinha. Aliena estava com a caixa no colo. Passou um dedo pela madeira áspera. O dedo ficou sujo. A caixa estava coberta de poeira.

O pior de tudo era que *nunca* fizera amor com Alfred.

Depois daquela horrível primeira noite, ele tentara de novo três vezes: uma, na noite seguinte, depois uma semana mais tarde, e novamente após um mês, numa noite em que chegara em casa mais bêbado que de costume. Mas sempre se mostrara incapaz. A princípio Aliena o encorajara, por sentimento de dever; cada fracasso, porém, o deixava mais furioso que da última vez, e ela acabou por se amedrontar. Parecia mais seguro ficar fora do seu caminho e usar roupas não atraentes, deixando que ele se esquecesse. Agora se perguntava se deveria ter tentado mais. Na verdade, contudo, sabia que não faria diferença. Não sabia ao certo por que – talvez pela praga de Ellen, talvez pela possibilidade de Alfred ser simplesmente impotente, ou talvez por causa da lembrança de Jack –, mas tinha certeza de que o marido nunca iria fazer amor com ela.

Claro que ele ia saber que o bebê não era seu.

Desolada, olhou fixamente para as cinzas velhas e frias na lareira de Richard, perguntando-se por que tivera tanta falta de sorte. Estava tentando fazer o melhor que podia de um mau casamento e tinha o azar de ser engravidada por outro homem, após uma única relação.

Não adiantava ter autopiedade. Precisava decidir o que fazer.

Repousou a mão no ventre. Sabia agora por que estava ganhando peso, por que vivia se sentindo enjoada, por que estava sempre tão cansada. Havia uma pequena pessoa dentro dela. Sorriu para si própria. Seria bom ter um filho.

Sacudiu a cabeça. Não seria bom coisa alguma. Alfred ficaria furioso como um touro. Impossível antecipar o que faria – matá-la, expulsá-la de casa, matar a criança... teve uma premonição terrível e repentina de que ele tentaria fazer mal ao bebê ainda não nascido chutando sua barriga. Enxugou a testa: estava suando frio.

Não direi a ele, pensou.

Poderia conservar a gravidez em segredo? Talvez. Já estava acostumada a usar roupas sem forma, que mais pareciam sacos. Talvez seu ventre não crescesse muito – isso acontecia com algumas mulheres. Alfred era o menos observador dos homens. Sem dúvida, as mulheres mais espertas da cidade iriam adivinhar, mas provavelmente podia confiar que guardassem o que descobrissem para si próprias, ou que pelo menos não falassem com os homens a esse respeito. Sim, decidiu, talvez fosse possível esconder a gravidez dele até que o bebê nascesse.

E depois? Bem, pelo menos o pequenino teria sido trazido em segurança a este mundo. Alfred não poderia matá-lo chutando Aliena. Mas ainda continuaria sabendo que não era seu filho. Com certeza iria odiar o pobrezinho: representaria um estigma permanente sobre a sua virilidade. Seria um inferno.

Aliena não era capaz de pensar com tanta antecedência. Decidira-se pela linha de ação mais segura nos seis meses seguintes. Nesse meio-tempo tentaria imaginar o que fazer após o nascimento do bebê.

Eu gostaria de saber se é menino ou menina, pensou.

Levantou-se com a sua caixa de panos limpos para a primeira menstruação de Martha. Tenho pena de você, Martha, pensou, fatigada; tem tudo isso à sua frente.

Philip passou aquele inverno ruminando sobre seus problemas.

Tinha ficado horrorizado com a praga pagã de Ellen, proferida numa igreja durante uma cerimônia religiosa. Não havia agora a menor dúvida em sua cabeça de que ela era uma feiticeira. Só lamentava sua tolice por tê-la perdoado pelo insulto à Regra de São Bento, muito tempo antes. Deveria ter visto que uma mulher capaz de fazer uma coisa daquelas nunca se arrependeria realmente. No entanto, uma feliz consequência de todo aquele negócio horrível fora Ellen ter deixado Kingsbridge mais uma vez, não sendo vista desde então. Philip tinha ardentes esperanças de que jamais voltasse.

Aliena era visivelmente infeliz como mulher de Alfred, embora Philip não acreditasse que a causa fosse a praga. O prior não sabia quase nada a respeito da vida de casado, mas podia adivinhar que uma pessoa inteligente, culta e cheia de vida como Aliena teria que ser infeliz com alguém de raciocínio tão lerdo e obtuso quanto Alfred, fossem marido e mulher ou qualquer outra coisa.

A jovem deveria ter se casado com Jack, claro. Philip podia ver isso agora, e se sentia culpado por ter se dedicado tanto a seus planos para o rapaz que não se dera conta do que ele realmente precisava. Jack não fora talhado para a vida no claustro e Philip agira mal, pressionando-o. Agora o brilho da sua inteligência e a sua energia estavam perdidos para Kingsbridge.

Tudo parecia ter saído errado desde o desastre da feira de lá. O priorado devia mais do que nunca. Philip demitira metade do efetivo de operários por não ter mais dinheiro para o pagamento dos salários. Em consequência, a população da cidade se reduziu, e portanto o mercado de domingo tornou-se menor e a renda dos aluguéis também diminuiu. Kingsbridge seguia por uma espiral descendente.

O coração do problema era o moral dos habitantes. Embora tivessem reconstruído suas casas e reiniciado seus pequenos negócios, as pessoas não tinham confiança no futuro. O que quer que planejassem ou construíssem poderia ser destruído num dia por William Hamleigh, se ele resolvesse atacar de novo. Essa insegurança estava presente no pensamento de todos e paralisava qualquer empreendimento.

Com o tempo Philip viu que tinha de fazer algo para interromper o declínio. Precisava de um gesto dramático para dizer ao mundo em geral, e ao povo de Kingsbridge em particular, que a cidade estava reagindo. Passou muitas horas em meditação e prece tentando decidir que gesto poderia ser.

O que precisava realmente era de um milagre. Se os ossos de santo Adolfo curassem uma princesa atacada da praga ou fizessem com que um poço de água salobra passasse a dar água potável, haveria grandes peregrinações a Kingsbridge. Mas o santo não realizava milagres há anos. Philip às vezes se perguntava se os seus métodos firmes e práticos de administrar o priorado desagradariam ao santo, pois os milagres pareciam acontecer mais frequentemente em lugares onde se exercesse o poder com menos sensatez e a atmosfera estivesse embebida de fervor religioso, quando não de rematada histeria. Mas Philip aprendera numa escola mais terra a terra. Padre Peter, o abade do seu primeiro mosteiro, costumava dizer: "Reze por milagres, mas plante repolhos."

O símbolo da vida e do vigor de Kingsbridge era a catedral. Se ao menos ela pudesse ser terminada por milagre! Uma vez ele rezara a noite inteira pedindo por um, mas de manhã o coro ainda estava sem telhado e sujeito ao tempo e as paredes altas continuavam sem ter acabamento nos pontos onde se encontrariam com as paredes dos transeptos.

Philip ainda não contratara um novo mestre construtor. Ficara chocado ao saber quanto exigiam de salário: nunca se dera conta de como Tom cobrava pouco. De qualquer modo, Alfred estava dirigindo a reduzida força de trabalho sem muita dificuldade. O rapaz tornara-se um tanto taciturno após o casamento, como um homem que derrota muitos rivais para ser rei e depois descobre que a coroa é um fardo extremamente tedioso. No entanto, tinha autoridade e era decidido, e os outros homens o respeitavam.

Mas Tom deixara um vácuo que não podia ser preenchido. Philip sentia falta dele pessoalmente, não só como mestre construtor. Tom era uma pessoa que se interessava em *por que* as igrejas tinham de ser construídas de um jeito e não de outro, e o prior gostava de especular, juntamente com ele, sobre os motivos pelos quais alguns edifícios ficavam de pé enquanto outros caíam. Não fora um homem excepcionalmente devoto, mas de vez em quando fazia a Philip perguntas sobre teologia que demonstravam que dirigia uma parte substancial da sua inteligência à religião, do mesmo modo como à construção. A cabeça do construtor se assemelhava à de Philip. O prior era capaz de conversar com ele de igual para igual. Havia poucas pessoas assim na vida do religioso. Jack fora uma delas, apesar da pouca idade; Aliena era outra, mas ela desaparecera, com o seu lamentável casamento. Cuthbert Cabeça Branca estava ficando velho, e Milius Tesoureiro passava a maior parte do tempo longe do priorado, visitando as fazendas de criação de ovelhas, contando acres, ovelhas e sacos de lã. Com o tempo, um priorado cheio de vida e atividades numa próspera cidade que tivesse uma catedral atrairia estudiosos, do mesmo modo como um exército conquistador atrai combatentes. Philip ansiava para que chegasse esse tempo. Só que nunca chegaria, se não encontrasse um modo de instilar novamente energia em Kingsbridge.

– Este inverno está sendo brando – disse-lhe Alfred uma manhã, logo após o Natal. – Podemos começar mais cedo que o usual.

Isso fez com que Philip começasse a pensar. A abóbada do teto seria construída naquele verão. Quando estivesse pronta, o coro teria condições de ser usado, e Kingsbridge já não seria uma cidade sem catedral. O coro era a parte mais importante da igreja: também chamado de "santuário", era reservado ao clero. O altar-mor e as relíquias sagradas ficavam na extremidade leste, chamada de "presbitério" ou "capela-mor", e a maior parte dos serviços tinham lugar no coro propriamente dito, onde se sentavam os monges. Só nos domingos e dias santos o resto da igreja era usado. Uma vez que o coro tivesse sido consagrado, aquilo que era um canteiro de obras passaria a ser uma igreja, mesmo que inacabada.

Era uma pena que tivessem de esperar quase um ano para que isso acontecesse. Alfred prometera concluir o teto no final da estação de construção, ou seja, em novembro, dependendo do tempo. Mas quando Alfred disse que seria possível começar mais cedo, Philip começou a especular se não haveria uma chance de terminar mais cedo também. Todo mundo ficaria surpreso se a igreja pudesse ser inaugurada naquele verão. Era a espécie de coisa pela qual andara esperando; algo que espantasse todo o condado e espalhasse a mensagem de que Kingsbridge não podia ser esmagada por muito tempo.

– Pode terminar antes de Pentecostes? – perguntou Philip impulsivamente.

Alfred inspirou o ar através dos dentes e ficou pensando.

– A construção de abóbadas é o trabalho mais especializado de todos – disse. – Não pode ser apressado, e não se pode deixar que aprendizes o façam.

Seu pai teria respondido sim ou não, pensou Philip, irritado.

— E se eu lhe desse mais gente para trabalhar... monges? Quanto isso significaria, em termos de ajuda?

— Pouco. Na verdade preciso de mais pedreiros.

— Eu poderia lhe dar mais um ou dois — disse Philip precipitadamente. Um inverno brando significava tosquia antecipada, de modo que podia esperar começar a vender lá mais cedo que o normal.

— Não sei. — Alfred ainda estava pessimista.

— Suponha que eu ofereça aos pedreiros uma gratificação — disse Philip. — Uma semana extra de salários se a abóbada estiver pronta no Domingo de Pentecostes.

— Nunca ouvi falar numa coisa dessas — disse Alfred, dando a impressão de ter acabado de tomar conhecimento de uma sugestão inconveniente.

— Bem, há uma primeira vez para tudo — disse Philip, irritado. A cautela do rapaz estava lhe dando nos nervos. — O que você me diz?

— Não posso dizer sim ou não a isso — respondeu Alfred, impassível. — Vou colocar a questão para os homens.

— Hoje? — perguntou Philip, impaciente.

— Hoje.

Philip tinha que se satisfazer com isso.

William Hamleigh e seus cavaleiros chegaram ao palácio do bispo Waleran logo atrás de um carro de boi carregado com uma pilha muito alta de sacos de lã. A nova estação de tosquia começara. Como William, Waleran estava comprando de treze dos fazendeiros aos preços do ano anterior na expectativa de vender por um valor consideravelmente maior. Nenhum dos dois tivera muito problema para obrigar seus locatários a vender-lhes: uns poucos camponeses que os haviam desafiado tinham sido expulsos das terras que ocupavam, e as casas em que moravam, queimadas; após isso não houve mais rebeldes.

Ao passar pelo portão, William ergueu os olhos para o topo da colina. As muralhas do castelo, que tinham sido apenas iniciadas sete anos antes, lá estavam, inacabadas, como um lembrete permanente do castelo que o bispo nunca chegara a construir e de como fora derrotado pela esperteza do prior Philip. Assim que Waleran começasse a colher os frutos do negócio da lã, provavelmente recomeçaria a obra. No tempo do velho rei Henrique, um bispo não precisava de mais defesas que uma frágil cerca de estacas de madeira por trás de uma pequena vala ao redor do palácio. Agora, após cinco anos de guerra civil, homens que nem mesmo eram condes ou bispos estavam construindo castelos formidáveis.

As coisas estavam indo bem de novo para Waleran, pensou William amargurado quando desmontou no estábulo. Permanecera leal ao bispo Henry de Winchester através de todas as suas mudanças de lado, e como resultado tornara-se um dos mais íntimos aliados de Henry. Com o decorrer dos anos, Waleran enriquecera com um fluxo contínuo de propriedades e privilégios e visitara Roma por duas vezes.

William não tivera tanta sorte – daí seu mau humor. A despeito de ter acompanhado Waleran em todas as suas trocas de lealdade, e a despeito também de ter fornecido grandes exércitos a ambos os lados na guerra civil, ainda não fora confirmado como conde de Shiring. Estivera ruminando a esse respeito durante uma pausa nos combates e ficara tão furioso que decidira ter um confronto com Waleran.

Subiu as escadas para o salão, seguido por Walter e os outros cavaleiros. O camareiro de guarda do outro lado da porta estava armado, outro sinal dos tempos. O bispo Waleran encontrava-se sentado numa cadeira grande no meio da sala, como sempre, com os braços e pernas ossudos em todos os ângulos, como se tivesse sido largado ali de qualquer maneira. Baldwin, agora arcediago, de pé ao lado dele, dava a impressão de que poderia estar aguardando instruções, pela sua atitude. O bispo estava olhando para o fogo, imerso em seus pensamentos, mas ergueu a cabeça rapidamente quando William se aproximou.

Hamleigh sentiu a repulsa de sempre quando cumprimentou Waleran e se sentou. As mãos suaves e finas do bispo, seu cabelo preto escorrido, a pele branca como a de um defunto e os olhos mortiços e malignos faziam-no arrepiar-se. Era tudo o que William odiava: insincero, fisicamente fraco, arrogante e inteligente.

Podia afirmar que Waleran se sentia de modo muito parecido a seu respeito. Ele jamais escondera toda a aversão que sentia quando William entrava. O bispo sentou-se direito e cruzou os braços, seus lábios retorceram-se um pouco e ele franziu ligeiramente a testa: podia estar sentindo um início de indigestão.

Falaram sobre a guerra por algum tempo. Foi uma conversa difícil, contrafeita, e William ficou aliviado quando esta foi interrompida por um mensageiro com uma carta escrita num rolo de pergaminho e selada com lacre. Waleran mandou que o mensageiro se dirigisse à cozinha, a fim de comer qualquer coisa. Não abriu a carta.

William aproveitou a oportunidade para mudar de assunto.

– Não vim aqui para trocar notícias sobre batalhas. Vim para lhe dizer que minha paciência se esgotou.

Waleran ergueu as sobrancelhas e nada disse. Silêncio era a sua resposta a assuntos desagradáveis.

– Faz três anos, quase – prosseguiu William, com dificuldade –, que meu pai morreu, mas o rei Estêvão ainda não me confirmou como conde. É ultrajante.

– Concordo inteiramente – disse Waleran, apático. Brincou com a carta, examinando o lacre e mexendo na fita.

— É bom que ache — retrucou Hamleigh —, porque vai ter que fazer alguma coisa a esse respeito.

— Meu caro William, não posso nomeá-lo conde.

O lorde antecipara que Waleran tomaria aquela atitude e estava determinado a não aceitá-la.

— Você é ouvido pelo irmão do rei.

— Mas o que vou dizer a ele? Que William Hamleigh serviu bem ao rei? Se for verdade, o rei sabe, e se não for, também.

William não era páreo para o bispo em questões de lógica, de modo que simplesmente ignorou os argumentos.

— Você me deve isso, Waleran Bigod.

O bispo pareceu ficar ligeiramente aborrecido. Apontou para William com a carta.

— Não lhe devo nada. Você sempre atendeu aos seus próprios objetivos, mesmo quando fez o que eu queria. Não há dívidas de gratidão entre nós.

— Só lhe digo que não vou esperar mais.

— E o que pretende fazer? — perguntou Waleran, com uma ponta de desdém.

— Bem, primeiro eu mesmo irei ver o bispo Henry.

— E depois?

— Direi a ele que você tem sido surdo às minhas súplicas e que, em consequência, passarei para o lado de Matilde, a Imperatriz. William ficou gratificado ao ver a expressão de Waleran mudar: ele empalideceu um pouquinho mais e pareceu um quase nada surpreso.

— Mudar de novo? — disse Waleran ceticamente.

— Só uma vez a mais que você — retrucou William, obstinado.

A arrogante indiferença do bispo foi abalada, mas não muito.

Sua carreira tinha sido grandemente beneficiada pela capacidade de fazer com que William e seus cavaleiros lutassem do lado que o bispo Henry estivesse favorecendo: seria um golpe para ele se, de repente, Hamleigh resolvesse ser independente — embora não um golpe fatal. William examinou a fisionomia de Waleran enquanto este ponderava sobre tal ameaça. Foi capaz de ler os pensamentos do outro: o bispo estava pensando que queria conservar sua lealdade, mas que devia ver até que ponto teria de se esforçar.

Para ganhar tempo, Waleran quebrou o selo da carta e a desenrolou. Enquanto a lia, um tênue rubor de cólera apareceu nas suas faces muito brancas.

— Maldito! — exclamou, por entre os dentes.

— O que é? — perguntou William.

Waleran lhe passou a carta. Hamleigh examinou as letras.

À sua... excelência... reverendíssima... o bispo...

Waleran pegou o pergaminho de novo, impaciente com a leitura lenta de William.

– É do prior Philip – disse. – Está me informando que o coro da nova catedral estará concluído no Domingo de Pentecostes, e tem o atrevimento de me suplicar para oficiar a missa.

William ficou surpreso.

– Mas como foi que ele conseguiu? Pensei que tivesse demitido metade dos operários!

Waleran sacudiu a cabeça.

– Não importa o que aconteça, ele não afunda. – Lançou a William um olhar especulativo. – Ele o odeia, claro. Pensa que é o demônio reencarnado.

William perguntou-se o que estaria se passando na mente tortuosa de Waleran.

– E daí? – perguntou.

– Seria um golpe e tanto para Philip se você fosse confirmado como conde de Shiring no Domingo de Pentecostes.

– Você não faria isso por mim, mas para prejudicar Philip, claro – resmungou William, rabugento, mas na verdade cheio de esperanças.

– Não posso fazer o que me pede, de modo algum. Mas falarei com o bispo Henry. – Ergueu os olhos para William, aguardando.

O lorde hesitou. Por fim, relutantemente, resmungou:

– Muito obrigado.

A primavera foi fria, melancólica e até mesmo lúgubre naquele ano, e na manhã de Pentecostes estava chovendo. Aliena acordou no meio da noite com dor nas costas, que ainda a incomodava com uma pontada terrível de vez em quando. Sentou-se na cozinha fria, trançando o cabelo de Martha antes de irem para a igreja, enquanto Alfred comia um belo desjejum de pão branco, queijo macio e cerveja forte. Uma pontada particularmente aguda nas costas fez com que parasse e estremecesse. Martha percebeu e perguntou:

– O que há?

– Dor nas costas – respondeu Aliena, lacônica. Não queria discutir aquilo, pois a causa certamente era dormir no chão, no quarto dos fundos cheio de correntes de ar, e ninguém estava a par disso, nem mesmo Martha.

A garota levantou-se e apanhou uma pedra quente no fogo. Aliena sentou-se. Martha embrulhou a pedra num pedaço velho de couro e a segurou de encontro às costas da cunhada. Aliena sentiu um alívio imediato. Martha começou a trançar-lhe o cabelo, que crescera de novo após ter sido queimado e se transformara numa massa indisciplinada de cachos escuros. Aliena sentiu-se mais calma.

Ela e a cunhada tinham se tornado muito íntimas desde que Ellen se fora. Pobre Martha; primeiro perdera a mãe e depois a madrasta. Aliena se considerava uma pobre substituta para uma mãe. Além disso, era apenas dez anos mais velha que a cunhada. Na verdade, desempenhava o papel de irmã mais velha. O estranho naquilo tudo era que a pessoa cuja falta Martha mais sentia fosse Jack.

No entanto, todo mundo sentia falta de Jack.

Aliena perguntava-se por onde ele andaria. Podia estar bem perto, trabalhando numa catedral em Gloucester ou Salisbury. O mais provável é que tivesse ido para a Normandia. Mas poderia ter prosseguido para muito mais longe: Paris, Roma, Jerusalém ou Egito. Rememorando as histórias que os peregrinos contavam sobre tais lugares distantes, visualizava Jack num deserto, cinzelando pedras para uma fortaleza sarracena, sob um sol ofuscante. Estaria pensando nela agora?

Seus pensamentos foram interrompidos por um tropel de cascos, e um momento depois Richard entrava, puxando o cavalo. Tanto ele quanto o animal estavam encharcados de suor e cobertos de lama. Sua irmã pegou um pouco de água quente no fogo para que lavasse o rosto e as mãos, e Martha levou o cavalo para o quintal. Aliena colocou pão e carne fria sobre a mesa da cozinha e serviu um copo de cerveja.

– Quais são as notícias da guerra? – perguntou Alfred.

Richard enxugou o rosto com um pedaço de pano e sentou-se para comer.

– Fomos derrotados em Wilton – disse.

– Estêvão foi capturado?

– Não, escapou, assim como Matilde fugiu de Oxford. Estevão agora está em Winchester, e Matilde em Bristol. Ambos lambem as feridas e consolidam seu poder nas áreas que controlam.

As notícias pareciam sempre as mesmas, pensou Aliena. Um lado ou outro conquistava uma pequena vitória ou sofria uma pequena perda, mas nunca havia perspectiva alguma de fim da guerra.

Richard olhou para ela.

– Você está engordando – observou ele.

Aliena aquiesceu e nada disse. Estava com oito meses de gravidez, mas ninguém sabia. Foi uma sorte que tivesse feito frio, permitindo-lhe continuar a usar várias camadas de roupas largas de inverno, ocultando as formas. Em mais algumas semanas o bebê nasceria, e a verdade viria à tona. Ainda não tinha ideia do que iria fazer então.

O sino tocou, convocando os habitantes da cidade para a missa. Alfred enfiou as botas e lançou um olhar indagador para Aliena.

– Não acho que possa ir – disse ela. – Sinto-me terrível.

Ele deu de ombros indiferentemente e virou-se para seu irmão. – Você deveria ir, Richard. Todo mundo vai estar presente hoje; é a primeira missa na nova igreja.

Richard ficou surpreso.

– Você já acabou o teto? Pensei que fosse ser preciso o resto do ano.

– Nós corremos. O prior Philip ofereceu aos homens uma semana extra de salários se pudessem terminar o serviço hoje. É impressionante como trabalharam depressa. Mesmo assim, só há pouco terminamos; retiramos as formas hoje de manhã.

– Tenho que ver isso – disse Richard. Enfiou na boca o último pedaço de pão e de carne e se levantou.

– Quer que eu fique com você? – perguntou Martha a Aliena.

– Não, obrigada, estou bem. Vá você. Vou me recostar um pouco.

Os três vestiram as capas e saíram. Aliena foi para o quarto dos fundos, levando consigo a pedra quente em seu envoltório de couro. Deitou-se na cama de Alfred com a pedra sob suas costas. Tornara-se terrivelmente letárgica desde que se casara. Antes, dirigia sua própria casa, ao mesmo tempo em que era a mais operosa mercadora de lã do condado; agora, tinha problemas em tomar conta da casa de Alfred, muito embora nada mais houvesse a fazer.

Deixou-se ficar ali deitada, sentindo pena de si mesma por algum tempo, desejando dormir um pouco. De repente, sentiu um fio de água quente na parte interna da coxa. Ficou chocada. Era quase como se estivesse urinando, só que não estava, e um momento depois o fio se transformou num intenso fluxo. Sentou-se. Sabia o que aquilo significava. A bolsa d'água se rompera. O bebê estava nascendo.

Ficou apavorada. Precisava de ajuda. Gritou pela sua vizinha com toda a força dos pulmões:

– Mildred! Mildred, venha cá! – Só então lembrou que ninguém estava em casa: todos tinham ido à igreja.

O fluxo de água foi reduzido, mas a cama de Alfred ficou encharcada. Ele ia ficar furioso, pensou, cheia de medo; depois se lembrou de que Alfred ia ficar furioso de qualquer maneira, pois saberia que a criança não era seu filho, e pensou: Oh, Deus, que hei de fazer?

A dor nas costas voltou, e ela constatou que aquilo devia ser o que chamavam de dores do parto. Esqueceu-se de Alfred. Ia dar à luz. Estava assustada demais para passar por aquilo sozinha. Queria que alguém a ajudasse. Decidiu ir para a igreja.

Girou as pernas para fora da cama. Outro espasmo a assaltou e teve que parar, o rosto contraído de dor, até que passou. Então saltou da cama e saiu da casa.

Sentiu a mente num torvelinho, quando seguiu caminhando, com dificuldade, ao longo da rua lamacenta. Quando estava no portão do priorado, a dor voltou, e teve que se encostar a uma parede e cerrar os dentes até que passasse.

Ao se aproximar cambaleando da catedral, viu o bispo, Waleran Bigod, levantar-se para falar. Viu também, como que num pesadelo, que William Hamleigh estava de pé ao lado dele. As palavras do bispo Waleran se fizeram ouvir através da barreira da sua dor.

— ... Com grande prazer e orgulho devo lhes dizer que o rei Estêvão confirmou lorde William como conde de Shiring.

A despeito da dor e do medo que sentia Aliena ficou horrorizada ao ouvir aquilo. Durante seis anos, desde o terrível dia em que tinha visto seu pai na cadeia de Winchester, dedicara a vida à reconquista da propriedade da família. Ela e Richard haviam sobrevivido a ladrões e estupradores, incêndio e guerra civil. Por diversas vezes o objetivo parecera ao alcance das suas mãos. Mas agora tinham perdido.

A congregação murmurou furiosamente. Todos tinham sofrido nas mãos de William e ainda viviam com medo dele. Não se sentiam felizes por vê-lo honrado pelo rei que deveria protegê-los. Aliena olhou em torno, procurando Richard, para ver como estava recebendo aquele golpe final, mas não conseguiu localizá-lo.

O prior Philip ergueu-se com uma cara medonha e começou o hino. Os fiéis o seguiram, sem grande entusiasmo. Aliena encostou-se a uma coluna quando teve outra contração. Estava atrás de todo mundo, e ninguém percebeu sua presença. De certa forma, as más notícias a acalmaram. Estou apenas tendo um filho, pensou; acontece todos os dias. Só preciso encontrar Martha ou Richard e eles tomarão conta de tudo.

Quando a dor passou, ela forçou caminho por entre a multidão, procurando Martha. Havia um grupo de mulheres no túnel baixo do corredor norte, e dirigiu-se para elas. As pessoas a fitaram com olhares de curiosidade, mas sua atenção foi distraída por outra coisa: um barulho estranho, como um estrondo. A princípio mal se podia distingui-lo do canto, mas este rapidamente silenciou, quando o estrondo aumentou de volume.

Aliena chegou junto ao grupo de mulheres. Olhavam para toda parte, procurando a causa do barulho. Aliena tocou no ombro de uma delas e perguntou:

— Você viu Martha, a minha cunhada?

A mulher olhou para ela, e Aliena reconheceu a esposa do curtidor, Hilda.

— Acho que Martha está do outro lado — disse; depois o estrondo tornou-se ensurdecedor e ela desviou os olhos.

Aliena seguiu seu olhar. No meio da igreja, todos estavam olhando para cima, na direção do topo das paredes. As pessoas nas naves laterais esticaram o pescoço para espiar por entre os arcos da arcada. Alguém gritou. Aliena viu uma rachadura aparecer, correndo entre duas janelas vizinhas no clerestório. Enquanto olhava, diversos pedaços imensos de pedra caíram entre a multidão, no meio da igreja. Todos gritaram e se voltaram para fugir.

O chão sob seus pés tremeu. No momento em que tentou abrir caminho para fora da igreja, teve consciência de que as altas paredes estavam se separando no topo e que a abóbada do teto rachava.

Hilda, a mulher do curtidor, caiu em frente a ela e Aliena tropeçou no seu corpo estendido, caindo também. Uma chuva de pedrinhas a atingiu ao tentar levantar-se. Então o teto baixo rachou e ruiu; alguma coisa bateu na sua cabeça e tudo escureceu.

Philip começara a missa sentindo-se orgulhoso e grato. Fora difícil, mas o teto tinha sido terminado a tempo. Na verdade, só três dos quatro intercolúnios do coro haviam sido concluídos a tempo, já que o quarto não podia ser feito enquanto a interseção não estivesse construída e as paredes do coro, unidas aos transeptos. No entanto, as três eram suficientes. Todo o equipamento dos operários fora impiedosamente afastado: ferramentas, pilhas de pedra e madeira, vigas e painéis dos andaimes, montes de entulho. O coro fora varrido escrupulosamente. Os monges tinham caiado as pedras e pintado de vermelho a massa, melhorando bastante o aspecto de tudo, de acordo com o costume. O altar e o trono do bispo haviam sido trazidos da cripta. Os ossos do santo, contudo, na sua tumba de pedra, ainda estavam ali embaixo: transferi-los seria uma cerimônia solene, chamada de "traslado", a qual seria o clímax da função daquele dia. Quando o ofício começara, com o bispo no seu trono, os monges em hábitos novos, enfileirados atrás do altar, e os habitantes da cidade concentrados no corpo da igreja e nos corredores, Philip sentira-se gratificado e agradecera a Deus por tê-lo levado com sucesso ao fim do primeiro e crucial estágio na reconstrução da catedral.

No momento em que Waleran fez o anúncio a respeito de William, Philip ficara furioso. Aquilo fora evidentemente calculado para arruinar o seu momento de triunfo e lembrar aos habitantes da cidade que ainda se encontravam à mercê do seu cruel suserano. Philip estava procurando desesperadamente uma resposta adequada quando o estrondo surdo começara.

Foi como um pesadelo que o prior tinha às vezes, em que estava caminhando sobre um andaime muito alto, perfeitamente confiante na sua segurança, quando notava um nó solto nas cordas que uniam as estacas do andaime – nada de muito sério –; quando se abaixava para refazer o nó, porém, o painel de vimes entrelaçados sobre o qual se encontrava inclinava-se um pouco, não muito a princípio, mas o bastante para fazê-lo tropeçar, e a seguir, num relâmpago, caía lá de cima, numa queda desesperadoramente rápida, consciente de que estava prestes a morrer.

O barulho no princípio foi desorientador. Por um momento ou dois pensou que fosse um trovão; depois aumentou tanto que todos pararam de cantar. Ainda assim, Philip imaginou que fosse algum estranho fenômeno, que logo seria explicado e cuja pior consequência seria interromper a missa. Então olhou para cima.

No terceiro intercolúnio, onde as formas tinham sido retiradas ainda naquela manhã, estavam aparecendo rachaduras no trabalho de cantaria, bem no alto, ao nível do clerestório. Elas apareciam subitamente e riscavam a parede de uma janela para a outra, como cobras. A primeira reação de Philip foi de desapontamento: ficara feliz com a conclusão do coro, e agora precisaria fazer reparos; além disso, todas aquelas pessoas que tinham se impressionado com o trabalho dos pedreiros diriam que não deveria ter sido feito tão depressa, lembrando que "devagar se vai ao longe". Quando a parte superior das paredes pareceu se inclinar para fora, ele viu, horrorizado, que aquilo não iria meramente interromper a missa, mas que seria uma catástrofe.

Apareceram rachaduras no teto abobadado. Uma grande pedra se destacou da trama de cantaria que o formava e veio caindo lentamente. Todos começaram a gritar e a tentar sair de baixo. Antes que Philip pudesse verificar se alguém tinha se ferido seriamente, mais pedras começaram a cair. A congregação entrou em pânico, com as pessoas se empurrando e pisoteando umas às outras na tentativa de se esquivar das pedras que ruíam. Por um instante o prior teve a louca ideia de aquilo ser um ataque desfechado por William, mas então viu o conde, na frente da congregação, investindo contra as pessoas que o cercavam, numa tentativa apavorada para fugir, e ponderou que ele não iria fazer uma coisa dessas a si próprio.

A maioria das pessoas tentava se afastar para longe do altar e sair da catedral pela extremidade oeste, que estava aberta. Mas era justamente a ponta mais a oeste do edifício, o lado aberto, que ruía. O problema era no terceiro intercolúnio. No segundo, onde estava Philip, a abóbada do teto parecia estar se aguentando; e atrás dele, o primeiro, onde os monges se encontravam enfileirados, parecia bastante sólido. Naquele lado as paredes opostas eram conservadas juntas pela fachada leste.

Viu Jonathan e Johnny Oito Pence encolhidos na ponta do corredor norte. Estavam mais seguros ali do que em qualquer outra parte, decidiu Philip; e então percebeu que deveria tentar conduzir o resto do seu rebanho para a segurança.

— Por aqui! — gritou. — Todo mundo! Venham por aqui! — Quer o tenham ouvido ou não, ninguém o atendeu.

No terceiro intercolúnio, a parte superior das paredes desmoronou, caindo para fora, e toda a abóbada ruiu; pedras pequenas e grandes tombaram, como uma tempestade de granizo letal, sobre a congregação histérica. Philip pulou para a frente e agarrou um cidadão.

— Volte! — gritou, empurrando-o para o lado leste. O homem, muito assustado, viu os monges agrupados de encontro à parede e saiu correndo para se juntar a eles. Philip fez o mesmo com duas mulheres. As pessoas que estavam com elas viram aquilo e se deslocaram para leste sem que fosse preciso empurrá-las. Outras pessoas começaram a seguir a ideia, e um movimento geral para o lado leste teve início entre aqueles que se encontravam à frente da congregação. Olhando para cima por um instante, Philip ficou horrorizado ao ver que o segundo intercolúnio também ia ceder; as mesmas rachaduras cortavam o clerestório e a abóbada diretamente sobre sua cabeça. Continuou a conduzir as pessoas para a segurança do lado leste, sabendo que cada uma que deslocasse podia ser uma vida salva. Uma chuva de pedaços de massa atingiu sua cabeça tonsurada, e logo em seguida as pedras começaram a cair. As pessoas se espalharam. Umas foram se refugiar nas naves laterais; outras, entre as quais o bispo Waleran, se amontoaram junto à parede leste; outras ainda tentavam fugir pelo lado oeste, arrastando-se por cima dos escombros e dos corpos no terceiro intercolúnio. Uma pedra bateu no ombro de Philip. Foi de raspão, mas doeu. Ele pôs as mãos por cima da cabeça e olhou à sua volta, aflito. Encontrava-se sozinho no meio do segundo intercolúnio: todos os demais estavam em torno da orla da zona de perigo. Fizera tudo o que estava a seu alcance. Correu para o lado leste.

Ali se virou de novo e olhou para cima. O clerestório do segundo intercolúnio estava ruindo e a abóbada caindo no coro, numa réplica exata do que acontecera na terceira; só que dessa vez houve menos vítimas, porque as pessoas tinham tido chance de se afastar, e também porque os tetos das naves laterais pareciam estar resistindo, ao passo que haviam cedido no terceiro intercolúnio. Todo mundo situado na extremidade leste recuou, comprimindo-se contra a parede, o rosto virado para cima, observando a abóbada para ver se o colapso se transmitiria ao primeiro intercolúnio. O impacto das pedras caindo pareceu menos barulhento, mas uma nuvem de pó e de pedrinhas encheu o ar e por alguns momentos ninguém pôde ver nada. Philip conteve a respiração. A nuvem se dispersou e ele conseguiu ver o teto de novo. Ruíra até a orla do primeiro intercolúnio, mas agora parecia firme.

A poeira assentou. Tudo ficou em silêncio. Horrorizado, Philip contemplou as ruínas da sua igreja. Somente o primeiro intercolúnio permaneceu intato. As paredes do segundo continuaram de pé até o nível da galeria, mas no terceiro e no quarto só ficaram de pé as naves laterais, e seriamente danificadas. O chão da igreja era uma pilha de escombros, sobre os quais se viam os corpos de muitos mortos e feridos. Sete anos de trabalho e centenas de libras em dinheiro tinham sido destruídos em poucos e terríveis momentos. O coração de Philip confrangeu-se pelo trabalho desperdiçado e pelas pessoas mortas, e pelas viúvas e órfãos sobreviventes; e seus olhos se encheram de amargas lágrimas.

Uma voz áspera soou junto ao seu ouvido:
— Tudo isto se deve à sua maldita arrogância, Philip!

Virou-se para ver o bispo Waleran, as roupas negras cobertas de poeira, olhando para ele triunfantemente. Philip sentiu-se como se tivesse sido apunhalado.

Assistir a uma tragédia daquelas era de cortar o coração, mas ser *culpado* por ela era insuportável. Quis dizer: Só *tentei fazer* o *melhor que podia!*, mas as palavras não saíram; sua garganta parecia ter-se fechado e não conseguiu falar.

Seus olhos deram com Johnny Oito Pence e o pequenino Jonathan emergindo do abrigo da nave, e subitamente se lembrou de suas responsabilidades. Haveria tempo de sobra mais tarde para se pensar no culpado. Naquele exato instante havia dezenas de pessoas feridas e muitas outras presas nos escombros. Precisava organizar a operação de resgate. Lançou um olhar feroz para o bispo Waleran e disse furiosamente:

– Saia da minha frente. – O assustado bispo afastou-se para o lado, e Philip pulou para cima do altar. – Atenção! – gritou, o mais alto que pôde. – Temos que cuidar dos feridos, resgatar as pessoas que estão presas nos escombros, enterrar os mortos e rezar pela alma deles. Vou designar três pessoas para organizar isso. – Examinou os rostos que o cercavam, para ver quem estava vivo e bem. Localizou Alfred. – Alfred Construtor fica encarregado de remover os escombros e resgatar as pessoas presas, e quero que todos os pedreiros e carpinteiros trabalhem com ele. – Olhando para os monges, ficou aliviado ao ver Milius, o confidente em quem tanto se fiava, são e salvo. – Milius Tesoureiro é o responsável pela remoção dos mortos e feridos, e vai precisar de ajudantes fortes e jovens. Randolph Enfermeiro cuidará dos feridos, uma vez que estejam fora desta confusão, e os mais velhos poderão ajudá-lo, especialmente as mulheres mais velhas. Tudo certo? Vamos começar. – Pulou do altar. Ouviram-se as vozes de pessoas começando a dar ordens ou a fazer perguntas.

Philip aproximou-se de Alfred, que tinha uma aparência trêmula e amedrontada. Se havia alguém a culpar era ele, como mestre construtor, mas aquela não era hora para recriminações.

– Divida seus homens em equipes – disse Philip – e dê a cada uma delas uma área separada para trabalhar.

Alfred ficou apatetado por um momento; depois sua expressão clareou.

– Sim. Certo. Começaremos no lado oeste e levaremos os escombros para o ar livre.

– Ótimo. – Philip deixou-o e abriu caminho até Milius. Ouviu suas palavras.

– Levem os feridos para bem longe da igreja e os deixem no gramado. Os corpos dos mortos vão para o lado norte.

Philip afastou-se, satisfeito, como sempre, por ter confiado no monge para fazer o que fosse certo. Viu Randolph Enfermeiro escalando um monte de escombros e apressou-se a segui-lo. Os dois conseguiram sair da igreja, no lado oeste, onde havia uma multidão composta por pessoas que tinham conseguido sair antes do pior, escapando incólumes.

– Use essa gente – disse para Randolph. – Mande alguém à enfermaria buscar equipamento e suprimentos. Faça alguns irem pegar água quente na cozinha. Peça ao despenseiro vinho forte para os que precisarem ser reanimados. Certifique-se de que deita os mortos e os feridos em linhas bem organizadas, com espaço entre eles, para que seus ajudantes não caiam sobre os corpos.

Ele olhou em torno. Os sobreviventes estavam começando a trabalhar. Muitos dos que haviam sido protegidos pelo lado leste intato seguiram Philip através dos escombros e já removiam os corpos. Um ou dois entre os feridos, que tinham ficado apenas aturdidos, puseram-se de pé sem ajuda. Philip viu uma velha sentada no chão, estonteada. Reconheceu-a; era Maud Silver, viúva de um prateiro. Ajudou-a a levantar-se e conduziu-a através dos escombros.

– O que aconteceu? – perguntou ela, sem fitá-lo. – Não sei o que aconteceu.

– Nem eu, Maud – disse ele.

Ao voltar para ajudar outra pessoa, as palavras do bispo Waleran soaram de novo na sua mente: *Tudo isso se deve à sua maldita arrogância, Philip!* A acusação o atingira de modo tão profundo porque o prior achava que poderia ser verdadeira. Estava sempre forçando, querendo mais, melhor e mais depressa. Forçara Alfred a concluir a abóbada, da mesma forma como forçara a criação de uma feira de lá e a obtenção da pedreira do conde de Shiring. Em todos os casos, o resultado fora trágico: a morte dos operários da pedreira, o incêndio de Kingsbridge e agora aquilo. Claramente era a ambição que devia ser culpada. Os monges fariam melhor se vivessem uma vida de resignação, aceitando as atribulações e os reveses deste mundo como lições de paciência, ensinadas por Deus todo-poderoso.

Enquanto o prior ajudava a retirar das ruínas os mortos e feridos, resolveu que no futuro deixaria a ambição e os empreendimentos por conta de Deus; ele, Philip, aceitaria passivamente o que quer que acontecesse. Se Deus quisesse uma catedral, proporcionaria uma pedreira; se a cidade tinha sido queimada, devia aceitar o fato como um sinal de que Deus não desejava uma feira de lá; e agora que a igreja ruíra, Philip não a reconstruiria.

Quando chegou a essa decisão, viu William Hamleigh.

O novo conde de Shiring estava sentado no chão no terceiro intercolúnio, perto do corredor norte, o rosto lívido, tremendo de dor, o pé preso sob uma grande pedra. Philip perguntou-se, enquanto ajudava a rolá-la, por que Deus escolhera deixar tantas pessoas de bom coração morrerem e poupara um animal como William.

Hamleigh fazia muito espalhafato por causa da dor no pé, mas, a não ser por isso, estava bem. Ajudaram-no a se levantar. Ele se apoiou no ombro de um homem enorme, quase do seu tamanho, e se afastou, mancando. Foi então que um bebê chorou.

Todo mundo ouviu. Não havia bebês à vista. Todos olharam em torno, assombrados. O choro foi ouvido de novo, e Philip percebeu que vinha de baixo de uma grande pilha de pedras na nave.

— Ali! — exclamou. Atraiu a atenção de Alfred e fez um gesto, chamando-o. — Há um bebê vivo ali embaixo — disse.

Todos ouviram o choro. Parecia de uma criança bem pequena, com menos de um mês de vida.

— Tem razão — disse Alfred. — Vamos tirar algumas dessas pedras grandes. — Ele e seus auxiliares começaram a retirar entulho de cima de uma pilha que bloqueava completamente o arco do terceiro intercolúnio. Philip incorporou-se ao trabalho. Não conseguia fazer ideia de qual das habitantes da cidade dera à luz nas últimas semanas. É claro que um nascimento poderia não ter sido do seu conhecimento: embora a cidade tivesse diminuído de tamanho no último ano, ainda era bastante grande para que ele perdesse um evento tão comum.

O choro parou de repente. Todos ficaram imóveis e prestaram atenção, mas não começou de novo. Com a expressão sombria, recomeçaram a retirada das pedras. Era algo perigoso, pois a remoção de uma pedra podia fazer com que as outras caíssem. Por isso Philip designara Alfred como encarregado do serviço. No entanto, ele não era tão cauteloso quanto Philip gostaria, e parecia estar deixando todo mundo fazer o que bem entendesse, retirando pedras sem nenhum planejamento geral. Em dado momento a pilha toda balançou perigosamente, e Philip exclamou:

— Esperem!

Todos pararam. Philip convenceu-se de que Alfred estava por demais chocado para organizar a contento o pessoal que o ajudava. Ele próprio teria que fazê-lo.

— Se há alguém vivo aí embaixo — disse Philip —, deve ter sido protegido por alguma coisa; se deixarmos a pilha se mover, talvez a proteção se perca e esse alguém morra devido a nossos esforços. Vamos trabalhar cuidadosamente. — Apontou para um grupo de pedreiros. — Vocês três, escalem o monte e tirem pedras do topo. Em vez de carregá-las, passem cada pedra para nós, que as levaremos daqui.

Recomeçaram a trabalhar de acordo com o plano de Philip. Parecia não só mais rápido como mais seguro.

Agora que o bebê parara de chorar não sabiam exatamente qual a direção a seguir, de modo que limparam uma área ampla, quase toda a largura do intercolúnio. Parte dos escombros era o que caíra da abóbada, mas parte do teto da nave também ruíra, de modo que havia vigas e telhas de ardósia juntamente com pedras e massa.

Philip trabalhou de modo incansável. Queria que o bebê sobrevivesse. Muito embora soubesse que havia dezenas de pessoas mortas, de algum modo o bebê lhe parecia mais importante. Sentia que se ele pudesse ser salvo, ainda haveria esperança para o futuro. À medida que ia levantando as pedras, tossindo e meio cego pela poeira, orava fervorosamente para que o bebê fosse encontrado vivo.

Em dado momento, pôde ver, acima do monte de escombros, a parede externa da nave e parte de uma janela. Parecia haver um espaço atrás da pilha. Talvez alguém estivesse vivo ali. Um pedreiro galgou cuidadosamente o monte de entulho e olhou para baixo.

– Jesus! – exclamou ele.

Daquela vez Philip ignorou a blasfêmia.

– O bebê está bem? – perguntou.

– Não dá para dizer – foi a resposta do pedreiro.

O prior teve vontade de perguntar o que o pedreiro vira, ou, melhor ainda, dar uma olhada ele mesmo, mas o homem recomeçou a trabalhar com vigor renovado, e nada havia a fazer senão continuar ajudando, febrilmente curioso.

A altura da pilha diminuiu depressa. Havia uma grande pedra quase no nível do chão que exigiu três homens para ser removida. Quando foi rolada para um lado, Philip viu o bebê.

Estava nu e era recém-nascido. Sua pele branca estava suja de sangue e pó, mas deu para ver que tinha a cabeça recoberta de um cabelo de uma chocante cor de cenoura. Olhando mais de perto, Philip viu que era um menino. Estava aconchegado ao peito de uma mulher, sugando-lhe o seio. A criança estava viva, sem dúvida, e seu coração pulou de alegria. Então olhou para a mulher. Ela também estava viva. Atraiu a atenção dele e dirigiu-lhe um sorriso débil e feliz.

Era Aliena.

Aliena nunca mais voltou à casa de Alfred.

Ele dizia a todo mundo que o filho não era seu, e como prova mostrava a cor do seu cabelo, exatamente da mesma cor do de Jack; mas não tentou fazer mal algum nem ao bebê nem a Aliena, à parte ter dito que não os receberia na sua casa.

Ela voltou ao quarteirão pobre, para a casa de um cômodo onde morava com o irmão Richard. Sentiu-se aliviada pela vingança de Alfred ser tão branda. Era bom saber que não mais precisaria dormir no chão ao pé da sua cama, como um cachorro. Mas sobretudo se sentiu emocionada e orgulhosa com seu lindo bebê. Ele tinha cabelo cor de cenoura, olhos azuis e pele branca e perfeita, fazendo-a lembrar-se vividamente de Jack.

Ninguém sabia por que a igreja ruíra. Havia muitas teorias, contudo. Uns diziam que Alfred não tinha capacidade para ser mestre construtor. Outros culpavam Philip, por haver apressado o trabalho, querendo a abóbada pronta no dia de Pentecostes. Alguns pedreiros disseram que a forma fora retirada antes de a argamassa estar apropriadamente seca. Um velho pedreiro afirmou que as paredes não haviam sido planejadas para sustentar uma abóbada de pedra.

Setenta e nove pessoas morreram, inclusive as que não resistiram aos ferimentos. Todo mundo disse que o número teria sido maior se o prior Philip não tivesse obrigado tanta gente a ir para o lado leste. O cemitério do priorado já estava lotado por causa do incêndio na feira de lã, no ano anterior, e a maior parte dos mortos foi enterrada no cemitério da igreja da paróquia. Um bocado de gente disse que a catedral estava amaldiçoada.

Alfred levou todos os seus pedreiros para Shiring, onde estava construindo casas de pedra para as pessoas ricas. Os outros artesãos afastaram-se de Kingsbridge. Ninguém foi demitido, na verdade, e Philip continuou a pagar os salários, mas não havia nada para fazerem a não ser a remoção dos escombros, e após algumas semanas todos tinham ido embora. Nenhum voluntário vinha mais trabalhar aos domingos, o mercado foi reduzido a umas poucas e desanimadas bancas, e Malachi pegou a família e tudo o que tinha, pôs num carro puxado por quatro bois e deixou a cidade, em busca de pastagens mais verdes.

Richard alugou seu belo garanhão negro a um fazendeiro e, junto com Aliena, passou a viver dos rendimentos. Sem o apoio de Alfred não podia continuar como cavaleiro, e de qualquer modo isso não adiantava nada, agora que William fora confirmado como conde de Shiring. Aliena ainda se sentia presa ao juramento que fizera ao pai, mas parecia não haver nada que pudesse fazer para cumpri-lo. Richard mergulhou em letargia. Levantava-se tarde, ficava sentado ao sol a maior parte do dia e passava as noites na cervejaria.

Martha ainda morava na casa grande, acompanhada apenas por uma velha criada. Passava, contudo, a maior parte do tempo com Aliena: adorava ajudar a cuidar do bebê, especialmente por ele se parecer tanto com seu adorado Jack. Queria que a cunhada lhe desse o nome de Jack, mas, por razões que a própria Aliena não entendia muito bem, ela relutava.

Para Aliena o verão passou em intenso deslumbramento maternal. Mas quando chegou a estação da colheita e a temperatura baixou um pouco, as noites ficaram mais curtas e ela foi se sentindo descontente.

Sempre que pensava sobre o seu futuro, Jack vinha à sua mente. Não tinha ideia de para onde fora, e provavelmente nunca mais voltaria, mas ainda permanecia com ela, dominando seus pensamentos, cheio de vida e energia, tão nítido e forte para Aliena como se o tivesse visto ainda na véspera. Pensou em se mudar para outra cidade e fingir que era viúva; considerou a possibilidade de tentar persuadir Richard a ganhar a vida fazendo qualquer coisa; contemplou a ideia de trabalhar em tecelagem, ou de lavar roupa, ou ainda de se tornar uma criada para uma das poucas pessoas da cidade que ainda dispunham de dinheiro suficiente para contratar empregados; cada nova ideia era saudada por uma risadinha do Jack imaginário em sua cabeça, que dizia: "Nada dará certo sem mim." Fazer amor com ele na manhã do seu casamento com Alfred fora o maior pecado que jamais cometera, e não tinha dúvida de que agora estava sendo punida por isso. No entanto, ainda havia ocasiões em que achava que fora a única coisa boa que fizera em toda a vida, e quando olhava para o seu bebê, não podia se obrigar a se arrepender do que fizera. Mesmo assim, sentia-se irrequieta. Um bebê não era suficiente. Sentia-se incompleta, irrealizada. Sua casa parecia pequena demais, e Kingsbridge, meio morta; a vida era muito monótona. Tornou-se impaciente com o bebê e rabugenta com Martha.

No fim do verão o fazendeiro trouxe o cavalo de volta: já não era necessário, e de repente Richard e Aliena se viram sem renda. Um dia, no início do outono, o rapaz foi a Shiring vender sua armadura. Enquanto estava fora e Aliena comia maçãs na refeição para economizar dinheiro, a mãe de Jack entrou na sua casa.

— Ellen! — Aliena estava mais do que assustada. Havia pavor na sua voz, pois a mãe de Jack amaldiçoara um casamento religioso e o prior Philip ainda poderia puni-la por isso.

— Vim ver meu neto — disse Ellen calmamente.

— Mas como você soube...?

— A gente sabe das coisas, mesmo na floresta. — Foi até o berço, num canto, e contemplou a criança adormecida. Seu rosto suavizou-se. — Ora, ora. Não há dúvida de quem é filho. Está se alimentando bem?

— Nunca houve nada de errado com ele: é pequeno mas resistente disse Aliena, orgulhosa. E acrescentou: — Como a avó. — Examinou Ellen. Estava mais magra do que quando partira, queimada de sol, e usava uma túnica curta de couro que revelara a barriga das pernas bronzeadas. Estava descalça. Parecia jovem e saudável: a vida na floresta certamente a favorecia. Aliena calculava que devia estar com cerca de trinta e cinco anos. — Você está ótima.

— Sinto falta de vocês todos — disse Ellen. — Sinto falta de você, de Martha e até mesmo do seu irmão Richard. Tenho saudade do meu Jack. E do meu Tom.
— Ela parecia triste.

Aliena continuava preocupada com a segurança de Ellen.

— Alguém a viu chegando? Os monges ainda podem querer puni-la.

— Não há um monge em Kingsbridge que tenha coragem de me prender — disse ela, com um sorriso largo. — Mas, de qualquer modo, fui muito cuidadosa: ninguém me viu. — Houve uma pausa. Ellen encarou fixamente Aliena, que se sentiu um pouco desconfortável sob a força penetrante dos seus estranhos olhos cor de mel. Afinal Ellen disse:

— Você está desperdiçando sua vida.

— O que você quer dizer com isso? — perguntou Aliena, embora as palavras da outra tivessem instantaneamente tocado um ponto em seu íntimo.

— Você devia ir procurar Jack.

Aliena sentiu uma pontada de deliciosa esperança.

— Mas não posso — disse.

— Por que não?

— Para começar, não sei onde se encontra.

— Eu sei.

O coração de Aliena bateu mais depressa. Pensara que ninguém sabia para onde Jack fora. Era como se tivesse desaparecido da face da Terra. Mas agora seria capaz de imaginá-lo num lugar específico e real. Isso mudava tudo. Talvez estivesse em algum lugar próximo. Poderia mostrar-lhe seu bebê.

— Pelo menos sei para onde ele se dirigiu — acrescentou Ellen.

— Para onde? — perguntou Aliena, aflita.

— Santiago de Compostela.

— Oh, Deus! — Seu coração confrangeu-se. Sentia-se desesperadamente desapontada. Santiago de Compostela era a cidade da Espanha onde o apóstolo Tiago fora enterrado. Implicava uma viagem de diversos meses. Era o mesmo que Jack estar no fim do mundo.

— Ele tinha esperança de descobrir alguma coisa a respeito do pai conversando com os menestréis na estrada.

Aliena assentiu desconsoladamente. Fazia sentido. Jack sempre se ressentira de saber tão pouco a respeito do pai. Mas era bem possível que jamais voltasse. Numa cidade tão grande decerto encontraria a catedral em que queria trabalhar e nela se estabeleceria. Por ter ido procurar o pai provavelmente perdera o filho.

— É tão longe! — disse Aliena. — Eu gostaria de poder ir atrás dele.

— Por que não? — perguntou Ellen. — Milhares de pessoas vão para lá em peregrinação. Por que você não poderia ir?

— Jurei a meu pai cuidar de Richard até que ele se tornasse o conde de Shiring — disse a Ellen. — Não poderia deixá-lo.

Ellen pareceu cética.

— Exatamente como você imagina que o está ajudando neste momento? — perguntou. — Não tem dinheiro e William é o novo conde. Richard perdeu qualquer chance que pudesse ter tido para recuperar o condado. Você não é mais útil para ele aqui em Kingsbridge do que seria em Santiago de Compostela. Dedicou a vida àquele juramento desgraçado. Mas agora não há mais nada que possa fazer. Não vejo como seu pai pudesse reprová-la. Se me perguntasse, eu lhe diria que o maior favor que pode fazer a Richard seria abandoná-lo por algum tempo e dar-lhe uma chance para aprender a ser independente.

Era verdade, pensou Aliena, que não tinha utilidade para Richard naquele momento, quer permanecesse em Kingsbridge, quer não. Seria possível que agora estivesse livre, livre para ir procurar Jack? A mera ideia fez seu coração disparar.

– Mas não tenho dinheiro para sair em peregrinação – disse.

– O que aconteceu com aquele cavalo enorme?

– Ainda o temos...

– Venda-o.

– Como? É de Richard.

– Pelo amor de Deus, quem diabos o comprou? – retrucou Ellen, furiosa. – Foi Richard quem trabalhou duro anos a fio para construir um comércio de lã? Foi Richard quem negociou com camponeses gananciosos e compradores flamengos inflexíveis? Foi Richard quem arrecadou a lã e montou uma banca no mercado para vendê-la? Não venha me dizer que o cavalo é de Richard!

– Ele ficaria tão furioso...

– Ótimo. Esperemos que fique furioso o bastante para trabalhar um pouco pela primeira vez na vida.

Aliena chegou a abrir a boca para retrucar, mas desistiu. Ellen tinha razão. Richard sempre dependera dela para tudo. Enquanto ele estivera lutando pelo seu patrimônio, ela fora obrigada a sustentá-lo. Mas agora não estava lutando por nada. Não podia exigir mais nada.

Imaginou-se encontrando Jack de novo. Imaginou seu rosto sorrindo para ela. Eles se beijariam. Sentiu um arrepio de prazer. Percebeu que estava ficando molhada só de pensar nele. Sentiu-se embaraçada.

– Viajar é uma atividade arriscada, claro – disse Ellen. Aliena sorriu.

– Isso é algo com que não me preocupo. Venho viajando desde os meus dezessete anos. Sei tomar conta de mim.

– De qualquer forma, haverá centenas de pessoas na estrada para Santiago de Compostela. Você pode se juntar a um grupo grande de peregrinos. Não terá que viajar sozinha.

Aliena suspirou.

– Sabe, se eu não tivesse o bebê acho que iria mesmo.

– Mas é por causa do bebê que você tem que ir – retrucou Ellen. – Ele precisa de um pai.

Aliena não encarara a coisa daquele jeito: pensara na viagem como algo puramente egoísta. Via agora que a criança precisava tanto de Jack quanto ela. Na sua obsessão com os cuidados cotidianos do filho não pensara no futuro dele. Súbito pareceu-lhe terrivelmente injusto que crescesse sem conhecer o gênio adorável, brilhante e único que era seu pai.

Percebeu que estava se convencendo a ir, e sentiu um arrepio de apreensão.

Ocorreu-lhe uma dificuldade.

— Eu não poderia levar o bebê para Santiago de Compostela.

Ellen deu de ombros.

— Ele não saberá a diferença entre Espanha e Inglaterra. Mas você não precisa levá-lo.

— O que mais poderia fazer?

— Deixá-lo comigo. Eu o alimentaria com leite de cabra e mel silvestre.

Aliena sacudiu a cabeça.

— Não toleraria separar-me dele. Eu o amo demais.

— Se o ama — disse Ellen —, vá procurar seu pai.

2

Aliena arranjou um navio em Warenham. Quando fizera a travessia para a França, ainda garota, na companhia do pai, haviam embarcado num dos navios de guerra normandos, embarcações compridas e estreitas cujas laterais se curvavam para cima, numa ponta aguda, na frente e atrás. Tinham fileiras de remos de cada lado e uma vela quadrada de couro. O navio que a levaria à Normandia agora era similar, só que mais largo no meio e mais fundo, a fim de transportar mais carga. Viera de Bordeaux, e ela vira os marinheiros descalços descarregarem barris de vinho destinados às adegas dos ricos.

Aliena sabia que deveria deixar o bebê, mas estava desolada. Sempre que olhava para ele passava em revista todos os argumentos e decidia novamente que tinha de ir; mesmo assim, não fazia diferença: não queria se separar dele.

Ellen a acompanhara a Warenham. Lá Aliena juntara-se a dois monges da Abadia de Glastonbury, que iam visitar sua propriedade na Normandia. Três outras pessoas seriam passageiras no navio: um jovem escudeiro que passara quatro anos com um parente inglês e agora retornava para seus pais, em Toulouse, e dois jovens pedreiros que tinham ouvido dizer que os salários eram mais altos e as garotas, mais bonitas, do outro lado do canal. Na manhã em que deveriam zarpar, esperaram na cervejaria enquanto a tripulação carregava o navio com pesados lingotes de estanho da Cornualha. Os pedreiros beberam diversos jarros de cerveja mas não pareceram ficar embriagados. Aliena abraçou o bebê e chorou silenciosamente.

Por fim o navio ficou pronto para partir. A vigorosa égua cinzenta que Aliena comprara em Shiring nunca vira o mar, e se recusou a subir pela prancha de embarque. No entanto, o escudeiro e os pedreiros colaboraram entusiasticamente e acabaram conseguindo pôr o animal a bordo.

Aliena estava cega pelas lágrimas quando deu seu bebê a Ellen. Ela o pegou, mas disse:

— Você não pode fazer isto. Errei ao fazer tal sugestão.

Aliena chorou mais.

— Mas há Jack — soluçou. — Não posso viver sem Jack, sei que não posso. Tenho que procurá-lo.

— Oh, sim — disse Ellen. — Não estou sugerindo que desista da viagem. Mas não pode deixar o bebê para trás. Leve-o consigo.

Aliena sentiu-se inundada de gratidão e chorou mais ainda.

— Acha mesmo que ele estará bem?

— O bebê não poderia ter estado mais feliz na viagem até aqui. O resto será igual. E ele não gosta muito de leite de cabra.

— Vamos, senhoras — disse o capitão do navio —, a maré está para mudar.

Aliena pegou o bebê e beijou Ellen.

— Muito obrigada. Sinto-me muito feliz.

— Boa sorte — disse Ellen.

Aliena virou-se e subiu a prancha.

Partiram imediatamente. Aliena acenou até que Ellen não passasse de um pontinho no cais. Estavam saindo do porto quando começou a chover. Não havia abrigo na parte de cima, de modo que Aliena se sentou no fundo, junto com a carga e os cavalos. O convés parcial em que os remadores se sentavam, acima da sua cabeça, não a protegia completamente da chuva, mas era possível conservar o bebê seco por dentro da capa. O balanço do navio pareceu agradar-lhe, e o menino dormiu. Quando caiu a noite e a âncora foi lançada, Aliena juntou-se aos monges em suas preces. Após as orações cochilou intermitentemente, sentada com o bebê nos braços. Desembarcaram em Barfleur no dia seguinte e Aliena encontrou acomodações na cidade mais próxima, Cherbourg. Gastou outro dia rodando pela cidade, perguntando a estalajadeiros e construtores se tinham visto um jovem pedreiro inglês com o cabelo cor de cenoura, flamejante. Ninguém o vira. Havia inúmeros normandos ruivos, de modo que poderiam não ter reparado em Jack. Ou ele talvez tivesse se destinado a outro porto.

Aliena não esperara, realisticamente, encontrar indícios de Jack tão cedo, mas mesmo assim ficou desanimada. No dia seguinte seguiu viagem, no rumo sul. Teve como companhia um vendedor de facas, sua esposa gorda e cordial e quatro crianças. Eles se deslocavam bem devagar, e Aliena se sentiu feliz por poder acompanhar seu ritmo, poupando as forças da égua, que ainda teria que carregá-la num longo trajeto. A despeito da proteção que significava estar viajando com uma família, conservou a faca comprida e afiada amarrada no antebraço esquerdo, por baixo da manga. Não parecia rica: suas roupas eram quentes, mas não luxuosas, e o cavalo forte, mas muito manso. Tinha o cuidado de conservar umas poucas moedas à mão, dentro de uma bolsa, e nunca mostrar a ninguém o pesado cinto com moedas amarrado na sua cintura por baixo da túnica. Alimentava o bebê discretamente, sem deixar que homens estranhos vissem os seus seios.

Naquela noite Aliena se sentiu bastante animada por um golpe esplêndido de sorte. Pararam numa aldeia minúscula chamada Lessay, e ali Aliena encontrou um monge que se recordava vivamente de um jovem pedreiro inglês que ficara fascinado pelo revolucionário método novo de construir a abóbada da igreja da abadia usando um arcabouço de vigas, como nervuras. Aliena exultou. O monge ainda se lembrava de Jack dizendo ter desembarcado em Honfleur, o que explicava não haver traços de sua passagem por Cherbourg. Embora houvesse decorrido um ano, o homem falou prolixamente sobre Jack, e ficou óbvio que se deixara fascinar por ele. Aliena ficou muito animada por conversar com alguém que o vira. Era a confirmação de que estava no caminho certo.

Após algum tempo, deixou o monge e foi se deitar no chão da casa de hóspedes da abadia. Estava caindo no sono quando abraçou o menino com força e sussurrou, com os lábios colados na sua orelhinha cor-de-rosa:

— Vamos encontrar o seu papai.

O bebê adoeceu em Tours.

A cidade era rica, suja e superpovoada. Os ratos corriam em bandos por entre os grandes trapiches de cereais à margem do rio Loire. Estava cheia de peregrinos. Tours era o tradicional ponto de partida para a peregrinação a Santiago de Compostela. Além disso, o dia de são Martinho, primeiro bispo de Tours, era iminente, e muitos tinham ido à igreja da abadia para visitar seu túmulo. São Martinho era famoso por ter cortado sua capa em duas para dar metade a um mendigo nu. Por causa do dia do santo, as estalagens e albergues de Tours estavam superlotados. Aliena foi obrigada a aceitar o que pôde conseguir, e ficou numa taverna em pedaços junto ao cais, dirigida por duas irmãs velhas e frágeis demais para conseguir manter o lugar limpo.

A princípio não passou muito tempo na taverna. Com o bebê nos braços, explorou as ruas, perguntando por Jack. Logo percebeu que a cidade estava tão constantemente cheia de visitantes que os estalajadeiros não seriam capazes de se lembrar nem dos hóspedes da semana anterior, de modo que seria inútil fazer-lhes indagações sobre alguém que poderia ter estado ali um ano antes. Deteve-se, no entanto, em todos os canteiros de obras para perguntar se não haviam empregado um jovem pedreiro inglês com o cabelo cor de cenoura, chamado Jack. Ninguém havia.

Ficou desapontada. Não tinha nenhuma notícia de Jack desde Lessay. Se ele tivesse se mantido fiel ao seu plano de ir a Santiago de Compostela, quase certamente teria vindo a Tours. Começou a temer que ele pudesse ter mudado de ideia.

Foi à Igreja de São Martinho, como todo mundo, e ali viu uma equipe de operários engajados num extenso trabalho de recuperação. Procurou o mestre, um homem baixo e mal-humorado, de cabelo rarefeito, e perguntou se ele havia empregado um pedreiro inglês.

— Nunca emprego ingleses — disse ele abruptamente, antes que ela pudesse concluir o que começara a dizer. — Os pedreiros ingleses não são bons.

— Esse é *muito* bom — disse ela. — E fala bem francês, de modo que você pode não ter percebido que era inglês. Tem o cabelo cor de cenoura...

— Não, nunca o vi — disse o mestre rudemente, indo embora.

Aliena voltou para o quarto meio deprimida. Ser destratada sem motivo algum era muito desestimulante.

Naquela noite teve um desarranjo intestinal e não dormiu nada. No dia seguinte sentiu-se doente demais para sair, e passou o dia todo deitada na cama, na taverna, com o fedor do rio entrando pela janela e o cheiro do vinho derramado e do óleo de cozinha subindo pela escada. Na manhã seguinte o bebê estava doente.

Acordou com ele chorando. Não era o choro forte, intenso e exigente de sempre, e sim um débil queixume. Estava com o mesmo desarranjo que Aliena tivera, mas apresentava também um quadro de febre. Seus olhos azuis, normalmente atentos, estavam fechados com o desconforto, e as mãozinhas, cerradas. Sua pele, congestionada, tinha manchas.

Ele nunca estivera doente antes, e Aliena não sabia o que fazer.

Deu-lhe o seio. Ele sugou avidamente por algum tempo, chorou de novo e voltou a sugar. O leite passou direto através dele e não pareceu lhe dar conforto algum.

Havia uma simpática e jovem camareira trabalhando na taverna, e Aliena pediu que fosse à abadia e comprasse um pouco de água benta. Pensou em mandar buscar um médico, mas os médicos sempre queriam sangrar os pacientes, e ela não podia crer que ajudasse o bebê ser sangrado.

A criada voltou com sua mãe, que queimou uma porção de ervas secas numa tigela de ferro. Elas produziram uma fumaça acre que pareceu absorver os cheiros ruins do lugar.

— O bebê terá sede; dê-lhe o seio sempre que ele quiser — disse ela. — Beba bastante água também, para ter leite suficiente. É tudo o que pode fazer.

— Ele vai ficar bom? — perguntou Aliena ansiosamente.

A mulher a fitou com comiseração.

— Não sei, querida. Quando eles são tão pequenos não se pode dizer. Geralmente sobrevivem a coisas desse tipo. Às vezes, não. É o seu primeiro?

— Sim.

— Lembre-se de que sempre poderá ter outros.

Aliena pensou: Mas este filho é de Jack, que perdi. Guardou os pensamentos para si própria, agradeceu à mulher e pagou-lhe as ervas.

Depois que elas se foram, diluiu a água benta em água comum, mergulhou um pano e esfriou a cabeça do bebê.

Ele pareceu piorar à medida que o dia passava. Aliena lhe deu o seio quando chorou, cantou para ele quando esteve acordado e o refrescou com água fria quando dormiu. Ele mamou o tempo todo, mas intermitentemente. Por sorte, Aliena tinha muito leite – sempre tivera. Ela própria ainda estava doente e se alimentando de pão seco e vinho aguado. Com o passar das horas veio a odiar o quarto em que estava, com suas paredes imundas nuas, o chão de tábuas rústicas, a porta malfeita e uma janelinha horrível. Tinha precisamente quatro peças de mobília: a cama desconjuntada, um banco de três pernas, uma vara para pendurar roupas e um castiçal de pé com três pontas mas uma vela só.

Quando caiu a noite a criada veio e acendeu a vela. Olhou para o bebê, que estava deitado na cama, balançando braços e pernas e choramingando.

– Pobrezinho – disse ela. – Não entende por que se sente tão mal.

Aliena saiu do banco e foi para a cama, mas deixou a vela acesa, a fim de poder ver o bebê. Durante toda a noite os dois cochilaram intermitentemente. Por volta da madrugada a respiração do menino tornou-se superficial, e ele parou de chorar e de se mexer.

As lágrimas começaram a correr pelo rosto de Aliena. Perdera a trilha de Jack e seu bebê ia morrer ali, num lugar cheio de estranhos, em uma cidade tão longe de casa. Nunca mais haveria outro Jack, e ela nunca mais teria outro filho. Talvez morresse também. Seria o melhor. Talvez fosse o melhor.

Ao amanhecer, apagou a vela com um sopro e caiu num sono exausto.

Um barulho alto vindo do andar de baixo despertou-a de súbito. O sol estava alto, e a margem do rio embaixo da sua janela apresentava-se ruidosamente atarefada. O bebê estava imóvel, com o rosto tranquilo, afinal. A mão fria do medo comprimiu-lhe o coração. Pôs a mão no seu peitinho: não estava nem quente nem frio. Ela ofegou, assustada. Então, estremecendo-se todo, ele soltou um suspiro fundo e abriu os olhos. Aliena quase desmaiou de alívio.

Agarrou-o, abraçando-o com força. O bebê rompeu no choro. Percebeu que ele estava bem de novo; sua temperatura era normal e ele não estava com dores. Ofereceu-lhe o seio e ele sugou avidamente. Em vez de virar o rosto depois de alguns momentos, ele continuou e, quando um seio secou, mamou todo o leite do outro. Então mergulhou num sono profundo e satisfeito.

Aliena deu-se conta de que seus sintomas também haviam desaparecido, embora se sentisse exausta. Dormiu ao lado do bebê até o meio-dia, depois o amamentou de novo; em seguida se dirigiu ao salão de refeições da taverna e almoçou queijo de cabra e pão fresco com um pouco de bacon.

Talvez fosse a água santa de são Martinho que tivesse curado o bebê. Naquela tarde voltou à igreja para dar graças ao santo na sua tumba.

Enquanto estava na igreja da grande abadia, observou os operários trabalhando e pensou em Jack, que afinal ainda não vira o próprio filho. Gostaria de saber se ele teria se desviado da rota que tencionara seguir. Talvez estivesse trabalhando em Paris, cinzelando pedras para alguma nova catedral. Enquanto pensava nele, seus olhos se fixaram num modilhão que estava sendo instalado pelos operários. Havia sido cinzelada nele a figura de um homem que parecia estar sustentando o pilar nas costas. Ela ofegou. Soube instantaneamente, sem sombra de dúvida, que aquela figura retorcida e angustiada fora cinzelada por Jack. Então ele estivera ali!

Com o coração batendo em disparada, ela se aproximou dos homens que estavam fazendo o trabalho.

— Aquele modilhão... — disse, sem fôlego. — O homem que o esculpiu era inglês, não era?

Foi um velho trabalhador com o nariz quebrado quem respondeu:

— Isso mesmo. Foi Jack Fitzjack que esculpiu. Nunca vi nada parecido em minha vida.

— Quando foi que ele esteve aqui? — perguntou Aliena. Prendeu a respiração enquanto o velho coçava a cabeça branca por cima de um gorro sebento.

— Já deve estar fazendo quase um ano. Não ficou por muito tempo, se me entende. O mestre não gostou dele. — Abaixou o tom de voz. — Jack era bom demais, se quer saber a verdade. Expôs as deficiências do mestre. Então teve que ir embora. — Com essas palavras, colocou um dedo por cima do nariz, num gesto de confidência.

— Ele disse para onde estava indo? — perguntou Aliena excitadamente.

O velho olhou para o bebê.

— O filho é dele, não é?... Se é que o cabelo quer mesmo dizer alguma coisa...

— Sim, é dele.

— Você acha que Jack vai gostar de vê-la?

Aliena percebeu que o velho achava que Jack poderia estar fugindo dela. Deu uma risada.

— Oh, sim! Vai ficar muito satisfeito por me ver.

Ele deu de ombros.

— Disse que estava indo para Santiago de Compostela, pelo menos foi o que afirmou.

— Muito obrigada! — exclamou Aliena, feliz, e para assombro e deleite do velho, beijou-o.

As trilhas de peregrinos atravessavam a França e convergiam em Ostabat, ao sopé dos Pireneus. Ali o grupo de cerca de vinte peregrinos com quem Aliena viajava aumentou para setenta. Era um grupo com os pés doloridos mas alegre: alguns cidadãos prósperos, outros provavelmente fugindo da justiça, uns bêbados e diversos monges e padres. Os religiosos estavam ali por razões de fé, mas os outros pareciam dispostos a se divertir. Diversas línguas eram faladas, inclusive o flamengo, uma língua germânica e um dialeto do Sul da França chamado "*oc*". Não obstante, não havia falta de comunicação entre eles e, enquanto atravessavam os Pireneus, cantavam, brincavam, contavam histórias e – em diversas ocasiões – tinham casos de amor.

Depois de Tours, lamentavelmente, Aliena não mais encontrou pessoas que se lembrassem de Jack. No entanto, não havia tantos menestréis quanto imaginara ao longo da rota pela França. Um dos peregrinos flamengos, um homem que já fizera a viagem antes, disse que haveria mais do lado espanhol das montanhas.

Ele estava certo. Em Pamplona, Aliena ficou animada ao descobrir um menestrel que se recordava de ter conversado com um jovem inglês de cabelo cor de cenoura que lhe perguntara acerca do pai.

À medida que os cansados peregrinos se deslocavam lentamente pelo Norte da Espanha em direção à costa, ela foi encontrando diversos menestréis, e a maioria se lembrava de Jack. Constatou, com crescente excitação, que todos diziam ter ele afirmado estar se dirigindo *para* Santiago de Compostela, e ninguém o encontrara retornando.

Isso significava que Jack ainda estava lá.

Quanto mais seu corpo ficava doído, mais animada ela se sentia. Mal pôde conter o otimismo nos últimos dias da jornada. Já estavam no inverno, mas o tempo era ensolarado e a temperatura, amena. O bebê, agora com seis meses, parecia saudável e feliz. Tinha certeza de que encontraria Jack em Santiago de Compostela.

Chegaram lá no dia de Natal.

Foram direto para a catedral e assistiram à missa. A igreja naturalmente estava superlotada. Aliena deu uma porção de voltas por entre os fiéis, examinando-lhes o rosto, mas Jack não se encontrava ali. Claro, não era muito devoto; na verdade nunca ia à igreja, a não ser para trabalhar. Quando encontrou acomodações, já estava escuro. Foi para a cama, mas quase não conseguiu dormir de excitação, sabendo que Jack provavelmente estaria a poucos passos de onde se encontrava, e que no dia seguinte o veria, o beijaria e lhe mostraria o filho.

Acordou à primeira luz do dia. O bebê sentiu sua impaciência e mamou um tanto irritado, mordendo o mamilo com as gengivas. Ela o lavou apressadamente e saiu com ele nos braços.

Caminhando pelas ruas poeirentas, esperava ver Jack ao dobrar cada esquina. Como ele ficaria assombrado ao vê-la! E como ficaria satisfeito! No entanto, não o viu nas ruas, e começou a visitar as estalagens. Assim que as pessoas se puseram a trabalhar, foi aos canteiros de obras e falou com os pedreiros. Sabia as palavras para "pedreiro" e "ruivo" em castelhano, e os habitantes de Santiago de Compostela estavam acostumados com estrangeiros, de modo que conseguiu se comunicar; porém, não encontrou nenhum indício de Jack. Começou a se preocupar. Deveriam conhecê-lo. Não era o tipo de pessoa que podia passar facilmente despercebida, e devia ter vivido ali diversos meses. Ficou também atenta para ver se encontrava outro trabalho de cinzelagem característico dele, mas não viu nenhum.

Pelo meio da manhã encontrou uma estalajadeira de meia-idade, de rosto vermelho, que falava francês e se lembrava de Jack.

– Um belo rapaz... é seu? De qualquer maneira, nenhuma das garotas da cidade conseguiu nada com ele. Esteve aqui no verão, mas não ficou muito tempo, o que foi uma pena. Não disse para onde ia. Gostei dele. Se encontrá-lo, dê-lhe um grande beijo meu.

Aliena voltou para o seu quarto e deitou-se, olhando para o teto. O bebê choramingou, mas daquela vez ela o ignorou. Estava exausta, desapontada e saudosa de casa. Não era justo: seguira-o até Santiago de Compostela, mas ele tinha ido para outro lugar qualquer!

Como não voltara aos Pireneus, e como não havia nada a oeste de Compostela a não ser uma faixa estreita de litoral e o oceano que ia até o fim do mundo, Jack deveria ter seguido no rumo sul. Teria que partir de novo, na sua égua cinzenta, com o bebê nos braços, para o interior da Espanha.

Gostaria de saber quão distante de casa teria que ir antes de sua peregrinação chegar ao fim.

Jack passou o dia de Natal com seu amigo Raschid Alharoun em Toledo. Raschid era um sarraceno batizado que fizera fortuna importando especiarias do Oriente, especialmente pimenta. Encontraram-se na missa de meio-dia e foram caminhando ao cálido sol do inverno, pelas ruas estreitas e pelo mercado, característicamente oriental e extremamente fragrante, até o bairro rico.

A casa de Raschid era feita de uma deslumbrante pedra branca e construída em torno de um pátio com um chafariz. Suas arcadas sombrias faziam com que Jack se lembrasse do claustro do priorado de Kingsbridge. Na Inglaterra elas davam proteção contra o vento e a chuva, mas aqui sua finalidade era reduzir o calor do sol.

Raschid e seus hóspedes sentaram-se em almofadas sobre o chão e jantaram com a comida posta numa mesa baixa. Os homens eram servidos por sua esposa e filhas e várias criadas, cuja posição na casa era, de certa forma, duvidosa: como cristão, Raschid só podia ter uma mulher, mas Jack suspeitava que disfarçadamente ele passasse por cima da proibição de concubinas decretada pela Igreja.

As mulheres eram a maior atração da hospitaleira casa de Raschid. Todas eram bonitas. Sua esposa era uma mulher escultural e graciosa, com a pele moreno-escura muito lisa, o cabelo negro lustroso e brilhantes olhos castanhos. Suas filhas eram versões mais esbeltas. Havia três delas. A mais velha estava noiva de outro convidado, o filho de um mercador de seda da cidade.

– Minha Raya é a filha perfeita – disse Raschid, enquanto ela circulava em torno da mesa com uma grande taça de água perfumada para os convidados mergulharem as mãos. – É atenciosa, obediente e linda. Josef é um homem de sorte. – O noivo baixou a cabeça, confirmando suas palavras.

A segunda filha era orgulhosa, até mesmo arrogante. Deu a impressão de ficar ressentida com o elogio dirigido à irmã. Lançou um olhar de superioridade a Jack quando lhe serviu uma bebida, enchendo seu cálice com uma jarra de cobre.

– O que é isto? – perguntou ele.

– Licor de menta – respondeu ela desdenhosamente. Não gostava de servi-lo, pois era filha de um grande homem, e ele, um vagabundo sem dinheiro.

Era da terceira irmã, Aysha, que Jack mais gostava. Nos três meses em que ali estava, viera a conhecê-la bastante bem. Tinha quinze ou dezesseis anos, era pequena e cheia de vida e estava sempre sorrindo. Embora fosse três ou quatro anos mais moça que ele, não parecia infantil. Tinha a inteligência viva, cheia de curiosidade. Fazia-lhe intermináveis perguntas sobre a Inglaterra e o modo de vida inglês. Frequentemente fazia pouco dos costumes da sociedade de Toledo – o jeito esnobe dos árabes, as cansativas exigências dos judeus e o mau gosto dos novos-ricos cristãos –, fazendo às vezes Jack ter ataques de riso. Embora fosse a mais jovem, parecia a menos inocente das três: alguma coisa no modo como olhava para Jack, quando se debruçava à sua frente para colocar um prato de camarões apimentados na mesa, revelava, sem sombra de dúvida, um traço licencioso. Ela atraiu a atenção dele e disse "Licor de menta" numa imitação perfeita do jeito arrogante da irmã, e Jack teve que rir. Quando estava com Aysha quase sempre podia esquecer Aliena por algumas horas.

Mas quando estava longe daquela casa, Aliena se fazia presente na sua cabeça com tanta intensidade como se a houvesse visto ainda na véspera. A lembrança que tinha dela era dolorosamente vívida, embora não a visse há mais de um ano. Era capaz de relembrar qualquer uma de suas expressões quando bem entendesse: risonha, pensativa, desconfiada, ansiosa, satisfeita, atônita e, com mais clareza que qualquer uma das outras, apaixonada. Não se esquecera de nada acerca do seu corpo, e ainda podia ver a curva do seu seio, sentir a suavidade da pele da parte interna da sua coxa, o sabor do seu beijo, o cheiro do seu desejo. Com muita frequência a desejava.

Para se curar desse infrutífero desejo, às vezes imaginava o que Aliena devia estar fazendo. Via-a descalçando as botas de Alfred no fim do dia, sentando-se para comer a seu lado, beijando-o, fazendo amor com ele e dando o seio para um bebê que era a cara de Alfred. Tais visões o torturavam, mas não o impediam de desejá-la.

Nesse dia, de Natal, Aliena assaria um cisne e o enfeitaria com suas próprias penas para servi-lo, e haveria para beber uma mistura preparada com cerveja, ovos e noz-moscada. A comida colocada à frente de Jack não poderia ser mais diferente. Havia pratos de carneiro temperado de modo estranho, arroz misturado com nozes e saladas com molho de azeite e sumo de limão. Levara algum tempo para Jack se acostumar com a cozinha da Espanha. Eles nunca serviam grandes pedaços de carne de boi, pernis de porco ou de veado, sem os quais nenhum banquete seria completo na Inglaterra, tampouco consumiam grossas fatias de pão. Não tinham as opulentas pastagens capazes de sustentar imensos rebanhos de gado, ou um solo rico que produzisse grandes quantidades de trigo. Compensavam as quantidades relativamente pequenas de carne com maneiras engenhosas de cozinhá-la com todo tipo de especiarias, e no lugar do trivial pão da Inglaterra, dispunham de uma ampla variedade de frutas e verduras.

Jack estava morando com um pequeno grupo de clérigos ingleses em Toledo. Faziam parte de uma comunidade internacional de estudiosos, que incluíam judeus, muçulmanos e cristãos árabes. Os ingleses se ocupavam traduzindo obras de matemática do árabe para o latim, para que pudessem ser lidas por cristãos. Havia uma atmosfera de febril excitação entre eles na descoberta e exploração do tesouro da sabedoria árabe; deram, com naturalidade, as boas-vindas a Jack como estudante: admitiam em seu círculo qualquer um que entendesse o que faziam e compartilhasse do seu entusiasmo. Eram como camponeses que tivessem trabalhado durante anos para arrancar suas colheitas de um solo árido e que subitamente tivessem se mudado para um rico vale aluvial. Jack abandonara a construção pelo estudo da matemática. Ainda não precisara trabalhar por dinheiro: os clérigos lhe deram uma cama e todas as refeições que quisesse, e lhe dariam novo hábito e sandálias, se precisasse.

Raschid era um dos seus patrocinadores. Sendo comerciante internacional, era poliglota e cosmopolita em suas atitudes. Em casa falava castelhano, o idioma da Espanha cristã, e não moçárabe. Sua família toda falava também francês, a língua dos normandos, que eram importantes comerciantes. Embora fosse mercador, tinha inteligência vigorosa e extensa curiosidade. Adorava conversar com os eruditos sobre suas teorias. Gostara imediatamente de Jack, e este jantava em sua casa diversas vezes por semana.

– O que foi que os filósofos nos ensinaram nesta semana? – perguntou Raschid quando começaram a comer.

– Estou lendo Euclides. – Seu livro *Elementos* fora um dos primeiros traduzidos.

– Euclides é um nome esquisito para um árabe – disse Ismail, irmão de Raschid.

— Ele era grego — explicou Jack. — Viveu antes do nascimento de Cristo. Seu trabalho foi perdido pelos romanos mas preservado pelos egípcios; por isso chega até nós em árabe.

— E agora os ingleses o estão traduzindo para o latim! — disse Raschid. — Isso me diverte.

— Mas o que você aprendeu? — quis saber Josef, o noivo de Raya. Jack hesitou. Era difícil de explicar. Tentou ser prático.

— Meu padrasto, o construtor, ensinou-me a realizar certas operações em geometria: como dividir exatamente uma linha em duas partes, como desenhar um ângulo reto e como desenhar um quadrado dentro de outro, de modo que o menor tenha a metade da área do maior.

— Qual o propósito de saber essas coisas? — interrompeu Josef. Havia uma nota de escárnio em sua voz. Via Jack como um arrivista e tinha ciúme da atenção que Raschid lhe dispensava.

— Essas operações são essenciais quando se projeta um prédio — respondeu Jack amavelmente, fingindo não perceber o tom de voz do outro. — Dê uma olhada neste pátio. A área das arcadas cobertas em torno do seu perímetro é exatamente a mesma da área descoberta central. A maior parte dos pequenos pátios é construída dessa forma, incluindo-se os claustros dos mosteiros. E porque essas proporções são mais agradáveis. Se a parte central for maior, vai ficar parecendo com uma praça de mercado, e se for menor, poderá parecer um buraco no telhado. Mas para conseguir exatamente isso, o construtor tem que ser capaz de desenhar a parte descoberta no meio de modo que tenha precisamente metade da área de todo o conjunto.

— Eu não sabia disso! — exclamou Raschid triunfantemente. Não havia nada de que ele gostasse mais do que aprender algo novo.

— Euclides explica por que essas técnicas funcionam — prosseguiu Jack. — Por exemplo, as duas partes da linha dividida são iguais porque formam os lados correspondentes de triângulos coincidentes.

— Coincidentes? — estranhou Raschid.

— Exatamente iguais.

— Ah, sim, agora entendo.

Jack podia garantir que ninguém mais tinha entendido.

— Mas você era capaz de realizar todas essas operações geométricas antes de ler Euclides — disse Josef —, de modo que não vejo por que estaria em melhores condições agora.

— Um homem sempre melhora de condições quando compreende alguma coisa! — protestou Raschid.

— Além disso — acrescentou Jack —, agora que entendo os princípios da geometria, posso ser capaz de imaginar soluções para novos problemas que teriam deixado meu padrasto frustrado. — Na verdade, era Jack quem estava se sentindo frustrado com aquela conversa: Euclides chegara até ele com o clarão ofuscante de uma revelação, mas não estava conseguindo comunicar a emocionante importância dessas novas descobertas. Mudou um pouco sua abordagem. – É o método de Euclides que é o mais interessante – disse. – Ele pega cinco axiomas – verdades autoevidentes – e deduz tudo mais a partir delas, num exercício de lógica.

– Dê-me o exemplo de um axioma – pediu Raschid.

– Uma linha pode ser prolongada indefinidamente.

– Não pode, não – disse Aysha, que servia uma travessa de figos.

Os convidados ficaram um tanto espantados ao ver uma garota entrar numa discussão, mas Raschid riu indulgentemente: Aysha era sua favorita.

– E por que não? – perguntou ele.

– Porque uma hora ela tem que terminar – respondeu Aysha.

– Mas na sua imaginação ela poderia prosseguir indefinidamente – disse Jack.

– Na minha imaginação, o rio pode subir a montanha e os cachorros falarem latim – retorquiu ela.

Sua mãe entrou na sala e ouviu sua réplica.

– Aysha! – exclamou severamente. – Fora!

Todos os homens riram. Aysha fez uma careta e saiu.

– Quem quer que se case com ela vai ter muito trabalho! – disse o pai de Josef. Todos riram de novo. Jack riu também; só depois notou que todos o olhavam, como se a piada tivesse sido dirigida a ele.

Após o jantar, Raschid exibiu sua coleção de brinquedos mecânicos. Ele tinha um tanque em que se podia misturar água e vinho e do qual as duas bebidas saíam separadamente; um maravilhoso relógio movido a água, que marcava todas as horas do dia com fenomenal precisão; um jarro que se recompletava mas nunca derramava; e uma pequena estátua de madeira de uma mulher, cujos olhos eram feitos de uma espécie de cristal que absorvia água no calor do dia e que a vertia no frio da noite, de modo que parecia estar chorando. Jack compartilhava com Raschid o fascínio por aqueles brinquedos, mas o que mais o intrigava era a estátua que chorava, pois, enquanto os mecanismos dos outros eram simples, uma vez explicados, ninguém entendia realmente como a estátua funcionava.

À tarde sentaram-se nas arcadas em torno do pátio, disputando jogos, cochilando ou conversando preguiçosamente. Jack gostaria de ter pertencido a uma família grande assim, com irmãos, tios e afins, e com uma casa que todos pudessem visitar, bem como uma posição de respeito numa pequena cidade. Subitamente rememorou a conversa que tivera com a mãe na noite em que ela o libertara da cela do priorado. Ele lhe perguntara sobre os parentes do pai e ela lhe dissera: *Sim, ele tinha uma grande família, lá na França.* Tenho uma família como esta em algum lugar, pensou Jack. Os irmãos e irmãs de meu pai são meus tios e tias. Pode ser que eu tenha primos da minha idade. Será que vou chegar a conhecê-los?

Sentia-se à deriva. Podia sobreviver em qualquer lugar mas não pertencia a lugar nenhum. Havia sido cinzelador, construtor, monge e matemático, e não sabia qual deles era o verdadeiro Jack, se é que existia um Jack de verdade. Às vezes se perguntava se não deveria ser menestrel como o pai, ou proscrito, como a mãe. Estava com dezenove anos, não tinha lar, família, raízes ou um objetivo na vida.

Jogou xadrez com Josef e ganhou; depois Raschid se aproximou.

– Dê-me sua cadeira, Josef – pediu ele; – quero saber mais sobre Euclides.

Josef obedientemente deu sua cadeira ao futuro sogro e se afastou – já tinha ouvido tudo o que jamais ia querer saber a respeito de Euclides. Raschid sentou-se e perguntou a Jack:

– Você está se divertindo?

– Sua hospitalidade é inigualável – disse Jack polidamente. Tinha aprendido maneiras refinadas em Toledo.

– Muito obrigado. Mas eu estava querendo saber se você estava aproveitando bem o estudo de Euclides.

– Sim, contudo acho que não obtive êxito ao explicar a importância do livro. Você vê...

– Acho que compreendo você – interrompeu Raschid. – Também amo o saber pelo próprio saber.

– Sim.

– Mesmo assim, todo homem tem que ganhar a vida.

Jack não apreendeu a pertinência da observação, e ficou esperando que Raschid dissesse mais alguma coisa. No entanto, o sarraceno ficou sentado com os olhos semicerrados, aparentemente satisfeito por desfrutar do companheirismo daquele momento de silêncio. Jack começou a se perguntar se Raschid não o estaria reprovando por não trabalhar. E acabou por dizer:

– Espero um dia voltar a trabalhar em construção.

– Ótimo.

Jack sorriu.

– Quando deixei Kingsbridge, montado no cavalo da minha mãe, com as ferramentas de meu padrasto num saco pendurado no ombro, pensava que só havia um modo de construir uma igreja: paredes grossas com arcos redondos e janelinhas encimadas por um teto de madeira ou uma abóbada de pedra. As catedrais que vi no meu caminho de Kingsbridge a Southampton provaram o contrário. Mas a Normandia mudou a minha vida.

– Posso imaginar – disse Raschid sonolentamente. Não estava muito interessado, e Jack rememorou aqueles dias em silêncio.

Horas depois de ter desembarcado em Honfleur estava contemplando a igreja da Abadia de Jumièges. Era a mais alta que já vira, mas tinha os usuais arcos redondos e teto de madeira – exceto na casa do cabido, onde o abade Urso construíra um revolucionário teto de pedra. Em vez de uma superfície cilíndrica contínua e lisa, ou de uma abóbada de arestas, esse teto tinha nervuras, como costelas, que saíam do topo das colunas e se encontravam na sua parte mais alta. Eram grossas e fortes, e as seções triangulares do teto entre elas eram delgadas e leves. O monge zelador da obra explicou a Jack que era mais fácil construir daquele modo: as vigas eram colocadas primeiro, e as seções intermediárias, que vinham depois, tornavam-se mais simples de fazer. Aquele tipo de teto era mais leve. O monge estava na esperança de ouvir de Jack notícias sobre as inovações técnicas na Inglaterra, e o rapaz teve que desapontá-lo. No entanto, sua evidente admiração pelo novo tipo de teto agradou muito o religioso, que lhe disse haver uma igreja em Lessay, não muito distante, cujo teto era daquele jeito.

Jack foi para Lessay no dia seguinte, e gastou toda a tarde na igreja, admirando extasiado a abóbada. O mais impressionante, concluiu por fim, era o modo como as nervuras, descendo da parte mais alta do teto até os capitéis no topo das colunas, pareciam *dramatizar* o fato de o peso do telhado estar sendo sustentado pelos seus integrantes mais fortes. Elas tornavam visíveis a lógica da construção.

Jack viajou para o Sul, para o condado de Anjou, e conseguiu trabalho na igreja da Abadia de Tours, fazendo reparos. Não teve problema em convencer o mestre a aceitá-lo para uma experiência. As ferramentas que trazia consigo mostravam que era pedreiro, e após um dia de trabalho o mestre viu que era dos bons. Aquilo de que se jactara com Aliena, de que era capaz de arranjar trabalho em qualquer parte do mundo, não era inteiramente infundado.

Entre as ferramentas que herdara de Tom, estava a régua de um pé. Somente mestres construtores tinham essa régua, e quando os outros descobriram que ele possuía uma perguntaram-lhe como havia se tornado mestre com tão pouca idade. Seu primeiro desejo foi explicar que não era na realidade mestre construtor, mas depois decidiu dizer que era. Afinal de contas, dirigira efetivamente o canteiro de obra de Kingsbridge no tempo em que era monge, e podia desenhar plantas tão bem quanto Tom. Mas o mestre com quem estava trabalhando ficou aborrecido ao descobrir que contratara um possível rival. Um dia Jack sugeriu uma modificação ao monge encarregado da obra, e desenhou o que queria dizer no chão. Foi esse o início dos seus problemas. O mestre construtor se convenceu de que Jack estava querendo o seu lugar. Começou a descobrir defeitos no que fazia e o incumbiu da tarefa monótona de cortar blocos de pedra.

Pouco tempo depois Jack seguiu viagem novamente. Foi para a Abadia de Cluny, a sede de um império monástico que se estendia por toda a cristandade. Fora a ordem ali sediada que iniciara e patrocinara a agora famosa peregrinação ao túmulo de são Tiago, em Compostela. Ao longo de toda a extensão da estrada de Compostela havia igrejas dedicadas a são Tiago e mosteiros geridos pela ordem com a finalidade de cuidar dos peregrinos. Como o pai de Jack fora um menestrel na rota dos peregrinos, parecia provável que tivesse visitado Cluny.

No entanto, não tinha. Não havia menestréis em Cluny. Jack nada descobriu a respeito de seu pai ali.

Mesmo assim, a viagem não foi absolutamente inútil. Todos os arcos que Jack vira até o momento em que entrou na igreja da Abadia de Cluny eram semicirculares, e todos os tetos abobadados ou eram cilíndricos, como uma longa sucessão de arcos redondos colados uns nos outros, ou de arestas, como um cruzamento onde dois cilindros se encontravam. Os arcos de Cluny não eram semicirculares.

Eles se erguiam até um ponto.

Havia arcos ogivais nas arcadas principais; as abóbadas de arestas das naves laterais tinham arcos ogivais; e – o mais espantoso de tudo – acima da nave principal havia um teto de pedra que só podia ser descrito como uma abóbada. Jack sempre aprendera que um círculo era forte por ser perfeito, e um arco redondo também era forte por ser parte de um círculo. Ele teria pensado que arcos ogivais fossem fracos. Na verdade, disseram-lhe os monges, os arcos ogivais eram consideravelmente mais fortes que os antigos arcos redondos. A igreja de Cluny parecia ser uma prova disso, pois, a despeito do grande peso da cantaria na sua abóbada ogival, era muito alta.

Jack não ficou muito tempo em Cluny. Continuou para o Sul, seguindo a estrada dos peregrinos, desviando-se sempre que um capricho o levava a se desviar. No início do verão havia menestréis ao longo de toda a estrada, nas grandes cidades e nas proximidades dos mosteiros da ordem de Cluny. Eles recitavam suas narrativas em versos para as multidões de peregrinos em frente às igrejas e santuários, às vezes acompanhando-se ao alaúde, exatamente do modo como Aliena lhe contara. Jack a todos abordou, perguntando se tinham conhecido Jack Shareburg. Todos disseram que não.

As igrejas que viu no seu caminho através do Sudoeste da França e do Norte da Espanha continuaram a assombrá-lo. Eram todas muito mais altas que as catedrais inglesas. Algumas tinham abóbadas cilíndricas cintadas. Essas cintas, ou braçadeiras, ligavam uma pilastra à outra cruzando a abóbada da igreja e tornavam possível construir por estágios, intercolúnio por intercolúnio, em vez de todos ao mesmo tempo. Mudavam também a aparência da igreja. Ao enfatizar a divisão entre os intercolúnios, revelavam que os edifícios eram uma série de unidades idênticas, como um pão cortado em fatias, e dessa forma impunham ordem e lógica ao vasto espaço interior.

Esteve em Santiago de Compostela em pleno verão. Nunca soubera que houvesse lugares tão quentes no mundo. A igreja da cidade também era incrivelmente alta, e a nave, ainda em construção, tinha, da mesma forma, uma abóbada cintada. Dali seguiu para o Sul.

Os reinos espanhóis tinham estado sob domínio muçulmano até pouco tempo; na verdade, a maior parte do território ao sul de Toledo ainda se encontrava sob dominação islâmica. A aparência das construções sarracenas fascinou Jack: seus interiores altos e frios, suas arcadas, o emprego de pedra ofuscantemente branca à luz do sol. Mas o mais interessante de tudo foi descobrir que tanto as abóbadas providas de nervuras quanto os arcos ogivais apareciam na arquitetura muçulmana. Talvez tivesse sido ali que os franceses houvessem aprendido suas novas ideias.

Nunca mais poderia trabalhar em outra igreja como a Catedral de Kingsbridge, pensou, naquela quente tarde espanhola, ouvindo vagamente as risadas das mulheres vindas de algum ponto longínquo da grande e fria casa. Ainda desejava construir a catedral mais bonita do mundo, mas não seria uma estrutura maciça, sólida, lembrando uma fortaleza. Queria usar as novas técnicas, os tetos com nervuras e os arcos em ponta. Pensava, contudo, que não as empregaria do jeito como até então haviam sido usadas. Nenhuma das igrejas que vira explorara ao máximo suas possibilidades. Uma imagem da *sua* igreja começou a se formar na sua cabeça. Os detalhes ainda pareciam indistintos, mas o esboço geral era muito forte: seria uma construção espaçosa e arejada, com a luz do sol atravessando suas imensas janelas e uma abóbada arqueada tão alta que daria a impressão de atingir o céu.

– Josef e Raya precisarão de uma casa – disse Raschid subitamente. – Se você a construir, outras obras se seguirão.

Jack ficou surpreso. Não pensara em construção de casas.

– Acha que vão querer que eu construa a casa deles? – perguntou.

– É possível.

Seguiu-se outro longo silêncio, durante o qual Jack meditou na hipótese de ser construtor de casas para os mercadores abastados de Toledo.

Raschid pareceu acordar completamente. Sentou-se direito e abriu mais os olhos.

– Gosto de você, Jack – disse ele. – É um homem honesto, com quem vale a pena conversar, o que é muito mais do que pode ser dito em favor da maioria das pessoas que conheço. Espero que sejamos sempre amigos.

– Eu também – disse Jack, meio espantado com o elogio inesperado.

– Sou cristão, de modo que não conservo as minhas mulheres trancadas, como fazem alguns dos meus irmãos muçulmanos. Por outro lado, sou árabe, o que significa que não lhes dou bastante aquilo... perdoe-me a liberdade... com que as outras mulheres estão acostumadas. Permito que conheçam e que conversem com os convidados masculinos da casa. Permito até mesmo que amizades se desenvolvam. Mas no ponto onde a amizade começa a se transformar em algo mais – como acontece naturalmente entre gente jovem –, espero então que o homem assuma uma atitude formal. Qualquer outra coisa seria um insulto.

– Naturalmente – concordou Jack.

– Eu sabia que você concordaria. – Raschid se levantou e pôs uma das mãos afetuosamente no ombro de Jack. – Nunca fui abençoado com um filho; mas se houvesse sido, acho que seria como você. – Mais moreno, espero – disse Jack, cedendo a um impulso. Raschid não reagiu por um instante, mas logo caiu na gargalhada, atraindo a atenção dos outros convidados espalhados em torno do pátio.

– Sim! – concordou alegremente. – Mais moreno! – E entrou na casa, ainda rindo.

Os convidados mais velhos começaram a ir embora. Jack ficou sentado sozinho, pensando no que lhe fora dito, à medida que a tarde esfriava. Fora oferecido a ele um trato, quanto a isso não tinha a menor dúvida. Se desposasse Aysha, Raschid o lançaria como construtor de casas entre os abastados de Toledo. Havia também uma advertência: se não tencionasse se casar com ela, deveria se manter afastado. As pessoas na Espanha tinham maneiras mais requintadas que os ingleses, mas eram capazes de deixar bem claro o que queriam dizer, quando necessário.

Ao refletir naquela situação por diversas vezes Jack achou-a inacreditável. Será que sou eu mesmo?, pensou. Será que este é o Jack, filho bastardo de um homem que foi enforcado, criado na floresta, aprendiz de pedreiro, monge fugitivo? Estão mesmo me oferecendo em casamento a linda filha de um rico mercador árabe, além de um modo seguro de ganhar a vida como construtor nesta cidade tão agradável? Parece bom demais para ser verdade. Eu até mesmo gosto da garota!

O sol estava se pondo e o pátio mergulhara na sombra. Só haviam restado duas pessoas na arcada – ele e Josef. Estava imaginando se aquela situação poderia ter sido planejada, quando Raya e Aysha apareceram, comprovando que sim. A despeito da rigidez teórica relativa ao contato físico entre moças e rapazes, a mãe delas sabia exatamente o que estava acontecendo, e decerto também Raschid. Proporcionaria aos namorados alguns momentos de isolamento; depois, antes que houvesse tempo para acontecer algo sério, ela apareceria no pátio, fingindo-se ultrajada, e mandaria que as garotas entrassem.

Do outro lado do pátio Josef e Raya começaram imediatamente a se beijar. Jack levantou-se quando Aysha se aproximou dele. Estava usando um vestido branco que arrastava no chão, feito de algodão egípcio, um tecido que Jack nunca vira antes de vir à Espanha. Mais macio que a lã e mais fino que o linho, colava nas suas pernas quando andava, e no crepúsculo o branco parecia adquirir brilho próprio, fazendo seus olhos castanhos parecerem quase negros. Parou junto de Jack, sorrindo maliciosamente.

– O que foi que ele lhe disse? – perguntou.

Jack viu que se referia ao pai.

— Ofereceu-me uma posição de construtor de casas.

— Que dote! — exclamou ela desdenhosamente. — Não posso acreditar! Pelo menos poderia ter oferecido dinheiro.

Aysha não tinha paciência com os tradicionais rodeios árabes, observou Jack. Gostava da franqueza dela.

— Não creio que eu queira construir casas.

Ela ficou solene de repente.

— Você gosta de mim?

— Você sabe que eu gosto.

Aysha deu um passo à frente, ergueu o rosto, fechou os olhos, ficando na ponta dos pés, e beijou-o. Ela cheirava a almíscar e âmbar-gris. Abriu a boca e meteu a língua por entre os lábios dele. Os braços de Jack a envolveram quase que involuntariamente. Suas mãos a cingiram pela cintura. O algodão era muito fino: parecia que lhe tocava a pele nua. Ela pegou-lhe a mão e a pôs sobre o seio. O corpo de Aysha era esbelto e rígido e seu seio, pouco volumoso, um montinho firme com um bico duro e minúsculo na ponta. Ela moveu o peito para cima e para baixo, ao se excitar. Jack ficou chocado ao sentir a mão dela entre suas pernas. Apertou o bico do seio com a ponta dos dedos. Ofegante, ela afastou-se. Ele baixou as mãos.

— Machuquei você? — murmurou.

— Não! — exclamou ela.

Jack pensou em Aliena e sentiu-se culpado; viu depois que estava sendo tolo. Por que deveria se sentir como se estivesse traindo uma mulher que tinha *se casado com outro homem*?

Aysha o fitou por um momento. Estava quase escuro, mas podia ver que seu rosto estava tomado de desejo. Ela ergueu-lhe a mão e colocou-a novamente no seio.

— Aperte de novo, com mais força — disse excitada.

Ele pegou o bico do seio e inclinou-se para beijá-la, mas ela o empurrou para ficar vendo seu rosto enquanto a acariciava. Jack tocou-o delicadamente a princípio, e depois, obediente, o apertou com força. Ela arqueou tanto as costas que os seios chatos ficaram salientes e os bicos formaram pequenas pregas no tecido do vestido. Jack baixou a cabeça e fechou os lábios em torno de um deles, através do algodão. Então, cedendo a um impulso, tomou-o entre os dentes e mordeu-o. Ouviu Aysha respirar fundo.

Sentiu que o corpo dela estremecia. Aysha ergueu a cabeça e se comprimiu contra ele. Jack colou o rosto ao dela. A garota o beijou freneticamente, como se quisesse cobrir-lhe o rosto com a boca, e puxou o corpo dele de encontro ao seu, soltando abafados gemidos de medo. Jack estava excitado, assustado e até mesmo um pouco temeroso: nunca tinha visto nada assim. Achou que ela estava quase gozando. Então foram interrompidos.

A voz da mãe dela fez-se ouvir, vinda do portal.

— Raya! Aysha! Entrem imediatamente!

Aysha olhou para Jack, ofegante. Após um momento beijou-o de novo, com tanta força que machucou seus lábios. Só então afastou-se.

— Eu o amo — murmurou, entre os dentes. E aí entrou correndo na casa.

Jack acompanhou-a com o olhar. Raya a seguiu, com um passo mais calmo. A mãe delas lançou um olhar desaprovador para ele e Josef e foi atrás das filhas, batendo a porta decididamente. Jack lixou a porta fechada, imaginando o que fazer de tudo aquilo. Josef atravessou o pátio e interrompeu seu devaneio.

— Que garotas lindas, as duas! — comentou, com uma piscadela conspiratória.

Jack assentiu distraidamente e foi se dirigindo para a saída. Quando passaram sob o arco, um criado materializou-se nas sombras e fechou o portão.

— O problema de ser noivo — disse Josef — é que deixa a gente com os ovos doendo. — Jack não disse nada. — Acho que vou até a Fátima para me aliviar. — Fátima era o bordel. A despeito do nome mouro, quase todas as mulheres do bordel tinham a pele clara, e as poucas prostitutas árabes eram muito valorizadas. — Quer ir? — convidou Josef.

— Não — respondeu Jack. — Estou com um tipo diferente de dor. Boa-noite. — Afastou-se depressa. Josef não era sua companhia favorita nas melhores ocasiões, e naquela noite o estado de espírito de Jack era, no mínimo, rancoroso.

O ar da noite esfriou enquanto retornava para o colégio onde tinha uma cama dura no dormitório. Sentia que atingira um ponto crítico. Estava sendo oferecida a ele uma vida calma e próspera, tudo o que tinha a fazer era esquecer Aliena e abandonar a aspiração de construir a mais bela catedral do mundo.

Naquela noite sonhou que Aysha se aproximava, o corpo nu escorregadio com óleo perfumado, e se esfregava nele, mas não deixava que fizesse amor com ela.

Quando acordou pela manhã, tinha tomado sua decisão.

Os criados não deixaram Aliena entrar na casa de Raschid Alharoun. Provavelmente parecia uma mendiga, pensou, parada do lado de fora do portão, metida numa túnica poeirenta e botas gastas, com o bebê nos braços.

— Diga a Raschid Alharoun que estou procurando o amigo dele chamado Jack Fitzjack, da Inglaterra — disse em francês, perguntando-se se os criados de pele morena poderiam compreender uma única palavra. Após algumas consultas cochichadas na língua deles, um dos criados, um homem alto de pele negra como carvão e cabelo encarapinhado como o pelo de um carneiro, entrou na casa.

Aliena esperou impacientemente, enquanto os demais criados a encaravam, sem disfarce. Não aprendera a ter paciência, nem mesmo naquela interminável peregrinação. Após o desapontamento de Santiago de Compostela, seguira a estrada que demandava o interior da Espanha, para Salamanca. Ali ninguém se lembrava de um rapaz ruivo interessado em catedrais e menestréis, mas um monge bondoso lhe disse que havia uma comunidade de estudiosos ingleses em Toledo. Parecia uma débil esperança, mas Toledo não ficava muito longe, e assim ela seguiria pela estrada poeirenta.

Outro terrível desapontamento a esperava ali. Sim, Jack estivera em Toledo – que sorte! –, mas já fora embora. Estava se aproximando: agora só se encontrava um mês atrás dele. Só que, uma vez mais, ninguém sabia para onde tinha ido.

Em Santiago de Compostela pudera adivinhar que ele devia ter ido para o Sul, porque ela própria viera do Leste e porque havia mar ao Norte e a Oeste. Ali, infortunadamente, havia mais possibilidades. Jack poderia ter ido para o Nordeste, voltando para a França; para Oeste, rumo a Portugal; ou para o Sul, na direção de Granada; e na costa da Espanha poderia pegar um navio para Roma, Tunísia, Alexandria ou Beirute.

Aliena decidira desistir da busca se não conseguisse uma forte indicação do rumo que Jack tomara quando saíra dali. Restava-lhe muito pouca energia e determinação, e não podia mais enfrentar a ideia de prosseguir sem dispor de nada além de uma vaga esperança de sucesso. Estava pronta para fazer meia-volta e retornar para a Inglaterra, procurando esquecer Jack para sempre.

Apareceu outro criado, saído da casa branca. Este vestia roupas mais caras e falava francês. Olhou para Aliena cautelosamente, mas foi polido ao lhe perguntar:

– A senhora é amiga do senhor Jack?

– Sim, uma velha amiga da Inglaterra. Gostaria de falar com Raschid Alharoun.

O criado deu uma olhada no bebê.

– Sou parente de Jack – disse Aliena, e não era mentira; embora separada, era casada com Alfred, filho do padrasto de Jack, o que não deixava de ser um parentesco.

O criado abriu mais o portão.

– Por favor, acompanhe-me – pediu ele.

Aliena entrou, grata. Se houvesse sido barrada ali, teria sido o fim de tudo.

Seguiu o criado através de um pátio agradável e passou por um chafariz. Gostaria de saber o que atraíra Jack à casa de um rico comerciante. Parecia uma amizade improvável. Teria recitado narrativas em versos à sombra daquelas arcadas?

Entraram na casa. Era uma residência palaciana, com aposentos altos e frescos, piso de pedra e mármore e mobília elaboradamente entalhada, estofada com ricas fazendas. Passaram por dois arcos e uma porta de madeira, e Aliena teve a impressão de que estava ingressando na parte destinada às mulheres. O criado fez um gesto para que esperasse, e pigarreou com delicadeza.

Um momento depois uma mulher alta, sarracena, vestida com um manto negro, entrou silenciosamente no aposento, segurando uma ponta do seu traje em frente à boca, e numa pose que era insultuosa em qualquer linguagem. Olhou para Aliena e perguntou em francês:

— Quem é você?

Aliena empertigou-se, para ficar mais alta.

— Lady Aliena, filha do falecido conde de Shiring — disse, o mais sobranceiramente que pôde. — Creio que tenho o prazer de estar me dirigindo à mulher de Raschid, o vendedor de pimenta. — Ela sabia jogar aquele jogo tão bem quanto qualquer outra pessoa.

— O que deseja aqui?

— Vim para ver Raschid.

— Ele não recebe mulheres.

Aliena deu-se conta de que não havia como obter a cooperação daquela criatura. No entanto, como não tinha outro lugar para ir, continuou tentando.

— Pode ser que ele receba uma amiga de Jack — insistiu.

— Jack é seu marido?

— Não — respondeu Aliena, hesitante. — É meu cunhado.

A mulher assumiu uma expressão de ceticismo. Como a maioria das pessoas, provavelmente presumiu que Jack engravidara Aliena, a abandonara e agora ela o perseguia com objetivo de forçá-lo a desposá-la e sustentar o filho.

A mulher fez meia-volta e exclamou algo num idioma que Aliena não entendeu. Um momento depois três mulheres jovens entraram.

Era óbvio, pela sua aparência, que se tratava de suas filhas. Dirigiu-se a elas na mesma língua e todas encararam Aliena. Seguiu-se uma rápida conversa em que o nome de Jack foi repetido inúmeras vezes.

Aliena sentiu-se humilhada. Estava tentada a girar nos calcanhares e ir embora, mas isso significaria desistir também de encontrar Jack. Aquelas pessoas horríveis eram a sua última esperança. Ergueu a voz, interrompendo a conversa, e perguntou:

— Onde está Jack? — Tencionava ser autoritária, mas, para sua aflição, a voz dela pareceu apenas suplicante.

As irmãs fizeram silêncio.

— Não sabemos onde ele está — disse a mãe.

— Quando o viram pela última vez? — Ela hesitou. Não queria responder, mas não poderia fingir que não sabia quando o vira pela última vez.

— Ele deixou Toledo no dia seguinte ao Natal — respondeu relutantemente.

Aliena forçou um sorriso amistoso.

— Lembra-se de ele ter dito qualquer coisa a respeito do lugar para onde podia estar indo?

— Eu já lhe disse que não sei onde ele se encontra.

— Talvez tenha dito ao seu marido.

— Não, não disse.

Aliena se desesperou. Teve a intuição de que aquela mulher sabia de algo. Era claro, no entanto, que não ia revelar o que sabia. De repente sentiu-se fraca e amedrontada. Foi com lágrimas nos olhos que disse:

— Jack é o pai do bebê. Acham que ele não gostaria de ver o próprio filho?

A mais moça das três irmãs começou a dizer qualquer coisa, mas a mãe a interrompeu. Houve uma discussão rápida e violenta: mãe e filha tinham o mesmo temperamento forte. Mas no fim a filha se calou.

Aliena aguardou, mas nada mais foi dito. As quatro se limitaram a encará-la. A atitude delas era inquestionavelmente hostil, mas sua curiosidade era tanta que não tinham pressa de vê-la ir-se. Contudo Aliena nada ganharia, ficando. O melhor a fazer era sair, voltar para o seu quarto e preparar-se para a longa viagem de volta para Kingsbridge. Respirou fundo e disse com voz fria e firme:

— Agradeço pela sua hospitalidade...

A mãe teve a delicadeza de ficar ligeiramente envergonhada.

Aliena deixou o aposento.

O criado esperava do lado de fora, e a acompanhou através da casa. Aliena conteve as lágrimas. Era intoleravelmente frustrante saber que toda a sua viagem fracassara por causa da maldade de uma mulher.

O criado acompanhou-a na travessia do pátio. Ao chegarem ao portão, Aliena ouviu o barulho de uma pessoa correndo. Olhou para trás para ver a filha mais moça vindo na sua direção. Parou e esperou. O criado ficou inquieto.

A garota era baixa e esbelta, e muito bonita, com a pele dourada e os olhos tão escuros que pareciam pretos. Usava um vestido branco e fez com que Aliena se sentisse suja e poeirenta. Falava francês, embora sem fluência.

— Você o ama? — foi perguntando.

Aliena hesitou. Chegou à conclusão de que não lhe sobrara dignidade para ser perdida.

— Sim, eu o amo — confessou.

— Ele a ama?

Estava prestes a dizer que sim, mas se lembrou de que não o via há mais de um ano.

— Ele me amava — respondeu.

— Acho que ele a ama — disse a garota.

— O que a faz dizer isso?

Os olhos da outra encheram-se de lágrimas.

— Eu o queria para mim. E quase o consegui. — Fitou o bebê. Olhos azuis e cabelo ruivo. As lágrimas escorreram pelo seu rosto moreno de pele macia.

Aliena a fitou espantada. Aquilo explicava a recepção hostil. A mulher de Raschid queria que Jack se casasse com aquela garota, que não poderia ter mais que dezesseis anos, mas cuja aparência sensual a fazia parecer mais velha. Aliena gostaria de saber exatamente o que acontecera entre eles.

– Você disse que "quase" o conseguiu?

– Sim – respondeu a garota desafiadoramente. – Eu sabia que ele gostava de mim. Partiu meu coração quando foi embora. Mas agora compreendo. – Ela perdera a compostura e seu rosto estava contorcido de dor.

Aliena podia entender uma mulher que amara Jack e o perdera. Tocou no ombro da garota, num gesto reconfortante. Mas havia algo mais importante que compaixão.

– Sabe para onde ele foi?

Ela ergueu a cabeça e fez que sim, soluçando.

– Diga-me!

– Paris – disse ela.

Paris!

Aliena ficou entusiasmada. Estava de volta à estrada. Paris ficava longe, mas a viagem seria, em sua maior parte, em uma terra com que estava familiarizada. E Jack só tinha um mês de vantagem sobre ela. Sentiu-se revigorada. No fim o encontrarei, pensou; sei que o encontrarei!

– Você vai para Paris agora? – perguntou a garota.

– Oh, sim – respondeu Aliena. – Já vim de tão longe, não vou parar agora. Muito obrigada por me dizer, muito obrigada.

– Quero que ele seja feliz – disse a garota com simplicidade.

O criado remexeu-se, insatisfeito. Dava a impressão de achar que poderia se meter em encrenca por causa daquilo.

– Ele disse algo mais? Que estrada tomaria, ou algo que pudesse me ajudar?

– Ele quer ir para Paris porque alguém lhe disse que estão construindo lindas igrejas lá.

Aliena assentiu. Poderia ter adivinhado isto.

– E ele levou a dama que chora.

Aliena não entendeu.

– A dama que chora?

– Meu pai lhe deu a dama que chora.

– Uma dama?

A garota sacudiu a cabeça.

– Não sei as palavras certas. Uma dama. Chora. Os olhos...

– Você se refere a uma pintura? Uma dama pintada?

– Não compreendo – disse a garota. Ela olhou por cima do ombro, ansiosa. – Tenho que ir.

Fosse o que fosse a tal dama que chorava, não parecia importante.

– Muito obrigada por me ajudar – disse Aliena.

A garota inclinou-se e beijou a testa do bebê. Suas lágrimas caíram nas bochechas redondas dele. Aysha olhou para Aliena:

— Eu queria ser você. — Com essas palavras, virou-se e foi correndo para dentro da casa.

O quarto de Jack ficava na Rue de la Boucherie, num subúrbio de Paris à margem esquerda do Sena. Selou seu cavalo ao raiar do dia. No fim da rua virou à direita e passou pela torre do portão que guardava a Petit Pont, que levava à cidade na ilha no meio do rio.

As casas de madeira de ambos os lados projetavam-se sobre as orlas da ponte. Nos intervalos entre elas havia bancos de pedra onde, pela manhã, mais tarde, professores famosos dariam aulas ao ar livre. A ponte conduziu Jack à Juiverie, a principal rua da ilha. As padarias estavam cheias de estudantes que compravam seu desjejum. Jack escolheu um pastel recheado com enguia cozida.

Virou à esquerda em frente à sinagoga, depois à direita no palácio do rei e cruzou a Grand Pont, que levava à margem direita. As lojas pequenas e bem construídas dos cambistas e ourives, em ambos os lados, começavam a abrir as portas. No final da ponte passou por outro portão e entrou no mercado de peixe, onde o movimento já era intenso. Abriu caminho por entre a multidão e tomou a estrada lamacenta que levava a Saint-Denis.

Quando ainda estava na Espanha, tomara conhecimento, através de um pedreiro viajante, de um tal abade Suger e da nova igreja que estava construindo em Saint-Denis. Enquanto viajava na direção norte através da França, trabalhando por alguns dias sempre que precisava de dinheiro, ouvia o nome de Saint-Denis mencionado com frequência. Parecia que os construtores estavam usando as duas técnicas novas, abóbadas com vigas e arcos ogivais, e a combinação era notável.

Jack cavalgou por mais de uma hora através de campos e videiras.

A estrada não era pavimentada, mas tinha marcos que indicavam sua extensão. Passou pela colina chamada Montmartre, com as ruínas de um templo romano no topo, e atravessou a aldeia de Clignancourt. Quase cinco milhas após, chegou à pequena cidade murada de Saint-Denis.

São Dionísio* fora o primeiro bispo de Paris. Decapitado em Montmartre, caminhara, carregando nas mãos a cabeça, até aquele ponto no meio do campo, onde finalmente caíra. Uma mulher piedosa o enterrara, e um mosteiro fora construído sobre seu túmulo. A igreja passara a ser o local onde eram enterrados os reis de França.

O abade atual, Suger, era um homem poderoso e cheio de ambição que reformara o mosteiro e que agora estava modernizando a igreja.

Jack entrou na cidade e parou o cavalo no meio da praça do mercado para olhar a fachada oeste da igreja. Não havia nada de revolucionário ali. Era uma fa-

---

* *Saint-Denis*, em francês. (N. do E.)

chada reta e antiquada com torres gêmeas e três portas de arcos redondos. Gostou do jeito um tanto agressivo como as pilastras se projetavam das paredes, mas não teria viajado oito milhas para ver aquilo.

Amarrou o cavalo numa grade em frente à igreja e aproximou-se mais. A escultura em torno dos três portais era muito boa: motivos vigorosos, trabalho de cinzelagem preciso. Jack entrou.

Dentro a mudança foi imediata. Antes da nave propriamente dita, havia uma entrada baixa, chamada nártex, uma espécie de vestíbulo ou pórtico. Olhando para o teto, Jack foi invadido por uma onda de entusiasmo. Os construtores tinham usado as técnicas dos tetos abobadados com nervuras e arcos ogivais combinadas, e Jack viu, de pronto, que elas harmonizavam perfeitamente. A graça do arco ogival era acentuada pelas nervuras que seguiam seu desenho.

Havia mais. Entre as vigas que compunham a estrutura do arco, em vez do usual trançado de massa e cacos de pedra, o construtor pusera pedras cortadas, como numa parede. Sendo mais forte o arco, a camada de pedra provavelmente podia ser mais fina, e assim, mais leve, pensou Jack.

Enquanto olhava para cima, torcendo o pescoço até doer, Jack compreendeu outra característica notável daquela combinação. Dois arcos ogivais de diferentes larguras poderiam atingir a mesma altura, simplesmente ajustando-se a curva do arco. Isso daria ao intercolúnio um aspecto mais regular. Não poderia ser feito com arcos redondos, claro: a altura de um arco semicircular era sempre a metade de sua largura, de modo que o mais largo devia ser mais alto que o mais estreito. Desse modo, se o intercolúnio – espaço entre as colunas – fosse retangular, os arcos estreitos deveriam ter início de pontos na parede mais altos que os arcos largos, a fim de que os topos ficassem no mesmo nível e o teto fosse reto. O resultado era sempre algo enviezado. Esse problema agora desaparecia.

Jack baixou a cabeça para descansar o pescoço. Sentia-se tão jubiloso como se tivesse sido coroado rei. Era daquele modo, pensou, que iria construir a sua catedral.

Examinou o corpo principal da igreja. A nave propriamente dita era, claro, bastante velha, embora comprida e larga: fora construída muitos anos antes, por outra pessoa que não o atual mestre, e era bastante convencional. Mas na interseção, ou cruzeiro, parecia haver uma escada para baixo, sem dúvida levando à cripta e aos túmulos reais, e outra para cima, levando ao coro. A impressão era de que o coro flutuava um pouco acima do chão. A estrutura era obscurecida, daquele ângulo, pela ofuscante luz do sol que entrava pelas janelas do lado leste, com tanta intensidade que Jack chegou a pensar que as paredes não estariam concluídas e o sol passava pelos claros.

Foi caminhando ao longo da nave lateral sul na direção do cruzeiro. Ao se aproximar do coro, sentiu que havia algo de realmente notável à sua frente. A luz do sol jorrava para dentro da igreja, mas a abóbada do teto estava completa e não havia falhas nas paredes. Quando terminou de percorrer a nave e pisou na interseção, viu que a luz passava através de uma série de janelas altas, algumas feitas de vidros coloridos, e que toda aquela claridade parecia encher o vazio da igreja de calor e luz. Jack não pôde entender como tinham conseguido uma área tão grande de janelas: parecia haver mais janelas que paredes. Ficou atônito. Como aquilo poderia ter sido feito, senão por mágica?

Sentiu um arrepio de medo supersticioso ao subir os degraus que levavam ao coro. Parou no topo da escada, contemplando a confusão de raios de luz colorida e de pedra à sua frente. Percebeu que já vira alguma coisa assim antes, mas na sua imaginação. Aquela era a igreja que sonhara construir, com suas imensas janelas e abóbadas altas, uma estrutura de luz e ar que parecia sustentada por encanto.

Um momento depois sua visão se modificou. Tudo se acomodou nos respectivos lugares subitamente, e, numa espécie de revelação, Jack viu o que o abade Suger e seu construtor tinham feito.

O princípio das abóbadas com nervuras era construir o teto usando umas poucas vigas fortes, preenchendo os espaços entre elas com material leve. *Tinham aplicado aquele princípio a toda a igreja.* A parede do coro consistia em umas poucas pilastras fortes ligadas pelas janelas. A arcada que separava o coro das naves laterais não era uma parede, mas uma série de pilares unidos por arcos ogivais, deixando espaços largos através dos quais a luz das janelas podia atingir o meio da igreja. A própria nave era dividida em duas por uma fileira de finas colunas.

Arcos ogivais e a técnica da abóbada estruturada em vigas tinham sido combinados ali da mesma forma como no pórtico de entrada, mas agora ficava claro que ali fora feita uma experiência cautelosa da nova tecnologia. Comparado com aquilo, ele era grosseiro, as vigas pesadas demais, os arcos muito pequenos. Ali tudo era delgado, leve, delicado; gracioso. As molduras com ornatos simples, em forma de espiral, eram todas estreitas, e as colunetas, compridas e delgadas.

Teria parecido demasiado frágil para ficar de pé, a não ser pelo fato de as vigas mostrarem com tanta clareza como o peso da construção era sustentado pelas pilastras e colunas. Ali estava uma demonstração visível de que um edifício grande não precisava de paredes grossas com janelas minúsculas e pilastras volumosas. Desde que o peso fosse distribuído precisamente sobre um esqueleto capaz de sustentá-lo, o resto da obra podia ser de cantaria leve, vidro ou espaço vazio. Jack estava fascinado. Euclides fora uma revelação, mas aquilo era mais que uma revelação, porque também era bonito. Tivera visões de uma igreja como aquela, e agora a estava contemplando, podia tocar nela, encontrava-se sob sua abóbada da altura do céu.

Caminhou em êxtase até o lado leste, que era curvo, com os olhos fixos na abóbada da nave dupla. As vigas arqueavam-se sobre sua cabeça como galhos numa floresta de árvores de pedra perfeitas. Ali, tal como no nártex da entrada, o espaço entre as vigas do teto fora preenchido com pedra cortada unida por argamassa, em vez da mais fácil e mais pesada mistura de cacos de pedra com massa. O lado externo da nave tinha pares de janelas grandes com os topos pontudos, para se harmonizar com os arcos. A arquitetura revolucionária era perfeitamente complementada pelos vitrais. Jack nunca vira vitrais na Inglaterra, mas encontrara diversos exemplos na França; no entanto, nas janelinhas de uma igreja de estilo antigo eles não podiam atingir todo o seu potencial. Ali, o efeito do sol da manhã se derramando através das janelas ricamente coloridas era mais que bonito, era fascinante.

Porque a igreja terminava em curva, as naves laterais também faziam uma curva para se encontrarem na extremidade leste, formando uma galeria semicircular. Jack percorreu todo o meio círculo, virou-se e voltou, ainda maravilhado. Retornou ao ponto de partida.

Ali viu uma mulher.

Reconheceu-a.

Ela sorriu.

O coração dele parou. Aliena protegeu os olhos. A luz que vinha através dos vitrais do lado leste da igreja a cegou. Como uma visão, um vulto caminhou para onde estava, emergindo daquele esplendor colorido. Seu cabelo parecia em chamas. Ele chegou mais perto. Era Jack.

Aliena achou que fosse desmaiar.

Jack adiantou-se e parou à sua frente. Estava magro, terrivelmente magro, mas seus olhos brilhavam com intensa emoção. Os dois se encararam em silêncio por um momento.

Quando ele falou, sua voz estava rouca.

– É você mesmo?

– Sim – disse ela. Sua voz não passou de um murmúrio. – Sim, Jack, sou eu.

A tensão foi demasiada, e Aliena começou a chorar. Ele a abraçou, com o bebê a separá-los, e deu umas palmadinhas nas suas costas, dizendo: "Calma, calma", como se faz com as crianças. Ela apoiou-se nele, sentindo seu cheiro familiar, ouvindo sua voz querida a acalmá-la, deixando as lágrimas caírem no seu ombro magro.

Por fim ele a encarou.

– O que você está fazendo aqui?

– Procurando você.

– Você estava me procurando? – perguntou incrédulo. – Então... como foi que me achou?

Ela enxugou os olhos e fungou.

– Eu o segui.

– De que modo?

– Perguntei às pessoas se o tinham visto. Pedreiros, principalmente, mas também alguns monges e estalajadeiros.

Ele arregalou os olhos.

– Quer dizer que... você esteve na Espanha?

Ela assentiu.

– Santiago de Compostela, depois Salamanca e Toledo.

– Há quanto tempo está viajando?

– Há nove meses.

– Mas por quê?

– Porque o amo.

Ele ficou aturdido pela emoção. Seus olhos se encheram de lágrimas.

– Também a amo.

– Ama, mesmo? Ainda me ama?

– Oh, sim!

Aliena podia garantir que ele estava sendo sincero. Ergueu o rosto. Jack inclinou-se, por cima do bebê, e a beijou delicadamente. O contato dos seus lábios deixou-a tonta.

O bebê chorou.

Ela interrompeu o beijo e o embalou um pouco; ele se acalmou.

– Qual é o nome do bebê? – perguntou Jack.

– Ainda não lhe dei um nome.

– Por que não? Ele já deve ter um ano!

– Queria consultar você.

– Eu? – Jack franziu a testa, sem entender. – E Alfred? É o pai... – Ele se interrompeu. – Por quê?... Ele... Ele é meu filho?

– Olhe para ele – foi a resposta de Aliena.

Jack o olhou.

– Cabelo ruivo... Já deve fazer um ano e nove meses desde que...

Aliena assentiu.

– Meu Deus! – exclamou Jack, assombrado. – Meu filho! – Engoliu em seco.

Ela observou ansiosamente seu rosto para ver como ele recebia a notícia. Veria aquilo como o fim da sua juventude e liberdade? A expressão dele tornou-se solene. Normalmente o homem tem nove meses para se acostumar com a ideia de ser pai. Jack teve que se acostumar de imediato. Olhou de novo para o bebê e por fim sorriu.

– Nosso filho – disse. – Sinto-me tão feliz!

Aliena suspirou de felicidade. Tudo estava bem, afinal.

Outra ideia ocorreu a Jack.

– E Alfred? Ele sabe...?

– Claro. Só teve que olhar para a criança. Além disso... – Ela se sentiu embaraçada. – Além disso, sua mãe amaldiçoou o casamento, e Alfred nunca foi capaz, você sabe, de fazer qualquer coisa.

Jack deu uma risada.

— Isso é o que se chama justiça — disse.

Aliena não gostou da satisfação com que ele declarou aquilo.

— Foi muito difícil para mim — disse, em tom de suave reprovação.

A expressão dele logo se alterou.

— Sinto muito. O que foi que Alfred fez?

— Quando viu o bebê, me expulsou de casa.

Jack ficou furioso.

— Ele a machucou?

— Não.

— É um porco, assim mesmo.

— Sinto-me feliz porque nos expulsou. Foi por causa disso que vim procurar você. E agora o encontrei. Estou tão feliz que não sei o que fazer!

— Você foi muito corajosa — disse Jack. — É difícil de acreditar. Você me seguiu desde lá!

— Faria tudo de novo — garantiu ela ardorosamente.

Ele a beijou de novo.

— Se vocês insistem em se comportar libidinosamente na igreja — ouviram em francês —, por favor, permaneçam na nave.

Era um jovem monge.

— Desculpe, padre — disse Jack, pegando o braço de Aliena. Desceram a escada e atravessaram o transepto sul. — Fui monge durante algum tempo — acrescentou Jack. — Sei como é duro para eles verem amantes felizes se beijando!

Amantes felizes, pensou Aliena. É o que somos.

Atravessaram toda a extensão da igreja e saíram na movimentada praça do mercado. Aliena mal podia crer que estivesse ao sol com Jack do seu lado. Era quase felicidade demais para aguentar.

— Bem — disse ele —, o que vamos fazer?

— Não sei — respondeu ela, sorrindo.

— Vamos comprar um pão e um frasco de vinho e seguir até o campo para comer.

— Parece o paraíso.

Foram ao padeiro e ao negociante de vinhos, e depois compraram um naco de queijo de uma mulher no mercado. Logo depois estavam saindo a cavalo da aldeia e entrando no campo. Aliena tinha que ficar olhando para Jack a fim de se certificar de que ele estava ali mesmo ao seu lado, respirando e sorrindo.

— Como Alfred está tocando a obra? — quis saber ele.

— Oh, não lhe contei! — Ela se esquecera de que Jack estava fora há muito tempo. — Houve um desastre terrível. O teto ruiu.

— O quê? — A exclamação de Jack foi tão alta que assustou o cavalo. Ele o acalmou. — Como aconteceu?

— Ninguém sabe. Completaram o teto de três intercolúnios para a festa de Pentecostes, e caiu tudo durante a missa. Foi terrível; setenta e nove pessoas morreram.

— Que horror! — Jack ficou abalado. — Como o prior Philip reagiu?

— Pessimamente. Desistiu de prosseguir a obra. Parece ter perdido toda a energia. Não faz nada atualmente.

Jack achou difícil imaginar Philip naquele estado — ele sempre fora tão cheio de entusiasmo e determinação!

— E o que aconteceu com os artífices?

— Todos foram embora. Alfred mora em Shiring, e constrói casas.

— Kingsbridge deve estar meio vazia.

— Está voltando a ser uma aldeia, como antigamente.

— O que será que Alfred fez de errado? — perguntou Jack, mais para si mesmo. — A abóbada de pedra nunca fez parte do projeto de Tom, mas Alfred reforçou os arcobotantes para que pudessem aguentar o peso, de modo que não devia ter dado problema.

A notícia o entristeceu um pouco, e os dois prosseguiram em silêncio. Mais ou menos a duas milhas de Saint-Denis, amarraram os cavalos à sombra de um olmo e se sentaram num campo de trigo verde, ao lado de um pequeno regato, para comer. Jack tomou um gole de vinho e estalou os lábios.

— A Inglaterra não tem nada que se compare ao vinho francês — disse. Partiu o pão e deu um pedaço a Aliena.

Timidamente ela abriu a frente rendada do vestido e deu o seio ao bebê. Surpreendeu Jack olhando-a e corou. Pigarreou e disse, meio sem graça, para disfarçar a vergonha que sentia:

— Sabe como gostaria de chamá-lo? Jack, talvez?

— Não sei — disse ele, pensativo. — Jack foi o pai que nunca conheci. Poderia ser má sorte dar o mesmo nome ao nosso filho. A pessoa mais parecida com um pai que tive foi Tom Construtor.

— Você gostaria de chamá-lo de Tom?

— Acho que sim.

— Tom era um homem tão grande! Que tal Tommy?

Jack aquiesceu.

— Tommy será seu nome.

Indiferente ao significado do momento, Tommy caíra no sono, com a barriga cheia. Aliena o deitou no chão com um lenço dobrado sob a cabeça servindo de travesseiro. Depois olhou para Jack. Estava meio desconcertada. Queria fazer amor, ali mesmo sobre a grama, mas estava certa de que ele se sentiria chocado se lhe pedisse, de modo que limitou-se a ficar encarando-o e esperar.

— Se eu lhe disser uma coisa — disse ele —, você promete que não vai pensar mal de mim?

— Claro.

— Desde quando a vi — continuou Jack, embaraçado —, não consigo pensar em mais nada senão no seu corpo nu debaixo do vestido.

Aliena sorriu.

— Não penso mal de você — disse. — Estou feliz.

Ele a fitou avidamente.

— Adoro quando você me olha assim — disse ela.

Jack engoliu em seco.

Aliena estendeu as mãos, e ele adiantou-se, abraçando-a.

Fazia quase dois anos desde a última e única vez em que tinham feito amor. Naquela manhã haviam se deixado arrastar pelo desejo e depois pelo arrependimento. Agora eram apenas dois amantes no campo. Subitamente Aliena sentiu-se ansiosa. Tudo sairia bem? Seria terrível se algo saísse errado, após tanto tempo.

Deitaram-se na grama, lado a lado, e se beijaram. Ela fechou os olhos e abriu a boca. Sentiu a mão dele no corpo, explorando tudo ansiosamente. Sua excitação aumentou. Ele beijou-lhe as pálpebras e a ponta do nariz e disse:

— Todo esse tempo, todos os dias, ansiei por você.

Ela o abraçou com força.

— Estou tão contente por tê-lo encontrado!

Fizeram amor, feliz e suavemente, ao ar livre, banhados pela luz do sol e com o regato rumorejando a seu lado; Tommy dormiu o tempo todo, e acordou quando tudo já estava acabado.

A estátua de madeira da dama não chorava desde que deixara a Espanha. Jack não compreendia como funcionava, de modo que não sabia ao certo por que o fenômeno não ocorrera longe do seu país de origem. Tinha, no entanto, a ideia de que as lágrimas que corriam ao cair da noite eram causadas pelo súbito resfriamento do ar; notara que o pôr do sol era gradual nos territórios ao Norte, e suspeitava que o problema tinha a ver com o anoitecer mais lento. Ainda conservava a estátua, contudo. Era um tanto desconfortável ter que carregá-la, pelo seu tamanho, mas representava uma lembrança de Toledo, e o fazia recordar Raschid, e também (embora não dissesse isso a Aliena) Aysha. Mas quando um pedreiro em Saint-Denis quis um modelo para uma estátua da Virgem, Jack levou a dama de madeira para o galpão dele e a deixou ali.

Jack fora contratado pelo abade para trabalhar na reconstrução da igreja. O novo coro, que tanto o impressionara, não estava inteiramente completo, e tinha que ser terminado para a cerimônia de consagração, no início do verão; o enérgico abade, porém, já estava se preparando para reconstruir a nave no mesmo estilo revolucionário, e Jack foi contratado para ir adiantando o trabalho de cantaria.

A abadia alugou-lhe uma casa na aldeia, onde se instalaram; e na primeira noite Jack e Aliena fizeram amor cinco vezes. Viver juntos como marido e mulher parecia a coisa mais natural do mundo. Poucos dias depois Jack tinha a impressão de que sempre haviam morado juntos. Ninguém lhes perguntou se sua união havia sido abençoada pela Igreja.

O mestre construtor de Saint-Denis era certamente o maior pedreiro que Jack já conhecera. Enquanto terminavam o coro novo e se preparavam para reconstruir a nave, Jack observava-o e absorvia tudo o que dizia. Os avanços técnicos ali eram dele, e não do abade. Suger era favorável a novas ideias, de modo geral, mas estava mais interessado em ornamentos do que na estrutura. Seu projeto favorito era uma nova tumba para os restos de são Dionísio e seus dois companheiros, Rústico e Eleutério. As relíquias eram conservadas na cripta, mas Suger planejava levá-las para o novo coro, de modo que todo mundo pudesse vê-las. Os três esquifes descansariam numa tumba de pedra guarnecida de mármore negro. Seu topo era uma igreja em miniatura, de madeira dourada; na nave central e nas naves laterais da miniatura havia três caixões vazios, um para cada mártir. A tumba ficaria no meio do novo coro, junto à parte de trás do novo altar-mor. Tanto o altar quanto a sua base já se encontravam no lugar, e a igreja em miniatura estava no galpão dos carpinteiros, onde um meticuloso artesão cuidadosamente dourava a madeira com uma caríssima tinta de ouro. Suger não era homem de fazer as coisas pela metade.

O abade era um formidável organizador; Jack observou bem isso à medida que os preparativos para a cerimônia de consagração se aceleravam. Convidou todo mundo que fosse importante, destacando-se o rei e a rainha de França, e dezenove arcebispos e bispos, inclusive o de Canterbury. Esses fragmentos de notícias eram recolhidos pelos artesãos que trabalhavam na igreja. Jack o via com frequência, com seu hábito de lã grosseira, caminhando energicamente pelo mosteiro, dando instruções a um bando de monges que o seguiam como patinhos. Fazia com que Jack se lembrasse de Philip de Kingsbridge. Como o prior, Suger tinha origem pobre e fora criado no mosteiro. Como Philip, reorganizara as finanças e apertara as rédeas da administração das propriedades do mosteiro de modo a fazer com que produzissem muito mais renda; e como Philip, estava gastando o dinheiro extra numa obra. Finalmente, assim como Philip, era operoso, enérgico e decidido.

Só que Philip não era mais nada disso, segundo Aliena.

Jack achava difícil imaginar uma coisa dessas. Um Philip inerte era tão pouco provável quanto um Waleran Bigod bondoso. No entanto, sofrera uma série de desapontamentos terríveis. Primeiro fora o incêndio da cidade. Jack estremecia ao relembrar aquele dia horroroso: a fumaça, o medo, os terríveis cavaleiros com seus archotes flamejantes e o pânico cego da multidão histérica. Talvez tivesse sido ali que Philip perdera o ânimo. Certamente a cidade perdera a coragem depois. Jack se lembrava muito bem: a atmosfera de medo e insegurança que impregnara tudo, como o cheiro ainda pouco intenso mas inconfundível de podridão. Sem dúvida o prior tencionara que a cerimônia de inauguração do coro fosse um símbolo de nova esperança. Depois, com a festa se transformando em outro desastre, devia ter desistido.

Agora os operários tinham ido embora, o mercado declinara e a população estava diminuindo. Os jovens começavam a se mudar para Shiring, dissera Aliena. Era apenas um problema de ânimo, é claro: o priorado ainda tinha todas as suas propriedades, inclusive os imensos rebanhos de carneiros que geravam centenas de libras anualmente. Se fosse apenas uma questão de dinheiro, com certeza Philip teria condições de recomeçar a obra, em alguma escala. Não seria fácil, claro; os pedreiros eram supersticiosos para trabalhar numa igreja que já ruíra uma vez, e seria difícil despertar o entusiasmo do povo novamente. Mas o principal problema, a julgar pelo que Aliena contara, era Philip ter perdido a vontade. Jack gostaria de poder fazer alguma coisa para ajudar.

Nesse meio-tempo, os bispos, arcebispos, duques e condes começaram a chegar a Saint-Denis, dois ou três dias antes da cerimônia. Todos os notáveis foram levados a fazer uma visita acompanhada à igreja. Suger em pessoa acompanhava os visitantes de maior importância, enquanto os dignitários menores eram conduzidos por monges ou artesãos. Todos ficavam assombrados com a leveza da nova construção e o efeito da claridade do sol nos imensos vitrais. Como praticamente todos os importantes líderes religiosos da França estavam vendo aquilo, ocorreu a Jack que era bem possível que o novo estilo viesse a ser largamente imitado; na verdade, os pedreiros que pudessem dizer que haviam trabalhado ali passariam a estar em grande demanda. Vir para Saint-Denis fora um lance inteligente, mais do que imaginara: aumentara grandemente suas chances de projetar e construir uma catedral.

O rei Luís chegou no sábado, com a mulher e a mãe, instalando-se na casa do abade. Naquela noite as matinas foram cantadas desde o lusco-fusco até a madrugada. Ao raiar do sol havia uma multidão de camponeses e cidadãos de Paris do lado de fora da igreja, aguardando aquilo que prometia ser a maior assembleia de religiosos e homens de poder que a maioria deles jamais vira. Jack e Aliena juntaram-se à multidão assim que Tommy foi alimentado. Um dia, pensou Jack, direi a Tommy: "Você não se lembra, mas quando tinha um ano de idade viu o rei de França."

Levaram pão e sidra para o desjejum e comeram enquanto esperavam que o espetáculo tivesse início. O povo não tinha permissão para entrar na igreja, é claro, e os homens de armas do rei mantinham as pessoas a distância; no entanto, as portas estavam abertas, e todos se aglomeravam onde podiam enxergar alguma coisa. A nave estava superlotada de lordes e ladies. Felizmente o coro ficava um pouco acima do nível do solo, por causa da grande cripta existente sob ele, e Jack pôde assistir à cerimônia assim mesmo.

Houve uma agitação na extremidade mais longínqua da nave, e de repente todos os nobres inclinaram a cabeça, reverentes. Por sobre as cabeças, Jack viu o rei entrar na igreja, vindo do lado sul. Não dava para distinguir as feições dele, mas sua túnica púrpura era uma mancha intensa de cor quando se deslocou para o centro da interseção e se ajoelhou ante o altar-mor.

Os bispos e arcebispos vieram imediatamente depois. Envergavam ofuscantes hábitos brancos bordados a ouro, e cada bispo portava o seu báculo cerimonial. O báculo representava o cajado de um pastor, mas alguns eram ornamentados com joias fabulosas, a tal ponto que a procissão cintilava como as águas de um regato nas montanhas ao sol.

Todos atravessaram vagarosamente a igreja e subiram os degraus do coro, dirigindo-se a lugares predeterminados em torno da pia, na qual – Jack sabia porque assistira aos preparativos – havia diversos galões de água benta. Seguiu-se então uma calmaria, durante a qual se proferiram orações e se entoaram hinos. A multidão ficou inquieta, e Tommy impaciente. Então os bispos saíram de novo em procissão.

Deixaram a igreja pela porta sul e desapareceram no claustro, para grande desapontamento dos espectadores; porém, emergiram depois dos prédios monásticos e desfilaram pela frente da igreja. Cada bispo carregava um pequeno instrumento chamado de aspersório e um receptáculo com água benta; ao caminharem, cantando, mergulhavam os instrumentos na água e aspergiam as paredes da igreja. A multidão comprimiu-se, tentando se adiantar, as pessoas suplicando uma bênção e tentando tocar no hábito imaculadamente branco dos santos homens. Os homens de armas do rei batiam no povo com bastões. Jack deixou-se ficar para trás. Não queria bênção e preferia ficar longe daqueles bastões.

A procissão prosseguiu, majestosa, pelo lado norte da igreja, e a multidão foi atrás, pisoteando as sepulturas do cemitério. Alguns espectadores tinham se posicionado ali antecipadamente e resistiram à pressão dos recém-chegados. Houve uma ou duas brigas.

Os bispos passaram pelo pórtico norte e continuaram, contornando o semicírculo da face leste, a parte nova. Era ali que as oficinas dos artífices tinham sido construídas, e a multidão se lançou por entre as barracas, ameaçando derrubar as frágeis construções de madeira. Quando os líderes da procissão começaram a desaparecer no interior da abadia, os membros mais histéricos da multidão ficaram desesperados e pressionaram com mais determinação. Os homens do rei reagiram com maior violência.

Jack começou a se sentir ansioso.

– Não estou gostando disso – disse para Aliena.

– Eu ia dizer o mesmo – respondeu ela. – Vamos dar o fora.

Antes que pudessem se mover, irrompeu um tumulto entre os homens do rei e um grupo de jovens que estavam na frente. Os homens de armas bateram com força, mas os rapazes, em vez de se acovardarem, reagiram. O último bispo entrou depressa no claustro, aspergindo de forma nitidamente superficial a última parte do coro. Quando os religiosos saíram de vista, a turba concentrou sua atenção nos homens de armas. Alguém atirou uma pedra que acertou bem na testa de um deles. A multidão urrou quando ele caiu. As lutas corporais espalharam-se rapidamente. Homens de armas vieram correndo do lado oeste para defender seus companheiros.

O tumulto estava se transformando num pandemônio.

Não havia esperança de que a cerimônia atraísse a atenção das pessoas nos minutos seguintes. Jack sabia que os bispos e o rei naquele momento deviam estar descendo para pegar na cripta os restos mortais de são Dionísio. Eles os carregariam em torno do claustro, mas não os levariam para o lado de fora. Os dignitários não deveriam aparecer novamente enquanto o serviço religioso não terminasse. O abade Suger não antecipara o tamanho da multidão de espectadores nem tomara providências para conservá-los felizes. Agora estavam insatisfeitos, acalorados – o sol já estava bem alto àquela hora –, e queriam dar vazão às emoções.

Os homens do rei estavam armados, mas os espectadores não, e a princípio os primeiros levaram a melhor – até que alguém teve a brilhante ideia de arrombar os galpões dos artífices em busca de armas. Dois rapazes derrubaram a pontapés a porta do galpão dos pedreiros e surgiram momentos depois com martelos nas mãos. Havia pedreiros no meio da multidão, e alguns forçaram caminho por entre a turba até o galpão, numa tentativa de impedir que as pessoas entrassem; porém, foram incapazes de sustentar suas posições e acabaram empurrados para um lado.

Jack e Aliena tentaram recuar, mas as pessoas que estavam atrás pressionavam para a frente, nervosas, e eles se viram presos numa armadilha. Jack manteve Tommy fortemente grudado a seu peito, protegendo-lhe as costas com os braços e cobrindo sua cabecinha com as mãos; ao mesmo tempo tinha que lutar para ficar junto de Aliena. Viu um homem pequeno, de aspecto furtivo, sair do galpão com a estátua de madeira da dama que chorava. Nunca mais a verei de novo, pensou Jack, com uma pontada de arrependimento; contudo, estava por demais ocupado tentando evitar que o esmagassem para se preocupar com o fato de estar sendo roubado.

O galpão dos carpinteiros foi arrombado a seguir. Os artesãos já haviam desistido de defender os galpões, e não tentaram deter a multidão. A oficina do ferreiro era forte demais, mas a turba irrompeu pela frágil parede do galpão dos telhadores e pegou as ferramentas pesadas e perigosamente afiadas usadas para cortar e aparar as folhas de chumbo do telhado, e Jack pensou: Alguém ainda vai ser morto antes que isto acabe.

A despeito de todos os seus esforços, foi empurrado para a frente, na direção do pórtico norte, onde o combate era mais feroz. A mesma coisa acontecia com o ladrão de barba negra, notou Jack: o homem tentava fugir com o fruto do seu roubo, abraçado com a grande estátua do mesmo modo como Jack carregava Tommy, mas ele também estava sendo forçado cada vez mais para dentro da confusão pelo aperto da turba.

De repente Jack teve uma inspiração súbita. Entregou Tommy a Aliena, dizendo:

— Fique perto de mim.

Agarrou o pequeno ladrão e puxou a estátua de suas mãos.

O homem resistiu por um momento, mas Jack era maior, e de qualquer modo o ladrão estava agora mais preocupado em salvar a própria pele do que em roubar a estátua, e um momento depois desistiu.

Jack ergueu a estátua acima da cabeça e começou a gritar:

— Respeitem Nossa Senhora!

A princípio ninguém notou. Depois uma ou duas pessoas olharam para ele.

— Não toquem em Nossa Senhora! — gritou Jack, com toda a força dos pulmões. As pessoas que estavam por perto recuaram supersticiosamente, abrindo espaço à sua volta. Ele começou a trabalhar mais seu tema: — É um pecado profanar a imagem da Virgem! Segurou a estátua bem alto e seguiu em frente na direção da igreja. Aquilo podia funcionar, pensou, com uma vaga esperança. Mais gente parou de brigar para ver o que estava ocorrendo.

Jack deu uma olhada para trás. Aliena o estava seguindo, incapaz de fazer qualquer outra coisa por causa da pressão exercida pela multidão. No entanto, o distúrbio estava rapidamente se acalmando. Todos se deslocavam junto de Jack, e houve quem começasse a repetir suas palavras, num murmúrio reverente:

— É a Mãe de Deus... Ave, Maria... Abram caminho para a imagem da Virgem Santíssima...

Tudo o que queriam era um espetáculo, e agora que Jack lhes estava proporcionando um, a confusão acabou quase completamente, com apenas duas ou três brigas continuando na periferia. Jack marchou adiante, solene. A facilidade com que pusera fim ao tumulto o assombrou. A multidão à sua frente afastou-se e ele atingiu o pórtico norte da igreja. Ali colocou a estátua no chão, com grande reverência, na sombra fria do portal. A imagem tinha pouco mais de dois pés de altura, e parecia menos impressionante ali no chão.

A multidão se aglomerou em torno da porta, na expectativa do que aconteceria a seguir. Jack não sabia o que fazer. Provavelmente queriam um sermão. Agira como um clérigo, levantando a estátua no alto e proferindo sonoras advertências, mas aquele era o limite de suas habilidades religiosas. Sentiu receio: o que aquela gente poderia fazer com ele, caso se sentisse desapontada?

De repente, houve uma exclamação coletiva de espanto.

Jack olhou para trás. Alguns dos nobres da congregação se reuniram no transepto norte, espiando o que ocorria do lado de fora, mas não havia nada que justificasse o aparente assombro da multidão. — Milagre! — exclamou alguém. E outros logo gritaram: — Milagre! Milagre!

Jack olhou para a estátua e então compreendeu. Água gotejava dos seus olhos. A princípio ficou tão assombrado quanto os outros, mas depois se lembrou de sua teoria de que a estátua chorava quando havia uma súbita alteração de temperatura, do quente para o frio, como acontecia ao anoitecer mais ao sul. A estátua acabara de ser removida do calor do dia para o frescor da sombra do pórtico norte. Isso explicaria as lágrimas. Só que a multidão não sabia, é claro. Tudo o que viam era uma estátua chorando, e se maravilhavam.

Uma mulher que estava bem na frente jogou uma moedinha de prata, chamada *"denier"*, que equivalia ao penny inglês, aos pés da estátua. Jack teve ímpetos de dar uma risada. De que adiantava dar dinheiro a um pedaço de madeira? Mas as pessoas haviam sido tão doutrinadas pela Igreja que sua reação automática a qualquer coisa sagrada era dar dinheiro, e diversas outras seguiram o exemplo da mulher.

Jack nunca pensara que o brinquedo de Raschid pudesse fazer dinheiro. Na verdade, não podia fazer dinheiro para ele — a multidão não daria nada se achasse que o dinheiro ia para o seu bolso. Mas valeria uma fortuna para qualquer igreja.

E quando se deu conta disso, viu subitamente o que tinha a fazer. Foi uma inspiração repentina, e ele começou a falar antes mesmo de ver todas as implicações: as palavras foram saindo ao mesmo tempo em que ia tendo as ideias.

— A Madona que Chora não me pertence, e sim a Deus — começou. A multidão fez silêncio. Aquele era o sermão que esperavam. Atrás de Jack, os bispos cantavam no interior da igreja, mas ninguém estava interessado neles, agora. — Durante centenas de anos ela definhou em terras dos sarracenos — prosseguiu Jack. Não tinha ideia de qual seria a história da estátua, mas não parecia ter importância: os próprios padres nunca examinavam muito detidamente a veracidade das histórias de milagres e de relíquias sagradas. — Ela já viajou muitas milhas, mas sua jornada ainda não terminou. Seu destino é a catedral de Kingsbridge, na Inglaterra.

Jack atraiu a atenção de Aliena. Ela o fitou assombrada. Ele teve que resistir à tentação de piscar-lhe o olho para antecipar o que estava por dizer.

— É minha santa missão levá-la para Kingsbridge. Lá, ela encontrará seu descanso. Lá, ela estará em paz. — Ao olhar para Aliena, no final teve a mais brilhante das inspirações e disse: – Fui designado mestre construtor da nova igreja de Kingsbridge.

O queixo de Aliena caiu. Jack teve que desviar os olhos.

– A Madona que Chora ordenou que uma igreja nova e mais gloriosa lhe seja construída em Kingsbridge, e com a sua ajuda construirei para ela um santuário tão bonito quanto o novo coro que foi erguido aqui para os sagrados despojos de são Dionísio.

Ele baixou a cabeça, e o dinheiro no chão forneceu a ideia para o toque final.

– As suas moedas serão usadas para a nova igreja – disse. A Madona abençoa todo homem, mulher ou criança que a ajude a construir sua nova casa.

Houve um momento de silêncio; os ouvintes depois começaram a atirar moedas no chão, em torno da base da estátua. Cada pessoa dizia em voz alta, qualquer coisa, ao fazer a oferta. Uns exclamavam "Aleluia" ou "Deus seja louvado", e outros pediam uma bênção, ou um favor mais específico. "Faça Robert ficar bom", ou "Que Anne possa conceber um filho", ou "Dê-nos uma boa colheita". Jack examinou-lhes o rosto: estavam excitados, transfigurados, felizes. Empurravam-se, ansiosos por doar seu dinheiro à Madona. Jack baixou os olhos e observou, maravilhado, a pilha de dinheiro aumentar como um monte de neve em torno dos seus pés.

A Madona que Chora teve o mesmo efeito em todas as cidades e aldeias na estrada para Cherbourg. Quando caminhavam em procissão ao longo da rua principal, uma multidão se reunia; depois que paravam em frente à igreja a fim de dar tempo a toda a população de se reunir, transferiam a estátua para a parte sombreada e fria do prédio, fazendo-a chorar. Por fim as pessoas caíam umas sobre as outras, na ânsia de dar seu dinheiro para a construção da Catedral de Kingsbridge.

Quase a perderam, logo no início. Os bispos e arcebispos examinaram a estátua e a declararam genuinamente miraculosa. O abade Suger quis que ficasse em Saint-Denis. Oferecera a Jack uma libra, depois dez e finalmente cinquenta. Quando viu que ele não estava interessado em dinheiro, ameaçou-o de tirar a estátua à força; porém o arcebispo Theobald de Canterbury o impediu. Theobald também enxergou o potencial de fazer dinheiro que tinha a estátua e quis que ela fosse para Kingsbridge, situada na sua arquidiocese. Suger desistira de má vontade, fazendo grosseiras reservas quanto à genuinidade do milagre.

Jack disse aos artífices que trabalhavam em Saint-Denis que contrataria qualquer um deles que resolvesse segui-lo até Kingsbridge. Suger não gostou disso, tampouco. Na verdade, a maior parte dos seus operários ficaria onde estava, com base no princípio de que mais vale um pássaro na mão do que dois voando. Entretanto, havia uns poucos que eram ingleses e que podiam se sentir tentados a voltar para sua terra, e os outros espalhariam a notícia, pois era dever de cada pedreiro dizer a seus irmãos onde havia novos canteiros de obra. Dentro de poucas semanas, artesãos de toda a cristandade começariam a surgir em Kingsbridge, do mesmo modo como Jack aparecera em seis ou sete canteiros diferentes nos últimos dois anos. Aliena perguntou-lhe o que faria se o priorado de Kingsbridge não fizesse dele o mestre construtor. Jack não tinha ideia. Tudo o que dissera fora por impulso e não tinha planos de emergência para o caso de as coisas saírem erradas.

O arcebispo Theobald, tendo requisitado a Madona que Chora para a Inglaterra, não deixou Jack sair impune.

Mandou dois padres de sua comitiva, Reynold e Edward, acompanharem Jack e Aliena na viagem. Jack ficou aborrecido a princípio, mas logo veio a gostar deles. Reynold era um jovem saudável e questionador, dono de um cérebro perceptivo, e se mostrou muito interessado na matemática que Jack aprendera em Toledo. Edward era mais velho, de maneiras gentis, e gostava de comer bem. A principal função deles era garantir que nenhuma das doações fosse para o bolso de Jack, é claro. Na verdade, os religiosos gastavam livremente os donativos para pagar suas despesas de viagem, enquanto Jack e Aliena pagavam tudo com o próprio dinheiro, de modo que o arcebispo teria saído ganhando se houvesse confiado em Jack.

Foram para Cherbourg no seu caminho para Barfleur, onde tomariam um navio para Wareham. Jack percebeu que havia algo errado muito antes de chegarem ao centro da pequena cidade do litoral. As pessoas não olhavam para a Madona.

Olhavam para Jack.

Os padres notaram o que se passava após algum tempo. Carregavam a estátua numa armação de madeira, como sempre faziam ao entrar numa cidade. Quando a multidão começou a segui-lo, Reynold cochichou para Jack:

– O que está acontecendo?

– Não sei.

– Eles estão mais interessados em você do que na estátua! Já esteve aqui antes?

– Nunca.

– São os mais velhos que olham para Jack – disse Aliena. Os jovens olham para a estátua.

Ela estava com a razão. As crianças e os jovens reagiam à estátua com a curiosidade normal. Eram os de meia-idade que olhavam espantados para Jack. Ele tentou encará-los também, e descobriu que se assustavam. Um chegou a fazer o sinal da cruz.

– O que terão contra mim? – perguntou-se, em voz alta.

A procissão atraiu seguidores tão rapidamente como sempre, no entanto, quando chegaram à praça do mercado tinham uma grande multidão atrás de si. Puseram a Madona no chão, em frente à igreja. O ar cheirava a água salgada e peixe fresco. Diversos habitantes da cidade entraram na igreja. O que acontecia normalmente era o clero local sair e vir conversar com Reynold e Edward. Havia discussões e explicações, e por fim a estátua era carregada para o interior da igreja, onde chorava. A Madona falhara uma única vez: num dia frio, quando Reynold insistira em cumprir a rotina a despeito da advertência de Jack de que não funcionaria. Agora respeitavam seu conselho.

A temperatura estava certa naquele dia, mas havia alguma outra coisa errada. Era possível reconhecer a expressão de medo supersticioso no rosto castigado pelo vento dos marinheiros e pescadores espalhados por toda parte. Os jovens sentiam a inquietude dos velhos e toda a multidão se mostrava desconfiada e vagamente hostil. Ninguém se aproximou do pequeno grupo para fazer perguntas sobre a estátua. Permaneceram a distância, falando baixo, esperando que algo acontecesse.

Finalmente o padre apareceu. Nas outras cidades os padres se aproximavam com uma atitude de cautelosa curiosidade, mas este surgiu parecendo um exorcista, segurando uma cruz à sua frente como um escudo e carregando um cálice de água benta na outra mão.

– O que ele pensa que vai fazer? Expulsar demônios? – perguntou Reynold.

O padre aproximou-se, entoando qualquer coisa em latim, e abordou Jack em francês.

– Eu vos ordeno, espírito do mal, que retorne ao Lugar dos Espíritos! Em nome do...

– Não sou um espírito, maldito idiota! – explodiu Jack, enervado.

– Do Pai, do Filho e do Espírito Santo...

– Estamos aqui cumprindo uma missão para o arcebispo de Canterbury – protestou Reynold. – Fomos abençoados por ele.

– Ele não é um espírito – afirmou Aliena. – Eu o conheço desde que tinha doze anos de idade!

O padre começou a parecer inseguro.

– Você é o fantasma de um homem desta cidade que morreu há vinte e quatro anos – disse. Diversas pessoas na multidão exprimiram sua concordância, e o padre recomeçou sua cantoria.

– Só tenho vinte anos de idade – disse Jack. – Talvez apenas me pareça com o homem que morreu.

Alguém se destacou no meio da turba.

– Você não apenas se parece com ele – disse. – Você é ele; não difere nem um pouco dele, no dia em que morreu.

Ouviu-se um murmúrio de temor supersticioso. Jack, meio desencorajado, examinou a pessoa que falara. Era um homem de barba grisalha, com roupas características de um artesão bem-sucedido ou de um pequeno mercador. Não era do tipo histérico. Jack dirigiu-se a ele com a voz trêmula.

— Meus companheiros me conhecem — afirmou. — Dois deles são padres. A mulher é minha esposa. O bebê é meu filho. Eles também são fantasmas?

O homem ficou incerto.

— Você não me conhece, Jack? — perguntou uma mulher de cabelos brancos, que estava a seu lado.

Jack deu um pulo como se tivesse sido flechado. Agora estava assustado.

— Como sabe meu nome? — perguntou.

— Porque sou sua mãe — disse ela.

— Não! — exclamou Aliena, e Jack percebeu uma nota de pânico em sua voz. — Conheço a mãe dele, e não é você! O que está acontecendo aqui?

— Magia negra! — respondeu o padre.

— Espere um minuto — disse Reynold. — Jack pode ser parente do homem que morreu. Ele tinha filhos?

— Não — disse o homem de barba grisalha.

— Tem certeza?

— Nunca se casou.

— Não é o mesmo.

Uma ou duas pessoas deram risadinhas. O padre as fulminou com um olhar.

— Mas ele morreu há vinte e quatro anos — retrucou o homem de barba grisalha —, e este Jack diz que tem apenas vinte.

— Como ele morreu? — quis saber Reynold.

— Afogado.

— Você viu o corpo?

Houve silêncio. Finalmente o homem de barba grisalha respondeu:

— Não, nunca vi o corpo.

— Alguém viu? — perguntou Reynold, elevando a voz ao pressentir vitória.

Ninguém disse nada. Reynold virou-se para Jack.

— Seu pai está vivo?

— Morreu antes de eu nascer.

— O que ele era?

— Menestrel.

Um murmúrio de espanto escapou da multidão, e a mulher de cabelos brancos disse:

— O meu Jack era menestrel.

— Mas *este* Jack é pedreiro — disse Reynold. — Vi o seu trabalho.

No entanto, ele pode ser o filho de Jack. — Reynold virou-se para Jack. — Como o seu pai era chamado? Jack Menestrel, suponho.

— Não. Chamavam-no de Jack Shareburg.

O padre repetiu o nome, pronunciando-o de modo ligeiramente diferente:

— Jacques Cherbourg?

Jack ficou atônito. Nunca entendera direito o nome de seu pai, mas agora estava claro. Como muitos viajantes, era chamado pelo nome da cidade de onde vinha.

— Sim — disse Jack pensativamente. — Claro, Jacques Cherbourg.

Finalmente encontrava uma pista de seu pai, tanto tempo depois de ter desistido de procurar. Seguira até a Espanha, mas o que queria estava ali mesmo, na costa da Normandia. Vencera seu desafio. Sentiu-se cansado mas satisfeito, como quem deixa no chão uma carga pesada após tê-la levado nas costas por um longo trajeto.

— Então está tudo claro — disse Reynold, encarando triunfantemente a multidão. — Jacques Cherbourg não morreu afogado, sobreviveu. Foi para a Inglaterra, viveu por lá durante algum tempo, engravidou uma garota e morreu. A garota deu à luz um menino e lhe deu o nome do pai. Este Jack tem vinte anos agora, e se parece exatamente como o pai, vinte e quatro anos atrás. — Reynold olhou para o padre. — Não é necessário exorcismo algum, padre. É só uma reunião de família.

Aliena passou o braço pelo de Jack e apertou-lhe a mão. Ele estava estupefato. Havia centenas de perguntas que queria fazer e não sabia por qual começar. Fez a primeira que lhe veio à cabeça:

— Por que estavam tão seguros de que ele tinha morrido?

— Todos no *White Ship* morreram — respondeu o homem da barba grisalha.

— *White Ship*?

— Lembro-me do *White Ship* — disse Edward. — Foi um naufrágio famoso. O herdeiro do trono morreu afogado. Então Matilde passou a ser a herdeira, e é esta a razão pela qual agora temos Estêvão.

— Mas por que ele estava num navio?

Foi a mulher idosa que falara antes quem respondeu.

— Era para entreter os nobres durante a viagem. — Ela olhou para Jack. — Você deve ser filho dele, então. Meu neto. Desculpe ter pensado que fosse um espírito. Você se parece muito com ele.

— Seu pai era meu irmão — disse o homem da barba grisalha. — Sou seu tio Guillaume.

Jack constatou, intensamente satisfeito, que aquela era a família por que tanto ansiara, os parentes de seu pai. Não estava mais sozinho no mundo. Finalmente encontrara suas raízes.

— Bem, este é o meu filho Tommy — disse. — Olhe só seu cabelo ruivo.

A mulher de cabeça branca contemplou afetuosamente o bebê.

— Oh, meu Deus, sou bisavó! — disse com a voz trêmula.

Todos riram.

— Como meu pai terá conseguido chegar à Inglaterra? — exclamou Jack.

Capítulo 13

1

— E assim Deus disse para o Demônio: "Olhe para meu servo, de nome Jó. Olhe só para ele. Lá está um homem bom, se é que existe um homem bom." – Philip fez uma pausa, para reforçar o efeito. Aquilo não era uma tradução, é claro, e sim uma maneira de contar a história em estilo livre. – "Diga-me se não é homem perfeito e reto, que teme seu Deus e não comete o mal." O Demônio então disse: "Claro que ele adora você. Você lhe deu tudo. Olhe só para ele. Sete filhos e três filhas. Sete mil carneiros e três mil camelos, quinhentos pares de bois e quinhentos jumentos. É por isso que ele é um homem bom." Então Deus disse: "Está bem. Pode tirar tudo dele para ver o que acontece." E foi o que o Demônio fez.

Enquanto Philip pregava, sua cabeça insistia em vagar, lembrando uma carta que o deixara aturdido, recebida naquela manhã do arcebispo de Canterbury. Começava congratulando-se com ele por ter obtido a miraculosa Madona que Chora. Philip não sabia o que era uma madona que chora, mas estava bastante seguro de que não tinha uma. O arcebispo estava satisfeito por ter sabido que Philip ia recomeçar a construção da nova catedral. O prior não estava fazendo nada disso. Aguardava um sinal de Deus para fazer qualquer coisa, e enquanto aguardava, celebrava as missas de domingo na pequena igreja nova da paróquia. Finalmente o arcebispo Theobald elogiava sua argúcia por ter designado um novo mestre construtor que trabalhara no coro novo de Saint-Denis. Philip ouvira falar da Abadia de Saint-Denis, é claro, e do famoso abade Suger, o mais poderoso homem da Igreja no reino da França; porém, nada sabia a respeito de um coro novo lá, e não contratara um mestre construtor oriundo de parte alguma. Philip achava que a carta provavelmente fora destinada a outra pessoa e remetida a ele por engano.

— Agora, o que foi que Jó disse quando perdeu toda a sua fortuna e seus filhos morreram? Amaldiçoou Deus? Adorou Satanás? Não! Eis o que ele disse: "Nasci nu e nu hei de morrer. O Senhor dá e o Senhor tira – abençoado seja o nome do Senhor." Foi isso o que Jó afirmou. E então Deus se virou para Satanás. "O que foi que ele disse?" O Demônio, porém, não se deu por vencido: "Está bem, mas ele ainda tem uma boa saúde, não tem? Um homem pode aguentar qualquer coisa quando tem boa saúde." E Deus viu que tinha que deixar Jó sofrer mais para provar o que queria, de modo que disse: "Pois tire também sua saúde, e veja só o que acontece." Assim, Satanás fez Jó adoecer, e ele teve bolhas em todo o corpo, desde a cabeça até a sola dos pés.

Os sermões estavam se tornando mais comuns nas igrejas. Eram raros no tempo em que Philip era garoto. O abade Peter sempre fora contra, dizendo que representavam uma tentação para o padre favorecer a si próprio. A visão antiga era de que os membros da congregação deveriam ser meros espectadores, testemunhando silenciosamente os misteriosos ritos sagrados, ouvindo as palavras latinas sem entendê-las, confiando cegamente na eficácia da intercessão do padre. Mas as ideias mudaram. Os pensadores progressistas já não viam os fiéis como observadores mudos de uma cerimônia mística. A Igreja deveria ser uma parte integrante da vida deles, presente desde o batizado, passando pelo casamento e nascimento dos filhos, até a extrema-unção e o enterro em solo consagrado. Deveria ser a dona de suas terras, seu juiz, empregador ou comprador. Esperava-se que as pessoas, cada vez mais, fossem cristãs todos os dias, e não apenas aos domingos. Precisavam mais do que simples rituais, de acordo com o moderno ponto de vista: queriam explicações, ordens, encorajamento, exortações.

– Agora, acredito que Satanás teve uma conversa com Deus a respeito de Kingsbridge – continuou Philip. – Acredito que Deus disse para Satanás: "Olhe para o meu povo em Kingsbridge. Não são bons cristãos? Veja como trabalham duro a semana toda em seus campos e oficinas, e depois passam o domingo inteiro construindo uma nova catedral para Mim. Diga-me que não são boas pessoas, se puder!" E o Demônio retorquiu: "Eles são bons porque estão se saindo bem. Você lhes deu boas safras, bom tempo, fregueses para suas lojas e proteção contra condes perversos. Mas tire tudo isso deles, e verá como virão para o meu lado." Deus então perguntou: "O que você quer fazer?" Satanás respondeu: "Queimar a cidade." Deus concordou: "Está bem, pode queimá-la, e veja o que acontece." Então Satanás mandou William Hamleigh incendiar a nossa feira de lá. – Philip encontrava grande consolo na história de Jó. Como Jó, trabalhara duro toda a vida para cumprir a vontade de Deus com o melhor da sua capacidade; e, como Jó, fora recompensado com má sorte, fracasso e ignomínia. Mas o objetivo do sermão era levantar o moral dos habitantes da cidade, e Philip pôde ver que não estava funcionando. A história, contudo, ainda não acabara.

– Então Deus disse para Satanás: "Veja agora! Você queimou a cidade, destruindo tudo, mas ainda assim eles estão construindo uma nova catedral para Mim. Diga-me agora se não são boas pessoas!" Mas o Demônio não se deixou vencer e retrucou: "Fui muito bonzinho com eles. A maior parte escapou do incêndio. E logo todos reconstruíram suas casinhas de madeira. Deixe-me mandar-lhes um desastre de verdade, para ver o que acontece." Deus suspirou e disse: "O que vai querer agora?" O Demônio respondeu imediatamente: "Vou derrubar o telhado da nova igreja em cima da cabeça deles." E foi o que ele fez, como todos nós sabemos.

Olhando para a congregação, Philip viu muito poucas pessoas que não tivessem perdido um parente naquele terrível desastre. Ali estava a viúva Meg, que tinha um bom marido e três filhos fortes, os quais haviam morrido; desde então ela não pronunciara mais uma só palavra, e seu cabelo ficara branco. Outros tinham sido mutilados. A perna direita de Peter Pônei fora esmagada, e agora ele mancava; antes Peter trabalhava capturando cavalos, mas agora ajudava o irmão a fabricar selas. Dificilmente se encontrava uma família na cidade que tivesse escapado. Sentado no chão, bem na frente, estava um homem que perdera o uso das pernas. Philip estranhou – quem era ele? Não tinha se machucado no desabamento do telhado – o prior nunca o vira antes. Lembrou-se então de ter ouvido que havia um aleijado esmolando na cidade e dormindo nas ruínas da catedral. Philip ordenara que lhe dessem uma cama na hospedaria.

Sua mente estava divagando de novo. Retornou ao sermão.

– Agora, o que foi que Jó fez? Sua mulher lhe disse: "Amaldiçoe Deus e morra." Mas foi isso que ele fez? Claro que não. Perdeu sua fé? Mais uma vez não. Satanás ficou desapontado com Jó. E lhes digo... – Philip levantou a mão dramaticamente, para enfatizar seu ponto. – E lhes digo que Satanás vai ficar desapontado com o povo de Kingsbridge! Pois continuamos a venerar o verdadeiro Deus, exatamente como Jó fez durante todas as suas tribulações.

Fez nova pausa, para deixar que digerissem o que dissera, mas podia assegurar que não conseguira comover ninguém. Os rostos erguidos para ele estavam interessados, mas não inspirados. Na verdade, ele não era um orador inspirado. Era um homem prático. Não era capaz de cativar uma congregação com a força da sua personalidade. As pessoas tornavam-se intensamente leais a ele, mas isso não ocorria de imediato: o processo era lento, acontecia com o tempo, quando vinham a entender como vivia e o que conseguia fazer. Seu trabalho às vezes inspirava as pessoas – pelo menos nos velhos tempos –, mas não suas palavras.

No entanto, a melhor parte da história ainda estava por vir.

– O que aconteceu a Jó, depois que Satanás lhe causou tanto mal? Muito bem, Deus lhe deu tudo o que tinha no princípio – em dobro! Onde levava para pastar sete mil carneiros, tinha agora catorze mil. Os três mil camelos foram substituídos por seis mil. E ele teve mais sete filhos e três filhas.

Os fiéis continuaram indiferentes. Philip insistiu.

— E Kingsbridge irá prosperar de novo um dia. As viúvas se casarão de novo e os viúvos encontrarão esposas; e aqueles cujos filhos morreram conceberão de novo; e nossas ruas se encherão de gente, nossas lojas terão amplos estoques de pão e vinho, couro e metal, fivelas e sapatos; e um dia reconstruiremos nossa catedral.

O problema era que não estava seguro de que acreditava em suas próprias palavras. Não era de admirar que a congregação não se tocasse.

Baixou os olhos para o livro grosso à sua frente e traduziu do latim:

— "E Jó viveu por mais cento e quarenta anos, e viu seus filhos, netos e bisnetos. Só então morreu, muito velho." — Fechou o livro.

Houve uma perturbação na parte de trás da pequena igreja. Philip ergueu os olhos, irritado. Estava consciente de que seu sermão não tivera o efeito que esperara, mas mesmo assim queria uns poucos momentos de silêncio no final. A porta da igreja foi aberta, e todos os que estavam no fundo olharam para fora. Philip pôde ver na rua uma boa multidão — deviam estar ali todas as pessoas que não se encontravam dentro da igreja. O que estaria acontecendo?

Diversas possibilidades passaram pela sua cabeça — briga, incêndio, a notícia de que alguém estava morrendo, ou de que uma grande tropa de homens a cavalo se aproximava —, mas estava completamente despreparado para o que aconteceu. Primeiro entraram dois padres carregando a estátua de uma mulher sobre uma tábua forrada por uma toalha bordada de altar. A solenidade do comportamento deles sugeria que a estátua representava uma santa, presumivelmente a Virgem. Atrás dos padres caminhavam duas pessoas, e foram elas que lhe proporcionaram a surpresa maior: uma era Aliena, outra, Jack.

Philip contemplou o rapaz. No seu olhar havia ternura, mas também uma certa irritação. Aquele garoto... No dia em que aparecera, a velha catedral se incendiara, e desde então nada relacionado a ele fora normal. Mas ficou mais satisfeito que aborrecido com a entrada de Jack. A despeito de todos os problemas que o menino causara, ele tornara a vida interessante. Menino? Philip olhou para ele de novo. Jack não era mais um menino. Estivera fora dois anos, mas envelhecera dez. Havia cansaço e sabedoria em seus olhos. Por onde tinha andado? E como Aliena o encontrara?

A procissão deslocou-se para o meio da igreja. Philip decidiu não fazer nada e ver o que aconteceria. Um murmúrio de excitação espalhou-se quando o povo reconheceu Jack e Aliena. Logo em seguida o murmúrio se modificou, passando a ser de reverente temor, e alguém disse:

— Ela chora!

Outros repetiram, como numa litania:

— Ela chora! Ela chora!

Philip examinou a estátua. Sem dúvida nenhuma, havia água saindo de seus olhos. Subitamente se lembrou da misteriosa carta do arcebispo a respeito da Madona que Chora. Quanto a ser ou não um milagre, Philip julgaria depois. Podia ver que os olhos pareciam ser feitos de pedra, enquanto o resto da estátua era de madeira: isso podia estar relacionado com as lágrimas.

Os padres se viraram e depositaram a tábua no chão, de modo que a Madona ficasse de frente para a congregação. Então Jack começou a falar.

— A Madona que Chora veio às minhas mãos num país muito distante — começou ele. Philip ficou ressentido com a interrupção da missa, mas decidiu não agir precipitadamente: deixaria Jack falar. De qualquer forma, estava curioso.

— Um sarraceno batizado a deu para mim — prosseguiu Jack.

A congregação deixou escapar um murmúrio de surpresa. Nas histórias, os sarracenos eram geralmente o inimigo bárbaro de pele negra, e poucas pessoas sabiam que alguns deles eram cristãos.

— A princípio não entendi por que ele a entregou para mim. Mesmo assim, carreguei-a por muitas milhas. — Jack fascinara os fiéis. Ele é melhor pregador que eu, pensou Philip, pesaroso; posso sentir a tensão aumentando. — Finalmente comecei a perceber que ela queria ir para casa. Mas onde era sua casa? Até que atinei com a resposta: ela queria ir para Kingsbridge.

Os fiéis não contiveram os comentários, espantados. Philip mostrou-se cético. Havia uma diferença entre o modo como Deus operava e o de Jack, e aquilo tinha todo o jeito de coisa de Jack. Mas Philip permaneceu em silêncio.

— Mas então pensei: para onde a estou levando? Que santuário terá em Kingsbridge? Em que igreja descansará? — Ele relanceou os olhos pelo interior simples e caiado da igreja da paróquia, como se dissesse: Isto aqui obviamente não servirá. — E foi como se ela falasse em voz alta e me dissesse: "Você, Jack, fará um santuário e construirá uma igreja para mim."

Philip começou a entender o que Jack queria. A Madona seria a centelha que reacenderia o entusiasmo do povo para construir uma nova catedral. Faria o que o sermão de Philip sobre Jó não fizera. Mas Philip não pôde deixar de se perguntar se aquilo seria a vontade de Deus ou a de Jack.

— Assim, perguntei a ela: "Com quê? Não tenho dinheiro." E ela disse: "Proverei o dinheiro." Então iniciamos a viagem, com a bênção do arcebispo Theobald de Canterbury. — Jack lançou um olhar para Philip quando pronunciou o nome do arcebispo. Ele está me dizendo qualquer coisa, pensou Philip; está dizendo que tem um forte apoio para isto.

Jack correu o olhar pela congregação.

— E ao longo do caminho, a partir de Paris, por toda a Normandia, atravessando o mar e no trajeto até Kingsbridge, cristãos devotos deram dinheiro para a construção do altar da Madona que Chora. — Com essas palavras, Jack chamou com um gesto alguém que estava do lado de fora.

No momento seguinte dois sarracenos de turbante entraram solenemente na igreja, carregando nos ombros uma arca guarnecida de ferro.

Os fiéis recuaram, amedrontados. Até mesmo Philip ficou assombrado. Sabia, em teoria, que os sarracenos tinham a pele escura, mas nunca vira um antes e a realidade era espantosa. Suas roupas brilhantemente coloridas e amplas também eram impressionantes. Eles marcharam por entre a congregação aterrada e ajoelharam-se ante a Madona, colocando, reverentes, a arca no chão.

Quando Jack abriu a arca com uma imensa chave e levantou a tampa, houve um silêncio em que ninguém respirou. Todos esticaram o pescoço para tentar ver o que continha. De repente, o rapaz virou-a de cabeça para baixo.

Ouviu-se um barulho que lembrava uma cascata, quando uma torrente de moedas de prata se espalhou. Eram centenas, milhares de moedas. Todos se aproximaram, curiosos; nenhuma daquelas pessoas jamais vira tanto dinheiro.

Jack levantou a voz para ser ouvido, não obstante as exclamações do povo.

– Trouxe-a para casa, e agora a dou para a construção da nova catedral. – Nesse ponto virou-se, encarou Philip e inclinou a cabeça numa pequena reverência, como se dissesse: Agora é com você.

Philip detestava ser manipulado daquele modo, mas ao mesmo tempo tinha que reconhecer o modo magistral como a coisa fora feita. O povo podia aclamar a Madona que Chora, mas somente Philip poderia decidir se ela seria autorizada a permanecer na Catedral de Kingsbridge ao lado dos ossos de santo Adolfo. E ele ainda não estava convencido.

Alguns dos aldeões começaram a fazer perguntas aos sarracenos. Philip desceu do púlpito e aproximou-se mais para ouvir.

– Venho de um país muito, muito distante – um deles estava dizendo. Philip ficou surpreso ao perceber que falava inglês exatamente como um pescador de Dorset, mas a maior parte das pessoas nem mesmo sabia que os sarracenos tinham um idioma próprio.

– Qual é o nome do seu país? – perguntou alguém.

– África – respondeu o sarraceno. Havia mais que um país na África, claro, como Philip sabia – embora a maior parte dos aldeões não –, e o prior perguntou-se de onde viria aquele sarraceno. Seria muito interessante se fosse de um lugar mencionado na Bíblia, como o Egito ou a Etiópia.

Uma garotinha levantou um dedo e tocou na mão de pele escura. O mouro sorriu para ela. A não ser pela cor, ele não parecia diferente do resto das pessoas. Encorajada, a garota perguntou:

– Como é a África?

– Há grandes desertos e figueiras.

– O que é uma figueira?

— Uma árvore que dá figos. O figo é uma fruta que parece um morango e tem gosto de pera.

Philip de repente foi assaltado por uma horrível suspeita.

— Diga-me, sarraceno, em que cidade você nasceu?

— Damasco — disse o homem.

A suspeita do prior foi confirmada. Ficou furioso. Tocou no braço de Jack e puxou-o de lado. Num tom de voz furioso, mas falando baixo, perguntou:

— Que negócio é esse que você está armando?

— O que você quer dizer com essa pergunta? — retrucou Jack, bancando o inocente.

— Esses dois não são sarracenos. São pescadores de Wareham com tinta escura no rosto e nas mãos.

Jack não pareceu se aborrecer por ver que seu logro fora descoberto.

— Como foi que você adivinhou? — perguntou, sorrindo.

— Não creio que aquele homem jamais tenha visto um figo, e Damasco não fica na África. Qual é o significado dessa desonestidade?

— É um ardil inofensivo — disse Jack, exibindo seu sorriso cativante.

— Não existe ardil inofensivo — retrucou Philip glacialmente.

— Está bem. — Jack notou que Philip estava furioso e ficou sério. — O objetivo é o mesmo de uma ilustração numa página da Bíblia. Não é a verdade, é uma ilustração. Meus homens de Dorsetshire pintados dramatizam o fato verdadeiro de que a Madona que Chora vem de uma terra sarracena.

Os dois padres e Aliena destacaram-se da multidão em torno da Madona e juntaram-se a Philip e Jack. O prior ignorou-os e disse a Jack:

— Você não fica com medo do desenho de uma cobra. Uma ilustração não é uma mentira. Os seus sarracenos não são ilustrações, são impostores.

— Arrecadamos muito mais dinheiro depois que usamos os sarracenos — disse Jack.

Philip deu uma olhada no dinheiro derramado no chão.

— O povo da cidade provavelmente pensa que isso é o bastante para construir uma catedral — disse. — Tenho para mim que aí deve haver umas cem libras. Você sabe que não dá para pagar nem um ano de trabalho.

— O dinheiro é como os sarracenos — disse Jack. — É simbólico. Você sabe que tem o dinheiro para dar início à construção.

Era verdade. Não havia nada que impedisse Philip de recomeçar a catedral. A Madona era exatamente o que precisava para trazer Kingsbridge de volta à vida. Atrairia gente à cidade — peregrinos, estudiosos e também simples curiosos. Daria novo ânimo a seus habitantes. Seria vista como um bom presságio. Philip estivera aguardando um sinal de Deus, e queria muito acreditar que era aquele. Mas tinha a sensação de que não era. Tinha todo o jeito de ser um truque de Jack.

— Sou Reynold e este é Edward — disse o mais jovem dos dois padres. — Trabalhamos para o arcebispo de Canterbury. Ele mandou que acompanhássemos a Madona que Chora.

— Se tinham a bênção do arcebispo, por que precisaram de dois falsos sarracenos para legitimar a Madona?

Edward pareceu ficar um pouco envergonhado, mas Reynold disse:

— Foi ideia de Jack; porém, confesso que não vi mal nisso. Certamente você não suspeita da Madona, não é, Philip?

— Pode me chamar de "padre" — retrucou Philip secamente. — Trabalhar para o arcebispo não lhe dá o direito de desrespeitar seus superiores. A resposta à sua pergunta é sim, duvido da Madona. Não vou colocar essa estátua na Catedral de Kingsbridge enquanto não estiver convencido de que se trata de um objeto santo.

— Uma estátua de madeira que chora — disse Reynold. — Que coisa mais milagrosa que isso você deseja?

— O choro é inexplicável. Mas isso não o torna um milagre. A transformação da água líquida em gelo sólido também é inexplicável, mas não é miraculosa.

— O arcebispo ficaria muito desapontado se a Madona não fosse aceita. Ele teve que travar uma verdadeira batalha para impedir que o abade Suger ficasse com ela para Saint-Denis.

Philip viu que estava sendo ameaçado. O jovem Reynold terá que se esforçar muito mais que isso para me intimidar, pensou ele.

— Tenho absoluta certeza de que o arcebispo não ia querer que eu aceitasse a Madona sem fazer algumas perguntas de rotina acerca de sua legitimidade — retrucou ele com frieza.

Nesse instante houve um movimento aos pés deles. Philip baixou os olhos e viu o aleijado que notara antes. O infeliz se arrastava, esfregando as pernas paralisadas no chão, tentando se aproximar da estátua. Para qualquer lado que se virasse, estava bloqueado pela multidão. Automaticamente, Philip chegou para um lado a fim de deixá-lo passar. Os sarracenos impediam que as pessoas tocassem na estátua, mas o aleijado escapou de sua vigilância. O prior viu que o homem levantava a mão. Normalmente teria impedido que alguém tocasse numa relíquia sagrada, mas, como ainda não aceitara aquela estátua como santa, nada fez. O aleijado tocou na barra do vestido de madeira. De repente deixou escapar um grito de vitória.

— Eu sinto! Eu sinto!

Todos olharam para ele.

— Sinto a força voltando!

Philip olhou para o homem incredulamente, sabendo o que aconteceria a seguir. O homem curvou-se sobre uma das pernas, depois sobre a outra. Houve um arquejo coletivo dos assistentes. Ele esticou a mão e alguém a pegou. Com esforço, conseguiu ficar em pé.

A multidão produziu um barulho que lembrou um grunhido de paixão.

— Tente andar! — gritou alguém.

Ainda segurando a mão da pessoa que o ajudara, o aleijado experimentou dar um passo, depois outro. Todos observaram em silêncio mortal. No terceiro passo ele tropeçou, e a assistência suspirou. Mas o homem recuperou o equilíbrio e continuou andando.

Todos aplaudiram.

O homem percorreu a nave seguido pela multidão. Após mais alguns passos desatou a correr. Os aplausos entusiasmados se intensificaram quando atravessou a porta da igreja e saiu para o sol da rua, sendo acompanhado pela maior parte da congregação.

Philip olhou para os dois padres. Reynold estava atemorizado, e lágrimas corriam pelo rosto de Edward. Evidentemente eles não haviam tomado parte naquilo. Philip virou-se para Jack e exclamou, furioso:

— Como se atreve a tentar um truque desses?

— Truque? — disse Jack. — Que truque?

— Aquele homem nunca tinha sido visto por aqui até alguns dias atrás. Em mais um ou dois dias desaparecerá, para nunca mais ser visto de novo, com os bolsos cheios do seu dinheiro. Sei como essas coisas são feitas, Jack. Você não é a primeira pessoa a forjar um milagre, lamentavelmente. Nunca houve nada de errado com as pernas dele, não é verdade? Não passa de outro pescador de Wareham.

A acusação foi confirmada pela expressão de culpa de Jack.

— Jack — disse Aliena —, eu lhe disse para não tentar isso.

Os dois padres estavam estupefatos. Haviam sido completamente enganados. Reynold ficou furioso e aproximou-se de Jack.

— Você não tinha o direito! — esbravejou.

Philip ficou triste e também zangado. No fundo do coração tivera esperanças de que a Madona fosse legítima, pois podia ver como a usaria para revitalizar o priorado e a cidade. Mas não seria assim. Deu uma olhada na pequena igreja. Só tinham permanecido uns poucos fiéis, de olhos fixos na estátua.

— Desta vez você foi longe demais — disse o prior para Jack.

— As lágrimas são reais, não há truque nisso — disse Jack. — Mas o aleijado foi um erro, admito.

— Foi pior que um erro — disse Philip, furioso. — Quando as pessoas souberem da verdade terão a fé abalada em *todos* os milagres.

— Por que precisam saber da verdade?

— Porque terei que lhes explicar o motivo pelo qual a Madona não será entronizada na catedral. Não há dúvida quanto à minha aceitação da estátua agora, é claro.

— Acho que é um pouco precipitado — disse Reynold.

— Quando quiser sua opinião, rapaz, eu a pedirei — retorquiu Philip, interrompendo-o.

Reynold calou-se, mas Jack insistiu.

— Está certo de que tem o direito de privar o povo da sua Madona? Olhe para essa gente — exclamou, indicando o punhado de crentes que haviam ficado para trás. Entre eles via-se a viúva Meg. Ela estava ajoelhada em frente à estátua, com as lágrimas escorrendo pelo rosto. Jack não sabia, lembrou Philip, que Meg perdera toda a família no desmoronamento do telhado de Alfred. A emoção dela o comoveu, e ele perguntou-se se Jack afinal não teria razão. Por que tirar aquilo do povo? Por ser desonesto, relembrou a si próprio, severamente. Eles acreditavam na estátua por terem visto um falso milagre. Endureceu o coração.

Jack ajoelhou-se ao lado de Meg e falou com ela.

— Por que você está chorando?

— Ela é muda — disse-lhe Philip.

— A Madona sofreu como eu — disse-lhe então Meg. — Ela compreende.

Philip ficou assombrado.

— Está vendo só? — disse Jack. — A estátua ameniza o sofrimento dela. O que é que você está olhando?

— Ela é muda — repetiu Philip. — Não pronuncia uma única palavra há mais de um ano.

— Isso mesmo! — exclamou Aliena. — Meg ficou muda depois que seu marido e seus filhos morreram no desabamento do telhado.

— Esta mulher? — disse Jack. — Mas ela acaba de...

Reynold estava abismado.

— Você quer dizer que isto é um milagre? De verdade?

Philip examinou o rosto de Jack. Ele estava mais chocado do que qualquer um. Não havia truque ali.

O prior sentia-se profundamente comovido. Vira a mão de Deus se mover e operar um milagre. Estava um pouco trêmulo.

— Bem, Jack... — disse, com a voz insegura. — A despeito de tudo o que você fez para desacreditar a Madona que Chora, parece que Deus tenciona operar milagres com ela de qualquer modo.

Daquela vez Jack ficou sem palavras.

Philip afastou-se dele e foi até Meg. Segurou-lhe as mãos e, delicadamente, ajudou-a a se levantar.

— Deus a fez ficar boa de novo, Meg — disse, a voz trêmula de emoção. — Agora pode começar uma nova vida. — Lembrou que fizera um sermão sobre a história de Jó. As palavras voltaram: — E assim Deus abençoou o fim da vida de Jó mais do que o seu princípio... — Dissera ao povo de Kingsbridge que o mesmo seria verdade para eles. Eu gostaria de saber, pensou, observando o êxtase estampado no rosto repleto de lágrimas de Meg, se isto poderá ser o começo de tudo.

Houve um clamor no cabido quando Jack apresentou sua planta para a nova catedral.

Philip o advertira para esperar encrenca. Vira os desenhos antes, claro. Jack os levara à casa do prior uma manhã bem cedo – uma planta e uma projeção vertical, riscadas em gesso emoldurado em madeira. Eles as haviam apreciado juntos, à clara luz da manhã, e Philip dissera: "Jack, esta será a igreja mais bonita da Inglaterra... mas vamos ter problemas com os monges."

Jack sabia, desde os tempos de noviço, que Remigius e seus amigos ainda se opunham rotineiramente a qualquer plano que fosse caro ao coração de Philip, muito embora houvessem decorrido oito anos desde que este o vencera na eleição. Eles raramente conseguiam apoio dos demais, mas nesse caso Philip estava inseguro: eram todos tão conservadores que poderiam se assustar com o projeto revolucionário. No entanto, nada havia a fazer senão lhes mostrar os desenhos e tentar convencê-los. Philip certamente não poderia seguir em frente e construir a catedral sem o apoio sincero da maioria dos seus monges.

No dia seguinte Jack compareceu ao cabido e apresentou seus planos. Os desenhos foram colocados sobre um banco encostado à parede, e os monges se agruparam para examiná-los. À medida que tomavam conhecimento dos detalhes, o murmúrio foi aumentando rapidamente até se transformar numa algazarra. Jack se sentiu desencorajado: o tom era desaprovador, quase ultrajado. O barulho ficou ainda maior quando começaram a discutir entre si, alguns atacando o projeto e outros defendendo-o.

Após algum tempo Philip chamou-os à ordem e eles se aquietaram. Milius Tesoureiro fez uma pergunta previamente combinada:

– Por que os arcos ogivais?

– É uma nova técnica que estão usando na França – respondeu Jack. – Vi em diversas igrejas. O arco ogival é mais forte. Isso me possibilitará construir a igreja muito alta. Provavelmente será a nave mais alta de toda a Inglaterra.

Gostaram da ideia, Jack podia assegurar.

– As janelas são tão *grandes*! – comentou alguém.

– Paredes grossas são desnecessárias – disse Jack. – Provaram isso na França. São os pilares que sustentam a construção, especialmente com o teto de vigas. E o efeito das janelas grandes é emocionante. Em Saint-Denis o abade pôs vidros coloridos com desenhos nas janelas. A igreja se torna um lugar ensolarado e arejado, em vez de sombrio e abafado.

Diversos monges balançaram a cabeça, aprovando. Talvez não fossem tão conservadores quanto pensara.

Mas foi Andrew Sacristão quem falou a seguir.

— Há dois anos você era um noviço entre nós. Foi castigado por atacar o prior, escapou da cela e fugiu do convento. Agora volta nos dizendo como construir nossa igreja.

Antes que Jack pudesse falar, um dos monges mais jovens protestou:

— Isso não tem nada a ver com nossa discussão! Estamos examinando o projeto, não o passado de Jack!

Diversos monges tentaram falar ao mesmo tempo, alguns deles aos gritos. Philip fez com que todos se calassem e pediu a Jack que respondesse.

O rapaz esperara por algo assim e estava preparado.

— Fiz uma peregrinação a Santiago de Compostela como penitência por esse pecado, padre Andrew, e espero que o fato de ter trazido a Madona que Chora para o mosteiro possa ser considerado como uma compensação pelo meu mau comportamento — afirmou docilmente. — Posso não ser destinado a me tornar monge, mas espero que possa servir a Deus de um modo diferente: como seu construtor.

Eles pareceram aceitar aquilo. Andrew, contudo, não terminara.

— Qual é a sua idade? — perguntou, embora certamente soubesse a resposta.

— Vinte anos.

— É muito pouco para ser mestre construtor.

— Todos os presentes me conhecem. Morei aqui desde menino. — Desde que incendiei sua velha igreja, pensou ele, culpadamente. — Fiz meu aprendizado com o primeiro mestre construtor. Vocês viram meu trabalho de cinzelagem na pedra. Quando fui noviço, trabalhei com o prior Philip e com Tom como encarregado da obra. Peço humildemente aos irmãos que me julguem pelo meu trabalho, e não pela minha idade.

Foi outro discurso preparado. Mas Jack viu um dos irmãos sorrir quando ouviu a palavra "humildemente" e se deu conta de que podia ter sido um pequeno erro; todos sabiam que, fossem quais fossem suas qualidades, não se podia dizer que entre elas estivesse a humildade.

Andrew mais que depressa aproveitou-se do lapso.

— Humildemente? — repetiu, e seu rosto começou a ficar vermelho quando ele simulou estar se sentindo muito ultrajado. — Não foi muita *humildade* da sua parte anunciar aos pedreiros de Paris três meses atrás que já tinha sido designado mestre construtor aqui em Kingsbridge.

Mais uma vez ouviu-se um alarido de reações indignadas partindo dos monges. Jack resmungou intimamente. Como diabo Andrew viera a saber daquilo? Reynold ou Edward deviam ter contado. Tentou se desculpar.

— Eu estava tentando atrair alguns daqueles artesãos para Kingsbridge — disse, quando o barulho diminuiu. — Eles serão úteis, não importa quem seja designado mestre construtor. Não creio que minha presunção tenha causado mal algum... – Tentou um sorriso cativante. – Mas sinto muito por não ser mais humilde. – A desculpa não desceu bem.

Milius Tesoureiro salvou-o, com outra pergunta arranjada.

– Qual é a sua proposta para o coro, que ruiu parcialmente?

– Eu o examinei com cuidado – respondeu Jack. – Pode ser reparado. Se me designarem mestre construtor hoje, eu o deixarei em condições de ser usado novamente dentro de um ano. Por fim, quando a nave estiver terminada, proponho demolir o coro e construir outro no estilo do resto da nova igreja.

– Mas como você sabe que o coro antigo não vai cair novamente? – quis saber Andrew.

– O desmoronamento foi causado pela abóbada de pedra de Alfred, que não estava no projeto original. As paredes não eram fortes o bastante para sustentá-la. O que proponho é voltar ao desenho de Tom e construir um teto de madeira.

Houve um murmúrio de surpresa. A questão do motivo pelo qual o telhado ruíra fora razão de controvérsia.

– Mas Alfred aumentou o tamanho dos arcobotantes para sustentar o peso extra.

Aquilo intrigara Jack também, mas ele pensava ter encontrado a resposta.

– Ainda assim, eles não eram bastante fortes, particularmente na parte de cima. Se examinarem as ruínas, poderão ver que a parte da estrutura que cedeu foi o clerestório. O reforço foi insuficiente nesse nível.

Eles pareceram ficar satisfeitos com aquilo. Jack sentiu que sua capacidade de dar uma resposta confiante elevara seu status como mestre construtor.

Remigius levantou-se. Jack estivera se perguntando quando ele faria a sua contribuição.

– Eu gostaria de ler um versículo da Sagrada Escritura para os irmãos no cabido – disse, um tanto teatralmente. Olhou para Philip, que balançou a cabeça, dando o seu consentimento.

Remigius caminhou até o púlpito e abriu a imensa Bíblia. Jack examinou o homem. Sua boca de lábios finos movia-se nervosamente e seus olhos azul-claros, um tanto arregalados, lhe davam uma expressão de permanente indignação. Era o retrato do ressentimento. Anos atrás acreditara que seu destino era ser líder de homens, mas na verdade tinha o caráter fraco, e estava condenado a viver em contínuo desapontamento, causando problemas para homens melhores.

– O Êxodo – entoou ele, virando as páginas de pergaminho. – Capítulo 20. Versículo 14. – Jack perguntou-se que raio de coisa estaria por vir. Remigius leu:

– "Não cometerás adultério." – Fechou o livro com força e retornou a seu lugar.

— Talvez pudesse nos dizer, irmão Remigius, por que fez questão de ler esse curto versículo no meio de nossa discussão dos planos de construção da nova catedral — interveio Philip, num tom de voz que revelava mediana exasperação.

Remigius apontou um dedo acusador para Jack.

— Porque o homem que deseja ser o nosso mestre construtor está vivendo em estado de pecado! — trovejou.

Jack não pôde acreditar que ele estivesse falando sério, e retrucou, indignado:

— É verdade que a nossa união não foi abençoada pela Igreja, devido a circunstâncias especiais, mas nos casaremos quando quiser.

— Não podem — disse Remigius triunfantemente. — Aliena já é casada.

— Mas a união dela jamais foi consumada.

— Mesmo assim, a cerimônia foi realizada numa igreja.

— Mas se não me deixam casar com ela, como posso evitar cometer adultério? — exclamou Jack, furioso.

— Chega! — era a voz de Philip. Jack olhou para ele. Parecia furioso. Perguntou: — Jack, você está vivendo em pecado com a mulher do seu irmão?

Jack ficou estupefato.

— Você não sabia?

— Claro que não! — explodiu Philip. — Acha que eu teria permanecido em silêncio se soubesse?

Ninguém falou nada. Não era costumeiro Philip gritar. Jack percebeu que estava metido num problema sério. Seu pecado era uma tecnicalidade, claro, mas esperava-se que os monges fossem rigorosos acerca dessas coisas. Lamentavelmente, o fato de Philip não ter sabido que estava vivendo com Aliena tornara as coisas muito piores. Permitira a Remigius pegar o prior de surpresa e obrigá-lo a fazer papel de tolo. Agora ele teria que ser firme, para provar que era rigoroso.

— Mas vocês não podem construir o tipo errado de igreja só para me punir — disse Jack, angustiado.

— Você terá que deixar aquela mulher — disse Remigius com enorme satisfação.

— Não amole, Remigius — retrucou Jack. — Ela tem um filho meu, com um ano de idade!

Remigius voltou a se sentar, com uma expressão de felicidade na fisionomia.

— Jack — disse Philip —, se falar desse modo no cabido, terá que se retirar.

Jack sabia que precisava se acalmar, porém não conseguiu.

— Mas é um absurdo! Você está me dizendo para abandonar minha mulher e nosso filho! Isso não é moralidade, é uma sutileza bizantina!

A raiva de Philip diminuiu de algum modo, e Jack viu o brilho mais familiar da compreensão nos seus olhos azul-claros.

— Jack — disse ele —, a sua abordagem das leis de Deus pode ser mais pragmática, mas nós preferimos ser rígidos; é por isso que somos monges. E não podemos tê-lo como construtor enquanto viver em adultério.

Jack lembrou-se de uma frase das Escrituras.

— Jesus disse: "Quem dentre vós não tiver pecado, que atire a primeira pedra."

— Sim — replicou Philip —, mas também disse para a adúltera: "Vá e não peque mais." — Ele se virou para Remigius. — Acredito que você não se oporá mais se o adultério cessar.

— Claro! — respondeu o subprior.

A despeito da sua raiva e angústia, Jack notou que Philip fora mais esperto que Remigius. Fizera do adultério a questão decisiva, desviando assim a questão do novo projeto. Mas Jack não estava disposto a aceitar aquilo, e disse:

— Não vou deixá-la!

— Pode ser que não seja por muito tempo.

Jack parou. A afirmativa de Philip pegou-o de surpresa.

— Não entendi.

— Você pode se casar com Aliena se o primeiro casamento dela for anulado.

— E isso pode ser feito?

— Deve ser automático, se, como diz, a união nunca tiver se consumado.

— O que tenho a fazer?

— Recorrer a um tribunal eclesiástico. Normalmente seria o do bispo Waleran, mas nesse caso você provavelmente terá que recorrer ao arcebispo de Canterbury.

— E o arcebispo deverá concordar?

— Para fazer justiça, sim.

Jack percebeu que não se tratava de uma resposta totalmente inequívoca.

— Mas teremos que viver separados nesse meio-tempo?

— Se você quiser ser designado mestre construtor da Catedral de Kingsbridge, sim.

— Você está me pedindo para escolher entre as duas coisas que mais amo neste mundo.

— Não por muito tempo.

A voz de Philip fez Jack de súbito erguer os olhos; havia real compreensão nela. Ele viu que Philip se sentia genuinamente pesaroso por ter que fazer aquilo. Sentiu-se menos furioso e mais triste.

— Por quanto tempo? — perguntou.

— Talvez por um ano.

— Um ano!

— Vocês não precisam viver em cidades diferentes — disse Philip. — Continuará podendo ver Aliena e a criança.

— Sabe que ela foi à Espanha para me procurar? — perguntou Jack. — Pode imaginar uma coisa dessas? — Entretanto, os monges não tinham ideia do que era o amor. Acrescentou amargamente: — Agora vou ter que lhe dizer que seremos obrigados a viver separados.

Philip levantou-se e pôs uma das mãos sobre o ombro de Jack. — O tempo passará mais depressa do que imagina, eu lhe prometo. E você estará ocupado, construindo a nova catedral.

2

A floresta crescera e mudara em oito anos. Jack pensara que nunca poderia se perder num território que conhecera como a palma da mão, mas se enganara. As trilhas antigas estavam cobertas de mato, novas trilhas tinham sido abertas sob as árvores pelos javalis, veados e pôneis selvagens, regatos haviam alterado seus cursos, velhas árvores tinham caído e novas árvores estavam mais altas. Tudo diminuíra — as distâncias pareciam menores, e as colinas, menos altas. O mais surpreendente de tudo é que ele se sentia como um estranho. Quando um filhote de veado o encarou, espantado, do outro lado de uma clareira, Jack não conseguiu adivinhar a que família pertencia ou onde estaria sua mãe. Quando um bando de patos levantou voo, não conseguiu saber instantaneamente de que curso de água haviam saído e por quê. E também estava nervoso, porque não tinha ideia de onde estariam os fora da lei.

Viera a cavalo desde Kingsbridge, mas tivera que desmontar assim que deixara a estrada principal, pois as árvores sobre a trilha eram muito baixas. Retornar aos lugares em que vivera na infância o deixara irracionalmente triste. Nunca apreciara, por nunca ter percebido, como a vida era simples naquele tempo. Sua maior paixão eram os morangos, e em todos os verões, sempre soubera que por alguns dias haveria todos os que conseguisse comer, crescendo no solo da floresta. Agora tudo era problemático: sua combativa amizade com o prior Philip; seu amor frustrado por Aliena; sua enorme ambição de construir a mais bonita catedral do mundo; seu desejo veemente de descobrir a verdade sobre o pai.

Não sabia quanto sua mãe mudara nos dois anos em que estivera fora. Estava muito ansioso por revê-la. Saíra-se perfeitamente bem sozinho, claro, mas era bom ter uma pessoa sempre disposta a defendê-lo, e sentira falta desse sentimento reconfortante.

Gastara o dia inteiro para chegar à parte da floresta onde costumavam viver. Agora a curta tarde de inverno escurecia rapidamente. Logo teria que desistir de procurar a velha caverna e dedicar-se a encontrar um lugar abrigado para passar a noite. Ia fazer frio. Por que estou preocupado?, pensou. Eu costumava passar todas as noites na floresta.

No fim foi ela quem o encontrou.

Estava a ponto de desistir. Uma trilha estreita, quase invisível através da vegetação, provavelmente usada apenas por raposas e texugos, desembocava numa moita cerrada. Nada havia a fazer senão voltar atrás. Virou o cavalo e quase esbarrou em Ellen.

— Você se esqueceu de como deslocar-se em silêncio na floresta — disse ela. — Ouvi-o esmagando o mato a milhas de distância.

Jack sorriu. Ela não mudara.

— Olá, mãe — disse. Beijou-a no rosto, e, cedendo à emoção, abraçou-a.

Ela tocou no seu rosto.

— Você está mais magro que nunca.

Jack a examinou. Ellen estava bronzeada e saudável, o cabelo ainda grosso e escuro, sem nenhum fio branco. Seus olhos tinham a mesma cor dourada, e ainda pareciam enxergar através dele.

— Você não mudou — disse.

— Aonde você foi? — perguntou ela.

— A Santiago de Compostela, e mais além, até Toledo.

— Aliena foi à sua procura...

— E me encontrou. Graças a você.

— Fico feliz. — Ela fechou os olhos, como se dissesse intimamente uma prece de agradecimento. — Muito feliz.

Ela o conduziu através da floresta até a caverna, que ficava só a cerca de uma milha de distância: sua memória não estava tão ruim, afinal. Ellen tinha um fogo alto crepitando e três velas acesas. Serviu-lhe uma caneca de sidra que preparara com maçãs silvestres e mel, e assaram algumas castanhas. Jack se lembrava dos artigos que um morador da floresta não podia fabricar, e trouxera para a mãe facas, corda, sabão e sal. Ela começou a esfolar um coelho.

— Como vai, mãe? — perguntou ele.

— Bem — respondeu Ellen; depois olhou para o filho e viu que estava mesmo interessado em saber. — Sinto falta de Tom — acrescentou. — Mas ele morreu, e não estou interessada em outro marido.

— E afora isso está feliz aqui?

— Sim e não. Estou acostumada a viver na floresta. Gosto de solidão. Nunca me habituei a ter padres intrometidos dizendo como devo me comportar. Mas sinto falta de você, de Martha e de Aliena, e gostaria de poder ver mais vezes o meu neto. — Ela sorriu. — No entanto, nunca poderei voltar a viver em Kingsbridge, não após ter amaldiçoado um casamento cristão. O prior Philip nunca me perdoará. No entanto, valeu a pena, se consegui unir você e Aliena finalmente. — Ela ergueu os olhos com um sorriso satisfeito. — Então, está gostando da vida de casado?

— Bem — respondeu ele, hesitante —, não estamos casados. Aos olhos da Igreja, Aliena ainda está casada com Alfred.

— Não seja tolo; o que a Igreja sabe a esse respeito?

— Bem, eles sabem quem casou, e não me deixariam construir a nova catedral enquanto eu estivesse vivendo com a mulher de outro homem.

Os olhos dela fuzilaram de raiva.

— Então você a deixou?

— Sim. Até que Aliena consiga uma anulação.

Ellen pôs a pele do coelho de lado. Com uma faca afiada nas mãos sangrentas começou a esquartejar a carcaça, deixando os pedaços caírem na panela que borbulhava no fogo.

— O prior Philip fez isso comigo uma vez, quando eu estava com Tom — disse, cortando em fatias a carne com golpes rápidos. — Sei por que ele fica frenético com gente que faz amor. É porque se ressente da liberdade das outras pessoas de fazer o que lhe é proibido. Claro que não há nada que possa fazer quando se trata de um casamento celebrado na Igreja. Mas quando não é o caso, ele tem uma chance de estragar tudo, o que o faz se sentir melhor. — Ela cortou os pés do coelho e os atirou num balde de madeira cheio de lixo.

Jack assentiu. Aceitara o inevitável, mas todas as vezes que dava boa-noite a Aliena e afastava-se de sua porta sentia raiva de Philip e compreendia o persistente ressentimento de sua mãe.

— Não é para sempre, contudo — disse.

— Como Aliena se sente?

Jack fez uma careta.

— Não gosta da ideia. Mas acha que a culpa é dela, por ter se casado com Alfred.

— É verdade. E também é sua, por querer construir igrejas.

Era lamentável que ela não compartilhasse do seu ponto de vista.

— Mãe, não vale a pena construir outra coisa. As igrejas são maiores, mais altas, mais bonitas e mais difíceis de construir, e têm mais ornamentos e esculturas do que qualquer outro tipo de prédio.

— E você não se satisfará com menos.

— Certo.

Ela sacudiu a cabeça, perplexa.

– Nunca saberei de onde você tirou a ideia de que era destinado à grandeza. – Ellen jogou o resto do coelho na panela e começou a limpar a parte interna da pele, para poder usá-la depois. – Certamente não herdou isso de seus ancestrais.

Esta foi a deixa pela qual ele estivera esperando.

– Mãe, quando estive no exterior, descobri mais um pouco acerca dos meus ancestrais.

Ela parou de raspar a pele do coelho e olhou para ele.

– O que você está querendo dizer?

– Encontrei a família de meu pai.

– Meu Deus! – Ela deixou cair a pele do coelho. – Como conseguiu? Onde moram? Como são?

– Há uma cidade na Normandia chamada Cherbourg. Foi de lá que ele veio.

– Como pode estar tão seguro?

– Pareço tanto com ele que pensaram que eu fosse um fantasma.

Ellen deixou-se sentar pesadamente num banco. Jack sentiu-se culpado por tê-la chocado tanto, mas não esperara que fosse ficar tão abalada com a notícia.

– Como... como é que eles são? – perguntou ela.

– O pai dele já morreu, mas a mãe ainda está viva. Foi boa comigo, depois que se convenceu de que eu não era um fantasma. O irmão mais velho de meu pai é carpinteiro, e tem mulher e três filhos. Meus primos. – Ele sorriu. – Não é ótimo? Temos parentes.

Tal pensamento pareceu perturbá-la, e Ellen ficou inquieta.

– Oh, Jack, sinto muito por não tê-lo criado normalmente!

– Pois eu não sinto – disse ele, bem-humorado. Ficava embaraçado sempre que a mãe demonstrava sentir remorso: não combinava com ela. – Mas fiquei contente por ter conhecido meus primos. Mesmo que nunca mais os veja de novo, é bom saber que estão lá.

Ela aquiesceu tristemente.

– Compreendo.

Jack tomou fôlego.

– Eles achavam que meu pai tinha morrido afogado num naufrágio há vinte e quatro anos. Ele estava a bordo de uma embarcação chamada *White Ship*, que afundou ao largo de Barfleur. Pensaram que todos tivessem se afogado. Obviamente meu pai sobreviveu. Mas nunca souberam disso, porque ele não voltou a Cherbourg.

– Ele foi para Kingsbridge.

– Mas *por quê*?

Ela suspirou.

— Agarrou-se a um barril e foi lançado numa praia, perto de um castelo. Foi ao castelo relatar o naufrágio. Havia diversos barões poderosos ali, que demonstraram grande espanto ao vê-lo. Fizeram-no prisioneiro e o trouxeram aqui para a Inglaterra. Após algumas semanas, ou meses — ele não sabia bem, porque ficou um tanto confuso —, terminou em Kingsbridge.

— Ele disse alguma coisa sobre o naufrágio?.

— Só que o navio afundou muito depressa, como se tivesse sido esburacado.

— Parece que eles precisavam conservá-lo fora do caminho.

Ela concordou.

— E depois, quando perceberam que não poderiam mantê-lo preso para sempre, mataram-no.

Jack ajoelhou-se diante dela e forçou-a a encará-lo. Com a voz trêmula de emoção, perguntou:

— Mas quem eram *eles*, mãe?

— Você já me perguntou isso antes.

— E você nunca me contou.

— Porque não quero que passe o resto da vida tentando vingar a morte do seu pai!

Ela ainda o tratava como se fosse uma criança, negando-lhe informações que podiam não ser boas para ele. Jack tentou ser calmo e adulto.

— Vou passar a vida construindo a Catedral de Kingsbridge e fazendo filhos com Aliena. Mas quero saber por que enforcaram meu pai. E as únicas pessoas que têm essa resposta são as que prestaram falso testemunho contra ele. Por isso tenho que saber quem eram.

— Naquele tempo eu não sabia o nome deles.

Jack notou que Ellen estava sendo evasiva, e isso o enfureceu. — *Mas agora você sabe!*

— Sim, sei — disse ela, chorosa, e Jack percebeu que aquilo era tão doloroso para sua mãe quanto para ele. — E vou lhe dizer, porque posso ver que nunca vai desistir de perguntar. — Ela fungou e enxugou os olhos.

Ele esperou, ansioso.

— Havia três deles: um monge, um padre e um cavaleiro.

Jack lançou-lhe um olhar duro.

— Seus nomes.

— Você vai lhes perguntar por que mentiram sob juramento?

— Sim.

— E espera que lhe digam?

— Talvez não. Olharei nos seus olhos quando lhes perguntar, e pode ser que isso me diga o que quero saber.

– Mesmo isso poderá ser impossível.
– Quero tentar, mãe!
Ela suspirou.
– O monge era o prior de Kingsbridge.
– Philip!
– Não, não era Philip. Isso foi antes do tempo dele. Foi seu predecessor, James.
– Mas ele está morto.
– Eu lhe disse que podia ser impossível interrogá-los.
Jack semicerrou os olhos.
– Quem eram os outros?
– O cavaleiro era Percy Hamleigh, o conde de Shiring.
– O pai de William?
– Sim.
– Ele também está morto!
– Sim.
Jack teve a terrível impressão de que todos os três estavam mortos, e o segredo enterrado com seus ossos.
– Quem era o padre? – perguntou, nervoso.
– Seu nome era Waleran Bigod. Agora é o bispo de Kingsbridge.
Jack deu um suspiro de profunda satisfação.
– E ainda está vivo – disse.

O castelo do bispo Waleran foi concluído no Natal. William Hamleigh e sua mãe cavalgaram até lá numa bela manhã, logo no início do Ano Novo. Eles o viram a distância, do outro lado do vale. Era o ponto mais alto da colina oposta, dominando a paisagem com seu aspecto desagradável.

Ao atravessarem o vale passaram pelo velho palácio. Agora era usado como depósito de lã. A renda advinda da lã estava pagando quase todas as despesas do novo castelo.

Subiram trotando a elevação suave do outro lado do vale e seguiram a estrada que atravessava as fortificações de terra e um fosso seco e fundo. Com elas, o fosso e uma muralha de pedra, aquele era um castelo altamente seguro, superior ao de William e a muitos dos castelos de propriedade do rei.

O pátio interno era dominado por uma imponente fortaleza de três andares de altura, que tornava minúscula a igreja de pedra que ficava ao seu lado. William ajudou a mãe a desmontar. Deixaram por conta dos cavaleiros a tarefa de estabular os cavalos e subiram a escada que levava ao salão principal.

Era meio-dia, e os criados de Waleran arrumavam a mesa. Alguns de seus arcediagos, deões, empregados e parasitas aguardavam o almoço. William e Regan aguardaram, enquanto um camareiro subia aos aposentos privados do bispo para anunciar sua chegada.

William se consumia de ciúme feroz e torturante. Aliena estava apaixonada, e todo o condado sabia. Dera à luz um filho do seu amante e o marido a pusera para fora de casa. Com o bebê nos braços, fora procurar o homem a quem amava e o encontrara depois de procurar em meia cristandade. A história estava sendo contada e recontada em todo o Sul da Inglaterra. William ficava doente de ódio cada vez que a ouvia. Mas imaginara um modo de se vingar.

Subiram a escada e foram levados ao quarto de Waleran. Encontraram-no sentado a uma mesa com Baldwin, agora arcediago. Os dois clérigos contavam dinheiro sobre um pano xadrez, fazendo pilhas de doze pennies de prata e deslocando-as dos quadrados pretos para os brancos. Baldwin levantou-se, fez uma reverência para Lady Regan e rapidamente sumiu com o pano e as moedas.

Waleran levantou-se e foi sentar-se na cadeira ao lado do fogo.

Moveu-se rapidamente, como uma aranha, e William sentiu a antiga e costumeira aversão por ele. Não obstante, resolveu ser melífluo. Soubera recentemente da horrível morte do conde de Hereford, que brigara com o bispo e morrera excomungado. O corpo dele fora enterrado em solo não consagrado. Quando William imaginou seu corpo jazendo em terra indefesa, vulnerável a todos os monstros e demônios que habitam as profundezas, estremeceu de medo. Jamais brigaria com o *seu* bispo.

Waleran estava magro e pálido como sempre, e seu manto negro lembrava uma roupa secando numa árvore. Nunca parecia mudar. William sabia que ele próprio estava bastante diferente. Comida e vinho eram seus principais prazeres, e a cada ano ficava um pouco mais corpulento, a despeito da vida ativa que levava, de modo que a dispendiosa cota de malha feita para ele quando completara vinte e um anos já fora trocada duas vezes nos sete anos subsequentes.

Waleran acabava de regressar de York. Estivera fora por quase meio ano, e William, polidamente, perguntou:

— Teve êxito na sua viagem?

— Não — foi a resposta dele. — O bispo Henry me mandou lá para ver se resolvia uma controvérsia que já dura quatro anos acerca de quem deve ser o arcebispo de York. Falhei. A rixa continua.

Quanto menos fosse dito sobre aquilo, melhor, pensou William, que comentou:

— Enquanto você esteve fora, muita coisa aconteceu por aqui. Especialmente em Kingsbridge.

— Em Kingsbridge? — Waleran ficou surpreso. — Pensei que esse problema tivesse sido resolvido de uma vez por todas.

William sacudiu a cabeça.

— Eles têm a Madona que Chora.

Waleran irritou-se.

— Que diabo de história é essa?

Foi a mãe de William quem respondeu.

— É uma estátua de madeira da Virgem que usam em procissões. Em certas ocasiões, sai água dos seus olhos. O povo pensa que é milagrosa.

— É milagrosa! — afirmou William. — Uma estátua que chora!

Waleran dirigiu-lhe um olhar escarninho.

Regan prosseguiu.

— Milagrosa ou não, milhares de pessoas foram vê-la nos últimos meses. Nesse meio-tempo, o prior Philip recomeçou a construção. Estão reparando o coro e pondo um novo teto de madeira. Também começaram o resto da igreja. As fundações da interseção já foram escavadas, e alguns novos pedreiros chegaram de Paris.

— Paris? — estranhou Waleran.

— A igreja agora vai ser construída no estilo da de Saint-Denis, seja o que for que isso signifique.

Waleran aquiesceu.

— Arcos ogivais. Ouvi falar a respeito disso em York.

William não se importava com o estilo em que a catedral de Kingsbridge seria construída.

— A questão — disse — é que os rapazes abandonam as minhas terras para se mudar para Kingsbridge e trabalhar como serventes, o mercado abre todos os domingos mais uma vez, tirando negócios de Shiring... É a mesma velha história de sempre! — William relanceou os olhos para a mãe e o bispo, perguntando-se se não teriam suspeitado de que tinha um motivo oculto; porém, nenhum dos dois parecia desconfiado.

— O pior erro que já cometi — disse Waleran — foi ajudar Philip a se tornar prior.

— Eles vão aprender que simplesmente não podem fazer isso — disse William.

O bispo olhou para ele pensativamente.

— O que você quer fazer?

— Vou saquear a cidade de novo. — E quando o fizer, matarei Aliena e seu amante, pensou; olhou para o fogo, a fim de que sua mãe não o encarasse e pudesse ler seus pensamentos.

— Não estou seguro de que você possa fazê-lo — disse Waleran.

— Já fiz isso antes; por que não deveria fazer de novo?

— Da última vez você tinha um bom motivo: a feira de lã.

— Agora é o mercado. Eles nunca tiveram permissão do rei Estêvão para o mercado.

— Não é a mesma coisa. Philip estava forçando sua sorte com aquela feira de lã, e você atacou imediatamente. O mercado de domingo já vem funcionando em Kingsbridge há seis anos, e de qualquer modo fica a quase vinte milhas de Shiring, de maneira que deve ser licenciado.

William conteve a raiva. Tinha vontade de dizer a Waleran para não ficar bancando uma frágil velhinha; entretanto, nunca faria uma coisa dessas.

Enquanto estava engolindo seu protesto, um camareiro entrou e ficou parado em silêncio junto à porta.

– O que é? – perguntou Waleran.

– Há um homem aí que insiste em vê-lo, milorde bispo. O nome é Jack. Um construtor, de Kingsbridge. Devo mandá-lo embora?

O coração de William disparou. Era o amante de Aliena. Como acontecera de vir justamente quando tramava sua morte? Talvez tivesse poderes sobrenaturais. O conde deixou-se dominar pelo pavor.

– De Kingsbridge? – perguntou Waleran, com interesse.

– É o novo construtor lá – disse Regan –; foi ele quem trouxe a Madona que Chora da Espanha.

– Interessante – comentou Waleran. – Vamos dar uma olhada nele. – Dirigiu-se ao camareiro: – Mande-o entrar.

William ficou com os olhos fixos na porta, com terror supersticioso. Esperava que entrasse um homem alto, assustador, de capa negra, que apontasse diretamente para ele um dedo acusador. Mas quando Jack passou pela porta, ficou chocado com a sua juventude. O amante de Aliena não podia ter muito mais que vinte anos. Tinha cabelo ruivo e vivos olhos azuis, que passaram por William, fizeram uma pausa em Regan – cujas horríveis ulcerações no rosto prendiam o olhar de qualquer pessoa que não estivesse acostumada – e se detiveram em Waleran. O construtor não estava muito intimidado por se encontrar na presença dos dois homens mais poderosos do condado, porém, a não ser pela sua surpreendente indiferença, não parecia inspirar medo.

Como William, Waleran sentiu a atitude insubordinada do jovem construtor, e reagiu com uma voz glacialmente arrogante:

– Bem, rapaz, qual o assunto que deseja tratar comigo?

– A verdade – respondeu Jack. – Quantos homens já viu serem enforcados?

William conteve a respiração. A pergunta era chocante e insolente. Olhou para os outros. Sua mãe tinha se inclinado para a frente, olhando atentamente para Jack, como se pudesse tê-lo visto antes e estivesse tentando se lembrar de onde. Waleran parecia friamente divertido.

– O que é isto? Alguma adivinhação? – perguntou Waleran. – Já vi mais homens serem enforcados do que pude contar, e haverá mais um na lista se você não falar respeitosamente.

– Peço-lhe desculpas, milorde bispo – disse Jack, mas ainda não deu mostras de estar assustado. – Lembra-se de todos eles?

— Acho que sim — respondeu Waleran, parecendo intrigado, apesar do esforço para se controlar. — Suponho que haja um em particular no qual você esteja interessado.

— Há vinte anos, em Shiring, você testemunhou o enforcamento de um homem chamado Jack Shareburg.

William ouviu sua mãe ofegando.

— Era um menestrel — continuou Jack. — Lembra-se dele?

O conde Hamleigh percebeu que a atmosfera na sala de repente ficara tensa. Havia algo de amedrontador em Jack que não era natural; devia haver, para que ele causasse aquele efeito sobre sua mãe e Waleran.

— Penso que talvez me lembre — respondeu Waleran, e William detectou na sua voz a tensão do autocontrole. O que estaria acontecendo?

— Imagino que se lembre, sim — disse Jack, insolente de novo. O homem foi condenado com base no depoimento de três pessoas. Duas estão mortas. Você era a terceira.

Waleran assentiu.

— Ele havia roubado algo do priorado de Kingsbridge: um cálice ornamentado com pedras preciosas.

Uma expressão insensível surgiu nos olhos azuis de Jack.

— Ele não fez nada disso.

— Eu mesmo o peguei, com o cálice.

— Você mentiu.

Houve uma pausa. Quando Waleran falou de novo, sua voz soou brandamente, mas a expressão do seu rosto era dura como aço.

— Posso fazer com que lhe cortem a língua — disse.

— Só quero saber por que você fez isso — disse Jack, como se não tivesse ouvido a terrível ameaça. — Pode ser sincero aqui. William não representa nenhuma ameaça para você, e a mãe dele parece já saber de tudo.

William olhou para a mãe. Era verdade; o ar dela era de quem tinha conhecimento do que se passara. Quanto a ele, estava completamente estupefato. Parecia — mal se atrevia a acreditar — que a visita de Jack nada tinha a ver com seus planos secretos para matar o amante de Aliena.

— Você está acusando o bispo de perjúrio! — disse Regan a Jack.

— Não repetirei a acusação em público — disse Jack, com frieza. — Não tenho provas, e de qualquer modo não estou interessado em vingança. Só queria entender por que enforcaram um homem inocente.

— Dê o fora daqui — ordenou Waleran glacialmente.

Jack aquiesceu, como se não houvesse esperado outra coisa.

Embora não tivesse conseguido respostas para as suas perguntas, o ar de satisfação que ostentava dava a entender que suas suspeitas, de algum modo, haviam sido confirmadas.

William ainda estava desconcertado com aquele diálogo. Cedendo a um impulso, disse:

– Espere um momento.

Jack virou-se, à porta, e o fitou com seus zombeteiros olhos azuis.

– Qual é... – William engoliu e conseguiu controlar a voz. – Qual é o seu interesse nisto? Por que veio aqui fazer tais perguntas?

– Porque o homem que enforcaram era meu pai – disse Jack, e saiu.

A sala ficou envolta em silêncio. Então o amante de Aliena, o mestre construtor de Kingsbridge, era o filho de um ladrão que fora enforcado em Shiring. William pensou: E daí? Mas Regan parecia ansiosa, e Waleran estava realmente abalado.

– Aquela mulher me atormenta há vinte anos – disse amargamente o bispo, ao cabo de algum tempo. E ele era normalmente tão reservado que William ficou chocado ao vê-lo deixar os sentimentos transparecerem.

– Ela desapareceu depois que a catedral caiu – disse Regan. Pensei que nunca mais fôssemos vê-la.

– Agora seu filho volta para nos assombrar. – Havia algo parecido com o medo da verdade na voz de Waleran.

– Por que não o põe a ferros por acusá-lo de perjúrio? – perguntou o conde.

Waleran lançou-lhe um olhar de desprezo.

– Seu filho é um maldito tolo, Regan – disse ele.

William percebeu que a acusação de perjúrio devia ser verdadeira.

E se ele foi capaz de perceber isso, Jack também fora.

– Alguém mais sabe?

– O prior James confessou seu perjúrio, antes de morrer, ao subprior Remigius. Mas Remigius sempre esteve do nosso lado contra Philip, de modo que não representa perigo. A mãe de Jack conhece um pouco da história, mas não toda; de outro modo já teria usado a informação. Entretanto, Jack andou viajando por aí; pode ter descoberto algo que sua mãe não saiba.

William viu que aquela estranha história do passado poderia ser usada em seu benefício. Como se acabasse de lhe ocorrer a ideia, sugeriu:

– Então vamos matar Jack.

Waleran limitou-se a sacudir a cabeça desdenhosamente.

– Só serviria para atrair a atenção sobre ele e suas acusações.

William ficou desapontado. Parecera quase providencial. Pensou um pouco, enquanto o silêncio na sala se arrastava.

– Não obrigatoriamente.

Ambos olharam para ele com ceticismo.

— Jack pode ser morto sem que se atraia a atenção de ninguém para ele — insistiu William obstinadamente.
— Está bem, conte-nos o que está pensando — disse Waleran.
— Ele pode ser morto num ataque a Kingsbridge. — William teve a satisfação de ver o mesmo ar de respeito e espanto no rosto de ambos.

Jack percorreu o canteiro da obra com o prior Philip no final da tarde. As ruínas do coro tinham sido removidas, e os escombros formavam dois montes enormes no lado norte do adro. Novos andaimes haviam sido erguidos, e os pedreiros estavam reconstruindo as paredes ruídas. Ao longo da enfermaria fora arrumado o estoque de madeira.
— Você está agindo rapidamente — disse Philip.
— Não tão depressa quanto gostaria — replicou Jack.
Inspecionaram as fundações dos transeptos. Quarenta ou cinquenta serventes estavam metidos nos buracos fundos, enchendo com suas pás os baldes de lama, enquanto outros, no nível do solo, operavam os guinchos que içavam os baldes para fora do buraco. Imensos blocos de pedras que seriam usados para os alicerces estavam empilhados nas proximidades.
Jack conduziu Philip até a sua oficina. Era muito maior que a de Tom. Um lado era completamente aberto, para melhor iluminação. Metade da área estava ocupada pelos seus desenhos. Ele cobrira o chão com tábuas que cercara com uma moldura de madeira de algumas polegadas de altura e depois derramara gesso até a borda. Quando o gesso secou, estava duro o bastante para que se caminhasse em cima, mas era possível desenhar nele com um pedaço pequeno de arame com a ponta aguçada. Era ali que Jack desenhava os detalhes. Usava compassos, régua e esquadro. Os traços se mostravam brancos e claros assim que eram traçados, mas escureciam bem depressa, o que significava que novos desenhos podiam ser feitos em cima dos antigos, sem confusão. Era uma ideia que ele aprendera na França.
A maior parte do resto do galpão estava tomada pela bancada sobre a qual Jack trabalhava em madeira, fazendo os gabaritos que mostrariam aos pedreiros como trabalhar as pedras. A luz estava acabando; não mais poderia continuar o trabalho. Começou a guardar as ferramentas.
Philip pegou um gabarito.
— Para que é isto?
— O plinto de uma coluna.
— Você prepara tudo com bastante antecipação.
— Não consigo ver a hora de começar a construir direito.
Naqueles dias as conversas dos dois eram tensas e objetivas. Philip deixou o gabarito onde o achara.
— Tenho que ir para as completas.

— E tenho que ir *visitar* minha família — disse Jack acidamente.

Philip parou, virou-se como se fosse falar, o rosto triste, e foi embora.

Jack trancou a caixa de ferramentas. Aquela observação fora tola. Tinha aceitado o trabalho nas condições de Philip, e era inútil reclamar agora. Mas se sentia constantemente furioso com o prior e nem sempre conseguia conter-se.

Deixou o priorado ao lusco-fusco e dirigiu-se à pequena casa no bairro pobre onde Aliena vivia com o irmão, Richard. Ela sorriu satisfeita quando Jack entrou, mas não se beijaram; nunca se tocavam naqueles tempos, com medo de se excitarem e depois terem que se separar, frustrados, ou de quebrar a promessa feita a Philip, cedendo à luxúria.

Tommy brincava no chão. Estava com um ano e meio, e sua atual obsessão era colocar coisas dentro de outras coisas. Tinha quatro ou cinco terrinas diante de si, e punha incessantemente as menores dentro das maiores, assim também como tentava fazer o contrário. Jack ficou muito impressionado ao ver que o filho não sabia instintivamente que uma terrina grande não cabia numa menor; era algo que os seres humanos tinham que aprender. Tommy estava lutando com as relações espaciais do mesmo modo como Jack, quando tentava visualizar algo como a forma de uma pedra numa abóbada.

Tommy fascinava Jack e o deixava ansioso também. Até então Jack nunca se preocupara com sua capacidade para encontrar trabalho, permanecer num emprego e sustentar-se. Lançara-se à travessia da França sem pensar por um único momento na possibilidade de vir a ficar inteiramente sem recursos e passar fome. Mas agora queria segurança. A necessidade de tomar conta de Tommy era muito mais compulsiva que a necessidade de cuidar de si próprio. Pela primeira vez na vida tinha responsabilidades.

Aliena pôs um jarro de vinho e bolo com especiarias na mesa e sentou-se em frente a Jack. Ele serviu-se de um copo de vinho e bebeu, satisfeito. Aliena pôs um pedaço de bolo na frente do filho, mas ele não estava com fome e o espalhou em pedaços na palha do chão.

— Jack, preciso de mais dinheiro — disse Aliena.

Jack ficou surpreso.

— Eu lhe dou doze pennies por semana. E só ganho vinte e quatro.

— Desculpe — disse ela —, mas você mora sozinho — não precisa tanto.

Jack achou aquilo um tanto irracional.

— Mas um servente só ganha seis pence por semana — e alguns têm cinco ou seis filhos!

Aliena irritou-se.

— Jack, não sei como as mulheres dos serventes cuidam de suas casas; nunca aprendi. E não gasto tudo comigo. Mas você vem jantar aqui todos os dias. E há Richard...

— Bem, o que há com Richard? — perguntou Jack, furioso. — Por que ele não se sustenta?

— Ele nunca se sustentou.

Jack achou que Aliena e Tommy eram um encargo suficiente para ele.

— Não sabia que sou eu que tenho de cuidar de Richard!

— Bem, ele é minha responsabilidade — disse ela serenamente. — Quando você me aceitou, aceitou Richard também.

— Não me lembro de ter concordado com isso! — exclamou ele, furioso.

— Não se irrite.

Tarde demais: Jack já estava irritado.

— Richard tem vinte e três anos de idade, dois a mais que eu. Como é possível que eu sustente um homem mais velho? Por que devo comer pão duro de manhã e pagar o toucinho de Richard?

— De qualquer forma, estou grávida de novo.

— O quê?

— Vou ter outro filho.

A raiva de Jack desvaneceu-se. Ele segurou a mão de Aliena.

— Que maravilha!

— Você está satisfeito? Pensei que fosse se zangar.

— Zangar-me! Estou entusiasmado! Não vi Tommy quando ele era pequenino; agora vou descobrir o que perdi.

— Mas o que me diz da responsabilidade extra, e do dinheiro?

— Oh, ao inferno com o dinheiro! Só estou de mau humor porque temos de viver separados. Temos dinheiro suficiente. Mas outro bebê! Tomara que seja uma menina. — Lembrou-se de alguma coisa e franziu a testa. — Mas quando...?

— Deve ter sido um pouco antes de o prior Philip nos obrigar a viver separados.

— Talvez na festa da véspera do Dia de Todos os Santos. — Ele sorriu. — Lembra-se daquela noite? Você montou em mim como num cavalo...

— Eu me lembro — disse ela, ruborizada.

Ele a fitou afetuosamente.

— Gostaria de fazer aquilo agora.

Ela sorriu.

— Eu também.

Eles se deram as mãos por cima da mesa.

Richard chegou.

Ele manteve a porta aberta e entrou, afogueado e poeirento, puxando um cavalo suado.

— Tenho más notícias — disse, ofegante. Aliena pegou Tommy, tirando-o da frente dos cascos do cavalo.

– O que aconteceu? – perguntou Jack.
– Todos nós temos que sair de Kingsbridge amanhã – disse ele.
– Mas por quê?
– William Hamleigh vai queimar a cidade de novo no domingo.
– Não! – exclamou Aliena.

Jack gelou. Viu de novo a cena passada há três anos, quando os cavaleiros de William tinham invadido a feira de lá, com seus archotes e seus porretes brutais. Recordou o pânico, os gritos, o cheiro de carne queimada. Reviu o corpo do padrasto, sua testa esmagada. Sentiu revolta no coração.

– Como você sabe? – perguntou a Richard.
– Eu estava em Shiring, e vi alguns dos homens de William comprando armas na oficina do armeiro.
– Isso não significa que...
– Há mais. Segui-os até uma cervejaria e ouvi o que conversavam. Um deles perguntou que defesas Kingsbridge tinha e o outro respondeu que nenhuma.
– Oh, meu Deus – disse Aliena –, é verdade! – Ela olhou para Tommy e pôs a mão na barriga, onde a nova criança crescia. Levantou a cabeça e deu com os olhos de Jack. Os dois estavam pensando na mesma coisa.

Richard continuou.

– Mais tarde fui conversar com alguns dos mais jovens, que não me conhecem. Eu lhes falei sobre a batalha de Lincoln, e assim por diante, e disse que estava procurando um bom combate. Eles me disseram para ir a Earlscastle, mas teria que ser hoje, pois partiriam amanhã e a batalha seria no domingo.
– Domingo – repetiu Jack, assustado.
– Peguei o cavalo e fui até Earlscastle, para me certificar.
– Isso foi perigoso, Richard – disse Aliena.
– Todos os sinais estavam lá: mensageiros indo e vindo, armas sendo amoladas, cavalos sendo trabalhados, selas e apetrechos sendo limpos... não havia dúvida alguma. – Numa voz cheia de ódio, Richard concluiu: – Nenhuma quantidade de maldade jamais satisfará aquele demônio do William: ele sempre quer mais. – Richard levou a mão à orelha direita e tocou a cicatriz num gesto nervoso inconsciente.

Jack examinou Richard por um momento. Podia ser preguiçoso e perdulário, mas numa área seu julgamento era digno de confiança: a militar. Se dizia que William estava planejando um ataque, provavelmente tinha razão.

– Vai ser uma catástrofe – disse Jack, meio para si próprio. Kingsbridge começava a se recuperar. Há três anos a feira de lá tinha sido incendiada, há dois a catedral caíra sobre a congregação, e agora aquilo. Todos diriam que a má sorte de Kingsbridge voltara. Mesmo que conseguissem evitar derramamento de sangue, a cidade ficaria arruinada. Ninguém ia querer viver ou trabalhar ali, ou mesmo ir ao mercado. Até a construção da catedral poderia ser interrompida.

— Temos que contar ao prior Philip — disse Aliena. — Imediatamente.

Jack concordou.

— Os monges estarão ceando. Vamos.

Aliena pegou Tommy e os três subiram depressa a colina na direção do mosteiro, em meio ao lusco-fusco.

— Quando a catedral estiver terminada, o mercado poderá ser montado no seu interior, e todos estarão protegidos de ataques.

— Mas até lá precisamos da renda do mercado para pagar a construção da catedral.

Richard, Aliena e Tommy esperaram do lado de fora, enquanto Jack entrava no refeitório. Um jovem monge lia em voz alta um texto em latim, enquanto os demais comiam em silêncio. Jack reconheceu uma passagem obscura do Apocalipse. Parou à porta e atraiu a atenção de Philip. Este ficou surpreso ao vê-lo, mas se levantou e saiu imediatamente.

— Más notícias — disse Jack, amargurado. — Vou deixar Richard contar.

Eles conversaram na semiobscuridade do coro reconstruído. Richard deu os detalhes em poucas sentenças. Quando terminou, Philip disse:

— Mas não estamos realizando nenhuma feira — só um pequeno mercado!

— Pelo menos temos a chance de evacuar a cidade amanhã — disse Aliena. — Ninguém precisa se machucar. E podemos reconstruir nossas casas, como fizemos da última vez.

— A menos que William decida perseguir os fugitivos — disse Richard com tristeza. — Não duvido que o faça.

— Mesmo que todos fujamos, acho que será o fim do mercado — disse Philip melancolicamente. — As pessoas terão medo de instalar seus estandes em Kingsbridge depois disso.

— Pode significar o fim da catedral — disse Jack. — Nos últimos dez anos a igreja primeiro pegou fogo e depois desmoronou. Muitos pedreiros morreram quando a cidade foi incendiada. Outro desastre seria o último, penso eu. Todos diriam que é má sorte.

Philip parecia alquebrado pela idade. Ainda não tinha quarenta anos, mas seu rosto estava ficando enrugado, e havia mais fios brancos que pretos, ao redor da tonsura. Não obstante isso, havia um brilho perigoso nos seus olhos azul-claros quando ele disse:

— Não vou aceitar isso. Não creio que seja a vontade de Deus.

Jack perguntou-se de que estaria ele falando. Como poderia "não aceitar" aquilo? As galinhas podiam se cansar de dizer que não aceitavam a raposa, que não faria a menor diferença para o seu destino.

— O que você vai fazer então? – perguntou Jack ceticamente. – Rezar para que William caia da cama e quebre o pescoço?

Richard animou-se com a ideia de resistir.

— Vamos lutar – disse. – Por que não? Há centenas de nós. William trará cinquenta homens, cem, no máximo; poderíamos ganhar pela pura força dos números.

— E quantos dos nossos seriam mortos? – protestou Aliena.

Philip estava sacudindo a cabeça.

— Monges não lutam – disse pesarosamente. – E não posso pedir às pessoas da cidade que deem a vida quando não estou preparado para arriscar a minha.

— Não conte com meus pedreiros, tampouco – disse Jack. – Não faz parte do trabalho deles.

Philip olhou para Richard, que era a pessoa que mais se assemelhava a um perito militar de que dispunham.

— Há algum modo de defender a cidade sem uma batalha campal?

— Não, por causa da falta de muralhas. Não temos nada a pôr na frente do inimigo senão nosso corpo.

— Muralhas – repetiu Jack pensativamente.

— Poderíamos também desafiar William a decidir a questão por um único combate: uma luta entre campeões. Mas não creio que aceitasse tal desafio.

— Uma muralha em volta da cidade serviria? – perguntou Jack.

— Poderia nos salvar em outra ocasião – respondeu Richard impacientemente –, mas não agora. Não podemos construir uma muralha da noite para o dia.

— Não podemos?

— Claro que não, não seja...

— Cale-se, Richard – disse Philip energicamente. Olhou para Jack, esperançoso. – Em que você está pensando?

— Uma muralha não é difícil de construir – disse Jack.

— Continue.

A cabeça de Jack estava girando a toda a velocidade. Os outros prestavam atenção, mal respirando.

— Não há arcos, abóbadas, janelas, telhado... – disse ele. – Uma muralha *pode* ser construída da noite para o dia, se você tiver os homens e o material.

— Com que material nós a construiríamos? – indagou Philip.

— Olhe à sua volta – respondeu Jack. – Temos aqui blocos de pedra já cortados prontos para os alicerces. E uma pilha de madeira mais alta que uma cama. No cemitério há um monte de escombros do desmoronamento. Lá embaixo, na margem do rio, há outra imensa pilha de pedra. Não há escassez de material.

— E a cidade está cheia de operários – disse Philip.

Jack assentiu.

— Os monges podem trabalhar na organização, e os operários, fazer o trabalho especializado. E como serventes teremos toda a população da cidade. — Ele estava pensando rapidamente. — A muralha terá que acompanhar toda a margem mais próxima do rio. Desmontaremos a ponte. Então teremos que subir a colina ao longo do bairro pobre e uni-la à parede leste do priorado... até o norte... e descer até a margem do rio de novo. Não sei se temos pedra suficiente para isso...

— Não precisa ser de pedra para ser eficiente — disse Richard. Uma simples trincheira, com uma plataforma feita com a lama escavada da trincheira, serve para o objetivo que desejamos, especialmente num lugar onde o inimigo estiver atacando de baixo para cima.

— Certamente pedra será melhor.

— Melhor, mas não essencial. O objetivo de uma muralha é obrigar o inimigo a se retardar numa posição em que esteja exposto, e possibilitar ao defensor bombardeá-lo de uma posição abrigada.

— Bombardeá-lo? Com quê? — perguntou Aliena.

— Pedras, óleo fervente, setas — há um arco praticamente em todas as casas da cidade.

Aliena estremeceu.

— E assim terminaríamos combatendo, afinal — disse ela.

— Mas não corpo a corpo.

Jack sentia-se dividido. A linha de ação mais segura, com toda a certeza, era todos se refugiarem na floresta, na esperança de que William se satisfizesse em queimar as casas. Mesmo assim, havia o risco de que ele e seus homens os perseguissem. O perigo seria maior se ficassem ali, atrás de uma muralha? Se algo saísse errado, e William e seus homens encontrassem uma brecha para transpor a muralha, a carnificina seria horrível. Jack olhou para Aliena e Tommy e pensou na criança que crescia dentro dela.

— Haverá uma solução intermediária? — perguntou. — Poderíamos evacuar as mulheres e crianças e os homens podiam ficar e defender a cidade.

— Não, obrigada — disse Aliena firmemente. — Seria a pior das soluções. Não teríamos nem muralha nem homens para lutar por nós.

Ela estava com a razão, concedeu Jack. A muralha de nada adiantaria sem gente para defendê-la, e não seria possível deixar as mulheres e crianças indefesas na floresta: William poderia deixar a cidade de lado e ir matá-las.

— Jack — disse Philip —, você é o construtor. Podemos construir uma muralha num dia?

— Nunca construí uma — disse Jack. — Não é necessário desenhar projetos, claro. Temos que designar um artífice para cada seção e deixar que ele use sua iniciativa. A argamassa não estará seca na manhã de domingo. Será a muralha mais mal construída de toda a Inglaterra. Mas, sim, podemos levantá-la.

Philip voltou-se para Richard.

– Você já viu batalhas. Se construirmos uma muralha, poderemos deter William?

– Certamente – respondeu Richard. – Ele virá preparado para um ataque rápido, e não para um cerco. Se encontrar uma cidade fortificada, não haverá nada que possa fazer.

Finalmente Philip voltou-se para Aliena.

– Você é uma das pessoas vulneráveis, com uma criança para proteger. O que acha? Deveremos fugir correndo para a floresta e esperar que William não nos persiga, ou ficar aqui e construir uma muralha para mantê-lo do lado de fora?

Jack prendeu a respiração.

– Não é só uma questão de segurança – disse Aliena após uma pausa. – Philip, você dedicou a vida ao priorado. Jack, a catedral é o seu sonho. Se fugirmos, perderão tudo por que viveram. E, quanto a mim... Bem, tenho um motivo especial para querer ver o poder de William Hamleigh refreado. Digo que devemos ficar.

– Está bem – disse Philip. – Construiremos a muralha.

Ao cair da noite, Jack, Richard e Philip percorreram os limites da cidade com lampiões, decidindo onde a muralha deveria ser construída. A cidade se erguia numa elevação de pequena altura e o rio fazia uma curva, envolvendo-a por dois lados. Suas margens não podiam sustentar uma muralha de pedra sem bons alicerces, de modo que Jack propôs que ali se construísse uma cerca de madeira. Richard deu-se por satisfeito. O inimigo não poderia investir contra a cerca exceto do rio, o que era quase impossível.

Nos outros dois lados, alguns trechos da muralha seriam simples plataformas de terra com uma vala. Richard declarou que isso bastaria onde o terreno fosse em aclive e o inimigo tivesse que atacar de baixo para cima. No entanto, onde o terreno fosse plano, uma parede de pedra seria necessária.

Depois do exame, Jack foi para a aldeia reunir seus homens, tirando-os de suas casas – das próprias camas, em alguns casos – e da cervejaria. Explicou a emergência e o modo como a cidade iria reagir; em seguida, percorreu os limites da cidade com eles, designando uma seção da muralha para cada homem: a cerca de madeira para os carpinteiros, a muralha de pedra para os pedreiros e as plataformas de terra para os aprendizes e serventes. Pediu que cada um deles marcasse o seu trecho com estacas e cordas antes de ir para a cama e pensasse um pouco na hora de dormir sobre o modo como iria trabalhar. Logo o perímetro da cidade ficou marcado por uma linha pontilhada de luzes que piscavam, enquanto os artesãos faziam suas marcações à luz de lanternas. O ferreiro acendeu seu fogo e acomodou-se para passar o resto da noite fazendo pás. A insólita atividade realizada após o escurecer perturbou os rituais da hora de dormir da maioria das pessoas, e os artesãos gastaram um bocado de tempo explicando o que faziam a sonolentos curiosos. Só os monges, que tinham ido para a cama ao cair da noite, continuaram dormindo em abençoada ignorância.

À meia-noite, porém, quando os operários estavam concluindo seus preparativos e a maior parte dos habitantes da cidade já se retirara – nem que fosse para comentar excitadamente as notícias debaixo dos cobertores –, os monges foram acordados. Cancelou-se o serviço religioso e lhes serviram cerveja e pão no refeitório, enquanto Philip os instruía. Seriam os organizadores do dia seguinte. Foram divididos em equipes, cada equipe trabalhando para um construtor.

Receberiam ordens dele e supervisionariam a escavação, a busca e o transporte das coisas. Sua prioridade, conforme Philip enfatizou, era assegurar que o construtor nunca deixasse de dispor do suprimento de matéria-prima de que necessitasse: pedras e massa, madeira e ferramentas.

Enquanto Philip falava, Jack pensou no que William Hamleigh estaria fazendo. Earlscastle ficava a um dia de exaustiva viagem a cavalo de Kingsbridge, mas William não tentaria cobrir o percurso num só dia, porque seu exército chegaria exausto. Deixariam Earlscastle ao raiar do dia. Nao sairiam todos juntos e sim separados, e cobririam suas armas e armaduras enquanto viajassem, para evitar que fosse dado o alarme. Eles se encontrariam discretamente de tarde, em algum ponto a uma ou duas horas de Kingsbridge, decerto na propriedade de um dos mais abastados arrendatários de William. De noite beberiam cerveja e afiariam as lâminas das armas, contando uns aos outros histórias medonhas de vitórias anteriores, de jovens mutilados, velhos esmagados sob os cascos dos cavalos de batalha, garotas estupradas e mulheres sodomizadas, crianças decapitadas e bebês espetados na ponta das espadas, enquanto suas mães gritavam angustiadas. Atacariam na manhã do dia seguinte. Jack estremeceu de medo. Mas desta vez nós vamos detê-los, pensou. Mesmo assim, estava apavorado.

Cada equipe de monges localizou seu trecho da muralha e sua fonte de matéria-prima. Depois, quando os primeiros indícios da madrugada clarearam o oriente, percorreram o conjunto de casas que lhes havia sido destinado, batendo nas portas, acordando todo mundo, enquanto o sino do mosteiro tocava incessantemente.

Quando o sol nasceu a operação já se desenrolava a todo o vapor. Homens e mulheres mais jovens trabalhavam como serventes, enquanto os mais velhos forneciam comida e bebida e as crianças faziam pequenos serviços e trabalhavam como mensageiros. Jack percorria o canteiro da obra incessantemente, acompanhando o progresso com enorme ansiedade. Disse a um dos homens para usar menos cal, a fim de fazer com que a argamassa secasse mais depressa. Viu um carpinteiro fazendo uma cerca com postes de andaimes, e disse aos serventes dele que cortassem madeira de outra pilha do estoque. Certificou-se de que as diferentes seções da muralha iam se encontrar em pontos de junção bem definidos. E brincava, sorria e encorajava as pessoas o tempo todo.

O sol subiu num céu claro e azul. O dia seria quente. A cozinha do priorado supriu barris de cerveja, mas Philip ordenou que fosse misturada com água, o que Jack aprovou, pois as pessoas que estavam trabalhando duro iriam beber muito com aquele tempo, e ele não queria que ninguém dormisse.

A despeito do perigo iminente e terrível, havia por toda parte um incompreensível clima de jovialidade. Parecia um feriado, quando toda a cidade fazia alguma coisa junta, como no 1º de agosto, a festa da colheita, quando todos faziam pão, ou como a véspera do primeiro dia do verão, quando lançavam barquinhos com velas acesas no rio. Era como se tivessem esquecido o perigo que era a razão de sua atividade. Philip, contudo, viu algumas pessoas saindo discretamente da cidade. Ou iam se arriscar na floresta, ou, o que era mais provável, tinham parentes nas aldeias vizinhas que os acolheriam. Não obstante isso, quase todos ficaram.

Ao meio-dia Philip acionou o sino novamente, e o trabalho foi suspenso para o almoço. Ele e Jack percorreram o perímetro enquanto os trabalhadores comiam. Apesar de toda a atividade, não pareciam ter progredido muito. As paredes de pedra tinham chegado ao nível do solo, as plataformas não passavam de pequenos montes de terra e ainda havia vastos intervalos na cerca de madeira.

No fim da inspeção, Philip perguntou:

– Vamos terminar a tempo?

Jack fora propositadamente animado e otimista durante toda a manhã, mas agora se obrigou a fazer uma avaliação realista.

– Nesse ritmo, não – respondeu, abatido.

– O que podemos fazer para andar mais depressa?

– A única maneira de construir mais depressa normalmente é construir pior.

– Então vamos construir pior, mas como?

Jack considerou a pergunta.

– Neste momento temos pedreiros construindo muros, carpinteiros construindo cercas, serventes movimentando terra e os habitantes da cidade buscando coisas e carregando. Mas a maioria dos carpinteiros é capaz de construir uma parede vertical, e a maioria dos serventes é capaz de construir uma cerca de madeira. Vamos então fazer que os carpinteiros ajudem os pedreiros no trabalho de cantaria e que os serventes construam as cercas, deixando o povo da cidade cavar a vala e erguer as plataformas. E assim que a operação estiver correndo bem, os monges mais jovens poderão esquecer a organização e ajudar no trabalho.

– Está bem.

Deram as novas ordens quando as pessoas terminaram de comer. Aquela muralha não seria apenas a mais mal construída da Inglaterra, como também provavelmente a de vida mais curta. Se ainda estivesse de pé dentro de uma semana, seria por milagre.

Durante a tarde as pessoas começaram a se sentir cansadas, sobretudo as que tinham trabalhado à noite. A atmosfera de feriado evaporou-se e os trabalhadores tornaram-se sombriamente determinados. A muralha de pedra subiu, a vala ficou mais funda e os buracos na cerca começaram a se fechar. Pararam para cear, e, quando o sol mergulhou na direção do horizonte ocidental, começaram de novo.

À noite a muralha não estava completa.

Philip montou uma vigilância, ordenando que todos, exceto os guardas, tivessem algumas horas de sono, e disse que tocaria o sino à meia-noite. Os exaustos habitantes da cidade foram para a cama.

Jack dirigiu-se para a casa de Aliena. Ela e Richard ainda estavam de pé.

— Quero que você e Tommy se escondam na floresta — disse Jack.

A ideia estivera em sua mente o dia inteiro. A princípio ele a rejeitara; com o passar do tempo, porém, foi se lembrando mais e mais vezes daquele dia horrível em que William incendiara a feira de lã, e por fim decidira mandá-la embora.

— Prefiro ficar — disse ela firmemente.

— Aliena, não sei se isso vai dar certo, e não quero que você esteja aqui se William Hamleigh conseguir passar pela muralha.

— Mas não posso fugir enquanto você está organizando todas as outras pessoas para que fiquem e lutem — ponderou ela com sensatez.

Há muito tempo ele parara de se preocupar com o que era sensato.

— Se você for agora ninguém vai saber.

— Acabarão sabendo.

— Então tudo estará terminado.

— Mas pense só na vergonha.

— Ao inferno com a vergonha! — gritou ele. Estava louco de raiva por não ser capaz de encontrar as palavras que a persuadissem. — Quero vê-la em segurança!

Sua voz irada acordou Tommy, que começou a chorar. Aliena o pegou no colo e o embalou.

— Não tenho tanta certeza de que seria mais seguro esconder-me na floresta.

— William não irá vasculhar a floresta à procura de ninguém. Ele está interessado na cidade.

— Pode ser que esteja interessado em mim.

— Você poderia se esconder na sua clareira. Nunca ninguém vai até lá.

— William pode encontrá-la por acaso.

— Ouça o que estou lhe dizendo. Você estará mais segura lá do que aqui.

— Mesmo assim quero ficar.

— Não a quero aqui — disse ele asperamente.

— Bem, vou ficar, de qualquer modo — retrucou ela, com um sorriso, ignorando a deliberada rudeza de Jack.

Ele conteve uma praga. Não adiantava discutir com Aliena uma vez que ela tivesse tomado uma decisão: era teimosa como uma mula. Resolveu suplicar:

— Aliena, estou com medo do que poderá acontecer amanhã.

— Também estou — disse ela —, e acho que devíamos sentir medo juntos.

Jack sabia que devia desistir, mas estava muito preocupado.

— Dane-se, então — disse, furioso, e saiu, pisando duro.

Ficou parado do lado de fora, respirando o ar da noite. Após alguns momentos se acalmou. Estava terrivelmente preocupado, mas era tolice brigar com ela; os dois podiam morrer na manhã seguinte.

Entrou novamente. Aliena estava de pé, no mesmo lugar onde a deixara, com ar triste.

— Eu a amo — disse. Os dois se abraçaram e permaneceram assim por longo tempo.

Quando Jack saiu de novo a lua estava brilhando no céu. Acalmou-se pensando que Aliena poderia estar com a razão; talvez estivesse mais segura ali do que na floresta. Assim pelo menos saberia se tivesse problemas e poderia fazer o melhor que estivesse a seu alcance para protegê-la.

Jack sentia que não ia dormir, mesmo que fosse para a cama. Tinha o medo tolo de que todos continuassem dormindo à meia-noite e só fossem acordar de madrugada, quando os homens de William chegassem destruindo tudo. Caminhou incessantemente em torno da orla da cidade. Estranho: Kingsbridge nunca possuíra um perímetro fortificado até aquele dia. As paredes de pedra tinham a altura da cintura de um homem, o que não era suficiente. As cercas estavam altas, mas ainda havia brechas com largura suficiente para permitir em poucos momentos a passagem de centenas de homens a cavalo. As plataformas de terra ainda não estavam tão altas que um bom cavalo não as galgasse. Havia muito que fazer.

Ele parou onde antes ficava a ponte. Ela fora desmontada, e seus pedaços haviam sido levados para o priorado. Olhou por cima da água enluarada. Viu uma figura sombria aproximar-se ao longo da linha da cerca de madeira, e sentiu um calafrio de supersticiosa apreensão, mas era apenas o prior Philip, tão insone quanto Jack.

Naquele instante, o ressentimento de Jack contra Philip foi sobrepujado pela ameaça representada por William, e o rapaz não se sentiu inamistoso para com o prior.

— Se sobrevivermos a isso, deveremos reconstruir a muralha, trecho por trecho — disse.

— Concordo — disse Philip fervorosamente. — Poderíamos traçar como objetivo ter uma muralha de pedra em volta da cidade dentro de um ano.

— Bem aqui, onde a ponte atravessa o rio, eu poria um portão e uma barbacã, de modo que pudéssemos conter as pessoas e não permitir sua entrada na cidade sem ter que desmontar a ponte.

— Organizar as defesas de uma cidade não é o tipo de coisa em que nós, monges, somos bons.

Jack aquiesceu. Os monges não deviam se envolver em qualquer tipo de violência.

— Mas se você não organizar, quem o fará?

— Que tal o irmão de Aliena, Richard?

Jack espantou-se com a ideia, mas um momento de reflexão o levou a concluir que era brilhante.

— Ele se sairá bem; isso o manterá longe da ociosidade e eu não terei mais que sustentá-lo — disse, entusiasmado. Olhou para Philip com relutante admiração. — Você nunca para, não é mesmo?

Philip deu de ombros.

— Quisera que todos os nossos problemas pudessem ser resolvidos com tanta simplicidade.

A cabeça de Jack voltou à muralha.

— Suponho que agora Kingsbridge será uma cidade fortificada para sempre.

— Não para sempre, mas certamente até que Jesus volte a este mundo.

— Nunca se sabe — disse Jack especulativamente. — Poderá haver um tempo em que selvagens como William Hamleigh não estejam no poder, as leis protejam as pessoas comuns, em vez de escravizá-las, e o rei faça a paz, e não a guerra. Pense nisso: um tempo em que as cidades da Inglaterra não precisem de muralhas!

Philip sacudiu a cabeça.

— Que imaginação! Isso não acontecerá antes do dia do Juízo Final.

— Acho que não.

— Deve ser quase meia-noite. Tempo de começar de novo.

— Philip. Antes de você ir...

— Que é?

Jack respirou fundo.

— Ainda há tempo de mudar nosso plano. Poderíamos evacuar a cidade agora.

— Está com medo, Jack? — perguntou Philip, compreensivo.

— Sim. Mas não por minha causa. Pela minha família.

Philip aquiesceu.

— Veja as coisas do seguinte modo: se você fugir agora, provavelmente estará seguro... amanhã. Mas William poderá vir outro dia. Se deixarmos que faça o que bem entender amanhã, viveremos *sempre* apavorados. Você, eu, Aliena, e o pequeno Tommy também: ele crescerá com medo de William, ou de alguém como William.

Ele tinha razão, pensou Jack. Para crianças como Tommy crescerem livres, seus pais precisavam parar de fugir de William.

Jack suspirou.

– Está bem.

Philip afastou-se para tocar o sino. Ele era um governante que mantinha a paz, administrava a justiça e não oprimia os pobres, pensou Jack. Mas seria realmente preciso ser solteiro para fazer isso?

O sino começou a tocar. Lampiões foram acesos nas casas fechadas, e os artesãos se levantaram tropeçando, esfregando os olhos e bocejando. Começaram a trabalhar lentamente, e houve alguns diálogos mal-humorados entre as pessoas; porém, Philip tinha feito a padaria do priorado dar início às operações, e logo foram servidos pão quente e manteiga fresca e todos se animaram.

De madrugada Jack fez outra inspeção com Philip, ambos examinando ansiosamente o horizonte escuro, procurando sinais de cavaleiros. A cerca que acompanhava o rio estava quase completa, com todos os carpinteiros trabalhando juntos para completar as últimas jardas. De ambos os lados, as fortificações de terra tinham agora a altura de um homem, e a profundidade da vala do lado de fora acrescia-lhes cerca de quatro pés; um homem poderia galgá-las, com dificuldade, mas precisaria desmontar. A muralha também tinha a altura de um homem, mas as últimas três ou quatro fileiras de pedras estavam completamente fracas, porque a massa ainda não secara. No entanto, o inimigo não descobriria isso enquanto não tentasse escalar a muralha, e até esse ponto ela teria servido muito bem para o fim a que se destinava.

A não ser pelas brechas na cerca de madeira, o trabalho estava terminado, e Philip deu novas ordens. Os cidadãos mais velhos e as crianças iriam para o mosteiro e se refugiariam no dormitório. Jack ficou entusiasmado: Aliena teria que ficar com Tommy, e os dois estariam bem à retaguarda da linha de frente. Os artesãos continuariam construindo, mas agora alguns de seus serventes formariam esquadrões militares, sob o comando de Richard. Cada grupo era responsável por defender a seção da muralha que construíra. Os habitantes – homens e mulheres – que tivessem arcos se disporiam junto à muralha, prontos para lançar flechas contra o inimigo. Os que não tivessem armas arremessariam pedras, e deviam começar a preparar seus estoques. Água fervente era outra arma útil, e caldeirões foram aquecidos e colocados em condições de ser lançados sobre o inimigo, em pontos estratégicos. Diversos habitantes da cidade tinham espadas; porém, eram as menos úteis das armas: se chegasse a haver combate corpo a corpo, o inimigo teria entrado, e a construção da muralha haveria sido em vão.

Jack estava sem dormir há quarenta e oito horas seguidas. Sentia a cabeça doer e os olhos arderem. Sentou-se no telhado de palha de uma casa perto do rio e ficou observando os campos, enquanto os carpinteiros se apressavam em concluir a cerca. De repente percebeu que os homens de William poderiam atirar setas incendiárias por cima da muralha, numa tentativa de queimar a cidade sem ter que abrir uma brecha em suas defesas. Exausto, pulou do telhado e subiu correndo a colina até o priorado. Ali descobriu que Richard tivera a mesma ideia e conseguira que alguns monges colocassem barris e baldes de água em pontos estratégicos em torno dos limites da cidade.

Estava deixando o priorado quando ouviu o que lhe pareceram gritos de advertência.

O coração disparado, trepou no telhado do estábulo e examinou os campos a oeste. Na estrada que levava à ponte, a uma milha de distância, uma nuvem de poeira anunciava a chegada de um grande grupo de cavalarianos.

Até aquele instante houvera um elemento de irrealidade em tudo aquilo; contudo, agora os homens que queriam queimar Kingsbridge estavam logo ali, cavalgando na estrada, e de repente o perigo se tornou assustadoramente real.

Jack sentiu um ímpeto de procurar Aliena, mas não havia tempo.

Pulou de cima do telhado e desceu correndo a colina até a margem do rio. Um bando de homens estava reunido em torno da última brecha. Enquanto observava, eles enfiaram estacas no chão, enchendo o espaço, e rapidamente pregaram as duas últimas traves, concluindo o trabalho. A maioria dos habitantes estava ali; o restante se havia refugiado no refeitório. Poucos momentos depois da chegada de Jack, Richard desceu correndo e gritando:

— Não há ninguém do outro lado! Pode ser que haja outro grupo tentando invadir a cidade nas nossas costas! Voltem para seus postos, depressa! — Quando eles começaram a se deslocar, Richard murmurou para Jack:

— Não há disciplina, não há a menor disciplina!

Jack ficou com os olhos fixos no campo, enquanto a nuvem de poeira se aproximava e os vultos dos cavaleiros se tornavam mais visíveis. Eram como monstros do inferno, pensou, insanamente dedicados à morte e à destruição. Existiam porque condes e reis sentiam necessidade deles. Philip podia ser um maldito idiota em questões como amor e casamento, pensou Jack, mas pelo menos descobrira um jeito de governar uma comunidade sem a ajuda de selvagens como aqueles.

Era um estranho momento para tais reflexões. Seria o tipo de coisa que os homens pensam quando estão prestes a morrer?

Os cavaleiros se aproximaram mais. Eram em número maior que os cinquenta que Richard antecipara. Para Jack, deviam ser quase cem. Dirigiram-se para o lugar onde antes ficava a ponte e então começaram a reduzir a marcha. Jack animou-se quando viu que se detinham na campina do outro lado do rio. Quando olharam espantados para a muralha recém-construída, alguém perto de Jack começou a rir. Logo outra pessoa riu também, e o riso se espalhou como fogo na palha, e em instantes eram cinquenta, cem, duzentos homens e mulheres gargalhando, rindo dos embaraçados homens de armas presos na margem errada do rio sem ter com quem lutar.

Diversos cavaleiros desmontaram e se reuniram numa conferência. Espiando através da leve neblina da manhã, Jack pensou ter visto o cabelo louro e o rosto vermelho de William Hamleigh no centro do grupo, mas não podia estar seguro.

Após algum tempo voltaram para seus cavalos, reagruparam-se e afastaram-se. O povo de Kingsbridge gritou de satisfação. Mas Jack não achava que William já tivesse desistido. Não estavam voltando pelo mesmo caminho. Em vez disso, subiram o rio, ao longo da margem. Richard colocou-se ao lado de Jack e disse:

– Estão procurando uma passagem a vau. Atravessarão o rio e cruzarão a floresta para nos atacar pelo outro lado. Espalhe isso por aí.

Jack percorreu rapidamente a muralha, transmitindo a previsão de Richard. A norte e a leste, a muralha era de pedra ou terra, mas não havia o rio no caminho. Naquele lado ela se confundia com a parede leste do priorado, apenas a uns poucos passos do refeitório onde Aliena e Tommy tinham se refugiado. Richard colocara Oswald, o mercador de cavalos, e Dick Richards, o filho do curtidor, no telhado da enfermaria, com seus arcos e flechas: eram os melhores atiradores da cidade. Jack foi até o canto nordeste e subiu na plataforma de terra, atento ao bosque de onde emergiriam os homens de William.

O sol já estava bem alto. Mais um dia quente e sem nuvens. Os monges percorreram a muralha levando pão e cerveja. Jack perguntou-se até que ponto William subiria o rio. A uma milha havia um lugar que um bom cavalo podia atravessar a nado, mas pareceria muito arriscado a um estranho, de modo que William provavelmente cavalgaria mais algumas milhas, até onde havia um vau bem raso.

Jack gostaria de saber como Aliena estava se sentindo. Queria ir até o refeitório e vê-la, mas relutava em deixar a muralha. Se o fizesse, outros iriam querer sair também, e a muralha ficaria indefesa.

Enquanto resistia à tentação, ouviu-se um grito e os cavaleiros reapareceram.

Eles saíram do bosque vindos do leste, de modo que Jack tinha o sol nos olhos quando os fitou: sem dúvida aquilo era intencional. Após um momento percebeu que não apenas estavam se aproximando, como também atacavam. Deviam ter apeado na floresta, fora das vistas de todos, reconhecido o terreno e planejado o ataque. Jack sentiu-se tenso de medo. Não iriam só olhar para a muralha e ir embora: tentariam abrir uma brecha.

Os cavalos galoparam, atravessando o campo. Um ou dois habitantes da cidade atiraram flechas. Richard, do lado de Jack, gritou, furioso:

– Cedo demais! Cedo demais! Esperem até que cheguem à vala.

Aí não poderão errar! – Poucas pessoas o ouviram, e uma chuva de flechas desperdiçadas caiu no campo de cevada. Como força militar não temos esperança, pensou Jack; só a muralha pode nos salvar.

Ele tinha uma pedra numa das mãos e uma funda na outra, exatamente igual à que usava quando criança na caça de patos para o jantar. Não sabia se sua pontaria ainda era boa. Percebeu que apertava suas armas com toda a força que tinha e obrigou-se a relaxar. Pedras eram eficientes contra patos, mas pareciam terrivelmente frágeis contra homens protegidos por armaduras e montados em cavalos enormes que se aproximavam ruidosamente cada vez mais. Jack engoliu em seco. Alguns dos inimigos tinham arcos e flechas em chamas, dava para ver; no momento seguinte percebeu que os homens com arcos se dirigiam para a muralha de pedra, e os outros para as fortificações de terra. Isso significava que William decidira que não podia abrir uma brecha na muralha de pedra. Não percebera que a massa estava tão fresca que a muralha poderia ser derrubada a mão. Fora enganado. Jack desfrutou um pequeno momento de triunfo.

Os atacantes chegaram à muralha.

Os aldeões dispararam loucamente, e uma chuva impetuosa de flechas abateu-se sobre os cavaleiros. A despeito da pontaria deficiente, não puderam deixar de fazer algumas vítimas. Os cavalos atingiram a vala. Uns empacaram e outros pisaram no fundo e pularam para o outro lado. Imediatamente em frente à posição de Jack, um homem enorme protegido por uma velha cota de malha fez seu cavalo saltar para a margem mais baixa da fortificação e continuou a subir. Jack carregou a funda e atirou a pedra. Sua mira era tão boa quanto sempre fora: a pedra atingiu o cavalo em cheio no focinho. Debatendo-se desajeitadamente na terra fofa, ele relinchou de dor, empinou e virou-se. Foi embora em galope curto, mas seu cavaleiro escorregou da sela e desembainhou a espada.

A maioria dos cavalos fizera meia-volta, ou por vontade própria ou obedecendo a seus cavaleiros; contudo, diversos homens atacavam a pé, e outros estavam se virando de novo para carregar mais uma vez. Olhando por cima do ombro, Jack viu que diversos telhados de palha estavam queimando, a despeito dos esforços dos bombeiros – as jovens mulheres da cidade – para apagar as chamas. Como um raio, passou-lhe pela mente a horrível ideia de que aquilo não ia dar certo. A despeito do esforço heroico das últimas trinta e seis horas, aqueles selvagens cruzariam a muralha, queimariam a cidade e devastariam tudo, aniquilando o povo.

A perspectiva do combate corpo a corpo o aterrorizou. Nunca aprendera a lutar, jamais usara uma espada – nem mesmo tinha uma – e sua única experiência no assunto era quando Alfred o espancara. Sentiu-se impotente.

Os cavaleiros carregaram de novo e os atacantes que tinham perdido suas montarias galgaram as fortificações defensivas a pé. Pedras e flechas choviam sobre eles. Jack acionava sua funda sistematicamente, carregando e disparando, carregando e disparando como uma máquina. Diversos atacantes caíram sob a chuva de projéteis. Bem em frente a Jack um cavaleiro caiu do cavalo e perdeu o elmo, revelando o cabelo louro: era William, em pessoa.

Nenhum dos cavalos conseguiu chegar ao topo da rampa de terra, mas alguns homens a pé conseguiram, e, para horror de Jack, os habitantes da cidade foram forçados a lutar com eles, contrapondo às espadas e lanças dos atacantes varas e machados. Alguns dos inimigos conseguiram passar por cima da muralha e Jack viu três ou quatro aldeões caírem. Seu coração encheu-se de horror: os habitantes de Kingsbridge estavam perdendo.

Mas oito ou dez aldeões cercaram cada um dos atacantes que conseguiam passar para o lado de dentro, bateram neles com varas e os atacaram impiedosamente com machados. Embora diversos cidadãos tivessem sido feridos, todos os atacantes foram logo mortos.

Então os aldeões começaram a fazer os outros recuarem, descendo a rampa. A carga fracassou. Os atacantes ainda montados rociavam incertamente, e ainda havia algumas escaramuças nas rampas. Jack descansou por um momento, respirando fundo, grato pela trégua, esperando com medo o próximo passo do inimigo.

William ergueu a espada e gritou para chamar a atenção dos seus homens. Fez um círculo com a espada no ar, para reuni-los, e depois apontou para a muralha. Eles se reagruparam e se prepararam para mais uma carga.

Jack viu uma oportunidade.

Pegou uma pedra, carregou a funda e apontou cuidadosamente para William.

A pedra voou através do ar tão reta quanto uma linha de pedreiro e atingiu o conde bem no meio da testa, com tanta força que Jack ouviu o barulho surdo da pedra no osso.

William caiu no chão.

Seus homens hesitaram, e a carga falhou.

Um homem grande e moreno desmontou e correu para o lado de William. Jack achou que era o ex-criado de William, Walter, que sempre cavalgava a seu lado. Sem largar a rédea, ele ajoelhou-se ao lado do corpo estirado do conde. Por um momento Jack teve esperança de que ele tivesse morrido. Mas então ele se mexeu e Walter ajudou-o a ficar de pé. William parecia aturdido. Em ambos os lados da batalha todos observaram os dois homens. Por um momento a chuva de pedras e flechas parou.

Ainda inseguro, William montou no cavalo de Walter, ajudado pelo ex-criado, que depois montou na garupa. Houve um momento de hesitação, quando todos se perguntaram se o conde seria capaz de continuar com o ataque. Walter fez com a espada o sinal circular para reunir a tropa; em seguida, para indizível alívio de Jack, apontou para o bosque.

Walter esporeou o cavalo e eles se afastaram a galope.

Os outros cavaleiros os seguiram. Os que estavam ainda combatendo nas rampas desistiram, recuaram e correram atrás do seu líder. Algumas pedras e flechas os caçaram no campo de cevada.

O povo da cidade gritou alegremente.

Jack olhou à sua volta, meio aturdido. Estava tudo acabado? Mal podia crer. Os incêndios haviam sido apagados – as mulheres tiveram êxito na tarefa de mantê-los sob controle. Os homens dançavam em cima das rampas, abraçando-se. Richard aproximou-se e bateu nas suas costas.

– Foi a muralha que conseguiu, Jack – disse. – A sua muralha.

Os aldeões e os monges aglomeraram-se na frente dos dois, todos querendo se congratular com Jack e uns com os outros.

– Eles foram embora mesmo? – perguntou o construtor.

– Oh, sim – respondeu Richard. – Não voltarão mais, agora que descobriram que estamos determinados a defender a muralha. William sabe que não se pode tomar uma cidade murada se o povo estiver determinado a resistir; não sem um grande exército e um sítio de seis meses.

– Então está acabado – disse Jack estupefato.

Aliena abriu caminho por entre a multidão, com Tommy nos braços. Jack abraçou-a, feliz. Estavam vivos e juntos, e ele era grato por isso.

De repente sentiu o efeito dos dois dias sem dormir, e quis se deitar. Mas não foi possível. Dois jovens pedreiros o agarraram e o levantaram nos ombros. A multidão o saudou alegremente. Eles se deslocaram, arrastando o povo. Jack queria dizer que não fora *ele* quem os salvara, e sim eles próprios; mas sabia que não o ouviriam, porque desejavam um herói. À medida que a notícia se espalhou e toda a cidade soube da vitória, o clamor do povo aumentou de intensidade. Há anos viviam com medo de William Hamleigh, pensou Jack, mas naquele dia haviam conquistado sua liberdade. Foi carregado pela cidade numa procissão triunfal, acenando e sorrindo, e ansiando pelo momento em que poderia encostar a cabeça e fechar os olhos num sono abençoado.

3

A Feira de Lã de Shiring estava maior e melhor do que nunca. A praça em frente à igreja paroquial, onde se realizavam os mercados e as execuções, assim como a feira anual, estava superlotada de bancas e gente. Lá era o principal artigo, mas havia também em exibição tudo mais que podia ser comprado e vendido na Inglaterra: faiscantes espadas novas, selas decorativamente trabalhadas, porquinhos gordos, botas vermelhas, bolos de gengibre e chapéus de palha. Enquanto caminhava em torno da praça na companhia do bispo Waleran, William calculou que ia ganhar mais dinheiro que das outras vezes. Mesmo assim, não sentiu nenhum prazer com essa constatação.

Ainda se sentia humilhado por sua derrota em Kingsbridge. Esperara atacar sem oposição e incendiar a cidade, mas acabara perdendo homens e cavalos e retirara-se sem conseguir nada. O pior era saber que a construção da muralha fora organizada por Jack, o amante de Aliena, o homem a quem desejara matar.

Não conseguira matar Jack, mas ainda estava determinado a se vingar.

Waleran também estava pensando em Kingsbridge.

– Ainda não sei como construíram a muralha tão rapidamente – disse o bispo.

– Provavelmente não era muito sólida – disse William.

Waleran concordou.

– Mas tenho certeza de que o prior Philip já está tratando de aperfeiçoá-la. Se fosse ele eu a tornaria mais resistente e mais alta, construiria uma barbacã e designaria um sentinela noturno. Seus dias de ataque a Kingsbridge estão terminados.

William concordava, mas fingia o contrário.

– Ainda posso sitiar a cidade.

– Isso já é diferente. Uma incursão rápida pode ser ignorada por Estêvão. Um sítio prolongado, durante o qual os habitantes sempre podem mandar uma mensagem ao rei, suplicando-lhe proteção, pode ser arriscado.

– Estêvão não agirá contra mim – disse William. – Precisa dos meus serviços. – Ele não estava discutindo com convicção, contudo. No fim planejava ceder aos argumentos do bispo. Mas queria que Waleran se esforçasse bastante na defesa de seu ponto de vista, para depois ficar lhe devendo um pequeno favor. Então William faria o pedido que tanto o preocupava.

Uma mulher feia e magra adiantou-se, empurrando à sua frente uma bonita garota de cerca de treze anos, presumivelmente sua filha. Puxou para um lado a parte de cima da roupa da garota a fim de desnudar seus seios pequenos e imaturos.

– Sessenta pence – sibilou a mãe.

William sentiu-se excitado, mas sacudiu a cabeça, recusando, e seguiu em frente.

A jovem prostituta o fez pensar em Aliena. Ela era pouco mais que uma criança quando a estuprara. Aquilo se passara há quase uma década, mas não podia esquecê-la. Talvez nunca mais a possuísse; entretanto podia impedir qualquer outro de tê-la.

Waleran estava pensativo. Parecia nem olhar por onde andava, mas as pessoas saíam da sua frente, como se temessem ser tocadas pela fímbria do seu hábito negro.

– Soube que o rei tomou Faringdon? – perguntou o bispo, após um momento.

– Eu estava lá.

Aquela fora a vitória mais decisiva de toda a longa guerra civil. Estêvão capturara centenas de cavaleiros e um grande número de armas. Também obrigara Robert de Gloucester a recuar até o território oeste. Fora tão crucial a vitória que Ranulf de Chester, o velho inimigo de Estêvão ao norte, depusera as armas e jurara fidelidade ao rei.

– Agora que Estêvão está mais seguro – disse Waleran –, não será mais tão complacente com as guerras particulares de seus barões.

– Talvez – disse William. Perguntou-se se aquele seria o momento de concordar com Waleran e fazer o seu pedido. Hesitou: estava embaraçado. Ia revelar um pouco da sua alma, e odiava fazer isso a um homem tão desumano quanto Waleran.

– Você deveria deixar Kingsbridge em paz, pelo menos por algum tempo – continuou o bispo. – Tem a feira de lã e o mercado semanal, ainda que menor que antes. Tem o negócio da lã. E também a terra mais fértil do condado, diretamente sob o seu controle ou trabalhada pelos seus rendeiros. Minha situação também está melhor que antes. Aumentei minha propriedade e racionalizei minhas concessões. Construí meu castelo. Está se tornando menos necessário lutar com o prior Philip – no exato momento em que isso passa a ser politicamente perigoso.

Em toda a praça havia gente fazendo e vendendo comida, e o ar estava impregnado: cheirava a sopa apimentada, pão fresco, confeitos açucarados, presunto cozido, toucinho frito, torta de maçã. William sentiu-se nauseado.

– Vamos para o castelo – disse.

Os dois homens deixaram a praça do mercado e subiram a colina.

No portão do castelo o conde se deteve.

– Talvez você tenha razão a respeito de Kingsbridge – disse.

– Fico satisfeito de vê-lo compreender isso.

– Mas ainda quero minha vingança de Jack, filho de Jack, e você poderá me dar o que quero. Só depende de sua vontade.

Waleran ergueu uma eloquente sobrancelha. Sua expressão dizia que se sentia fascinado por ouvir William, mas não considerava ter nenhuma obrigação de atendê-lo.

William continuou, com dificuldade.

– Aliena solicitou à Igreja a anulação do casamento.

– Sim, sei disso.

– O que você acha que vai acontecer?

– Aparentemente o casamento nunca chegou a se consumar.

– Isso é tudo o que interessa?

– Provavelmente. De acordo com Graciano – um estudioso a quem, a propósito, conheci pessoalmente –, o que constitui um casamento é o consentimento mútuo das duas partes; mas ele afirma também que o ato da união física "completa" ou "aperfeiçoa" o casamento. Diz que se um homem se unir matrimonialmente a uma mulher mas não copular com ela, e depois se casar com outra com quem tenha conjunção carnal, então será o segundo dos dois casamentos o válido. Isso é o mesmo que dizer que só vale o que se consumou. A fascinante Aliena sem dúvida terá mencionado isso no seu pedido, se é que foi bem aconselhada, o que imagino que foi, por parte do prior Philip.

William ficou impaciente com tanta teoria.

– Então eles vão conseguir a anulação.

– A menos que alguém desenvolva o argumento contrário ao de Graciano. Na verdade, há dois: um teológico e outro prático. O argumento teológico é de que a definição de Graciano denigre o casamento de José e Maria, desde que não foi consumado. O argumento prático é que por razões políticas, ou para fundir duas propriedades, os casamentos são com muita frequência arranjados entre duas crianças incapazes fisicamente de consumá-los. Se o noivo ou a noiva morrerem antes da puberdade, o casamento seria invalidado, de acordo com a definição de Graciano, e poderia haver consequências desastrosas.

William era incapaz de seguir aquelas confusas disputas clericais, mas tinha uma boa ideia de como eram resolvidas.

– O que você quer dizer é que pode ser resolvido de um jeito ou de outro.

– Sim.

– E que a solução depende de quem está pressionando.

– Sim. Nesse caso, não há um problema maior a ser decidido – propriedade, lealdade, aliança militar. Contudo, se houvesse mais coisas em jogo, e alguém – um arcediago, por exemplo – forçasse o argumento contra Graciano, a anulação do casamento provavelmente seria recusada. – Waleran dirigiu a William um olhar sagaz que fez com que este se enraivecesse. – Acho que sei o que você vai me pedir agora.

– Quero que se oponha à anulação.

Waleran estreitou os olhos.

– Não consigo saber se você ama aquela pobre mulher ou se a odeia.

– Não – disse William. – Nem eu consigo.

Aliena sentou-se na grama, na sombra esverdeada sob a imponente faia. A queda-d'água jogava gotículas que pareciam lágrimas nas pedras aos seus pés. Aquela era a clareira em que Jack lhe contara todas aquelas histórias. Fora ali que lhe dera o primeiro beijo, tão casual e rapidamente que ela fingira que nunca acontecera. Fora ali que se apaixonara por ele, e se recusara a admiti-lo, inclusive para si própria. Agora desejava de todo o coração que tivesse se entregado a ele totalmente naquele tempo, desposando-o e tendo os seus filhos; agora, fosse o que fosse que houvesse acontecido, seria sua mulher.

Deitou-se para descansar as costas, que doíam. Era alto verão, e o ar estava quente e parado. Aquela gravidez estava sendo muito penosa, e ainda tinha pelo menos seis semanas pela frente. Achava que talvez fosse ter gêmeos, só que sentia os pontapés apenas em um lugar. E quando Martha pusera o ouvido na sua barriga, ouvira somente as batidas de um único coração.

Martha ficara tomando conta de Tommy naquela tarde de sol, de modo que Aliena e Jack poderiam se encontrar nos bosques, ficando sozinhos por algum tempo para conversar sobre seu futuro. O arcebispo recusara a anulação, aparentemente porque o bispo Waleran fora contra. Philip dissera que podiam requerer de novo, mas por enquanto tinham que viver separados. Philip concordava que era injusto, mas dizia que devia ser a vontade de Deus. A Aliena mais parecia a vontade do demônio.

A amargura do arrependimento era um peso que carregava consigo, como a gravidez. Às vezes a sentia mais pungente, às vezes quase a esquecia, mas estava sempre lá. Doía muitas vezes, mas era uma dor familiar. Arrependia-se de ter magoado Jack, arrependia-se do que havia feito a si própria, arrependia-se inclusive dos sofrimentos do desprezível Alfred, que agora morava em Shiring e nunca mostrava a cara em Kingsbridge. Casara-se com Alfred por um único motivo: apoiar Richard em sua tentativa de reconquistar o condado. Não conseguira atingir seu propósito, e o amor verdadeiro que sentia por Jack fora frustrado. Tinha agora vinte e seis anos de idade, sua vida estava arruinada e a culpa fora inteiramente sua.

Pensou com nostalgia naqueles primeiros dias com Jack. Quando o conhecera ele não passava de um garotinho, mesmo que fosse um menino diferente dos demais. Depois que crescera, continuara a vê-lo como um menino. Era por isso que ele se colocara sob sua guarda. Ela desprezara todos os pretendentes, mas não pensara em Jack como um deles, e assim deixara que a conhecesse. Não sabia por que fora tão resistente ao amor. Adorava Jack e não havia prazer na vida como o de estar com ele; e no entanto, houve uma vez em que deliberadamente fechara os olhos a tanta felicidade.

Quando relembrava o passado, sua vida antes de Jack parecia vazia. Mantivera-se freneticamente atarefada, construindo seu negócio de lã, mas agora aqueles dias de tanto trabalho pareciam sem alegria, como um palácio vazio, ou uma mesa cheia de pratos de prata e cálices de ouro, mas sem comida.

Ouviu passos e sentou-se rapidamente. Era Jack. Magro e gracioso, parecia um gato. Ele se sentou a seu lado e beijou-lhe a boca suavemente. Cheirava a suor e a pó de pedra.

— Está tão quente! – disse. – Vamos tomar banho no regato.

A tentação era irresistível.

Jack tirou a roupa. Ela ficou observando, com os olhos sequiosos fixos nele. Há meses não via seu corpo nu. Ele tinha muitos pelos ruivos nas pernas mas nenhum no peito. Fitou-a, esperando que se despisse. Aliena intimidou-se: ele nunca vira seu corpo quando grávida. Desamarrou lentamente a gola do vestido de linho, e o puxou pela cabeça. Observou a expressão dele ansiosamente, com medo de que odiasse seu corpo inchado, mas Jack não demonstrou aversão; pelo contrário, a expressão que surgiu no seu rosto foi de afeto. Eu deveria ter sabido, pensou ela; deveria ter sabido que ele me amaria do mesmo modo.

Com um rápido movimento, Jack se ajoelhou no chão em frente a Aliena e beijou a pele distendida da sua barriga. Ela deu uma risada envergonhada. Ele tocou no seu umbigo.

— Ele está tão projetado! – disse.

— Eu sabia que você diria isso!

— Antes parecia uma covinha, agora parece um mamilo.

— Vamos tomar banho – disse Aliena timidamente. Ela se sentiria menos envergonhada quando entrasse na água.

Perto da cascata, a água ficava represada num remanso com cerca de três pés de profundidade. Aliena mergulhou. O contato era deliciosamente frio na pele quente, e ela estremeceu de prazer. Jack mergulhou a seu lado. Não havia espaço para nadar, naquela represa com poucos pés de extensão. Ele pôs a cabeça sob a pequena queda-d'água e lavou o cabelo, cheio de pó de pedra. Aliena sentiu-se bem dentro da água: aliviava o peso da gravidez. Mergulhou a cabeça para lavar o cabelo.

Ao emergir para respirar, Jack beijou-a.

Ela riu, sem fôlego, meio engasgada, esfregando os olhos. Jack beijou-a de novo. Aliena levantou os braços para se firmar, e sua mão fechou-se no pênis duro que se erguia entre as pernas de Jack como um mastro de bandeira. Arquejou de prazer.

— Senti falta disto – disse Jack no seu ouvido, a voz rouca de desejo e alguma outra emoção, tristeza, talvez.

A garganta de Aliena estava seca de desejo.

— Vamos quebrar nossa promessa? – perguntou.

— Agora e sempre.

— O que você está querendo dizer?

— Não vamos mais viver separados. Vamos deixar Kingsbridge.

— Mas o que você vai fazer?

— Vou para uma cidade diferente, construir outra catedral.

— Mas você não será o mestre. O projeto não será seu.

— Um dia poderei ter outra chance. Sou moço.

Era possível, mas muito difícil. Aliena o sabia, e Jack também. O sacrifício que ele estava fazendo por ela comoveu-a até as lágrimas. Ninguém nunca a amara tanto. Ninguém jamais a amaria daquele modo. Mas não queria que ele desistisse de tudo.

— Não vou — disse ela.

— O que você está querendo dizer?

— Não vou deixar Kingsbridge.

Ele ficou furioso.

— Por que não? Em qualquer outro lugar poderemos viver como marido e mulher e ninguém se importará. Poderemos até mesmo nos casar numa igreja.

Ela tocou no seu rosto.

— Eu o amo demais para tirá-lo da Catedral de Kingsbridge.

— Isso cabe a mim decidir.

— Jack, eu o amo pelo que acaba de propor. O fato de estar disposto a desistir do trabalho de sua vida para viver comigo é... Quase parte meu coração saber que você me ama tanto. Mas não quero ser a mulher que tirou você do trabalho que adorava. Não estou disposta a acompanhá-lo nessas condições. Projetará uma sombra sobre toda a nossa vida. Você poderá me perdoar por isso, mas eu mesma jamais me perdoarei.

Jack ficou triste.

— Sei muito bem que não adianta discutir com você depois que toma uma decisão. Mas o que faremos?

— Tentaremos de novo a anulação. Viveremos separados.

A cara dele era de desespero.

— E viremos aqui todos os domingos e quebraremos nossa promessa — concluiu ela.

Jack apertou-a com força e Aliena sentiu que ele estava novamente excitado.

— Todos os domingos?

— Sim.

— Você pode ficar grávida de novo.

— Correremos o risco. E vou começar a fabricar tecido de novo, como fazia antigamente. Mais uma vez comprei de Philip a lã que ele não vendeu, e vou organizar o pessoal da cidade para tecê-la. Depois faço o acabamento no moinho de pisoar.

— Como você pagou a Philip? — perguntou Jack, surpreso.

– Ainda não lhe paguei. Vou pagar a ele em fardos de tecido, quando estiverem prontos.

Jack assentiu.

– Ele aceitou o negócio porque quer que você fique – disse amargamente. – Assim eu também continuo em Kingsbridge.

Aliena concordou.

– E ele ainda sai da transação levando tecido barato.

– Maldito Philip! Sempre consegue o que quer.

Aliena viu que ganhara. Beijou-o.

– Amo você – disse ela.

Ele retribuiu seu beijo, correndo as mãos por todo o seu corpo, tocando ardorosamente seus lugares secretos. Então parou e disse:

– Mas quero estar com você todas as noites, e não somente aos domingos.

Ela beijou-lhe a orelha.

– Um dia será assim – sussurrou. – Eu lhe prometo.

Jack deslocou-se para trás de Aliena e puxou-a, de modo que suas pernas ficaram por baixo do corpo dela. Aliena abriu as coxas e desceu, flutuando suavemente, sobre o colo de Jack. Ele acariciou os seios volumosos e brincou com os mamilos inchados. Por fim a penetrou e ela estremeceu de prazer.

Fizeram amor lenta e delicadamente na água fria da represa, com o rumorejar da queda-d'água nos ouvidos. Jack passou os braços em torno de sua barriga, e com as mãos experientes acariciou-a entre as pernas, apertando e afagando enquanto se mexia, entrando e saindo. Nunca tinham feito amor daquele jeito, com ele acariciando-a ao mesmo tempo nos seus pontos mais sensíveis, e foi muito diferente, um prazer mais intenso, da mesma forma como uma dor aguda difere de uma dor imprecisa. Mas talvez fosse porque se sentia tão triste, pensou Aliena. Após algum tempo ela se entregou àquela sensação. Sua intensidade aumentou tão de repente que o clímax a pegou de surpresa, quase a assustando, e foi tomada por espasmos de prazer tão convulsivos que gritou.

Jack permaneceu dentro dela, duro, insatisfeito, enquanto Aliena recuperava o fôlego. Estava quieto e imóvel, mas ela percebeu que ele não atingira o clímax. Após algum tempo Aliena começou a se mexer de novo, mas Jack não reagiu. Ela virou a cabeça e beijou-o, por cima do ombro. As gotas d'água no seu rosto estavam mornas. Jack chorava.

Parte cinco

1152-1155

Capítulo 14

1

Após sete anos Jack concluíra os transeptos – os dois braços da igreja em forma de cruz –, e eles eram exatamente o que esperara que fossem. O mestre construtor aperfeiçoara as ideias de Saint-Denis, fazendo tudo mais alto e mais estreito – janelas, arcos e a própria abóbada. Os grupos de fustes que compunham as colunas erguiam-se graciosamente através da galeria e transformavam-se nas nervuras de sustentação do teto, curvando-se para se encontrarem no meio dele, e pelas altas janelas ogivais a luz do sol inundava o interior. As cornijas eram finas e delicadas, e a decoração, uma orgia de folhagens cinzeladas na pedra.

E apareceram rachaduras no clerestório.

Ele se deteve na alta passagem do clerestório, os olhos fixos no vazio do outro lado do transepto norte, meditando, numa clara manhã de primavera. Ficou chocado e frustrado. Segundo toda a sabedoria dos pedreiros, a estrutura era forte; mas uma rachadura demonstrava fraqueza. Seu teto era muito mais alto do que qualquer outro que já tivesse visto, mas não tão mais alto. Ele não cometera o erro de Alfred, pondo uma abóbada de pedra sobre uma estrutura incapaz de sustentar seu peso. No entanto, apareceram rachaduras no clerestório, aproximadamente no mesmo lugar onde o trabalho de Alfred apresentara defeito. Alfred errara os cálculos, mas Jack estava certo de não ter se enganado. Algum fator novo atuava na construção, e ele não sabia o que era.

Não se tratava de coisa perigosa, pelo menos a curto prazo. As rachaduras foram preenchidas com massa e não reapareceram. A construção estava a salvo. Mas era fraca; e, para Jack, a fraqueza a estragava. Queria que sua igreja durasse até o dia do Juízo Final.

Deixou o clerestório e desceu a escadaria do torreão até a galeria, e preparara o chão onde desenhava, no canto em que havia boa iluminação, vinda de uma das janelas do lado norte. Começou a desenhar o plinto de um pilar da nave. Desenhou um losango, depois um quadrado dentro do losango e por fim um círculo dentro do quadrado. Os fustes principais da pilastra teriam origem nos quatro cantos do losango, subiriam pela coluna e em cima se dividiriam na direção dos quatro pontos cardeais para se tornarem arcos ou nervuras. Fustes secundários, originando-se nos cantos do quadrado, se ergueriam para se tornarem nervuras, atravessando em diagonal a abóbada da nave num lado e da nave lateral do outro. O círculo do meio representava o núcleo do pilar.

Todos os desenhos de Jack eram baseados em formas geométricas simples e em algumas proporções não tão simples, tais como a razão da raiz quadrada de dois para a raiz quadrada de três. Jack aprendera a extrair raiz quadrada em Toledo, mas a maioria dos pedreiros não era capaz de fazê-lo, e, em vez de calcular, usavam construções geométricas simples. Sabiam que se um círculo fosse traçado tangenciando por fora os quatro cantos de um quadrado, o diâmetro do círculo excederia o lado do quadrado na razão da raiz quadrada de dois para um. Tal proporção, a raiz de dois para um, era a mais antiga das fórmulas dos pedreiros, pois numa construção simples era a razão da largura externa para a interna, e, dessa forma, dava a grossura da parede.

O trabalho de Jack foi muito complicado pelo significado religioso de vários números. O prior Philip planejava consagrar a igreja à Virgem Maria, porque a Madona que Chora operava mais milagres que o túmulo de santo Adolfo, e em consequência, queria que Jack usasse os números 9 e 7, que eram os de Maria. Jack projetara a nave com nove intercolúnios e o novo coro, a ser construído quando tudo mais estivesse pronto, com sete. A arcaria simulada, entrelaçada nas naves laterais, teria sete arcos por intercolúnio, e a fachada oeste teria nove janelas estreitas e pontiagudas. Jack não tinha opinião firmada sobre o significado teológico dos números, mas sentia, instintivamente, que se os mesmos números fossem usados com bastante coerência, deveriam contribuir para a harmonia do prédio.

Antes que pudesse terminar o desenho do plinto, foi interrompido pelo mestre do telhado, que estava às voltas com um problema e queria que Jack o resolvesse.

Seguiu o homem na escada do torreão, depois pelo clerestório, e por fim os dois entraram no espaço entre o teto e o telhado. Atravessaram as cúpulas arredondadas que eram o lado superior da abóbada. Acima deles, os operários especializados em telhado desenrolavam grandes folhas de chumbo e as pregavam nos caibros, começando pela parte de baixo e depois subindo, a fim de que as folhas superiores se sobrepusessem às inferiores e conservassem de fora a água da chuva.

Jack viu o problema imediatamente. Ele pusera um pináculo decorativo na ponta da interseção de duas seções de telhado, mas deixara o desenho por conta de um mestre pedreiro, e este não previra a passagem da água, através ou por baixo do pináculo. O pedreiro teria que fazer uma alteração. Disse ao mestre do telhado para repassar a instrução para o pedreiro e retornou ao seu desenho.

Ficou atônito ao encontrar Alfred esperando-o ali.

Não falava com Alfred há dez anos. De vez em quando o via a distância, em Shiring ou Winchester. Aliena não punha os olhos nele há nove anos, muito embora ainda estivessem casados, de acordo com a Igreja. Martha ia visitá-lo em sua casa de Shiring cerca de uma vez por ano. Trazia sempre as mesmas notícias: ele estava prosperando, construindo casas para os burgueses de Shiring; morava sozinho; era o mesmo de sempre.

Mas Alfred não parecia nada próspero. Jack achou que aparentava cansaço e derrota. Sempre fora grande e forte, mas agora estava magro e curvado; seu rosto estava mais fino, e a mão que tirava o cabelo dos olhos era ossuda, e não musculosa como antes.

— Olá, Jack! — disse Alfred.

Sua expressão era agressiva, mas seu tom de voz cativante — uma mistura nada atraente.

— Olá, Alfred — disse Jack cautelosamente. — A última vez que o vi, estava usando uma túnica de seda e tinha engordado bastante.

— Isso foi há três anos — antes da primeira das más colheitas.

— É mesmo. — Três colheitas fracas em seguida tinham causado uma crise. Servos tinham morrido, muitos rendeiros perderam tudo, e presumivelmente os burgueses de Shiring não podiam mais pagar por esplêndidas casas novas de pedra. Alfred sentia o aperto. — O que o traz a Kingsbridge depois de tanto tempo? — perguntou Jack.

— Ouvi falar dos seus transeptos e vim dar uma olhada. — Seu tom de voz era de relutante admiração. — Onde você aprendeu a construir desse jeito?

— Paris — respondeu Jack laconicamente. Não queria discutir aquele período de sua vida com Alfred, que fora o responsável pelo seu exílio.

— Bem... — Alfred parecia sem graça, mas acabou dizendo, com rebuscada indiferença: — Eu gostaria de trabalhar aqui, só para aprender um desses novos truques.

Jack ficou pasmo. Será que Alfred tinha realmente coragem de lhe pedir um emprego? Querendo ganhar tempo, ele perguntou:

— E o seu grupo?

— Estou sozinho agora — respondeu Alfred, ainda tentando fingir que estava muito à vontade. — Não havia trabalho suficiente para um grupo.

— Não estamos contratando ninguém, de qualquer forma — disse Jack, procurando também parecer natural — Temos o efetivo completo.

— Mas você sempre pode usar um bom pedreiro, não pode? Jack percebeu uma leve nota de súplica, e deu-se conta de que Alfred estava desesperado. Decidiu ser sincero.

— Depois da vida que tivemos, sou a última pessoa a quem você devia pedir ajuda.

— E você é mesmo o último — disse Alfred, com franqueza. Tentei em toda parte. Ninguém está contratando. É a crise.

Jack pensou em todas as vezes em que Alfred o maltratara, atormentara, espancara. Alfred forçara-o a ingressar no mosteiro e depois o afastara da sua casa e da sua família. Não tinha razão para ajudá-lo: na verdade, tinha motivo para se regozijar com a desgraça dele.

— Não o contrataria nem se estivesse precisando de gente — disse.

— Achei que você talvez pudesse fazê-lo — disse Alfred, com persistência bovina. — Afinal, meu pai ensinou tudo o que sabe. É por causa dele que você é mestre construtor. Não me ajudará em homenagem a ele?

Por Tom. De repente, Jack sentiu uma pontada de remorso. A seu modo, Tom tentara ser um bom padrasto. Não fora delicado ou compreensivo, mas tratara os próprios filhos do mesmo modo como o tratara, e fora paciente e generoso ao transmitir seu conhecimento e habilidades. Também fizera feliz sua mãe, a maior parte do tempo. E, afinal de contas, pensou Jack, aqui estou eu, um mestre construtor bem-sucedido e próspero, a caminho de realizar a ambição de construir a mais bela catedral do mundo, e aí está Alfred, pobre, com fome e sem trabalho. Já não é vingança suficiente?

Não, não é.

Em seguida ele cedeu.

— Está bem — disse. — Por Tom, você está contratado.

— Muito obrigado — disse Alfred. Sua expressão era imperscrutável. — Devo começar imediatamente?

Jack fez que sim.

— Estamos assentando as fundações da nave. Incorpore-se ao pessoal.

Alfred estendeu a mão. Jack hesitou momentaneamente, depois aceitou-a. O aperto de mão do filho de Tom era forte como sempre.

Alfred desapareceu. Jack permaneceu contemplando seu desenho. Era de tamanho natural, de modo que, quando estivesse terminado, um mestre carpinteiro poderia fazer um gabarito de madeira diretamente sobre ele. O gabarito depois seria usado pelos pedreiros a fim de marcar o corte das pedras.

Teria tomado a decisão correta? Lembrou-se de que a abóbada dele ruíra. Não o usaria, contudo, em trabalhos difíceis como abóbadas ou arcos: paredes retas e pisos eram o seu campo.

Enquanto Jack ainda estava ponderando, o sino do meio-dia tocou para o almoço. Pôs de lado o pedaço de arame pontiagudo com que desenhava e desceu a escada até o nível do solo.

Os pedreiros casados iam comer em casa, e os solteiros, no galpão. Em alguns canteiros de obras era fornecido o almoço, como um meio de evitar atrasos na parte da tarde, absenteísmo e alcoolismo; porém, a porção que os monges serviam quase sempre era espartana, e a maior parte dos operários preferia levar sua própria comida. Jack estava morando na velha casa de Tom Construtor com Martha, a quem considerava como irmã, e que fazia as vezes de sua governanta. Martha também cuidava de Tommy e da segunda filha de Jack, uma garota a quem tinham chamado Sally, quando Aliena estava ocupada. Martha geralmente preparava o jantar para Jack e as crianças, e Aliena às vezes se juntava a eles.

Ele deixou o priorado e caminhou decididamente para casa. No meio do trajeto uma ideia o assaltou. Será que Alfred esperava voltar a morar na sua casa com Martha? Ela era sua irmã natural. Jack não pensara nisso quando lhe dera o emprego.

Era um medo tolo, decidiu, um momento depois. Os dias em que Alfred podia intimidá-lo tinham ficado para trás. Agora era o mestre construtor de Kingsbridge, e se dissesse que Alfred não podia se mudar para aquela casa, ele não se mudaria.

Jack chegara a esperar encontrar Alfred sentado à mesa da cozinha, e ficou aliviado ao não vê-lo ali. Aliena cuidava das crianças, que comiam, e Martha mexia uma panela no fogo. O cheiro do ensopado de carneiro era de dar água na boca.

Deu um beijo rápido na testa de Aliena. Ela estava agora com trinta e três anos, mas tinha a mesma aparência dos vinte e três: o cabelo volumoso, castanho-escuro e cheio de cachos, a mesma boca generosa e os lindos olhos castanhos. Somente quando nua mostrava os efeitos do tempo e da maternidade: os seios maravilhosos estavam mais caídos, as cadeiras, mais largas, e a barriga nunca mais voltara a ser chata e rígida como antes.

Jack contemplou afetuosamente os frutos do corpo de Aliena:

Tommy, um saudável garoto de cabelos ruivos, com nove anos, grande para a sua idade, e que enfiava o ensopado de carneiro na boca como se não comesse há uma semana; e Sally, de sete anos, cabelos castanho-escuros como os da mãe, sorrindo alegremente e exibindo uma falha nos dentes da frente, tal como Martha, quando Jack a vira pela primeira vez, dezessete anos antes. Tommy ia para a escola no priorado todas as manhãs, para aprender a ler e escrever, mas como os monges não aceitavam meninas, era Aliena quem ensinava Sally.

Jack sentou-se, e Martha tirou a panela do fogo e colocou-a em cima da mesa. Era uma garota estranha. Já passava dos vinte anos de idade, mas não demonstrava interesse em se casar. Sempre fora ligada a Jack, e agora parecia perfeitamente feliz em ser sua governanta.

Jack era, sem dúvida, o chefe da família mais estranha do condado. Ele e Aliena eram dois dos cidadãos mais importantes de Kingsbridge: ele, o mestre construtor da catedral, e ela, a maior fabricante de tecido fora de Winchester. Todos os tratavam como marido e mulher, embora fossem proibidos de passar as noites juntos e morassem em casas separadas, Aliena com o irmão e Jack com Martha. Todas as tardes de domingo, e todos os feriados, eles desapareciam, e todo mundo sabia o que estavam fazendo, exceto, é claro, o prior Philip. Enquanto isso, a mãe de Jack morava numa caverna na floresta porque achavam que fosse uma feiticeira.

De vez em quando ele se enfurecia por não poder desposar Aliena. Ficava acordado, na cama, ouvindo o ressonar de Martha no quarto ao lado, e pensava: Tenho vinte e oito anos de idade; por que estou dormindo sozinho? No dia seguinte mostrava-se mal-humorado com o prior Philip, rejeitando todas as sugestões ou pedidos do cabido como impraticáveis ou muito dispendiosos, recusando-se a discutir alternativas ou soluções de compromisso, como se houvesse um único modo de construir uma catedral e esse modo fosse o dele. Philip resolvia então se afastar do construtor por uns dias e deixar a tempestade passar.

Aliena também se sentia infeliz e descontava em Jack. Às vezes ficava impaciente e intolerante, criticando tudo o que ele fazia, pondo as crianças na cama assim que chegava, dizendo que não sentia fome quando ele comia. Após um ou dois dias nesse estado de espírito, desandava a chorar, dizia que sentia muito e que eles seriam felizes de novo, até a próxima vez em que a tensão se tornasse insuportável. Jack pegou uma concha e serviu um pouco de ensopado numa tigela. — Adivinhe quem apareceu na obra hoje — disse, começando a comer. — Alfred.

Martha deixou cair uma tampa de ferro na pedra do fogão. Jack olhou para ela e viu medo estampado no seu rosto. Virou-se para Aliena e viu que ela ficara lívida.

— O que ele está fazendo em Kingsbridge? — perguntou ela.

— Procurando trabalho. A crise empobreceu os mercadores de Shiring, creio, e eles não estão construindo casas de pedra como antes. Alfred demitiu seus homens e não consegue encontrar trabalho.

— Espero que você o tenha posto para fora — afirmou Aliena.

— Ele disse que eu deveria lhe dar um emprego em nome de Tom — disse Jack nervosamente. Não tinha antecipado uma reação tão forte das duas mulheres. — Afinal de contas, devo tudo a meu padrasto.

— Grande merda — disse Aliena, e Jack pensou que ela aprendera aquela expressão com sua mãe.

— Bem, de qualquer forma o contratei — disse ele.

— Jack! — gritou Aliena. — Como foi capaz de fazer isso? Não pode deixar que aquele demônio volte para Kingsbridge!

Sally começou a chorar. Tommy arregalou os olhos para a mãe.

— Alfred não é nenhum demônio — disse Jack. — É um homem faminto e sem dinheiro. Eu o salvei em memória do pai dele.

— Você não sentiria pena se ele o tivesse forçado a dormir ao pé de sua cama como um cachorro por nove meses.

— Ele fez coisas piores comigo, pergunte a Martha.

— E comigo também — disse Martha.

— Decidi que vê-lo daquele jeito era vingança suficiente para mim.

— Pois não o é para mim! — esbravejou Aliena. — Por Cristo, Jack, filho de Jack, você é um maldito idiota. Às vezes agradeço a Deus não ter me casado com você.

Jack desviou o olhar, magoado. Sabia que ela não falara a sério, mas o simples fato de ter dito aquilo, mesmo num rompante de raiva, já era bastante ruim. Pegou a colher e começou a comer. Foi difícil de engolir.

Aliena fez um carinho na cabeça de Sally e pôs um pedaço de cenoura na sua boca. Sally parou de chorar.

Jack olhou para Tommy, que ainda fitava a mãe com uma expressão de pavor no rostinho.

— Coma, Tommy — disse Jack. — Está gostoso.

Terminaram o jantar em silêncio.

Na primavera daquele ano os transeptos ficaram prontos. O prior Philip fez uma inspeção nas propriedades do mosteiro ao sul. Após três anos ruins ele precisava de uma boa safra, e queria verificar em que estado se encontravam as fazendas.

Levou Jonathan consigo. O órfão do priorado era agora um rapaz muito alto, desajeitado e inteligente, com dezesseis anos. Como Philip, na mesma idade, não pareceu ter um momento de dúvida sobre o que queria da vida: completara seu noviciado, fizera os votos e agora era o irmão Jonathan. Também como Philip, interessava-se pelo lado material do serviço de Deus, e trabalhava como substituto de Cuthbert Cabeça Branca, o idoso despenseiro. Philip sentia orgulho do menino: era devoto, trabalhador e todos gostavam dele.

Os dois eram escoltados por Richard, irmão de Aliena. Richard tinha por fim encontrado seu lugar em Kingsbridge. Após a construção da muralha da cidade, Philip sugerira à Sociedade da Paróquia que designasse Richard chefe da vigilância, responsável pela segurança da cidade. Ele organizara os sentinelas noturnos e providenciara a manutenção e aperfeiçoamento dos muros da cidade, e nos dias de mercado e dias santos tinha poderes para prender desordeiros e bêbados. Essas tarefas, que tinham se tornado essenciais com a transformação da aldeia numa cidade, eram coisas que não se esperava que um monge fizesse; assim, a associação da paróquia, que Philip a princípio vira como uma ameaça à sua autoridade, terminara afinal por ser útil. E Richard se sentia feliz. Estava com cerca de trinta anos agora, mas a vida ativa o mantinha com aparência jovem.

Philip gostaria que a irmã de Richard também tivesse acertado sua vida. Se havia uma pessoa com quem a Igreja falhara era Aliena. Jack era o homem a quem amava e o pai dos seus filhos, mas a Igreja insistia que estava casada com Alfred, mesmo que não tivesse conhecimento carnal dele; e era incapaz de conseguir uma anulação por causa da má vontade do bispo. Uma vergonha, e Philip se sentia culpado, embora não fosse o responsável.

Já no fim da jornada, quando atravessavam a floresta no caminho de casa, numa clara manhã de primavera, o jovem Jonathan disse:

– Eu gostaria de saber por que Deus faz as pessoas morrerem de fome.

Era uma pergunta que todo jovem monge fazia, mais cedo ou mais tarde, e havia muitas respostas para ela.

– Não ponha a culpa desta crise em Deus – disse Philip.

– Mas Deus fez o tempo que causou as más colheitas.

– A fome não é devida apenas a más colheitas – retrucou o prior. – Sempre há más colheitas, de vez em quando, mas as pessoas não morrem de fome. O que é especial nesta crise é que sobrevém após muitos anos de guerra civil.

– E que diferença isso faz?

Foi Richard, o soldado, quem respondeu:

– A guerra é ruim para as fazendas. O gado é abatido para alimentar os exércitos, as safras são queimadas para que não cheguem às mãos do inimigo, e as propriedades são negligenciadas enquanto os cavaleiros estão combatendo.

– E quando o futuro é incerto – acrescentou Philip –, as pessoas não se mostram dispostas a investir tempo e energia preparando novos terrenos, aumentando seus rebanhos, cavando valas e construindo celeiros.

– Nós não paramos de fazer esse tipo de trabalho – disse Jonathan.

– Mosteiros são diferentes. Mas a maioria dos fazendeiros comuns deixa suas propriedades decaírem durante a guerra, de modo que, quando vem o mau tempo, eles não se encontram em boas condições para vencê-lo. Os monges veem mais longe. Mas temos outro problema. O preço da lã caiu por causa da crise.

– Não vejo a ligação – disse Jonathan.

– Suponho que seja porque pessoas famintas não compram roupas. – Era a primeira vez, na lembrança de Philip, que o preço da lã deixara de crescer anualmente. Vira-se forçado a diminuir o ritmo da construção da catedral, a não receber noviços e a eliminar vinho e carne da alimentação dos monges. – Lastimavelmente, significa que estamos economizando justo quando mais e mais gente miserável aparece em Kingsbridge procurando trabalho.

– E terminam fazendo fila no portão do priorado para ganhar um pouco de sopa e pão de massa grossa – disse Jonathan.

Philip assentiu tristemente. Quebrava seu coração ver homens fortes tendo que implorar comida por não conseguirem encontrar trabalho.

– Mas lembre-se, a causa disso é a guerra, não o tempo.

– Espero que haja um lugar especial no inferno para os condes e reis que causam tanta miséria – disse Jonathan, com o arrebatamento dos jovens.

– Espero que sim... Os santos nos protejam, o que é isso?

Uma estranha figura irrompera de sob as árvores correndo a toda a velocidade na direção do prior. Suas roupas eram trapos, seu cabelo estava em desordem, e o rosto, preto de sujeira. Philip achou que o pobre homem devia estar fugindo de um javali enfurecido ou até mesmo de um urso fugido.

Mas então o homem deu um pulo e se atirou sobre Philip. O prior ficou tão espantado que caiu do cavalo.

Seu atacante caiu por cima dele. O homem cheirava como um animal, e também soava como um: grunhia sem parar. Philip se contorcia e dava pontapés. O homem parecia querer se apoderar da sacola de couro que o prior carregava a tiracolo. Não havia nada nela exceto um livro, *A canção de Salomão*. Philip travou uma luta desesperada para se libertar, não porque nutrisse especial dedicação ao livro, mas porque o ladrão era revoltantemente sujo.

Entretanto, o religioso estava preso na tira da sacola e o ladrão não desistia. Rolaram pelo chão duro, Philip tentando se libertar e o fora da lei querendo pegar a sacola. Tinha uma vaga ideia de que seu cavalo disparara.

De repente o ladrão foi afastado bruscamente por Richard. Philip rolou e sentou-se, mas por um momento não conseguiu ficar de pé. Estava um pouco aturdido. Respirou o ar puro, aliviado por estar livre do pernicioso abraço do assaltante. Apalpou seus ferimentos. Nada quebrado. Voltou a atenção para os demais.

Richard obrigara o ladrão a se estirar no chão e estava com um pé sobre suas omoplatas e a ponta da espada na nuca. Jonathan segurava os dois cavalos remanescentes e parecia desnorteado.

Philip levantou-se num movimento súbito, mas sentindo-se fraco.

Quando eu tinha a idade de Jonathan, pensou, podia cair do cavalo – e montar de novo imediatamente.

– Se ficar de olho neste ladrãozinho barato – disse Richard –, pegarei seu cavalo. – E ofereceu a espada ao prior.

– Está bem – concordou Philip, afastando a arma com um gesto. – Mas não vou precisar disso.

Richard hesitou, e em seguida embainhou a espada. O ladrão ficou imóvel. Suas pernas eram finas como palitos, e da mesma cor; estava descalço. Philip não tinha chegado a correr nenhum risco: aquele pobre-diabo estava fraco demais até mesmo para torcer o pescoço de uma galinha. Richard saiu em busca do cavalo do prior. O atacante viu o rapaz afastar-se, e seu corpo ficou tenso. Philip percebeu que estava prestes a tentar fugir. Deteve-o com uma pergunta.

– Gostaria de comer alguma coisa?

O ladrão levantou a cabeça e olhou para o religioso como se o achasse louco.

Philip caminhou até o cavalo de Jonathan e abriu um alforje. Pegou um pão, partiu-o ao meio e ofereceu metade ao assaltante. O homem agarrou o pão, incrédulo, e enfiou-o quase todo na boca.

O prior sentou-se no chão, observando-o. O homem comia como um animal, tentando engolir o máximo possível antes que pudessem tirar-lhe o alimento.

A princípio Philip pensara tratar-se de um velho, mas agora que podia observá-lo melhor percebeu que o fora da lei era jovem, cerca de vinte e cinco anos.

Richard voltou, puxando o cavalo de Philip. Indignou-se ao ver o ladrão sentado, comendo.

– Por que lhe deu nossa comida? – perguntou ao prior.

– Porque ele está faminto – respondeu Philip.

Richard nada disse, mas percebia-se por sua expressão que achava os monges malucos.

– Qual é o seu nome? – perguntou o prior, após o homem ter comido o pedaço de pão.

Ele hesitou, cautelosamente. Philip teve a impressão de que havia algum tempo que não falava com outro ser humano. Finalmente respondeu:

– David.

Pelo menos não estava louco, pensou Philip.

– O que aconteceu a você, David? – perguntou.

– Perdi minha fazenda depois da última safra.

– De quem arrendava a fazenda?

– Do conde de Shiring.

William Hamleigh. O prior não se surpreendeu.

Milhares de fazendeiros não tinham conseguido pagar o aluguel de suas terras após três safras ruins. Quando isso acontecia com Philip, ele simplesmente perdoava a dívida, já que, de qualquer modo, se as pessoas perdessem tudo acabariam indo ao priorado implorar caridade. Outros proprietários, destacando-se o conde William, aproveitavam-se da crise para expulsar seus posseiros e reapossar-se de suas fazendas. O resultado foi um grande aumento no número dos fora da lei refugiados nas florestas, assaltando viajantes. Era por isso que Philip precisava levar Richard para toda parte, como guarda-costas.

– E a sua família? – perguntou Philip ao ladrão.

– Minha mulher pegou o bebê e voltou para a casa da mãe. Mas não havia lugar para mim.

Uma história corriqueira.

– É pecado atacar um monge, David, e é errado viver de furtos.

– Mas como poderei viver? – exclamou o homem.

– Se vai ficar na floresta é melhor que pegue aves e pesque.

– Não sei caçar nem pescar!

– Você é um fracasso como ladrão – disse o prior. – Que chance de sucesso tinha, sem arma, sozinho contra nós três, e com Richard armado até os dentes?

– Eu estava desesperado.

– Bem, na próxima vez em que ficar desesperado, vá a um mosteiro. Sempre há alguma coisa para um pobre comer. – Philip levantou-se. Sentia na boca o gosto amargo da hipocrisia. Sabia que os mosteiros não tinham condições de alimentar todos os fora da lei. Para a maioria não restava mesmo outra alternativa senão roubar. Mas seu papel era aconselhar a vida virtuosa, e não arranjar desculpas para o pecado.

Não havia mais nada que pudesse fazer por aquele pobre coitado.

Pegou as rédeas do seu cavalo das mãos de Richard e montou. Percebeu que os ferimentos resultantes da queda iriam doer por algum tempo.

— "Siga seu caminho e não peque mais" – disse, citando Jesus.

Depois tocou o cavalo.

— Você é muito bom – disse Richard, quando se afastaram. Philip sacudiu a cabeça tristemente.

— O problema verdadeiro é que não sou o bastante.

No domingo que antecedia a festa de Pentecostes, William Hamleigh se casou.

Foi ideia de sua mãe.

Regan o vinha importunando há anos para encontrar uma mulher e providenciar um herdeiro, mas ele sempre adiava. As mulheres entediavam-no e, de um modo que não compreendia e no qual não queria pensar, deixavam-no ansioso. Vivia dizendo à sua mãe que logo se casaria, mas nunca fazia nada para isso.

Ela acabou por encontrar uma noiva para ele.

Chamava-se Elizabeth, e era filha de Harold de Weymouth, um cavaleiro rico, poderoso partidário de Estêvão. Como Regan explicara ao filho, com um pouco de esforço ele poderia ter conseguido um melhor partido – até mesmo a filha de um conde –, mas como não se interessava pelo assunto, Elizabeth serviria.

William a vira na corte do rei em Winchester, e Regan reparara que seu olhar se fixara nela. Tinha o rosto bonito, cabelo cacheado castanho-claro, busto grande e quadris estreitos – exatamente o tipo de William.

A garota estava com catorze anos. Quando William a vira, imaginara encontrando-a numa noite escura e possuindo-a à força nas vielas de Winchester: casamento fora uma coisa que não passara pela sua cabeça. No entanto, sua mãe rapidamente descobriu que o pai dela estava de acordo, e que Elizabeth era uma filha obediente que faria o que lhe ordenassem. Tendo assegurado a William que não haveria uma repetição do ultraje que Aliena impusera à família, Regan arranjara um encontro.

O conde sentira-se nervoso. A última vez que fizera aquilo não passava de um rapaz inexperiente de vinte anos de idade, filho de um cavaleiro, encontrando-se com uma arrogante jovem dama da nobreza. Mas agora era um homem com experiência de muitos combates e já fazia dez anos que era o conde de Shiring. Tolice ficar nervoso por causa de um encontro com uma garota de catorze anos.

Só que ela estava mais nervosa ainda. E também desesperada para agradar-lhe. Falou excitadamente sobre sua casa e sua família, seus cavalos e cachorros, parentes e amigos. William permaneceu sentado silenciosamente, observando-lhe o rosto, imaginando como seria nua.

O bispo Waleran os casou na capela de Earlscastle, e houve um grande banquete que durou o resto do dia. Pelo costume, todas as pessoas eminentes do condado deviam ser convidadas, e William passaria vergonha se não servisse um farto banquete. Assaram três bois inteiros e dúzias de carneiros e de porcos, e os convidados esvaziaram as adegas do castelo, embebedando-se com cerveja, sidra e vinho. A mãe de William presidiu as festividades com um ar de triunfo no rosto desfigurado. O bispo Waleran achava aquelas celebrações vulgares desagradáveis, e saiu quando o tio da noiva começou a contar histórias engraçadas sobre recém-casados.

A noiva e o noivo retiraram-se para seus aposentos ao cair da noite, deixando os convidados se regalando. William já comparecera a um número suficiente de casamentos para saber o que passava pela cabeça dos convidados mais moços, de modo que colocou Walter do lado de fora do quarto e trancou a porta para impedir interrupções.

Elizabeth tirou a túnica e os sapatos, e ficou só com a camisa de linho.

– Não sei o que fazer – disse, com simplicidade. – Você terá que me mostrar.

Aquilo não era bem o que William imaginara. Aproximou-se dela. Ergueu-lhe o rosto e beijou seus lábios suaves. De alguma forma, o beijo não gerou nenhum calor.

– Tire a camisa e deite-se na cama – disse ele.

Ela puxou a camisa por cima da cabeça. Era bem roliça. Os seios grandes tinham minúsculos mamilos recolhidos. Uma penugem clara cobria-lhe o púbis. Obedientemente, ela caminhou até a cama e deitou-se de costas.

William livrou-se das botas. Sentou-se na cama ao seu lado e apertou-lhe os seios. Sua pele era macia. Aquela garota meiga, submissa e sorridente não tinha nada a ver com a imagem que fizera sua garganta secar, de uma mulher nas garras da paixão, gemendo e suando embaixo dele, e William sentiu-se frustrado.

Pôs a mão entre suas coxas, e a garota abriu as pernas imediatamente. Enfiou um dedo dentro de Elizabeth, que gemeu de dor, mas disse depressa:

– Está bem, não me incomodo.

Ele perguntou-se por um instante se não estaria procedendo de um modo completamente errado. Teve uma visão momentânea de uma cena diferente, em que os dois se deitavam lado a lado, acariciando-se e conversando, conhecendo-se aos poucos. No entanto, afinal sentiu uma pontada de desejo, quando Elizabeth gemeu de dor. Deixou de lado as dúvidas e meteu o dedo com mais força. Ficou observando seu rosto enquanto ela lutava para suportar a dor em silêncio.

Ajoelhou-se entre suas pernas. Não estava ainda totalmente excitado. Esfregou-se para ver se o pênis ficava mais ereto, mas o efeito foi pequeno. Era aquele maldito sorriso dela que o deixava impotente, tinha certeza. Enfiou dois dedos, e a garota deu um gritinho de dor. Assim era melhor. Então a cadela idiota começou a sorrir de novo. Ele percebeu que tinha de arrancar aquele sorriso da sua cara. Esbofeteou-a com força. Ela gritou, e seu lábio começou a sangrar. Assim era muito melhor.

Atingiu-a de novo.

Elizabeth começou a chorar.

Tudo deu certo.

No domingo seguinte era a festa de Pentecostes, quando uma imensa multidão compareceria à catedral. O bispo Waleran presidiria a cerimônia. Haveria ainda mais gente que o normal, porque todos estavam querendo ver os novos transeptos, recentemente concluídos. Diziam que eram deslumbrantes. William exibiria sua noiva ao povo do condado naquele culto. Não ia a Kingsbridge desde que tinham construído a muralha, mas Philip não podia impedi-lo de ir à igreja.

Dois dias antes de Pentecostes, sua mãe morreu.

Regan contava cerca de sessenta anos. Foi tudo repentino. Sentiu falta de ar após o jantar, na sexta-feira, e deitou-se cedo. Sua criada acordou William um pouco antes do amanhecer, para dizer-lhe que sua mãe estava passando mal. Ele levantou-se e, aos tropeções, dirigiu-se ao quarto dela, esfregando o rosto. Encontrou-a arquejando horrivelmente, sem conseguir respirar, incapaz de proferir uma palavra sequer, com uma expressão de terror nos olhos.

William ficou assustado com sua respiração convulsiva, que lhe sacudia o corpo, e com seu olhar fixo. Não tirava os olhos de cima dele, como se esperasse que fizesse alguma coisa. O conde ficou tão atemorizado que decidiu ir embora, e virou-se; então viu a criada à porta e teve vergonha de sua reação. Obrigou-se a olhar para sua mãe de novo. O rosto dela parecia mudar de forma continuamente à luz bruxuleante de uma vela. Sua respiração rouca e entrecortada foi ficando cada vez mais alta, até que pareceu encher toda a cabeça de William. Ele não podia entender como aquilo não acordava todo o castelo. Pôs as mãos nos ouvidos, para ver se se livrava do barulho, mas não adiantou, continuou ouvindo tudo. Era como se ela estivesse gritando com ele, do modo como fazia quando era garoto, um ataque destemperado de raiva; seu rosto também parecia furioso, a boca aberta, os olhos arregalados, o cabelo despenteado. A convicção de que estava exigindo alguma coisa aumentou, e ele se sentiu cada vez menor e mais jovem, até que se viu dominado por um terror cego que não sentia desde a infância, um terror que vinha de saber que a única pessoa a quem amava era um monstro furioso. Sempre fora assim; ela mandava que ele se aproximasse, ou se afastasse, ou fosse apanhar seu pônei, ou desse o fora; ele custava a obedecer, e ela gritava; depois ele ficava tão apavorado que não conseguia entender o que ela queria que fizesse; então havia um impasse histérico, com ela gritando cada vez mais alto e ele ficando cada vez mais cego, surdo e mudo de pavor.

Mas dessa vez foi diferente.

Dessa vez ela morreu.

Primeiro seus olhos se fecharam. William começou a se acalmar. Gradualmente a respiração dela foi ficando mais leve. O rosto adquiriu um tom acinzentado, a despeito da ulceração da pele. Até mesmo a vela deu a impressão de passar a arder mais devagar, e as sombras oscilantes já não amedrontaram William. Por fim ela simplesmente parou de respirar.

– Pronto – disse o conde –; ela está bem agora, não está?

A criada desatou a chorar.

William sentou-se na beirada da cama olhando o rosto imóvel da mãe. A criada trouxe o padre.

– Por que não me chamou mais cedo? – perguntou ele, furioso.

William praticamente não o ouviu. Permaneceu com ela até o sol nascer; então as criadas pediram que saíssem para que pudessem "prepará-la". Desceu para o salão, onde os habitantes do castelo – cavaleiros, homens de armas, clérigos e criados – faziam um moderado desjejum. Sentou-se à mesa ao lado da sua jovem mulher e bebeu um pouco de vinho. Um ou dois dos cavaleiros e o mordomo se dirigiram a ele, mas o conde não respondeu. Após algum tempo Walter entrou e sentou-se ao seu lado. Estava com ele há muitos anos e sabia quando devia guardar silêncio.

– Os cavalos estão prontos? – perguntou William, ao cabo de alguns minutos.

Walter pareceu surpreso.

– Para quê?

– Para a viagem a Kingsbridge. Leva dois dias. Temos que partir esta manhã.

– Não pensei que fôssemos, dadas as circunstâncias...

Por algum motivo aquilo enfureceu William.

– Eu disse que não iríamos?

– Não, milorde.

– Então vamos!

– Sim, milorde. – Walter levantou-se. – Providenciarei tudo imediatamente.

Partiram no meio da manhã, William, Elizabeth e a escolta habitual de cavaleiros e criados. O conde tinha a impressão de estar num sonho. A paisagem parecia deslocar-se e passar por ele, e não o contrário. Elizabeth cavalgava ao seu lado, quieta e magoada. Quando paravam, Walter cuidava de tudo. Em cada refeição William comia um pouco de pão e bebia diversos copos de vinho. De noite, seu sono foi irrequieto.

Viram a catedral a distância, atrás dos campos verdes, quando se aproximaram de Kingsbridge. A catedral antiga era uma construção atarracada e larga, com pequenas janelas que lembravam olhos de contas sob sobrancelhas arqueadas. A nova igreja era radicalmente diferente, muito embora ainda não estivesse acabada. Alta e esguia, com janelas tão grandes que pareciam impossíveis. Ao se aproximarem mais, William viu que ultrapassava em muito a altura dos demais prédios do priorado, como a antiga catedral nunca fizera.

A estrada estava cheia de cavaleiros e pedestres, todos se dirigindo a Kingsbridge: a festa de Pentecostes era muito popular, pois se realizava no início do verão, quando o tempo estava bom e as estradas, secas. Naquele ano havia mais gente que o normal: as pessoas haviam sido atraídas pela novidade da catedral.

William e seu grupo venceram a última milha em galope curto, dispersando pedestres incautos, e atravessaram ruidosamente a ponte levadiça de madeira que cruzava o rio. Kingsbridge era agora uma das cidades mais fortificadas da Inglaterra. Tinha um sólido muro de pedra provido de ameias, e ali, onde antes a ponte levava direto à rua principal, o caminho fora barrado por uma barbacã de pedra com portas guarnecidas de ferro muitíssimo pesadas, e que, se naquela hora estavam abertas, sem a menor dúvida eram fechadas à noite. Não creio que eu consiga incendiar de novo esta cidade, pensou William vagamente.

As pessoas o olhavam, enquanto ele subia a rua principal na direção do priorado. Era natural, claro; William era o conde. Todos estavam interessados também na jovem noiva que cavalgava do seu lado esquerdo. À direita ia Walter, como sempre.

Entraram no adro e desmontaram junto ao estábulo. William deixou o cavalo com Walter e foi olhar a igreja. A extremidade leste, a parte superior da cruz, ficava do outro lado e portanto não era visível dali. O lado oeste, a parte inferior da cruz, ainda não estava construído, mas sua forma fora delineada no chão com estacas e cordas, e algumas das fundações já tinham sido lançadas. Entre um e outro ficava a parte nova, os braços da cruz – os transeptos norte e sul –, com o espaço entre eles que era chamado de "cruzeiro". As janelas eram mesmo tão grandes quanto haviam parecido a distância. William nunca vira um edifício como aquele na sua vida.

– É fantástico – disse Elizabeth, rompendo seu silêncio submisso.

Ele arrependeu-se de não tê-la deixado em casa.

Um tanto intimidado, subiu lentamente a nave, por entre as linhas de estacas e cordas, com Elizabeth atrás de si. O primeiro intercolúnio da nave fora parcialmente construído, e parecia sustentar o imenso arco ogival que formava a entrada oeste do cruzeiro. O conde passou por baixo daquele arco incrível e foi se juntar à multidão que se encontrava no cruzeiro.

O novo prédio parecia quase irreal: era demasiado alto, esguio, gracioso e frágil para ficar de pé. Como se não tivesse paredes, nada para sustentar o teto a não ser uma fileira de pilares altos e delgados que se lançavam eloquentemente para cima. Como todos que o cercavam, William esticou o pescoço a fim de olhar para cima, e viu que os pilares continuavam no teto curvo para se encontrarem na parte mais alta do teto, como uma abóbada formada pelos galhos de velhas árvores na floresta.

A missa teve início. O altar fora instalado na parte mais próxima do coro, com os monges na parte de trás, de modo que o cruzeiro e os dois transeptos ficaram disponíveis para os fiéis, mas mesmo assim muitas pessoas tiveram de ficar na nave por construir. William abriu caminho até a frente, como era sua prerrogativa, e deteve-se perto do altar, com os outros nobres do condado, que o cumprimentaram, balançando a cabeça, e cochicharam entre si.

O teto de madeira pintada do velho coro estava desgraciosamente justaposto ao alto arco leste do cruzeiro. Sem dúvida, o construtor tencionava no futuro demolir o coro e reconstruí-lo em harmonia com o novo estilo.

Um momento depois que esse pensamento passou pela cabeça de William, seu olhar se deteve no construtor em questão, Jack. Era um rapaz muito bonito, com sua cabeleira ruiva; usava uma túnica vermelho-escura, bordada na bainha e na gola, exatamente como um nobre. Parecia bastante satisfeito consigo próprio, sem dúvida por ter construído os transeptos tão depressa e por ver que todos estavam assombrados com o seu projeto. Segurava a mão de um menino de uns nove anos que era a sua cara. William constatou, com um choque, que devia ser o filho de Aliena, e sentiu uma pontada dolorida de inveja. Um momento depois viu a própria Aliena. Estava ao lado de Jack, mas um pouco atrás, com um tímido sorriso de orgulho nos lábios. O coração do conde bateu mais depressa: estava linda como sempre. Elizabeth era uma mera substituta, uma pobre imitação da verdadeira Aliena. Nos seus braços, havia uma garotinha de cerca de sete anos, e William lembrou que ela tivera uma segunda criança de Jack, embora não fossem casados.

Examinou-a mais detidamente. Não estava tão bonita quanto antes, afinal: havia rugas de tensão em torno dos seus olhos, e seu sorriso escondia uma ponta de tristeza. Depois de todos aqueles anos ainda não podia desposar Jack, pensou William, satisfeito: o bispo Waleran mantivera sua promessa e repetidamente negara a anulação. Esse pensamento, com frequência, consolava William.

Era Waleran, constatou no mesmo momento, quem estava no altar, erguendo a hóstia acima da cabeça para que toda a congregação pudesse vê-la. Centenas de pessoas ajoelharam-se. O pão se transmudou em Cristo naquele instante, uma transformação que assombrava William mesmo que não tivesse ideia do que estava envolvido nela.

Concentrou-se na missa por algum tempo, observando os gestos místicos dos padres, ouvindo as frases latinas sem sentido e murmurando fragmentos familiares das respostas. A sensação de atordoamento que o acompanhara no último dia persistiu, e a mágica igreja nova, com a luz do sol brincando em suas colunas impossíveis, servia para intensificar a sensação de que vivia um sonho.

A missa chegou ao fim. O bispo Waleran virou-se para dirigir-se à congregação.

– Rezaremos agora pela alma da condessa Regan Hamleigh, mãe do conde William de Shiring, que morreu na noite de sexta-feira.

Houve um zumbido de comentários quando o povo ouviu a notícia, mas William estava com os olhos fixos no bispo, horrorizado. Percebera finalmente o que sua mãe tentava dizer enquanto morria. Estava pedindo um padre... *mas William não mandara buscá-lo.* Ele a vira perder as forças, seus olhos se fecharem, sua respiração parar, e deixara que morresse sem ser absolvida. Como fora capaz de uma coisa dessas? Desde a noite de sexta-feira sua alma estava no inferno, sofrendo os tormentos que lhe descrevera tão vivamente inúmeras vezes, sem preces que lhe trouxessem alívio! Cheio de culpa, sentiu o coração confranger-se de tal forma que teve a impressão de que o ritmo de suas batidas se reduzia, e por um momento achou que também morreria. Como deixara que fosse se consumir naquele lugar tão terrível, com a alma tão desfigurada por pecados quanto o rosto pela doença, enquanto ansiava pela paz do céu?

– O que vou fazer? – perguntou em voz alta, fazendo as pessoas à sua volta o fitarem espantadas.

Quando a prece terminou e os monges se retiraram um atrás do outro, William permaneceu de joelhos ante o altar. O resto da congregação espalhou-se ao sol, ignorando-o, com exceção de Walter, que ficou próximo, observando e esperando. O conde rezou com toda a sua força, conservando a imagem da mãe na cabeça, enquanto repetia o padre-nosso, e todos os outros fragmentos de orações de que podia se lembrar. Após algum tempo, deu-se conta de que havia outras coisas a seu alcance. Podia acender velas; podia pagar a padres e monges para dizer missas por ela regularmente; podia até mesmo mandar construir uma capela especial pela sua alma. Mas tudo em que pensava parecia insuficiente. Era como se pudesse vê-la, sacudindo a cabeça, magoada e desapontada com ele, perguntando: "Por quanto tempo você deixará sua mãe sofrer?"

William sentiu a mão de alguém no ombro e levantou a cabeça.

Waleran parou na frente dele, ainda envergando o suntuoso hábito vermelho que usara para a festa de Pentecostes. Seus olhos negros se detiveram nos do conde, e este sentiu que não era possível guardar segredos para aquele olhar penetrante.

– Por que chora? – perguntou o bispo.

William percebeu que seu rosto estava molhado de lágrimas.

– Onde ela está? – perguntou.

– Ela morreu para ser purificada pelo fogo.

– Sofre?

– Terrivelmente. Mas podemos fazer com que a alma das pessoas a quem amamos saia mais depressa daquele lugar horrível.
– Farei qualquer coisa! – exclamou William. – Basta que me diga o que fazer!
Os olhos de Waleran brilharam de cobiça.
– Construa uma igreja – disse. – Exatamente como esta. Mas em Shiring.

Uma verdadeira fúria se apossava de Aliena sempre que ela viajava pelas propriedades que tinham feito parte do condado do seu pai.

As valas bloqueadas, cercas quebradas e currais desmantelados a irritavam; os campos estragados a deixavam triste; e as aldeias desertas partiam-lhe o coração. Não eram só as más colheitas. O condado poderia ter alimentado seus habitantes, inclusive naquele ano, se a administração houvesse sido correta. Mas William Hamleigh não tinha noção de como administrar a terra. Para ele, o condado era uma arca do tesouro que lhe pertencia, e não uma propriedade que alimentava milhares de pessoas. Quando seus servos não tinham comida, morriam de fome. Quando seus rendeiros não lhe podiam pagar, ele os expulsava das suas terras. Desde que se tornara conde a área cultivada diminuíra de tamanho, porque as terras de alguns rendeiros expulsos haviam retornado ao seu estado natural. E ele não tinha cérebro para ver que aquilo, a longo prazo, não era do seu interesse.

O pior era que Aliena se sentia parcialmente responsável. A propriedade era de seu pai, e ela e Richard não haviam conseguido recuperá-la para a família. Desistiram quando William se tornara conde e Aliena perdera todo o seu dinheiro; o fracasso, porém, ainda envenenava seu espírito, e ela não esquecera a promessa feita ao pai.

Na estrada de Winchester para Shiring, com uma carroça cheia de fio e um carroceiro musculoso de espada na cinta, lembrou-se de quando percorria a mesma estrada, a cavalo, com o pai. Ele aumentava constantemente a área cultivada, derrubando florestas, drenando pântanos ou arando encostas de colinas. Nos anos ruins sempre punha de lado sementes para suprir as necessidades daqueles que eram imprevidentes demais – ou apenas muito famintos – para guardar as suas. Nunca forçava ninguém a vender seus animais ou arados para pagar as dívidas, pois sabia que, se o fizessem, não poderiam cultivar a terra no ano seguinte. Tratara a terra bem, conservando sua capacidade de produção, do modo como um bom fazendeiro cuida de sua vaca leiteira.

Sempre que pensava nos velhos tempos, no pai orgulhoso, inteligente e rígido ao seu lado, sentia a dor da perda como uma ferida. A vida começara a dar errado quando ele fora levado embora. Tudo o que fizera desde então parecia, em retrospectiva, ter sido sem valor: viver no castelo com Matthew, num mundo de sonho; ir a Winchester na vã esperança de ver o rei; até mesmo lutar para sustentar Richard enquanto ele combatia na guerra civil. Conseguira aquilo que as outras pessoas viam como sucesso: tornara-se uma próspera mercadora de lã. Mas isso lhe trouxera apenas uma aparência de felicidade. Encontrara um modo de viver e um lugar na sociedade que lhe conferiam segurança e estabilidade, mas no íntimo ainda se sentia magoada e perdida – até que Jack aparecera em sua vida.

A impossibilidade de desposá-lo frustrara tudo desde então. Viera a odiar o prior Philip, a quem antes admirava e via como seu salvador e mentor. Não conversava alegre e amavelmente com ele há anos. Claro que Philip não tinha culpa por não conseguir a anulação; porém, fora ele quem insistira para que morassem separados, e Aliena não podia deixar de se ressentir com isso.

Amava os filhos, mas se preocupava com eles, sendo criados numa casa tão diferente, com um pai que ia embora na hora de dormir. Até então, por sorte, não exibiam consequências daninhas: Tommy era um menino forte e bonito que gostava de futebol, de correr e de brincar de soldado; e Sally, uma menina meiga e gentil, que contava histórias para as bonecas e adorava ver o pai desenhando. Suas necessidades constantes e a simplicidade do seu amor eram o único elemento solidamente normal na vida excêntrica de Aliena.

Ainda tinha o seu trabalho, claro. Vinha trabalhando como comerciante a maior parte de sua vida adulta. Atualmente dúzias de homens e mulheres em diversas aldeias estavam fiando e tecendo para ela em suas casas. Alguns anos antes eram centenas, mas sentia agora os efeitos da crise como todos os outros, e não adiantava fabricar mais pano do que era capaz de vender. Mesmo que houvesse se casado com Jack ainda ia querer ter seu próprio trabalho independente.

O prior Philip vivia dizendo que a anulação poderia ser concedida a qualquer dia, mas Aliena e Jack já estavam suportando aquela vida irritante por sete longos anos, comendo juntos, criando os filhos e dormindo separados.

Sentia a tristeza de Jack mais dolorosamente que a própria. Ela o adorava. Ninguém sabia quanto o amava, exceto talvez a mãe dele, Ellen, que a tudo acompanhara. Aliena o amava porque ele a trouxera de volta à vida. Até Jack ela fora uma lagarta num casulo – ele a tirara lá de dentro e lhe mostrara que era uma borboleta. Teria passado a vida inteira indiferente às alegrias e dores do amor se ele não houvesse aparecido na sua clareira secreta e lhe contado suas canções de gesta e a beijado tão delicadamente, despertando depois, lenta e gentilmente, o amor que jazia adormecido no seu coração. Fora paciente e tolerante, apesar de sua juventude. Por causa disso sempre o amaria.

Ao atravessar a floresta, perguntou-se se por acaso encontraria Ellen. Eles a viam ocasionalmente, na feira em uma das cidades, e cerca de uma vez por ano ela se esgueirava para o interior de Kingsbridge e passava a noite com os netos. Aliena sentia afinidade com Ellen: as duas eram diferentes, mulheres que não se ajustavam ao molde comum. Entretanto, saiu da floresta sem tê-la visto.

Enquanto percorria as terras plantadas, observava a safra que amadurecia no campo. Seria uma boa safra, segundo sua estimativa. O verão não fora bom, pois chovera um pouco e fizera frio. Mas não tinha havido as inundações e as pragas responsáveis pela perda das três últimas colheitas. Aliena ficou satisfeita. Havia milhares de pessoas vivendo à beira da inanição, e outro mau inverno mataria a maior parte delas.

Parou para dar água aos bois num tanque no meio de uma vila chamada Monksfield, que era parte da propriedade do conde. Era um lugar razoavelmente grande, cercado por terras que estavam entre as mais férteis do condado, e tinha seu próprio padre e uma igreja de pedra. No entanto, somente metade dos campos que cercavam Monksfield fora plantada naquele ano. Cobriam-se agora de trigo dourado, enquanto o resto era só mato verde.

Dois outros viajantes pararam no reservatório de água para saciar a sede dos cavalos. Aliena observou cautelosamente. Às vezes era bom se juntar a outras pessoas, para proteção mútua; mas também podia ser arriscado, para uma mulher. Aliena descobrira que um homem como o seu carroceiro estava perfeitamente disposto a fazer o que ela lhe ordenasse quando se encontravam sozinhos, mas se houvesse outros homens presentes seria bem possível que se insubordinasse.

No entanto, um dos dois viajantes era mulher. Aliena examinou-a mais detidamente e revisou a primeira ideia. Não era uma *mulher*, e sim uma *garota*. Reconheceu-a. Ela a vira na Catedral de Kingsbridge no domingo de Pentecostes. Era a condessa Elizabeth, mulher de William Hamleigh.

Seu aspecto era de quem sofria muito e se sentia acovardada.

Com ela encontrava-se um grosseiro homem de armas, obviamente seu guarda-costas. Esse poderia ter sido meu destino, pensou Aliena, se tivesse me casado com William. Graças a Deus me rebelei.

O homem de armas balançou a cabeça cumprimentando o carroceiro e ignorou Aliena. Ela decidiu não sugerir que viajassem juntos.

Enquanto descansavam, o céu escureceu e começou a soprar um vento forte.

– Tempestade de verão – disse o carroceiro de Aliena laconicamente.

– É melhor ficarmos um pouco aqui – disse a jovem condessa para seu guarda-costas.

– Não podemos – retrucou ele bruscamente. – Ordens do chefe. Aliena sentiu-se ultrajada ao ouvir o homem falar com a garota daquele jeito.

– Não seja tolo! – exclamou ela. – Sua obrigação é proteger a sua senhora!

O guarda olhou-a espantado.

– O que você tem com isso? – disse rudemente.

– Vai cair uma tempestade, seu idiota – disse Aliena, em sua voz mais aristocrática. – Não se pode pedir a uma dama que viaje com um tempo desses. O seu amo o açoitará por sua estupidez. – Virou-se para a condessa Elizabeth. A garota a fitava ansiosamente. Era visível sua satisfação por ver alguém enfrentando o truculento homem de armas. Começou a chover intensamente. Aliena tomou uma decisão rápida. – Venha comigo – disse para Elizabeth.

Antes que o homem pudesse fazer qualquer coisa, ela pegou a garota pela mão e se afastou. A condessa a acompanhou de bom grado, sorrindo como uma criança quando sai da escola. Aliena achou que o homem de armas poderia segui-las e levá-la, mas naquele momento houve um relâmpago e a chuva se transformou numa tempestade. Aliena pôs-se a correr, puxando Elizabeth, e assim, juntas, as duas atravessaram o cemitério e se dirigiram a uma casa de madeira do lado da igreja.

A porta estava aberta. Elas entraram, ainda correndo. Aliena presumira que devia ser a casa do padre, e estava certa. Um homem com ar mal-humorado, de túnica preta e com uma pequena cruz pendurada ao pescoço, levantou-se.

Aliena sabia que o dever da hospitalidade era um fardo pesado para muitos padres, sobretudo naqueles tempos. Antecipando resistência, disse firmemente:

– Meus companheiros e eu precisamos de abrigo.

– Sejam bem-vindos – disse o padre, por entre os dentes cerrados.

Era uma casa de dois cômodos, com uma meia-água ao lado para os animais. Não era muito limpa, apesar de os animais ficarem do lado de fora. Havia um barril de vinho em cima da mesa. Um cachorrinho latiu agressivamente para elas quando se sentaram.

Elizabeth apertou o braço de Aliena.

– Muito obrigada – disse. Havia lágrimas de gratidão nos seus olhos. – Ranulf me teria feito prosseguir. Ele nunca me ouve.

– Não foi nada – disse Aliena. – Esses grandalhões no fundo são covardes. – Examinou Elizabeth e percebeu, horrorizada, que a pobre garota parecia consigo. Já era bastante ruim ser mulher de William; mas ser sua segunda escolha devia ser o inferno na Terra.

Elizabeth apresentou-se.

– Sou Elizabeth de Shiring. Quem é você?

– Meu nome é Aliena. Sou de Kingsbridge. – Aliena conteve a respiração, sem saber se Elizabeth reconheceria o nome e se lembraria de que se tratava da mulher que rejeitara William Hamleigh.

Mas Elizabeth era jovem demais para se lembrar do escândalo, e limitou-se a dizer:

– Que nome diferente!

Uma mulher desmazelada, de rosto comum e braços gordos e nus veio do quarto dos fundos, com um ar de desafio, e ofereceu um copo de vinho. Aliena supôs que fosse a mulher do padre. Ele provavelmente a chamaria de governanta, já que o casamento clerical era proibido, em teoria. As mulheres de padres causavam intermináveis problemas. Obrigar o religioso a expulsar sua mulher era uma crueldade, e geralmente trazia vergonha para a Igreja. E embora muita gente afirmasse, de um modo geral, que os padres deviam ser castos, a atitude adotada nesses casos costumava ser de tolerância, justamente porque as pessoas conheciam a mulher. E a Igreja fingia não ver ligações como estas. Aliena pensou: Seja agradecida, mulher; pelo menos você está vivendo com o seu homem.

O homem de armas e o carroceiro entraram, com o cabelo molhado. Ranulf parou diante de Elizabeth.

– Não podemos parar aqui – disse ele.

Para surpresa de Aliena, Elizabeth cedeu na mesma hora.

– Está bem – disse, levantando-se.

– Sente-se – disse a outra, puxando-a. Ela parou diante de Ranulf e sacudiu o dedo na sua cara. – Se eu ouvir sua voz outra vez, chamarei os aldeões para virem em socorro da condessa de Shiring. Se não sabe como tratar sua senhora, eles sabem muito bem.

Ela viu Ranulf pesando as possibilidades. Em caso de confronto, ele era capaz de dar um jeito em Elizabeth e Aliena, no carroceiro e também no padre; porém, estaria encrencado se os aldeões acudissem.

– Talvez a condessa *prefira* continuar a viagem – acabou por dizer, e olhou para Elizabeth agressivamente.

A garota pareceu ficar aterrorizada.

– Bem – disse Aliena –, senhora condessa, Ranulf humildemente deseja saber sua vontade.

Elizabeth olhou para ela.

– Diga-lhe o que quer – insistiu Aliena encorajadoramente. A obrigação dele é fazer a sua vontade.

A atitude de Aliena deu-lhe coragem. Elizabeth respirou fundo e disse:

– Descansaremos aqui. Vá providenciar o que for necessário para os cavalos, Ranulf.

Ele resmungou sua concordância e saiu.

– Vai chover o diabo – disse o carroceiro.

O padre fechou a cara ao ouvir a expressão profana.

– Tenho certeza de que será a chuva costumeira – disse, numa voz afeminada.

Aliena não pôde conter uma risada, e Elizabeth riu também.

A impressão que teve foi de que a garota não ria com frequência.

O barulho da chuva se transformou num tamborilar ruidoso.

Aliena deu uma olhada pela porta aberta. A igreja ficava a poucas jardas, mas já não podia ser vista. Ia ser um temporal e tanto.

– Você deixou a carroça coberta? – perguntou Aliena ao carroceiro.

Ele fez que sim.

– Com os animais.

– Ótimo. Não quero meu fio emaranhado pela água.

Ranulf voltou, encharcado.

Houve um clarão de relâmpago seguido por um demorado estrondo de trovão.

— Isto não fará bem nenhum à safra — disse o padre lugubremente. Ele tinha razão, pensou Aliena. O que precisavam era de três semanas de sol quente.

Seguiu-se outro relâmpago e um trovão ainda mais demorado, e uma rajada de vento sacudiu a casa de madeira. Aliena sentiu água fria na cabeça e olhou para cima — era uma goteira no telhado de palha. Mudou de lugar para sair de baixo dela. A chuva entrava pela porta, mas ninguém parecia querer fechá-la; Aliena preferia contemplar o temporal, e, ao que parece, os outros se sentiam do mesmo modo.

Olhou para Elizabeth. A garota estava lívida. Aliena passou um braço pelos seus ombros. Ela estava trêmula, embora não estivesse fazendo frio. Aliena abraçou-a.

— Estou amedrontada — sussurrou Elizabeth.

— É só uma tempestade — retrucou a outra.

Escureceu muito do lado de fora. Aliena achou que devia estar quase na hora da ceia; percebeu então que ainda não almoçara. Só era meio-dia. Levantou-se e foi até a porta; o céu estava cinzento. Nunca vira um tempo daqueles no verão. O vento soprava com força. Um relâmpago iluminou numerosos objetos soltos ao passar pela porta: um cobertor, um arbusto, uma tigela de madeira, um barril vazio.

Aliena voltou, com a expressão sombria. Estava ficando preocupada. A casa sacudiu de novo. O mastro central que sustentava a cumeeira estava vibrando. Se uma das casas mais bem construídas na aldeia não era segura, refletiu, algumas das mais pobres deviam estar em perigo de ruir. Olhou para o padre.

— Se piorar vamos ter que convocar os aldeões para que se abriguem na igreja — disse.

— Não vou sair nessa chuva — respondeu o padre, com uma risadinha.

Aliena o fitou incredulamente.

— Eles são o seu rebanho — disse. — Você é o seu pastor.

O padre a encarou insolentemente.

— Obedeço ao bispo de Kingsbridge e não a você, e não vou bancar o idiota só porque quer.

— Pelo menos traga os bois do arado — insistiu Aliena. Os bens mais preciosos de uma aldeia eram os oito bois que puxavam o arado. Sem eles os camponeses não podiam cultivar a terra. Nenhum camponês sozinho podia ter uma junta de bois — tinha que ser propriedade comum. O padre certamente saberia dar valor aos animais, já que sua prosperidade dependia deles.

— Nós não temos bois para o arado — disse o padre.

Aliena ficou estupefata.

— Por quê?

— Tivemos que vender quatro deles para pagar o arrendamento da terra; depois matamos os outros para termos carne no inverno.

Aquilo explicava os campos plantados pela metade, pensou Aliena. Só tinham conseguido cultivar o solo mais leve, usando cavalos ou força humana para puxar o arado. A história a enfureceu. Além de perverso, William demonstrava ser burro, fazendo aquela gente vender seus bois, pois assim eles teriam dificuldade em pagar suas dívidas naquele ano também, muito embora o tempo houvesse sido bom. Teve ganas de estrangular William.

Outra violenta lufada de vento sacudiu a casa de estrutura de madeira. De repente, um lado do telhado começou a se deslocar; depois se levantou algumas polegadas, separando-se da parede, e pelo buraco Aliena viu o céu preto e os raios se sucedendo. Ficou de pé de um pulo quando o vento parou e o telhado caiu estrepitosamente sobre seus suportes. Aquilo estava ficando perigoso. Gritou para o padre, fazendo-se ouvir, apesar da tempestade:

— Pelo menos vá abrir a porta da igreja!

Ele ficou ressentido, mas obedeceu. Pegou uma chave na arca, enfiou uma capa, saiu e desapareceu na chuva. Aliena começou a organizar os outros.

— Carter, leve minha carroça e os bois para dentro da igreja. Ranulf, pegue os cavalos. Elizabeth, venha comigo.

Puseram a capa e saíram. Era difícil caminhar em linha reta por causa do vento, e elas se deram as mãos para aumentar sua estabilidade. Foi com esforço que atravessaram o cemitério. A chuva virou granizo, e grandes pedras de gelo batiam nas lápides. Num canto Aliena viu uma macieira tão nua quanto no inverno; suas folhas e frutos haviam sido arrancados dos galhos pelo vento. Não haveria muitas maçãs no condado naquele inverno, pensou.

Um momento depois atingiram a igreja e entraram. Fez-se um silêncio tão súbito que pareceu-lhes ter perdido a audição. O vento ainda uivava, a chuva tamborilava no telhado e a toda hora soava um trovão, mas tudo desapareceu de uma só vez. Alguns dos aldeões já estavam ali, as capas encharcadas. Tinham trazido consigo seus objetos de valor: as galinhas dentro de sacos, os porcos amarrados, as vacas em tirantes. Estava escuro dentro da igreja, a cena era iluminada pelos relâmpagos. Após alguns momentos, o carroceiro trouxe o carro de bois de Aliena, e Ranulf o seguiu com os cavalos.

— Vamos pôr os animais no lado oeste e as pessoas no leste — disse Aliena ao padre —, antes que a igreja comece a parecer um estábulo. — Todos agora pareciam ter aceitado que Aliena assumisse o comando, e ele assentiu, balançando a cabeça. Os dois se afastaram, o padre falando com os homens e Aliena com as mulheres. Gradualmente as pessoas se separaram dos animais. As mulheres levaram as crianças para o pequeno coro, e os homens amarraram os animais nas colunas da nave. Os cavalos estavam assustados, girando os olhos, levantando e dobrando as patas dianteiras e baixando a garupa. Todas as vacas se deitaram. Os aldeões dispuseram-se em grupos familiares e começaram a servir comida e bebida. Tinham vindo preparados para uma longa estada.

A tempestade era tão violenta que Aliena pensara ser passageira; porém, ficou ainda pior. Ela foi até uma janela. Claro que as janelas não eram de vidro, mas de linho fino e translúcido, agora esfrangalhado nas molduras. Aliena levantou o corpo até o peitoril, mas só conseguiu ver chuva.

O vento ficou mais forte, soprando ruidosamente em torno das paredes da igreja, e ela começou a se perguntar se até mesmo aquela construção seria segura. Discretamente, deu uma volta. Passara bastante tempo com Jack para saber reconhecer a diferença entre um bom e um mau trabalho de cantaria, e sentiu-se aliviada ao ver que ali tudo era bem-feito. Não havia rachaduras. O prédio não era de cascalho, e sim de blocos de pedras cortadas, e parecia sólido como uma montanha.

A governanta do padre acendeu uma vela, e foi nesse momento que Aliena percebeu que a noite caía lá fora. O dia fora tão escuro que a diferença era pouca. As crianças se cansaram de correr para cima e para baixo, embrulharam-se nas capas e foram dormir. As galinhas enfiaram a cabeça debaixo da asa. Elizabeth e Aliena sentaram-se lado a lado, com as costas apoiadas na parede.

Aliena se consumia de curiosidade a respeito daquela pobre garota que assumira o papel de mulher de William, o papel que ela própria recusara há dezessete anos.

— Conheci William quando era garota — disse, incapaz de conter-se. — Como ele é agora?

— Eu o detesto — disse Elizabeth arrebatadamente.

Aliena sentiu profunda comiseração por ela.

— Como foi que você o conheceu? — quis saber a garota. Aliena deu-se conta de que se denunciara.

— Para ser sincera, quando eu era mais ou menos da sua idade, esperavam que me casasse com ele.

— Não! E como conseguiu não se casar?

— Recusei-me a fazê-lo, e meu pai me apoiou. Mas houve uma confusão terrível... Causei um grande derramamento de sangue. No entanto, tudo agora faz parte do passado.

— Você o recusou! — Elizabeth estava emocionada. — Você é tão corajosa! Queria ser como você... — De repente ela pareceu deprimida de novo. — Mas não consigo me fazer respeitar nem pelos criados.

— Mas poderia, sabe?

— Como? Eles nem tomam conhecimento de minha existência, porque só tenho catorze anos.

Aliena considerou o assunto com cuidado.

— Para começar — respondeu —, você tem que se tornar a intérprete dos desejos do seu marido. De manhã, pergunte-lhe o que gostaria de comer naquele dia, quem gostaria de ver, que cavalo gostaria de montar, qualquer coisa em que possa pensar. Depois procure o cozinheiro, o mordomo, o cavalariço, e lhes dê as ordens do conde. Seu marido ficará agradecido a você, e furioso com quem quer que seja que a ignore. Assim as pessoas se acostumarão a fazer o que disser. Anote depois quem lhe obedecer de boa vontade e quem o fizer relutantemente. Assegure-se de que as pessoas que a ajudem sejam favorecidas — dê-lhes os trabalhos que preferirem —, e faça com que os que não forem prestativos recebam todo o trabalho sujo. Assim todos perceberão que vale a pena satisfazer a condessa. E também a amarão muito mais que a William, que não é mesmo fácil de ser amado. Um dia você acabará tendo o seu próprio poder, como acontece com a maioria das condessas.

— Você faz parecer tão fácil!... — disse Elizabeth melancolicamente.

— Não, não é fácil, mas se você for paciente e não se desencorajar com facilidade, será capaz de conseguir.

— Acho que sim — disse ela com determinação. — Realmente acho que posso.

Ao cabo de algum tempo as duas começaram a cochilar. De vez em quando, o vento soprava com mais força e acordava Aliena. Olhando em torno, à luz inconstante do lampião, viu que a maioria dos adultos estavam fazendo a mesma coisa, sentados, cochilando um pouco, acordando de repente.

Deve ter sido por volta da meia-noite que acordou com um sobressalto e percebeu que dormira por uma hora ou mais daquela vez. Quase todo mundo à sua volta dormia a sono solto. Mudou de posição, deitando-se, e embrulhou-se na capa. A tempestade não cedera, mas a necessidade de sono das pessoas sobrepujara sua ansiedade. O barulho da chuva de encontro às paredes da igreja lembrava o barulho de ondas quebrando numa praia, e ao invés de conservá-la acordada fez com que dormisse.

Mais uma vez acordou com um sobressalto. Quis saber o que a perturbara. Prestou atenção: silêncio. A tempestade cessara. Uma débil luz acinzentada se infiltrava através das janelas. Todos os aldeões dormiam profundamente.

Aliena se levantou. O movimento que fez perturbou Elizabeth, que acordou instantaneamente.

Ambas tiveram a mesma ideia. Dirigiram-se à porta da igreja, abriram-na e saíram.

A chuva cessara, e o vento não passava de uma brisa. O sol ainda não nascera, mas o céu estava cinza-perolado. Aliena e Elizabeth olharam para um lado e para o outro, à luz clara e suave da madrugada.

A aldeia desaparecera.

Com exceção da igreja, não restara uma única construção de pé. Toda a área fora arrasada. Umas poucas vigas mais grossas estavam encostadas à parede da igreja, mas a não ser por isso, apenas as pedras das lareiras pontilhavam o mar de lama, mostrando onde antes houvera casas. Na periferia do que fora a vila, havia cinco ou seis árvores adultas, carvalhos e castanheiros, ainda de pé, embora todas parecessem ter perdido diversos galhos. Não havia sobrado nenhuma árvore menor.

Atônitas com a extensão da ruína, Aliena e Elizabeth caminharam ao longo do que fora a rua. O chão estava juncado de pedaços de madeira e pássaros mortos. Elas chegaram ao primeiro dos campos de trigo. A impressão que dava era de que um rebanho enorme estivera preso ali a noite toda. Os pendões dos trigos que vinham amadurecendo tinham sido arrancados e levados embora pela enxurrada. A terra estava toda revolvida e encharcada.

Aliena ficou horrorizada.

— Meu Deus! — murmurou. — O que é que essa gente vai comer?

Elas atravessaram o campo. Os danos eram os mesmos por toda parte. Galgaram uma colina baixa e examinaram a região lá de cima. Em todas as direções que olhavam viam colheitas arruinadas, carneiros mortos, árvores caídas, campinas alagadas e casas desmoronadas. A destruição era assustadora, e causou a Aliena uma terrível sensação de tragédia. Parecia, pensou, que a mão de Deus descera sobre a Inglaterra e se abatera sobre ela, destruindo tudo o que o homem construíra, exceto as igrejas.

A devastação chocou também Elizabeth.

— É terrível! — disse. — Não posso acreditar. Não sobrou nada!

Aliena assentiu tristemente.

— Nada — repetiu. — Não haverá colheita este ano.

— O que o povo fará?

— Não sei. — Sentindo um misto de compaixão e medo, Aliena acrescentou: — Vai ser um verão sangrento.

2

Uma manhã, quatro semanas após a grande tempestade, Martha pediu mais dinheiro a Jack. Jack ficou surpreso. Já dera os seis pence da semana para as despesas da casa, e sabia que Aliena dava o mesmo. Com esse dinheiro Martha tinha que alimentar quatro adultos e duas crianças, e suprir duas casas com lenha e palha; porém, havia um bom número de famílias grandes em Kingsbridge que dispunham apenas de seis pence por semana para tudo: roupa, comida e aluguel também. Perguntou por que precisava de mais.

Martha ficou embaraçada.

— Todos os preços subiram. O padeiro quer um penny por um pão de quatro libras, e...

— Um penny! Por um pão de quatro libras? — Jack sentiu-se ultrajado. — Deveríamos construir um forno e assar nossos pães.

— Bem, de vez em quando eu preparo um pão aqui em casa.

— É mesmo. — Jack se lembrou de que na última semana tinham comido pão feito em casa dois ou três dias.

— Mas o preço da farinha também subiu, de modo que não economizamos muito.

— Deveríamos então comprar o trigo e moê-lo nós mesmos.

— Não é permitido. Teríamos que usar o moinho do priorado. De qualquer forma, o trigo também está caro.

— Naturalmente. — Jack reconheceu que estava sendo tolo. O pão estava caro porque a farinha estava cara, e a farinha estava cara porque o trigo estava caro, e o trigo estava caro porque a tempestade arruinara a safra, e não havia saída. Viu que Martha parecia transtornada. Ela sempre ficava muito perturbada ao achar que ele não estava satisfeito. Jack sorriu para demonstrar que tudo ia bem e bateu carinhosamente no seu ombro.

— A culpa não é sua — disse.

— Você parece tão aborrecido!

— Não com você. — Ele se sentiu culpado. Sabia que Martha preferiria cortar a mão a enganá-lo. Não entendia realmente por que era tão devotada a ele. Se fosse por amor, certamente já teria se cansado, pois ela e o resto do mundo sabiam que Aliena era a paixão da sua vida. Uma vez chegara a pensar em mandá-la embora, para forçá-la a sair da rotina: desse modo talvez se apaixonasse por um homem adequado. Mas no íntimo sabia que iria ser uma atitude inútil e que só iria servir para torná-la desesperadamente infeliz. Por isso, deixou tudo como estava.

Enfiou a mão dentro da túnica para pegar a bolsa e tirou três pence de prata.

— É melhor que você disponha de doze pence por semana. Veja se consegue resolver o problema com esse dinheiro — disse. Parecia muito. Seu salário era de apenas vinte e quatro pence por semana, embora recebesse também benefícios eventuais, velas, mantos e botas.

Engoliu o resto de um caneco de cerveja e saiu. Fazia um frio excepcional para o início do outono. O tempo ainda estava estranho. Percorreu a rua com passos rápidos e entrou no priorado. Ainda era madrugada e somente um punhado de artesãos se encontrava ali.

Percorreu a nave, olhando as fundações. Estavam quase prontas, o que era uma sorte, pois o trabalho com argamassa provavelmente teria que ser interrompido mais cedo naquele ano por causa do tempo frio.

Levantou os olhos para os novos transeptos. O prazer que sentia com sua própria criação era frustrado pelas rachaduras que tinham reaparecido no dia seguinte ao da grande tempestade. Jack ficou terrivelmente desapontado. Claro que fora uma tempestade fenomenal, mas sua igreja fora projetada para sobreviver a uma centena de tempestades daquelas. Sacudiu a cabeça, perplexo, e galgou a escada para a galeria. Gostaria de conversar com alguém que tivesse construído uma igreja similar, mas não havia ninguém na Inglaterra, e mesmo na França não tinham ido tão alto.

Num impulso, não foi para a sala onde desenhava no chão; em vez disso, continuou subindo até o telhado. O chumbo fora todo colocado, e o pináculo que estivera bloqueando a vazão da água da chuva tinha agora uma generosa passagem correndo pela sua base. Ventava muito ali no telhado, e ele precisava segurar-se em alguma coisa sempre que se aproximava da beirada: não seria o primeiro construtor a morrer, derrubado do telhado por uma lufada de vento. O vento sempre parecia mais forte lá em cima do que no chão. Na verdade parecia aumentar desproporcionalmente à medida que se subia...

Jack ficou parado, o olhar fixo no espaço. O vento aumentava desproporcionalmente à medida que se subia... Aí estava a resposta ao seu quebra-cabeça. Não era o *peso* da abóbada que estava causando as rachaduras, e sim sua *altura*. Construíra a igreja forte o bastante para sustentar o peso, estava seguro; mas não pensara no vento. Aquelas paredes tão altas eram constantemente fustigadas pelo vento, cuja força era suficiente para rachá-las. De pé em cima do telhado, sentindo a força do vento, podia imaginar o efeito que causava na estrutura tão tensamente equilibrada. Conhecia o edifício tão bem que quase podia sentir a resistência do material, como se as paredes fizessem parte do seu corpo. O vento empurrava a igreja de lado, tal como fazia com ele; e porque a igreja não podia ceder, rachava.

Tinha certeza de que encontrara a explicação; mas o que ia fazer?

Precisava reforçar o clerestório de modo que ele aguentasse o vento. Mas como? Construir volumosos arcobotantes de encontro às paredes destruiria o assombroso efeito de leveza e graça que conseguira com tanto êxito.

Mas se isso era necessário para que o prédio se conservasse de pé, teria que fazê-lo.

Desceu a escada de novo. Não se sentia mais animado, embora tivesse finalmente compreendido o problema, pois parecia que a solução destruiria seu sonho. Talvez eu tenha sido arrogante, pensou. Estava tão seguro de que era capaz de construir a catedral mais bonita do mundo! Por que imaginei que podia me sair melhor do que qualquer outro construtor? O que me fez pensar que eu fosse especial? Eu devia ter copiado o projeto de outro mestre e ficado contente.

Philip esperava por ele na sala de desenho. Havia uma expressão preocupada na fisionomia do prior, e o cabelo grisalho em torno da tonsura estava desarrumado. Tinha-se a impressão de que passara a noite toda acordado.

– Temos que reduzir nossos gastos – disse, sem preâmbulos. Simplesmente não dispomos de dinheiro para continuar a obra no ritmo atual.

Jack receara aquilo. O furacão destruíra a colheita de quase todo o Sul da Inglaterra: certamente teria consequências nas finanças do priorado. Cortes de despesas constituíam um assunto que o deixava ansioso. No íntimo achava que se a construção fosse tocada muito devagar ele poderia não viver para ver sua catedral pronta. Mas não deixou o medo transparecer.

– O inverno vem aí – disse, em tom casual. – O trabalho sempre é reduzido no inverno, de qualquer modo. E o inverno vai chegar mais cedo este ano.

– Não o bastante – disse Philip, melancólico. – Quero cortar nossas despesas pela metade, imediatamente.

– Pela metade! – Parecia impossível.

– A dispensa de inverno começa hoje.

Aquilo era pior do que Jack antecipara. Os trabalhadores de verão normalmente iam embora nos primeiros dias de dezembro. Passavam os meses de inverno construindo casas de madeira ou fazendo arados e carroças, para suas famílias ou para ganhar dinheiro. Naquele ano suas famílias não ficariam satisfeitas ao vê-los.

– Sabe que os está mandando para casas onde as pessoas já estão passando fome?

Philip limitou-se a encará-lo, furioso.

– Claro que sabe – disse Jack. – Desculpe ter perguntado.

– Se eu não fizer isso agora – disse Philip enfaticamente –, num sábado, no meio do inverno, toda a força de trabalho entrará em fila para receber seu pagamento e mostrarei uma arca vazia.

Jack deu de ombros.

– Não há argumento contra isso.

– E não é tudo – advertiu Philip. – De agora em diante não haverá mais contratações, nem mesmo para substituir gente que saia.

– Há meses não fazemos contratações.

– Você contratou Alfred.

– Aquilo foi diferente – disse Jack, embaraçado. – De qualquer modo, nada de contratações.

– Nem de promoções.

Jack aquiesceu. De vez em quando um aprendiz ou servente pedia para ser promovido a pedreiro ou a cortador de pedras. Se os outros artesãos julgassem sua competência satisfatória, o pedido seria concedido e o priorado teria que lhe pagar um salário mais elevado.

— As promoções — lembrou Jack — são prerrogativa da associação de pedreiros.

— Não estou tentando alterar isso — disse Philip. — Só estou pedindo que os pedreiros adiem todas as promoções até que a crise passe.

— Colocarei o seu pedido para eles — disse Jack, evitando comprometer-se. Tinha a impressão de que aquilo poderia causar problemas.

Philip continuou a pressioná-lo.

— De agora em diante não haverá trabalho nos dias santos.

Havia um número excessivo de dias santos. Em princípio eram feriados, mas se os trabalhadores eram pagos ou não nos feriados era uma questão de negociar-se. Em Kingsbridge a regra era que, quando dois ou mais dias santos caíssem na mesma semana, o primeiro seria um feriado pago e o segundo, um dia de folga opcional não pago. A maioria dos homens preferia trabalhar no segundo. Agora, contudo, não teriam mais essa opção. O segundo dia santo passava a ser um feriado obrigatório sem direito a pagamento.

Jack estava se sentindo pouco à vontade ante a perspectiva de explicar aquelas mudanças ao pessoal.

— Essas determinações seriam mais bem aceitas se eu pudesse apresentá-las como assunto para discussão, em vez de algo já decidido.

O prior sacudiu a cabeça.

— Então eles pensariam que há abertura para negociações e que algumas propostas poderiam ser atenuadas. Iriam sugerir que se trabalhasse na metade dos feriados e que fosse permitido um número limitado de promoções.

Ele estava certo, claro.

— Mas não seria razoável? — perguntou Jack.

— Claro que é razoável — respondeu Philip, irritado. — Só que não há margem para ajustamentos. Já estou preocupado, com medo de que essas medidas não sejam suficientes; não posso fazer concessão alguma.

— Está bem — concordou o mestre construtor. Philip estava claramente disposto a não transigir naquele instante. — Há mais alguma coisa? — perguntou cautelosamente.

— Sim. Pare de comprar material. Acabe com seu estoque de pedra, ferro e madeira.

— A madeira é de graça! — protestou Jack.

— Mas precisamos pagar o carreto até aqui.

— É verdade. Está bem. — Jack foi até a janela e deu uma olhada nas pedras e nos troncos de árvores estocados no adro. Tratava-se de um ato reflexo: ele já sabia quanto tinha armazenado.

— Isso não será problema — disse, após um instante de reflexão. — Com a força de trabalho reduzida temos material até o próximo verão.

Philip suspirou, cansado.

– Não há garantia de que empregaremos trabalhadores no próximo verão – disse. – Depende do preço da lã. É melhor avisá-los.

Jack assentiu.

– A situação está mesmo ruim, não é?

– Pior do que jamais vi – disse Philip. – O que este país precisa é de três anos de bom tempo. E de um novo rei.

– Amém – concordou Jack.

Philip retornou à sua casa. O mestre construtor passou a manhã pensando em como enfrentar as mudanças. Havia dois modos de se construir uma nave: um intercolúnio de cada vez, começando no cruzeiro e trabalhando na direção oeste; ou camada por camada, assentando a base de toda a nave primeiro e depois subindo. O segundo processo era mais rápido, mas requeria mais pedreiros. Era o método que Jack tencionara usar. Agora reconsiderou. Construir um intercolúnio de cada vez era mais adequado a uma força de trabalho reduzida. Tinha outra vantagem, também: quaisquer modificações que introduzisse no projeto para levar em conta a resistência do vento poderiam ser testadas aos poucos.

Jack ponderou também sobre os efeitos a longo prazo da crise financeira. O trabalho poderia ter seu ritmo reduzido cada vez mais, ao longo dos anos. Melancolicamente, viu-se ficando velho, fraco e de cabelo branco, sem concretizar a ambição da sua vida, acabando por ser enterrado no cemitério do priorado, à sombra de uma catedral não terminada.

Quando o sino do meio-dia soou ele foi até o galpão dos pedreiros. Os homens estavam sentados para comer seu queijo com cerveja, e ele notou pela primeira vez que muitos não tinham pão. Pediu aos pedreiros que normalmente iam comer em casa que ficassem por um momento.

– O priorado está ficando sem dinheiro – disse.

– Nunca vi um priorado que não ficasse sem dinheiro um dia – disse um dos mais velhos.

Jack olhou para ele. Era chamado de Edward Dois Narizes porque tinha no rosto uma verruga quase tão grande quanto o nariz. Era um bom cinzelador, com um talento especial para curvas exatas, e Jack sempre o usava para cilindros e fustes.

– Vocês têm que admitir – disse o mestre construtor – que este lugar administra seu dinheiro melhor do que a maioria. Mas o prior Philip não pode impedir que haja temporais e safras ruins, e agora ele precisa reduzir seus gastos. Eu lhes falarei a respeito disso enquanto vocês comem. Em primeiro lugar, não vamos mais comprar suprimentos de pedra ou madeira.

Os demais artífices vieram de seus galpões para escutar.

– A madeira que temos não vai durar este inverno – disse Peter, um dos velhos carpinteiros.

— Vai durar, sim — disse Jack. — Construiremos mais devagar, porque teremos menos artífices. A dispensa de inverno começa hoje.

Ele viu na mesma hora que dera o aviso erradamente. Houve protestos de todos os lados, com vários homens falando ao mesmo tempo. "Eu deveria ter dado a notícia aos poucos", pensou. Mas não tinha experiência com aquele tipo de coisa. Já era mestre há sete anos, mas nunca enfrentara uma crise financeira.

A voz que se fez ouvir em primeiro lugar foi a de Pierre Paris, um dos pedreiros que tinham vindo de Saint-Denis. Após seis anos em Kingsbridge, o inglês que falava ainda não era perfeito, e a raiva acentuou mais o seu sotaque, porém ele não se desencorajou.

— Você não pode dispensar os homens numa terça-feira — disse.

— Isso mesmo — apoiou Jack Ferreiro. — Você tem que lhes dar até o fim da semana, no mínimo.

Alfred concordou vivamente.

— Lembro quando meu pai estava construindo uma casa para o conde de Shiring, e Will Hamleigh veio e demitiu todo mundo. Meu pai lhe disse para pagar a cada um dos homens o salário de uma semana e segurou a cabeça do seu cavalo até que ele deu o dinheiro.

Obrigado por nada, Alfred, pensou Jack.

— É bom que ouçam o resto — prosseguiu obstinadamente. — De agora em diante, não há trabalho nos dias santos nem promoções.

Aquilo os enfureceu mais ainda.

— Inaceitável — disse alguém.

— Inaceitável, inaceitável — repetiram diversos outros.

Jack se enfureceu.

— De que estão falando? Se o priorado não tem dinheiro, não vão ser pagos. De que adianta ficar entoando "Inaceitável", "Inaceitável", como uma classe de garotos aprendendo latim?

Edward Dois Narizes manifestou-se novamente.

— Não somos uma classe de garotos e sim uma associação de pedreiros — disse. — A associação tem o direito de promoção, e ninguém pode tirá-lo.

— E se não houver dinheiro para o pagamento do acréscimo correspondente à promoção? — retrucou Jack, irritado.

— Não acredito nisso — disse um dos pedreiros mais jovens.

Era Dan Bristol, um dos trabalhadores de verão. Não era habilidoso no corte das pedras, mas sabia assentá-las com muita precisão e ligeireza.

— Como você pode dizer que não acredita nisso? — perguntou-lhe Jack. — O que sabe a respeito das finanças do priorado?

– Sei o que vejo – disse Dan. – Os monges estão passando fome? Não. Há velas na igreja? Sim. Há vinho nos depósitos? Sim. O prior está descalço? Não. Então há dinheiro. Ele só não quer nos dar.

Diversas pessoas concordaram em voz alta. Na verdade, ele estava enganado pelo menos num item, que era o do vinho; porém, ninguém acreditaria em Jack nesse momento – ele se tornara o representante do priorado. Aquilo não era justo: não podia ser o responsável pelas decisões de Philip.

– Olhem – disse –, só estou repetindo o que o prior me disse. Não garanto que seja verdade. Mas se ele nos diz que não há dinheiro, e não acreditamos, o que podemos fazer?

– Podemos *todos* parar de trabalhar – disse Dan. – Imediatamente.

– Isso mesmo – disse outra voz.

Aquilo estava ficando fora de controle, constatou Jack, em pânico. Procurou desesperadamente algo para dizer que esfriasse os ânimos.

– Vamos voltar para o trabalho agora – disse –, e esta tarde tentarei persuadir o prior Philip a moderar seus planos.

– Não acho que vá dar certo – disse Dan.

Jack não podia acreditar que aquilo estivesse acontecendo. Antecipara muitas ameaças à construção da igreja dos seus sonhos, mas não previra que os artífices fossem sabotá-la.

– Por que não deveríamos trabalhar? – indagou, incrédulo. – De que adiantaria?

– Do jeito que as coisas estão, a metade de nós não tem certeza sequer de receber seu pagamento até o fim da semana.

– O que é contra todo o costume e praxe – disse Pierre Paris.

A expressão "costume e praxe" era muito usada nos tribunais.

– Pelo menos trabalhem enquanto tento convencer Philip – disse Jack, desesperado.

– Se trabalharmos – indagou Edward Dois Narizes –, você pode garantir que todos serão pagos a semana inteira?

Jack sabia que não podia oferecer aquela garantia, com Philip no seu atual estado de espírito. Mas passou pela sua cabeça dizer sim de qualquer maneira, e pagar com seu próprio dinheiro, se necessário; contudo, percebeu imediatamente que nem todas as suas economias seriam suficientes para cobrir uma semana de salários.

– Farei o melhor que puder para persuadi-lo, e acho que ele concordará.

– Não é suficientemente bom para mim – disse Dan.

– Nem para mim – disse Pierre.

– Sem garantia, sem trabalho – declarou Dan.

Para o desalento de Jack, todos pensavam da mesma forma. Percebeu que, se continuasse a se opor, perderia o resto de autoridade que lhe restava.

— A associação deve agir como um homem só — disse, repetindo uma forma de falar muito usada. — Estamos todos a favor de parar com o trabalho?

Houve um coro de assentimento.

— Então, que assim seja — disse Jack melancolicamente. — Vou falar com o prior.

O bispo Waleran entrou em Shiring seguido por um pequeno exército de criados. O conde William esperava por ele na entrada da igreja que dava para a praça do mercado. Hamleigh franziu a testa, intrigado: esperara um encontro para decidir sobre um canteiro de obras, não uma visita formal. O que estaria querendo agora aquele tortuoso bispo?

Com Waleran estava um estranho, montado num animal castrado. Alto e esguio, tinha sobrancelhas negras e grossas e nariz grande, aquilino. A expressão escarninha do seu rosto parecia permanente. Cavalgava ao lado de Waleran, como se fossem iguais, mas não usava hábito de bispo.

Quando desmontaram, Waleran apresentou o estranho.

— Conde William, este é Peter de Wareham, um arcediago a serviço do arcebispo de Canterbury.

Nenhuma explicação do que esse Peter está fazendo aqui, pensou William. Waleran trama alguma coisa.

O arcediago fez uma reverência.

— O seu bispo me falou sobre sua generosidade para com a Santa Madre Igreja, lorde William.

Antes que William pudesse responder, Waleran apontou a igreja paroquial.

— Aquele prédio será derrubado a fim de dar lugar à nova igreja, arcediago — disse ele.

— Você já designou um mestre pedreiro? — perguntou Peter.

William perguntou-se por que um arcediago de Canterbury estava tão interessado na igreja paroquial de Shiring, mas achou que talvez estivesse apenas sendo polido.

— Não, ainda não encontrei nenhum — disse Waleran. — Há muitos construtores procurando trabalho, mas não consigo encontrar ninguém de Paris. Parece que o mundo inteiro deseja igrejas como de Saint-Denis, e os pedreiros que conhecem o estilo estão sob intensa demanda.

— Isso pode ser importante — disse Peter.

— Há um construtor que talvez seja capaz de ajudar; ele está esperando para nos ver mais tarde.

Mais uma vez William ficou um pouco intrigado. Por que Peter achava importante construir no estilo de Saint-Denis?

— A nova igreja será muito maior, é claro. Vai se projetar muito mais para a praça.

William não gostou do ar de proprietário que Waleran estava assumindo.

— Não posso ter a igreja incrustada na praça do mercado — interrompeu ele.

Waleran pareceu ficar irritado, como se o conde tivesse falado fora de hora.

— E por que não?

— Cada polegada da praça faz dinheiro nos dias de mercado.

Waleran estava disposto a discutir, mas Peter disse, com um sorriso:

— Não podemos bloquear a fonte do dinheiro!

— Isso mesmo — disse William. Era ele quem arcaria com os custos da construção da igreja. Por felicidade, a quarta má colheita fizera pouca diferença para a sua renda. Os camponeses mais humildes pagaram em espécie, e muitos deles tinham dado a William seu saco de trigo e um par de gansos, muito embora estivessem vivendo de sopa de bolota de carvalho. Além disso, o saco de trigo valia dez vezes mais que cinco anos antes, e o aumento de preço mais do que compensava os rendeiros que não haviam pago e os servos que tinham morrido de fome. Ele ainda tinha recursos para financiar a nova obra.

Contornaram a igreja. Na parte de trás havia um conjunto de casas que gerava uma renda mínima.

— Podemos avançar sobre este lado — disse William —, derrubando todas essas casas.

— Mas são em sua maioria residências clericais — objetou Waleran.

— Encontraremos outras casas para os religiosos.

Embora Waleran parecesse ter ficado aborrecido, nada mais disse a respeito disso.

No lado norte da igreja um homem de ombros largos e de cerca de trinta anos de idade fez uma reverência a eles. Pelo traje, William achou que fosse um artífice. O arcediago Baldwin, o colega mais íntimo do bispo, disse:

— Este é o homem de quem lhe falei, milorde bispo. Seu nome é Alfred de Kingsbridge.

À primeira vista não era um homem muito simpático: parecia mais um tipo bovino, grande, forte e burro. Contudo, examinando-se mais atentamente, percebia-se um ar de esperteza na sua cara, fazendo pensar num indivíduo astucioso ou dissimulado.

— Alfred é o filho de Tom Construtor, o primeiro mestre de Kingsbridge — disse o arcediago Baldwin. — Ele próprio foi mestre por algum tempo, até que o irmão usurpou seu lugar.

O filho de Tom Construtor. O homem que se casara com Aliena, lembrou William. Mas que nunca consumara o casamento. Olhou-o com agudo interesse. Nunca teria pensado que aquele homem fosse impotente. Parecia saudável e normal. Mas Aliena podia provocar estranhos efeitos num homem.

— Você trabalhou em Paris, e aprendeu o estilo de Saint-Denis? — estava perguntando o arcediago Peter.

— Não...

— Mas precisamos de uma igreja construída no novo estilo.

— Estou trabalhando atualmente em Kingsbridge, onde meu irmão é o mestre. Ele trouxe o novo estilo de Paris, e o aprendi com ele.

William perguntou-se como Waleran teria conseguido subornar Alfred sem despertar suspeitas; depois se lembrou de que o subprior de Kingsbridge, Remigius, era homem de Waleran. Remigius deveria ter feito a abordagem inicial.

Lembrou-se de algo mais a respeito de Kingsbridge.

— Mas o seu telhado desmoronou — disse a Alfred.

— A culpa não foi minha — retrucou o filho de Tom. — O prior Philip insistiu numa mudança do projeto.

— Conheço Philip — disse Peter, e havia veneno na sua voz. — Um homem teimoso e arrogante.

— Como você o conhece? — perguntou Hamleigh.

— Há muitos anos eu era monge no Mosteiro de St.-John-in-the-Forest, quando Philip era o encarregado lá — disse Peter, com amargura. — Critiquei sua administração negligente e ele me nomeou esmoler para me tirar do caminho. — O ressentimento de Peter ainda era muito intenso, sem dúvida. Claro que se tratava de um fator importante no que quer que Waleran estivesse planejando.

— Seja como for — disse William —, não quero contratar um construtor cujos telhados desmoronam, não importa quais sejam suas desculpas.

— Sou o único mestre construtor em toda a Inglaterra que já trabalhou numa igreja do novo estilo, à exceção de Jack.

— Não me importo com Saint-Denis — disse William. — Acredito que a alma de minha pobre mãe estará bem servida da mesma forma com uma igreja de desenho tradicional.

Waleran e Peter trocaram um olhar.

Após um instante o bispo dirigiu-se a William, falando baixo:

— Um dia esta igreja poderá ser a Catedral de Shiring.

Tudo se tornou claro para William. Muitos anos antes Waleran tramara a mudança da sede da diocese de Kingsbridge para Shiring, mas o prior Philip conseguira vencê-lo. Agora revivia o plano. Dessa vez, ao que parecia, resolvera seguir um caminho mais tortuoso. Antes simplesmente pedira ao arcebispo de Canterbury que atendesse seu pedido. Agora ia começar pela construção de uma nova igreja, grande e prestigiosa o bastante para ser uma catedral, e ao mesmo tempo cultivaria aliados como Peter dentro do círculo do arcebispo, antes de fazer seu pedido. Aquilo tudo estava bem planejado, mas William só queria construir uma igreja em memória da mãe, a fim de facilitar a passagem de sua alma pelo fogo eterno, e ressentiu-se com a tentativa de Waleran para usar tal ideia em benefício próprio. Por outro lado, seria tremendamente importante Shiring ter uma catedral, e William lucraria com isso.

– Há algo mais – Alfred estava dizendo.

– Sim? – disse Waleran.

William olhou para os dois homens. Alfred era maior, mais forte e mais moço que o bispo, e poderia derrubá-lo com uma das suas mãos enormes atadas nas costas; no entanto, agia como se fosse ele a parte fraca naquele confronto. Anos antes William teria se encolerizado por ver um padre efeminado, de pele muito branca, dominando um homem forte, mas agora não se aborrecia mais com essas coisas; concluíra que o mundo era assim mesmo.

Alfred baixou a voz.

– Posso trazer toda a força de trabalho de Kingsbridge comigo – disse ele.

Subitamente os três homens prestaram atenção.

– Diga isso de novo – disse Waleran.

– Se me contratarem como mestre construtor, trarei todos os artífices de Kingsbridge comigo.

Waleran mostrou-se cauteloso.

– Como podemos saber que está falando a verdade?

– Não peço que confiem em mim – disse Alfred. – Deem-me o emprego condicionalmente. Se não fizer o que estou prometendo, irei embora sem receber nada.

Por razões diferentes, todos os três odiavam o prior Philip, e ficaram imediatamente encantados com a perspectiva de lhe aplicar tamanho golpe.

– Alguns pedreiros trabalharam em Saint-Denis – acrescentou Alfred.

– Mas como você pode trazê-los? – perguntou Waleran.

– Isso interessa? Digamos que eles me preferem a Jack.

William achou que o construtor estava mentindo, e Waleran pareceu pensar o mesmo, pois o fitou longamente. No entanto, aparentemente dissera a verdade antes. Qualquer que fosse a razão, estava convencido de que poderia trazer os artífices de Kingsbridge consigo.

– Se todos vierem com você – disse William –, o trabalho vai parar completamente em Kingsbridge.

– Sim – concordou Alfred –, vai.

William olhou para Waleran e Peter.

– Precisamos conversar mais a esse respeito. É melhor que ele jante conosco.

Waleran balançou a cabeça, concordando.

– Siga-nos até a minha casa – disse a Alfred. – Fica no outro lado da praça do mercado.

– Eu sei – disse Alfred. – Fui eu que a construí.

* * *

Durante dois dias o prior Philip recusou-se a discutir a greve. Ficou sem fala, de tanta raiva, e sempre que via Jack simplesmente fazia uma volta e seguia na direção contrária.

No segundo dia chegaram três carroças cheias de farinha de trigo de um dos moinhos externos do priorado. Vieram escoltadas por homens de armas: o trigo era tão precioso quanto ouro, naqueles dias. O carregamento foi recebido pelo irmão Jonathan, que era o assistente do despenseiro, trabalhando com o velho Cuthbert Cabeça Branca. Jack observou Jonathan contando os sacos. Achava que havia qualquer coisa de familiar no rosto do monge, como se ele se parecesse com alguém que Jack conhecia bem. Era alto e desengonçado, de cabelo castanho-claro – bem diferente de Philip, que era baixo, franzino e de cabelo preto; mas em todos os outros aspectos que não o físico, Jonathan era parecido com o homem que desempenhava o papel de seu pai: o rapaz tinha princípios e era determinado e ambicioso. Todos gostavam dele, a despeito de sua atitude um tanto rígida no que concernia à moralidade – tal como sentiam acerca de Philip.

Com o prior se recusando a falar, uma palavra com Jonathan seria a segunda melhor coisa a fazer.

Jack observou enquanto o monge pagava aos homens de armas e aos carroceiros. Era de uma eficiência serena, e quando os carroceiros pediram mais do que tinham direito, como sempre faziam, recusou calma mas firmemente. Ocorreu a Jack que uma educação monástica era uma boa preparação para a liderança.

Liderança. As deficiências de Jack nessa área tinham sido plenamente reveladas. Deixara que um problema se transformasse numa crise por ter lidado mal com seus homens. Todas as vezes em que pensava naquela reunião amaldiçoava sua inépcia.

Quando os carroceiros se afastaram, resmungando, Jack caminhou casualmente lado a lado com Jonathan.

– Philip está terrivelmente furioso com a greve – disse ele.

Por um momento Jonathan deu a impressão de que falaria algo desagradável – ele próprio estava claramente furioso –, mas por fim seu rosto relaxou.

– Ele parece furioso – comentou ele –, mas na verdade está magoado.

Jack assentiu.

– Ele leva o caso em nível pessoal.

– Sim. Acha que os artífices o abandonaram em um momento crítico.

– Suponho que foi mesmo o que fizeram, de certo modo – disse Jack. – Mas Philip cometeu um grande erro de julgamento tentando alterar o costume dos trabalhadores por decreto.

– Que mais poderia ter feito? – retorquiu Jonathan.

– Ter discutido a crise com eles, em primeiro lugar. Talvez houvessem sugerido algumas medidas econômicas. Mas não estou em condições de acusar o prior, porque cometi o mesmo erro.

Isso aguçou a curiosidade de Jonathan.

– Como?

– Transmiti o programa de cortes aos homens da mesma maneira brusca e sem tato como Philip me comunicou.

O jovem monge tinha vontade de se sentir ultrajado, tal qual o prior, pondo a culpa da greve na perfídia dos homens; porém, relutantemente, estava vendo o outro lado da moeda. Jack decidiu não falar mais nada. Plantara uma semente.

Deixou o monge e retornou ao local onde desenhava. O problema, refletiu, enquanto apanhava os instrumentos de trabalho, é que o pacificador da cidade era Philip. Normalmente, era ele o juiz dos transgressores da lei e árbitro das controvérsias. Era desconcertante vê-lo como parte numa briga, furioso, amargo e inflexível. Outra pessoa teria que fazer as pazes daquela vez. E a única pessoa que Jack podia imaginar era ele mesmo. Como mestre construtor, era o intermediário que podia falar com ambas as partes, e tinha uma motivação inquestionável – queria continuar construindo.

Passou o resto do dia pensando em como deveria realizar aquela tarefa, e a pergunta que fez a si próprio vezes sem conta foi: O que Philip iria fazer?

No dia seguinte sentiu-se pronto para defrontar-se com o prior.

Era um dia frio e ventoso. Jack ficou rondando o canteiro de obras deserto no início da tarde, com o capuz da capa puxado para se manter seco, fingindo estudar as rachaduras do clerestório (um problema ainda não resolvido), e esperou até ver Philip sair do claustro e dirigir-se apressadamente para a sua casa. Quando entrou, Jack foi ao seu encontro.

A porta estava sempre aberta. O mestre construtor bateu e entrou. Philip estava de joelhos em frente ao pequeno altar no canto. Era de pensar que já rezasse bastante, na igreja, a maior parte do dia e metade da noite, foi a ideia que veio à cabeça de Jack. Não havia fogo: o prior estava economizando. O construtor esperou silenciosamente até ele levantar e virar-se.

– Isso tem que terminar – disse então.

O rosto normalmente amável de Philip apresentou uma expressão dura.

– Não vejo dificuldade alguma – declarou glacialmente. – Eles podem voltar ao trabalho a qualquer hora que queiram.

– Nos seus termos.

Philip limitou-se a fitar Jack.

– Eles não vão voltar nos seus termos, e não vão esperar a vida inteira para que você veja a razão. – Jack apressou-se a acrescentar: – Ou o que pensam que é a razão.

– Não vão esperar a vida inteira? Para onde irão quando se cansarem de esperar? Não vão encontrar trabalho em parte alguma. Pensam que este é o único lugar que está sofrendo com a crise? Pois ela assola toda a Inglaterra. Todos os canteiros de obras foram desativados.

— Então você vai esperar que eles retornem rastejando, implorando perdão.
Philip desviou o olhar.
— Não quero fazer ninguém rastejar. Acredito que jamais tenha lhe dado motivo para esperar tal comportamento da minha parte.
— Não, e é por isso que vim procurá-lo — disse Jack. — Sei que na verdade você não deseja humilhar aqueles homens; não é da sua natureza. E, além disso, se retornarem vencidos e ressentidos, trabalharão mal nos próximos anos. Então, tanto do meu ponto de vista quanto do seu, devemos permitir que saiam disso com a cabeça erguida... O que implica fazer concessões.
Jack conteve a respiração. Fizera o seu grande discurso, e aquele era o momento decisivo. Se o prior não cedesse agora, o futuro seria negro.
Philip fitou severamente Jack por um longo momento. Este viu a razão lutando com a emoção no rosto do prior. Finalmente sua expressão suavizou-se e ele disse:
— É melhor sentarmos.
Jack conteve um suspiro de alívio quando se sentou. Planejara o que diria a seguir: não ia repetir a espontânea falta de tato que exibira com os operários.
— Não há necessidade de modificar a interrupção de compra de material — começou. — Da mesma forma, a suspensão da contratação de novos empregados pode ser mantida — ninguém faz objeções. Acho também que eles podem ser persuadidos a aceitar que não haverá trabalho nos dias santos, se ganharem concessões em outras áreas. — Parou para deixar que o prior digerisse suas palavras. Até então, dera tudo e não pedira nada.
Philip assentiu.
— Que concessões?
O construtor respirou fundo.
— Eles ficaram profundamente ofendidos com a sua proposta de proibir as promoções. Acham que está usurpando uma antiga prerrogativa da associação.
— Expliquei a você que não foi essa minha intenção — disse o prior, num tom de voz exasperado.
— Sim, sei disso — apressou-se a dizer Jack. — Claro que me explicou. E acreditei em você, mas eles não. — Pela expressão de Philip, via-se que ficara ofendido. Como uma pessoa podia não acreditar nele? Jack teve que se apressar novamente:
— Mas isso pertence ao passado. Vou propor uma solução de compromisso que não lhe custará nada.
O prior pareceu interessado.
— Deixe que continuem a aprovar requerimentos de promoção — prosseguiu o construtor —, mas adie o pagamento correspondente por um ano. — E pensou: Ache alguma objeção a isso, se puder.
— Eles aceitarão? — perguntou Philip ceticamente.
— Vale a pena tentar.

— E se eu continuar não podendo pagar os aumentos daqui a um ano?
— Só atravesse a ponte quando chegar ao rio.
— Você quer dizer renegociar dentro de um ano.
Jack deu de ombros.
— Se necessário.
— Entendo — disse Philip, indiferente. — Alguma coisa mais?
— O maior obstáculo é a demissão dos trabalhadores de verão. — Estava sendo completamente franco agora. Aquele assunto não podia ser abrandado. — A demissão imediata nunca foi permitida em nenhum canteiro de obras da cristandade. O prazo mínimo é o fim da semana. — Para ajudar Philip a se sentir menos tolo, acrescentou: — Eu devia ter-lhe avisado.
— Então tudo o que tenho a fazer é empregá-los por mais dois dias?
— Não creio que seja suficiente agora — disse Jack. — Se tivéssemos agido diferentemente desde o princípio, poderíamos nos safar com isso, mas agora eles vão querer mais, num acordo.
— Sem dúvida você tem algo específico em mente.
Jack tinha, e era a única concessão de verdade que pediria.
— Estamos no começo de outubro. Normalmente demitimos os trabalhadores de verão no princípio de dezembro. Vamos atendê-los parcialmente e efetuar as demissões no início de novembro.
— Isso só me dá metade do que preciso.
— Mais que a metade. Você ainda se beneficia da liquidação dos estoques, do adiamento dos pagamentos relativos às promoções e dos dias santos.
— Essas coisas são perfumaria.
Jack recostou-se à cadeira, acabrunhado. Fizera o melhor possível. Não tinha mais argumentos para colocar perante Philip, nenhum outro recurso de persuasão, nada mais a dizer. Disparara sua flecha. E o prior ainda estava resistindo. O construtor preparou-se para reconhecer a derrota. Fitou o rosto impassível de Philip e aguardou.
O religioso olhou para o altar por um longo momento. Finalmente voltou-se de novo para Jack.
— Terei que apresentar essa questão ao cabido.
O mestre construtor chegou a perder as forças, tão aliviado ficou. Não era uma vitória, mas chegava perto. Philip não pediria aos monges que decidissem sobre algo que ele próprio não aprovava, e com frequência eles faziam o que o prior queria.
— Espero que aceitem — disse Jack, baixinho.
Philip ergueu-se e pôs uma das mãos no ombro de Jack. Sorriu pela primeira vez.
— Se eu apresentar o caso tão persuasivamente quanto você, eles aceitarão.
Jack ficou surpreso com a súbita mudança de atitude.

— Quanto mais cedo acabar, menos efeitos a longo prazo a greve terá – disse ele.
— Eu sei. Isso tudo me deixou furioso, mas não quero brigar com você. – Inesperadamente, estendeu a mão.

O construtor a apertou e sentiu-se bem.

— Devo dizer aos homens que se reúnam pela manhã, a fim de tomar conhecimento do veredicto do cabido?

— Sim, por favor.

— Farei isso agora. – E virou-se para sair.

— Jack.

— Sim?

— Muito obrigado.

O construtor balançou a cabeça e saiu. Caminhou pela chuva sem pôr o capuz. Sentia-se feliz.

Naquela tarde, foi à casa de todos os artesãos e disse que haveria uma reunião pela manhã. Os que não estavam em casa – os solteiros e os trabalhadores de verão, principalmente –, encontrou na cervejaria. Sóbrios, contudo, pois o preço da cerveja subira juntamente com tudo mais, e ninguém podia se dar ao luxo de ficar bêbado. O único artesão que não pôde encontrar foi Alfred, que não era visto há cerca de dois dias. Mas acabou aparecendo ao crepúsculo. Entrou na cervejaria com uma expressão estranhamente triunfante na cara bovina. Não disse onde estivera, nem Jack perguntou. Este o deixou bebendo cerveja com os outros homens e foi cear com Aliena e as crianças.

Na manhã seguinte, deu início à reunião antes que o prior Philip aparecesse. Queria cuidar das preliminares. Mais uma vez preparara o que tinha a dizer muito cuidadosamente, para se assegurar de que não perderia a questão por falta de tato. Mais uma vez tentou manejar as coisas como Philip teria feito.

Todos os homens chegaram cedo. Seu meio de vida estava em jogo. Um ou dois dos mais jovens estavam com os olhos vermelhos: Jack supôs que a cervejaria ficara aberta até tarde na noite anterior, e alguns deles esqueceram sua pobreza por algum tempo. Os jovens e os trabalhadores temporários de verão eram os que mais provavelmente se mostrariam difíceis. Os operários mais idosos costumavam enxergar mais longe. A pequena minoria de mulheres era sempre cautelosa e conservadora, apoiando qualquer tipo de acordo.

— O prior Philip vai nos pedir que voltemos ao trabalho e nos oferecer concessões para chegarmos a um acordo – começou Jack. Antes de ele chegar, devemos discutir o que podemos estar preparados para aceitar, o que rejeitaremos em caráter definitivo e o que estaremos dispostos a negociar. Precisamos mostrar a Philip uma frente unida. Espero que todos vocês concordem.

Umas poucas cabeças balançaram, em assentimento.

Jack adotou um tom de voz ligeiramente irritado.

– Do meu ponto de vista – disse ele –, devemos recusar em caráter absoluto a demissão instantânea. – Deu um soco na bancada para enfatizar sua inflexibilidade. Diversas pessoas exprimiram sua concordância em voz alta. O construtor sabia que Philip certamente não faria aquela exigência. Queria que os mais exaltados se ocupassem defendendo aquela prática antiga, de modo que, quando Philip cedesse nesse ponto, eles se acalmassem.

– Devemos também preservar o direito da associação de fazer promoções, pois apenas artesãos podem julgar se um homem tem ou não capacidade para ser promovido. – Mais uma vez ele estava sendo dissimulado. Procurava concentrar a atenção deles no aspecto não financeiro da promoção, na esperança de que quando ganhassem esse ponto estivessem prontos a transigir com os pagamentos.

– Quanto ao trabalho nos dias santos, estou dividido entre duas ideias. Os feriados normalmente são negociados – não há um comportamento padronizado quanto a eles, que eu saiba. – Virou-se para Edward Dois Narizes e perguntou: – Qual é a sua opinião a respeito disso, Edward?

– A maneira de proceder varia em cada canteiro de obra – respondeu ele, satisfeito por ter sido consultado. Jack balançou a cabeça, encorajando-o. Edward começou a recordar diversas maneiras de resolver a questão dos dias santos. A reunião estava se desenrolando exatamente como Jack queria. Uma discussão extensa de um ponto que não era muito controverso entediaria os homens e minaria suas energias para um confronto.

Mas o monólogo de Edward foi interrompido por uma voz no fundo.

– Tudo isso é irrelevante.

Jack viu que quem falara fora Dan Bristol, um trabalhador de verão.

– Um de cada vez, por favor – disse ele. – Vamos ouvir o que Edward tem a dizer.

Dan não era afastado tão facilmente.

– Nada disso interessa – disse ele. – O que queremos é um aumento.

– Um aumento? – Jack ficou irritado com aquela pretensão absurda.

Para sua surpresa, contudo, Dan tinha seguidores. Foi Pierre quem disse:

– Isso mesmo, um aumento. Olhe: um pão de dois quilos custa um penny. Uma galinha, que antes custava oito pence, agora está por vinte e quatro! Aposto como nenhum de nós aqui bebe cerveja forte há semanas. Os preços estão subindo, mas quase todos ainda ganhamos o mesmo salário pelo qual fomos contratados, ou seja, doze pence por semana. Temos que alimentar nossa família com isso.

Jack sentiu o coração ficar pequeno. Tinha conduzido tudo corretamente, mas aquela interrupção arruinara sua estratégia. Conteve-se, no entanto, evitando opor-se a Dan e a Pierre, porque sabia que teria mais influência se parecesse ser compreensivo.

— Concordo com vocês dois — disse, para evidente surpresa de ambos. — A questão é: que chance temos de persuadir Philip a nos dar um aumento quando o priorado está sem dinheiro?

Ninguém respondeu.

— Precisamos de vinte e quatro pence por semana para permanecermos vivos — disse Dan —, e mesmo assim ainda estaremos em piores condições do que antes.

Jack ficou atônito: por que a reunião estava fugindo ao seu controle?

— Vinte e quatro pence por semana — repetiu Pierre, e diversos outros balançaram a cabeça, concordando.

Ocorreu a Jack que ele podia não ser a única pessoa que viera à reunião com uma estratégia preparada. Olhando duro para Dan, perguntou:

— Vocês discutiram esse assunto antes?

— Sim, ontem à noite, na cervejaria — respondeu Dan desafiadoramente. — Há algo de errado nisso?

— Certamente que não. Mas em benefício dos que não tiveram o privilégio de comparecer a essa reunião, você poderia resumir suas conclusões?

— Muito bem. — Os homens que não tinham estado na cervejaria pareceram ficar ressentidos, mas Dan não demonstrou o menor arrependimento. No instante exato em que abriu a boca, Philip entrou. Jack dirigiu-lhe um rápido olhar e viu que o prior parecia feliz. Ele balançou a cabeça quase imperceptivelmente. Jack sentiu-se exultante: os monges tinham aceitado as condições do acordo. Abriu a boca para impedir que Dan falasse, mas atrasou-se por um segundo. — Queremos vinte e quatro pence por semana para os artífices — disse Dan, alto e claro. — Doze pence para os serventes e quarenta e oito para os mestres.

Jack olhou de novo para Philip. A alegria desaparecera, e mais uma vez seu rosto exibia a expressão dura do confronto anterior.

— Espere um momento — disse Jack. — Essa não é a opinião da associação como um todo. É uma exigência tola inventada por uma facção de bêbados na cervejaria.

— Não, não é — disse uma nova voz. Era Alfred. — Acho que você vai descobrir que a maioria dos trabalhadores apoia a exigência de dobrar o salário.

Jack o encarou furioso.

— Há poucos meses você me implorou um emprego — disse. Agora está exigindo o salário em dobro. Eu devia ter deixado que morresse de fome!

— É o que vai acontecer com todos vocês, se não ouvirem a voz da razão! — exclamou Philip.

Jack tentara desesperadamente evitar observações desafiadoras, mas agora não via alternativa: sua estratégia falhara por completo.

— Não voltaremos ao trabalho por menos de vinte e quatro pence e pronto — disse Dan.

— Isso está fora de questão — disse Philip. — É um sonho tolo. Não vou nem mesmo discuti-lo.

— E nós também não vamos discutir mais nada — disse Dan. Não trabalharemos por menos, sejam quais forem as circunstâncias.

— Mas isso é estupidez! — exclamou o construtor. — Como você pode ficar aí sentado e dizer que não trabalhará por menos? Não trabalhará de modo algum, seu idiota. Vocês não têm outro lugar para onde ir!

— Não temos? — contrapôs Dan.

Todos ficaram em silêncio.

Oh, Deus, pensou Jack, desesperado. É isso; eles têm uma alternativa.

— Nós temos outro lugar para onde ir — disse Dan, levantando-se. — E, quanto a mim, estou indo para lá agora.

— De que você está falando? — perguntou Jack.

A expressão de Dan era de triunfo.

— Recebi uma oferta para trabalhar em Shiring. Na construção da nova igreja. A vinte e quatro pence por semana.

Jack relanceou os olhos por todos.

— Alguém mais recebeu a mesma oferta?

Eles baixaram a cabeça, envergonhados.

— Todos nós recebemos — disse Dan.

O mestre construtor sentiu-se devastado. A coisa toda tinha sido organizada. Ele fora traído. Sentiu-se tão tolo quanto injustiçado. Enganara-se completamente ao avaliar a situação. A mágoa se transformou em raiva, e ele procurou alguém a quem culpar.

— Qual de vocês? — gritou. — Qual de vocês é o traidor? — Poucos foram capazes de encará-lo, mas a vergonha deles não lhe serviu de consolo. Sentia-se como um amante traído. — Quem trouxe essa oferta de Shiring? — gritou. — Quem vai ser o mestre construtor em Shiring? — Seu olhar examinou um por um e veio pousar em Alfred. Claro. Sentiu-se enojado. — Alfred? — perguntou sarcasticamente. — Vocês estão me deixando para trabalhar com *Alfred*?

Silêncio.

— Sim, estamos — disse Dan finalmente.

Jack reconheceu que fora derrotado.

— Então, que seja assim — disse, amargurado. — Vocês me conhecem e conhecem meu irmão, e preferiram Alfred. Vocês conhecem o prior Philip e conhecem o conde William, e preferiram William. Só me resta dizer que merecem tudo o que vão conseguir.

Capítulo 15

1

— Conte-me uma história — pediu Aliena. — Você nunca mais me contou histórias. Lembra como antigamente você contava?
— Lembro — disse Jack.
Os dois estavam em sua clareira secreta, na floresta. Era final de outono, de modo que em vez de se sentarem à sombra, ao lado do regato, tinham acendido uma fogueira no abrigo de uma rocha. A tarde estava fria, cinzenta e escura, mas fazer amor os aquecera e o fogo crepitava alegremente. Ambos estavam nus sob as capas.
Jack abriu a capa de Aliena e tocou no seu seio. Ela achava que tinha os seios grandes demais, e se sentia triste por ver que não eram mais tão altos e firmes como antes de ter as crianças, mas Jack parecia gostar deles do mesmo modo, o que era um grande alívio.
— Era uma vez uma princesa que vivia no topo de um grande castelo — disse ele, tocando delicadamente no mamilo. — E um príncipe, que vivia no topo de outro grande castelo. — E tocou no outro. — Todos os dias eles se olhavam das janelas de suas prisões, e ansiavam por cruzar o espaço que os separava. — A mão dele descansou entre os seios e deslocou-se subitamente para baixo. — Mas todas as tardes de domingo eles se encontravam na floresta! — Ela gritou, assustada, e depois riu de si própria.
Aquelas tardes de domingo eram os momentos dourados de uma vida que se desmoronava rapidamente.
A safra ruim e o colapso do preço da lã causaram uma devastação econômica. Mercadores se viram arruinados, os habitantes da cidade perderam seus empregos, e os camponeses passavam fome. Jack ainda ganhava um salário, afortunadamente: com um punhado de artífices estava construindo aos poucos o primeiro intercolúnio da nave. Mas Aliena suspendera quase que inteiramente a fabricação de tecidos. E as coisas eram piores ali do que no resto do Sul da Inglaterra, devido ao modo como William estava reagindo à crise.

Para Aliena aquele era o aspecto mais doloroso da situação. Hamleigh desejava gananciosamente dinheiro para construir a nova igreja em Shiring, a igreja dedicada à memória da sua mãe, a perversa e meio louca Regan Hamleigh. Expulsara tantos rendeiros por atraso no pagamento que algumas das melhores terras do condado não eram mais cultivadas, o que agravava a falta de cereais. Ele próprio, contudo, estocara trigo para fazer o preço subir ainda mais. Tinha poucos empregados e ninguém para alimentar, de modo que lucrava com a crise, a curto prazo. Mas a longo prazo estava causando um dano irreparável à propriedade e à sua capacidade de alimentar as pessoas que ali habitavam. Aliena se lembrava do condado sob o governo de seu pai, um condado rico de terras férteis e cidades prósperas, e essa lembrança lhe partia o coração.

Por alguns anos quase tinha se esquecido dos votos que formulara, junto com o irmão, perante o pai moribundo. Desde que William Hamleigh fora nomeado conde e ela tivera seu primeiro filho, a ideia de Richard reconquistar o condado havia se tornado uma fantasia remota. O próprio Richard se adaptara às funções de chefe da vigilância. Tinha inclusive se casado com uma garota da cidade, a filha de um carpinteiro, embora lamentavelmente a pobrezinha, que não desfrutava de boa saúde, houvesse morrido no ano anterior sem lhe ter dado filhos.

Desde o início da crise, Aliena começara a pensar de novo no condado. Sabia que, se Richard fosse o conde, com sua ajuda poderia fazer muita coisa para aliviar o sofrimento geral. Mas era um sonho: William era bastante favorecido pelo rei Estêvão, que estava levando vantagem na guerra civil, e não havia perspectiva de mudanças.

No entanto, todos aqueles desejos contrariados se desvaneciam na clareira secreta, quando Aliena e Jack se deitavam na grama para fazer amor. Desde o início eles tinham sido ávidos do corpo um do outro – Aliena jamais se esqueceria de como ficara chocada com sua própria luxúria, no começo –, e mesmo agora, quando já estava com trinta anos e a maternidade alargara seus quadris e tornara flácida sua barriga, Jack ainda sentia tanto desejo por ela que faziam amor três ou quatro vezes cada domingo.

Agora o gracejo dele a respeito da floresta se transformou numa carícia deliciosa, e Aliena puxou-lhe o rosto para beijá-lo; então ouviu uma voz.

Ambos ficaram imóveis. A clareira se encontrava a uma certa distância da estrada, escondida por uma moita densa: nunca eram interrompidos, a não ser por um cervo ocasional ou uma raposa afoita. Contiveram a respiração, atentos. A voz se fez ouvir de novo, e foi seguida por outra diferente. Aguçando mais a audição, perceberam um burburinho, como se houvesse um grande grupo de homens se deslocando através da floresta.

Jack encontrou suas botas, que estavam no chão. Deslocando-se silenciosamente, foi até o regato, a poucos passos, encheu uma delas com água e esvaziou-a na fogueira. As chamas desapareceram com um chiado e uma nuvem quase insignificante de fumaça. Jack desapareceu sem um ruído por entre a vegetação, engatinhando.

Aliena vestiu a camisa de baixo, a túnica e as botas, e depois se embrulhou de novo na capa.

Jack retornou tão silenciosamente quanto se fora.

— São fora da lei — disse.

— Quantos? — sussurrou ela.

— Uma porção. Não pude ver todos.

— Para onde estão indo?

— Kingsbridge. — Ele ergueu uma das mãos. — Ouça.

Aliena inclinou a cabeça. Muito ao longe, ouviu o sino do priorado batendo rápida e incessantemente, avisando o perigo. O coração dela falhou uma batida.

— Oh, Jack! As crianças!

— Poderemos chegar antes dos fora da lei se cruzarmos o Muddy Bottom e vadearmos o rio perto do bosque de castanheiras.

— Vamos depressa, então!

Jack a conteve, segurando-a pelo braço, e escutou por um instante. Na floresta sempre conseguia ouvir coisas que Aliena não ouvia. Afinal, fora criado ali. Ela aguardou.

— Acho que todos já passaram — disse ele, afinal.

Deixaram a clareira. Em poucos momentos chegaram à estrada. Não havia ninguém à vista. Atravessaram-na e passaram por dentro da floresta, seguindo uma trilha quase imperceptível. Aliena deixara Tommy e Sally com Martha, brincando de jogo das nove pedras em frente a um belo e reconfortante fogo. Não tinha bem certeza de qual seria o perigo, mas seu pânico era de que pudesse acontecer alguma coisa antes de retornar para junto das crianças. Correram quando possível, mas para frustração de Aliena o terreno era quase todo muito irregular, de modo que o melhor que podia fazer era trotar enquanto Jack se deslocava com largas passadas. Aquele caminho era muito mais difícil que a estrada por onde costumavam se deslocar, mas era muito mais rápido.

Desceram escorregando a encosta íngreme do Muddy Bottom. Forasteiros descuidados ocasionalmente morriam naquele lodaçal, mas não havia perigo em atravessá-lo para quem conhecia o caminho. Mesmo assim, a lama pareceu agarrar os pés de Aliena, retendo-a longe de Tommy e Sally. Na extremidade do Muddy Bottom havia um vau. A água fria subiu-lhe até os joelhos e lavou-lhe a lama dos pés.

Dali em diante o caminho era reto. O sino de alarme soava cada vez mais alto, à medida que se aproximavam da cidade. Qualquer que fosse o perigo representado pelos fora da lei, pelo menos Kingsbridge tinha sido alertada com antecedência, pensou Aliena, tentando se animar. Quando ela e Jack saíram da floresta na campina entre o rio e Kingsbridge, vinte ou trinta jovens que estavam jogando futebol numa aldeia próxima chegaram ao mesmo tempo, gritando estridentemente e suando apesar do frio.

Atravessaram a ponte correndo. O portão já estava fechado, mas as pessoas que guarneciam as fortificações os tinham visto e reconhecido, e, quando se aproximaram, uma portinhola foi aberta. Jack fez valer sua posição e obrigou os garotos a deixar que ele e Aliena entrassem em primeiro lugar. Baixaram a cabeça e passaram pela pequena porta. Aliena sentiu-se profundamente aliviada por ter voltado à cidade antes da chegada dos fora da lei.

Ofegando com o exercício, subiram correndo a rua principal. Os habitantes da cidade se dirigiam para as muralhas com lanças, arcos e pilhas de pedras para serem arremessadas. As crianças estavam sendo cercadas e levadas para o priorado. Martha já deveria ter ido para lá, com Tommy e Sally, decidiu Aliena. Ela e Jack foram direto para o adro.

No pátio da cozinha, Aliena viu – para seu assombro – Ellen, a mãe de Jack, esbelta e bronzeada como sempre, mas com o cabelo comprido grisalho e rugas em torno dos olhos, aos quarenta e quatro anos de idade. Estava conversando animadamente com Richard. O prior Philip encontrava-se a uma certa distância, dirigindo as crianças para a casa do cabido. Não parecia ter visto Ellen.

Nas proximidades estavam Martha com Tommy e Sally. Aliena suspirou aliviada e abraçou as duas crianças.

– Mãe! – exclamou Jack. – Por que está aqui?

– Vim avisar vocês que um bando de fora da lei está a caminho. Vão atacar a cidade.

– Nós os vimos na floresta – disse Jack.

Richard teve sua atenção despertada.

– Você os viu? Quantos homens?

– Não estou bem certo, mas parecia muita gente, pelo menos umas cem pessoas, talvez mais.

– Que tipo de armas?

– Porretes. Facas. Uma machadinha ou duas. Principalmente porretes.

– Que direção?

– Ao norte daqui.

– Obrigado! Vou dar uma olhada da muralha.

– Martha – disse Aliena –, leve as crianças para a casa do cabido. – Ela seguiu Richard, tal como Jack e Ellen.

Enquanto percorriam apressadamente as ruas, todos perguntavam a Richard:

— O que é?

— Fora da lei — respondia ele sucintamente, sem diminuir o passo.

Aqueles eram os melhores momentos de Richard, pensou Aliena. Se lhe pedissem que saísse e ganhasse o pão de cada dia, seria um inútil; mas numa emergência militar era frio, controlado e competente.

Chegaram à parede norte da cidade e galgaram a escada para o parapeito. Havia montes de pedras para serem jogadas nos atacantes, colocados a intervalos regulares. Habitantes da cidade armados de arcos e flechas já tomavam posição nas ameias. Algum tempo antes Richard persuadira o conselho da cidade a realizar exercícios de emergência uma vez por ano. Houvera muita resistência à ideia no princípio, mas se tornara um ritual, como as festas de entrada do verão, e todos gostavam. Agora os seus verdadeiros benefícios estavam aparecendo: o povo da cidade reagira rápida e confiantemente ao som do alarme.

Aliena, atemorizada, olhou por cima dos campos, na direção da floresta. Não podia ver nada.

— Vocês devem ter chegado aqui muito antes deles — disse Richard.

— Por que estão vindo para *cá*? — perguntou sua irmã.

— Os depósitos do priorado — respondeu Ellen. — Este é o único lugar em muitas milhas onde há comida.

— Sim, claro! — Os fora da lei eram pessoas famintas, expulsas de suas terras por William, sem ter outro meio de vida senão o roubo. Nas aldeias indefesas pouco ou nada havia para roubar: os camponeses não estavam em muito melhor situação que os fora da lei. Somente nos celeiros dos proprietários da terra havia alimentos em quantidade.

Enquanto pensava nisso, ela os viu.

Emergiram da orla da floresta como ratos abandonando uma pilha de feno em chamas. Espalharam-se pelo campo na direção da cidade, vinte, trinta, cinquenta, uma centena deles, um pequeno exército. Provavelmente tinham esperado pegar a cidade desprevenida e passar pelos portões, mas, quando ouviram o sino tocando o alarme, perceberam que estavam sendo esperados. Mesmo assim prosseguiram, com o desespero dos famintos. Um ou dois arqueiros arremessaram suas flechas prematuramente, e Richard mandou que esperassem, para não desperdiçá-las.

Na última vez em que Kingsbridge fora atacada, Tommy estava com dezoito meses de idade e Aliena esperava Sally. Refugiara-se no priorado, junto com os mais velhos e as crianças. Dessa vez ficaria nas ameias e ajudaria a rechaçar o perigo. A maior parte das outras mulheres se sentia do mesmo modo: havia quase tantas mulheres quanto homens na muralha.

Mesmo assim, Aliena sentiu-se dividida quando os fora da lei se aproximaram. Estava perto do priorado, mas era possível que os atacantes conseguissem romper a defesa em algum outro ponto da muralha e chegassem ao priorado antes dela. Ou podia se ferir no combate e ficar impossibilitada de socorrer os filhos, Jack estava ali, e Ellen também; se fossem mortos, restaria apenas Martha para tomar conta de Tommy e Sally. Aliena hesitou, indecisa.

Os proscritos estavam quase na muralha. Uma chuva de flechas caiu sobre eles, e dessa vez Richard não disse aos arqueiros que esperassem. Os atacantes foram dizimados. Não tinham armaduras para se proteger. Não havia também organização alguma. Ninguém planejara o ataque. Eram como animais em disparada, lançando-se contra a muralha. Quando chegavam junto a ela, não sabiam o que fazer. Os habitantes da cidade os bombardearam com pedras, de cima das ameias. Diversos fora da lei atacaram o portão norte com porretes. Aliena sabia como era grossa aquela porta de carvalho guarnecida de ferro: seria preciso toda uma noite para derrubá-la. Enquanto isso, Alf Açougueiro e Arthur Seleiro levavam um caldeirão de água fervente da cozinha de alguém para a muralha, acima do portão.

Diretamente abaixo de Aliena, um grupo de fora da lei começou a formar uma pirâmide humana. Jack e Richard se puseram imediatamente a jogar pedras neles. Pensando nos filhos, Aliena fez o mesmo, e Ellen a imitou. Os desesperados fora da lei aguentaram a chuva de pedras por algum tempo; depois, alguém foi atingido na cabeça, a pirâmide ruiu e eles desistiram.

Ouviram-se gritos de dor um momento mais tarde, quando a água fervente foi despejada sobre a cabeça dos homens que atacavam a porta.

Então alguns dos proscritos perceberam que seus camaradas mortos e feridos eram presa fácil, e começaram a desnudar-lhes o corpo. Irromperam brigas com aqueles que não estavam tão seriamente feridos, e grupos rivais de saqueadores disputaram as coisas dos mortos. Uma carnificina, pensou Aliena; uma carnificina revoltante e vergonhosa. Os habitantes da cidade pararam de jogar pedras quando o ataque terminou, e os atacantes brigaram entre si como cães por causa de um osso.

Aliena voltou-se para Richard.

– Eles são desorganizados demais para representarem uma verdadeira ameaça – disse.

Ele concordou.

– Com um pouco de ajuda poderiam ser muito perigosos, porque estão desesperados. Mas do jeito como se encontram, não têm liderança.

Aliena teve uma súbita ideia.

– Um exército esperando por um líder – disse. Richard não reagiu, mas ela ficou animada. Seu irmão era um bom líder que não tinha exército. Os fora da lei eram um exército sem líder. E o condado estava se desmoronando...

Alguns dos defensores continuaram a atirar pedras e a lançar flechas nos proscritos, e mais alguns deles foram derrubados. Aquele foi o desencorajamento final, e eles começaram a bater em retirada, como uma matilha de cães com o rabo entre as pernas, olhando por cima dos ombros pesarosamente. Alguém abriu então o portão norte, e uma multidão de rapazes, brandindo espadas e machados, saiu correndo atrás do retardatários. Os fora da lei procuraram fugir, mas alguns foram alcançados e chacinados.

Ellen virou-se, enojada.

— Você devia ter impedido aqueles rapazes de perseguir os atacantes — disse ela a Richard.

— Os jovens precisam ver um pouco de sangue, após um combate como este — retrucou ele. — E, além do mais, quanto mais matarmos agora, menos nos atacarão da próxima vez.

Era uma filosofia de soldado, pensou Aliena. No tempo em que tinha sua vida ameaçada todos os dias, provavelmente seria como aqueles rapazes, e correria atrás dos fora da lei a fim de matá-los. Agora desejava terminar com as causas daquela situação, e não com os fora da lei propriamente ditos. Além disso, imaginara um modo de usá-los.

Richard mandou que alguém tocasse o sinal de fim de alarme no sino do priorado e deu instruções para que fosse dobrada a vigilância durante a noite, com patrulhas de guardas além das sentinelas. Aliena dirigiu-se ao priorado e recolheu Martha e as crianças. Todos foram se encontrar de novo na casa de Jack.

Ficou satisfeita por estarem todos juntos: ela, Jack, seus filhos, a mãe de Jack, Richard e Martha. Quase como uma família comum; por pouco Aliena poderia esquecer que seu pai morrera numa masmorra, que era legalmente casada com o filho do padrasto de Jack, que Ellen era uma fora da lei, e...

Balançou a cabeça. Não adiantava fingir que se tratava de uma família normal.

Jack apanhou uma jarra de cerveja no barril e a serviu em copos grandes. Todos se sentiam tensos e excitados após o perigo. Ellen atiçou o fogo, e Martha cortou nabos numa panela, começando a fazer uma sopa para a ceia. Um dia eles poriam meio porco no fogo para uma ocasião como aquela.

Richard bebeu uma cerveja num longo gole e, enxugando a boca, disse:

— Vamos ver ainda mais desse tipo de coisa antes do fim do inverno.

— Eles deviam assaltar os depósitos de víveres do conde William, e não os do prior Philip — afirmou Jack. — Foi William quem deixou essas pessoas sem recursos.

— Não terão mais sucesso contra William do que tiveram contra nós, a menos que aperfeiçoem suas táticas. São como uma matilha de cães.

— Precisam de um líder — disse Aliena.

— Reze para que nunca o tenham! — disse Jack. — Então seriam realmente perigosos.

— Um líder poderia fazê-los atacar a propriedade de William em vez da nossa — afirmou Aliena.

— Não estou entendendo — retrucou Jack. — Um líder iria fazer isso?

— Iria, se fosse Richard.

Todos ficaram em silêncio.

A ideia se desenvolvera na mente de Aliena e agora ela estava convicta de que daria certo. Poderiam cumprir o prometido, com Richard destruindo William e tornando-se conde, e o condado poderia ter restauradas sua paz e prosperidade... Quanto mais pensava nisso, mais animada ficava.

— Havia mais de uma centena de homens naquela turba que nos atacou hoje — disse, virando para Ellen. — Quantos mais há na floresta?

— Não dá para contar — respondeu Ellen. — Centenas. Milhares.

Aliena inclinou-se sobre a mesa da cozinha e encarou Richard.

— Seja o líder deles — disse convictamente. — Organize-os. Ensine-os a lutar. Faça planos de ataque. Depois os faça entrar em ação... contra William.

Enquanto falava, dava-se conta de que estava lhe dizendo para pôr sua vida em perigo, e tremeu de medo. Em vez de reconquistar o condado, ele podia ser morto.

Mas Richard não teve tais receios.

— Por Deus, Allie, talvez você tenha razão! Eu poderia ter um exército meu e liderá-lo contra William.

A irmã viu em seu rosto o ressurgir de um ódio alimentado há muito tempo, e notou novamente a cicatriz na sua orelha esquerda, onde o lobo fora cortado. Reprimiu a lembrança infame que ameaçava lhe assomar à mente.

Richard estava se entusiasmando com a ideia.

— Eu poderia atacar os rebanhos de William — disse, com satisfação. — Roubar suas ovelhas, caçar seus cervos, arrombar seus celeiros, apossar-me de seus moinhos. Meu Deus, eu poderia fazer aquele canalha sofrer, se tivesse um exército.

Richard sempre fora um soldado, pensou Aliena: era a sua sina.

A despeito do medo que sentia pela segurança do irmão, emocionava-se com a perspectiva de que ainda podia ter outra chance para cumprir seu destino.

Ele se lembrou de um problema.

— Mas como posso encontrar os fora da lei? Eles sempre se escondem.

— Posso responder a isso — disse Ellen. — Seguindo-se pela estrada de Winchester há uma trilha fora de uso que dá numa antiga pedreira. É onde se escondem. Antes era chamada de Pedreira de Sally.

A pequena Sally, com sete anos, reclamou:

— Mas não tenho nenhuma pedreira!

Todos riram.

Em seguida ficaram em silêncio novamente.
Richard estava exuberante e determinado.
— Muito bem — disse, com firmeza. — A Pedreira de Sally.

— Nós tínhamos trabalhado duro a manhã inteira, arrancando um enorme toco de árvore em cima de uma colina — disse Philip. — Quando voltamos, meu irmão Francis estava no cercado das cabras, segurando você no colo. Tinha um dia, apenas.

A expressão de Jonathan era grave. Aquele era um momento solene para ele. Philip examinou o Mosteiro de St.-John-in-the-Forest. Não havia muita floresta à vista agora: através dos anos os monges haviam derrubado muitos acres, e a construção era cercada por campos. Havia mais edifícios de pedra — a casa do cabido, um refeitório e um dormitório —, além de uma porção de celeiros e cocheiras de madeira, menores. Nem de longe se parecia com o lugar de onde saíra havia dezessete anos. As pessoas eram diferentes, também. Diversos jovens monges daquele tempo agora ocupavam posições de responsabilidade. William Beauvis, que causara problema jogando cera quente na careca do mestre dos noviços tanto tempo antes, agora era o prior ali. Alguns tinham ido embora: o encrenqueiro Peter de Wareham estava em Canterbury, trabalhando para um ambicioso jovem arcediago chamado Tomás Becket.

— Eu gostaria de saber como eles eram — disse Jonathan. — Refiro-me a meus pais.

O prior sentiu comiseração por ele. Também perdera os pais, mas quando tinha seis anos, e podia se lembrar de ambos bastante bem: sua mãe, calma e amorosa, seu pai, alto, de barba negra e — pelo menos para Philip — corajoso e forte. Jonathan não tinha nem mesmo isso. Tudo o que sabia sobre os pais é que não o tinham desejado.

— Podemos adivinhar muita coisa sobre eles — disse o prior.

— É mesmo? — perguntou o jovem ansiosamente. — O quê?

— Eram pobres — disse Philip. — Gente rica não tem motivo para abandonar os filhos. Não tinham amigos: amigos sabem quando se está esperando um filho, e fazem perguntas se uma criança desaparece. Estavam desesperados. Só pessoas desesperadas podem suportar a dor de perder um filho.

O rosto de Jonathan estava tenso com as lágrimas que não derramava. Philip quis chorar por ele, aquele menino que — todos diziam — era tão parecido com ele. Queria poder dar-lhe algum consolo, dizer-lhe alguma coisa calorosa e animadora sobre seus pais; mas como poderia afirmar que tinham amado o menino, se o haviam deixado para morrer?

— Por que Deus faz essas coisas? — perguntou o jovem monge.

Philip viu sua oportunidade.

— Quando se começa a fazer esse tipo de pergunta, termina-se sem saber de nada, confuso. Neste caso, porém, penso que a resposta seja clara. Deus queria você.

— Acha mesmo?

— Nunca lhe disse antes? Pois sempre acreditei nisso. Foi o que declarei aos monges aqui, no dia em que você foi encontrado. Disse que Deus o mandara com um objetivo que só Ele sabia, e que era nosso dever criá-lo no seu serviço para que você tivesse condições de cumprir a tarefa que Ele designara.

— Gostaria de saber se minha mãe sabe disso.

— Se ela está com os anjos, sabe.

— O que acha que poderá ser minha tarefa?

— Deus precisa de monges que sejam escritores, ilustradores, músicos e fazendeiros. Precisa de homens que desempenhem funções absorventes, como despenseiro, prior ou bispo. E também de homens capazes de negociar com lã, curar doentes, educar meninos e construir igrejas.

— É difícil imaginar que Ele tenha uma tarefa específica para mim.

— Pois não posso pensar que Ele fosse despender tanta energia com você se não tivesse — assegurou Philip, com um sorriso. — No entanto, pode ser que não seja um papel grande ou proeminente em termos mundanos. Ele pode querer que você seja um desses monges quietos, um homem humilde que devota a vida à prece e à contemplação.

Jonathan ficou desapontado.

— Acho que sim.

Philip riu.

— Mas não creio. Deus não ia fazer uma faca com madeira, ou a camisa de uma dama com couro de sapato. Você não é o material certo para uma vida de contemplação, e Deus sabe disso. Meu palpite é que quer que você lute por Ele, e não que cante para Ele.

— Certamente espero que assim seja.

— Mas neste exato momento Ele quer que você vá ver o irmão Leo e descubra quantos queijos tem para o despenseiro de Kingsbridge.

— Certo.

— Vou conversar com meu irmão na casa do cabido. E lembre-se: se qualquer dos monges lhe falar a respeito de Francis, diga o mínimo que puder.

— Nada direi.

— Vá andando.

Jonathan atravessou o pátio rapidamente. Seu ar solene já o abandonara, e sua natural exuberância retornara antes que chegasse à leiteria. Philip observou-o até que ele desaparecesse dentro da construção. Eu era exatamente assim, pensou, só que talvez não tão esperto.

O prior seguiu na direção oposta até a casa do cabido. Francis mandara uma mensagem pedindo-lhe que se encontrasse com ele discretamente. No que dizia respeito aos monges de Kingsbridge, Philip estava fazendo uma visita de rotina a um pequeno mosteiro. O encontro não podia ser escondido dos monges dali, é claro, mas eles eram tão isolados que não tinham a quem contar. Somente o prior do mosteiro ia a Kingsbridge, e Philip o fizera jurar segredo.

Ele e Francis tinham chegado pela manhã, e embora não pudessem alegar que o encontro fora acidental, estavam fingindo que fora organizado apenas pelo prazer de se verem um ao outro. Ambos haviam assistido à missa e depois jantado com os monges. Agora era a primeira chance que tinham para conversar a sós.

Francis estava aguardando na casa do cabido, sentado num banco de pedra de encontro à parede. Philip quase nunca via sua própria imagem – não havia espelhos em um mosteiro –, de modo que avaliava seu envelhecimento através das mudanças no irmão, que era apenas dois anos mais moço. Francis, aos quarenta e dois, tinha uns poucos fios prateados no cabelo negro, e uma porção de rugas de fadiga em torno dos brilhantes olhos azuis. Estava muito mais volumoso no pescoço e na cintura do que na última vez em que o irmão o vira. Provavelmente estou com mais cabelos brancos e menos quilos em excesso, pensou Philip; mas qual de nós terá mais rugas de preocupação?

Sentou-se ao lado do irmão, de frente para o salão octogonal vazio.

– Como vão as coisas? – perguntou Francis.

– Os selvagens estão por cima novamente – disse Philip. – O priorado está ficando sem dinheiro e praticamente paramos de construir a catedral; Kingsbridge está declinando, metade do condado morre de fome e não é seguro viajar.

Francis assentiu.

– Acontece o mesmo em toda a Inglaterra.

– Talvez os selvagens fiquem para sempre no controle da situação – disse o prior melancolicamente. – Talvez a cobiça sempre tenha mais valor que a sabedoria nos conselhos dos poderosos; talvez o medo sempre ultrapasse a piedade na mente de um homem com uma espada na mão.

– Você geralmente não é tão pessimista.

– Fomos atacados por muitos fora da lei algumas semanas atrás. Foi lastimável: nem bem os defensores da cidade tinham matado uns poucos deles, os fora da lei começaram a brigar entre si. Mas, quando bateram em retirada, os nossos rapazes perseguiram os pobres coitados e chacinaram todos os que puderam pegar. Revoltante.

Francis sacudiu a cabeça.

– É difícil de entender.

— Acho que consigo — disse o prior. — Eles estavam assustados, e só conseguiram exorcizar o medo que sentiam derramando o sangue das pessoas que os tinham assustado. Vi isso nos olhos dos homens que mataram nossos pais. Mataram porque estavam assustados. Mas o que pode afastar o seu medo?

Seu irmão suspirou.

— Paz, justiça, prosperidade... coisas difíceis de conseguir.

Philip concordou.

— Bem, o que você está querendo?

— Estou trabalhando para o filho de Matilde. Seu nome é Henrique.

Philip já ouvira falar desse Henrique.

— Como é ele?

— Um rapaz muito inteligente e determinado. Seu pai está morto, de modo que é o conde de Anjou. Também é o duque da Normandia, por ser o neto mais velho do velho Henrique, que foi rei da Inglaterra e duque da Normandia. E se casou com Alienor de Aquitânia, de modo que também é o duque de Aquitânia.

— Governa um território maior que o rei da França.

— Exatamente.

— Mas como é ele?

— Educado, trabalhador, ativo, irrequieto, voluntarioso. Tem um temperamento assustador.

— Às vezes eu gostaria de ter um temperamento assim — disse Philip. — Faz com que todo mundo obedeça sempre. Mas como não há quem não conheça minha ponderação, nunca sou obedecido com a mesma presteza que se dedica a um prior que pode explodir a qualquer instante.

Francis riu.

— Continue do jeito que você é — disse, e ficou sério de novo. — Henrique me fez perceber a importância da personalidade do rei. Olhe só para Estêvão: sua capacidade de julgamento é fraca; é determinado apenas por curtos espaços de tempo, e depois desiste; é corajoso a ponto de cometer tolices, e perdoa os inimigos o tempo todo. As pessoas que o traem arriscam muito pouco: sabem que podem contar com sua condescendência. Consequentemente, luta há dezoito anos sem sucesso para governar uma terra que era um reino unido quando ele assumiu o poder. Henrique já conseguiu mais controle sobre sua coleção de ducados e condados anteriormente independentes do que Estêvão jamais teve.

Philip foi assaltado por uma ideia.

— Por que Henrique mandou você à Inglaterra?

— Para examiná-la.

— E o que encontrou?

— Um reino que não tem lei e passa fome, abatido por tempestades e devastado pela guerra.

Philip concordou pensativamente. O jovem Henrique era o duque da Normandia porque era o filho mais velho de Matilde, a única filha legítima do velho rei Henrique, que fora duque da Normandia e rei da Inglaterra.

Por essa linha dinástica, o jovem Henrique podia também pretender o trono da Inglaterra.

Sua mãe apresentara a mesma pretensão, mas não tivera êxito por ser mulher e ter como marido um angevino. Mas o jovem Henrique não apenas era homem como também tinha o mérito adicional de ser ao mesmo tempo normando (por parte de mãe) e angevino (por parte de pai).

– Henrique vai se candidatar ao trono da Inglaterra? – perguntou Philip.

– Depende do meu relatório – respondeu Francis.

– E o que você lhe dirá?

– Que nunca haverá uma época melhor do que a atual.

– Que Deus seja louvado – disse o prior.

2

No caminho para o castelo do bispo Waleran, o conde William parou no Moinho Cowford, de sua propriedade. O moleiro, um severo homem de meia-idade chamado Wulfric, tinha o direito de moer todo o grão produzido em onze aldeias próximas. Em troca, ficava com duas sacas em cada vinte: uma para si e outra para William.

Hamleigh dirigiu-se para lá a fim de receber o que lhe era devido. Normalmente não fazia isso em pessoa, mas aqueles não eram tempos normais. Agora era preciso providenciar uma escolta armada para cada carroça que transportasse farinha ou qualquer coisa comestível. A fim de usar sua gente do modo mais econômico, adquirira o hábito de levar consigo uma ou duas carroças, sempre que se deslocava com seu bando de cavaleiros, para cobrar o que fosse possível.

O aumento no crime era uma consequência secundária lamentável da sua política firme com maus rendeiros. Gente sem terra frequentemente se voltava para o roubo. De um modo geral, não eram mais eficientes como ladrões do que tinham sido como fazendeiros, e William esperara que a maioria desistisse durante o inverno. A princípio, suas expectativas haviam sido correspondidas: os fora da lei ou atacavam viajantes solitários que pouco tinham para ser roubado, ou desfechavam ataques mal organizados contra alvos bem defendidos. Ultimamente, contudo, as táticas deles haviam se aperfeiçoado. Agora sempre atacavam pelo menos com o dobro do efetivo da força defensora. Apareciam quando os celeiros estavam cheios, sinal de que faziam reconhecimentos cuidadosos. Seus ataques eram repentinos e rápidos, e tinham a coragem do desespero. No entanto, não ficavam para combater: cada homem fugia assim que conseguia pôr as mãos numa ovelha, num presunto, num queijo, num saco de farinha ou de prata. Não adiantava persegui-los, pois se dispersavam na floresta, dividindo-se e fugindo em todas as direções. Alguém os estava comandando, e o fazia exatamente do modo como William o teria feito.

O sucesso dos fora da lei humilhou o conde. Fez com que ele parecesse um bufão incapaz de policiar o próprio condado. Para piorar a situação, raramente roubavam qualquer coisa de outra pessoa. Parecia que deliberadamente o estavam desafiando. Não havia nada que William detestasse mais que a sensação de que estivessem rindo dele às suas costas. Passara a vida forçando as pessoas a respeitá-lo e à sua família, e aquele bando de proscritos estava desfazendo todo o seu trabalho.

Especialmente humilhante para Hamleigh era o que estavam dizendo dele: que era bem feito, que tratara impiedosamente os arrendatários de suas terras e que agora estavam se vingando, que fora ele o causador do que agora lhe acontecia. Esse tipo de conversa o deixava cego de raiva.

Os aldeões de Cowford ficaram assustados e temerosos quando William e seus cavaleiros chegaram. O conde olhou ameaçadoramente os rostos magros e apreensivos que surgiam nos portais e desapareciam rapidamente. Aquelas pessoas tinham mandado o padre para pedir que fossem autorizadas a moer seu próprio grão naquele ano, dizendo que não teriam condições de dar um décimo ao moleiro. William sentira-se tentado a arrancar a língua do padre pela insolência.

O tempo estava frio, e havia gelo na orla da represa do moinho.

A roda estava parada, e a mó, silenciosa. Uma mulher saiu da casa ao lado do moinho. William sentiu uma pontada de desejo quando a viu. Tinha cerca de vinte anos, rosto bonito e uma linda cabeleira escura cacheada. A despeito da crise, seus seios eram grandes e as coxas, fortes. Ao aparecer, mostrava um ar atrevido, mas a visão dos cavaleiros de William apagou-o do seu rosto e ela se enfiou dentro de casa.

– Não se agradou de nós – disse Walter. – Deve ter visto Gervase. – Era uma piada antiga, mas eles riram assim mesmo.

Amarraram os cavalos. Não era o mesmo grupo que William reunira em torno de si quando a guerra civil terminara. Walter ainda estava com ele, claro, assim como Gervase e Hugh; mas Gilbert morrera na batalha inesperadamente sangrenta com os operários da pedreira, e tinha sido substituído por Guillaume; e Miles perdera um braço numa luta de espada por causa do jogo de dados numa cervejaria de Norwich, e Louis ingressara no grupo. Não eram mais garotos, mas falavam e agiam como se fossem, rindo e bebendo, jogando e frequentando bordéis. William perdera a conta das cervejarias quebradas, dos judeus atormentados e das virgens defloradas pelo bando.

O moleiro apareceu. Sem dúvida a sua expressão azeda era devida à perene impopularidade dos moleiros. A cara emburrada tinha também um ar de ansiedade. Isso agradava ao conde, que gostava que as pessoas ficassem ansiosas quando aparecia.

— Eu não sabia que tinha uma filha, Wulfric — disse William, com olhar lúbrico. — Você a esteve escondendo de mim.

— Aquela é Maggie, minha mulher — disse ele.

— Mentira. Sua mulher é uma velha ruiva esmirrada; eu me lembro dela.

— Minha May morreu no ano passado, milorde. Casei-me de novo.

— Seu cachorrão velho e sujo! — disse William, sorrindo. — Essa deve ser trinta anos mais moça que você!

— Vinte e cinco...

— Chega desta conversa. Onde está minha farinha? Um saco em vinte!

— Tudo aqui, milorde. Se fizer o favor de entrar...

O caminho para o moinho passava por dentro da casa. William e os cavaleiros seguiram Wulfric no interior do cômodo único. A jovem nova mulher do moleiro estava ajoelhada diante do fogo, pondo umas achas de lenha. Ao inclinar-se a túnica ficou esticada na parte de trás. Hamleigh observou que tinha os quadris cheios. A mulher do moleiro era a última pessoa a passar fome numa crise, claro.

O conde parou, olhando para o seu traseiro. Os cavaleiros riram e o moleiro remexeu-se, inquieto. A garota olhou para trás, percebeu que a observavam e levantou-se envergonhada.

William piscou para ela.

— Traga-nos um pouco de cerveja, Maggie — disse ele —, somos homens sedentos.

Atravessaram a porta que dava no moinho. A farinha estava em sacos empilhados em torno da parte externa da eira circular. Não havia muitos. Normalmente as pilhas eram mais altas que um homem.

— Isto é tudo? — perguntou o conde.

— Foi uma safra muito fraca, milorde — disse Wulfric, nervosamente.

— Onde está a minha parte?

— Aqui, milorde. — Ele apontou para uma pilha de oito ou nove sacos.

— O quê? — William sentiu o rosto ficar congestionado. — Tenho duas carroças aí fora e você me oferece isso?

O rosto de Wulfric tomou um ar ainda mais aflito.

— Sinto muito, milorde.

Hamleigh contou os sacos.

— São apenas nove!

— É só o que há — afirmou Wulfric, quase chorando. — Veja só os meus ao lado dos seus, a mesma coisa...

— Seu cão mentiroso! — esbravejou William. — Você a vendeu...

– Não, milorde – insistiu Wulfric. – Isso é tudo o que sempre houve.

Maggie apareceu no portal com seis canecos de cerveja numa bandeja. Estendeu-a a cada um dos cavaleiros. Todos apanharam um caneco e beberam, sequiosamente. William ignorou-a. Estava irritado demais para beber. Ela permaneceu aguardando, com o caneco remanescente na bandeja.

– O que é tudo isso aí? – perguntou William, apontando para o resto dos sacos, uns vinte e cinco ou trinta empilhados de encontro às paredes.

– Estão para ser apanhados, milorde. Pode ver a marca do proprietário nos sacos...

Era verdade; cada saco era marcado por uma letra ou símbolo. Podia ser um truque, claro, mas não havia meios de Hamleigh descobrir a verdade. Achava aquilo extremamente irritante. Mas não era próprio dele aceitar aquele tipo de situação.

– Não acredito em você – disse. – Andou me roubando.

Wulfric foi respeitosamente insistente, muito embora sua voz tremesse.

– Sou honesto, milorde.

– Ainda está para nascer um moleiro honesto.

– Milorde – o moleiro engoliu em seco –, nunca roubei nem um grão do seu trigo...

– Aposto como esteve me roubando descaradamente.

O suor escorreu pelo rosto de Wulfric, apesar do tempo frio. Ele enxugou a testa com a manga.

– Estou pronto a jurar por Jesus e todos os santos...

– Cale a boca.

O moleiro ficou em silêncio.

William estava ficando cada vez mais furioso, mas ainda não decidira o que fazer. Queria dar um susto e tanto em Wulfric, talvez deixar que Walter o surrasse com suas luvas de cota de malha, possivelmente levar um pouco ou toda a farinha do moleiro... Então seu olhar pousou em Maggie, que segurava a bandeja com o último caneco de cerveja, o rosto bonito rígido de medo, os seios grandes e jovens estourando a túnica florida, e pensou na punição perfeita para o moleiro.

– Agarre a mulher – disse para Walter, com o canto da boca. E para Wulfric:
– Vou dar-lhe uma lição.

Maggie viu Walter deslocando-se, mas não teve tempo de fugir. Quando se virou, ele agarrou-lhe o braço e a puxou. A bandeja caiu ruidosamente e a cerveja derramou-se no chão. Walter torceu-lhe o braço nas costas e segurou-a. Ela tremia de medo.

– Não, largue-a, por favor! – implorou o marido, em pânico.

William balançou a cabeça, satisfeito. Wulfric ia ver sua jovem mulher ser estuprada por diversos homens e seria impotente para salvá-la. Da próxima vez teria grão suficiente para satisfazer seu lorde.

— Sua mulher está engordando com pão feito de farinha roubada, Wulfric — disse o conde —, enquanto o resto de nós passa necessidade. Vamos dar uma olhada para ver se está mesmo muito gorda, está bem? — Ele fez um sinal para Walter.

O cavaleiro agarrou a gola da túnica de Maggie e puxou-a com força para baixo. A roupa rasgou e caiu. Por baixo ela usava uma camisa de linho que ia até os joelhos. Seus seios amplos subiam e desciam, arfando de medo. William adiantou-se, em frente a ela. Walter torceu-lhe o braço com mais força, fazendo-a arquear as costas com a dor e empinar mais os seios. O conde olhou para Wulfric e agarrou-os, massageando-os. Eram macios e pesados.

O moleiro deu um passo à frente.

— Seu demônio...

— Agarrem-no — ordenou William secamente. Louis segurou Wulfric por ambos os braços e o manteve imóvel.

Hamleigh rasgou a camisa de baixo da garota. Ficou com a boca seca ao contemplar seu voluptuoso corpo branco.

— Não, por favor — pediu o moleiro.

William sentiu seu desejo crescendo.

— Deitem-na.

Maggie começou a gritar.

O conde desafivelou o cinto da espada e deixou-o cair no chão, enquanto os cavaleiros pegavam Maggie pelos braços e pernas. Ela não tinha esperança de resistir a quatro homens fortes, mas assim mesmo não parava de se debater e gritar. William gostava daquilo. Os seios dela balançavam com o movimento, e as coxas se abriam e se fechavam, alternadamente ocultando e revelando seu sexo. Os quatro cavaleiros a prenderam deitada na eira.

Hamleigh ajoelhou-se entre as pernas de Maggie e ergueu a túnica. Olhou para Wulfric. Ele estava tresloucado. Contemplava a cena com os olhos arregalados e fixos, horrorizado, e murmurava pedidos de misericórdia que não podiam ser ouvidos por causa dos gritos da sua mulher. William desfrutou o momento: a mulher aterrorizada, os cavaleiros mantendo-a deitada no chão à força, o marido assistindo a tudo.

Então os olhos de Wulfric se desviaram.

O conde sentiu o perigo. Todos ali dentro estavam olhando para ele e para a garota. A única coisa que poderia distrair a atenção do moleiro era a possibilidade de socorro. Virou a cabeça na direção da porta.

Nesse momento alguma coisa pesada e dura o atingiu com força na cabeça.

Ele urrou de dor e caiu em cima de Maggie. Seu rosto bateu no dela. Subitamente ouviu homens gritando, muitos homens. Com o canto do olho viu Walter cair, como se também tivesse sido atingido por um golpe. Os cavaleiros largaram a garota. William olhou para o seu rosto e viu choque e alívio. Ela começou a se contorcer para sair de baixo dele. O conde deixou-a e afastou-se rolando rapidamente para o lado.

A primeira coisa que enxergou sobre si foi um homem de aspecto selvagem com um machado de lenhador, e pensou: Pelo amor de Deus, quem é ele? O pai da garota? Viu Guillaume levantar e virar-se, e no instante seguinte o machado se abateu com violência sobre o pescoço desprotegido do cavaleiro, a lâmina afiada cortando fundo a carne. Guillaume caiu em cima de William, morto. O sangue dele esguichou em toda a túnica do conde.

Hamleigh empurrou o cadáver. Quando conseguiu enxergar de novo, viu que o moinho fora invadido por uma multidão de homens esfarrapados, descabelados e sujos, armados com porretes e machados. Havia uma porção deles. Não havia dúvida de que estava em dificuldades. Os aldeões teriam ido salvar Maggie? Que atrevimento! Haveria alguns enforcamentos na aldeia antes que a noite caísse. Enfurecido, conseguiu levantar-se e levou a mão ao punho da espada.

Não tinha espada. Deixara cair o cinturão para poder estuprar a garota.

Hugh, Gervase e Louis combatiam ferozmente aquilo que parecia um imenso bando de mendigos. Havia diversos camponeses mortos no chão; não obstante isso, os três cavaleiros estavam sendo lentamente forçados a recuar. William viu Maggie, ainda nua e gritando, abrindo caminho desesperadamente, a fim de dirigir-se para a porta, e mesmo na sua confusão e medo sentiu desejo por aquele traseiro redondo e branco. Depois viu que Wulfric brigava com alguns atacantes. Por que o moleiro estaria lutando com os homens que tinham vindo salvar sua mulher? Que diabo estava acontecendo?

Desnorteado, procurou o cinturão da sua espada. Estava no chão, quase a seus pés. Pegou-o, desembainhou a espada e deu três passos para trás, a fim de continuar fora da briga por mais um momento. Olhando além da confusão, viu que a maior parte dos atacantes não estava lutando – apanhavam sacos de farinha e fugiam. William começou a entender. Aquilo *não* era uma operação de socorro realizada por aldeões ultrajados. Era um grupo atacante de fora. Não estavam interessados em Maggie nem tinham sabido que o conde e seus cavaleiros estavam ali no moinho. Só queriam roubar sua farinha.

Era óbvio quem deviam ser os atacantes: proscritos.

Sentiu um ímpeto de cólera. Era sua chance de contra-atacar aquele bando de fanáticos que vinha aterrorizando o condado e esvaziando seus celeiros.

Seus cavaleiros estavam esmagadoramente ultrapassados em efetivo. Havia pelo menos vinte atacantes. William ficou atônito com a coragem dos fora da lei. Camponeses normalmente se espalhariam como galinhas ante um bando de cavaleiros, mesmo que tivessem duas ou dez vezes o seu número. Mas aquela gente lutava duro, e não se desencorajava quando um caía. Pareciam prontos a morrer, se necessário. Talvez fosse porque iriam morrer de qualquer maneira, de fome, se não roubassem aquela farinha.

Louis estava lutando contra dois homens ao mesmo tempo quando um terceiro veio por trás e atingiu-o com um martelo de cabeça de ferro, de carpinteiro. O cavaleiro caiu e permaneceu caído. O homem largou o martelo e pegou sua espada. Agora havia dois cavaleiros contra vinte fora da lei. Mas Walter estava se recuperando da pancada que levara na cabeça e puxou a espada, entrando na confusão. O conde fez o mesmo.

Os quatro compunham uma formidável equipe de combate. Os fora da lei foram forçados a recuar, aparando desesperadamente o golpe das espadas muito rápidas com seus porretes e machados. William começou a pensar que o moral deles podia ceder, e talvez debandassem. Então um dos fora da lei gritou:

– O conde legítimo!

Era uma espécie de grito de guerra. Os outros se reanimaram e os fora da lei lutaram mais vigorosamente. O grito repetido "O conde legítimo! O conde legítimo!" gelou o coração de William, mesmo quando lutava pela própria vida. Significava que quem quer que comandasse aquele exército de proscritos estava de olho no seu título. Quanto a este, lutou com mais energia, como se o resultado daquela refrega pudesse determinar o futuro do condado.

Somente metade dos fora da lei combatiam realmente os cavaleiros, constatou William. O resto transportava a farinha. O combate acomodou-se numa troca regular de golpes e esquivas, estocadas e paradas. Como soldados que sabem que a retirada está próxima, os fora da lei passaram a adotar um estilo defensivo, cauteloso.

Por trás dos proscritos que combatiam, os demais carregavam as últimas sacas de farinha para fora do moinho. Os fora da lei começaram a se retrair, passando pelo portal que separava o moinho da casa. Hamleigh deu-se conta de que, de qualquer maneira, eles fugiriam com quase toda a farinha. Em pouquíssimo tempo todo o condado saberia que o roubo fora realizado bem debaixo do seu nariz. Iria ser o motivo de riso de todos. A ideia o enfureceu tanto que o conde pressionou ferozmente seu adversário e atingiu o homem no coração com uma estocada clássica.

Nesse momento um fora da lei pegou Hugh com um golpe de sorte e cravou a espada no seu ombro direito, pondo-o fora de ação. Agora havia dois deles na porta, mantendo afastados os três cavaleiros sobreviventes. Aquilo, por si só, já era humilhante; mas depois, com monumental arrogância, um dos proscritos mandou, com um gesto, que o outro fosse embora. O homem desapareceu, e o último fora da lei recuou um passo, no cômodo único da casa do moleiro.

Somente um cavaleiro cabia no portal para combater o proscrito. William adiantou-se, empurrando para o lado Walter e Gervase: queria aquele homem para si. Quando suas espadas se tocaram, o conde percebeu de imediato que aquele homem não era nenhum camponês desvalido: tratava-se de um combatente experimentado, como ele próprio. Pela primeira vez o encarou, e o choque foi tão grande que quase deixou cair a espada.

Seu adversário era Richard de Kingsbridge.

O rosto de Richard ardia de ódio. William podia ver a cicatriz na sua orelha mutilada. A força do rancor de Richard amedrontou o conde mais que sua coruscante espada. Hamleigh pensara haver esmagado o adversário, mas ele estava de volta, à testa de um exército maltrapilho que o fizera de tolo.

Richard investiu violentamente contra o conde, tirando vantagem do seu choque momentâneo. William desviou uma estocada, ergueu a espada, aparou outro golpe e recuou. O líder dos fora da lei pressionou, mas agora o conde estava parcialmente protegido pelo portal, que restringia a capacidade de ataque do adversário a um único tipo de estocada. Mesmo assim, William foi obrigado a recuar mais ainda, até ficar em cima da eira do moinho, com Richard no portal. No entanto, Walter e Gervase correram sobre ele, que ante a pressão dos três voltou a recuar. Assim que ultrapassou o portal, os dois cavaleiros ficaram para trás, permanecendo de novo William contra Richard.

O conde percebeu que o adversário estava numa posição péssima. Quando ganhava terreno via-se lutando contra três homens. Quando William se cansava podia dar lugar a Walter. Era quase impossível para Richard manter os três a distância indefinidamente. Estava travando uma batalha perdida. Talvez naquele dia, afinal, Hamleigh não saísse humilhado. Talvez matasse seu mais antigo inimigo.

Richard devia estar pensando mais ou menos o mesmo, e presumivelmente chegara a conclusão similar. No entanto, não havia aparente perda de energia ou determinação. Olhou para William com um esgar selvagem, que este achou enervante, e adiantou-se, caindo a fundo. O conde desviou-se e tropeçou. Walter adiantou-se para defendê-lo do golpe de misericórdia – mas, em vez de arremeter, Richard girou nos calcanhares e fugiu.

Hamleigh levantou-se e Walter tropeçou nele, enquanto Gervase tentava se espremer para passar entre os dois. Foi preciso um momento para os três se desvencilharem uns dos outros, e Richard aproveitou esse momento para cruzar o pequeno aposento, esgueirar-se para o lado de fora e bater a porta. William correu atrás dele e a abriu. Os fora da lei estavam fugindo – e, num humilhante golpe final, usavam os cavalos dos homens de William. Quando este irrompeu de dentro da casa, viu sua própria montaria, um soberbo cavalo de batalha que lhe custara o resgate de um rei, com Richard na sela. O cavalo obviamente fora solto e seguro para ele. William foi assaltado pelo mortificante pensamento de aquela ser a segunda vez que seu maior inimigo roubava um cavalo de batalha seu. Richard bateu nele com os calcanhares e o animal empinou – não era manso com estranhos –, mas o rapaz era bom cavaleiro e manteve-se na sela. Puxou as rédeas com força, alternadamente para um e outro lado, e o cavalo baixou a cabeça. Nesse instante William atirou-se para a frente e deu uma estocada; o animal, porém, estava corcoveando e a espada foi espetar a parte de madeira da sela. Em seguida o cavalo disparou, descendo a rua da vila atrás dos outros fora da lei fugitivos.

O conde os observou com a morte no coração.

O conde legítimo, pensou. O conde legítimo.

Virou-se. Walter e Gervase estavam atrás dele. Hugh e Louis tinham sido feridos, ele não sabia com que seriedade, e Guillaume estava morto, seu sangue manchando toda a frente da túnica de William. Este sentia-se completamente humilhado. Era com dificuldade que conseguia manter a cabeça erguida.

Por sorte a aldeia estava deserta: os camponeses haviam fugido, preferindo não esperar para ver a ira do conde. O moleiro e sua mulher tinham desaparecido, claro. Os proscritos levaram as montarias de todos os cavaleiros, deixando apenas as duas carroças e seus respectivos bois.

William olhou para Walter.

– Você viu quem era aquele último?

– Sim.

O cavaleiro tinha o hábito de usar o menor número de palavras possível quando seu senhor estava com raiva.

– Era Richard de Kingsbridge – disse Hamleigh. Walter assentiu.

– E eles o chamaram de conde legítimo – finalizou William.

O cavaleiro nada disse.

O conde voltou para o moinho, atravessando a casa.

Hugh estava se sentando; sua mão esquerda apertava o ombro direito. Tinha o rosto pálido.

– Como está? – perguntou Hamleigh.

– Não é nada. Quem eram aquelas pessoas?

– Um bando de fora da lei – respondeu William laconicamente. Olhou em torno. Havia sete ou oito proscritos mortos ou feridos no chão. Localizou Louis deitado de costas, com os olhos abertos. A princípio pensou que o homem estivesse morto; então Louis piscou.

– Louis – disse o conde.

O cavaleiro levantou a cabeça, mas parecia confuso. Ainda não se recuperara.

– Hugh – ordenou William –, ajude Louis a subir em uma das carroças. Walter, ponha o corpo de Guillaume na outra. – Ele os deixou e saiu.

Nenhum dos aldeões teria cavalos, mas o moleiro tinha um pequeno cavalo malhado que pastava a grama rala da margem do rio. William encontrou a sela e arreou o animal.

Pouco depois se afastava a cavalo de Cowford, com Walter e Gervase conduzindo os carros de boi.

Sua fúria não arrefeceu na jornada até o castelo do bispo Waleran. Na verdade, quanto mais pensava no que descobrira, mais furioso ficava. Era bastante ruim que os fora da lei tivessem sido capazes de desafiá-lo; pior era serem liderados pelo seu velho inimigo Richard, e intolerável que chamassem seu líder de "conde legítimo". Se não fossem derrotados definitivamente, muito em breve ele os usaria para desfechar um ataque direto contra William. Seria totalmente ilegal a conquista do condado dessa maneira, claro; mas o conde tinha impressão de que reclamações contra a ilegalidade de um ataque, partidas dele, poderiam não ser ouvidas com simpatia. O fato de Hamleigh ter sido emboscado, vencido e roubado pelos fora da lei, e que todos estariam em breve rindo da sua humilhação, não era o pior dos seus problemas. De repente, o poder que exercia sobre o condado estava sendo seriamente ameaçado.

Precisava matar Richard, é claro. A questão era como encontrá-lo. Ficou ruminando o assunto todo o caminho até o castelo, e quando lá chegou, decidira que o bispo provavelmente tinha a chave do problema. Entraram no castelo de Waleran como uma cômica procissão numa feira, o conde num cavalinho de pernas curtas, e seus cavaleiros conduzindo carros de boi. William urrou ordens peremptórias para os homens do bispo, mandando um buscar um enfermeiro para Hugh e Louis e outro, um padre para rezar pela alma de Guillaume. Gervase e Walter foram para a cozinha, em busca de cerveja, e o conde entrou na fortaleza e foi admitido nos aposentos privados de Waleran. Hamleigh detestava ter que pedir qualquer coisa a ele, mas precisava da sua ajuda para localizar Richard.

O bispo estava lendo uma lista de contas, uma relação interminável de números. Ergueu a cabeça e viu o ódio no rosto de William.

– O que aconteceu? – perguntou, no tom ligeiramente divertido que sempre enfurecia o conde.

Hamleigh cerrou os dentes.

– Descobri quem está organizando e liderando esses malditos fora da lei.

Waleran ergueu uma sobrancelha.

– É Richard de Kingsbridge.

– Ah! – fez Waleran, balançando a cabeça. – Claro. Faz sentido.

– É perigoso – disse William, furioso. Ele odiava quando o bispo se mostrava reflexivo e frio. – Chamam-no de "conde legítimo". – Apontou um dedo para Waleran. – Você certamente não quer aquela família de volta ao poder neste condado; eles o odeiam, e estão do lado do prior Philip, seu velho inimigo.

– Está bem, acalme-se – disse Waleran, condescendente. – Você está certo, não posso ter Richard de Kingsbridge como conde.

William sentou-se. Seu corpo começava a doer. Agora ele sentia as consequências de uma luta de um modo como nunca acontecera. Tinha os músculos tensos, as mãos doídas, ferimentos onde recebera golpes ou batera no chão ao cair. Só tenho trinta e sete anos, pensou; será que é agora que começa a velhice?

— Preciso matar Richard — disse. — Depois que ele morrer, os proscritos voltarão a ser uma turba inofensiva.

— Concordo.

— Matá-lo será fácil. O problema é encontrá-lo. Mas você pode me ajudar com isso.

Waleran esfregou o nariz adunco com o polegar.

— Não vejo como.

— Escute, se eles estão organizados, têm que estar sediados em algum lugar.

— Não sei o que você quer dizer. Eles estão na floresta.

— Normalmente não se podem encontrar proscritos na floresta, porque ficam espalhados por toda parte. A maioria não passa duas noites seguidas no mesmo lugar. Acendem o fogo num ponto qualquer, e dormem em árvores. Mas se você quer organizar essa gente, tem que fazer com que todos durmam juntos. É preciso ter um esconderijo permanente.

— Então temos que descobrir a localização do esconderijo de Richard.

— Exatamente.

— Como você propõe que façamos isso?

— É aí que você entra.

Waleran fez uma expressão cética.

— Aposto como metade da população de Kingsbridge sabe onde ele está — disse William.

— Mas não nos dirão. Todo mundo em Kingsbridge nos odeia.

— Nem todo mundo — contrapôs William. — Nem todo mundo.

Sally adorava o Natal.

A comida típica era doce, em sua maior parte: bonecas feitas de pão de gengibre, manjar de trigo preparado com mel e ovos; perada, o doce vinho de pera que a fazia dar risadinhas; e miúdos de veado, tripas cozidas durante horas e depois assadas numa torta doce. Havia menor quantidade naquele ano, por causa da crise, mas Sally gostava de tudo assim mesmo.

Gostava de decorar a casa com azevinhos e de pendurar o ramo dos beijos, embora estes a fizessem rir ainda mais que o vinho de pera. O primeiro homem a atravessar a soleira da porta trazia sorte, desde que tivesse cabelo preto: o pai de Sally tinha que ficar dentro de casa toda a manhã do Natal, pois seu cabelo ruivo traria má sorte às pessoas. Ela adorava a representação teatral da Natividade na igreja. Gostava de ver os monges vestidos como reis orientais, anjos e pastores, e tinha ataques de riso quando todos os falsos ídolos caíam com a chegada da Sagrada Família ao Egito.

Mas o melhor de tudo era o menino bispo. No terceiro dia do Natal os monges vestiam o noviço mais moço com trajes de bispo e todos tinham que lhe obedecer.

A maior parte dos habitantes da cidade esperava no adro do priorado que o menino bispo saísse. Inevitavelmente ele ordenava aos cidadãos mais velhos e dignos que fizessem tarefas subalternas, como buscar lenha ou lavar pocilgas. Dava-se também ares exagerados e insultava as pessoas investidas de autoridade. No ano anterior fizera o sacristão depenar uma galinha e o resultado fora hilariante, pois o religioso não tinha ideia do que fazer e as penas se espalharam por toda parte.

Ele apareceu em clima de grande solenidade, um menino com cerca de doze anos de idade e um sorriso traquinas, vestido com um manto de seda púrpura, carregando um báculo de madeira e transportado nos ombros de dois monges, seguido pelo resto do mosteiro. Todos batiam palmas e gritavam. A primeira coisa que ele fez foi apontar para o prior Philip e dizer:

— Você, rapaz! Vá até o estábulo e escove o jumento!

Todos caíram na gargalhada. O velho jumento era notoriamente mal-humorado, e nunca era escovado.

— Sim, milorde bispo — assentiu o prior, com um sorriso cordial, e foi cumprir sua tarefa.

— Adiante! — ordenou o bispo menino. A procissão deslocou-se para fora do adro, sendo seguida pelos habitantes da cidade. Algumas pessoas escondiam-se e trancavam as portas, com medo de ser escolhidas para alguma tarefa desagradável; mas então perdiam o divertimento. Toda a família de Sally viera: sua mãe e seu pai, o irmão Tommy, a tia Martha e até mesmo o tio Richard, que voltara inesperadamente para casa na noite anterior.

O menino bispo levou-os primeiro para a cervejaria, como era tradicional. Ali exigiu cerveja de graça para si e para todos os noviços. O cervejeiro serviu a todos de boa vontade.

De repente Sally viu-se sentada num banco ao lado do irmão Remigius, um dos monges mais velhos. Era um homem alto e inamistoso, e ela nunca falara com ele antes, mas agora Remigius lhe dirigiu um sorriso e disse:

— Que bom que o seu tio Richard tenha vindo para casa no Natal!

— Ele me deu um gato de madeira que talhou com sua faca.

— Que bom! Ele vai ficar muito tempo, desta vez?

Sally franziu a testa.

— Não sei.

— Acho que vai ter que voltar logo.

— Sim. Ele mora na floresta agora.

— Você sabe onde?

— Sei. É num lugar chamado Pedreira de Sally... Que é o meu nome! — Ela deu uma risada.

— É mesmo. Que interessante!

— E agora — disse o menino bispo, depois que tinham bebido —, Andrew Sacristão e o irmão Remigius lavarão as roupas da viúva Poli.

Sally deu uma risada e bateu palmas. A viúva Poli era uma mulher rotunda, de cara vermelha, que lavava roupa para fora. Os dois monges exigentes iriam odiar o trabalho de lavar as camisas de baixo e as meias fedorentas daquela gente que mudava de roupa de seis em seis meses.

A multidão deixou a cervejaria e carregou o menino bispo em procissão até a casa de Poli, de um único cômodo, que ficava perto do cais. A viúva teve um ataque de riso e ficou ainda mais vermelha quando lhe disseram quem ia lavar sua roupa.

Andrew e Remigius carregaram uma pesada cesta de roupa suja da casa até a margem do rio. Andrew abriu a cesta, e Remigius, com uma expressão de total repugnância no rosto, tirou a primeira peça. — Cuidado com esta aí, irmão Remigius, que é a minha camisa! — gritou atrevidamente uma mulher.

Remigius corou e todos riram. Os dois monges de meia-idade resolveram encarar com coragem a tarefa e começaram a lavar as roupas na água do rio, com os habitantes da cidade gritando conselhos e encorajamentos. Andrew estava aborrecido, Sally podia ver, mas Remigius tinha um ar estranhamente contente.

Uma imensa bola de ferro pendurada por uma corrente numa armação de madeira, como a corda de uma forca num patíbulo. Além da corrente havia também uma corda amarrada na bola. A corda subia e passava por uma polia instalada num poste do andaime, de onde descia para o chão, onde dois serventes a seguravam. Quando puxavam a corda, a bola era erguida e subia até tocar na polia; a corrente ficava na horizontal, ao longo do braço da armação de madeira.

A maior parte da população de Shiring estava assistindo.

Os homens largaram a corda. A bola de ferro caiu e balançou, batendo na parede da igreja. Houve um estrondo terrível; a parede estremeceu e William sentiu o impacto do chão sob seus pés. Pensou em como gostaria de ver Richard amarrado na parede bem no ponto onde a bola batera. Ficaria esmagado como uma mosca.

Os serventes puxaram a corda de novo. William se deu conta de que estava contendo a respiração quando a bola parou lá em cima. Os homens largaram; a bola balançou, e dessa vez abriu um buraco na parede de pedra. A multidão aplaudiu.

Era um mecanismo engenhoso.

William sentiu-se feliz por ver o trabalho progredindo no local onde construiria a nova igreja, mas tinha assuntos mais urgentes na cabeça. Olhou em torno, procurando o bispo Waleran, e localizou-o conversando com Alfred Construtor. William aproximou-se e puxou o bispo de lado.

– O homem já está aí?

– É possível – respondeu Waleran. – Venha até a minha casa.

Atravessaram a praça do mercado.

– Você trouxe seus soldados? – perguntou o bispo.

– Claro. Duzentos. Estão esperando num bosque, logo na saída da cidade.

Entraram na casa. William sentiu cheiro de presunto cozinhando e sua boca se encheu de água, a despeito da pressa que tinha. A maioria das pessoas estava restringindo a comida naquele tempo, mas com Waleran parecia uma questão de princípio não deixar que a crise modificasse seu estilo de vida. O bispo nunca comia muito, mas gostava que todos soubessem que era por demais rico e poderoso para ser afetado por meras colheitas.

A casa de Waleran era típica, com a frente estreita, um salão na frente, uma cozinha atrás e um quintal nos fundos com uma latrina, uma colmeia e um chiqueiro. O conde sentiu-se aliviado ao ver um monge esperando no salão.

– Bom-dia, irmão Remigius – disse Waleran.

– Bom-dia, milorde bispo. Bom-dia, lorde William.

William olhou ansiosamente para o monge. Era um homem nervoso, de rosto arrogante e olhos azuis proeminentes. Seu rosto era vagamente familiar, como uma das muitas cabeças tonsuradas que chefiavam serviços em Kingsbridge. Há anos Hamleigh vinha ouvindo falar nele, como espião de Waleran no campo do prior Philip, mas era a primeira vez que falava com o homem.

– Você tem alguma informação para mim? – perguntou.

– Possivelmente – respondeu Remigius.

O bispo tirou a capa guarnecida de pele e aproximou-se do fogo para aquecer as mãos. Um criado trouxe vinho quente de baga de sabugueiro em cálices de prata. O conde pegou um e bebeu, aguardando impacientemente que o criado se fosse.

Waleran tomou um gole do seu vinho e lançou um olhar duro a Remigius. Quando o criado saiu, o bispo perguntou a ele:

– Qual foi a desculpa que você deu para sair do priorado?

– Nenhuma – replicou o monge.

Waleran ergueu uma sobrancelha.

– Não vou voltar – disse Remigius desafiadoramente.

– Como assim?

O monge respirou fundo.

– Você está construindo uma catedral aqui.

– É só uma igreja.

— Vai ser muito grande. Você está planejando torná-la, um dia, uma catedral.

Waleran hesitou: — Suponhamos, para prosseguir com a conversa, que você esteja certo.

— A catedral terá que ser governada por um cabido, seja de monges, seja de cônegos.

— E daí?

— Quero ser o prior.

Aquilo fazia sentido, pensou William.

— E você está tão confiante de que conseguirá o cargo que deixou Kingsbridge sem a permissão de Philip e sem uma desculpa — disse o bispo causticamente.

Remigius ficou sem graça. William teve pena dele. Quando Waleran queria ser mordaz, qualquer um ficava desarvorado.

— Espero que não esteja sendo excessivamente confiante — disse Remigius.

— Presumivelmente você pode nos levar a Richard.

— Sim.

— Bom homem! — interrompeu o conde, excitadamente. — Onde ele está?

O monge permaneceu em silêncio e olhou para o bispo.

— Vamos, Waleran — disse William —, dê-lhe o cargo, pelo amor de Deus!

Ainda assim o bispo hesitou. Hamleigh sabia que ele odiava ser coagido. Por fim veio a resposta:

— Pois muito bem. Você será o prior.

— E agora, onde está Richard? — perguntou William.

Remigius continuou a olhar para Waleran: — A partir de hoje?

— A partir de hoje.

Remigius virou-se para o conde.

— Um mosteiro não é apenas uma igreja e um dormitório. Precisa de terras, fazendas, igrejas que paguem dízimos.

— Diga-me onde está Richard, e lhe darei cinco aldeias com suas igrejas paroquiais, só para começar — disse William.

— A fundação do cabido precisará de um documento apropriado.

— Você o terá, não tema.

— Vamos, homem — insistiu Hamleigh —, tenho um exército aguardando fora da cidade. Onde é o esconderijo de Richard?

— Um lugar chamado Pedreira de Sally, num desvio da estrada de Winchester.

— Eu a conheço! — William teve que se conter para não dar um grito de triunfo. — É uma pedreira abandonada. Ninguém mais vai lá.

— Eu me lembro — disse Waleran. — Não é explorada há anos. É um bom esconderijo; você não saberia que era lá a menos que descobrisse por acaso.

— Mas é também uma armadilha — disse o conde, com júbilo selvagem. — As encostas que foram exploradas são perpendiculares em três lados. Ninguém escapará. Também não vou fazer prisioneiros. – Sua excitação aumentou ao imaginar a cena. – Vou acabar com todos. Será como matar galinhas num galinheiro.

Os dois religiosos olharam para ele com estranheza.

– Está se sentindo um pouco enjoado, irmão Remigius? – perguntou William sarcasticamente. – A ideia de um massacre o repugna, milorde bispo? – Ele tinha razão nas duas vezes, podia dizer pela expressão deles. Eram grandes planejadores, aqueles religiosos, mas quando se tratava de derramamento de sangue ainda tinham que confiar nos homens de ação. – Sei que vocês estarão rezando por mim – disse ironicamente, indo embora.

Seu cavalo estava amarrado do lado de fora, um garanhão negro, que substituíra – embora não igualasse – o cavalo de batalha roubado por Richard. Montou e saiu da cidade. No caminho, conteve a excitação e tentou pensar friamente nas questões táticas.

Imaginou quantos fora da lei haveria na Pedreira de Sally. Eles tinham desfechado ataques com mais de cem homens de cada vez. Deviam ser pelo menos duzentos, então, ou talvez quinhentos. O efetivo de William poderia ser suplantado, de modo que precisava se aproveitar ao máximo de todas as vantagens. Uma delas era o fator surpresa. Outra era o armamento: a maior parte dos fora da lei só dispunha de porretes, martelos ou, na melhor das hipóteses, machados, e nenhum tinha armadura. Contudo, a mais importante das vantagens de que William dispunha eram os homens a cavalo. Os proscritos tinham poucos cavalos e não era provável que muitos estivessem arreados justamente no momento em que atacasse. Para desequilibrar as coisas um pouco mais a seu favor, decidiu mandar alguns arqueiros subir os dois lados do morro para disparar suas armas na pedreira, poucos momentos antes do ataque principal.

O mais importante era impedir qualquer dos fora da lei de fugir, até que pelo menos estivesse certo de Richard ter sido capturado ou morto. Decidiu determinar a um punhado de homens de confiança que ficassem por trás dos atacantes que estivessem executando o assalto principal e pegassem os proscritos que tentassem escapar. Walter estava esperando com os cavaleiros e homens de armas no lugar onde William os deixara umas duas horas antes. Estavam ansiosos, e seu moral era alto: antecipavam uma vitória fácil. Pouco tempo depois saíram trotando ao longo da estrada de Winchester. Walter seguiu ao lado do conde, sem falar. Um dos seus grandes trunfos era a capacidade de permanecer em silêncio. Hamleigh achava que a maioria das pessoas falava com ele constantemente, mesmo quando nada havia para dizer, decerto por nervosismo. Walter respeitava William, mas não ficava nervoso por sua causa: estavam juntos há muito tempo.

O conde sentia uma mistura familiar de ansiedade e medo mortal. Lutar era a única coisa no mundo que lhe fazia bem, e em todas as lutas arriscava a vida.

Mas essa incursão era especial. Teria uma chance de destruir o homem que era um espinho em sua carne há quinze anos.

Perto do meio-dia pararam numa vila grande o bastante para ter uma cervejaria. William comprou pão e cerveja para os homens, e deram água aos cavalos. Antes de se deslocarem novamente, deu instruções a todos.

Poucas milhas depois desviaram-se da estrada de Winchester. Seguiram por uma trilha quase invisível, e Hamleigh não a teria notado se não estivesse procurando por ela. Uma vez na trilha podia segui-la observando a vegetação: havia uma faixa de quatro ou cinco jardas sem árvores maduras.

Mandou os arqueiros seguirem na frente e, para dar-lhes uma vantagem, fez os homens reduzirem o ritmo por alguns momentos. Era um dia claro de janeiro, e as árvores desfolhadas praticamente filtravam a luz fria do sol. William não ia à pedreira há muitos anos, e não estava certo da distância. No entanto, mais ou menos duas milhas depois de ter saído da estrada, começou a ver sinais de que a trilha estava sendo usada: vegetação pisoteada, arbustos quebrados e lama remexida. Ficou satisfeito por ver confirmada a informação de Remigius.

Sentia-se tenso como a corda de um arco. Os sinais começaram a se tornar muito mais evidentes: capim fortemente pisoteado, estrume de cavalo, dejetos humanos. No fundo da floresta os fora da lei não tinham sequer tentado ocultar sua presença. Não havia mais dúvida. Os proscritos estavam ali. A batalha estava prestes a começar.

O esconderijo deveria ser bem próximo. William aguçou a audição. A qualquer momento seus arqueiros iniciariam o ataque, e haveria berros e pragas, gritos de agonia e o relinchar dos cavalos aterrorizados.

A trilha levava a uma vasta clareira, e o conde viu, a umas duzentas jardas adiante, a entrada da Pedreira de Sally. Não havia barulho. Algo saíra errado. Seus arqueiros não estavam atirando. Hamleigh sentiu um tremor de apreensão. O que acontecera? Teriam seus homens sido emboscados e silenciosamente liquidados pelas sentinelas? Nem todos, certamente.

Mas não havia tempo para pensar: estava quase em cima da posição dos fora da lei. Esporeou o cavalo, fazendo-o galopar. Seus homens o seguiram, e todos dispararam na direção do esconderijo, estrepitosamente. O medo de William evaporou-se na animação da carga.

A entrada da pedreira era uma pequena ravina em curva, e o conde não pôde ver nada ao aproximar-se dela. Erguendo os olhos, viu alguns dos arqueiros de pé no topo do penhasco, olhando para dentro. Por que não estavam disparando suas flechas? Teve uma premonição de desastre, e teria parado e se virado se os cavalos em plena carga pudessem ser detidos. Com a espada na mão direita, segurando as rédeas com a esquerda, o escudo pendurado ao pescoço, entrou a galope na pedreira abandonada.

Não havia ninguém ali.

O anticlímax o atingiu com a força de um golpe. Quase chorou.

Todos os sinais estavam visíveis: ele se sentira absolutamente seguro. Agora a dor da frustração retorceu suas vísceras.

Quando os cavalos reduziram o passo, viu que aquele lugar fora o esconderijo dos fora da lei não muito tempo antes. Havia abrigos improvisados feitos com galhos e palha, restos de fogueiras utilizadas na preparação de comida e uma esterqueira. Um canto da área fora cercado e usado como curral para os cavalos. Aqui e ali William via o lixo resultante da ocupação humana: ossos de galinha, sacos vazios, um sapato gasto, uma panela quebrada. Uma das fogueiras parecia ainda soltar fumaça. Teve uma súbita esperança: talvez eles tivessem acabado de sair e ainda pudessem ser apanhados! Então viu um vulto de cócoras junto ao fogo. Aproximou-se. O vulto ergueu-se. Era uma mulher.

— Ora, ora, William Hamleigh — disse ela. — Atrasado, como sempre.

— Sua vaca insolente, cortarei sua língua por causa disso! — disse ele.

— Você não tocará em mim — replicou ela calmamente. — Já amaldiçoei homens melhores que você — prosseguiu, levando a mão ao rosto num gesto de três dedos, como uma feiticeira. Os cavaleiros recuaram, encolhendo-se, e o conde se persignou protetoramente. A mulher o encarou, atrevida, com um par de surpreendentes olhos dourados. — Você não me conhece, William? Uma vez quis me comprar por uma libra. — Ela riu. — Sorte sua não ter conseguido.

Hamleigh lembrou-se daqueles olhos. Era a viúva de Tom Construtor, a mãe de Jack, a bruxa que vivia na floresta. Ficou realmente satisfeito por não tê-la comprado naquela vez. Queria dar o fora dali o mais depressa possível, mas tinha que interrogá-la primeiro.

— Está bem, bruxa — disse. — Richard de Kingsbridge esteve aqui?

— Até dois dias atrás.

— E para onde ele foi, você pode me dizer?

— Oh, sim, posso — disse ela. — Ele e seus fora da lei foram combater por Henrique.

— Henrique? — repetiu William. Teve a horrível sensação de que sabia a que Henrique ela se referia. — O filho de Matilde?

— Exatamente — confirmou ela.

Hamleigh gelou. O enérgico jovem duque da Normandia poderia ter êxito onde sua mãe falhara — e se Estêvão fosse derrotado agora, William poderia cair com ele.

— O que aconteceu? — perguntou, nervoso. — O que Henrique fez?

— Atravessou o canal com trinta e seis navios e desembarcou em Wareham — replicou a bruxa. — Trouxe um exército de três mil homens, segundo o que dizem. Fomos invadidos.

3

Winchester estava superpovoada, tensa e perigosa. Ambos os exércitos estavam ali: as forças legais do rei Estêvão, aquarteladas no castelo, e os rebeldes do duque Henrique – incluindo Richard e seus fora da lei –, acampados do lado de fora das muralhas da cidade, na colina de Saint Giles, onde se realizava a feira anual. Os soldados de ambos os lados foram banidos da cidade propriamente dita, mas muitos deles desafiavam o banimento e passavam as noites nas cervejarias, nas rinhas de galo e nos bordéis, onde se embebedavam, abusavam de mulheres e se matavam uns aos outros por causa de jogos de dados e jogos das nove pedras.

Toda a combatividade de Estêvão desaparecera no verão, quando seu filho mais velho morrera. Agora ele estava no castelo real enquanto o duque se alojara no castelo do bispo, com as conversações de paz sendo conduzidas pelos seus representantes, o arcebispo Theobald de Canterbury falando pelo rei, e o antigo intermediário dos poderosos, o bispo Henry de Winchester, pelo duque Henrique. Todas as manhãs o arcebispo e o bispo conferenciavam no palácio deste. Ao meio-dia o duque Henrique atravessava a pé as ruas de Winchester, com seus lugares-tenentes, inclusive Richard, e ia para o castelo almoçar.

A primeira vez que Aliena viu o duque Henrique não pôde acreditar que aquele homem governasse um império do tamanho da Inglaterra. Tinha apenas cerca de vinte anos de idade e a pele bronzeada e sardenta de um camponês. Vestia uma túnica escura simples, sem bordados, e o cabelo arruivado cortado curto. Lembrava o filho de um pequeno proprietário rural e tinha o aspecto de quem trabalhava duro. No entanto, após algum tempo, constatou que ele tinha uma certa aura de poder. Era entroncado e musculoso, de ombros largos e cabeça grande; porém, a impressão de força física bruta se modificava pelos olhos penetrantes e atentos, acinzentados; as pessoas que o cercavam nunca se aproximavam demais, mas o tratavam com cautelosa familiaridade, como se receassem que ele pudesse exceder-se rudemente a qualquer momento.

Aliena achava que os jantares no castelo deviam ser desagradavelmente tensos, com os líderes dos exércitos adversários sentados em torno da mesma mesa. Não sabia como Richard podia se sentar com o conde William. Teria enfiado a faca nele, em vez de lhe passar a carne de veado. Ela própria via Hamleigh apenas de longe, e rapidamente. Parecia ansioso e mal-humorado, o que era bom sinal.

Enquanto condes, bispos e abades se encontravam na fortaleza, a pequena nobreza se reunia no pátio do castelo: cavaleiros e xerifes, barões menos importantes, magistrados e castelões; gente que não podia ficar longe da capital enquanto seu futuro e o futuro do reino estavam sendo decididos. Aliena encontrava o prior Philip ali quase todas as manhãs. Sempre havia dúzias de boatos diferentes. Um dia todos os condes que apoiavam Estêvão seriam degradados (o que significaria o fim de William); no seguinte, todos reteriam suas posições, o que liquidaria com as esperanças de Richard. Todos os castelos de Estêvão seriam derrubados, depois todos os dos rebeldes, depois os de todos, depois nenhum. Um boato dizia que os seguidores de Henrique seriam recompensados com o grau de cavaleiro e cem acres. O irmão de Aliena não queria isso, queria o condado.

Richard não tinha ideia de quais boatos seriam verdadeiros, se é que algum seria. Embora fosse um dos lugares-tenentes de Henrique de mais confiança no campo militar, não era consultado quanto a detalhes das negociações políticas. Philip, contudo, parecia saber o que estava ocorrendo. Não dizia onde obtinha suas informações, mas Aliena se lembrava de que ele tinha um irmão que visitava Kingsbridge de vez em quando e que tinha trabalhado para Robert de Gloucester e para Matilde; talvez trabalhasse agora para o duque Henrique.

O prior contou que os negociadores estavam perto de chegar a um acordo. O trato era que Estêvão continuaria a ser rei até morrer, mas Henrique seria seu sucessor. Isso deixou Aliena ansiosa. O rei poderia viver por mais dez anos. O que aconteceria nesse ínterim? Os condes de Estêvão certamente não seriam depostos enquanto ele continuasse a reinar. Como então aqueles que tinham apoiado Henrique – como Richard – ganhariam suas recompensas? Teriam de aguardar?

Philip soube a resposta num final de tarde, quando havia já uma semana que todos estavam em Winchester. Mandou um noviço como mensageiro para chamar Richard e Aliena. Enquanto percorriam as ruas movimentadas até o adro da catedral, o lugar-tenente se sentia cheio de incontrolável ansiedade, enquanto sua irmã tremia de medo.

O prior os estava esperando no cemitério, e foi por entre as lápides que conversaram enquanto o sol se punha.

– Eles chegaram a um acordo – disse Philip, sem preâmbulos. – Mas é um bocado confuso.

Aliena não podia aguentar a tensão.

– Richard será conde? – perguntou, aflita.

Philip balançou a mão de um lado para o outro, num gesto que queria dizer talvez sim, talvez não.

– É complicado. Eles chegaram a um compromisso. As terras que foram tomadas por usurpadores serão devolvidas às pessoas que as possuíam no tempo do velho rei Henrique.

– É tudo o que preciso! – exclamou Richard imediatamente. Meu pai era conde naquele tempo.

— Cale-se, Richard — ordenou Aliena. Virou-se para Philip. Então, qual é a complicação?

— Não há nada no acordo que obrigue Estêvão a cumpri-lo. Provavelmente não haverá mudança até que ele morra e Henrique se torne rei.

Richard ficou desacorçoado.

— Mas isso cancela tudo!

— Não inteiramente — retrucou Philip. — Significa que você é o legítimo conde.

— Mas tenho que viver como fora da lei enquanto Estêvão não morrer... com aquele animal do William morando no meu castelo — esbravejou Richard, furioso.

— Não fale tão alto! — protestou Philip, quando um padre passou por perto. — Tudo isso ainda é segredo.

Aliena estava irada.

— Não aceito isso — disse. — Não estou preparada para esperar que Estêvão morra. Há dezessete anos que espero! Basta!

— Mas o que você pode fazer? — perguntou o prior.

Aliena dirigiu-se a Richard.

— Praticamente todo o país o aclama legítimo conde. Estêvão e Henrique reconheceram agora que o direito é seu. Você deve tomar o castelo e *governar* como o legítimo conde que é.

— Não posso tomar o castelo. William o tem sempre bem defendido.

— Você possui um exército, não? — exclamou ela, deixando-se levar pela força da sua raiva e frustração. — Você tem o direito ao castelo e a força para tomá-lo.

Richard sacudiu a cabeça.

— Em quinze anos de guerra civil, sabe quantas vezes vi um castelo ser tomado mediante um ataque frontal? Nenhuma. — Como sempre, ele parecia ganhar autoridade e maturidade assim que começava a falar em assuntos militares. — Quase nunca acontece. Uma cidade, talvez, mas não um castelo. Os castelos podem se render após um cerco, ou serem salvos ao receber reforços; já vi castelos serem tomados graças a atos de covardia, a truques ou a traições; mas não pela força bruta.

Aliena ainda não estava pronta para aceitar aquilo. Tal opinião lhe pareceu fruto da desesperança. Não podia se conformar com a ideia de aguardar não sabia quantos anos mais.

— O que aconteceria então se você levasse seu exército ao castelo de William? — perguntou ela.

— Eles ergueriam a ponte levadiça e fechariam os portões antes que pudéssemos entrar. Acamparíamos do lado de fora. Então William contra-atacaria com o seu exército e arremeteria sobre o nosso acampamento. Só que, mesmo que o vencêssemos, não teríamos o castelo. Castelos são difíceis de atacar e fáceis de defender — é a vantagem deles.

Enquanto falava, a ideia foi germinando na cabeça de Aliena. – Covardia, truques ou traição – disse.

– O quê?

– Você viu castelos serem tomados graças a atos de covardia, a truques ou traições.

– Oh, sim.

– O que foi que William usou, quando nos tomou o castelo tanto tempo atrás?

– Aqueles tempos eram diferentes – interrompeu Philip. – O país vivera em paz, sob o velho rei Henrique, por trinta e cinco anos. William venceu seu pai pela surpresa.

– Ele usou um truque. Entrou no castelo sub-repticiamente, com um punhado de homens, antes de o alarme ser acionado. Mas o prior tem razão: não se conseguiria fazer uma coisa dessas atualmente. Hoje em dia as pessoas são muito mais cautelosas.

– Eu poderia entrar – disse Aliena confiantemente, embora ao pronunciar as palavras seu coração disparasse de medo.

– Claro que poderia; você é uma mulher – disse Richard. – Mas não poderia fazer nada, uma vez que estivesse lá dentro. O que explica por que a deixariam entrar. É inofensiva.

– Não seja tão malditamente arrogante! – explodiu ela. – Já matei para protegê-lo, o que é muito mais do que você jamais fez por mim, seu porco ingrato, de modo que não se atreva a me chamar de inofensiva.

– Está bem, você não é inofensiva – concedeu ele, enraivecido. – O que faria uma vez no interior do castelo?

A fúria de Aliena desvaneceu-se. O que eu iria fazer?, pensou, amedrontada. Ao inferno com isso, tenho pelo menos tanta coragem e determinação quanto aquele animal do Hamleigh.

– O que William fez?

– Manteve a ponte levadiça abaixada e o portão aberto tempo suficiente para a força do ataque principal entrar.

– Então é o que farei – disse Aliena, com o coração na boca.

– Como? – perguntou Richard ceticamente.

Aliena lembrou-se de ter tranquilizado uma garota de catorze anos com medo de uma tempestade.

– A condessa me deve um favor – disse. – E ela odeia o marido.

Cavalgaram a noite inteira, Aliena, Richard e cinquenta dos seus melhores homens, e atingiram a vizinhança de Earlscastle pela madrugada. Detiveram-se na floresta, na orla dos campos que cercavam o castelo. Aliena desmontou, despiu sua capa de lã de Flandres e descalçou as botas de couro macio. Isso feito, cobriu-se com um cobertor de lã áspera, dos usados pelos camponeses, e calçou um par de tamancos. Um dos homens entregou-lhe uma cesta com ovos frescos acondicionados em palha, que ela enfiou no braço.

Richard examinou-a de alto a baixo.

— Perfeito — disse ele. — Uma jovem camponesa levando ovos para a cozinha do castelo.

Aliena engoliu em seco. Na véspera estava cheia de ímpeto e ousadia, mas agora que estava prestes a executar seu plano sentia-se apavorada.

— Quando eu ouvir o sino — disse seu irmão, beijando-a no rosto — , rezarei um padre-nosso devagar e em seguida a vanguarda sairá. Tudo o que tem a fazer é induzir os guardas a uma falsa sensação de segurança, de modo que dez dos meus homens possam atravessar o campo e entrar no castelo sem causar alarme.

Aliena assentiu.

— Só quero que você não deixe a força principal aparecer antes de a vanguarda atravessar a ponte.

Ele sorriu.

— Estarei comandando o grupo principal. Não se preocupe. Boa sorte.

— Para você também.

Ela afastou-se.

Aliena deixou a floresta e pôs-se a atravessar o campo aberto na direção do castelo que deixara naquele dia horrível, dezesseis anos antes. Ao ver o lugar de novo, teve a lembrança vívida e aterrorizante daquela outra manhã, o ar úmido depois da tempestade, os dois cavalos galopando através do portão e cruzando o campo encharcado — Richard no cavalo de batalha e ela no corcel de menor tamanho, ambos mortos de medo. Ia negando o que acontecera, deliberadamente esquecendo, repetindo para si própria ao ritmo do tropel dos cascos do cavalo: Não posso *lembrar*, não posso *lembrar, não posso, não posso, não posso*. E dera certo: por um longo período fora incapaz de rememorar o estupro; lembrava que alguma coisa horrível tinha acontecido, mas jamais revivia os detalhes. Só quando se apaixonara por Jack é que tudo lhe voltara à memória; e então a lembrança a deixara tão apavorada que fora incapaz de reagir ao seu amor. Graças a Deus ele fora tão paciente. Foi como soube quanto seu amor era forte: por ter tolerado tanta coisa e ainda assim continuado a amá-la.

Ao aproximar-se do castelo, invocou algumas lembranças boas, para acalmar os nervos. Morara ali quando criança, com seu pai e Richard. Eram ricos e desfrutavam de segurança. Brincara nas fortificações do castelo com o irmão, transitara muito pela cozinha, surrupiando pedacinhos de doce, e sentara-se ao lado do pai no jantar servido no grande salão. *Eu não sabia que era feliz*, pensou. *Não tinha ideia de quão afortunada era por não ter nada a recear.*

Aqueles bons tempos começarão de novo hoje, disse para si própria, *se ao menos eu fizer isto direito.*

Dissera, confiantemente: *A condessa me deve um favor. E ela odeia o marido*, mas enquanto cavalgavam durante a noite, pensara em todas as coisas que podiam sair erradas. Primeiro, talvez nem sequer conseguisse entrar no castelo: havia a possibilidade de alguma coisa ter posto a guarnição em alerta; de os guardas se mostrarem desconfiados; ou de simplesmente ter a má sorte de esbarrar numa sentinela que resolvesse atrapalhar. Segundo, quando se encontrasse no interior do castelo poderia não ser capaz de persuadir Elizabeth a trair o marido. Fazia um ano e meio que a encontrara na tempestade: com o tempo, as mulheres às vezes se habituam com os homens mais perversos, e a garota podia ter-se resignado ao seu destino. Terceiro, mesmo que Elizabeth estivesse disposta, talvez não tivesse autoridade ou coragem para fazer o que Aliena queria. Era uma garotinha assustada quando a vira da última vez, e podia ser que a guarda do castelo se recusasse a obedecer-lhe.

Aliena estava extraordinariamente alerta quando atravessou a ponte levadiça: podia ver e ouvir tudo com uma clareza anormal. A guarnição estava acordando. Uns poucos guardas de olhos injetados espreguiçavam-se, bocejando e tossindo, e um cachorro velho, sentado na entrada, se coçava. Puxou o capuz para a frente a fim de ocultar o rosto, para o caso de alguém ser capaz de reconhecê-la, e passou sob o arco.

Havia uma sentinela de serviço no portão, um tipo desmazelado sentado num banco, comendo um pedaço imenso de pão. Sua roupa estava em desalinho, e o cinturão da espada pendia de um gancho nos fundos do aposento. Com o coração na boca e um sorriso que disfarçava o medo, Aliena mostrou-lhe a cesta de ovos.

Ele mandou que entrasse, com um gesto impaciente. Ela passara o primeiro obstáculo.

A disciplina estava relaxada. Era compreensível: aquilo era uma força simbólica, deixada para trás enquanto os melhores homens tinham ido para a guerra. Toda a agitação acontecia em outros lugares.

Até esse dia.

Por enquanto, tudo ia bem. Aliena atravessou o pátio mais baixo com os nervos tensos. Era muito esquisito ser uma estranha entrando no lugar onde morara, estar se infiltrando onde antes tinha o direito de ir aonde bem entendesse. Olhou à sua volta, tomando cuidado para não deixar muito evidente sua curiosidade. A maioria das construções de madeira mudara; os estábulos eram maiores, a cozinha fora transferida e havia um novo depósito de armas, de pedra. Tudo parecia mais sujo do que no seu tempo. Mas a capela ainda estava lá, a capela onde ela e Richard tinham se abrigado daquela horrível tempestade, chocados, tontos e quase congelados. Um punhado de criados dava início às tarefas matinais. Um ou dois homens de armas se deslocavam pelo conjunto de edificações. Achou que tinham aspecto ameaçador, mas talvez fosse porque sabia que a matariam, caso soubessem o que ia fazer.

Se seu plano desse certo, à noite seria novamente a senhora daquele castelo. A ideia era excitante mas irreal, como um sonho maravilhoso e impossível.

Entrou na cozinha. Um garoto estava atiçando o fogo, e uma garota cortava cenouras. Aliena sorriu alegremente para eles.

— Vinte e quatro ovos frescos — disse ela, pondo a cesta em cima da mesa.

— O cozinheiro ainda não acordou — disse o garoto. — Você vai ter que esperar pelo seu dinheiro.

— Posso arranjar um pedaço de pão para o meu desjejum?

— No salão grande.

— Obrigada. — Ela deixou a cesta e saiu de novo.

Aliena cruzou a segunda ponte levadiça para o conjunto de cima. Sorriu para o guarda do segundo portão. Ele estava despenteado e com os olhos injetados. Olhou-a de cima a baixo e disse:

— Aonde é que você está indo? — A voz dele era desafiadoramente brincalhona.

— Vou comer qualquer coisa — disse ela, sem parar.

Ele lançou um olhar lúbrico.

— Tenho um negócio aqui para você comer — disse, às suas costas.

— Cuidado que posso cortar fora com uma mordida! — disse ela por cima do ombro.

Não suspeitaram de Aliena por um só momento. Não lhes ocorria a possibilidade de uma mulher ser perigosa. Como eram tolos. As mulheres podiam fazer a maior parte das coisas que os homens faziam. Quem cuidava de tudo quando os homens iam combater nas guerras, ou partiam nas cruzadas? Havia mulheres carpinteiras, tingidoras, curtidoras, padeiras e cervejeiras. A própria Aliena era uma das mais importantes mercadoras do condado. Os deveres de uma abadessa, dirigindo um convento, eram exatamente os mesmos de um abade. Ora, tinha sido uma mulher, a rainha Matilde, que causara a guerra civil que já se prolongava há quinze anos! No entanto, aqueles homens de armas idiotas não esperavam que uma mulher fosse um agente inimigo porque não era normal que fosse.

Subiu correndo os degraus da fortaleza e entrou no salão principal. Não havia nenhum camareiro à porta. O que se justificava, presumiu Aliena, pelo fato de o senhor estar ausente. *No futuro me assegurarei de que haja sempre alguém cuidando da entrada*, pensou Aliena, *quer o senhor esteja presente, quer não*.

Quinze ou vinte pessoas estavam tomando o desjejum em torno de uma pequena mesa. Uma ou duas levantaram os olhos para ela, mas ninguém lhe deu maior atenção. O salão estava bastante limpo, observou Aliena, e havia um ou dois toques femininos: paredes recentemente caiadas, e ervas de doce fragrância misturadas com as palhas do chão. Elizabeth deixara sua marca, de algum modo. Era um bom indício.

Sem falar com as pessoas sentadas em torno da mesa, Aliena atravessou o salão até a escadaria num canto, tentando aparentar ter todo o direito de estar ali, mas esperando ser detida a qualquer momento. Chegou ao patamar da escada sem chamar a atenção de ninguém. Só depois, quando subiu depressa na direção dos apartamentos privados do andar de cima, ouviu alguém dizer:

– Não pode subir aí! Ei, você! – Mas ignorou a voz. Ouviu alguém seguindo-a.

Chegou ao andar de cima ofegante. Elizabeth dormiria no quarto principal, aquele que o pai de Aliena ocupara? Ou teria uma cama só para si no quarto que fora dela? Hesitou por um instante, o coração batendo com força. Supôs que àquela altura William teria se cansado de dormir com a mulher todas as noites, e provavelmente permitira que tivesse um quarto só para ela. Aliena bateu à porta do quarto menor e abriu-a.

Acertou em sua suposição. Elizabeth estava sentada junto ao fogo de camisola, escovando o cabelo. Ergueu os olhos, franziu a testa e reconheceu Aliena.

– É você! – exclamou. – Que surpresa! – Parecia satisfeita.

Aliena ouviu passos pesados na escada, à sua retaguarda.

– Posso entrar? – perguntou ela.

– Claro! E seja bem-vinda!

Aliena entrou e fechou a porta rapidamente. Atravessou o quarto até onde Elizabeth se encontrava. Um homem irrompeu porta adentro, dizendo:

– Ei, você, quem pensa que é? – E avançou em sua direção, como se fosse prendê-la.

– Fique onde está! – ordenou ela, na sua voz mais autoritária. Ele hesitou. – Vim ver a condessa, com uma mensagem do conde William, e você teria sabido disso mais cedo se estivesse guardado a porta em vez de estar se entupindo de pão.

Ele fez uma expressão culpada.

– Está bem, Edgar – disse Elizabeth. – Conheço esta lady.

– Muito bem, condessa – disse ele, saindo e fechando a porta.

Consegui, pensou Aliena. Estou aqui dentro.

Olhou à sua volta, enquanto o coração retornava ao ritmo normal. O quarto não estava muito diferente do que era no seu tempo. Havia pétalas secas numa tigela, uma bela tapeçaria na parede, alguns livros e uma arca para roupas. A cama se encontrava no mesmo lugar – na verdade era a mesma –, e em cima do travesseiro havia uma boneca de pano exatamente igual a uma que Aliena tivera. Aquilo a fez sentir-se velha.

– O meu quarto era aqui – disse ela.

— Eu sei.

Aliena ficou surpresa. Não tinha lhe falado a respeito do seu passado.

— Descobri tudo a seu respeito após aquela terrível tempestade – explicou Elizabeth. E acrescentou: – Admiro muito você. – Seus olhos tinham o brilho de quem estava diante de uma heroína.

O que era um bom sinal.

— E William? – perguntou Aliena. – Sente-se mais feliz vivendo com ele?

Elizabeth desviou os olhos.

— Bem – disse –, agora tenho um quarto só para mim, e ele passa muito tempo fora. Na verdade, tudo está muito melhor. – E começou a chorar.

Aliena sentou-se na cama e passou os braços em torno da garota. Elizabeth chorou, com soluços fundos e arrebatados, as lágrimas escorrendo pelo rosto. Entre um soluço e outro, arquejava:

— Eu... odeio... William!... Queria... poder... morrer!

Sua angústia era tão digna de pena, e ela era tão jovem, que Aliena estava quase chorando também. Sentia-se dolorosamente consciente de que a sina de Elizabeth poderia ter sido a sua. Deu umas palmadinhas nas costas da garota como teria feito com Sally.

Aos poucos a condessa foi se acalmando. Enxugou o rosto molhado com a manga da camisola.

— Tenho tanto medo de ter um filho! – disse, angustiadamente. – Estou aterrorizada porque sei como ele maltrataria a criança.

— Compreendo – disse Aliena. Um dia sentira verdadeiro pavor de estar grávida de um filho dele.

Elizabeth fitou-a com os olhos arregalados.

— É verdade o que dizem sobre... o que ele fez com você?

— Sim, é verdade. Eu tinha sua idade quando aconteceu.

Por um momento elas se encararam, aproximadas pela repulsa a William, partilhada por ambas. De repente Elizabeth não mais parecia uma criança.

— Você poderia se livrar dele se quisesse – disse Aliena. – Hoje.

A garota fitou-a espantada.

— É verdade? – perguntou, com deplorável ansiedade. – É verdade?

Aliena fez que sim.

— É por isso que estou aqui.

— Eu poderia ir para casa? – perguntou Elizabeth, os olhos cheios de novas lágrimas. – Eu poderia ir para Weymouth, para a casa da minha mãe? *Hoje*?

— Sim. Mas você terá que ser corajosa.

— Farei qualquer coisa – assegurou ela. – Qualquer coisa! Basta que me diga o quê.

Aliena relembrou o que lhe explicara a respeito de como podia adquirir autoridade com os empregados do marido e quis saber se Elizabeth fora capaz de seguir seus conselhos e colocá-los em prática.

— Os criados ainda tentam intimidá-la? — perguntou, sem rodeios.

— Tentam.

— Mas você não permite.

Ela pareceu embaraçada.

— Bem, às vezes sim. Mas estou com dezesseis anos agora, e já sou condessa há dois anos quase... Tenho tentado seguir seus conselhos, e eles realmente funcionam!

— Deixe-me explicar — começou Aliena. — O rei Estêvão fez um pacto com o duque Henrique. Todas as terras serão devolvidas às pessoas que eram suas proprietárias no tempo do velho rei. Isso significa que meu irmão se tornará o conde de Shiring... um dia. Mas ele quer sê-lo agora.

Elizabeth estava de olhos arregalados.

— Richard vai guerrear com William?

— Richard está muito próximo daqui neste momento, com um pequeno grupo de homens. Se puder tomar o castelo hoje, será reconhecido como conde, e William estará liquidado.

— Não posso crer — disse a condessa. — Não posso crer que seja realmente verdade. — Seu otimismo súbito era ainda mais aflitivo que o abjeto desespero de há pouco.

— Tudo o que você tem a fazer é deixar Richard entrar pacificamente — disse Aliena. — Então, quando tudo estiver terminado, nós a levaremos para casa.

Elizabeth pareceu temerosa de novo.

— Não sei se os homens farão o que eu mandar.

Era essa a preocupação de Aliena.

— Quem é o capitão da guarda?

— Michael Armstrong. Não gosto dele.

— Mande chamá-lo.

— Certo. — A condessa assoou o nariz, levantou-se e foi até a porta. — Madge! — exclamou, numa voz aguda. Aliena ouviu uma resposta longínqua. — Vá buscar Michael. Diga-lhe que venha imediatamente, porque quero vê-lo com urgência. Depressa, por favor.

Ela voltou e começou a se vestir rapidamente, enfiando uma túnica por cima da camisa de dormir e amarrando as botas. Aliena instruiu-a depressa.

— Mande Michael tocar o sino grande a fim de convocar todo mundo ao pátio. Diga que recebeu uma mensagem do conde William e que quer falar com toda a guarnição, homens de armas, criados e todo o resto. Quer que três ou quatro homens montem guarda, enquanto os demais se reúnem no pátio de baixo. Diga-lhe também que está esperando a qualquer momento a chegada de um grupo de dez ou doze homens com outra mensagem, e que eles devem ser trazidos à sua presença assim que chegarem.

— Espero conseguir lembrar de tudo isso — disse Elizabeth, nervosa.

— Não se preocupe; se você se esquecer, eu a ajudarei.

— Isso me faz sentir melhor.

— Como é esse tal de Michael Armstrong?

— Fedorento, emburrado e forte como um touro.

— Inteligente?

— Não.

— Quanto mais burro melhor.

Um momento depois chegou o homem. Tinha uma expressão mal-humorada, o pescoço curto e ombros poderosos, e trouxe com ele o odor de um chiqueiro. Lançou um olhar indagador a Elizabeth, dando a impressão de que se ressentira por ter sido perturbado.

— Recebi uma mensagem do conde — começou a garota.

Michael estendeu a mão.

Aliena ficou horrorizada ao ver que não tomara a precaução de dar uma carta a Elizabeth. Toda a farsa podia fracassar logo no princípio por causa de um erro tolo. A condessa lançou-lhe um olhar de desespero. Aliena procurou com empenho imaginar algo para dizer. Finalmente teve uma inspiração.

— Você sabe ler, Michael?

Ele pareceu ficar ressentido.

— O padre lerá para mim.

— A sua lady pode ler.

— Eu mesma lerei a mensagem para toda a guarnição —, disse Elizabeth, embora parecesse apavorada. — Toque o sino e reúna todos no pátio. Mas assegure-se de deixar três ou quatro homens de guarda.

Como Aliena temera, Michael não gostou de ver a condessa assumindo o comando daquele modo. Seu ar era de rebeldia.

— Por que não me deixa falar com eles?

Aliena deu-se conta, cheia de ansiedade, de que talvez não fosse capaz de persuadir aquele homem: era demasiado estúpido para ouvir a razão.

— Trouxe à condessa notícias momentosas de Winchester. Ela própria quer dá-las à sua gente.

— Bem, que notícias são essas?

Aliena nada disse e olhou para Elizabeth. Mais uma vez ela parecia apavorada. Na verdade, não lhe dissera qual seria o teor da tal mensagem fictícia, de modo que era impossível para a condessa aceder ao pedido de Michael. No fim ela simplesmente continuou como se Michael não tivesse aberto a boca.

— Diga aos guardas que esperem por um grupo de dez ou doze homens, a cavalo. O líder deles terá notícias recentes do conde William, e deve ser trazido imediatamente à minha presença. Agora toque o sino.

Michael estava claramente disposto a contestar. Ficou parado, franzindo a testa, enquanto Aliena prendia a respiração.

— Mais mensageiros — disse, como se fosse algo difícil de entender. — Esta lady com uma mensagem, e doze cavaleiros com outra.

— Sim. Agora você poderia tocar o sino, por favor? — pediu Elizabeth. Aliena pôde perceber o tremor da sua voz.

O capitão da guarda deu a impressão de ter sido derrotado. Não podia entender o que estava acontecendo, mas tampouco via algo a objetar.

— Muito bem, milady — resmungou finalmente e saiu.

Aliena respirou de novo.

— O que vai acontecer? — perguntou Elizabeth.

— Quando estiverem reunidos no pátio, você lhes falará sobre a paz negociada entre Estêvão e Henrique — respondeu Aliena. — Isso distrairá a todos. Enquanto estiver falando, Richard mandará um destacamento de vanguarda com dez homens. Os guardas, no entanto, pensarão que são os mensageiros do conde William que estamos esperando, de modo que não entrarão em pânico e levantarão a ponte. Você tem que manter todos interessados no que estiver dizendo, enquanto o destacamento da vanguarda se aproxima do castelo. Tudo bem?

Elizabeth parecia nervosa.

— E depois? — quis saber.

— Quando eu lhe avisar, diga que se rendeu ao conde legítimo, Richard. Então o exército de Richard abandonará seu esconderijo e atacará o castelo. A essa altura Michael perceberá tudo. Mas os homens dele ficarão em dúvida a respeito de quem merecerá sua lealdade — por você lhes ter dito que se rendessem e por haver chamado Richard de conde legítimo —, e ademais, o destacamento de vanguarda estará no interior do castelo para impedir qualquer pessoa de fechar os portões.

— O sino começou a tocar. O estômago de Aliena contraiu-se de medo. — Não temos mais tempo. Como se sente?

— Apavorada.

— Eu também. Vamos.

Elas desceram a escada. O sino da torre do portão estava tocando como nos tempos em que Aliena era uma garota sem problemas. O mesmo sino, o mesmo som, outra Aliena, pensou ela. Sabia que ele podia ser ouvido através dos campos, até a orla da floresta. Richard estaria naquele instante rezando o padre-nosso lentamente, para medir o tempo que tinha de esperar para despachar o destacamento de vanguarda.

Aliena e Elizabeth afastaram-se da fortaleza pela ponte levadiça interna, em direção ao pátio inferior. A condessa estava branca de medo, mas tinha os lábios cerrados numa expressão determinada. Aliena sorriu para ela a fim de lhe dar coragem e puxou o capuz de novo. Até então não tinha visto ninguém familiar, mas seu rosto era muito conhecido em todo o condado, e alguém com certeza iria reconhecê-la mais cedo ou mais tarde. Se Michael Armstrong descobrisse quem ela era, poderia suspeitar de alguma coisa, por mais obtuso que fosse. Diversas pessoas lhe lançaram olhares de curiosidade, mas ninguém lhe dirigiu a palavra.

Ela e Elizabeth foram até o meio do pátio inferior. Graças à elevação do terreno, Aliena podia ver, por cima das cabeças e através do portão principal, o campo que cercava o castelo. A vanguarda já deveria estar praticamente entrando em ação, mas não conseguia localizar sinais deles. Oh, Deus, espero que não haja um atraso, pensou temerosamente.

A condessa precisava subir em alguma coisa para quando fosse se dirigir àquela gente. Aliena disse a um criado que apanhasse um bloco de montaria no estábulo. Enquanto esperavam, uma mulher idosa olhou para ela.

— Ora, é Lady Aliena! — exclamou. — Que bom vê-la!

O coração de Aliena ficou apertado. Reconheceu a mulher como uma cozinheira que trabalhara no castelo antes da chegada dos Hamleighs.

— Olá, Tilly, como vai você? — cumprimentou-a, forçando um sorriso.

Tilly deu uma cotovelada na vizinha.

— Ei, é Lady Aliena, de volta após todos esses anos. — Vai ser a senhora do castelo de novo, milady?

Aliena não queria que aquele pensamento ocorresse a Michael.

Olhou ansiosamente à sua volta. Por sorte, ele não estava a uma distância de onde pudesse escutar. Um de seus homens de armas, contudo, ouviu o diálogo e a estava olhando com a testa franzida. Aliena devolveu o olhar com ar de simulada despreocupação. O homem só tinha um olho — o que, sem dúvida, era o motivo pelo qual fora deixado para trás em vez de seguir para a guerra com William —, e subitamente pareceu estranho a Aliena estar sendo encarada por um homem de um olho só; ela teve que conter uma risada. Reconheceu que estava ficando ligeiramente histérica.

O criado voltou com o bloco de madeira. O sino parou de tocar. Aliena procurou acalmar-se quando Elizabeth subiu no bloco de montaria e a multidão se aquietou.

— O rei Estêvão e o duque Henrique chegaram a um acordo de paz — disse a condessa.

Ela fez uma pausa e a multidão deu um viva. Aliena estava com os olhos fixos no portão. Agora, Richard, pensou; tem que ser agora, não deixe para quando for demasiado tarde!

Elizabeth sorriu, deixando que as manifestações prosseguissem.

— Estêvão permanecerá como rei até sua morte — continuou depois —, quando será substituído por Henrique.

Aliena examinou os guardas nas torres e no portão. Pareciam despreocupados. Onde estava Richard?

— O tratado de paz trará muitas modificações à nossa vida.

Aliena percebeu que os guardas mudavam de atitude. Um deles pôs a mão em pala sobre os olhos para observar o campo, enquanto o outro se virou para o pátio a fim de ver se conseguia atrair a atenção do seu comandante. Mas Michael Armstrong estava ouvindo atentamente as palavras de Elizabeth.

— Os reis atuais e futuros concordaram que todas as terras devam ser restituídas aos seus proprietários no tempo do velho rei Henrique.

Essa notícia causou muitos comentários, com as pessoas especulando se o condado de Shiring seria afetado. Aliena reparou que Michael Armstrong parecia pensativo. Através do portão, finalmente ela viu os cavalos do destacamento de vanguarda de Richard. Depressa, pensou, depressa! Mas eles se aproximavam a trote, num ritmo firme e constante, para não alarmar os guardas.

— Todos nós devemos dar graças a Deus por este tratado de paz — estava dizendo Elizabeth. — Devemos rezar para que o rei Estêvão governe com sabedoria nos seus últimos anos de vida e que o jovem duque mantenha a paz até que Deus leve o rei... — Ela estava se saindo magnificamente, mas já começava a parecer perturbada, como se sentisse estar prestes a ficar sem mais nada a dizer.

Todos os guardas olhavam atentamente para fora, examinando o grupo que se aproximava. Haviam lhes dito que deviam esperar um grupo como aquele, e tinham instruções de levar o líder imediatamente à presença da condessa, de modo que não se esperava que agissem, mas estavam curiosos.

O zarolho virou-se, mirou através do portão e encarou Aliena de novo. Ela supôs que estava meditando sobre o significado da sua presença ali e a aproximação de uma tropa de homens a cavalo.

Um dos guardas em cima da muralha pareceu chegar a uma decisão e desapareceu descendo uma escada.

A multidão estava ficando um pouco inquieta. A condessa esticara muito bem o seu discurso, mas todos aguardavam, impacientemente, notícias concretas.

— Esta guerra começou no ano em que nasci, e como muitas pessoas igualmente jovens em todos os cantos do reino, sinto-me ansiosa para saber como é a paz.

O guarda que estava em cima da muralha reapareceu na base de uma torre, atravessou com passadas bruscas o conjunto e falou com Michael Armstrong.

Através do portão Aliena viu que os cavaleiros de Richard ainda se encontravam a umas duzentas jardas de distância. Não era o bastante. Teve ímpetos de gritar, tamanha foi a frustração que sentiu. Não seria capaz de continuar controlando aquela situação por muito mais tempo.

Michael Armstrong virou-se e olhou através do portão, a testa franzida. Então o zarolho puxou-lhe a manga e disse algo, apontando para Aliena.

Ela teve medo de que Michael fechasse os portões e erguesse a ponte levadiça antes que Richard pudesse entrar, mas não sabia o que fazer para impedi-lo. Perguntou-se se teria coragem suficiente para atirar-se sobre ele antes que desse a ordem. Ainda usava o punhal amarrado no braço esquerdo: podia até mesmo matá-lo. Ele virou-se decisivamente. Aliena inclinou-se e tocou no cotovelo de Elizabeth:

— Detenha Michael! — sussurrou.

A condessa abriu a boca para falar, mas não produziu nenhum som. Estava petrificada de medo. Então sua expressão mudou. Respirou fundo, ergueu a cabeça e disse com uma voz carregada de autoridade: — Michael Armstrong!

O capitão da guarda virou-se.

Aliena deu-se conta de que dali em diante não havia volta. Richard não se encontrava bastante perto, mas seu tempo acabara.

— Agora! — disse para Elizabeth. — Conte-lhes agora!

— Entreguei este castelo ao legítimo conde de Shiring, Richard de Kingsbridge.

Michael arregalou os olhos para ela, incrédulo.

— Não pode fazer isso! — berrou.

— Ordeno que todos deponham as armas — disse ela. — Não deverá haver derramamento de sangue.

— Levantem a ponte! — gritou Michael, virando-se. — Fechem os portões!

Os homens de armas saíram para cumprir suas ordens, mas ele hesitara demais, mesmo que por um só momento. Quando seus homens se aproximaram das maciças portas guarnecidas de ferro que fechavam o arco de entrada, o destacamento de vanguarda de Richard passou pela ponte e entrou no conjunto. A maioria dos homens de Michael estava sem armadura, e alguns nem sequer traziam suas espadas, e se espalharam ante os cavaleiros.

— Fiquem todos calmos! — gritou Elizabeth. — Estes mensageiros confirmarão minhas ordens.

Ouviu-se um grito vindo da muralha: um dos guardas pôs as mãos em concha na boca e gritou:

— Michael! Ataque! Estamos sendo atacados! Centenas de homens!

— Traição! — urrou Michael, e puxou da espada. Mas dois dos homens de Richard lançaram-se imediatamente sobre ele, com a lâmina das espadas faiscando. O sangue jorrou; Michael caiu. Aliena desviou o olhar.

Alguns dos homens de Richard apoderaram-se da casa da guarda e do aposento onde ficava a roldana que levantava a ponte. Dois deles dirigiram-se para a muralha, e os guardas de Michael se renderam.

Através do portão Aliena viu a força principal atravessando a galope o campo que circundava o castelo, e seu ânimo retornou com a força do sol quente de verão após uma pancada de chuva.

— Esta é uma rendição pacífica — gritou Elizabeth, com toda a força. — Ninguém vai ser ferido, prometo. Basta que fiquem onde estão.

Todos permaneceram imóveis, atentos ao tropel do exército de Richard, cada vez mais próximo. Os homens de armas de Michael pareciam confusos e incertos, mas nenhum deles fez nada: seu comandante tombara, e a condessa lhes dissera que se rendessem. Os criados do castelo estavam paralisados pela rapidez dos acontecimentos.

Nesse instante Richard atravessou o portão no seu cavalo de batalha.

Foi um grande momento, e o coração de Aliena inchou de tanto orgulho. Richard era bonito, sorridente e triunfante.

— O conde legítimo! — gritou ela.

Os homens que entraram no castelo atrás de Richard responderam ao grito, que foi repetido também por algumas pessoas entre as que se encontravam no pátio — a maioria delas não tinha o menor amor por William. Richard conduziu o cavalo numa volta pelo conjunto, acenando e agradecendo os vivas.

Aliena pensou em tudo que enfrentara para chegar àquele momento. Estava com trinta e quatro anos e passara metade da vida lutando por aquilo. Toda a minha vida adulta, pensou; foi o que dei. Lembrou-se de quando enfiava lã dentro de sacos, até suas mãos ficarem vermelhas, inchadas e sangrando. Rememorou os rostos que vira nas estradas, rostos cobiçosos, cruéis e lascivos de homens que a teriam matado se tivesse dado o menor sinal de fraqueza. Pensou em como endurecera o coração contra seu querido Jack, casando-se com Alfred; relembrou os meses em que dormira no chão, ao pé da cama dele, como um cão — tudo porque prometera pagar as armas e o equipamento de que Richard precisava para lutar pela recuperação daquele castelo.

— Aí está, pai! — exclamou. Ninguém a ouviu: todos gritavam, saudando Richard. — Era isto que você queria — disse ao pai morto, e no seu coração tanto havia amargura quanto triunfo. — Eu lhe prometi isto, e cumpri minha promessa. Tomei conta de meu irmão, ele lutou todos esses anos; agora finalmente estamos em casa de novo, e Richard é o conde. Agora... — Sua voz ergueu-se até se transformar num grito, mas todos também gritavam, e ninguém notou as lágrimas que lhe corriam pelo rosto: — Agora, pai, que já fiz o que queria, volte para seu túmulo e me deixe viver em paz!

Capítulo 16

1

Remigius era arrogante, mesmo na penúria. Entrou no solar de madeira da aldeia de Hamleigh com a cabeça erguida, olhando com desprezo as vigas recurvadas que sustentavam o teto, as paredes de taipa e o fogo – sem chaminé – aceso no meio do chão de terra batida.

William observou-o entrando. Posso estar em fase de má sorte, pensou, mas não estou tão mal quanto você. Impossível deixar de reparar nas sandálias já consertadas tantas vezes do monge, o hábito imundo, a barba por fazer no queixo e o cabelo desalinhado. Remigius nunca fora um homem gordo, mas agora estava mais magro do que nunca. A expressão arrogante fixa no seu rosto não ocultava as rugas de exaustão ou as olheiras escuras da derrota. O monge ainda não fora esmagado, mas estava duramente batido.

– Deus o abençoe, meu filho – disse ele.

William não estava com disposição para aquele tipo de coisa.

– O que você quer, Remigius? – perguntou, insultando deliberadamente o monge não o chamando de "padre" ou "irmão".

Remigius encolheu-se como se tivesse levado um soco. Hamleigh supôs que ele devia estar sofrendo golpes desse tipo desde que saíra do mosteiro.

– As terras que você me deu como deão do cabido de Shiring foram recuperadas pelo conde Richard.

– Não me surpreende – replicou William. – Tudo deve ser restituído aos proprietários do tempo do velho rei Henrique.

– Mas isso me deixa sem meios para me sustentar.

– Você e um bocado de outras pessoas – disse Hamleigh indiferentemente. – Terá que voltar para Kingsbridge.

O rosto do monge empalideceu de raiva.

– Não posso fazer isso – disse, falando baixo.

– Por que não? – perguntou William, atormentando-o.

– Você sabe por quê.

– Será que Philip diria que não se devem arrancar segredos de garotinhas? Ele pensa que você o traiu, por me contar onde era o esconderijo dos fora da lei? Será que está furioso com você por se tornar deão de uma igreja que deveria substituir a catedral dele? Bem, se é assim, suponho que você não deve voltar mesmo.

– Dê-me *alguma coisa* – suplicou Remigius. – Uma aldeia. Uma fazenda. Uma igrejinha!

– Não há recompensas para quem perde, monge – disse William asperamente. Ele estava gostando daquilo. – No mundo de verdade, fora do mosteiro, ninguém toma conta de você. Os patos engolem as minhocas, as raposas comem os patos, os homens matam as raposas e o demônio caça os homens.

A voz do monge tornou-se um sussurro.

– O que devo fazer?

Hamleigh sorriu.

– Esmole.

Remigius girou nos calcanhares e saiu da casa.

Ainda orgulhoso, pensou William. Mas não por muito tempo. Você esmolará.

Ficara satisfeito por ver alguém que levara um tombo maior do que o seu. Jamais se esqueceria do sofrimento cruciante que fora estar diante do portão do próprio castelo e não o deixarem entrar. Ficara desconfiado quando soubera que Richard e alguns de seus homens tinham deixado Winchester; depois, no momento em que o acordo de paz fora anunciado, sua desconfiança transformara-se em alarme, e ele pegara seus cavaleiros e homens de armas e cavalgara o mais depressa possível para Earlscastle. Deixara uma força reduzida guardando o castelo, de modo que esperara encontrar Richard acampado, iniciando um cerco. Quando tudo parecera tão calmo, sentira-se aliviado e se recriminara por ter exagerado na reação ao desaparecimento súbito de Richard.

Ao ter-se aproximado, vira que a ponte estava levantada. Detivera o cavalo na margem do fosso e gritara: "Abram o portão para o conde!"

Então Richard aparecera em cima da muralha e dissera: "O conde está no castelo!"

Foi como se o chão tivesse cedido sob os pés de William. Ele sempre tivera medo de Richard, sempre o considerara como um rival perigoso, mas não tinha se sentido especialmente vulnerável naquela ocasião. Achara que o perigo verdadeiro viria quando Estêvão morresse e Henrique subisse ao trono, o que podia acontecer num prazo de cerca de dez anos. Agora, instalado naquela medíocre casa senhorial, ruminando os erros cometidos, constatava amargurado que Richard, na verdade, fora muito inteligente. Aproveitara uma brecha estreitíssima. Não podia ser acusado de romper a paz do rei, por agir com a guerra ainda em andamento. Sua pretensão ao condado fora legitimada pelos termos do tratado de paz. E a Estêvão, idoso, cansado e derrotado, não restava energia para outras batalhas.

Richard, magnanimamente, libertara os homens de armas de William que quiseram continuar a seu serviço. Waldo Zarolho contara como o castelo fora tomado. A traição de Elizabeth o enfurecera, mas para William a parte desempenhada por Aliena fora mais humilhante. A garotinha desamparada que ele estuprara, atormentara e atirara para fora de casa tanto tempo antes voltara para colher sua vingança. Todas as vezes que pensava nisso seu estômago ardia como se tivesse bebido vinagre.

Seu primeiro ímpeto fora lutar contra Richard. Poderia ter conservado seu exército, vivido no campo e extorquido impostos e suprimentos dos camponeses, prosseguindo na luta com seu rival. Mas Richard tinha a posse do castelo – e o tempo estava ao seu lado, já que Estêvão, o protetor de William, estava velho e liquidado – e o apoio do jovem duque, que um dia seria coroado como o rei Henrique II.

Assim, William decidira cortar seu prejuízo. Retirara-se para a aldeia de Hamleigh e se mudara para a casa onde fora criado. Hamleigh, assim como as aldeias que ficavam em torno, fora concedida a seu pai trinta anos antes. Era uma propriedade que nunca fizera parte do condado, de modo que Richard não podia reivindicá-la.

William esperava que, se mantivesse a cabeça baixa, Richard se daria por satisfeito com a vingança e o deixaria em paz. Até então dera certo. No entanto, William odiava a aldeia de Hamleigh. Odiava as casinhas arrumadas, os patos irritadiços no lago, a igreja de pedra cinza-clara, as crianças de faces vermelhas como maçãs, as mulheres de quadris largos e os homens fortes e ressentidos. Odiava Hamleigh por ser humilde, feia e pobre, e porque simbolizava a queda de sua família do poder. Ao observar os camponeses começarem a arar a terra na primavera, estimara qual seria sua participação na safra do verão e a considerara reduzida. Fora caçar na floresta, não conseguira achar nenhum veado, e o guarda lhe dissera: "Só se encontram agora javalis; os fora da lei acabaram com os veados durante a crise." Instalara a corte no salão grande da casa, com o vento assobiando através dos buracos das paredes de taipa; pronunciou sentenças duras, impôs multas elevadas e decidiu de acordo com seu capricho; mas pouca satisfação lhe trouxera tudo aquilo.

Abandonara a construção da grande igreja de Shiring, claro. Se não podia enfrentar os gastos com uma casa de pedra para si próprio, o que diria de uma igreja. Os operários haviam cessado de trabalhar quando parara de efetuar os pagamentos, e o que lhes acontecera depois ele não sabia; talvez tivessem voltado todos para Kingsbridge, a fim de trabalhar para o prior Philip.

Entretanto, agora ele estava tendo pesadelos.

Eram sempre iguais. Via a mãe no lugar dos mortos. Sangrava dos ouvidos e dos olhos, e quando abria a boca para falar, mais sangue jorrava. A visão o enchia de terror mortal. À luz clara do dia não era capaz de dizer o que havia no sonho que tanto o amedrontava, pois ela não o ameaçava de modo algum. Mas à noite, quando o procurava, o medo se apoderava totalmente dele, um pânico irracional, histérico e cego. Uma vez, quando menino, atravessara um lago que súbito ficara mais fundo, e se vira debaixo da superfície e incapaz de respirar; a esmagadora necessidade de ar que se apossara dele era uma das lembranças indeléveis da sua infância; aquele pesadelo, porém, era dez vezes pior. Tentar fugir do rosto sangrento de sua mãe era como tentar correr em areia movediça. William acordava como se tivesse sido jogado de um lado para o outro do quarto, suando, gemendo, em violento estado de choque, o corpo retesado pela agonia de tanta tensão. Walter aparecia ao lado da sua cama – Hamleigh dormia no salão, separado dos homens por um biombo, pois não havia quarto de dormir na casa. "O senhor gritou, milorde", murmurava ele. William respirava fundo, contemplando a cama verdadeira, a parede verdadeira e o Walter verdadeiro, enquanto o poder do pesadelo lentamente desaparecia, até o ponto em que não mais sentia medo. Então ele dizia: "Não foi nada, só um sonho, vá embora", mas ficava com medo de voltar a dormir. E no dia seguinte os homens olhavam para ele como se estivesse enfeitiçado.

Poucos dias depois da conversa com Remigius, estava sentado na mesma cadeira dura, junto ao mesmo fogo enfumaçado, quando o bispo Waleran entrou.

William assustou-se. Ouvira o tropel de cavalos, mas presumira que fosse Walter, de volta do moinho. Não soube o que fazer quando viu o bispo. Waleran sempre fora arrogante e superior, e em várias oportunidades fizera com que Hamleigh se sentisse tolo, inepto e grosso. Era humilhante que visse agora o ambiente humilde em que vivia.

William não se levantou para cumprimentar seu visitante.

– O que é que você quer? – perguntou laconicamente. Não tinha razão para ser polido: queria que o bispo desse o fora o mais cedo possível.

Waleran ignorou sua rudeza.

– O xerife está morto – disse.

A princípio Hamleigh não viu aonde o outro estava querendo chegar.

– O que é que eu tenho com isso?

– Haverá um novo xerife.

William estava prestes a dizer *E daí?*, mas interrompeu-se. Waleran estava preocupado com quem seria o novo xerife. E viera falar com ele a esse respeito. Isso só podia significar uma coisa, não? A esperança inflou seu peito, mas ele a reprimiu energicamente: quando Waleran estava envolvido, grandes esperanças com frequência terminavam em frustração e desapontamento.

– Quem você tem em mente? – perguntou.

– Você.

Era a resposta pela qual William não se atrevera a esperar. Quisera poder acreditar. Um xerife esperto e impiedoso podia ser quase tão importante e influente quanto um conde ou bispo. Podia ser o seu caminho de volta para a fortuna e o poder. Obrigou-se a considerar os pontos negativos.

– Por que o rei Estêvão me designaria?

– Você o apoiou contra o duque Henrique e, como resultado, perdeu o condado. Imagino que ele gostaria de recompensá-lo.

– Ninguém faz nada por gratidão – disse William, repetindo uma frase da mãe.

– Estêvão não pode estar satisfeito em ter como conde de Shiring um homem que lutou contra ele. Pode querer que o seu xerife seja uma força que se contraponha a Richard.

Isso agora fazia mais sentido. William sentiu-se animado, contra sua própria vontade. Começou a crer que podia realmente sair daquele buraco chamado Hamleigh. Teria novamente uma força respeitável de cavaleiros e homens de armas, em vez do lastimável punhado de gente que atualmente sustentava. Presidiria a corte do condado em Shiring, e frustraria a vontade de Richard.

– O xerife reside no Castelo de Shiring – disse desejosamente.

– Você seria rico de novo – acrescentou Waleran.

– Sim. – Adequadamente explorado, o cargo de xerife podia ser muitíssimo lucrativo. William poderia fazer quase tanto dinheiro quanto no tempo em que era conde. Mas perguntou-se por que o bispo teria falado naquilo.

No momento seguinte Waleran respondeu à sua indagação.

– Você seria capaz de financiar a construção da nova igreja.

Então era isso. O bispo nunca fazia nada sem uma segunda intenção. Queria que William fosse o xerife para construir-lhe uma igreja. Mas este sentiu-se disposto a seguir adiante com o plano. Se pudesse terminar a igreja em memória de sua mãe, talvez os pesadelos cessassem.

– Acha mesmo que será possível? – perguntou, ansioso.

Waleran assentiu.

– Custará dinheiro, claro, mas acho que pode ser feito.

– Dinheiro? – perguntou William, com súbita ansiedade. – Quanto?

– É difícil dizer. Num lugar como Lincoln ou Bristol, um cargo de xerife lhe custaria por volta de quinhentas ou seiscentas libras; os xerifes dessas cidades, porém, são mais ricos que cardeais. Numa pequena localidade como Shiring, se você for o candidato da vontade do rei – coisa de que posso me encarregar –, provavelmente conseguirá a nomeação em troca de umas cem libras.

— Cem libras! — As esperanças de William ruíram. Receara desapontar-se, desde o princípio. — Se eu tivesse cem libras não estaria vivendo deste jeito! — exclamou amarguradamente.

— Você pode arranjar o dinheiro — disse o bispo, despreocupado.

— Com quem? — Hamleigh foi assaltado por uma ideia. — Você me daria?

— Não seja estúpido — disse Waleran, com enraivecedora condescendência. — É para isso que existem os judeus.

William constatou, com uma mistura familiar de esperança e ressentimento, que mais uma vez o bispo estava certo.

Fazia dois anos desde que as primeiras rachaduras tinham aparecido, e Jack ainda não encontrara a solução do problema. Pior ainda, rachaduras idênticas apareceram no primeiro intercolúnio da nave. Havia algo crucialmente errado no seu projeto. A estrutura era forte o bastante para sustentar o peso da abóbada, mas não para resistir aos ventos que sopravam com tanta força de encontro às altas paredes.

Ele estava em cima de um andaime, muito longe do chão, examinando de perto as novas rachaduras, meditando. Precisava pensar num modo de reforçar a parte superior da parede para que ela não cedesse ao vento.

Refletiu sobre o modo como a parte inferior fora reforçada. Na parede externa da nave lateral havia pilares grossos e fortes, ligados à parede da nave por meios arcos escondidos no teto da nave lateral. Os meios arcos e os pilares escoravam a parede a distância, como remotos arcobotantes. Por serem ocultas as escoras, a nave parecia leve e graciosa.

Precisava inventar um sistema similar para a parte superior da parede. Podia fazer uma nave lateral com dois andares, e simplesmente repetir a solução de baixo; mas isso bloquearia a luz que entrava pelo clerestório — e toda a ideia do novo estilo de construção era fazer entrar mais luz nas igrejas.

Claro que não era a nave lateral por si só que fazia o trabalho: o apoio vinha dos pesados pilares na parede lateral e dos meios arcos de ligação. A nave lateral ocultava aqueles elementos estruturais. Se ao menos ele pudesse construir pilares e meios arcos para sustentar o clerestório *sem* incorporá-los numa nave lateral, poderia resolver o problema definitivamente.

Uma voz o chamou lá de baixo.

Jack irritou-se. Sentia que estava prestes a chegar a uma solução antes de ser interrompido, mas agora ela lhe escapara. Olhou para o chão. Philip o estava chamando.

Entrou no torreão e desceu pela escada em espiral. O prior o esperava. Estava tão furioso que chegava a ferver de raiva.

— Richard me traiu! — exclamou, sem preâmbulos.

Jack ficou surpreso.

– Como?

Philip não respondeu à pergunta de imediato.

– Depois de tudo o que fiz por ele! – bufou. – Comprei a lã de Aliena quando todo mundo estava querendo prejudicá-la – se não fosse por mim ela podia nem ter começado seu negócio. Depois, quando o comércio de lã acabou, arranjei para ele o cargo de chefe da vigilância. E, em novembro, adiantei-lhe o teor do tratado de paz, capacitando-o a tomar Earlscastle. E agora que reconquistou o condado e está governando com toda a pompa, virou as costas para mim.

Jack nunca vira Philip tão lívido. A tonsura raspada a navalha estava vermelha de indignação, e ele chegava a lançar perdigotos ao falar.

– Como foi que Richard o traiu? – quis saber Jack. Mais uma vez o prior ignorou a pergunta.

– Sempre soube que Richard tinha caráter fraco. Pouco apoio deu a Aliena, no decorrer de todos esses anos – tirava dela o que queria e jamais considerava as necessidades da irmã. Mas não achava que fosse um rematado vilão.

– O que exatamente ele fez?

– Recusou-se a nos dar acesso à pedreira – contou finalmente Philip.

Jack ficou chocado. Tratava-se de um ato de assombrosa ingratidão.

– Mas como ele se justifica?

– Espera-se que tudo reverta aos antigos proprietários do tempo do primeiro rei Henrique. E a pedreira nos foi concedida pelo rei Estêvão.

A ambição de Richard era notável, mas Jack não conseguiu se sentir tão furioso quanto Philip. Já tinham construído meia catedral, a maior parte com pedra pela qual haviam pago, e dariam um jeito de continuar com a obra.

– Bem, suponho que Richard esteja certo, falando num sentido estrito – argumentou o construtor.

O prior sentiu-se ultrajado.

– Como você pode dizer uma coisa dessas?

– É um pouco como o que você fez comigo – disse Jack. – Depois que eu lhe trouxe a Madona que Chora, criei um projeto maravilhoso para a sua catedral e construí uma muralha para protegê-lo contra William, você declarou que eu não podia viver com a mulher que é a mãe dos meus filhos. Foi uma ingratidão.

Philip ficou chocado com a comparação.

– Mas é algo completamente diferente! – protestou. – Não quero que vocês vivam separados. É Waleran quem tem bloqueado a anulação. Mas a lei de Deus diz que você não deve cometer adultério.

– Tenho certeza de que Richard diria algo similar – persistiu Jack. – Não foi ele quem ordenou a reversão da propriedade. Só está cumprindo a lei.

O sino do meio-dia tocou.

— Há uma diferença entre as leis de Deus e as leis dos homens – disse Philip.

— Mas temos que viver segundo ambas – contrapôs Jack. E agora vou almoçar com a mãe dos meus filhos.

Ele se afastou e deixou o prior ali parado, parecendo bastante furioso. Na realidade não considerava Philip tão ingrato quanto Richard, mas aliviava seus sentimentos fingir que achava. Decidiu perguntar a Aliena sobre a pedreira. Podia ser que Richard se deixasse convencer a cedê-la. Ela saberia.

Jack deixou o priorado e percorreu as ruas até a casa onde morava com Martha. Aliena e as crianças estavam na cozinha, como sempre. A crise terminara no ano anterior, com uma boa colheita, e os alimentos já não eram desesperadamente escassos: havia pão de trigo e carneiro assado na mesa.

Jack beijou as crianças. Sally deu-lhe um meigo beijo infantil, mas Tommy, agora com onze anos de idade e impaciente para crescer, ofereceu o rosto e exibiu um ar embaraçado. O pai sorriu mas nada disse: lembrava-se de quando achava que beijar era uma bobagem.

Aliena estava com um ar perturbado. Jack sentou-se no banco ao seu lado.

— Philip está furioso porque Richard não lhe quer dar a pedreira – disse ele.

— Que coisa terrível! – comentou ela, com moderação. – Richard está sendo ingrato.

— Acha que ele pode ser persuadido a mudar de ideia?

— Sinceramente não sei – respondeu Aliena, distraída.

— Você não parece muito interessada no problema – comentou Jack.

Ela o encarou desafiadoramente.

— Não, não estou.

Ele conhecia aquele jeito.

— É melhor você me dizer o que a está preocupando.

Aliena levantou-se.

— Vamos para o quarto dos fundos.

Lançando um olhar comprido à perna de carneiro, Jack deixou a mesa e seguiu-a até o quarto de dormir. Deixaram a porta aberta, como usualmente faziam, para evitar suspeitas se chegasse alguém de repente. Aliena sentou-se na cama e cruzou os braços.

— Tomei uma decisão importante – começou.

Seu aspecto era tão sério que Jack se perguntou que diabos poderia ser.

— Vivi a maior parte da vida adulta debaixo de duas sombras – começou ela. – Uma foi a promessa que fiz a meu pai moribundo. A outra é o meu relacionamento com você.

— Mas você cumpriu o prometido ao seu pai – disse Jack.

— Sim. E agora quero me livrar também do outro fardo. Decidi deixá-lo.

Jack teve a impressão de que o coração ia parar. Sabia que ela não dizia coisas assim levianamente: estava falando a sério. Contemplou-a, sem fala. Sentia-se desorientado com a notícia: nunca sonhara que Aliena pudesse deixá-lo. Como aquela coisa horrível insinuou-se na sua mente? Disse a primeira coisa que lhe veio à cabeça:

— Há outro homem?

— Não seja idiota.

— Então, por quê?

— Porque não aguento mais — disse ela, os olhos se enchendo de lágrimas. — Esperamos há dez anos pela anulação. Ela não virá nunca, Jack. Estamos destinados a viver deste modo para sempre — a não ser que nos separemos.

— Mas... — ele procurou alguma coisa que pudesse dizer. A declaração dela fora tão devastadora que discutir parecia inútil, como tentar fugir de um furacão. Mesmo assim, ele tentou: — O que temos não é melhor do que nada, melhor do que uma separação?

— No fim, não.

— Mas como a sua partida poderá mudar alguma coisa?

— Pode ser que eu encontre outra pessoa, me apaixone de novo e viva uma vida normal — disse ela, mas estava chorando.

— Você ainda estará casada com Alfred.

— Mas ninguém saberá ou se importará. Eu poderia ser casada por um padre que nunca tivesse ouvido falar de Alfred Construtor, e que não considerasse o casamento válido se soubesse dele.

— Não acredito que você esteja dizendo isso. Não posso aceitar.

— Dez anos, Jack. Estou esperando há dez anos para ter uma vida normal com você. Não vou esperar mais.

As palavras caíram sobre ele como pedras. Ela continuou falando, mas Jack não mais compreendeu o que dizia. Só conseguia pensar na vida sem ela. Interrompeu-a.

— Nunca amei outra mulher, Aliena.

Ela estremeceu, como se estivesse sentindo muita dor, mas continuou o que estava dizendo.

— Preciso de algumas semanas para providenciar tudo. Vou arranjar uma casa em Winchester. Quero que as crianças se acostumem a ideia, antes que a nova vida delas comece...

— Você vai levar meus filhos — disse ele estupidamente.

Ela balançou a cabeça.

— Sinto muito — disse. Pela primeira vez sua determinação pareceu fraquejar. — Sei que sentirão sua falta. Mas eles também precisam de uma vida normal.

Jack não pôde aguentar mais. Virou-se.

– Não me deixe – disse Aliena. – Precisamos conversar um pouco mais. Jack...

Ele saiu sem responder.

Ouviu Aliena gritar seu nome:

– Jack!

Ele atravessou a sala sem olhar para as crianças, e deixou a casa. Foi numa espécie de transe que caminhou de volta para a catedral, sem saber para onde mais poderia ir. Os operários ainda estavam almoçando. Não foi capaz de chorar: aquilo era ruim demais para meras lágrimas. Sem pensar, subiu a escada do transepto norte, até o topo, e passou para cima do telhado.

Soprava um vento forte lá em cima, embora ao nível do solo mal se notasse. Jack olhou para baixo. Se caísse dali iria bater no telhado de meia-água da nave lateral que corria ao longo do transepto. Decerto morreria, mas não tinha certeza. Caminhou até o cruzeiro e se deteve onde o telhado se interrompia de súbito. Se a catedral levantada no novo estilo não fosse estruturalmente sólida e Aliena o deixasse, não lhe restaria nenhum motivo para continuar vivendo.

A decisão dela não fora tão repentina quanto parecera, claro. Já vinha se sentindo descontente há anos – ambos vinham. Mas tinham se acostumado com a infelicidade. A reconquista de Earlscastle sacudira o torpor de Aliena, fazendo-a lembrar que era a responsável pela sua vida. Desestabilizara uma situação que já era instável – do mesmo jeito como a tempestade causara rachaduras nas paredes da catedral.

Jack olhou para a parede do transepto e para o telhado da nave lateral. Dava para ver os maciços arcobotantes projetando-se para fora da parede da nave lateral, e ele podia visualizar o meio arco debaixo do telhado, conectando o arcobotante ao pé do clerestório. O que resolveria o problema, era o que pensava pouco antes de Philip interrompê-lo de manhã, seria um arcobotante mais alto, talvez com mais vinte pés, com um segundo meio arco fazendo a ligação com o ponto da parede onde as rachaduras estavam aparecendo. O arco e o arcobotante alto escorariam a metade superior da igreja e manteriam a parede rígida quando o vento soprasse.

Isso provavelmente resolveria o problema. A questão era que, se construísse uma nave lateral de dois andares para esconder a extensão do arcobotante, perderia luz; e se não construísse...

E se não construísse?

Estava possuído pela sensação de que nada importava muito, já que sua vida estava se desmoronando; e, nesse estado de espírito, não podia ver nada de errado com arcobotantes aparentes. De pé, ali em cima do telhado, podia imaginar com facilidade como seria. Uma linha de vigorosas colunas de pedra se ergueria da parede externa da nave lateral. Partindo do topo de cada coluna, um meio arco cruzaria o espaço vazio até o clerestório. Talvez pusesse um pináculo decorativo sobre cada coluna, acima do ponto de origem do arco. Sim, desse jeito ficaria melhor.

Era uma ideia revolucionária, construir grandes elementos estruturais destinados a reforçar a obra de modo a ficarem totalmente visíveis. Mas era parte do novo estilo mostrar como o prédio era sustentado.

De qualquer maneira, seu instinto lhe dizia que estava certo.

Quanto mais pensava, mais gostava da ideia. Visualizou a igreja vista do oeste. Os meios arcos lembrariam as asas de um bando de aves, todas em linha, prontas para levantar voo. Não precisariam ser grossos. Desde que fossem bem-feitos, poderiam ser esbeltos e elegantes, leves porém fortes, exatamente como a asa de um pássaro. Arcobotantes alados, para uma igreja tão leve que poderia voar.

Só queria saber, pensou, só queria saber se ia funcionar.

Uma lufada de vento subitamente o desequilibrou. Ele balançou na beirada do telhado. Por um instante pensou que fosse cair e morrer. Depois recuperou o equilíbrio e recuou, o coração disparado.

Lenta e cuidadosamente, refez o caminho ao longo do telhado até a porta do torreão e desceu.

2

O trabalho cessara por completo na igreja de Shiring. Philip surpreendeu-se exultando um pouco com isso. Depois de todas as vezes que olhara desconsoladamente um canteiro de obras deserto, não podia deixar de se sentir satisfeito ao ver o mesmo acontecer a seus inimigos. Alfred Construtor só tivera tempo para demolir a velha igreja e assentar as fundações do novo coro antes de William ser deposto e o dinheiro acabar. O prior disse a si próprio que era pecado alegrar-se com a ruína de uma igreja. No entanto, era óbvio que a vontade divina era que a catedral fosse construída em Kingsbridge, não em Shiring – a má sorte que perseguia o projeto de Waleran parecia um sinal bem claro das intenções divinas.

Agora que a maior igreja da cidade fora derrubada, a corte do condado era realizada no grande salão do castelo. Philip subira a colina a cavalo, com Jonathan a seu lado. Fizera do rapaz seu assistente pessoal, na movimentação que se seguira à defecção de Remigius. O prior, embora chocado, ficara contente por vê-lo pelas costas. Desde que o vencera na eleição, Remigius fora um espinho encravado na sua carne. O priorado era agora um lugar melhor para se viver, depois de sua partida.

Milius era o novo subprior. Continuava, contudo, a desempenhar as funções de tesoureiro, e tinha uma equipe de três pessoas sob suas ordens na tesouraria.

Desde que Remigius se fora, ninguém conseguira imaginar o que costumava fazer o dia inteiro.

Philip sentia profunda satisfação em trabalhar com Jonathan. Gostava de explicar-lhe como o mosteiro era governado, educá-lo nas coisas do mundo e mostrar-lhe quais os melhores modos de lidar com as pessoas. O rapaz geralmente era benquisto, mas às vezes podia ser agressivo, e facilmente irritava pessoas destituídas de autoconfiança. Precisava aprender que as pessoas que o tratavam com hostilidade o faziam por serem fracas. Ele via a hostilidade e reagia furiosamente, em vez de perceber a fraqueza e retribuir com segurança.

Jonathan tinha a inteligência rápida, e com frequência surpreendia Philip pela presteza com que entendia as coisas. O prior às vezes se pegava cometendo o pecado do orgulho, pensando em como o rapaz era parecido consigo.

Trouxera Jonathan consigo naquele dia para que aprendesse como funcionava o tribunal do condado. Philip ia pedir ao xerife que mandasse Richard abrir a pedreira ao priorado. Estava certo de que o novo conde cometia um erro legal. A nova lei a respeito da restauração da propriedade aos titulares do tempo do velho rei Henrique não afetava os direitos do priorado. Seu objetivo era permitir ao duque substituir os condes de Estêvão pelos seus, e assim recompensar pessoas que haviam lutado por ele. Obviamente não se destinava a ser aplicada aos mosteiros. Philip confiava em ganhar sua causa, mas havia um fator desconhecido: o velho xerife morrera, e seu substituto seria anunciado naquele dia. Ninguém sabia quem seria, mas todos presumiam que fosse um dos três ou quatro cidadãos mais importantes de Shiring: Davi Mercador, o vendedor de seda; Rees, o Galês, um padre que trabalhara na corte real; Giles Coração de Leão, um cavaleiro cujas terras ficavam nas vizinhanças da cidade; ou Hugh, o Bastardo, o filho ilegítimo do bispo de Salisbury. Philip esperava que fosse Rees, não por ser seu conterrâneo, mas por ser, presumivelmente, favorável à igreja. Porém não estava muito preocupado: confiava que qualquer um dos quatro decidisse em seu favor.

Entraram no castelo. Não era muito fortificado. Tendo em vista que o conde de Shiring tinha um castelo separado fora da cidade, há diversas gerações que Shiring escapava da guerra. Ali era mais um centro administrativo, com escritórios e alojamentos para o xerife e seus homens, e masmorras para os transgressores. Philip e Jonathan deixaram os cavalos no estábulo e entraram na maior de todas as construções, o grande salão.

As mesas de cavalete que normalmente formavam um T tinham sido rearranjadas. A parte superior do T continuava, erguida acima do nível do resto do salão por um estrado; as outras foram encostadas às paredes, de modo que os querelantes antagônicos pudessem se sentar bem afastados, evitando-se a tentação da violência física.

O salão já estava cheio. O bispo Waleran encontrava-se presente, com seu ar malévolo. Para surpresa de Philip, William estava a seu lado, conversando com o bispo com o canto da boca, enquanto observavam as pessoas que entravam. O que Hamleigh estaria fazendo ali? Durante nove meses ele estivera praticamente escondido, mal saindo de sua aldeia, e o prior – assim como muitos outros habitantes do condado – tivera a esperança de que pudesse permanecer assim para sempre. Mas ali estava ele, sentado no banco como se ainda fosse o conde. Philip gostaria de saber que esquema ganancioso, perverso e mesquinho o trouxera ali.

Philip e Jonathan se sentaram a um lado e aguardaram o início das atividades. O ambiente era otimista, dinâmico. Agora que a guerra terminara, a elite do país voltara suas atenções para a questão de criar riquezas. A terra era fértil e rapidamente recompensou seus esforços: uma safra recorde era esperada para aquele ano. O preço da lã subira. Philip readmitira quase todos os empregados que haviam partido no auge da crise. Por toda parte, os sobreviventes eram as pessoas mais jovens, fortes e saudáveis, que agora se encontravam cheias de esperanças, o que aparecia ali, no grande salão do Castelo de Shiring, no modo como inclinavam a cabeça, no volume de suas vozes, nas botas novas dos homens e nos belos adornos de cabeça das mulheres, assim como o fato de estarem prósperos o bastante para serem proprietários de algo cuja posse valesse a pena discutir na corte.

Levantaram-se quando o assistente do xerife entrou com o conde Richard. Os dois homens subiram no tablado e, ainda de pé, o assistente começou a ler o decreto real designando o novo xerife. Enquanto estava nas fórmulas iniciais, Philip deu uma olhada nos quatro presumíveis candidatos. Esperava que o vencedor tivesse coragem: ia precisar, para fazer valer a lei ante os poderosos locais, gente como o bispo Waleran, o conde Richard e lorde William. O candidato vitorioso devia saber que fora designado – não havia razão para guardar segredo –, mas nenhum dos quatro parecia muito animado. Normalmente o designado ficaria de pé junto ao assistente enquanto a proclamação era lida, mas as únicas pessoas ali com ele eram Richard, Waleran e William. A aterrorizante ideia de que o bispo poderia ter sido nomeado xerife cruzou a mente do prior. Mas ele ficou mais horrorizado ainda quando ouviu:

– ... Designo para exercer as funções de xerife de Shiring o meu súdito William de Hamleigh, e ordeno a todos os homens que o ajudem...

Philip olhou para Jonathan. – William!

Houve murmúrios indicando surpresa e desaprovação entre os habitantes da cidade.

– Como ele conseguiu? – perguntou Jonathan.

– Deve ter pago.

– E como conseguiu o dinheiro?

— Pediu emprestado, suponho.

William deslocou-se para o trono de madeira no meio da mesa principal, sorridente. Philip se lembrava de que ele fora um rapaz bonito. Ainda não completara quarenta anos, mas parecia mais velho. Seu corpo estava pesado demais, e a pele vermelha denunciava o excesso de vinho; a força alegre e o otimismo que torna as faces jovens atraentes haviam desaparecido, substituídos por uma aparência de dissipação.

Quando Hamleigh se sentou, Philip ergueu-se.

— Estamos indo? — cochichou Jonathan, levantando-se também.

— Siga-me — respondeu o prior, por entre os dentes.

Fez-se completo silêncio. Todos os olhos se fixaram neles, enquanto atravessavam a sala de sessões. A multidão se afastou para deixá-los passar. Um murmúrio generalizado fez-se ouvir quando a porta se fechou.

— Não tínhamos chance de sucesso com William sentado naquela cadeira — disse o jovem monge.

— Pior que isso — redarguiu Philip. — Se tivéssemos insistido, poderíamos ter perdido outros direitos.

— Pela minha alma, nunca pensei nisso.

Philip assentiu melancolicamente.

— Com William como xerife, Waleran como bispo e o desleal Richard como conde, é completamente impossível para o priorado de Kingsbridge obter justiça neste condado. Eles podem fazer tudo o que quiserem conosco.

Enquanto um servente do estábulo arreava seus cavalos, Philip disse:

— Vou fazer uma petição ao rei para que promova Kingsbridge à condição de burgo. Desse modo poderemos ter nosso próprio tribunal e pagar os impostos diretamente ao rei. Na verdade, estaremos fora da jurisdição do xerife.

— Você sempre foi contra isso, no passado — lembrou Jonathan.

— Eu era contra porque a cidade ficaria tão poderosa quanto o priorado. Mas agora acho que devemos aceitar, como o preço da independência. A alternativa é William.

— Será que o rei Estêvão nos dará o status de burgo?

— Pode ser que sim, mediante o pagamento do seu preço. Caso contrário, talvez Henrique o faça quando se tornar rei.

Os dois montaram em seus cavalos e atravessaram a cidade, derrotados.

Passaram pelo portão e pelo depósito de lixo que ficava nas proximidades. Umas poucas pessoas examinavam o refugo procurando algo para comer, usar ou queimar como combustível. Philip as viu, sem interesse, mas uma daquelas pessoas atraiu sua atenção. Um vulto alto e familiar se debruçava sobre uma pilha de trapos. O prior conteve sua montaria. Jonathan parou ao seu lado.

– Olhe – disse Philip.

O jovem monge seguiu o seu olhar. – Remigius – disse baixinho, após um momento.

O prior ficou observando-o. Waleran e William, evidentemente, tinham se livrado de Remigius algum tempo antes, quando os recursos para a construção da nova igreja haviam desaparecido. Não precisavam mais dele. O monge traíra Philip, traíra o priorado e traíra Kingsbridge, tudo na esperança de se tornar o deão de Shiring; mas o seu prêmio se transformara em cinzas.

Philip fez seu cavalo sair da estrada e atravessar o depósito de lixo até o ponto onde Remigius estava. Jonathan o seguiu. O mau cheiro parecia se levantar do chão como neblina. Ao aproximar-se viu que o monge estava cadavericamente magro. Seu hábito estava imundo, e ele tinha os pés descalços. Estava com sessenta anos, e tinha passado em Kingsbridge toda a vida adulta: ninguém jamais lhe ensinara como viver na dificuldade. O prior viu-o puxar um par de sapatos de couro de dentro do lixo. Tinham buracos imensos nas solas, mas Remigius os olhou com o ar de um homem que acabara de encontrar um tesouro enterrado. Quando estava prestes a experimentá-los, viu Philip.

Endireitou-se. O rosto dele mostrava a luta que travavam a vergonha e a rebeldia em seu coração. Após um momento, perguntou:

– Vieram tripudiar sobre mim?

– Não – respondeu Philip suavemente. Seu velho inimigo era uma visão tão digna de pena que o prior não sentia nada a não ser compaixão por ele. Desmontou e apanhou um cantil no alforje. Vim lhe oferecer um gole de vinho.

O monge não queria aceitar, mas estava demasiadamente faminto para recusar. Hesitou só por um momento, e pegou o cantil. Cheirou o vinho desconfiadamente e levou-o à boca. Uma vez que começou a beber, não foi capaz de parar. Havia apenas cerca de um copo, que ele bebeu em poucos segundos. Abaixou o cantil e tremeu um pouco.

Philip pegou o cantil de volta e o recolocou no alforje.

– É melhor que você também coma um pouco – disse, apanhando um pedaço de pão.

Remigius pegou o pão oferecido e começou a enfiá-lo na boca. Obviamente não comia nada há dias, e com certeza não fazia uma refeição decente há semanas. Podia estar perto da morte, pensou Philip com tristeza; se não de fome, pelo menos de vergonha.

O pão foi deglutido depressa.

– Você quer voltar? – perguntou o prior.

Ele ouviu Jonathan respirar fundo. Como quase todos os monges, Jonathan esperava nunca mais rever Remigius. Provavelmente achou que Philip estivesse louco, por se oferecer a aceitá-lo de volta.

Um indício do antigo Remigius apareceu por um momento, e ele perguntou:
— Voltar? Em que posição?

Philip sacudiu a cabeça pesarosamente.

— Você nunca mais desempenhará uma função de qualquer tipo no meu priorado, Remigius. Volte como um monge simples e humilde. Peça a Deus que perdoe seus pecados, e viva o resto dos seus dias em prece e contemplação, preparando a alma para o céu.

Remigius inclinou a cabeça para trás, e o prior esperou uma recusa escarninha; porém, nunca chegou a ouvi-la. Ele abriu a boca para falar e fechou-a de novo. Philip permaneceu imóvel e calado, observando, perguntando-se o que aconteceria. Houve um longo momento de silêncio. Conteve a respiração. Quando o monge ergueu a cabeça de novo, seu rosto estava molhado de lágrimas.

— Sim, por favor, padre — disse. — Quero ir para casa.

Philip sentiu o intenso ardor do júbilo.

— Vamos, então. Monte no meu cavalo.

Remigius ficou estupefato.

— Padre! O que está fazendo? — perguntou Jonathan.

— Vamos, faça o que falei — disse Philip para Remigius.

O jovem monge continuava horrorizado.

— Mas padre, como você vai viajar?

— Caminharei — respondeu o prior alegremente. — Um de nós vai ter que caminhar.

— Pois que Remigius vá a pé! — exclamou Jonathan, ultrajado.

— Que ele vá a cavalo — disse Philip. — Hoje ele contentou a Deus.

— E você? Já não contentou a Deus mais do que Remigius?

— Jesus disse que há mais alegria no céu por um pecador que se arrepende do que por noventa e nove justos — contrapôs Philip. — Você não se lembra da parábola do filho pródigo? Quando ele voltou para casa, seu pai matou o bezerro que estava engordando, para a festa de boas-vindas. Os anjos se rejubilam com as lágrimas de Remigius. O mínimo que posso fazer é ceder-lhe meu cavalo.

Ele pegou a cabeça do animal e conduziu-o pelo depósito de lixo até a estrada. Jonathan seguiu-o. Ao chegarem à estrada, o jovem desmontou e disse:

— Padre, por favor, pegue meu cavalo, então, e deixe-me andar!

— Volte para o seu cavalo — ordenou Philip asperamente, virando-se para ele —, pare de discutir comigo e *pense* no que está sendo feito e por quê.

Jonathan ficou intrigado, mas montou de novo e nada mais disse.

Eles se viraram na direção de Kingsbridge. Ficava a uma distância de vinte milhas. Philip começou a caminhar. Sentia-se maravilhosamente bem. O retorno de Remigius mais do que compensava a pedreira. Perdi na corte, pensou, mas o que estava em jogo ali eram simples pedras. O que ganhei foi algo infinitamente mais valioso.

Hoje ganhei a alma de um homem.

3

Maçãs frescas e maduras flutuavam no barril, cintilantemente vermelhas e amarelas quando o sol se refletia na água. Sally, com nove anos de idade e excitável, debruçou-se sobre a borda do barril com as mãozinhas cruzadas nas costas e tentou apanhar uma maçã com os dentes. A fruta afastou-se, o rosto dela mergulhou na água, e a menina se levantou cuspindo e gritando, entre uma risada e outra. Aliena sorriu e enxugou o rosto da filha.

Era uma tarde quente de fim de verão, dia santo e feriado, e quase toda a gente da cidade se reunira na campina ao lado do rio para a brincadeira de morder a maçã. Era o tipo de ocasião que Aliena sempre apreciava, mas o fato de ser seu último dia santo em Kingsbridge não lhe saía da cabeça, deixando-a deprimida. Ainda estava determinada a deixar Jack, mas desde que tomara a decisão começara a sentir, por antecipação, a dor da perda.

Tommy estava rondando a barrica e Jack exclamou:

– Vamos, Tommy, faça uma tentativa!

– Ainda não – replicou ele.

Aos onze anos, o garoto sabia que era mais esperto que a irmã e se achava também mais esperto que a maioria das outras pessoas. Ficou observando por algum tempo, estudando a técnica dos que tinham êxito na brincadeira de pegar a maçã com os dentes. Aliena o observou. Amava-o de um modo todo especial. Jack tinha mais ou menos a sua idade na época em que o conhecera, e Tommy era muito parecido com ele quando menino. Olhar para ele a tornava nostálgica da sua infância. Jack queria que o filho fosse construtor, mas o menino ainda não demonstrara interesse algum. De qualquer modo, havia muito tempo.

Momentos depois, Tommy se aproximou do barril. Debruçou-se e baixou a cabeça lentamente, a boca bem aberta. Empurrou a maçã escolhida para baixo d'água, submergindo todo o rosto, e em seguida emergiu triunfantemente com a maçã entre os dentes.

Teria êxito em qualquer coisa que cismasse de fazer. Havia um pouco do avô, o conde Bartholomew, na sua personalidade. Tinha uma vontade muito forte e era um tanto inflexível na questão do que era certo ou errado.

Fora Sally quem herdara do pai a natureza despreocupada e o desprezo pelas regras feitas pelo homem. Quando Jack contava histórias às crianças, ela sempre simpatizava com a vítima, enquanto Tommy quase sempre preferia pronunciar seu julgamento. Cada criança tinha a personalidade de um dos pais e a aparência do outro: a despreocupada Sally possuía as feições regulares de Aliena e seus ondulados cabelos em cachos, enquanto o determinado Tommy era ruivo como Jack, com a mesma pele branca e os mesmos olhos azuis.

— Olha o tio Richard chegando! — gritou Tommy.

Aliena virou-se e seguiu a direção do olhar do filho. Não havia dúvida, lá estava seu irmão, o conde, cavalgando por entre a campina, seguido por um punhado de cavaleiros e escudeiros. Ficou horrorizada. Como ele tinha coragem de aparecer ali depois do que fizera a Philip no tocante à pedreira?

Ele se aproximou do barril, sorrindo para todo mundo e apertando mãos.

— Tente pegar uma maçã, tio Richard — disse Tommy. — Você consegue!

Richard enfiou a cabeça no barril e emergiu com uma maçã presa nos dentes fortes e alvos e a barba loura encharcada. Ele sempre se saíra melhor em jogos do que na vida real, pensou Aliena.

Ela não ia deixar a coisa passar como se ele não tivesse feito nada de errado. Outras pessoas podiam ter medo de falar, porque ele era o conde, mas, para Aliena, Richard era apenas seu tolo irmão mais moço. Ele se aproximou para beijá-la, mas ela o empurrou, dizendo:

— Como pôde roubar a pedreira do priorado?

Jack, vendo que se aproximava uma briga, pegou as mãos das crianças e se afastou.

Richard pareceu irritar-se.

— Todas as propriedades reverteram aos antigos donos...

— Não me venha com essa história — interrompeu Aliena. — Depois de tudo o que Philip fez por você!

— A pedreira é parte do patrimônio que herdei — disse ele. Puxou-a para um lado e começou a falar baixo, para que ninguém mais pudesse ouvi-lo. — Além disso, preciso do dinheiro que ganho vendendo as pedras, Allie.

— Isso é porque você fica o tempo todo caçando, com ou sem seus falcões!

— Mas o que eu deveria fazer?

— Você deveria fazer com que a terra produzisse riqueza! Há muito para ser feito; reparar os danos causados pela guerra e pela crise, importar novos métodos agrícolas, derrubar florestas, drenar pântanos... Aí está como poderia aumentar sua riqueza! E não roubando a pedreira que o rei Estêvão deu ao priorado!

— Nunca tomei coisa alguma que não me pertencesse.

— Você nunca fez outra coisa na vida! — replicou Aliena. Estava furiosa o bastante para dizer coisas que seria melhor não dizer. — Você nunca trabalhou para obter nada. Tomou o meu dinheiro para suas estúpidas armas, tomou o emprego que Philip lhe arranjou, tomou o condado quando lhe foi entregue numa bandeja por mim. Agora não é capaz nem mesmo de governar sem *tomar* coisas que não lhe pertencem! – Ela se virou e saiu pisando duro.

Richard seguiu-a, mas alguém o pegou de surpresa, fazendo uma reverência e perguntando como estava. Aliena o ouviu dar uma resposta polida, e depois entreter-se numa conversa animada.

Tanto melhor: dissera o que tinha a dizer e não queria discutir. Atingiu a ponte e olhou para trás. Outra pessoa o detivera. Richard acenou, indicando que ainda queria lhe falar, mas estava preso. Aliena viu que Jack, Tommy e Sally começavam uma brincadeira com um pau e uma bola. Fixou os olhos neles, brincando juntos ao sol, e sentiu que não era capaz de separá-los. Mas de que outro modo, pensou, posso levar uma vida normal?

Atravessou a ponte e entrou na cidade. Queria ficar sozinha por algum tempo. Arranjara uma casa em Winchester, espaçosa, com uma loja no andar térreo, uma sala de estar no segundo, um quarto de dormir separado e um grande depósito no fundo do quintal para o seu tecido. Entretanto, quanto mais se aproximava a hora da mudança, menos queria se mudar.

As ruas de Kingsbridge eram quentes e poeirentas, e o ar se enchia de moscas que proliferavam nos incontáveis monturos de lixo. Todas as lojas estavam fechadas, e as casas, trancadas. A cidade se encontrava deserta. Todos tinham ido para a campina.

Dirigiu-se para a casa de Jack. Era para lá que os outros viriam quando acabassem as brincadeiras. A porta da casa estava aberta. Franziu a testa, aborrecida. Quem a abrira? Um número excessivo de pessoas tinha a chave: ela própria, Jack, Richard e Martha. Não havia muito que roubar. Aliena certamente não deixava seu dinheiro ali; há anos Philip permitia que o guardasse na tesouraria do convento. Mas a casa ia se encher de moscas.

Ela entrou. Estava escuro e frio. Moscas dançavam no ar, no meio da sala, varejeiras azuis passeavam em cima da toalha, e um par de vespas brigavam furiosamente em torno da rolha do pote de mel.

E Alfred estava sentado à mesa.

Aliena deu um grito de medo, depois se recuperou e perguntou:

– Como você entrou?

– Eu tinha uma chave.

Você a conservou por longo tempo, pensou Aliena. Ela o examinou. Seus ombros largos estavam ossudos, e o rosto enrugado parecia ter encolhido.

– O que está fazendo aqui? – perguntou Aliena.

– Vim vê-la.

Ela percebeu que tremia, não de medo, mas de raiva.

– Não quero ver você, nem agora nem nunca mais – afirmou, com veemência. – Você me tratou como um cachorro, e quando Jack ficou com pena de você e o empregou, traiu o compromisso assumido e levou todos os operários para Shiring.

— Preciso de dinheiro — disse ele, com um misto de súplica e desafio na voz.

— Então trabalhe.

— A obra de Shiring parou. Não posso arranjar emprego aqui em Kingsbridge.

— Então vá para Londres, vá para Paris!

Ele persistiu, com sua teimosia bovina.

— Pensei que você me ajudaria.

— Não há nada para você aqui. É melhor ir embora.

— Você não tem piedade? — disse ele, e agora o desafio desaparecera e só havia súplica em sua voz.

Ela apoiou-se na mesa para se firmar.

— Alfred, você não entende que eu o *odeio*?

— Por quê? — perguntou ele. Parecia ofendido, como se aquilo fosse uma surpresa.

Meu Deus, como ele é burro!, pensou ela. Isso é o mais próximo de uma desculpa que consegue chegar.

— Vá ao mosteiro se quer caridade — disse Aliena cautelosamente. — A capacidade de perdão do prior Philip é sobre-humana. A minha não.

— Mas você é minha *mulher* — disse Alfred.

Aquilo era demais.

— Não sou sua mulher — disse ela. — Você não é meu marido. Nunca foi. Agora dê o fora desta casa.

Para sua surpresa, ele a agarrou pelo cabelo.

— Você é minha mulher — exclamou. Puxou-a na sua direção, por cima da mesa, e com a mão livre agarrou-lhe o seio e apertou-o com força.

Aliena foi tomada completamente de surpresa. Aquilo era a última coisa que podia esperar de um homem com quem dormira por nove meses sem jamais conseguir consumar a união. Automaticamente gritou e afastou-se, mas Alfred a estava segurando com força e puxou-a de volta com um arranco.

— Não há ninguém para ouvir seus gritos — disse ele. — Estão do outro lado do rio.

De súbito Aliena sentiu-se terrivelmente apavorada. Estavam sozinhos, e ele era muito forte. Após tantas milhas de estrada que percorrera, tantos anos em que arriscara o pescoço viajando, estava sendo atacada pelo homem que havia desposado!

Alfred viu o medo nos seus olhos.

— Assustada, você? Talvez seja melhor ser boazinha. — Beijou-a na boca. Aliena mordeu seu lábio com toda a força de que foi capaz. Ele urrou de dor.

Ela não viu o soco se aproximando. Explodiu no seu rosto com tanta força que lhe passou pela cabeça a terrível ideia de que talvez tivesse esmagado seus ossos. Por um momento perdeu a visão e o equilíbrio. Soltou a mesa e sentiu que estava caindo. A palha amaciou o impacto no chão. Sacudiu a cabeça para clareá-la e tentou pegar a faca amarrada no braço esquerdo. Antes que conseguisse, seus dois pulsos foram agarrados e ela ouviu Alfred dizer:

— Sei desse punhalzinho seu. Já vi você tirando a roupa, lembra-se? — Ele soltou suas mãos, socou-lhe o rosto de novo e pegou o punhal.

Aliena tentou se libertar, retorcendo o corpo. Ele se sentou sobre suas pernas e levou a mão esquerda ao seu pescoço. Ela agitou os braços. De repente, a ponta do punhal estava a uma polegada do seu olho.

— Fique quieta, senão arranco seus olhos — ameaçou Alfred.

Por que estava fazendo aquilo? Nunca sentira desejo por ela. Seria só por estar derrotado e furioso, e ela vulnerável? Estaria ela representando o mundo que o rejeitara?

Ele inclinou-se para a frente, pondo-se a cavalo em cima de Aliena, com os joelhos ao lado de seus quadris, conservando a faca junto do olho. Mais uma vez encostou o rosto no dela.

— Agora seja boazinha. — E beijou-a de novo.

Sua barba crescida arranhou o rosto de Aliena. Ela sentiu o cheiro de cerveja e cebolas. Manteve a boca fechada com força.

— Isso não é ser boazinha. Retribua meu beijo.

Ele a beijou de novo e encostou mais ainda a ponta da faca. Quando a ponta da lâmina tocou na pálpebra ela abriu os lábios. O sabor da boca de Alfred a deixou enjoada. Ele passou a língua áspera por entre seus lábios. Aliena teve a impressão de que ia vomitar, e tentou desesperadamente controlar-se, de medo que ele a matasse.

Alfred afastou-se de novo, mas conservou a faca no seu rosto.

— Agora sinta isto. — Pegou a mão dela e colocou-a sob a túnica. Ela tocou seu pênis. — Segure-o — disse ele. Ela obedeceu. — Agora esfregue delicadamente.

Mais uma vez ela obedeceu. Ocorreu-lhe que se ele sentisse prazer daquele modo poderia evitar ser penetrada. Lançou um olhar atemorizado ao seu rosto. Ele estava congestionado, os olhos fechados. Ela o acariciou até a base, lembrando-se de que Jack ficava excitadíssimo com aquilo.

Teve medo de nunca mais ser capaz de gostar de sexo de novo, e seus olhos se encheram de lágrimas.

Ele brandiu a faca perigosamente.

— Não é com tanta força!

Ela se concentrou.

Nesse momento a porta abriu.

Seu coração deu um pulo de esperança. Os raios de sol que entraram na sala cintilaram por entre suas lágrimas, ofuscando-a. Alfred ficou imóvel. Ela tirou a mão.

Ambos olharam na direção da porta. Quem era? Aliena não conseguia enxergar. Que não seja uma das crianças, meu Deus!, pediu ela. Eu ficaria tão envergonhada! Ouviu um urro de cólera. Era uma voz de homem. Piscou, afastando as lágrimas, e reconheceu seu irmão.

Pobre Richard! Era quase pior do que se tivesse sido Tommy. Richard, que tinha uma cicatriz no lugar do lobo da orelha esquerda para lembrá-lo da terrível cena que presenciara aos catorze anos. Agora testemunhava outra. Como iria reagir?

Alfred começou a pôr-se de pé, mas Richard foi rápido demais para ele. Aliena o viu atravessar o pequeno cômodo de um pulo e soltar um chute com o pé calçado por uma bota, pegando o cunhado em cheio no queixo. Ele caiu de costas em cima da mesa. Richard avançou, tropeçando em Aliena sem se dar conta, batendo em Alfred com os pés e os punhos. Ela afastou-se do caminho, de gatinhas. O rosto do irmão era uma máscara de fúria ingovernável. Não olhou para ela. Não estava preocupado com ela, compreendeu Aliena. A raiva que sentia não era por causa do que Alfred lhe fizera neste dia, e sim por causa do que William e Walter tinham feito com ele, Richard, dezoito anos antes. Naquele tempo era jovem, fraco e desamparado, mas agora era um homem grande e forte, um combatente experimentado, que por fim encontrara um alvo para o ódio que cultivara durante todos aqueles anos. Golpeou o adversário repetidamente, com ambos os punhos. Alfred recuou, desequilibrado, em torno da mesa, tentando fragilmente se defender com os braços erguidos. Richard o pegou no queixo com um murro poderoso, e o cunhado tombou de costas, em cima das palhas do chão, olhando para cima aterrorizado.

— Basta, Richard! — pediu Aliena, com medo da violência do irmão. Este ignorou-a e adiantou-se para chutar Alfred. Foi quando o cunhado subitamente se lembrou de que ainda estava com a faca de Aliena na mão. Esquivou-se, levantou-se rapidamente e atacou-o. Tomado de surpresa, o conde deu um pulo para trás. O construtor atirou-se sobre ele de novo, obrigando-o a recuar através da sala. Os dois homens eram da mesma altura e tinham a mesma compleição física.

Richard era um combatente, mas Alfred tinha uma arma: estavam agora desencorajadoramente bem equilibrados. Aliena sentiu um súbito medo pelo irmão. O que aconteceria se Alfred o vencesse? Ela teria de lutar contra ele.

Procurou uma arma à sua volta. Seus olhos deram com a pilha de lenha ao lado da lareira. Pegou uma acha pesada.

Alfred atirou-se contra Richard de novo; o conde esquivou-se; quando o braço do cunhado estava totalmente esticado, Richard agarrou-lhe o pulso e puxou-o. O construtor tropeçou para a frente, desequilibrado. Richard golpeou-o diversas vezes, muito depressa, com ambos os punhos, atingindo-o na cara e no corpo. Havia um sorriso selvagem no seu rosto, o sorriso de um homem que está se vingando. Alfred começou a gemer, e ergueu os braços para proteger-se.

O conde hesitou, respirando com dificuldade. Sua irmã achou que a briga ia terminar. Mas de repente o construtor atacou de novo, com surpreendente rapidez, e dessa vez a ponta da faca roçou no rosto de Richard, que pulou para trás, furioso. Alfred avançou com a faca levantada. Aliena viu que ia matar seu irmão e correu para ele, brandindo a acha de madeira com toda a força. Errou a cabeça, mas acertou seu cotovelo direito. Ela ouviu o barulho do impacto. O golpe deixou a mão de Alfred insensível e a faca caiu de seus dedos.

O modo como tudo terminou foi espantosamente rápido. Richard abaixou-se, pegou a faca e, no mesmo movimento, levou-a por baixo da guarda de Alfred, apunhalando seu peito com uma violência terrível.

A lâmina entrou até o cabo.

Aliena ficou olhando horrorizada. Foi um golpe terrível. Alfred gritou como um porco. Richard puxou a faca e o sangue jorrou do buraco no seu peito. Abriu a boca para gritar de novo, mas não veio nenhum som. Seu rosto ficou branco, e depois cinzento, os olhos se fecharam e ele caiu no chão. O sangue encharcou a palha.

Aliena ajoelhou-se a seu lado. Suas pálpebras tremeram. Ainda respirava, mas a vida estava se esvaindo do seu corpo. Ergueu os olhos para Richard, de pé junto dos dois, respirando fundo.

– Ele está morrendo – disse.

Richard assentiu. Não estava muito comovido.

– Já vi homens melhores morrendo – disse. – Já matei homens que mereciam menos a morte que ele.

A irmã ficou chocada com sua impiedade, mas nada disse. Acabara de se lembrar da primeira vez em que Richard matara um homem. Foi depois de William ter tomado o castelo; ela e Richard estavam na estrada para Winchester, e dois ladrões os atacaram. Aliena apunhalara um deles, mas forçara Richard, que tinha então apenas quinze anos, a desfechar o golpe de misericórdia. Se ele não tinha coração, pensou, cheia de culpa, quem o fizera assim?

Ela olhou para Alfred de novo. Ele abriu os olhos e fitou-a. Ficou quase envergonhada pela pouca compaixão que sentia por aquele homem moribundo. Pensou, enquanto o encarava, que ele próprio nunca fora compassivo, clemente ou generoso. Sempre cultivara seus ressentimentos e ódios, comprazendo-se com gestos de perversidade e vingança. Sua vida poderia ter sido diferente, Alfred, pensou Aliena. Você poderia ter sido bom com sua irmã, e perdoado o filho da sua madrasta por ser mais inteligente que você. Poderia ter se casado por amor e não por vingança. Poderia ter sido leal ao prior Philip. Poderia ter sido feliz.

Seus olhos se arregalaram subitamente.

– Meu Deus, *dói*! – gemeu ele.

Ela gostaria que ele se apressasse e *morresse*.

Seus olhos se fecharam.

– Terminou – disse Richard.

Alfred parou de respirar.

Aliena levantou-se.

– Sou viúva – disse.

Alfred foi enterrado no cemitério do priorado. Sua irmã Martha assim o quis, e ela era seu último parente de sangue. Foi também a única pessoa a ficar triste. Alfred nunca fora bom com ela, que sempre se voltara para Jack em busca de amor e proteção; mesmo assim, queria que fosse enterrado em algum lugar próximo, onde pudesse visitar seu túmulo. Quando o caixão desceu para o interior da cova, apenas Martha chorou.

Jack parecia melancolicamente aliviado pelo fato de Alfred não mais existir. Tommy, ao lado de Aliena, estava vivamente interessado em tudo – aquele era o seu primeiro funeral na família, e os rituais da morte eram novos para ele. Sally, pálida e assustada, segurava a mão de Martha.

Richard estava presente. Disse à irmã durante o culto que viera para pedir perdão a Deus por haver matado o cunhado. Não que achasse ter feito algo errado, apressou-se a dizer; só queria estar a salvo.

Aliena, cujo rosto ainda estava arranhado e inchado devido ao último soco de Alfred, relembrou como era ele ao tempo em que o conhecera. Chegara a Earlscastle com o pai, Tom Construtor, e Martha, Ellen e Jack. Já naquela época era arrogante, cruel, grande, forte e obstinado, dissimulado e grosseiro. Se Aliena naquele tempo pensasse que terminaria casada com ele, iria sentir-se tentada a atirar-se de cima da muralha. Não imaginara que os veria de novo depois de eles terem deixado o castelo, mas todos terminaram morando em Kingsbridge. Ela e Alfred haviam fundado a associação paroquial, que agora era uma importante instituição da cidade. Foi quando ele a pedira em casamento. Aliena nem sonhara que poderia estar movido mais por rivalidade com Jack, filho de sua madrasta, do que por desejo por ela. Recusara-o, então, porém mais tarde Alfred descobrira como manipulá-la e a persuadira a desposá-lo, prometendo apoio ao seu irmão. Rememorando tudo isso, ela concluiu que Alfred merecera a frustração e humilhação que fora seu casamento. Seus motivos tinham sido impiedosos, e sua recompensa fora a inexistência de amor.

Aliena não podia deixar de estar se sentindo feliz. Não havia mais razão para partir e ir morar em Winchester, claro: ela e Jack se casariam imediatamente. Estava exibindo uma expressão solene no funeral, e até mesmo dedicando-se a alguns pensamentos solenes, mas seu coração explodira de contentamento.

Philip, com sua aparentemente ilimitada capacidade para perdoar as pessoas que o tinham traído, consentiu em enterrar Alfred.

Quando os cinco adultos e as duas crianças estavam de pé em torno da cova aberta, Ellen chegou.

Philip aborreceu-se. Aquela mulher amaldiçoara um casamento cristão, e não era bem-vinda no adro do priorado; mas dificilmente poderia expulsá-la do funeral do enteado. O ritual terminara, de qualquer modo, e assim Philip limitou-se a ir embora.

Aliena ficou sentida. Considerava Philip e Ellen boas pessoas, e achava uma pena que fossem inimigos. Mas eles eram bons de modos diferentes e não toleravam a ética um do outro.

Ellen estava parecendo mais velha, com novas rugas no rosto e o cabelo mais branco, embora seus olhos dourados ainda fossem lindos. Usava uma túnica de couro costurada rusticamente, e mais nada, nem mesmo sapatos. Seus braços e pernas eram bronzeados e musculosos. Tommy e Sally correram para beijá-la. Jack os seguiu e abraçou-a com força.

Ela ergueu o rosto para Richard beijá-la.

— Você fez o que devia — disse. — Não se sinta culpado.

Foi até a beira do túmulo.

— Fui madrasta dele — disse, olhando-o. — Gostaria de ter sabido fazê-lo feliz.

Quando se virou, foi abraçada pela nora.

Todos se afastaram, caminhando vagarosamente.

— Quer ficar um pouco e jantar conosco? — perguntou-lhe Aliena.

— Com prazer. — Ela despenteou Tommy, carinhosamente. — Quero conversar um pouco com meus netos. Eles crescem muito depressa. Quando conheci Tom Construtor, Jack era da idade de Tommy agora. — Eles estavam se aproximando do portão do priorado. — Ao envelhecer-se, os anos parecem passar mais depressa. Acredito... — ela se interrompeu no meio da frase, e parou de andar.

— O que há? — perguntou Aliena.

Ellen olhava fixamente o portal do priorado. A rua do lado de fora estava vazia, exceto por um bando de criancinhas, agrupadas do lado mais distante, olhando alguma coisa que não estava no campo de visão deles.

— Richard! — exclamou Ellen incisivamente. — Não saia!

Todos pararam. Aliena percebeu o que alarmara a sogra. As crianças pareciam estar olhando para alguém ou alguma coisa do lado de fora do portão e que o muro escondesse.

Richard reagiu depressa.

– É uma armadilha! – disse, e sem outras palavras virou-se e saiu correndo.

Um momento mais tarde apareceu uma cabeça protegida por um elmo atrás do pilar do portão. Pertencia a um enorme homem de armas. Ele viu Richard correndo na direção da igreja, gritou um alarme e correu para o adro. Foi seguido por mais três, quatro, cinco homens.

O grupo vindo do funeral espalhou-se. Os homens de armas os ignoraram e correram atrás de Richard. Aliena ficou assustada e assombrada: quem se atreveria a atacar o conde de Shiring abertamente e dentro de um priorado? Conteve a respiração enquanto os observava perseguindo Richard através do adro. Ele pulou por cima de uma parede baixa que os pedreiros estavam construindo. Seus perseguidores também pularam, indiferentes ao fato de estarem entrando numa igreja. Os artífices ficaram imóveis, colheres de pedreiros e martelos erguidos, quando primeiro Richard e depois os seus perseguidores passaram velozmente. Um dos aprendizes mais jovens e de raciocínio mais rápido esticou uma pá e derrubou um dos homens de armas, que tombou no chão; contudo, ninguém mais interveio. Richard atingiu a porta que dava no claustro. O homem mais próximo ergueu a espada acima da sua cabeça. Por um momento terrível Aliena pensou que a porta estivesse trancada e que Richard não conseguiria entrar. O homem de armas deu uma estocada no conde. Este conseguiu abrir a porta e esgueirou-se para dentro do claustro, e a espada entrou na madeira da porta quando ela se fechou.

Aliena respirou de novo.

Os homens de armas reuniram-se em torno da porta do claustro e começaram a olhar à sua volta, incertos. Pareciam ter percebido, de repente, onde estavam. Os artífices lhes lançaram olhares hostis e levantaram seus martelos e machados. Havia perto de cem operários e apenas cinco homens de armas.

– Quem diabo é essa gente? – exclamou Jack, furioso. A resposta foi dada por uma voz às suas costas.

– São os homens do xerife.

Aliena virou-se, aterrorizada. Conhecia aquela voz horrivelmente bem. No portão, montando um nervoso garanhão negro, armado e de cota de malha, estava William Hamleigh. A visão dele fez correr um frio na sua espinha.

– Dê o fora daqui, seu inseto repugnante! – esbravejou Jack.

William corou com o insulto, mas não fez um gesto.

– Vim aqui para fazer uma prisão.

– Vá em frente. Os homens de Richard o farão em pedaços.

– Ele não terá homem algum quando estiver na cadeia.

– Quem você pensa que é? Um xerife não pode pôr um conde na cadeia!

— Pode, por assassinato.

Aliena ofegou. Viu imediatamente como a mente tortuosa de William estava trabalhando.

— Não houve assassinato! — explodiu.

— Houve — afirmou William. — O conde Richard matou Alfred Construtor. Agora tenho que explicar ao prior Philip que ele está dando abrigo a um assassino.

William tocou seu cavalo e passou por eles, cruzando a fachada oeste da nave inconclusa, até o pátio da cozinha, onde os leigos eram recebidos no convento. Aliena observou-o, incrédula. Ele era tão mau que era difícil de acreditar. O pobre Alfred, a quem tinham acabado de enterrar, cometera muitos erros com o seu jeito tacanho de ser e sua fraqueza de caráter, mas a ruindade dele fora mais trágica do que qualquer outra coisa. William, contudo, era um verdadeiro servo do demônio. Quando nos veremos livres desse monstro?, perguntou-se Aliena.

Os homens de armas juntaram-se a William no pátio da cozinha, e um deles bateu na porta com o punho da espada. Os operários deixaram o canteiro da obra e se agruparam num canto, olhando ferozmente para os intrusos, parecendo perigosos com seus martelos pesados e cinzéis amolados. Aliena disse a Martha que levasse as crianças para casa; depois ela e Jack permaneceram junto com os operários.

O prior apareceu na porta da cozinha. Era mais baixo que William, e no seu hábito leve de verão parecia muito pequeno em comparação com o homem corpulento de cota de malha; no entanto, havia uma expressão de justa indignação no rosto de Philip que fazia com que ele infundisse mais medo que William.

— Você está concedendo asilo a um fugitivo... — começou a dizer o xerife.

— Deixe este lugar! — interrompeu-o Philip, com um berro.

William tentou de novo.

— Houve um assassinato...

— Saia do meu priorado! — gritou Philip.

— Eu sou o xerife...

— Nem mesmo o rei pode trazer homens de violência para o interior das instalações de um mosteiro! Fora! Fora!

Os operários começaram a murmurar furiosamente entre si. Os homens de armas olharam para eles, nervosos.

— Até mesmo o prior de Kingsbridge tem que obedecer ao xerife — disse William.

— Não nestes termos! Tire os seus homens do mosteiro. Deixe suas armas no estábulo. Quando estiver pronto para agir como um humilde pecador na casa de Deus, pode entrar no priorado; aí então o prior responderá às suas perguntas.

Philip recuou e bateu a porta.

Os operários aplaudiram.

Aliena descobriu-se aplaudindo também. William era uma figura que representara o poder e o medo em toda a sua vida, e vê-lo desafiado pelo prior Philip alegrava seu coração.

Mas Hamleigh ainda não estava pronto para conceder na derrota. Saltou do cavalo. Lentamente, desafivelou o cinturão da espada e entregou-o a um de seus homens. Disse-lhes algumas poucas palavras, baixinho, e eles se retiraram, atravessando o adro com a sua espada. William ficou olhando até chegarem ao portão; só então voltou a virar-se de frente para a porta da cozinha.

– Abra a porta para o xerife!

Após uma pausa a porta da cozinha se abriu, e Philip apareceu de novo. Examinou Hamleigh, agora de pé e desarmado no pátio; depois olhou para os homens de armas, reunidos junto ao portão, no lado mais afastado do adro; finalmente encarou William de novo.

– E então?

– Você está dando asilo a um assassino no priorado. Entregue-o a mim.

– Não houve assassinato em Kingsbridge.

– O conde de Shiring matou Alfred Construtor quatro dias atrás.

– Errado – disse Philip. – Richard matou Alfred, mas não foi assassinato. Alfred foi surpreendido durante uma tentativa de estupro.

Aliena estremeceu.

– Estupro? – disse William. – Quem ele estava tentando estuprar?

– Aliena.

– Mas ela é a mulher dele! – exclamou William triunfantemente. – Como pode um homem *estuprar* a própria mulher?

Aliena viu a direção que tomava o argumento de William, e ferveu de ódio.

– Esse casamento não chegou a ser consumado, e ela requereu a anulação.

– Que nunca foi concedida. Eles se casaram na igreja. E ainda estão casados, de acordo com a lei. Não houve estupro. Pelo contrário. – William virou-se subitamente e apontou para Aliena. – Ela estava querendo se livrar do marido há anos e por fim persuadiu o irmão a ajudá-la a tirar Alfred do seu caminho... matando-o com a faca *dela*!

A mão gelada do medo apertou o coração de Aliena. A história que ele estava contando era uma mentira ultrajante, mas, para uma pessoa que não tivesse visto o que de fato acontecera, ajustava-se aos fatos tão plausivelmente quanto a verdadeira história.

– O xerife não pode prender o conde – disse Philip.

Era verdade, pensou ela. Estava se esquecendo.

William puxou um rolo de pergaminho.

– Tenho um edito real. Eu o estou prendendo em nome do rei.

Aliena sentiu-se desolada. Hamleigh pensara em tudo.

— Como foi que ele conseguiu isso? — murmurou.

— William foi muito rápido — replicou Jack. — Deve ter ido a Winchester ver o rei assim que soube da notícia.

Philip estendeu a mão. — Deixe-me ver o decreto.

O xerife levantou-o na direção de Philip. Diversas jardas os separavam. Houve um empate momentâneo, quando nenhum dos dois quis se mover; depois William cedeu e subiu os degraus para entregar o rolo de pergaminho a Philip.

O prior leu o edito e devolveu-o.

— Isso não lhe dá o direito de atacar um mosteiro.

— Mas me dá o direito de prender Richard.

— Ele pediu asilo.

— Ah! — William não pareceu surpreendido. Assentiu com a cabeça, como se tivesse ouvido a confirmação de algo inevitável, e deu dois ou três passos para trás. Quando falou de novo, o fez alto o bastante para que todos pudessem ouvi-lo claramente. — Pois que ele saiba que será preso no momento em que deixar o priorado. Meus assistentes estarão acampados na cidade e do lado de fora do seu castelo. Lembrem-se... — ele correu com o olhar a multidão ali reunida — lembrem-se de que quem quer que cause ferimento a um auxiliar do xerife estará ferindo um servo do rei. — Virou-se de novo para Philip. — Diga-lhe que ele pode ficar asilado pelo tempo que quiser, mas, se desejar sair, terá que enfrentar a justiça.

Fez-se silêncio. William desceu vagarosamente os degraus e atravessou o pátio da cozinha. Suas palavras tinham soado a Aliena como uma sentença de prisão. A multidão abriu espaço para ele. Hamleigh lançou um olhar de vitória para Aliena, ao passar por ela. Todos observaram-no caminhar até o portão e montar no seu cavalo. Deu uma ordem e afastou-se a trote, deixando dois dos seus homens junto ao portão, olhando para dentro.

Quando Aliena se virou, Philip estava atrás dela e de Jack.

— Vão para a minha casa — disse ele, baixinho. — Precisamos discutir a situação. — E com essas palavras entrou de novo na cozinha.

Aliena teve a impressão de que o prior estava secretamente satisfeito com alguma coisa.

A excitação acabou. Os operários retornaram ao trabalho, conversando animadamente. Ellen foi para casa junto com os netos. Aliena e Jack atravessaram o cemitério, margeando o canteiro da obra, e entraram na casa de Philip. Ele ainda não estava ali. Sentaram-se num banco para aguardar. Jack sentiu a ansiedade de Aliena pelo irmão e abraçou-a reconfortadoramente.

Olhando à sua volta, Aliena percebeu que, ano após ano, a casa de Philip fora se tornando mais confortável. Ainda era muito pobre pelos padrões dos aposentos privados de um conde num castelo, mas já não era tão austera quanto antes. Diante do pequeno altar no canto havia agora um pequeno tapete para proteger os joelhos do prior durante as longas noites de oração; e na parede atrás do altar havia um crucifixo de prata enfeitado com pedras preciosas que devia ter sido um presente dispendioso. Não fazia mal algum a Philip ter mais condescendência consigo próprio à medida que envelhecia, pensou Aliena. Talvez tivesse mais condescendência com os outros, também.

Poucos momentos depois o prior entrou, trazendo um exaltadíssimo Richard. Este começou a falar imediatamente.

– William não pode fazer isto, é loucura! Encontrei Alfred tentando estuprar minha irmã... Ele tinha uma faca... Quase me matou!

– Acalme-se – disse Philip. – Vamos conversar a esse respeito com toda a serenidade, tentando determinar quais são os perigos envolvidos, se é que os há. Por que não sentamos?

Richard sentou-se, mas continuou falando.

– Perigos? Não há perigos. Um xerife não pode aprisionar um conde por coisa alguma, nem mesmo por homicídio.

– Ele vai tentar – disse Philip. – Terá homens esperando do lado de fora do priorado.

O conde fez um gesto traduzindo sua indiferença.

– Posso passar pelos homens de William de olhos vendados. Não são problema. Jack pode esperar por mim do lado de fora da muralha com um cavalo.

– E quando chegar a Earlscastle? – quis saber Philip.

– A mesma coisa. Posso dar um jeito de passar pelos homens de William. Ou fazer com que meus próprios homens saiam ao meu encontro.

– Parece satisfatório – disse o prior. – E depois, o que fará?

– Nada – disse Richard. – O que William pode fazer?

– Bem, ele tem um decreto real citando-o para responder a uma acusação de homicídio. Tentará prendê-lo todas as vezes que sair do castelo.

– Irei a toda parte escoltado.

– E quando presidir a corte de Shiring, ou estiver em outros lugares?

– A mesma coisa.

– Mas alguém irá cumprir as suas decisões, sabendo que você é um fugitivo da lei?

– É melhor que cumpram – respondeu Richard sombriamente. – Devem se lembrar de como William fazia cumprir suas decisões no tempo em que era o conde.

– Eles podem não ter tanto medo de você quanto tinham de Hamleigh. Podem julgar que não é tão sanguinário e cruel quanto ele. Espero que tenham razão.

— Não conte com isso.

Aliena ficou intrigada. Não era característico de Philip ser tão pessimista — a menos que tivesse um motivo oculto. Suspeitou que ele estivesse lançando os alicerces para algum esquema que escondia na manga. Eu seria capaz de apostar, pensou ela, que a pedreira entrará nesta história de algum modo.

— Minha principal preocupação é o rei — estava dizendo Philip. — Ao se recusar a responder à acusação, você está desafiando a coroa. Um ano atrás eu lhe teria dito que fosse em frente e desafiasse o rei. Mas agora que a guerra acabou, não será fácil para os condes fazerem tudo o que quiserem.

— Parece que você terá que responder à acusação, Richard — disse Jack.

— Ele não pode fazer isso — contestou Aliena. — Não tem a menor esperança de receber justiça.

— Ela tem razão — concordou Philip. — O caso será julgado na corte real. Os fatos já são conhecidos. Alfred tentou forçar Aliena, Richard entrou, eles lutaram, e Richard matou Alfred. Tudo depende da interpretação. E com William, um leal defensor do rei Estêvão, fazendo a queixa, e Richard sendo um dos maiores aliados do duque Henrique, o veredicto provavelmente será: culpado. Por que o rei Estêvão assinou o decreto? Presumivelmente porque decidiu vingar-se de Richard, que lutou contra ele. A morte de Alfred lhe proporciona uma desculpa perfeita.

— Temos que apelar para que o duque Henrique intervenha — disse Aliena.

Foi a vez de Richard hesitar.

— Eu não gostaria de depender dele, Henrique está na Normandia. Talvez escreva uma carta protestando, mas o que mais poderá fazer? Atravessar o canal com um exército? Nesse caso estaria rompendo o tratado de paz, e não penso que fosse arriscar isso por mim.

Aliena sentiu-se aflita e assustada.

— Oh, Richard, você foi apanhado numa teia terrível, e tudo porque me salvou.

Ele lhe dirigiu seu mais encantador sorriso.

— Eu faria tudo de novo, Allie.

— Eu sei.

Ele estava sendo sincero. Apesar de todos os defeitos, era corajoso. Parecia injusto que se visse diante de um problema difícil como aquele logo após ter retomado o condado. Como conde, era um desapontamento para Aliena — um terrível desapontamento —, mas não merecia aquilo.

— Bem, que dilema! — disse ele. — Posso ficar aqui no priorado até o duque se tornar o rei Henrique II, ou ser enforcado por assassinato. Eu me tornaria um monge se vocês monges não comessem tanto peixe.

— Pode haver outra saída — disse Philip.

Aliena fitou-o ansiosamente. Suspeitara que estivesse tramando algo, e lhe ficaria grata se pudesse resolver o dilema do irmão.

— Você poderia fazer penitência pelo assassinato — continuou o prior.

— Teria algo a ver com comer peixe? — perguntou o conde irreverentemente.

— Estou pensando na Terra Santa — disse Philip.

Todos ficaram quietos. A Palestina era governada pelo rei de Jerusalém, Balduíno III, um cristão de origem francesa. Estava constantemente sob o ataque dos reinos muçulmanos vizinhos, especialmente o Egito, ao sul, e Damasco, a leste. Ir para lá, uma viagem de seis meses a um ano, e integrar os exércitos que combatiam para defender o reino cristão, era, na verdade, o tipo de penitência que um homem podia fazer para purificar a alma após um crime de morte. Aliena sentiu uma vertigem de ansiedade: nem todo mundo voltava da Terra Santa.

— Mas acabo de reassumir o condado! — disse ele. — Quem ficaria cuidando das minhas terras enquanto eu estivesse fora?

— Aliena — respondeu Philip.

Ela subitamente sentiu-se sem fôlego. O prior estava propondo que tomasse o lugar do conde e governasse como seu pai governara... A proposta a deixou atônita por um momento, mas assim que recuperou os sentidos, soube que Philip estava certo. Quando um homem ia para a Terra Santa, suas propriedades normalmente eram cuidadas pela esposa. Não havia razão pela qual uma irmã não devesse desempenhar o mesmo papel para um conde que não era casado. E Aliena governaria o condado do modo como sempre soubera que deveria ser governado, com justiça, visão e imaginação. Faria todas as coisas que Richard, para sua tristeza, deixara de fazer. Seu coração disparou ao avaliar a ideia. Tentaria novas soluções, arando com cavalos e não com bois, plantando safras de primavera de aveia e ervilhas para descansar a terra. Abriria novas oportunidades de plantio, preparando terrenos, estabeleceria novos mercados e abriria a pedreira para Philip após todo aquele tempo...

Ele pensara nisso, claro. De todos os esquemas inteligentes que o prior imaginara todos aqueles anos, este provavelmente era o mais engenhoso. De uma penada, resolvia três problemas: liberava Richard do perigo representado por William, punha uma administradora competente à frente do condado e finalmente conseguia sua pedreira.

— Não tenho dúvida de que o rei Balduíno o aceitaria de braços abertos — disse Philip —, especialmente se você se fizesse acompanhar pelos seus cavaleiros e homens que se sentirem bastante inspirados para segui-lo. Seria sua própria pequena cruzada. — Ele parou por um momento para deixar a ideia ser assimilada. — William não poderia tocar em você lá, é claro — continuou. — E você voltaria como um herói. Ninguém se atreveria a enforcá-lo.

— A Terra Santa — disse Richard, e havia um brilho de morte ou glória nos seus olhos. Era a coisa certa para ele, pensou Aliena. Não se saía bem no governo do condado. Era um soldado, e queria combater. Ela viu a expressão distante no seu rosto. Mentalmente já estava lá, defendendo um reduto arenoso, espada na mão, uma cruz vermelha no escudo, lutando com uma horda de pagãos sob um sol abrasador.

Ele estava feliz.

4

Toda a cidade foi ao casamento.

Aliena ficou surpresa. A maior parte das pessoas já os tratava como se fossem casados, e ela pensara que a cerimônia seria considerada como mera formalidade. Esperara um pequeno grupo de amigos, a maioria gente de sua idade e companheiros de trabalho de Jack. Mas todos os homens, mulheres e crianças vieram. Ficou comovida com sua presença. E pareciam tão *felizes*! Constatou que haviam se compadecido da sua situação todos aqueles anos, muito embora diplomaticamente tivessem evitado tocar no assunto com ela; e agora partilhavam sua alegria por finalmente desposar o homem a quem amava há tanto tempo. Percorreu as ruas de braço dado com Richard, aturdida com os sorrisos que a seguiam, ébria de felicidade.

Seu irmão partiria para a Terra Santa no dia seguinte. O rei Estêvão aceitara aquela solução – na verdade, parecera aliviado por se livrar do conde tão facilmente. O xerife William ficou furioso, claro, pois seu objetivo fora tirar-lhe o condado, o que agora perdera todas as chances de fazer. Quanto a Richard, ainda tinha aquele olhar distante; mal podia esperar a hora de partir.

Aquele não era o modo como seu pai tencionara que as coisas se passassem, pensou ela, ao entrarem no adro do mosteiro: Richard combatendo numa terra longínqua e Aliena desempenhando o papel de conde. No entanto, já não se sentia obrigada a viver de acordo com os desejos do pai. Fazia dezessete anos que estava morto, e, de resto, Aliena tinha conhecimento de algo que ele não compreendera: que ela se sairia muito melhor do que Richard no desempenho das atribuições próprias de um conde.

Já assumira as rédeas do poder. Os serventes do castelo estavam preguiçosos, após anos de administração frouxa, e ela os deixara mais vivos. Reorganizara os depósitos, mandara pintar o grande salão e limpara a padaria e a cervejaria. A cozinha estava tão imunda que a queimara para construir outra. Começara a pagar pessoalmente os salários semanais, como sinal de que estava no comando, e demitira três homens de armas por repetidas bebedeiras.

Mandara construir um novo castelo à distância de uma hora a cavalo de Kingsbridge. Earlscastle era longe demais da catedral. Jack desenhara o projeto, e eles se mudariam o mais cedo possível. Enquanto isso, dividiriam o tempo entre Earlscastle e Kingsbridge.

Já tinham passado diversas noites juntos no antigo quarto de Aliena, em Earlscastle, longe do olhar desaprovador de Philip. Comportaram-se como recém-casados em lua de mel, dominados por insaciável paixão física. Talvez fosse porque, pela primeira vez na vida deles, dispunham de um quarto que podiam trancar. Privacidade era uma extravagância de lordes: todos os demais dormiam e faziam amor lá embaixo, no salão comunal. Até mesmo os casais que viviam em suas casas estavam sempre sujeitos a ser vistos pelos filhos, parentes ou vizinhos que aparecessem para uma visita: as pessoas trancavam as portas quando estavam fora, e não dentro de casa. Aliena nunca se sentira insatisfeita com isso, mas agora descobrira a emoção especial de saber que podia fazer tudo o que quisesse sem correr o risco de ser vista. Pensou em algumas das coisas que ela e Jack tinham feito nas últimas duas semanas e corou.

Jack estava esperando na nave parcialmente construída com Martha, Tommy e Sally. Nos casamentos, os noivos normalmente trocavam promessas no pórtico da igreja e depois entravam para a missa. Nesse dia o primeiro intercolúnio da nave serviria de portal. Aliena estava satisfeita por se casarem na catedral que Jack estava construindo. A igreja fazia parte de Jack, tanto quanto as roupas que usava ou o modo como fazia amor. Sua catedral seria como ele: graciosa, inventiva, alegre e totalmente diferente de tudo o que existira antes.

Ela lhe dirigiu um olhar cheio de amor. Ele estava com trinta anos. Era um homem muito bonito, com sua cabeleira ruiva e seus cintilantes olhos azuis. Lembrava-se de que fora um garoto muito feio: achara, de certa forma, que não a merecia. Mas ele se apaixonara por ela desde o princípio, conforme dissera; e ainda estremecia quando se lembrava de como todos haviam rido dele porque dissera nunca ter tido um pai. Fazia quase vinte anos. Vinte anos...

Poderia nunca mais ter visto Jack de novo se não houvesse sido pelo prior Philip, que entrara agora na igreja vindo do claustro e dirigira-se sorrindo para a nave. Ele parecia verdadeiramente emocionado por estar casando os dois, afinal. Aliena pensou na primeira vez em que o encontrara. Rememorava vivamente o desespero que sentira quando o mercador de lã tentara enganá-la, depois de todo o esforço e sacrifício representado pela preparação do saco de lã; e sua imensa gratidão pelo jovem monge de cabelos negros que a salvara e dissera: "Comprarei sua lã em qualquer ocasião..." O cabelo dele agora era grisalho.

Primeiro ele a salvara, depois quase a destruíra, forçando Jack a escolher entre ela e a catedral. Era um homem duro em questões de certo e errado, um pouco como o seu pai. No entanto, quisera celebrar seu casamento.

Ellen amaldiçoara a primeira união de Aliena, e a praga funcionara. Para sua alegria. Se seu casamento com Alfred não tivesse sido totalmente insuportável, poderia ainda estar vivendo em sua companhia. Era esquisito pensar em como poderia ter sido; ficava toda arrepiada, como quando tinha pesadelos e imaginava coisas ruins. Relembrou como era linda e atraente a garota árabe de Toledo que se apaixonara por Jack: e se ele tivesse se casado com ela? Aliena teria chegado em Toledo, com o filho no colo, para encontrá-lo desfrutando uma vida de total domesticidade, dividindo corpo e mente com outra pessoa. A simples ideia a horrorizava.

Ouviu-o murmurando o padre-nosso. Agora parecia espantoso pensar que, quando viera morar em Kingsbridge, não dera mais atenção a Jack que ao gato do mercador de cereais. Mas ele reparara nela: amara-a secretamente todos aqueles anos. Como fora paciente! Observara os jovens filhos dos pequenos fidalgos indo cortejá-la, um por um, indo embora desapontados, ofendidos ou desafiadores. Vira – garoto incrivelmente inteligente que era – que não podia ser conquistada com uma corte comum; e aproximara-se com cuidado, mais como amigo que como amante, encontrando-a na floresta, contando-lhe histórias e fazendo com que o amasse sem que ela percebesse. Lembrou-se do primeiro beijo, tão delicado e casual, a não ser por ter-lhe queimado os lábios muitas semanas seguidas. Lembrava-se do segundo beijo ainda mais vivamente. Todas as vezes que ouvia o barulho do moinho de pisoar, lembrava-se daquela obscura, estranha e nada bem-vinda onda de desejo que sentira.

Um dos arrependimentos mais duradouros de sua vida referia-se ao modo como ficara fria depois daquilo. Jack a amara total e sinceramente, e ela ficara tão assustada que se afastara, fingindo não ligar para ele. Aquilo o magoara muito; e, embora Jack continuasse a amá-la e a ferida tivesse cicatrizado, deixara marca, como sempre deixam as feridas profundas; e às vezes ela via a cicatriz, no modo como ele a olhava quando brigavam e ela o fitava com frieza, e os olhos dele pareciam dizer: Sim, eu conheço você, você pode ser fria, pode me magoar, tenho que ficar em guarda.

Haveria uma certa cautela no seu olhar agora, quando ele jurava amá-la e ser-lhe fiel pelo resto de sua vida? Ele tem bastante motivo para duvidar de mim, pensou Aliena. Casei-me com Alfred, e que maior traição poderia haver? Só depois paguei o que fiz, percorrendo metade da cristandade para encontrar Jack.

Coisas como desapontamentos, traições e reconciliações eram a essência da vida de casado, mas ambos tinham passado por isso antes do casamento. Agora, por fim, Aliena se sentia confiante de conhecê-lo. Provavelmente, nada mais a surpreenderia. Era uma maneira esquisita de dizer as coisas, mas podia ser melhor do que prometer primeiro e depois conhecer o cônjuge. Os padres não concordariam, claro; na verdade, Philip ficaria apoplético se soubesse o que se passava dentro da sua cabeça; porém, os padres sabiam menos sobre o amor do que as outras pessoas.

Ela fez seus votos, repetindo as palavras que o prior pronunciava, pensando em como era bonita a promessa que dizia: *Com meu corpo adorarei você*. Philip jamais compreenderia isso.

Jack pôs um anel no seu dedo. Esperei por isto toda a minha vida, pensou ela. Os dois se fitaram. Alguma coisa mudara nele, Aliena podia assegurar. Constatou que até aquele momento ele nunca se sentira totalmente seguro na relação de ambos. Agora parecia muito contente.

– Eu a amo – disse ele. – Sempre a amarei.

Era esse o seu juramento. O resto era religião, mas agora Jack tinha feito sua própria promessa. Aliena percebeu que também não se sentira segura até então. Em mais um momento eles se adiantariam até a interseção da nave com os transeptos, para a missa; depois aceitariam os cumprimentos e os votos de felicidades dos habitantes de Kingsbridge, e os levariam para sua casa e lhes dariam cerveja e comida e os entreteriam; porém, aquele pequenino instante era só deles. A expressão de Jack dizia: *Você e eu, juntos, sempre;* e Aliena pensou: *Enfim*.

A paz não podia ser mais completa.

Parte seis

1170-1174

Capítulo 17

1

Kingsbridge ainda estava crescendo. Há muito tempo deixara suas muralhas originais, que agora circundavam menos da metade das casas. Cerca de cinco anos antes a associação construíra uma nova muralha, abrangendo os subúrbios que tinham crescido fora da velha cidade; e agora já havia mais subúrbios do lado de fora. A campina do outro lado do rio, onde o povo tradicionalmente comemorava a festa da colheita e celebrava a entrada do verão, agora era uma nova aldeia, chamada Newport.

Num frio domingo de Páscoa, o xerife William Hamleigh atravessou Newport a cavalo e cruzou a ponte de pedra que dava no que agora era chamada de "cidade velha de Kingsbridge". Hoje a recém-concluída catedral seria consagrada. Passou pelo imponente portão da cidade e subiu a rua principal, recentemente pavimentada. As residências de ambos os lados eram casas de pedra com instalações comerciais embaixo e a parte social em cima. Kingsbridge era maior, mais movimentada e mais rica do que Shiring jamais fora, pensou William amarguradamente.

Chegou à parte de cima da rua e virou no adro; ali, diante dos seus olhos, estava a causa para a ascensão de Kingsbridge e o declínio de Shiring: a catedral.

Era de tirar o fôlego.

A nave, imensamente alta, sustentava-se por uma fila de graciosos e alados arcobotantes. A fachada oeste tinha três altíssimos pórticos, como portais gigantescos, e fileiras de altas e elegantes janelas ogivais, flanqueadas por torres esguias. A ideia fora anunciada nos transeptos, completados dezoito anos antes, mas aquela era a assombrosa consumação da ideia. Nunca existira uma construção como aquela em qualquer parte da Inglaterra.

O mercado ainda se realizava ali todos os domingos, e a grama verde defronte do pórtico estava repleta de estandes. William desmontou e deixou que Walter cuidasse dos cavalos. Atravessou mancando a distância que o separava da igreja: estava gordo, com cinquenta e quatro anos, e sofria constantemente de gota nas pernas e pés. Por causa da dor ele andava quase sempre irritado.

A igreja era mais impressionante ainda no interior. A nave seguia o estilo dos transeptos, mas o mestre construtor refinara seu desenho, fazendo as colunas ainda mais esbeltas e as janelas maiores. Havia também outra inovação. William ouvira falar do vidro colorido feito por artesãos que Jack trouxera de Paris. Não entendera por que tanta confusão a respeito disso, pois imaginara que uma janela colorida seria como uma tapeçaria ou uma pintura. Via agora o que queriam dizer. A luz exterior cintilava através do vidro colorido, fazendo com que ele resplandecesse, e o efeito era mágico. Por toda a catedral as pessoas esticavam o pescoço para melhor contemplar as janelas. Suas ilustrações representavam histórias da Bíblia, o céu e o inferno, santos e profetas, os discípulos, e alguns dos cidadãos de Kingsbridge, que presumivelmente tinham pago pelas janelas em que apareciam – um padeiro carregando sua bandeja de pães, um curtidor com seus couros, um pedreiro com seus compassos e seu nível. Aposto como Philip lucrou muito com essas janelas, pensou William causticamente.

A igreja estava superlotada para a missa da Páscoa. O mercado espalhava-se pelo interior do prédio, como sempre acontecia, e ao percorrer a nave William recebeu ofertas de cerveja fria, pão de gengibre quente e até mesmo uma rápida relação sexual de encontro à parede por três pence. O clero estava sempre tentando banir os mascates de dentro das igrejas, mas era uma tarefa impossível. William trocou cumprimentos com os cidadãos mais importantes do condado. Mas a despeito das distrações sociais e comerciais, tinha os olhos e pensamentos constantemente atraídos pelas linhas majestosas da arcada. Os arcos e as janelas, os pilares com seus feixes de fustes, as nervuras e segmentos do teto abobadado, tudo parecia apontar para o céu, numa inescapável lembrança da destinação do edifício.

O chão era pavimentado, os pilares pintados e todas as janelas envidraçadas: Kingsbridge e seu priorado eram ricos, e a catedral proclamava essa prosperidade. Nas pequenas capelas dos transeptos havia candelabros de ouro e cruzes ornadas com gemas. Os cidadãos também exibiam seu fausto, com túnicas ricamente coloridas, broches, fivelas de prata e anéis de ouro.

Seu olhar pousou em Aliena.

Como sempre, o coração dele falhou uma batida. Estava tão bonita como sempre fora, embora devesse ter mais de cinquenta anos. Ainda ostentava uma massa de cabelos cacheados, porém mais curtos e num tom mais claro de castanho, como se tivessem desbotado um pouco. Eram atraentes as rugas em torno dos olhos. Estava um pouco mais roliça do que antes, mas não menos desejável. Usava uma capa azul com guarnição de seda vermelha, e sapatos de couro também vermelhos. Uma multidão reverente a cercava. Embora não fosse realmente uma condessa, mas apenas a irmã do conde, seu irmão permanecera na Terra Santa e todos a tratavam como tratariam Richard. Quanto a ela, tinha o porte de uma rainha.

A visão de Aliena fez o ódio fermentar como bílis no abdômen de William. Ele arruinara seu pai, estuprara-a, tomara seu castelo, queimara sua lã e exilara seu irmão, mas sempre que pensara tê-la esmagado ela ressurgira, erguendo-se da derrota para novas alturas de poder e riqueza. Agora, quando William estava ficando velho, gordo e com gota, constatava que passara toda a vida submetido ao poder de um terrível encantamento.

Ao lado dela estava um homem alto e de cabelo ruivo, que William a princípio tomou como Jack. Após um exame mais detido, contudo, viu que era obviamente jovem demais, e devia ser o filho dele. Estava trajado como um cavaleiro e carregava uma espada. Quanto ao próprio Jack, estava perto do filho, sendo uma ou duas polegadas mais baixo, o cabelo ruivo com entradas maiores nas têmporas. Era mais jovem que Aliena, claro, cerca de cinco anos, se a memória de William não estivesse falhando, mas também tinha rugas em torno dos olhos. Conversava animadamente com uma jovem que certamente era sua filha. Parecia-se com Aliena, e era tão bonita quanto a mãe, mas seu cabelo abundante fora severamente preso atrás, numa trança, e ela se vestia com bastante sobriedade. Se havia um corpo voluptuoso sob a túnica cor de terra, não queria que ninguém soubesse.

O ressentimento ardeu no seu estômago ao contemplar a família próspera, digna e feliz de Aliena. Tudo o que possuíam deveria ter sido dele. Mas William não desistiu da esperança de vingar-se.

As vozes de centenas de monges ergueram-se numa canção, submergindo as conversas e os gritos dos mascates, e o prior Philip ingressou na igreja, à testa de uma procissão. Nunca houvera tantos monges, pensou Hamleigh. O priorado crescera junto com a cidade. Philip, agora com mais de sessenta anos e praticamente calvo, estava corpulento, de modo que seu rosto outrora magro se tornara bastante redondo. Parecia bastante satisfeito consigo próprio, o que não era de espantar: a consagração da catedral era o objetivo que traçara ao chegar a Kingsbridge, trinta e quatro anos antes.

Houve um murmúrio de comentários quando o bispo Waleran entrou, envergando seu hábito mais magnificente. Seu rosto pálido e anguloso estava imobilizado numa expressão rigidamente neutra, mas William sabia que no íntimo fervia de raiva. Aquela catedral era o símbolo triunfante da vitória do prior sobre Waleran. O xerife também odiava Philip, mas mesmo assim gostava secretamente de ver o arrogante bispo ser humilhado, para variar.

Waleran raramente era visto ali. Uma nova igreja fora finalmente construída em Shiring – com uma capela especial dedicada à memória da mãe de William –, e embora não fosse nem de longe tão grande ou impressionante quanto aquela, Waleran fizera dela seu quartel-general.

Mesmo assim, Kingsbridge ainda era a catedral, a despeito de todos os esforços de Waleran. Numa guerra que perdurava há mais de três décadas, o bispo fizera tudo o que pudera para destruir Philip, mas no fim o prior triunfara. Era um caso um pouco parecido com o de William e Aliena. Tanto numa história quanto noutra, a fraqueza e os escrúpulos derrotaram a força e a crueldade. Hamleigh achava que nunca seria capaz de compreender aquilo.

O bispo fora obrigado a comparecer ali naquele dia, para a cerimônia de consagração: teria parecido muito estranho se ele não fosse recepcionar todos os convidados célebres. Diversos bispos das dioceses próximas estavam presentes, assim como inúmeros abades e priores de grande distinção.

O arcebispo de Canterbury, Tomás Becket, não viria. Estava no auge de uma briga com seu velho amigo, o rei Henrique; uma briga tão amarga e feroz que o arcebispo fora forçado a fugir do país e se refugiar na França. O conflito tinha como causa toda uma lista de questões legais, mas a essência da disputa era bastante simples; podia o rei fazer o que bem entendesse ou devia obedecer a limites? Era a mesma disputa que o próprio William tivera com o prior Philip. Do ponto de vista de Hamleigh, o conde podia fazer qualquer coisa – era justamente isso o que significava ser conde. Henrique era da mesma opinião quanto ao trono real. O prior Philip e Tomás Becket restringiam o poder dos governantes.

O bispo Waleran era uma autoridade eclesiástica que se colocava do lado dos governantes. A seu ver, o poder era para ser usado. As derrotas de três décadas não tinham abalado sua crença de ser um instrumento da vontade de Deus, nem tampouco sua implacável determinação de cumprir o sagrado dever. William tinha certeza de que, mesmo enquanto conduzia o rito de consagração da Catedral de Kingsbridge, estava procurando descobrir um modo qualquer de estragar o momento de glória de Philip.

O xerife percorreu a nave durante o culto. Ficar parado, de pé, era pior para suas pernas do que andar. Quando ia à Igreja de Shiring, Walter carregava uma cadeira para ele. Assim podia cochilar um pouco. Ali, no entanto, havia gente com quem falar, e grande parte da congregação usava o tempo para tratar dos seus negócios. William perambulou, insinuando-se com os poderosos, intimidando os fracos e colecionando informações sobre tudo e todos. Não mais lançava o terror no coração das pessoas, como nos bons tempos passados, mas como xerife ainda era temido e respeitado.

O culto prosseguia, interminavelmente. Houve um longo intervalo, durante o qual os monges saíram da igreja, contornando-a e aspergindo as paredes com água benta. Próximo do fim, o prior Philip anunciou a designação de um novo subprior: seria o irmão Jonathan, o órfão do priorado. Jonathan, agora com trinta e tantos anos e incomumente alto, lembrava a William Tom Construtor: ele também fora quase um gigante.

Quando o serviço religioso afinal terminou, os convidados de maior distinção permaneceram no transepto sul, e a pequena nobreza do condado agrupou-se em torno deles. William também foi para lá, mancando. Houve época em que tratava os bispos como seus iguais, mas agora tinha que fazer reverências e rapapés junto com os cavaleiros e os pequenos proprietários de terra. O bispo Waleran puxou-o de lado e perguntou:

— Quem é esse novo subprior?

— O órfão do priorado — respondeu William. — Sempre foi o favorito de Philip.

— Parece jovem para ser o subprior.

— É mais velho do que Philip era quando se tornou prior.

Waleran assumiu uma expressão pensativa.

— O órfão do priorado. Lembre-me dos detalhes.

— Quando Philip veio para cá trouxe um bebê consigo.

O rosto do bispo iluminou-se quando se lembrou.

— Pela Cruz de Cristo, sim! Eu tinha esquecido do bebê de Philip. Como pude deixar uma coisa dessas fugir da minha memória?

— Faz mais de trinta anos. E quem se importa com isso?

Waleran dirigiu ao xerife aquele olhar escarninho que ele tanto odiava, o olhar que dizia: *Seu idiota, não é capaz de imaginar uma coisa tão simples?* O pé de William doeu, e ele mudou o peso do corpo, numa tentativa inútil para abrandar a dor.

— Bem, de onde foi que o bebê veio? — perguntou o bispo.

William engoliu seu ressentimento.

— Foi encontrado abandonado perto do velho mosteiro de Philip na floresta, lembro-me claramente.

— Melhor ainda — disse Waleran, com veemência.

Hamleigh ainda não viu aonde o outro estava querendo chegar.

— E daí? — perguntou mal-humoradamente.

— Você diria que Philip trouxe o bebê para cá como se fosse seu próprio filho?

— Sim.

— E ele agora foi feito subprior.

— Foi eleito pelos monges, presumivelmente. Acredito que seja muito popular.

— Quem quer que seja eleito subprior aos trinta e cinco anos deve estar cogitado para ascender ao cargo de prior um dia.

William não ia dizer *E daí?* novamente, de modo que limitou-se a esperar, sentindo-se como um aluno burro, que Waleran explicasse. — Jonathan obviamente é filho de Philip — disse afinal Waleran. O xerife caiu na gargalhada. Estivera esperando um pensamento profundo, e o bispo aparecera com uma ideia totalmente ridícula. Para satisfação de William, seu sarcasmo trouxe um certo rubor ao rosto normalmente lívido de Waleran.

— Ninguém que conheça Philip acreditaria numa coisa dessas — disse Hamleigh. — Todo mundo sabe que ele não é de nada e nunca foi, desde que nasceu. Que ideia! — E riu de novo. O bispo podia se julgar muito inteligente, mas dessa vez perdera o senso de realidade.

A arrogância de Waleran era glacial.

— Digo que Philip tinha uma amante no tempo em que administrava aquele pequeno priorado na floresta. Depois tornou-se prior de Kingsbridge e teve que deixar a mulher para trás. Ela não quis o bebê, já que não podia ter o pai, e por isso o deixou com ele. Philip, que é um tipo sentimental, sentiu-se obrigado a cuidar do menino, e o fez passar como sendo um enjeitado.

William sacudiu a cabeça.

— Inacreditável. Qualquer outra pessoa, sim. Philip, não.

Waleran insistiu.

— Se o bebê foi abandonado, como ele pode provar de onde veio?

— Não pode — reconheceu William. Lançou um olhar na direção do transepto sul, onde Philip e Jonathan estavam juntos, conversando com o bispo de Hereford. — Mas eles nem sequer se parecem um com o outro.

— Você não se parece com sua mãe — disse Waleran. — Graças a Deus.

— De que adianta tudo isso? O que é que você vai fazer?

— Acusá-lo diante de uma corte eclesiástica — foi a resposta de Waleran.

Aquilo fazia diferença. Ninguém que conhecesse Philip acreditaria por um só momento na acusação de Waleran, mas um juiz que não fosse de Kingsbridge poderia achá-la mais plausível. Relutantemente, William percebeu que a ideia de Waleran não era tão estúpida afinal. Como sempre, mostrava-se mais esperto que ele. Sua aparência era irritantemente presunçosa, claro. Mas o xerife ficou entusiasmado com a perspectiva de derrubar o prior.

— Por Deus — disse, ansioso —, acha mesmo que pode ser feito?

— Depende de quem seja o juiz. Mas talvez eu consiga dar um jeito qualquer nisso. Não sei...

William olhou para Philip, do outro lado do transepto, triunfante e sorridente ao lado do seu alto protegido. As imensas vidraças coloridas lançavam uma luz encantada sobre eles, que pareciam vultos de um sonho.

— Fornicação e nepotismo — disse William jubilosamente. — Meu Deus!

— Se pudermos fazer com que acreditem — declarou Waleran com satisfação —, será o fim daquele maldito prior.

Nenhum juiz sensato poderia considerar Philip culpado.

Na verdade, ele nunca tivera que se esforçar muito para resistir à tentação da fornicação. Sabia, por ouvir suas confissões, que alguns monges lutavam desesperadamente contra as tentações carnais, mas ele não era assim. Houvera um tempo, quando tinha seus dezoito anos, em que sofrera de sonhos impuros, mas essa fase passara logo. Durante a maior parte da sua vida, a castidade fora um voto fácil. Nunca realizara o ato sexual, e provavelmente já estava velho demais para isso.

A Igreja, contudo, tomara a acusação muito seriamente. Philip seria julgado por uma corte eclesiástica. Um arcediago de Canterbury estaria presente. Waleran quisera que o julgamento fosse em Shiring, mas Philip lutara contra e tivera êxito, de modo que o julgamento seria mesmo realizado em Kingsbridge, que, afinal, era a cidade que sediava a catedral. Estava tirando suas coisas de sua casa, a fim de abrir espaço para o arcediago, que se hospedaria ali.

Philip sabia que era inocente de fornicação, e, assim, não podia ser culpado de nepotismo, pois um homem não pode favorecer os filhos que não tem. Não obstante, examinou o coração para saber se errara ao promover Jonathan. Assim como os pensamentos impuros eram como uma espécie de sombra de um pecado mais grave, talvez o favoritismo por um órfão bem-amado fosse uma sombra de nepotismo. Esperava-se que os monges esquecessem as consolações da vida de família, e no entanto Jonathan era como um filho para Philip. O prior o fizera despenseiro quando muito jovem, e agora o promovera a subprior. Terei agido desse modo para meu próprio prazer e orgulho?, perguntou-se.

Ora, sim, pensou.

Sentira enorme satisfação de ensinar Jonathan, observá-lo crescer e vê-lo aprender a cuidar dos negócios do mosteiro. Mas mesmo que essas coisas não houvessem dado intenso prazer a Philip, Jonathan ainda teria sido o mais capaz dos jovens administradores do priorado. Era inteligente, devoto, criativo e conscencioso. Criado no mosteiro, não conhecia outra vida, e nunca ansiara pela liberdade. O próprio Philip fora criado numa abadia. Nós, órfãos de mosteiros, nos tornamos os melhores monges, pensou.

Pôs um livro num saco: o Evangelho de Lucas, tão sábio. Tratara Jonathan como um filho, mas não cometera nenhum pecado que devesse ser julgado por uma corte eclesiástica. A acusação era absurda.

Lastimavelmente, a mera acusação era prejudicial. Diminuía sua autoridade moral. Haveria gente que se lembraria da acusação e esqueceria o veredicto. De outra vez em que Philip se levantasse e dissesse: Um dos mandamentos proíbe ao homem cobiçar a mulher do próximo, alguém da congregação poderia estar pensando: *Mas você bem que andou se distraindo quando era jovem.*

Jonathan irrompeu quarto adentro, ofegante. Philip estranhou. O subprior não devia invadir cômodos alheios arquejando. Já estava a ponto de proferir uma homilia sobre a dignidade dos monges com atribuições administrativas, quando Jonathan disse:

— O arcediago Peter já chegou!

— Está bem, está bem — disse Philip, apaziguador. — Praticamente já acabei, de qualquer forma. — Entregou o Evangelho a Jonathan. Leve isto ao dormitório, e não corra por toda parte: o mosteiro é um lugar de paz e quietude.

Jonathan aceitou a sacola com o livro e a reprimenda, mas disse:

— Não gosto do ar do arcediago.

— Tenho certeza de que ele se limitará a ser um juiz justo, o que é tudo o que desejamos.

A porta abriu-se de novo, e dessa vez foi o arcediago quem entrou. Era um homem alto, esguio, mais ou menos da idade de Philip, com o cabelo grisalho já escasseando e uma certa expressão de superioridade no rosto. Parecia vagamente familiar.

O prior ofereceu a mão para o cumprimento.

— Sou Philip.

— Já o conheço — disse o arcediago agressivo. — Não se lembra de mim?

A voz áspera provocou a lembrança. O coração de Philip se confrangeu. Era o seu mais antigo inimigo.

— Arcediago Peter — disse melancolicamente. — Peter de Wareham.

— Ele era um encrenqueiro — explicou Philip ao subprior alguns minutos depois, tendo deixado o arcediago à vontade em sua casa. Queixava-se de que não trabalhávamos o bastante, ou de que comíamos bem demais, ou de que os serviços eram demasiado curtos. Dizia que eu era indulgente. Tenho certeza de que desejava ser o prior. Teria sido um desastre, claro. Eu o nomeei esmoler, para que passasse fora a metade do tempo. Fiz isso só para me livrar dele. Era melhor para o priorado e melhor para ele, mas tenho certeza de que ainda me odeia por causa disso, mesmo após terem se passado trinta e cinco anos. — Philip suspirou. — Soube, quando você e eu visitamos St.John-in-the-Forest após a grande fome, que Peter fora para Canterbury. E agora volta para me julgar.

Eles se encontravam no claustro. A temperatura estava amena, e o sol quente. Cinquenta garotos em três classes diferentes aprendiam a ler e escrever no passadiço norte, e o murmúrio abafado de suas lições flutuava pelo quadrângulo. Philip lembrou-se de quando a escola consistira em cinco garotos e um mestre de noviços senil. Pensou em tudo o que fizera em Kingsbridge: a construção da catedral; a transformação do priorado empobrecido e arruinado numa instituição rica, ativa e influente; o aumento da cidade. Na igreja, mais de cem monges formavam o coro da missa. De onde estava sentado, podia ver a impressionante beleza dos vidros coloridos das janelas do clerestório. Às suas costas, ao lado da calçada leste, ficava a biblioteca de pedra com centenas de livros sobre teologia, astronomia, ética, matemática e tanta coisa mais, na verdade, todos os ramos do conhecimento.

No mundo exterior, as terras do priorado, administradas por monges esclarecidos e interessados, alimentavam não somente os religiosos, como também centenas de trabalhadores rurais. Aquilo tudo iria ser retirado dele por uma mentira? O priorado próspero e temente a Deus seria entregue a outra pessoa, um peão do bispo Waleran, como o viscoso arcediago Baldwin, ou a um tolo fariseu, como Peter de Wareham, para decair e ser lançado na penúria e na depravação tão depressa quanto Philip o erguera? Os imensos rebanhos de ovelhas seriam reduzidos a um punhado de bichos esquálidos, as fazendas retornariam à antiga ineficiência, invadidas pelo mato, a biblioteca acumularia poeira com o desuso, a bela catedral afundaria no abandono? Deus me ajudou a conseguir tantas coisas!, pensou. Não posso acreditar que tenha destinado tudo a se transformar em nada.

— Mesmo assim — disse Jonathan —, o arcediago Peter não tem como achar você culpado.

— Mas acho que é isso o que fará — disse Philip, desolado.

— Como, em sã consciência?

— Acho que Peter vem cultivando uma mágoa contra mim em toda a sua vida, e esta é a sua chance de provar que eu era o pecador e ele, o justo. Waleran, de algum modo, tomou conhecimento disto e deu um jeito para que ele fosse designado para julgar o caso.

— Mas não há prova!

— Ele não precisa de prova. Ouvirá a acusação e a defesa; depois rezará a Deus pedindo uma orientação e pronunciará sua sentença.

— Pode ser que Deus o guie no caminho certo.

— Peter não ouvirá a Deus. Ele nunca O ouviu.

— O que acontecerá?

— Serei deposto — respondeu o prior melancolicamente. — Pode ser que me deixem continuar aqui, como um monge comum, fazendo penitência, mas não creio nisso. A probabilidade maior é de que me expulsem da ordem, a fim de evitar que eu continue exercendo alguma influência.

— E o que aconteceria depois?

— Teria que haver uma eleição, claro. Infortunadamente, a política real entra no quadro. O rei Henrique está em conflito com o arcebispo de Canterbury, Tomás Becket, que está exilado na França. Metade dos seus arcediagos se encontra com ele. A outra metade, a que ficou na Inglaterra, tomou o lado do rei contra Tomás. O bispo Waleran também tomou o lado do rei. Waleran recomendará o prior de sua escolha, sustentado pelos arcediagos de Canterbury e pelo próprio rei. Será difícil para os monges se oporem a ele.

— Quem você acha que ele escolheria?

— Waleran tem alguém em mente, não resta a menor dúvida. Pode ser o arcediago Baldwin. Pode até mesmo ser Peter de Wareham.

— *Temos* que fazer alguma coisa para evitar isso! — exclamou o monge.

Philip assentiu.

— Mas tudo está contra nós. Não há nada que possamos fazer para alterar a situação política. A única possibilidade...

— Qual é? — perguntou Jonathan, impacientemente.

O caso parecia tão sem esperanças que Philip achou que não valia a pena ficar entretendo ideias desesperadas; Jonathan ficaria otimista só para se desapontar depois.

— Nada — disse Philip.

— O que você ia dizer?

Philip ainda estava trabalhando a ideia.

— Se houvesse um modo de provar minha inocência sem deixar dúvida alguma, seria impossível Peter me considerar culpado.

— Mas o que serviria de prova?

— Aí é que está o problema. Não se pode provar uma negativa. Teríamos que descobrir seu verdadeiro pai.

Jonathan ficou entusiasmado.

— Sim! É isso! É o que vamos fazer!

— Calma — disse o prior. — Já tentei na época devida. Não há de ser mais fácil tantos anos depois.

O jovem subprior não estava a fim de ser desencorajado.

— Havia algum indício quanto à minha possível origem?

— Nada. Receio que não houvesse nada. — Philip agora estava preocupado por ter enchido Jonathan de esperanças que não poderiam se tornar realidade. Embora o rapaz não tivesse lembranças de seus pais, o fato de o terem abandonado sempre o perturbara. Agora achava que podia resolver o mistério e encontrar alguma explicação que provasse que eles o tinham amado verdadeiramente. O prior tinha certeza de que aquilo só poderia levá-lo à frustração.

— Você interrogou os moradores da vizinhança? — indagou Jonathan.

— Não havia ninguém vivendo nas proximidades. Aquele mosteiro ficava no meio da floresta. Seus pais provavelmente tinham vindo de muitas milhas de distância, talvez de Winchester. Já examinei tudo isso antes.

Jonathan persistiu.

— Você não viu viajantes na floresta na mesma ocasião?

— Não — respondeu Philip. Mas seria verdade? Uma tênue lembrança passou pela sua memória. No dia em que o bebê fora encontrado, o prior deixara o priorado para ir ao palácio do bispo, e no caminho falara com algumas pessoas. Subitamente aquilo voltou à sua lembrança. — Ora, sim, para falar a verdade, Tom Construtor e sua família estavam passando por perto.

Jonathan ficou atônito.

— Você nunca me contou isso!

— Não parecia importante. Ainda não parece. Eu os encontrei um ou dois dias depois. Interroguei-os, e eles me disseram que não tinham visto ninguém que pudesse ser a mãe ou o pai de um bebê abandonado.

O rapaz ficou desapontado. Philip receava que aquela linha de indagações pudesse ser duplamente desapontadora para ele; não descobriria nada sobre seus pais nem conseguiria provar a inocência do prior. Mas não havia como detê-lo agora.

— O que eles estavam fazendo na floresta, de qualquer modo? — insistiu.

— Tom estava a caminho do palácio do bispo. Procurava trabalho. Foi como terminaram vindo para cá.

— Quero interrogá-los de novo.

— Bem, Tom e Alfred estão mortos. Ellen mora na floresta, e só Deus sabe quando retornará. Mas você pode falar com Jack ou Martha. — Vale a pena tentar.

Talvez Jonathan estivesse certo. Ele tinha a energia da juventude. Philip mostrara-se pessimista e desencorajado.

— Vá em frente — disse Philip. — Estou ficando velho e cansado; de outro modo teria pensado nisso. Converse com Jack. É um fio muito tênue para nos apegarmos. Mas é nossa única esperança.

O desenho da janela fora feito em tamanho real e pintado sobre uma imensa mesa de madeira lavada com cerveja para impedir que as cores borrassem. Representava a Árvore de Jessé, mostrando a genealogia de Jesus. Sally pegou um pedacinho do grosso vidro cor de rubi e colocou-o no desenho, sobre o corpo de um dos reis de Israel — Jack não sabia ao certo qual rei seria: nunca fora capaz de se lembrar do confuso simbolismo das ilustrações teológicas. Sally mergulhou um pincel fino numa tigela de giz moído em água e pintou o formato do corpo sobre o vidro: ombros, braços e a saia do manto.

No fogo aceso no chão ao lado da sua mesa, havia um pedaço de ferro com cabo de madeira. Ela o retirou do fogo e, rápida mas cuidadosamente, passou a extremidade em brasa sobre o contorno que desenhara. O vidro partiu-se com precisão ao longo da linha. O aprendiz de Sally pegou o pedaço de vidro e começou a alisar sua borda com uma grosa de ferro.

Jack adorava ver a filha trabalhar. Era rápida e precisa, de movimentos econômicos. Quando garotinha se fascinara com o trabalho dos vidraceiros que Jack trouxera de Paris, e sempre dissera que era aquilo que queria fazer quando crescesse. Cumprira a promessa. Quando as pessoas chegavam à Catedral de Kingsbridge pela primeira vez, impressionavam-se mais com os vidros de Sally do que com a arquitetura do pai, pensou Jack, pesarosamente.

O aprendiz entregou o vidro já alisado para ela, que começou a pintar as dobras do manto sobre sua superfície, usando uma tinta feita de minério de ferro, urina e goma arábica, para fixar. A superfície chata do vidro de repente começou a parecer um tecido suave e descuidadamente pregueado. Ela era muito habilidosa. Terminou rapidamente, e em seguida colocou o vidro pintado junto com diversos outros numa panela de ferro, cujo fundo estava coberto de cal. Quando a panela estivesse cheia iria para o forno. O calor fundiria a pintura ao vidro.

Ela ergueu os olhos para Jack. Lançou-lhe um sorriso rápido mas deslumbrante e pegou outro pedaço de vidro.

Seu pai afastou-se. Podia ficar observando-a o dia inteiro, mas tinha que trabalhar. Era, como diria Aliena, louco pela filha. Quando olhava para ela, quase sempre era com assombro por ser o responsável pela existência daquela jovem inteligente, independente e madura. Emocionava-o ver que excelente artífice ela era.

Ironicamente, sempre pressionara Tommy para ser construtor.

Chegara mesmo a forçar o menino a trabalhar no canteiro da obra por dois anos. Mas Tommy interessava-se por agricultura, equitação, caça e esgrima, todas as coisas que deixavam Jack frio e indiferente. No fim este se dera por vencido. Seu filho servira como escudeiro de um dos lordes locais e acabara sendo ordenado cavaleiro. Aliena lhe concedera uma pequena propriedade com cinco aldeias. E Sally se revelara uma talentosa artífice. Tommy estava casado com a filha mais moça do conde de Bedford e tinha três filhos. Jack era avô. Sally, contudo, ainda permanecia solteira aos vinte e cinco anos de idade. Havia muito da sua avó Ellen nela. Era agressivamente autoconfiante.

Jack contornou a catedral e ergueu os olhos para as duas torres gêmeas da fachada oeste. Estavam quase prontas, e um imenso sino de bronze, fabricado numa fundição de Londres, estava a caminho. Não havia muita coisa para ele fazer nos dias que corriam. Onde antes controlava um exército de vigorosos carpinteiros e cortadores de pedras, assentando fileiras de pedras e construindo andaimes, tinha agora um punhado de cinzeladores e pintores, fazendo um trabalho preciso e meticuloso em escala pequena, esculpindo estátuas para nichos, construindo pináculos ornamentais e dourando asas de anjos de pedra. Não havia muito que projetar, à parte um ou outro prédio novo para o priorado – uma biblioteca, uma casa de cabido, mais acomodações para peregrinos, novos prédios para a lavanderia e os laticínios. Entre um e outro pequeno trabalho, Jack esculpia em pedra pela primeira vez em muitos anos. Estava impaciente por derrubar o antigo coro de Tom e construir um novo na extremidade oeste com projeto seu, mas o prior Philip queria desfrutar a igreja como estava por um ano antes de começar outra campanha de construção. Philip sentia o peso da idade. Jack receava que não vivesse para ver o coro reconstruído.

O trabalho, contudo, continuaria após a morte de Philip, pensou Jack ao ver o vulto extremamente alto do irmão Jonathan aproximando-se, vindo da direção do pátio da cozinha. Jonathan daria um bom prior, talvez até mesmo tão bom quanto o próprio Philip. Jack sentia-se feliz por saber que a sucessão estava assegurada: capacitava-o a planejar seu futuro.

— Estou preocupado com a corte eclesiástica, Jack — foi dizendo o rapaz, sem rodeios.

— Pensei que fosse uma confusão enorme por nada.

— Eu também. Mas acontece que o arcediago é um velho inimigo do prior.

— Que diabo! Mesmo assim, certamente não vai poder considerá-lo culpado.

— Ele pode fazer o que bem entender.

Jack sacudiu a cabeça, enojado. Às vezes perguntava-se como homens como Jonathan podiam continuar a acreditar na Igreja, quando ela era tão desavergonhadamente corrupta.

— O que você vai fazer?

— O único modo de provar a inocência dele é descobrir quem eram meus pais.

— Já está um pouco tarde para isso!

— É nossa única esperança.

Jack ficou um tanto abalado. O rapaz parecia bastante desesperado.

— Por onde vai começar?

— Por você. Você estava na área de St.-John-in-the-Forest na época em que nasci.

— Eu estava? — Jack não percebeu aonde Jonathan estava querendo chegar. — Morei lá até os onze anos, e devo ser cerca de onze anos mais velho que você...

— Padre Philip diz que encontrou você, sua mãe, Tom e os filhos no dia seguinte àquele em que fui achado.

— Lembro-me disso. Comemos a comida de Philip. Estávamos famintos.

— Procure se lembrar. Você viu alguém com um bebê, ou uma mulher jovem que poderia estar grávida, em algum lugar nas proximidades?

— Espere um minuto — Jack estava intrigado. — Você está me dizendo que foi encontrado perto de St.-John-in-the-Forest?

— Sim. Você não sabia disso?

Jack mal podia acreditar no que ouvira.

— Não, eu não sabia — disse, lentamente. Sua mente estava às voltas com as implicações daquela revelação. — Quando chegamos a Kingsbridge, você já estava lá, e eu naturalmente presumi que tivesse sido encontrado nas imediações. — De repente Jack sentiu necessidade de sentar-se, e acomodou-se numa pilha de cascalhos.

— Bem, afinal você viu alguém na floresta? — perguntou o subprior, impaciente.

— Oh, sim — respondeu Jack. — Não sei como lhe contar isso, Jonathan.
Jonathan empalideceu.
— Você sabe alguma coisa a respeito disso, não sabe? O que foi que viu?
— Eu vi você, Jonathan; eis o que vi.
O queixo do rapaz caiu.
— O quê?... Como?
— Era de madrugada. Eu estava caçando patos. Ouvi um choro. Encontrei um bebê recém-nascido, embrulhado numa velha capa cortada, deitado ao lado das brasas de uma fogueira.
Jonathan o encarou.
— Alguma coisa mais?
Jack aquiesceu lentamente.
— O bebê estava deitado sobre uma sepultura nova.
Jonathan engoliu em seco.
— Minha mãe?
O construtor assentiu.
O subprior começou a chorar, mas continuou o interrogatório.
— O que você fez?
— Fui buscar minha mãe. Mas quando estávamos a caminho passou um padre, num palafrém, carregando o bebê.
— Francis — murmurou Jonathan, com a voz embargada.
— O quê?
Ele engoliu em seco.
— Fui encontrado pelo irmão de Philip, Francis, o sacerdote.
— O que ele estava fazendo lá?
— Ia visitar Philip em St.-John-in-the-Forest. Foi para onde me levou.
— Meu Deus! — Jack encarou fixamente o monge alto, com as lágrimas escorrendo pelo rosto. Você ainda não ouviu tudo, Jonathan, pensou.
— Você viu alguém que pode ter sido meu pai?
— Sim — disse Jack solenemente. — Eu sei quem ele era.
— Diga-me! — sussurrou Jonathan.
— Tom Construtor.
— Tom? — O subprior deixou-se sentar pesadamente no chão. — *Tom Construtor era meu pai?*
— Sim. — Jack sacudiu a cabeça, assombrado. — Agora sei quem você me lembra. Você e ele são as pessoas mais altas que já vi.
— Ele sempre foi bom para mim quando eu era criança — disse o rapaz, em transe. — Costumava brincar comigo. Gostava de mim. Eu o via tanto quanto o prior Philip. — As lágrimas fluíam livremente. Era o meu pai. Meu pai. — Olhou para Jack. — Por que me abandonou?

— Eles pensaram que você ia morrer de qualquer maneira. Não tinham leite para lhe dar. Eles próprios estava morrendo de inanição, eu sei. Encontravam-se a milhas de qualquer lugar. Não sabiam que o priorado era tão perto. Não tinham comida, a não ser nabos, e se lhe dessem nabos o teriam matado.

— Então eles me amavam, afinal.

Jack reviu a cena como se tivesse sido na véspera: o fogo se extinguindo, a terra recentemente revolvida da sepultura fresca e o minúsculo bebê cor-de-rosa batendo os braços e as pernas dentro da velha capa cinzenta. Aquela pequena fagulha de humanidade crescera e se transformara naquele homem alto sentado no chão, chorando à sua frente.

— Oh, sim, eles o amavam.

— Como ninguém nunca falou nisso?

— Tom sentia vergonha, é claro – disse Jack. – Minha mãe deve ter sabido, e quanto a nós, crianças, suponho que tenhamos mais ou menos pressentido. De qualquer forma, era um assunto não mencionável. E nunca fizemos a ligação *daquele* bebê com *você*, é claro.

— Tom deve tê-la feito – disse Jonathan.

— Sim.

— Eu gostaria de saber por que ele nunca me pegou de volta.

— Minha mãe deixou-o logo depois que chegamos aqui – disse Jack, sorrindo melancolicamente. – Era difícil agradar-lhe, como a Sally. De qualquer modo, Tom teria que contratar uma ama para cuidar de você. Suponho então que ele deve ter pensado: Por que não deixar o bebê no mosteiro? Você estava sendo bem tratado.

— Pelo querido Johnny Oito Pence. Que Deus abençoe sua alma.

— Tom provavelmente teve mais tempo disponível para você desse modo. Você corria pelo adro o dia inteiro, e ele estava trabalhando lá. Se o pegasse e o deixasse em casa com uma ama, o veria menos, na realidade. E imagino que à medida que os anos passaram e você foi crescendo como o órfão do priorado, parecendo feliz, foi ficando cada vez mais natural deixá-lo. É bastante comum que as pessoas deem um filho a Deus.

— Todos esses anos senti curiosidade a respeito dos meus pais – disse Jonathan. O coração de Jack se confrangeu por ele. – Tentava imaginar como eram, pedia a Deus que me deixasse encontrá-los, perguntava a mim mesmo se me amavam, queria saber por que tinham me abandonado. Agora sei que minha mãe morreu dando-me à luz e que meu pai esteve do meu lado o resto de sua vida. – Jonathan sorriu por entre as lágrimas. – Não tenho palavras para lhe dizer como estou me sentindo feliz.

Jack sentiu que estava prestes a chorar também.

— Você se parece com Tom – disse, para disfarçar o embaraço.

— Pareço? — Jonathan ficou satisfeito.

— Você não se lembra de como ele era alto?

— Todos os adultos eram altos para mim.

— Ele tinha boas feições, como você. Firmes, regulares. Se você houvesse deixado crescer a barba, os outros teriam adivinhado.

— Lembro-me do dia em que ele morreu — disse Jonathan. — Levou-me para dar uma volta pela feira. Assistimos à luta do urso. Depois escalei a parede do coro. Estava assustado demais para descer, de modo que ele teve que subir para me buscar. Então viu os homens de William chegando. Deixou-me no claustro. Foi a última vez em que o vi com vida.

— Lembro-me disso. Eu o vi descendo com você nos braços.

— Quis se certificar de que eu estava a salvo — disse o rapaz, pensativo.

— Depois cuidou dos outros.

— Ele realmente me amava.

Jack foi assaltado por uma ideia.

— Isso fará diferença no julgamento de Philip, não fará?

— Eu tinha me esquecido. Sim, fará. Oh, Deus!

— Será que temos provas irrefutáveis? — perguntou o mestre construtor. — Vi o bebê, vi o padre, mas na verdade não vi o bebê sendo entregue no pequeno priorado.

— Foi Francis quem me entregou ao mosteiro. Mas ele é irmão de Philip, de modo que seu testemunho fica prejudicado.

— Minha mãe e Tom saíram juntos naquela manhã — disse Jack, puxando pela memória. — Disseram que iam procurar o padre. Aposto como foram ao priorado se certificar de que o bebê estava lá.

— Se ela declarasse isso na corte, então realmente o caso estaria resolvido — disse Jonathan, animado.

— Philip acha que ela é uma feiticeira — lembrou Jack. — Será que a deixaria depor?

— Poderíamos fazer-lhe uma surpresa. Mas ela o odeia também. Será que testemunharia?

— Não sei — disse Jack.

— Perguntemos a ela.

— Fornicação e nepotismo? — exclamou a mãe de Jack. — Philip? Ela começou a rir. — É um absurdo!

— Mãe, isto é sério — disse Jack.

— Philip não seria capaz de fornicar nem que o pusessem num barril com três prostitutas — disse ela. — Não saberia o que fazer!

Jonathan estava ficando embaraçado.

— O prior Philip está verdadeiramente em apuros, mesmo que a acusação seja absurda — disse o rapaz.

— E por que eu o ajudaria? Ele não me deu nada a não ser sofrimento.

Jack receara aquilo. Sua mãe nunca perdoara Philip por tê-la separado de Tom.

— Philip fez comigo o mesmo que fez com você. Se posso perdoá-lo, você pode.

— Não sou do tipo que perdoa.

— Então não o faça por Philip, faça-o por mim. Quero continuar a obra em Kingsbridge.

— Por quê? A igreja está terminada.

— Eu gostaria de derrubar o coro de Tom e reconstruí-lo no novo estilo.

— Oh, pelo amor de Deus...

— Mãe, Philip é um bom prior, e quando ele morrer Jonathan assumirá suas responsabilidades... se você for a Kingsbridge e contar a verdade no julgamento.

— Detesto tribunais — disse ela. — Nada de bom jamais saiu de um tribunal.

Era enlouquecedor. Ellen tinha a chave para o julgamento de Philip: poderia assegurar sua absolvição. Mas era uma mulher velha e obstinada. Jack ficou seriamente receoso de não conseguir convencê-la.

Decidiu tentar provocá-la.

— Suponho que seja uma viagem muito longa para alguém da sua idade — disse ardilosamente. — Com que idade está agora? Sessenta e oito?

— Sessenta e dois, e não tente me provocar — retrucou ela. — Estou em melhor forma do que você, meu filho.

Podia ser verdade, pensou Jack. O cabelo dela estava branco como a neve, e seu rosto profundamente vincado pelas rugas, mas seus surpreendentes olhos dourados viam tanto quanto sempre: assim que fitou Jonathan soube quem era. "Bem, não preciso perguntar por que você está aqui", dissera. "Você descobriu a sua origem, não foi? Por Deus, é tão alto quanto seu pai e quase tão espadaúdo." Ela continuava tão independente e decidida como sempre.

— Sally é como você — disse Jack.

Ellen ficou satisfeita.

— É mesmo? — Ela sorriu. — De que modo?

— Na sua teimosia incrível.

— Hum. — Pareceu ficar furiosa. — Então ela vai se dar bem.

Jack decidiu que o melhor que tinha a fazer era implorar.

— Mãe, por favor, vá a Kingsbridge conosco e conte a verdade.

— Não sei — disse ela.

— Tenho outra coisa para lhe perguntar — disse Jonathan.

Jack não sabia o que estava por vir. Tinha medo de que o rapaz pudesse dizer algo que agredisse sua mãe: era fácil de acontecer, especialmente em se tratando de clérigos. Conteve a respiração.

– Você poderia me mostrar o lugar onde minha mãe está enterrada? – pediu ele.

Jack soltou o ar silenciosamente. Não havia nada de errado com *aquilo*. Na verdade, o subprior dificilmente poderia ter pensado em algo com mais probabilidade de abrandá-la.

Ellen abandonou o jeito desdenhoso imediatamente.

– Claro que lhe mostrarei – disse. – Tenho certeza de que serei capaz de encontrá-lo.

Jack sentiu-se relutante. Não havia muito tempo. O julgamento começaria na manhã seguinte e tinham um longo trajeto a percorrer. Mas achou que deveria deixar o destino seguir seu rumo.

– Você quer ir lá agora? – perguntou ela.

– Sim, por favor, se for possível.

– Está bem. – Ela se levantou. Pôs nos ombros uma capa de pele de coelho. Jack esteve prestes a lhe dizer que estava muito calor para aquilo, mas conteve-se: gente velha sempre sente mais frio.

Deixaram a caverna, com seu cheiro de maçãs armazenadas e de fumaça de lenha, e abriram caminho por entre a vegetação espessa que disfarçava sua entrada, saindo ao sol da primavera. Ellen seguiu adiante sem a menor hesitação. Jack e Jonathan desamarraram seus cavalos. Tinham que puxá-los, porque o mato estava muito crescido. O construtor notou que a mãe caminhava mais lentamente que antes. Não estava em tão boa forma quanto aparentava.

Ele não teria sido capaz de achar o lugar sozinho. Houve tempo em que podia encontrar seu caminho na floresta com tanta facilidade quanto se estivesse agora se deslocando em Kingsbridge. Mas uma clareira se parecia demais com outra, assim como as casas de Kingsbridge pareceriam todas iguais para um estrangeiro. Ellen seguiu uma série de trilhas de animais através da densa vegetação. De vez em quando Jack reconhecia um marco associado com alguma lembrança da infância: um enorme carvalho velho, onde uma vez se abrigara de um javali; um viveiro de coelhos que proporcionara muitos e muitos jantares; um regato de trutas onde, pelo menos ao que parecia agora, ele conseguia pegar peixe gordo rapidamente. De vez em quando sabia onde se encontrava, e logo depois voltava a ficar perdido. Era assombroso pensar que um dia se sentira totalmente à vontade naquilo que agora era um lugar estranho com seus regatos e moitas tão sem significado para ele quanto suas pedras de arco e suportes de vigas seriam para um camponês. Nunca teria podido adivinhar, naquele tempo, como se desenrolaria sua vida.

Caminharam diversas milhas. Era um dia quente de primavera, e Jack se deu conta de que estava suando, mas Ellen manteve a capinha de coelho nas costas. Pelo meio da tarde veio a parar numa clareira sombria. Jack notou que ela estava respirando com dificuldade e ficando um pouco pálida. Definitivamente era hora de largar a floresta e ir morar com ele e Aliena. Decidiu que faria um grande esforço para persuadi-la.

— Você está bem? — perguntou ele.

— Claro que sim — retorquiu ela. — Chegamos.

Jack olhou em torno. Não reconheceu o lugar.

— É aqui? — perguntou Jonathan.

— Sim — disse Ellen.

— Onde está a estrada? — perguntou seu filho.

— Ali.

Quando Jack se orientou com a estrada, a clareira começou a parecer-lhe familiar, e ele foi invadido por uma poderosa sensação do passado. Ali estava o grande castanheiro: não tinha folhas, naquele dia, e o chão da floresta estava cheio dos seus frutos. Mas agora a árvore mostrava-se florida, coberta com enormes flores brancas que lembravam velas. As flores já tinham começado a cair, e a cada instante uma nuvem de pétalas esvoaçava até o chão.

— Martha me contou o que aconteceu — disse Jack. — Eles pararam aqui porque sua mãe não podia ir mais longe. Tom acendeu um fogo e cozinhou uns nabos para a ceia: não havia carne. Sua mãe deu à luz aqui, no chão. Você era perfeitamente saudável, mas algo saiu errado e ela morreu. — Havia uma pequena elevação de terra a poucas jardas da árvore. — Olhe — disse Jack. — Está vendo aquele monte?

Jonathan assentiu, o rosto tenso de emoção contida.

— É a sepultura. — Enquanto Jack falava, uma nuvem de flores caiu da árvore e acomodou-se sobre a pequena elevação, como um tapete de pétalas.

O rapaz ajoelhou-se ao lado da sepultura e começou a rezar. Jack permaneceu em silêncio. Lembrava-se de quando descobrira seus parentes em Cherbourg: fora uma experiência devastadora. O que Jonathan estava passando devia ser ainda mais intenso.

Ao cabo de algum tempo o subprior se ergueu.

— Quando eu for prior — disse, solenemente —, vou construir um pequeno mosteiro aqui, com uma capela e uma hospedaria, para que no futuro nenhum viajante neste trecho da estrada jamais tenha que passar uma fria noite de inverno dormindo ao relento. Dedicarei a hospedaria à memória de minha mãe. — Olhou para Jack. — Não creio que você tenha chegado a saber o nome dela... ou soube?

— Era Agnes — disse Ellen, suavemente. — O nome de sua mãe era Agnes.

O bispo Waleran apresentou o caso de maneira muito persuasiva.

Começou contando à corte o precoce progresso de Philip: despenseiro aos vinte e um anos, prior do Mosteiro de St.-John-in-the-Forest aos vinte e três; prior de Kingsbridge com apenas vinte e oito anos. Enfatizava constantemente a juventude de Philip, sugerindo a existência de uma certa parcela de arrogância em quem aceitava tantas responsabilidades cedo. Depois descreveu St.-John-in-the-Forest, como era remota e distante, e falou da liberdade e independência de quem quer que fosse seu prior.

— Quem poderia se surpreender se após cinco anos como quase seu próprio senhor, com apenas a mais leve e distante das supervisões, aquele inexperiente rapaz de sangue quente tivesse um filho? — Parecia quase inevitável. Waleran mostrava-se enfurecedoramente digno de crédito. O prior teve ímpetos de estrangulá-lo.

O bispo prosseguiu, dizendo que Philip levara Jonathan e Johnny Oito Pence consigo quando fora para Kingsbridge. Os monges se espantaram, disse Waleran, quando seu novo prior chegou com um bebê e um monge que servia de ama-seca. Aquilo era verdade. Por um momento Philip esqueceu a tensão, e teve que suprimir um sorriso nostálgico.

O prior brincara com Jonathan nos seus tempos de criança, ensinara-lhe lições e mais tarde fizera do rapaz seu assistente pessoal, continuou Waleran, exatamente como qualquer homem faria com o próprio filho, a não ser pelo fato de não se esperar que monges os tivessem.

— Jonathan foi precoce, assim como Philip — disse o bispo. Quando Cuthbert Cabeça Branca morreu, Philip fez de Jonathan o despenseiro, muito embora tivesse apenas vinte e um anos. Será que ninguém mais poderia desempenhar aquelas funções em um mosteiro com mais de cem monges, exceto um rapaz de vinte e um anos? Ou o prior estava dando preferência à sua própria carne e sangue? Quando Milius saiu para ser prior em Glastonbury, Philip fez do rapaz tesoureiro. Ele está com trinta e quatro anos. Será o mais sábio e devoto de todos os monges aqui? Ou é simplesmente o favorito de Philip?

O prior olhou à sua volta. A corte se realizava no transepto sul da Catedral de Kingsbridge. O arcediago Peter estava sentado numa cadeira grande, entalhada como um trono. Todos os auxiliares do bispo se achavam presentes, assim como a maior parte dos monges de Kingsbridge. Haveria pouco trabalho no mosteiro enquanto seu prior estivesse em julgamento. Todos os religiosos importantes do condado compareceriam, inclusive alguns dos padres das paróquias mais humildes. Havia também representantes das dioceses mais próximas. Toda a comunidade eclesiástica do Sul da Inglaterra aguardava o veredicto daquela corte. Ninguém estava interessado na virtude de Philip, ou na sua falta, é claro. Queriam acompanhar a disputa de poder entre o prior e o bispo.

Quando Waleran se sentou, Philip fez seu juramento e começou a contar a história daquela manhã de inverno tanto tempo antes. Começou pelo transtorno causado por Peter de Wareham; queria que todos soubessem que Peter nutria rivalidades com ele. Depois chamou Francis para contar como o bebê fora encontrado.

Jonathan se afastara de Kingsbridge, deixando um recado de que estava seguindo a pista de novas informações sobre seus pais. Jack desaparecera também, o que fizera com que o prior concluísse que a viagem tinha algo a ver com a mãe de Jack, a bruxa Ellen, e que o rapaz tivera medo de que, caso ficasse para explicar, ele, Philip, teria proibido a viagem. Deviam ter voltado naquela manhã, mas ainda não haviam chegado. Philip não achava que Ellen pudesse ter algo a acrescentar à história que Francis estava contando.

Quando seu irmão terminou, o prior começou a falar.

– Aquele bebê não era meu – disse, simplesmente. – Juro que não era meu, arriscando inclusive minha alma imortal. Nunca tive relações com uma mulher, e permaneço até o dia de hoje no estado de castidade recomendado a nós pelo apóstolo Paulo. Assim sendo, por que, conforme diz o lorde bispo, teria eu tratado o bebê como se fosse meu filho?

Philip deu uma olhada na audiência. Decidira que sua única chance era contar a verdade e esperar que Deus falasse alto o bastante para vencer a surdez espiritual de Peter.

– Quando eu tinha seis anos, meu pai e minha mãe morreram. Foram mortos por soldados do velho rei Henrique, em Gales. Meu irmão e eu fomos salvos pelo abade de um mosteiro próximo, e daquele dia em diante os monges nos criaram. Fui um órfão de mosteiro. Sei como é. Compreendo como o órfão anseia pelo contato com a mãe, muito embora ame os irmãos que cuidam dele. Eu sabia que Jonathan se sentiria anormal, diferente, ilegítimo. Eu próprio experimentei essa sensação de isolamento, de ser diferente de todos os outros, por terem um pai e uma mãe e eu não. Como ele, senti-me envergonhado por ser um fardo, onerando a caridade dos outros; cansei de me perguntar o que haveria de errado comigo, para ser privado daquilo que aos demais era garantido com naturalidade. Eu sabia que ele sonharia, de noite, com o colo quente e perfumado e a voz suave de uma mãe que não chegara a conhecer, alguém que o amara total e completamente.

O rosto do arcediago Peter parecia uma pedra. Ele era o pior tipo de cristão, constatou Philip: seguia todas as negativas, adotava todas as proibições, insistia em todas as formas de recusa e exigia rigorosa punição para todas as ofensas; no entanto, ignorava toda a compaixão do cristianismo, negava sua misericórdia, desobedecia flagrantemente sua ética de amor e escarnecia abertamente das delicadas leis de Jesus. Eram assim os fariseus, pensou o prior; não admirava que o Senhor preferisse comer na companhia dos publicanos e pecadores.

Ele prosseguiu, embora compreendesse, com o coração sangrando, que nada que pudesse dizer penetraria na armadura da orgulhosa integridade de Peter.

– Ninguém poderia cuidar daquele garoto como eu, a menos que fossem seus próprios pais; e estes nunca conseguimos encontrar. Que mais clara indicação da vontade de Deus... – ele se interrompeu. Jonathan acabara de entrar na igreja, com Jack; e, entre eles, estava Ellen, a feiticeira.

Ela envelhecera; seu cabelo era branco como a neve, e o rosto estava encarquilhado. Mas andava como uma rainha, a cabeça erguida, os estranhos olhos dourados brilhando desafiadoramente. Philip ficou surpreso demais para protestar.

A corte guardou silêncio quando ela entrou no transepto e parou, defrontando-se com o arcediago Peter. Quando falou, sua voz soou como uma trombeta, e subiu, ecoando no clerestório da igreja construída pelo seu filho.

– Juro, por tudo quanto é mais sagrado, que Jonathan é filho de Tom Construtor, meu falecido marido, e de sua primeira mulher.

Ouviu-se um clamor de espanto vindo do clero. Por algum tempo ninguém pôde ser ouvido. Philip ficou totalmente desconcertado. De queixo caído, encarou Ellen. Tom Construtor? Jonathan era filho de Tom? Quando olhou para Jonathan soube imediatamente que era verdade: eles eram iguais, não somente na altura, mas no rosto. Se Jonathan usasse barba teria sido óbvio.

Sua primeira reação foi um sentimento de perda. Até então ele fora o que Jonathan tivera de mais parecido com um pai. Mas Tom era o verdadeiro pai de Jonathan, e, embora estivesse morto, a descoberta mudava tudo. O prior não podia mais se ver, secretamente, como um pai; Jonathan não mais se sentiria como seu filho. Era agora o filho de Tom. Philip o perdera.

O prior deixou-se sentar pesadamente. Quando a multidão silenciou, Ellen contou a história de Jack ter ouvido um choro de criança e descoberto um bebê recém-nascido. Philip ouviu-a, em transe, contando como se escondera com Tom nos arbustos, observando, enquanto os monges voltavam de sua manhã de trabalho, junto com o prior, para encontrar Francis os esperando com um bebê recém-nascido, e Johnny Oito Pence tentando alimentá-lo com um trapo embebido num balde de leite de cabra.

Lembrava-se claramente de quão interessado o jovem Tom se mostrara, um ou dois dias mais tarde, quando haviam se encontrado por acaso e ouvira sobre o bebê abandonado. O religioso presumira que seu interesse era o de qualquer homem compassivo numa história comovente, mas na verdade Tom estivera querendo saber o destino do próprio filho.

Depois rememorou quão amigo de Jonathan Tom tinha sido nos últimos anos, quando o bebê se transformara numa criancinha de andar vacilante e mais tarde num garoto travesso. Ninguém reparara naquilo; todo o mosteiro tratava Jonathan como uma espécie de brinquedo favorito naquela época e Tom ficava quase todo o tempo no adro, de modo que o comportamento dele passava despercebido; mas agora, em retrospecto, Philip podia ver que a atenção que Tom devotava a Jonathan era especial.

Quando Ellen se sentou, Philip percebeu que se comprovara a sua inocência. As revelações que fizera foram tão devastadoras que ele quase se esquecera de que estava em julgamento. A história que ela contara, de nascimento e morte, desespero e esperança, segredos antigos e amor duradouro, fizera a questão da castidade de Philip parecer trivial. Só que não era, claro; o futuro do priorado dependia disso, e Ellen respondera à pergunta tão dramaticamente que parecia impossível que o julgamento prosseguisse. Nem mesmo Peter de Wareham pode me considerar culpado depois desse testemunho, pensou Philip. Waleran perdera de novo.

Contudo, o bispo não estava disposto a se considerar derrotado tão cedo. Apontou um dedo acusador para Ellen.

– Você diz que Tom lhe contou que o bebê levado para o pequeno mosteiro era o filho dele.

– Sim – respondeu Ellen cautelosamente.

– Mas as outras pessoas que poderiam ser capazes de confirmar isso – as crianças Alfred e Martha – não acompanharam vocês ao mosteiro.

– Não.

– E Tom está morto. Então só temos a sua palavra afirmando que Tom lhe contou essa história. E um relato que não pode ser verificado.

– Quanta verificação você quer? – retrucou ela energicamente. – Jack viu o bebê abandonado. Francis o pegou. Jack e eu encontramos Tom, Alfred e Martha. Francis levou o bebê para o priorado. Tom e eu espiamos o mosteiro. Quantas testemunhas o satisfariam?

– Não acredito em você – disse o bispo.

– Você não acredita em mim? – exclamou Ellen, e subitamente Philip pôde ver que ela estava furiosa, profunda e apaixonadamente furiosa. – *Você* não acredita em mim? Você, Waleran Bigod, que sei ser um perjuro?

O que estava acontecendo agora? Philip teve a premonição de um cataclismo. O bispo empalideceu. Há algo aqui, pensou Philip; algo de que Waleran tem medo. Sentiu frio na boca do estômago. De repente, o aspecto de seu adversário era completamente vulnerável.

– Como você sabe que o bispo é um perjuro? – perguntou Philip a Ellen.

– Quarenta e sete anos atrás, neste priorado onde nos encontramos, havia um prisioneiro chamado Jack Shareburg – disse Ellen.

Waleran interrompeu-a.

– Esta corte não está interessada em eventos que tiveram lugar há tanto tempo.

– Está, sim – retrucou Philip. – A acusação contra mim se refere a um suposto ato de fornicação ocorrido há trinta e cinco anos, milorde bispo. Você exigiu que eu provasse minha inocência. A corte agora não esperará menos da sua parte. – Ele se virou para Ellen. – Continue.

— Ninguém sabia por que Jack estava na prisão, muito menos ele próprio; mas chegou o tempo em que foi libertado, quando lhe deram um cálice com pedras preciosas, talvez como recompensa pelos anos em que estivera injustamente confinado. Ele não queria esse cálice, claro: não tinha o que fazer com ele, e era precioso demais para ser vendido no mercado. Deixou-o para trás, na velha catedral aqui de Kingsbridge. Logo depois foi preso – por Waleran Bigod, que na época era um simples padre de roça, humilde mas ambicioso –, e o cálice misteriosamente reapareceu em sua bagagem. Jack Shareburg, falsamente acusado de furtar o cálice, foi condenado com base no juramento de três pessoas: Waleran Bigod, Percy Hamleigh e o prior James, de Kingsbridge. E enforcaram-no.

Houve um momento de silêncio atônito.

— Como você soube de tudo isso? – perguntou Philip.

— Eu era a única amiga de Jack Shareburg, que foi o pai de meu filho, Jack, o mestre construtor desta catedral.

Houve um rebuliço. Waleran e Peter tentaram falar ao mesmo tempo, mas nenhum dos dois conseguiu se fazer ouvir com o vozerio atônito dos clérigos reunidos. Eles tinham vindo assistir a uma revelação, uma explicação definitiva, pensou Philip, mas não tinham esperado aquilo.

Peter acabou conseguindo se fazer ouvir:

— Por que motivo três cidadãos obedientes à lei iriam conspirar para acusar falsamente um estranho inocente? – perguntou, cético.

— Por lucro – disse Ellen. – Waleran Bigod foi nomeado arcediago. Percy recebeu a propriedade de Hamleigh e diversas outras aldeias, e tornou-se um senhor de terras. Não sei qual foi a recompensa do prior James.

— Posso responder a isso – disse uma nova voz.

Philip virou-se, espantado: fora Remigius quem falara. Ele já passara dos setenta anos. Estava com a cabeça branca e tendia a divagar quando falava; mas agora, quando se levantou com a ajuda de uma bengala, seus olhos estavam brilhantes e sua expressão, alerta. Era raro ouvi-lo falar em público; desde seu declínio e retorno ao mosteiro vivia uma vida quieta e humilde. Philip perguntou-se o que estaria por vir. Que lado Remigius iria tomar? Aproveitaria a última oportunidade para apunhalar nas costas seu velho inimigo Philip?

— Posso dizer qual foi a recompensa que o prior James recebeu – disse Remigius. – O priorado ganhou as aldeias de Northwold, Southwold e Hundredacre, mais a floresta de Oldean.

Philip ficou estupefato. Seria possível que o velho prior tivesse prestado falso testemunho, sob juramento, por causa de algumas aldeias?

— O prior James nunca foi um bom administrador – continuou Remigius. – O priorado estava em dificuldades, e ele achava que a renda extra nos ajudaria.

— Remigius fez uma pausa e depois disse, incisivamente: — Fez pouco bem e muito mal. A renda foi útil por algum tempo, mas o prior James jamais recuperou seu autorrespeito.

Ouvindo Remigius, Philip recordou-se do ar derrotado e abatido do velho prior, e finalmente o compreendeu.

— James na verdade não foi um perjuro — continuou Remigius —, pois só jurou que o cálice pertencia ao priorado; contudo, sabia que Jack Shareburg era inocente e permaneceu em silêncio. Arrependeu-se disso pelo resto da vida.

Sem dúvida, pensou Philip. Tratava-se de um pecado indesculpável num monge. O testemunho de Remigius confirmou a história de Ellen — e condenou Waleran.

— Alguns poucos dos mais velhos aqui ainda se lembrarão hoje de como o priorado era há quarenta anos: desmantelado, sem dinheiro, praticamente em ruínas, desmoralizado. A razão era o peso da culpa que o prior sentia. Ao morrer, finalmente confessou-me seu pecado. Eu queria... — Remigius interrompeu-se.

A igreja ficou em silêncio, esperando. O velho suspirou e recomeçou:

— Eu queria assumir sua posição e consertar o erro. Mas Deus escolheu outro homem para essa tarefa. — Fez outra pausa, e seu rosto enrugado contorceu-se penosamente quando ele lutou para terminar. — Eu deveria dizer: Deus escolheu um homem melhor. — Com isso, sentou-se abruptamente.

Philip ficou chocado, bestificado e agradecido. Dois velhos inimigos, Ellen e Remigius, o haviam salvo. A revelação daqueles antigos segredos deu-lhe a impressão de ter vivido com um olho fechado. O bispo Waleran estava lívido de raiva. Devia ter achado que estava seguro após tantos anos. Inclinou-se na direção de Peter, falando ao ouvido do arcediago, enquanto o burburinho aumentava na audiência.

Peter levantou-se.

— Silêncio! — gritou. A igreja ficou quieta. — O julgamento está encerrado!

— Espere um minuto! — era Jack. — Isso não basta! — exclamou apaixonadamente. — Quero saber *por quê*!

Ignorando Jack, Peter encaminhou-se para a porta que dava no claustro, seguido por Waleran.

O mestre construtor foi atrás deles.

— Por que fez isso? — gritou para Waleran. — Jurou em falso, um homem morreu; vai sair daqui sem mais uma palavra?

O bispo continuou olhando para a frente, o rosto lívido, os lábios apertados, sua expressão, uma máscara de fúria contida. Quando ia passando pela porta, Jack berrou:

— Responda-me, seu covarde, mentiroso, corrupto! Por que matou meu pai?

Waleran saiu da igreja e a porta bateu às suas costas.

Capítulo 18

1

A carta do rei Henrique chegou quando os monges estavam em cabido. Jack construíra uma nova casa para acomodar cento e cinquenta monges – o maior número em um único mosteiro, em toda a Inglaterra. O prédio redondo tinha um teto abobadado de pedra e fileiras de degraus para os monges se sentarem. As autoridades monásticas se sentavam em bancos de pedra ao redor das paredes, um pouco acima do nível do resto; quanto a Philip e Jonathan, tinham tronos de pedra lavrada de encontro à parede que ficava defronte da porta.

Um jovem monge estava lendo o sétimo capítulo da Regra de são Bento.

– "O sexto estágio da humildade é atingido quando o monge se contenta com tudo quanto é perverso e desprezível"... – Philip deu-se conta de que não sabia o nome do monge que estava lendo. Seria por estar ficando velho ou porque o mosteiro crescera tanto? – "O sétimo estágio da humildade é atingido quando um homem não apenas confessa com a sua língua que é inferior aos outros, como também acredita nisso no fundo do coração."

O prior sabia que não tinha atingido esse grau de humildade.

Realizara muitas coisas nos seus sessenta e dois anos, graças à coragem, determinação e uso do seu cérebro; e precisava constantemente lembrar a si próprio que o verdadeiro motivo do seu sucesso era que desfrutara da ajuda de Deus; sem isso, todos os seus esforços teriam dado em nada.

Ao seu lado, Jonathan se mexia, inquieto. Ele tinha ainda mais problemas com a virtude da humildade do que o prior. A arrogância era o pecado dos bons líderes. Jonathan estava pronto para assumir a chefia do mosteiro, e sentia-se impaciente. Estivera conversando com Aliena e estava louco para experimentar suas técnicas agrícolas, como arar com cavalos e plantar ervilhas e aveia para descansar a terra. Eu era idêntico na questão de criação de ovelhas para lá, trinta e cinco anos atrás, pensou Philip.

Sabia que devia renunciar e deixar que Jonathan assumisse as funções de prior. Deveria dedicar seus últimos anos à prece e à meditação. Era um caminho que frequentemente receitara para os outros. Mas agora que estava velho o bastante para se aposentar, a perspectiva o amedrontava. Seu corpo ainda estava saudável, e o cérebro, tão ágil quanto sempre. Uma vida de prece e meditação o levaria à loucura.

O subprior, contudo, não esperaria para sempre. Deus lhe dera capacidade para dirigir um mosteiro de grande porte, e não constava dos planos dele desperdiçar seu talento. Visitara numerosas abadias no decurso daqueles anos, e deixara boa impressão em todas. Um daqueles dias, quando um abade falecesse, os monges lhe pediriam que se candidatasse à eleição, e seria difícil para Philip recusar sua permissão.

O jovem monge cujo nome Philip não fora capaz de lembrar estava terminando o capítulo quando se ouviu alguém bater à porta; o porteiro entrou. O irmão Steven, o encarregado da disciplina, fez uma careta para ele: não devia perturbar os monges reunidos para o cabido. Como todos os encarregados da disciplina, Steven acreditava sobretudo na obediência às regras.

— Mensagem do rei! — disse o porteiro, num sussurro bem alto.

Philip dirigiu-se a Jonathan.

— Faça o favor de ver o que é, sim? — O mensageiro insistia em entregar a carta a uma autoridade graduada do mosteiro. Jonathan saiu. Os monges ficaram todos cochichando uns com os outros.

— Continuemos com o necrológio — disse Philip com firmeza.

Quando as orações pelos mortos começaram, ele se perguntou o que Henrique teria a dizer ao priorado. Não devia ser uma boa notícia. O rei andava metido em desavenças com a Igreja há seis longos anos. A briga começara por causa da jurisdição das cortes eclesiásticas, mas a obstinação do rei e o zelo do arcebispo de Canterbury, Tomás Becket, tinham impedido que se chegasse a um compromisso, e assim a disputa se transformara numa crise. Becket fora forçado a exilar-se.

Lamentavelmente, a Igreja inglesa não era unânime no apoio a ele. Bispos como Waleran Bigod tomaram o lado de Henrique a fim de conquistar o favor real. O papa, no entanto, estava pressionando o rei a fazer as pazes com Becket. Talvez a pior consequência do conflito fosse o fato de que a necessidade de apoio que Henrique tinha dentro da Igreja inglesa dava a bispos ambiciosos de poder, como Waleran, maior influência na corte. Esse era o motivo pelo qual a chegada de uma carta do rei era vista por Philip como mais agourenta do que usualmente.

Jonathan voltou e passou-lhe um rolo de pergaminho lacrado com cera, onde se via a marca de um enorme selo real. Todos os monges estavam olhando. Philip concluiu que seria demais pedir-lhes que se concentrassem nas orações por gente morta, estando ele com uma carta daquelas na mão.

— Está bem — disse —, continuaremos as orações depois.

O prior quebrou o lacre e abriu a carta. Deu uma olhada nos cumprimentos iniciais e depois entregou-a a Jonathan, cujos olhos jovens eram melhores.

– Leia para nós, por favor.

Após os cumprimentos de costume, o rei escreveu:

– "Como o novo bispo de Lincoln, nomeei Waleran Bigod, atualmente bispo de Kingsbridge..." – a voz de Jonathan foi abafada pelos comentários. Philip abanou a cabeça, desgostoso. Waleran perdera toda a credibilidade local desde as revelações no julgamento do prior; não havia jeito de poder continuar como bispo. Assim, persuadira o rei a nomeá-lo bispo de Lincoln – um dos mais ricos bispados do mundo. Era a terceira diocese em importância no reino, após Canterbury e York. De lá era um passo curto para o arcebispado. Henrique poderia inclusive estar preparando Waleran para substituir Tomás Becket. Pensou em Bigod como arcebispo de Canterbury, líder da Igreja inglesa, e a ideia foi tão aterrorizadora que deixou Philip nauseado de medo.

– "E recomendei ao deão e ao cabido de Lincoln que o elejam" – prosseguiu Jonathan, quando os monges se acalmaram. Bem, aí estava algo mais fácil de ser dito do que feito, pensou o prior. Uma recomendação real era quase uma ordem, mas não chegava a sê-lo. Se o cabido de Lincoln recusasse Waleran ou tivesse um candidato próprio, o rei teria que enfrentar problemas. Provavelmente conseguiria atingir seu objetivo, ao cabo de tudo, mas não era uma coisa que podia se considerar como inevitável.

– "Ordeno aos integrantes do cabido de Kingsbridge que realizem uma eleição para escolher o novo bispo de Kingsbridge, e recomendo que seja eleito o meu servidor Peter de Wareham, arcediago de Canterbury."

Um grito coletivo de protesto se fez ouvir na assembleia dos monges. Philip gelou de pavor. O arrogante, ressentido e farisaico arcediago Peter era a escolha do rei para ser o novo bispo de Kingsbridge!

Era exatamente do mesmo tipo que Waleran. Genuinamente piedosos e tementes a Deus, ambos não tinham, porém, noção da própria falibilidade, de modo que viam seus próprios desejos como a vontade divina e perseguiam seus objetivos com a mais completa desconsideração para com as consequências. Com Peter como bispo, Jonathan passaria o resto da vida como prior, lutando por justiça e decência num condado governado com punho de ferro por um homem sem coração. E se Waleran se tornasse arcebispo, não haveria perspectiva de alívio.

Philip anteviu uma longa era de obscurantismo à frente, como o pior período da guerra civil, quando condes do tipo de William faziam o que bem entendiam, enquanto padres arrogantes negligenciavam seu povo, e com o priorado mais uma vez se reduzindo a uma sombra empobrecida e fragilizada do que fora. A ideia o enfureceu.

Não era ele o único furioso. Steven, o encarregado da disciplina, levantou-se com o rosto vermelho.

— Não será assim! — gritou, a despeito da regra de Philip de que no cabido todos deviam falar baixo e calmamente.

Os monges uivaram, entusiasmados, mas Jonathan demonstrou sua sabedoria, fazendo a pergunta crucial:

— O que podemos fazer?

— Devemos recusar o pedido do rei! — respondeu Bernard Cozinheiro, gordo como sempre.

Diversos monges exprimiram sua concordância.

— Escreveremos ao rei dizendo que elegeremos quem quisermos! — disse Steven. Após um momento, acrescentou encabuladamente: — Com a orientação de Deus, claro.

— Não concordo que nós nos recusemos assim, contrariando frontalmente o rei — redarguiu Jonathan. — Quanto mais depressa o desafiarmos, mais depressa ele despejará sua fúria sobre nossa cabeça.

— Jonathan tem razão — concordou Philip. — Um homem que perde uma batalha com o seu rei pode ser perdoado, mas o que ganha está desgraçado.

— Mas assim você estará simplesmente cedendo! — explodiu Steven.

O prior estava tão preocupado e temeroso como os outros, mas precisava aparentar calma.

— Steven, contenha-se, por favor — pediu. — Temos que lutar contra essa horrível designação, é claro. Mas o faremos com cuidado e inteligência, evitando sempre um confronto aberto.

— O que vamos *fazer*, então? — perguntou o encarregado da disciplina.

— Não estou certo — respondeu Philip. Ele estivera desanimado a princípio, mas agora começava a se sentir agressivo. Travara aquela batalha vezes sem conta, em toda a sua vida. Lutara ali mesmo no priorado, quando derrotara Remigius e se tornara prior; lutara no condado, contra William e Waleran Bigod; e agora ia ter que lutar nacionalmente. Precisaria defrontar-se com o rei.

— Acho que terei que ir à França — disse. — Ver o arcebispo Tomás Becket.

Em todas as outras crises, Philip sempre conseguira imaginar um plano. Sempre que ele, seu priorado ou sua cidade foram ameaçados pelas forças da ilegalidade e selvageria, pensara em alguma forma de defesa ou contra-ataque. Nem sempre tivera certeza do sucesso, mas nunca estivera perdido, sem saber o que fazer — até então.

Ainda se sentia aturdido ao chegar à cidade de Sens, sudeste de Paris, na França.

A Catedral de Sens era o edifício mais largo que ele jamais vira. A nave não tinha menos que cinquenta pés de largura. Comparada à Catedral de Kingsbridge, Sens transmitia uma impressão de espaço, mais que de luz.

Viajando pela França, pela primeira vez em sua vida percebeu que havia mais variedades de igreja no mundo do que imaginara antes, e compreendeu o efeito revolucionário que a viagem causara em Jack. Fez questão de visitar a igreja da Abadia de Saint-Denis, quando passou por Paris, e viu onde Jack se inspirara para algumas de suas ideias. Viu também duas igrejas com arcobotantes alados como os de Kingsbridge: obviamente outros mestres pedreiros tinham se defrontado com o mesmo problema que Jack, e haviam chegado à mesma solução.

O prior foi apresentar seus respeitos ao arcebispo de Sens, William Whitehands, um jovem e brilhante clérigo que era sobrinho do falecido rei Estêvão. O arcebispo William convidou Philip para jantar. Philip sentiu-se lisonjeado, mas declinou o convite: percorrera um longo trajeto para ver Tomás Becket, e agora que estava tão perto sentia-se impaciente. Após assistir à missa na catedral, seguiu o rio Yonne na direção norte, saindo da cidade.

Viajava modestamente, para o prior de um dos mosteiros mais ricos da Inglaterra: tinha consigo apenas dois homens de armas para sua proteção, um jovem monge chamado Michael de Bristol como assistente, e um carregamento de livros sagrados, copiados e lindamente ilustrados em Kingsbridge, para presentear os abades e bispos que visitasse durante a viagem. Os livros dispendiosos constituíam presentes impressionantes e contrastavam vivamente com a modéstia da escolta de Philip. O que era proposital: ele queria que respeitassem o priorado, não o prior.

Do lado de fora do portão norte de Sens, numa ensolarada campina perto do rio, ele encontrou a venerável Abadia de Sainte-Colombe, onde o arcebispo Tomás se encontrava há três anos. Um dos seus sacerdotes cumprimentou Philip calorosamente, chamou servos para tomar conta dos seus cavalos e da bagagem, e conduziu-o até a casa de hóspedes, onde o arcebispo se encontrava. Ocorreu a Philip que os exilados deviam ficar contentes por receberem visitantes de sua terra, não só por razões sentimentais, mas por ser um sinal de apoio.

Serviram pão e vinho a Philip e seu assistente e os levaram para dentro da casa. Os homens de Tomás eram todos clérigos, em sua maioria jovens – e, na opinião de Philip, inteligentes. Não se passou muito tempo e Michael estava discutindo com um deles a respeito da doutrina da transubstanciação. O prior tomou um gole de vinho e escutou sem tomar parte.

– Qual é o seu ponto de vista, padre Philip? – perguntou-lhe enfim um deles.
– Ainda não disse nada.

Philip sorriu.

– Questões teológicas complicadas são os menos preocupantes dos problemas, para mim.

– Por quê?

– Porque serão resolvidas na vida futura; até lá podem ficar seguramente guardadas numa prateleira.

— Muito bem dito! – disse uma nova voz, e Philip levantou a cabeça para ver o arcebispo Tomás de Canterbury.

Tomou imediatamente consciência de encontrar-se na presença de um homem notável. Tomás era alto, magro e excepcionalmente bonito, de testa larga, olhos brilhantes, pele clara e cabelo escuro. Tinha cerca de dez anos menos que Philip, devendo estar em torno dos cinquenta ou cinquenta e um. A despeito dos contratempos, tinha a expressão animada, cheia de vida. Era, e o prior viu prontamente, um homem muito *atraente,* isso explicava em parte sua notável ascensão de um começo humilde.

Philip ajoelhou-se e beijou-lhe a mão.

— Sinto-me tão feliz por conhecê-lo! – exclamou Tomás. – Sempre desejei visitar Kingsbridge. Ouvi falar muito do seu priorado e da maravilhosa catedral nova.

Philip ficou encantado e lisonjeado.

— Vim vê-lo porque tudo o que conseguimos foi colocado em perigo pelo rei.

— Quero saber de tudo agora mesmo – disse Tomás. – Venha para o meu quarto. – Ele se virou e saiu.

Philip o seguiu, sentindo-se ao mesmo tempo satisfeito e apreensivo.

Tomás o levou para um quarto menor. Nele havia uma luxuosa cama de madeira e couro coberta com finos lençóis de linho e uma colcha bordada, mas Philip viu também um colchãozinho fino enrolado a um canto e recordou histórias sobre Tomás jamais usar as mobílias luxuosas providas pelos seus anfitriões. Lembrando-se de sua cama confortável em Kingsbridge, Philip sentiu uma pontada de culpa ao pensar que ressonava confortavelmente enquanto o primaz da Inglaterra dormia no chão.

— Por falar em catedrais – disse o arcebispo –, o que achou da de Sens?

— Maravilhosa – disse Philip. – Quem foi o mestre construtor?

— William de Sens. Tenho esperança de levá-lo para Canterbury um dia. Sente-se. Diga-me o que está acontecendo em Kingsbridge.

Philip falou-lhe sobre o bispo Waleran e o arcediago Peter. Tomás pareceu profundamente interessado em tudo o que o prior dizia, e fez diversas perguntas inteligentes. Assim como encanto, ele tinha cérebro. Precisara de ambos, para se alçar a uma posição de onde poderia frustrar a vontade de um dos mais fortes reis que a Inglaterra jamais tivera. Por baixo dos seus mantos de arcebispo, segundo o que se dizia, Tomás usava um cilício; e, por baixo daquele cativante exterior, Philip obrigou-se a lembrar, havia uma vontade de ferro.

Quando o prior terminou sua história, a expressão de Tomás era grave.

— Não se pode deixar que isso aconteça – disse.

— Sem dúvida – afirmou Philip. O tom firme do arcebispo era encorajador. – Pode impedir que aconteça?

— Só se eu for reintegrado em Canterbury.

Não era a resposta pela qual Philip esperara.

— Mas não pode escrever ao papa agora?

— Escreverei — disse Tomás. — Hoje. O papa não reconhecerá Peter como o bispo de Kingsbridge, prometo-lhe. Mas não podemos impedi-lo de se instalar no palácio do bispo. E não podemos designar outro homem.

Philip ficou chocado e desmoralizado pela decisão da negativa de Tomás. Durante todo o trajeto até ali nutrira a esperança de que ele faria o que não conseguira fazer, e surgiria com um modo de frustrar o esquema de Waleran. Mas o brilhante Tomás também ficou perplexo. Tudo o que podia oferecer era a esperança de um dia ser reintegrado em Canterbury. Então, é claro, teria poder para vetar designações episcopais.

— Há alguma esperança de que sua volta ocorra em breve? — perguntou Philip, desalentado.

— Alguma esperança, se você for uma pessoa otimista — replicou Tomás. — O papa idealizou um tratado de paz que insiste em que eu e Henrique aceitemos. Os termos são aceitáveis para mim: o tratado me proporciona aquilo por que estive lutando. Henrique diz que é aceitável para ele. Insisti que demonstrasse sua sinceridade dando-me o beijo da paz. Ele se recusou. — Enquanto falava, sua voz sofreu mudanças.

As variações naturais da conversa desapareceram, e seu discurso se transformou numa salmodia insistente. Toda a vivacidade desapareceu do seu rosto, e sua expressão passou a ser a de um padre fazendo um sermão sobre abnegação a uma comunidade desatenta. Philip viu em sua expressão a teimosia e o orgulho que tinham sustentado sua luta por todos aqueles anos.

— A recusa do beijo é sinal de que ele planeja me atrair de volta à Inglaterra e depois renegar os termos do acordo.

O prior assentiu. O beijo da paz, que fazia parte do ritual da missa, era o símbolo da confiança, e nenhum contrato, desde um casamento até uma trégua, era completo sem ele.

— O que posso fazer? — perguntou, tanto para si próprio quanto para Tomás.

— Volte para a Inglaterra e faça uma campanha por mim. Escreva cartas para seus amigos priores e abades. Mande uma delegação de Kingsbridge ver com o papa. Peticione ao rei. Faça sermões em sua famosa catedral, dizendo ao povo do condado que seu mais importante clérigo foi desdenhado por Henrique.

Philip assentiu. Porém, não ia fazer nada daquilo. Tomás estava lhe dizendo que se alinhasse com a oposição ao rei. O que poderia fazer algum bem ao moral de Tomás, mas de nada serviria para Kingsbridge.

Teve uma ideia melhor. Se Henrique e Tomás estavam assim tão perto de uma solução, não faltava muito para uni-los. Talvez, pensou esperançosamente, houvesse algo que pudesse fazer. A ideia excitou seu otimismo. Era uma tentativa arriscada, mas não tinha nada a perder.

Afinal, discutiam apenas por um beijo.

Philip ficou chocado ao ver como o irmão envelhecera.

O cabelo de Francis estava grisalho, havia bolsas escuras sob seus olhos, e a pele do rosto parecia ressecada. No entanto, ele estava com sessenta anos de idade, de modo que aquilo talvez não fosse espantoso. E seus olhos brilhavam animadamente.

O prior se deu conta do que o estava aborrecendo: sua própria idade. Como sempre, ver seu irmão o deixava consciente de quanto ele próprio devia ter envelhecido. Não se olhava num espelho há anos. Perguntou-se se teria bolsas sob os olhos. Tocou no próprio rosto. Era difícil dizer.

— Que tal é trabalhar com Henrique? — perguntou Philip, curioso para saber como os reis eram na vida privada.

— Melhor que Matilde — respondeu Francis. — Ela era mais inteligente, mas muito tortuosa. Henrique é mais aberto. Você sempre sabe o que ele está pensando.

Os dois irmãos estavam sentados no claustro de um mosteiro em Bayeux, onde Philip se encontrava hospedado. A corte do rei Henrique estava alojada nas proximidades. Francis ainda trabalhava para ele, como fizera nos últimos vinte anos. Agora chefiava a chancelaria, a repartição onde eram redigidas todas as cartas e decretos régios. Era um cargo importante e poderoso.

— Aberto? Henrique? — perguntou Philip. — O arcebispo Tomás não pensa assim.

— Outro importante erro de julgamento da parte de Tomás — disse Francis sarcasticamente.

Philip achou que o irmão não deveria desdenhar o arcebispo.

— Tomás é um grande homem — disse.

— Tomás quer ser o rei — retorquiu Francis.

— E parece que Henrique quer ser o arcebispo — retrucou Philip.

Os dois se encararam muito sérios. Se já estavam tendo uma briga, pensou Philip, não era surpresa que Henrique e Tomás estivessem lutando tão ferozmente.

— Bem — disse, sorrindo —, não vamos brigar por causa disso, de qualquer modo.

O rosto de Francis suavizou-se.

— Não, claro que não. Lembre-se, essa disputa tem sido a praga da minha vida há seis anos. Não posso me conservar tão distanciado disso tudo quanto você.

— Mas por que Henrique não quer aceitar o plano de paz do papa?

— Ele aceitará — afirmou Francis. — Estamos a uma distância mínima da reconciliação. Mas Tomás quer mais. Está insistindo no beijo da paz.

— Mas se o rei fosse sincero, certamente não se incomodaria em dar o beijo da paz.

Francis ergueu o tom de voz.

— Não está no plano! — exclamou, exasperado.

— Mas por que não dá-lo? — quis saber Philip.

Seu irmão suspirou.

— Ele o faria, de bom grado. Mas fez um juramento em público, afirmando que jamais daria um beijo de paz no arcebispo.

— Muitos reis já quebraram sua palavra — lembrou o prior.

— Reis fracos. Henrique não voltará atrás num juramento feito em público. É o tipo de coisa que o torna diferente do lamentável rei Estêvão.

— Então a Igreja provavelmente não deveria tentar persuadi-lo a agir de outra forma — concedeu Philip, relutante.

— Se é assim, por que Tomás insiste tanto com essa história do beijo? — redarguiu Francis, exasperado.

— Porque não confia em Henrique. O que poderia impedir o rei de descumprir o trato? O que Tomás poderia fazer a esse respeito? Exilar-se mais uma vez? Seus partidários têm sido leais, mas estão cansados. O arcebispo não vai poder passar por tudo isso de novo. Assim, para que ceda, vai ser preciso que tenha sólidas garantias.

Francis balançou a cabeça tristemente.

— Agora, tornou-se uma questão de orgulho — disse. — Sei que Henrique não tem intenção de trair, Francis. Mas não será compelido. Ele detesta se sentir coagido.

— O mesmo ocorre com Tomás, creio. Pediu o beijo, como um símbolo, e não quer desistir. — Sacudiu a cabeça, exausto. Pensara que o irmão talvez pudesse sugerir um modo de reunir os dois homens, mas a tarefa parecia impossível.

— A ironia de tudo é que Henrique teria toda a satisfação em beijar Tomás *depois* que estivessem reconciliados — disse Francis. Ele só não aceita como precondição.

— Ele disse isso? — quis saber Philip.

— Sim.

— Mas isso muda tudo! — exclamou o prior, excitado. — O que foi exatamente que ele disse?

— Ele disse: "Beijarei sua boca, beijarei seus pés, o ouvirei rezar a missa... depois que voltar." Eu próprio ouvi.

— Vou contar para Tomás.

— Você acha que ele poderia aceitar assim? — perguntou Francis ansiosamente.

— Não sei. — O prior mal se atrevia a ter esperanças. — Parece uma concessão muito pequena. Ele recebe o beijo — só que um pouco depois da ocasião em que queria.

— E, para Henrique, também se trata de uma concessão mínima — disse Francis, cada vez mais excitado. — Ele dá o beijo, mas voluntariamente, e não coagido. Por Deus, pode ser que dê certo!

— Eles poderiam ter uma reconciliação em Canterbury. O acordo seria então anunciado antecipadamente, de modo que nenhum dos dois pudesse fazer mudanças no último minuto. Tomás rezaria a missa e Henrique lhe daria o beijo, ali na catedral. — E depois, pensou ele, Tomás poderia bloquear os planos malignos de Waleran.

— Vou propor isso ao rei — disse Francis.

— E eu a Tomás.

O sino do mosteiro soou. Os dois irmãos se levantaram.

— Seja persuasivo — disse Philip. — Se o plano der certo, Tomás poderá retornar a Canterbury — e se ele voltar, Waleran Bigod estará liquidado.

Eles se encontraram numa bela campina na margem de um rio na fronteira entre a Normandia e o Reino de França, perto das cidades de Fréteval e Vievy-le-Raye. O rei Henrique já estava ali, com o seu séquito, quando Tomás chegou com o arcebispo William de Sens. Philip, no grupo de Tomás, localizou seu irmão, Francis, com o rei, no lado mais distante do campo.

Henrique e Tomás tinham chegado a um acordo — em teoria.

Ambos aceitaram o compromisso, pelo qual o beijo da paz seria dado numa missa de reconciliação após Becket ter retornado à Inglaterra. No entanto, o trato não estaria firmado enquanto os dois não se encontrassem.

Tomás adiantou-se em seu cavalo, deixando para trás a escolta que o acompanhara, e Henrique fez o mesmo, enquanto todos assistiam à cena com a respiração contida.

Eles conversaram por horas a fio.

Ninguém pôde ouvir o que estava sendo dito, mas todos eram capazes de adivinhar. Estavam falando sobre as ofensas de Henrique contra a Igreja, o modo como os bispos ingleses tinham desobedecido Tomás, as controversas Constituições de Clarendon, o exílio do arcebispo, o papel do papa... A princípio Philip teve medo de que fossem discutir amargamente e se separassem como inimigos ainda piores. Já haviam estado perto de um acordo antes, encontrando-se daquele jeito, mas acontecera algo, um ponto qualquer ofender o orgulho do rei ou do arcebispo, e assim tinham trocado palavras ásperas e se afastado furiosos, cada um culpando a intransigência do outro. Mas, agora, quanto mais falavam, mais otimista o prior ficava. Se um dos dois fosse ter um acesso de raiva e ir embora, certamente já teria ocorrido.

A tarde quente de verão começou a esfriar, e as sombras das árvores se alongaram através do rio. A tensão estava insuportável.

Então, finalmente aconteceu alguma coisa. Tomás se moveu.

Estaria indo embora? Não. Desmontava. O que significava aquilo? Philip observava, sem respirar. Becket saltou de seu cavalo e, aproximando-se de Henrique, ajoelhou-se a seus pés.

O rei desmontou e abraçou Tomás.

Os séquitos de ambos os lados deram vivas e atiraram os chapéus para o ar.

Philip sentiu os olhos marejados de lágrimas. O conflito fora resolvido – através da razão e da boa vontade. Era assim que as coisas deviam ser.

Talvez fosse um presságio para o futuro.

2

Era Natal, e o rei estava furioso.

William Hamleigh sentia-se assustado. Conhecera em toda a sua vida apenas uma pessoa com o temperamento como o do rei Henrique, e fora sua mãe. Ele era quase tão aterrorizante quanto ela. De qualquer modo era um homem que intimidava, com seus ombros largos, tórax imenso e cabeça grande; quando se enfurecia, porém, seus olhos azul-acinzentados ficavam injetados, o rosto sardento enrubescia e sua costumeira inquietude se transformava nos movimentos furiosos de um urso aprisionado.

Encontravam-se em Bur-le-Roi, uma cabana de caça de Henrique, em um parque próximo da costa da Normandia. Henrique deveria se sentir feliz. Gostava de caçar mais do que qualquer outra coisa no mundo, e aquele era um dos seus lugares favoritos. Mas estava furioso. E a razão era Tomás, o arcebispo de Canterbury.

– Tomás, Tomás, Tomás! É tudo o que ouço de vocês, seus prelados pestilentos! Tomás está fazendo isto, Tomás está fazendo aquilo. Tomás insultou você. Tomás foi injusto com você. Estou farto de Tomás!

William examinou furtivamente o rosto dos condes, bispos e outros dignitários sentados em torno da mesa do jantar de Natal no grande salão. A maioria aparentava nervosismo. Só um tinha uma expressão de contentamento: Waleran Bigod.

O bispo predissera que Henrique muito em breve brigaria com Becket de novo. O arcebispo tinha ganho demais, segundo ele; o plano de paz do papa forçara o rei a ceder muito, e haveria mais brigas quando Tomás tentasse cobrar as promessas reais. Mas Waleran não se limitara simplesmente a ficar sentado e esperar para ver o que aconteceria: trabalhara duro para fazer com que sua predição se realizasse. Com o auxílio de Hamleigh, Waleran constantemente trazia a Henrique reclamações contra o que Tomás vinha fazendo desde que retornara à Inglaterra: percorrendo o interior do país com um exército de cavaleiros, visitando seus amigos e imaginando um sem-número de esquemas traiçoeiros, assim também como punindo clérigos que tinham apoiado o rei durante o seu exílio. Waleran enfeitava os relatos antes de passá-los a Henrique, mas havia alguma verdade no que dizia. Só que estava atiçando as chamas de um fogo que já ardia intensamente. Todos os que haviam abandonado Tomás durante os seis anos da briga, e agora viviam com medo da retribuição, estavam dispostos a vilipendiá-lo perante o rei.

Assim Waleran parecia feliz enquanto Henrique explodia de ódio. E tinha bons motivos. Dificilmente alguém sofrera mais que ele desde o retorno de Becket. O arcebispo se recusara a confirmar sua designação como bispo de Lincoln. Além do mais, aparecera com seu próprio candidato ao cargo de bispo de Kingsbridge: o prior Philip. Se Tomás levasse vantagem, Bigod perderia Kingsbridge e não ganharia Lincoln. Estaria arruinado.

A posição de William sofreria também. Com Aliena atuando como conde, Waleran fora, Philip como bispo e, sem dúvida, Jonathan como o prior de Kingsbridge, Hamleigh ficaria isolado, sem um único aliado no condado. Por isso se unira a Waleran na corte real, para colaborar no enfraquecimento do frágil acordo entre o rei Henrique e o arcebispo Tomás.

Ninguém comera muito dos cisnes, gansos, pavões e patos que estavam em cima da mesa. William, que normalmente comia e bebia com voracidade, mordiscava pão e bebericava *posset*, uma bebida feita com leite, cerveja, ovos e nozmoscada, para acalmar seu estômago bilioso.

Henrique tinha sido lançado ao seu atual acesso de fúria pela notícia de que Tomás mandara uma delegação a Tours – onde se encontrava o papa Alexandre – para se queixar de que Henrique não cumprira sua parte no tratado.

– Não haverá paz enquanto você não fizer com que Tomás seja executado – disse Enjuger de Bohun, um dos mais velhos conselheiros do rei.

William ficou chocado.

– É isso mesmo! – urrou Henrique.

Ficou claro para o xerife que o rei tomara aquela observação como uma expressão de pessimismo, e não como uma proposta séria. No entanto, teve a impressão de que Enjuger não dissera aquilo levianamente.

– Quando eu estava em Roma – disse William Malvoisin, como quem não estava diretamente interessado –, no caminho de volta de Jerusalém, ouvi falar de um papa que fora executado, por insolência insuportável. Droga, não consigo me lembrar do nome dele agora.

– Parece que não há outra coisa a ser feita com Tomás – disse o arcebispo de York. – Enquanto ele estiver vivo fomentará a sedição, no país e no exterior.

Para William, aquelas três afirmativas pareceram orquestradas. Ele olhou para Waleran. Justo naquele momento o bispo interveio. – Certamente não adianta apelar para o senso de decência de Tomás...

– Fiquem quietos, vocês todos! – trovejou o rei. – Já ouvi o bastante! Tudo o que vocês fazem é se queixar. Quando é que vão descolar o traseiro das cadeiras e fazer qualquer coisa a respeito disso?

Tomou um gole de cerveja do seu cálice. – Esta cerveja está com gosto de urina! – gritou furiosamente. Empurrou para trás sua cadeira e, quando todos se apressaram a se levantar, ergueu-se e saiu pisando forte.

– Dificilmente a mensagem poderia ser mais clara, milorde – disse Bigod, no ansioso silêncio que se seguiu. – Devemos nos levantar de nossos lugares e fazer alguma coisa a respeito de Tomás.

– Penso que uma delegação nossa deveria procurar Tomás e acertar as coisas com ele – disse William Mandeville, conde de Essex.

– E o que você fará se ele se recusar a ouvir a voz da razão? – indagou Waleran.

– Acho que então deveríamos prendê-lo em nome do rei. Diversas pessoas começaram a falar ao mesmo tempo. A assembleia fragmentou-se em grupos menores. Os que cercavam o conde de Essex começaram a planejar a comitiva que iria a Canterbury. William viu Waleran falando com dois ou três cavaleiros mais jovens. Ele atraiu sua atenção e chamou-o com um gesto.

– A delegação de William Mandeville – disse Waleran – não produzirá resultado algum. Tomás pode lidar com eles tendo uma das mãos amarradas nas costas.

Reginald Fitzurse dirigiu a William um olhar duro.

– Alguns de nós pensam que chegou o tempo de medidas mais severas – disse ele.

– O que você quer dizer com isso?

– Você ouviu o que Enjuger disse.

– Execução – explodiu Richard le Bret, um rapaz de dezoito anos.

A palavra gelou o coração de William. Era sério, então. Olhou para Waleran:

– Você pedirá a aprovação do rei?

Foi Reginald quem respondeu:

– Impossível. Ele não pode sancionar uma coisa dessas com antecedência. – E Reginald sorriu maldosamente. – Mas poderá recompensar seus servos fiéis depois.

– Então, William, está conosco? – perguntou o jovem Richard.

– Não tenho certeza – respondeu Hamleigh. Ele se sentia ao mesmo tempo excitado e assustado. – Terei que pensar nisso.

– Não há tempo para pensar – retrucou Reginald. – Temos que chegar a Canterbury antes de William Mandeville, caso contrário ele e seu grupo se intrometerão no nosso caminho.

Waleran dirigiu-se ao xerife.

– Eles precisam de um homem mais velho com eles, para conduzi-los e planejar a operação.

Hamleigh estava desesperadamente ansioso para concordar. Aquilo resolveria todos os seus problemas, e com certeza o rei ainda lhe daria um condado como recompensa.

— Mas matar um arcebispo seria um pecado terrível! — exclamou.

— Não se preocupe — disse Waleran. — Eu lhe darei a absolvição.

A gravidade do que estavam por fazer perseguiu William como uma nuvem negra sobre sua cabeça, enquanto o grupo de assassinos viajava até a Inglaterra. Não podia pensar em mais nada; não podia comer nem dormir; agia de modo confuso e falava distraidamente. Quando o navio atracou em Dover, ele estava pronto para abandonar o projeto.

Chegaram ao Castelo de Saltwood, em Kent, três dias depois do Natal, numa noite de segunda-feira. O castelo pertencia ao arcebispo de Canterbury, mas durante o exílio fora ocupado por Ranulf de Broc, que se recusava a devolvê-lo. Na verdade, uma das queixas de Tomás ao papa era de que o rei Henrique deixara de providenciar a devolução da propriedade.

Ranulf deu novo ânimo a William.

Saqueara Kent na ausência do arcebispo, aproveitando-se da falta de autoridade, do modo como William fizera no passado, e estava disposto a qualquer coisa para reter a liberdade de fazer o que bem entendesse. Mostrou-se entusiasmado com o plano do assassinato e gostou da chance de participar dele, começando imediatamente a discutir os detalhes com prazer. Sua abordagem despreocupada dispersou o nevoeiro de pavor supersticioso que toldava a visão de William. Este começou mais uma vez a imaginar como seria se fosse conde novamente, sem ninguém que lhe dissesse o que fazer.

Ficaram acordados até tarde da noite, planejando a operação. Ranulf desenhou uma planta do adro da catedral e do palácio do arcebispo, riscando na mesa com uma faca. Os prédios monásticos se situavam na parte norte da igreja, o que não era usual — ficavam normalmente ao sul, como em Kingsbridge. O palácio do arcebispo era ligado ao canto noroeste da igreja. A entrada se fazia pelo pátio da cozinha. Enquanto trabalhavam no plano, Ranulf mandou mensageiros às suas guarnições de Dover, Rochester e Bletchingley, com ordens para os cavaleiros o encontrarem na estrada para Canterbury pela manhã. Já era de madrugada quando os conspiradores foram para a cama, tentando salvar uma ou duas horas de sono.

As pernas de William ardiam como fogo após a longa viagem.

Esperava que aquela fosse a última operação militar que lhe coubesse fazer na vida. Logo teria cinquenta e cinco anos, se seus cálculos estivessem corretos, velho demais para esse tipo de coisa.

A despeito do cansaço, e da animadora influência de Ranulf, não foi capaz de dormir. A ideia de matar um arcebispo era por demais assustadora, mesmo que já houvesse sido absolvido do pecado. Teve medo de se ver às voltas com pesadelos, se dormisse.

Tinham imaginado um bom plano de ataque. Sairia errado, claro; havia sempre *alguma coisa* que saía errada. O importante era que o plano fosse flexível o bastante para atender aos acontecimentos inesperados. Mas, fosse o que fosse que acontecesse, não seria muito difícil para um grupo de combatentes profissionais sobrepujar um punhado de monges efeminados.

A claridade difusa de uma cinzenta manhã de inverno infiltrou-se no quarto pelas seteiras. Após alguns momentos, William levantou-se. Tentou orar, mas não conseguiu.

Os outros acordaram cedo, também. Fizeram o desjejum no salão, todos juntos. Além de William e Ranulf, estavam presentes Reginald Fitzurse, que o xerife designara líder do grupo de ataque; Richard le Bret, o mais jovem do grupo; William Tracy, o mais velho; e Hugh Morville, o de mais alta graduação.

Colocaram as armaduras e saíram, montados nos cavalos de Ranulf. Era um dia demasiadamente frio, e o céu estava escuro, com nuvens cinzentas baixas, como se fosse nevar. Seguiram pela estrada velha, chamada Stone Street. Com duas horas e meia de viagem diversos cavaleiros incorporaram-se ao grupo.

O ponto de encontro principal era a Abadia de Saint Augustine, fora da cidade. O abade era um velho inimigo de Tomás, Ranulf assegurara a William, mas mesmo assim este decidira dizer que iam prender o arcebispo, e não matá-lo. Tratava-se de uma farsa que seria mantida até o último momento; ninguém deveria saber o verdadeiro objetivo da operação, exceto o próprio William, Ranulf e os quatro cavaleiros vindos da França.

Chegaram a Saint Augustine ao meio-dia. Os homens convocados por Ranulf os aguardavam. O abade lhes serviu o almoço. Seu vinho era muito bom, e todos beberam bastante. Ranulf instruiu os homens de armas de que cercassem o adro da catedral e impedissem qualquer pessoa de fugir.

Hamleigh não parava de tremer, mesmo diante da lareira na casa de hóspedes. Seria uma operação simples, mas a penalidade do fracasso provavelmente seria a morte. O rei encontraria um modo de justificar o assassinato de Tomás, mas nunca seria capaz de apoiar uma *tentativa*; teria que negar qualquer conhecimento e enforcar os criminosos. William enforcara muita gente como xerife de Shiring, mas a ideia do próprio corpo balançando na ponta de uma corda o fazia tremer.

Concentrou os pensamentos no condado que poderia esperar como recompensa pelo sucesso. Seria bom ser conde de novo na sua idade avançada, respeitado, temido e obedecido sem questionamentos. Podia ser que Richard, o irmão de Aliena, morresse na Terra Santa e o rei Henrique devolvesse a William suas antigas propriedades. Esse pensamento o aqueceu mais que o fogo.

Quando deixaram a abadia, eram um pequeno exército. Mesmo assim, não tiveram problemas para chegar a Canterbury. Ranulf controlara aquela parte do país por seis anos e ainda não abrira mão de sua autoridade. Tinha mais poder que Tomás, o que, sem dúvida, era o motivo pelo qual este se queixara tão amargamente ao papa. Assim que estavam no interior, os homens de armas espalharam-se em torno do adro da catedral e bloquearam todas as saídas.

A operação começara. Até aquele momento fora teoricamente possível cancelar tudo, sem que nenhum mal chegasse a ser causado; mas agora, percebeu William com um calafrio de medo, a sorte estava lançada.

Deixou Ranulf encarregado do bloqueio, conservando um pequeno grupo de cavaleiros e soldados consigo. Instalou a maior parte dos cavaleiros numa casa oposta ao portão principal do adro da catedral. Depois atravessou o portão com o restante. Reginald Fitzurse e os outros três conspiradores entraram a cavalo no pátio da cozinha como se fossem visitantes oficiais, e não intrusos armados. Mas William entrou correndo no corpo da guarda e dominou o porteiro aterrorizado com a ponta da espada.

O ataque tivera início.

Com o coração na boca, ordenou que um homem de armas amarrasse o porteiro, depois chamou o resto dos homens para dentro do corpo da guarda e fechou o portão. Agora ninguém podia entrar ou sair. Ele assumira o controle armado de um mosteiro.

William seguiu os quatro conspiradores pelo pátio da cozinha.

Havia estábulos no lado norte do pátio, mas os quatro tinham amarrado seus cavalos numa amoreira no meio do local. Tiraram o cinturão das espadas e o elmo; precisavam manter a aparência de uma visita pacífica por um pouco mais de tempo.

William se encontrou com eles e largou suas armas embaixo da árvore. Reginald dirigiu-lhe um olhar indagador.

— Está tudo bem — disse o xerife. — O lugar está isolado.

Atravessaram o pátio na direção do palácio e entraram na varanda. William determinou a um cavaleiro local, chamado Richard, que ficasse de guarda na varanda. Os outros entraram no grande salão.

Os servos do palácio estavam sentados para jantar. Isso significava que já tinham servido Tomás e os padres e monges que o acompanhavam. Um dos empregados se levantou.

— Somos os homens do rei — disse Reginald.

O salão ficou em silêncio, mas o servo que se levantara afirmou:

— Sejam bem-vindos, milordes. Sou o encarregado do salão, William Fitzneal. Entrem, por favor. Querem algo para comer?

Ele era notavelmente amistoso, pensou William, considerando que seu senhor estava em disputa com o rei. Provavelmente podia ser subornado.

— Não, obrigado — respondeu Reginald.

— Um copo de vinho, após sua viagem?

— Temos uma mensagem do rei para o seu amo — disse Reginald, impaciente. — Por favor, anuncie-nos agora.

— Muito bem. — O servo fez uma reverência. Estavam desarmados, de modo que não tinha razão para recusar-lhes a entrada. Deixou a mesa e caminhou até a extremidade mais distante do salão.

Hamleigh e os quatro cavaleiros o seguiram. Foram acompanhados pelo olhar dos silenciosos empregados. William estava tremendo, como sempre acontecia antes de uma batalha, e desejou que a briga começasse logo, pois sabia que assim se sentiria bem.

Todos subiram a escada que levava ao andar de cima.

Alcançaram uma espaçosa câmara de atendimento com bancos encostados nas paredes laterais. Havia um grande trono no meio de uma parede. Diversos padres de hábito negro e monges estavam sentados nos bancos, mas o trono se encontrava vazio.

O servo cruzou o aposento até uma porta aberta.

— Mensageiros do rei, milorde arcebispo — disse, em voz alta. Não houve resposta audível, mas o arcebispo devia ter assentido, pois o servo acenou para que entrassem.

Os monges e padres ficaram observando com os olhos arregalados os cavaleiros atravessarem a sala e entrarem na câmara interior.

Tomás Becket estava sentado na beirada da cama, envergando seu traje de arcebispo. Havia apenas outra pessoa no quarto: um monge, sentado aos pés de Tomás, ouvindo. William atraiu a atenção do monge, e levou um susto ao reconhecer o prior Philip de Kingsbridge. O que estaria fazendo ali? Tentando obter favores, sem dúvida. Philip fora eleito bispo de Kingsbridge, mas ainda não tinha sido confirmado. Agora, pensou William com selvagem júbilo, nunca mais seria.

Philip ficou igualmente espantado ao ver William. No entanto, Tomás continuou falando, fingindo não notar a presença dos cavaleiros. Tratava-se de uma descortesia calculada, pensou Hamleigh. Os cavaleiros se sentaram em banquinhos baixos dispostos em torno da cama. O xerife quisera que não tivessem se sentado: aquilo fazia a visita parecer social, e ele achava que, de alguma maneira, haviam perdido o ímpeto. Talvez fosse exatamente isso que Tomás quisesse.

Finalmente o arcebispo olhou para eles. Não se levantou para cumprimentá-los. Conhecia todos, exceto William, e seus olhos vieram a descansar em Hugh Morville, o de mais alta graduação.

— Sim, Hugh — disse.

William encarregara Reginald daquela parte da operação, de modo que foi ele, e não Hugh, quem falou com o arcebispo.

— Estamos aqui da parte do rei. Quer ouvir a mensagem dele em público ou em particular?

Tomás olhou irritadamente de Reginald para Hugh e deste novamente para Reginald, como se quisesse demonstrar seu ressentimento por tratar com um membro júnior da delegação.

— Deixe-me, Philip — pediu, suspirando.

O religioso levantou-se e passou pelos cavaleiros, parecendo preocupado.

— Mas não feche a porta — exclamou Tomás, às suas costas.

— Em nome do rei — começou Reginald, depois da saída de Philip —, exijo que vá a Winchester para responder a acusações contra a sua pessoa.

William teve a satisfação de ver Tomás empalidecer.

— Então é isso — disse o arcebispo serenamente. Ele levantou a cabeça. O camareiro estava à porta. — Mande que todos entrem — disse-lhe Becket. — Quero que ouçam isso.

Os monges e os padres entraram em fila, o prior Philip no meio deles. Alguns se sentaram e outros ficaram encostados às paredes. Hamleigh não tinha objeções: pelo contrário, quanto mais pessoas presentes, melhor, pois o objetivo daquele encontro desarmado era estabelecer perante testemunhas que Tomás tinha se recusado a cumprir uma ordem real.

Quando estavam todos acomodados, Becket virou-se para Reginald.

— De novo — disse.

— Em nome do rei, exijo que vá a Winchester para responder a acusações contra a sua pessoa — repetiu o cavaleiro.

— Que acusação? — indagou Tomás serenamente.

— Traição!

O arcebispo sacudiu a cabeça.

— Não serei levado a julgamento por Henrique — disse ele, calmo. — Deus sabe que não cometi crime algum.

— Excomungou serventes reais.

— Não fui eu, e sim o papa, quem os excomungou.

— Suspendeu outros bispos.

— Ofereci-me para reinstalá-los em condições misericordiosas. Eles se recusaram. Minha oferta permanece de pé.

— Você ameaçou a sucessão do trono, depreciando a coroação do filho do rei.

— Não fiz nada disso. O arcebispo de York não tem o direito de coroar ninguém, e o papa o repreendeu pela sua desfaçatez. Mas ninguém sugeriu que a coroação não fosse válida.

— Uma coisa decorre da outra, seu maldito idiota! — exclamou Reginald exasperadamente.

— Basta! — exclamou Tomás.

— "Basta" dizemos nós, Tomás Becket! – gritou Reginald. – Pelas chagas de Cristo, já tivemos o bastante de você, de sua arrogância, dos problemas que cria e de sua traição!

Tomás levantou-se.

— Os castelos do arcebispo estão ocupados por homens do rei – gritou ele. – As rendas do arcebispo têm sido recebidas pelo rei. O arcebispo recebeu ordens para não deixar a cidade de Canterbury. E você ainda me diz que estão fartos?

Um dos padres tentou intervir, dizendo a Tomás:

— Milorde, vamos discutir o assunto em particular...

— Com que finalidade? – retorquiu Tomás. – Eles exigem algo que não devo fazer e que não farei.

A gritaria atraíra a todos no palácio, e William viu que a porta do quarto do arcebispo estava cheia de ouvintes de olhos arregalados. A discussão já tinha ido longe demais: agora ninguém podia negar que Tomás se recusara a cumprir uma ordem real. Hamleigh fez um sinal para Reginald. Foi discreto, mas o prior Philip percebeu-o e ergueu as sobrancelhas em surpresa, percebendo que o líder do grupo não era Reginald, e sim William.

— Arcebispo Tomás, não se encontra mais sob a proteção e a paz do rei – disse formalmente Reginald. Depois virou-se e se dirigiu aos assistentes: – Saiam deste cômodo.

Ninguém se mexeu.

— Vocês, monges – disse Reginald –, ordeno a vocês, em nome do rei, que guardem o arcebispo e o impeçam de fugir.

Eles não fariam tal coisa, claro. Nem tampouco William queria que fizessem: ao contrário, desejava que Becket tentasse fugir, pois tornaria mais fácil matá-lo.

Reginald virou-se para William Fitzneal, que tecnicamente era o guarda-costas do arcebispo.

— Eu o prendo – disse. Agarrou o braço do homem e marchou com ele para fora do aposento. Não houve resistência. William e os outros cavaleiros os seguiram.

Todos desceram a escada e atravessaram o salão. O cavaleiro local, Richard, ainda estava de guarda na varanda. William perguntou-se o que fazer com o servo.

— Você está conosco?

O homem estava aterrorizado.

— Sim, se vocês estão com o rei!

Estava assustado demais para representar perigo, qualquer que fosse o seu lado, decidiu William.

— Fique de olho nele – disse a Richard. – Não deixe ninguém sair do prédio. Mantenha a porta fechada.

Juntamente com os demais, correu até a amoreira no meio do pátio. Apressadamente, começaram a pôr os elmos e a cingir suas espadas. Vai ser agora, pensou William, temerosamente; vamos voltar lá dentro e matar o arcebispo de Canterbury. Oh, meu Deus! Fazia muito tempo que William usara um elmo pela última vez, e a cota de malha que lhe protegia o pescoço e os ombros o atrapalhava. Amaldiçoou os dedos desajeitados. Não tinha tempo para se atrapalhar com nada agora. Percebeu um garoto olhando para ele de boca aberta e gritou:

— Ei! Você! Qual é o seu nome?

O garoto olhou para trás na direção da cozinha, incerto quanto a atender a William ou fugir.

— Robert, milorde — disse, após um momento. — Sou chamado de Robert Flauta.

— Venha cá, Robert Flauta, e ajude-me com isto.

O menino hesitou de novo.

A paciência de William se esgotou.

— Venha cá, ou juro pelo sangue de Cristo que cortarei fora sua mão com a minha espada!

Relutantemente, o garoto adiantou-se. Hamleigh mostrou-lhe como segurar a cota de malha enquanto punha o elmo. Finalmente conseguiu, e o garoto fugiu a toda a velocidade. Haveria de contar aquilo a seus netos, foi o pensamento que passou pela cabeça de William.

O elmo tinha um barbote, uma abertura para a boca que podia ser fechada e fixada com uma presilha. Os outros já tinham fechado os seus, de modo que traziam o rosto oculto e não mais podiam ser reconhecidos. Hamleigh deixou o seu elmo aberto por um momento mais. Cada homem tinha uma espada numa das mãos e um machado na outra.

— Prontos? — perguntou William.

Todos assentiram com a cabeça.

Haveria pouca conversa de agora em diante. Não eram necessárias mais ordens, não havia mais decisões para serem tomadas. Iam simplesmente voltar lá dentro e matar Tomás.

Hamleigh enfiou dois dedos na boca e deu um assobio fino.

Depois fechou o barbote do elmo.

Um homem de armas veio correndo do corpo da guarda e escancarou o portão principal.

Os cavaleiros que William deixara na casa em frente saíram e se lançaram no pátio, gritando, como lhes tinha sido ordenado:

— Homens do rei! Homens do rei!

William correu de volta para o palácio.

O cavaleiro Richard e o servo William Fitzneal abriram a porta da varanda para ele.

Quando entrou, dois dos empregados do arcebispo aproveitaram-se do fato de o cavaleiro e o servo estarem distraídos e bateram a porta entre a varanda e o salão.

William atirou seu peso contra ela, mas era tarde demais: eles tinham passado uma tranca. Ele praguejou. Um obstáculo, e tão cedo! Os cavaleiros começaram a atacar a porta com seus machados, mas fizeram pouco progresso: ela fora construída para aguentar ataques. William sentiu que começava a perder o controle. Lutando contra o início de um pânico, correu para fora da varanda e procurou outra porta. Reginald o seguiu.

Não havia nada naquele lado do prédio. Contornaram a fachada oeste do palácio, passaram pela cozinha, que era separada, e entraram no pomar do lado sul. William grunhiu de satisfação: ali na parede sul do palácio havia uma escadaria que dava no segundo andar. Parecia ser uma entrada particular para os aposentos do arcebispo. O sentimento de pânico desapareceu.

William e Reginald correram até a base da escadaria. Estava danificada na primeira metade. Havia algumas ferramentas por perto e uma escada móvel, como se os degraus estivessem sendo consertados. Reginald encontrou a escada móvel na parte lateral da escadaria e subiu, desviando-se dos degraus quebrados. Atingiu o topo. Havia uma porta que dava num balcão coberto e envidraçado, de pequeno porte. William observou-o experimentando a porta. Estava trancada. Ao seu lado havia uma janela fechada, que Reginald arrombou com um golpe de machado. Passou a mão para o lado de dentro, tateou, e por fim abriu a porta e entrou.

William começou a galgar a escada.

Philip ficou com medo no instante em que viu William Hamleigh, mas os padres e monges do séquito de Tomás a princípio se mostraram complacentes. Depois, quando ouviram as batidas na porta do salão, se assustaram, e diversos deles propuseram que se refugiassem na catedral.

Becket zombou deles.

– Refúgio? – perguntou. – De quê? Daqueles cavaleiros? Um arcebispo não pode fugir de uma meia dúzia de cabeças quentes.

Philip achou que ele tinha razão, até certo ponto: o título de arcebispo era sem sentido se se podia ser amedrontado por cavaleiros. O homem de Deus, seguro no conhecimento de que seus pecados serão perdoados, considera a morte como uma feliz transferência para um lugar melhor, e não tem medo de espadas. No entanto, nem mesmo um arcebispo deve ser descuidado da própria segurança a ponto de facilitar um ataque. Além do mais, Philip conhecia muito bem, por experiência própria, a perversidade e a brutalidade de William Hamleigh. Assim, quando ouviram o barulho do arrombamento do balcão interno, decidiu assumir a liderança.

Ele podia ver, através das janelas, que o palácio estava cercado por cavaleiros. A visão deles o assustou ainda mais. Claro que aquele era um ataque cuidadosamente planejado, e os envolvidos nele estavam preparados para cometer violências. Fechou depressa a porta do quarto e passou a tranca. Os outros o observaram, contentes por terem alguém tomando as providências decisivas. O arcebispo Tomás continuou a exibir um ar escarninho, mas não tentou deter Philip.

O prior parou junto à porta e ouviu. Percebeu que um homem entrava pelo balcão na câmara de audiência. Perguntou-se quão forte seria a porta do quarto. O homem, contudo, não atacou a porta, mas cruzou a sala de audiências e começou a descer a escada. Philip adivinhou que iria abrir a porta do salão pelo lado de dentro e deixar o resto dos cavaleiros entrar.

Aquilo deu a Tomás uns poucos momentos de trégua.

Havia outra porta no canto oposto do quarto, parcialmente escondida pela cama. Philip apontou para ela e perguntou, nervoso:

— Onde vai dar aquela porta?

— No claustro — respondeu alguém. — Mas está trancada.

Philip cruzou o quarto e experimentou a porta. Estava trancada mesmo.

— Tem uma chave? — perguntou a Tomás, acrescentando logo, como se tivesse pensado melhor: — Milorde arcebispo.

Tomás sacudiu a cabeça.

— Essa passagem nunca foi usada, que eu me lembre — disse, com uma calma de dar raiva.

A porta não parecia muito sólida, mas Philip estava com sessenta e três anos e força bruta nunca fora o seu ramo. Recuou e deu um pontapé. Machucou-se. A porta sacudiu, fragilmente. O prior cerrou os dentes e chutou com mais força. Ela se abriu.

Philip olhou para Tomás. O arcebispo ainda parecia relutar em fugir. Talvez não tivesse se dado conta, como acontecera com o prior, de que o número de cavaleiros e a natureza bem organizada da operação indicavam uma intenção mortalmente séria de lhe causar mal. Mas Philip intuía que seria inútil tentar fazer com que Becket fugisse, assustando-o. Por isso disse:

— Está na hora das vésperas. Não devemos deixar um bando de cabeças quentes interromper a rotina do culto.

Tomás sorriu, vendo que seu próprio argumento fora usado contra ele.

— Muito bem — disse, levantando-se.

O prior foi na frente, aliviado por ter feito o arcebispo andar, mas com medo de que este não andasse depressa o bastante. A passagem dava num longo lance de degraus que desciam. Não havia nenhuma luz, exceto a que vinha do quarto de dormir de Tomás. Ao final da passagem havia outra porta. Philip lhe dispensou o mesmo tratamento dado à primeira porta, mas esta era mais forte e não cedeu. Pôs-se a bater nela, gritando:

— Socorro! Abram a porta! Depressa, depressa! — O próprio Philip percebeu o pânico em sua voz e fez um esforço para se acalmar, mas seu coração estava disparado e ele sabia que os cavaleiros de William deviam estar bastante próximos.

Os outros se juntaram a ele. O prior continuou a bater na porta e a gritar. Ouviu Tomás dizer:

— Dignidade, Philip, por favor. — Entretanto, não deu atenção. O que queria era preservar a dignidade do arcebispo, a sua própria não tinha importância.

Antes que Becket pudesse protestar de novo, ouviu-se o barulho de uma tranca sendo levantada e de uma chave girando na fechadura, e a porta foi aberta. Philip gemeu, aliviado. Deu com dois assustados despenseiros.

— Eu não sabia que esta porta dava passagem para algum lugar — disse um deles.

O prior passou pelos dois impacientemente. Viu-se nos depósitos da despensa. Desviou-se dos barris e sacos para atingir outra porta, e ao atravessá-la, chegou ao ar livre.

Estava ficando escuro. Ele se encontrava no passadiço sul do claustro. Na outra ponta viu, para seu imenso alívio, a porta que dava no transepto norte da Catedral de Canterbury.

Podiam se considerar praticamente a salvo.

Precisava pôr Tomás dentro da catedral antes que William e seus cavaleiros pudessem pegá-los. O resto do grupo saiu de dentro da despensa.

— Para dentro da igreja, depressa! — disse o prior.

— Não, Philip — disse o arcebispo. — Depressa não. Entraremos na minha catedral com dignidade.

— Naturalmente, milorde — concordou o prior, embora tivesse ímpetos de gritar. Era capaz de ouvir o barulho assustador de passos pesados na passagem há tantos anos sem uso: os cavaleiros tinham invadido o quarto e encontrado a passagem. Sabia que a melhor proteção de Tomás era sua dignidade, mas não fazia mal afastar-se do perigo.

— Onde está a cruz do arcebispo? — quis saber Becket. — Não posso entrar na igreja sem minha cruz.

Philip gemeu de desespero.

— Eu a trouxe. Está aqui — disse um dos padres.

— Carregue-a diante de mim do modo usual, por favor — pediu Tomás.

O padre a ergueu e foi caminhando com pressa contida na direção da porta da igreja.

O arcebispo o seguiu.

O séquito o precedeu na entrada da catedral, conforme exigia a etiqueta. Philip foi o último e segurou a porta para ele. Justamente no momento em que Tomás entrava, dois cavaleiros irromperam da despensa e correram pelo passadiço sul.

Philip fechou a porta do transepto. Havia uma tranca num buraco na parede ao lado do umbral. Philip agarrou-a e passou-a. Depois virou-se, suspirando aliviado, e encostou-se à porta.

Becket estava atravessando o estreito transepto na direção dos degraus que davam no corredor norte do coro, mas quando ouviu o barulho da tranca sendo colocada, parou de repente e virou-se.

— Não, Philip — disse.

O coração do prior confrangeu-se.

— Milorde arcebispo...

— Isto é uma igreja, não um castelo. Destranque a porta.

A porta sacudiu violentamente, quando os cavaleiros tentaram abri-la.

— Receio que queiram matá-lo! — disse Philip.

— Então provavelmente terão êxito, quer você ponha a tranca ou não. Sabe quantas outras portas há nesta igreja? Abra-a.

Ouviu-se uma série de batidas que davam a impressão de os cavaleiros estarem brandindo machados.

— Você pode se esconder — disse o prior desesperadamente. — Há dúzias de lugares... a entrada para a cripta é logo ali... está ficando escuro.

— Esconder-me, Philip? Na minha própria igreja? Você se esconderia?

O prior encarou Tomás por um longo momento.

— Não, eu não me esconderia — disse por fim.

— Abra a porta.

Com o coração pesado, Philip empurrou a tranca de volta para o seu lugar na parede.

Os cavaleiros irromperam igreja adentro. Eram cinco. Tinham o rosto escondido atrás do elmo. Carregavam espadas e machados. Pareciam emissários do inferno.

Philip sabia que não devia sentir medo, mas as lâminas aguçadas de suas armas o faziam estremecer de pavor.

— Onde está Tomás Becket, o traidor do rei e do reino? — gritou um deles.

— Onde está o traidor? Onde está o arcebispo? — berraram os outros.

Já escurecera bastante, e a grande igreja estava apenas difusamente iluminada por velas. Todos os monges vestiam hábito negro, e a visão dos cavaleiros era de certo modo prejudicada pelos protetores faciais dos elmos. Philip sentiu-se invadir por uma súbita onda de esperança: talvez não achassem Tomás na escuridão. Mas o arcebispo liquidou com essa esperança no mesmo instante, descendo os degraus na direção dos cavaleiros e dizendo:

— Aqui estou eu – não um traidor do rei, e sim um sacerdote de Deus. O que vocês querem?

Quando Becket parou, defrontando os cinco homens com suas espadas desembainhadas, subitamente Philip teve absoluta certeza de que o arcebispo iria morrer ali, naquela hora.

Os componentes da comitiva do arcebispo deviam ter tido a mesma sensação, pois de repente quase todos fugiram. Alguns desapareceram na obscuridade do coro, uns poucos se espalharam dentro da nave, misturando-se aos habitantes da cidade que aguardavam o culto, e houve um que abriu uma portinhola e subiu correndo uma escada em espiral. Philip ficou enojado.

— Vocês deviam rezar, não fugir! – gritou para eles. Ocorreu-lhe que ele também poderia ser morto, se não fugisse.

Mas não era capaz de se obrigar a sair do lado do arcebispo.

— Renuncie à sua traição! – disse um dos cavaleiros a Tomás.

Philip reconheceu a voz de Reginald Fitzurse, que fora o porta-voz um pouco antes.

— Nada tenho a renunciar – replicou o arcebispo. – Não cometi traição. – Ele estava excessivamente calmo, mas seu rosto parecia muito branco. Philip viu que Tomás, como todos os demais, percebera que ia morrer.

— Corra! Você é um homem morto! – gritou-lhe Reginald. Tomás permaneceu imóvel.

Eles *queriam* que ele corresse, pensou Philip; não conseguiam matá-lo a sangue-frio.

Talvez o arcebispo tivesse compreendido isso também, pois permaneceu imóvel diante deles, desafiando-os a tocá-lo. Por um longo momento todos ficaram imobilizados num quadro mortal, os cavaleiros não querendo fazer o primeiro movimento, o sacerdote orgulhoso demais para correr.

Foi Tomás quem fatalmente rompeu o encanto.

— Estou pronto para morrer, mas vocês não vão tocar em nenhum dos meus homens, sacerdotes, monges ou leigos.

Reginald moveu-se primeiro. Brandiu a espada para Becket, aproximando a ponta cada vez mais do seu rosto, como se quisesse desafiar a si próprio a deixar a lâmina encostar no sacerdote. Este permaneceu imóvel como uma pedra, os olhos fixos no cavaleiro, não na espada. De repente, com um movimento rápido do pulso, Reginald derrubou o barrete do arcebispo.

Súbito Philip sentiu-se esperançoso mais uma vez. Achou que os cavaleiros não iriam conseguir; acreditou que tivessem medo de tocar nele.

Mas estava enganado. A determinação dos cavaleiros aparentemente se fortaleceu com o gesto tolo de derrubar o barrete do arcebispo; parecia que eles tinham esperado ser punidos pela mão de Deus, e, como nada acontecera, ganharam coragem para fazer o pior. – Carreguem-no para fora daqui – ordenou Reginald.

Os outros cavaleiros embainharam as espadas e se aproximaram do arcebispo. Um deles agarrou Tomás pela cintura e tentou levantá-lo.

Philip ficou desesperado. Finalmente tinham tocado nele. Estavam mesmo dispostos a pôr as mãos num homem de Deus. Teve uma sensação revoltante da profunda perversidade deles, como se houvesse se debruçado na borda de um poço sem fundo. Deviam saber, no íntimo, que iriam para o inferno por causa daquilo; ainda assim o fizeram.

O arcebispo perdeu o equilíbrio, balançou os braços e começou a lutar. Os outros cavaleiros vieram ajudar a carregá-lo. Os únicos remanescentes do séquito de Tomás eram Philip e um padre chamado Edward Grim. Ambos correram para ajudá-lo. Edward agarrou-lhe o manto e segurou-o com força. Um dos cavaleiros virou-se e golpeou Philip com um punho de ferro. A pancada pegou no lado da cabeça do prior, que caiu, estonteado.

Quando se recuperou, os cavaleiros tinham soltado Tomás, que estava de pé, com a cabeça abaixada e as mãos postas, numa atitude de oração. Um dos cavaleiros ergueu a espada.

Philip, ainda no chão, deu um longo e impotente grito de protesto:

– Nããããaaão!

Edward Grim ergueu o braço para aparar o golpe.

– Encomendo minha alma a Deus... – disse Tomás. A espada caiu.

O golpe pegou ao mesmo tempo Becket e Edward. Philip ouviu sua própria voz gritando. A lâmina cortou fundo o crânio do arcebispo e penetrou no braço do padre. Quando o sangue jorrou do ferimento deste, Tomás caiu de joelhos.

O prior olhou, horrorizado, para a ferida pavorosa na sua cabeça.

O arcebispo caiu lentamente sobre as próprias mãos, apoiou-se por um instante e caiu de cara no chão de pedra.

Outro cavaleiro levantou a espada. Philip deu um involuntário gemido de dor. O segundo golpe foi dado no mesmo lugar que o primeiro e cortou fora a parte superior do crânio de Tomás. A força foi tamanha que a espada bateu no pavimento e se partiu em duas. O cavaleiro deixou cair o punho quebrado.

Um terceiro cavaleiro cometeu então um ato que arderia na memória de Philip pelo resto da sua vida: enfiou a ponta da espada na cabeça aberta do arcebispo e espalhou seus miolos no chão.

As pernas de Philip fraquejaram e ele caiu de joelhos, vencido pelo horror.

– Ele não se levantará de novo – disse o cavaleiro. – Vamos embora!

Todos se viraram e saíram correndo.

Philip os seguiu com o olhar enquanto percorriam a nave, brandindo as espadas para afastar os fiéis.

Depois que os assassinos se foram houve um momento de imobilidade e silêncio. O cadáver do arcebispo jazia de cara para o chão, e o crânio decepado, com seu cabelo, estava ao lado da cabeça como a tampa de um pote. Philip enterrou o rosto nas mãos. Aquilo era o fim de qualquer esperança. Os selvagens tinham ganhado, pensava sem parar, os selvagens tinham ganhado. Sentia-se como se estivesse sem peso, aturdido, mergulhando lentamente num lago profundo, afogando-se em desespero. Não havia mais nada em que se amparar; tudo o que parecia fixo de repente ficara instável.

Passara a vida combatendo o poder arbitrário de homens perversos, e agora, na última batalha, tinha sido derrotado. Lembrou-se de quando William Hamleigh fora incendiar Kingsbridge pela segunda vez, e a população da cidade construíra uma muralha num dia. Que vitória havia sido! A força pacífica de centenas de pessoas comuns derrotara a crueldade do conde William. Recordou quando Waleran Bigod tentara fazer com que a catedral fosse construída em Shiring, a fim de que pudesse controlá-la para os seus próprios fins. O prior mobilizara o povo de todo o condado. Centenas de pessoas, mais de mil, tinham se dirigido a Kingsbridge naquele maravilhoso domingo de Pentecostes, trinta e três anos antes, e a simples força da sua dedicação derrotara o bispo. Mas não havia esperança agora. Nem todas as pessoas comuns de Canterbury, ou até mesmo nem toda a população da cristandade, seriam suficientes para trazer Tomás de volta à vida.

Ajoelhado nas lajes do transepto norte da Catedral de Canterbury, viu de novo os homens que haviam invadido sua casa e assassinado seu pai e sua mãe diante dos seus olhos cinquenta e seis anos antes. A emoção que sentiu agora, vinda daquela criança de seis anos de idade, não era medo, nem mágoa. Era *raiva*. Incapaz de deter aqueles homens imensos, de cara vermelha e sedentos de sangue, ele quisera ardentemente poder manejar espadachins, embotar as lâminas de suas espadas, fazer coxear seus cavalos de batalha e forçá-los a se submeter a outra autoridade, mais alta que o império da violência. E, momentos mais tarde, com seus pais jazendo mortos no chão, o abade Peter entrara para lhe mostrar o caminho. Desarmado e indefeso, ele fizera cessar instantaneamente o derramamento de sangue, sem outra coisa além da autoridade da sua Igreja e da força da sua bondade. Aquela cena inspirara Philip pelo resto da vida.

Até aquele momento, acreditara que ele e pessoas como ele eram vitoriosas. Havia conseguido vitórias notáveis no último meio século. Mas agora, no fim da sua vida, seus inimigos provaram que nada tinha mudado. Seus triunfos haviam sido temporários, seu progresso, ilusório. Ganhara algumas batalhas, mas a causa, em última análise, era perdida. Homens iguais aos que mataram seu pai e sua mãe tinham agora assassinado um arcebispo dentro de uma catedral, como que para provar, além de qualquer possibilidade de dúvida, que não havia autoridade que pudesse prevalecer contra a tirania de um homem armado com uma espada.

Nunca pensara que se atreveriam a matar o arcebispo Tomás, especialmente dentro de uma igreja. Mas nunca pensara que alguém pudesse matar seu pai, e os mesmos homens sanguinários, com espadas e elmos, mostraram-lhe a melancólica verdade em ambos os casos. E agora, com sessenta e dois anos de idade, contemplando o cadáver de Tomás Becket, viu-se dominado pela fúria infantil, irracional e abrangente de um garoto de seis anos cujo pai foi morto.

Levantou-se. A atmosfera na igreja estava densa de emoção, com as pessoas se reunindo ao redor do corpo do arcebispo. Padres, monges e cidadãos comuns foram se aproximando lentamente, atônitos e cheios de raiva. Philip sentiu que por trás daquelas expressões chocadas havia uma fúria como a que ele sentia. Um ou dois murmuravam preces, ou resmungavam qualquer coisa meio audivelmente. Uma mulher ajoelhou-se depressa e tocou no corpo morto, como se estivesse em busca de sorte. Diversas outras pessoas a imitaram. Então o prior viu a tal mulher coletando furtivamente um pouco de sangue num frasquinho, como se Tomás fosse um mártir.

O clero começou a recuperar os sentidos. Osbert, o camareiro de Becket, com as lágrimas correndo pelo rosto, pegou uma faca e cortou uma tira da própria camisa, depois ajoelhou-se ao lado do corpo e, desajeitadamente, amarrou a tampa do crânio no resto da cabeça, numa tentativa patética de restaurar um mínimo de dignidade à pessoa do arcebispo, horrivelmente violada. Enquanto agia, uma espécie de gemido coletivo levantou-se da multidão à volta.

Alguns monges trouxeram uma maca. Colocaram Tomás em cima, delicadamente. Muitas mãos apareceram para ajudar. Philip viu que o belo rosto do arcebispo estava em paz, e que o único sinal de violência era uma linha fina de sangue que escorria da fronte direita, por cima do nariz, até a face esquerda.

Quando levantaram a maca, o prior apanhou o punho quebrado da espada que matara Becket. Não podia deixar de pensar na mulher que guardara o sangue do arcebispo num frasco, como se ele fosse um santo. Havia um enorme significado naquele seu pequeno ato, mas Philip ainda não sabia exatamente o que seria.

O povo seguiu a maca, arrastado por uma força invisível. Philip seguiu com a multidão, sentindo também a estranha compulsão que a todos empolgava. Os monges carregaram o corpo ao longo do coro e o depositaram delicadamente no chão, em frente ao altar-mor. A multidão, com muita gente rezando em voz alta, observou atentamente um padre que trouxe um pano limpo, envolveu a cabeça de Tomás e fez uma atadura bem-feita, cobrindo tudo com um barrete novo.

Um monge cortou o manto negro do arcebispo, que estava cheio de manchas de sangue, e removeu-o. Parecia inseguro quanto ao que fazer com a sangrenta peça de roupa, e virou-se talvez para jogá-la de lado. Um cidadão adiantou-se rapidamente e apanhou o manto como se fosse um objeto precioso.

A ideia que tinha pairado incertamente no fundo da mente de Philip veio à sua consciência num lampejo cheio de inspiração. As pessoas estavam tratando Tomás como um mártir, colecionando ansiosamente seu sangue e suas roupas, como se esses tivessem os poderes sobrenaturais das relíquias de um santo. O prior estivera considerando o assassinato como uma derrota política para a Igreja, mas as pessoas ali presentes não o viam assim: para elas, tratava-se de um martírio. E a morte de um mártir, muito embora pudesse parecer uma derrota, nunca deixara de, ao final, proporcionar inspiração e força à Igreja.

Philip pensou de novo nas centenas de pessoas que tinham ido a Kingsbridge a fim de construir a nova catedral, e nos homens, mulheres e crianças que trabalharam juntos metade de uma noite para levantar o muro da cidade. Se aquela gente pudesse ser mobilizada agora, pensou ele, com uma excitação cada vez maior, teria capacidade de soltar um grito tão alto que seria ouvido no mundo inteiro.

Olhando para os homens e mulheres reunidos em torno do corpo, com o rosto congestionado de sofrimento e horror, Philip percebeu que só queriam um líder.

Seria possível?

Havia algo familiar naquela situação, reconheceu ele. Um corpo mutilado, um bando de assistentes e alguns soldados a distância: onde vira aquilo antes? O que deveria acontecer a seguir era que um pequeno grupo de seguidores do homem morto se lançaria contra todo o poder e autoridade de um império poderoso.

Claro. Fora como o cristianismo começara.

E quando Philip entendeu isso, soube o que tinha a fazer a seguir. Deslocou-se para a frente do altar e virou-se para a multidão. Ainda tinha a espada quebrada na mão. Todos o olharam fixamente. Philip sofreu um momento de dúvida. Será que consigo fazê-lo?, pensou. Posso dar início a um movimento, aqui e agora, que sacudirá o trono da Inglaterra? Olhou para os rostos à sua frente. Assim como dor e ira, ele viu, em uma ou duas expressões, uma sugestão de esperança.

Ergueu a espada bem alto.

– Esta espada matou um santo – começou.

Houve um murmúrio de aprovação.

– Hoje à noite testemunhamos um martírio – continuou ele, encorajado.

Os padres e monges pareceram surpresos. Como Philip, não tinham visto imediatamente o significado real do crime que haviam testemunhado. Mas os habitantes da cidade tinham, e expressaram sua aprovação.

– Cada um de nós deve sair daqui e contar o que viu. – Diversas pessoas aquiesceram vigorosamente. Estavam ouvindo, mas Philip queria mais. Queria inspirá-las. Pregar nunca fora o seu forte. Não era um daqueles homens capazes de controlar uma multidão, arrebatando-a, fazendo-a rir e chorar, e persuadi-la a seguir para onde quer que fosse. Não sabia quando entoar a voz ou como fazer o brilho da glória cintilar nos seus olhos. Era um homem prático, com os pés no chão – e naquele instante precisava falar como um anjo.

– Em breve todos os homens, mulheres e crianças de Canterbury saberão que os homens do rei assassinaram o arcebispo Tomás Becket na catedral. Mas será apenas o início. A notícia se espalhará por toda a Inglaterra e depois por toda a cristandade.

Ele os estava perdendo, era capaz de afirmar. Havia insatisfação e desapontamento em muitos rostos.

– Mas o que *faremos*? – perguntou um homem.

O prior percebeu que precisavam tomar algum tipo de atitude concreta imediatamente. Não era possível lançar uma cruzada e depois mandar as pessoas dormir.

Uma cruzada, pensou ele. Ali estava a ideia.

– Amanhã – disse ele –, levarei esta espada a Rochester. Depois de amanhã, a Londres. Vocês irão comigo?

A maioria ficou perplexa, mas alguém no fundo gritou: "Sim!", e então duas ou três outras pessoas expressaram sua aprovação.

Philip levantou um pouco a voz.

– Contaremos nossa história em todas as cidades e aldeias da Inglaterra. Mostraremos ao povo a espada que matou são Tomás. Deixaremos que vejam as manchas de sangue no seu manto. – Ele se exaltou com o tema, e deixou a raiva que sentia aparecer um pouco. – Levantaremos um grito que se espalhará por toda a cristandade, chegando até mesmo a Roma. Faremos com que todo o mundo civilizado se vire contra os selvagens que perpetraram este crime horrível e blasfemo!

Dessa vez a maioria dos assistentes expressou seu acordo. Tinham esperado um modo de deixar fluir suas emoções, e Philip agora o estava proporcionando.

– Este crime – disse ele, lentamente, a voz virando um grito – jamais, jamais será esquecido!

Todos urraram seu assentimento.

De repente ele soube para onde ir.

– Vamos começar nossa cruzada agora! – disse.

– Sim!

– Vamos carregar esta espada ao longo de todas as ruas de Canterbury!

– Sim!

– E vamos contar a todos os cidadãos dentro dos muros da cidade o que testemunhamos aqui hoje à noite!

– Sim!

– Tragam velas e sigam-me!

Levantando bem alto a espada, ele se deslocou pelo meio da catedral.

O povo o seguiu.

Exultante, ele atravessou o coro e passou pelo cruzeiro, descendo a nave. Alguns monges e padres caminharam ao seu lado. Não era preciso olhar para trás: podia ouvir os passos de uma centena de pessoas marchando às suas costas. Saiu pela porta principal.

Ali Philip teve um momento de ansiedade. Do outro lado do pomar às escuras, viu homens de armas esquadrinhando o palácio do arcebispo. Se seus seguidores se confrontassem com eles, a cruzada, mal começada, poderia terminar em pancadaria. Subitamente temeroso, desviou-se e liderou a multidão pelo portão mais próximo para a rua.

Um dos monges deu início a um hino. Havia lampiões, e fogos acesos no interior das casas, e quando a procissão passava, seus habitantes abriam as portas para saber o que estava acontecendo. Alguns faziam perguntas. Outros se incorporavam ao cortejo.

Philip virou uma esquina e viu William Hamleigh.

Ele estava de pé diante de um estábulo, e dava a impressão de haver acabado de tirar sua cota de malha, para montar e sair da cidade. Tinha um punhado de homens consigo. Todos olharam, na expectativa, presumivelmente tendo ouvido o hino e querendo saber o que estava acontecendo.

Quando a procissão, iluminada por velas, se aproximou, William a princípio não entendeu. Depois viu a espada quebrada na mão de Philip e percebeu tudo. Ficou olhando em silêncio por mais um momento, aterrado, e por fim levatou a voz:

– Parem com isto! – gritou. – Ordeno que se dispersem!

Ninguém lhe deu atenção. Os homens que o acompanhavam ficaram ansiosos: mesmo com suas espadas, eram vulneráveis a um bando de mais de cem fiéis fervorosos.

William dirigiu-se diretamente a Philip.

– Em nome do rei, ordeno que pare com isto!

O prior passou por ele, levado adiante pela pressão do povo.

– Tarde demais, William! – exclamou, por cima do ombro. – Tarde demais!

3

Os garotos pequenos chegaram cedo para o enforcamento.

Eles já estavam lá, na praça do mercado de Shiring, jogando pedras em gatos, abusando dos mendigos e brigando uns com os outros, quando Aliena chegou, sozinha e a pé, envergando uma capa barata com capuz para esconder sua identidade.

Ficou a distância, olhando para o cadafalso. Não tencionara vir. Testemunhara um número grande demais de enforcamentos durante os anos em que desempenhara o papel de conde. Agora que já não tinha tal responsabilidade, achara que seria feliz se nunca mais visse outro homem ser enforcado em toda a sua vida. Mas esse era diferente.

Não estava mais atuando como conde porque seu irmão, Richard, morrera na Síria – não numa batalha, ironicamente, mas num terremoto. Levara seis meses para receber a notícia. Não o via há quinze anos, e agora nunca mais o veria de novo.

No alto da colina, as portas do castelo se abriram, e o prisioneiro saiu com seu acompanhante, seguido pelo novo conde de Shiring, Tommy, filho de Aliena.

Richard nunca chegara a ter filhos, de modo que seu herdeiro fora o seu sobrinho. O rei, aturdido e enfraquecido pelo escândalo de Becket, assumira a linha de ação da menor resistência e rapidamente o confirmara como conde. Aliena passara o bastão à nova geração de muito bom grado. Conseguira o que desejara fazer com o condado. A região era de novo rica e florescente, uma terra de carneiros gordos, pastos verdes e moinhos de grande porte. Alguns dos maiores e mais progressistas proprietários seguiram o exemplo dela, passando a usar cavalos para puxar o arado, alimentados com a aveia plantada no sistema de rotação tríplice das colheitas. Em consequência, a terra era capaz de alimentar ainda mais gente do que sob o esclarecido governo do seu pai.

Tommy seria um bom conde. Fora para isso que nascera. Jack se recusara a reconhecê-lo por algum tempo, mas acabara sendo forçado a admitir a verdade. Seu filho nunca fora capaz de cortar uma pedra em linha reta, mas era um líder natural, e, aos vinte e oito anos de idade era decidido, determinado, inteligente e justo. Agora, era geralmente chamado de Thomas.

Quando assumiu, todos esperaram que Aliena permanecesse no castelo, apoquentando a nora e brincando com os netos. Ela rira de todos. Gostava da mulher de Tommy – uma garota bonita, uma das filhas mais jovens do conde de Bedford – e adorava os três netos, mas aos cinquenta e dois anos não estava pronta para se aposentar. Ela e Jack tinham se mudado para uma grande casa de pedra perto do priorado – no que antes fora o bairro pobre, mas que não era mais –, e voltara ao comércio de lã, comprando e vendendo, negociando com toda a sua antiga energia e fazendo dinheiro com extraordinária rapidez.

O grupo que ia tratar do enforcamento entrou na praça, e Aliena acordou do seu sonho. Examinou detidamente o prisioneiro, tropeçando na ponta de uma corda, as mãos presas nas costas. Era William Hamleigh.

Alguém da primeira fila cuspiu nele. A multidão na praça era grande, pois havia muita gente feliz por ver o fim de William; e mesmo para aqueles que não tinham queixa dele, era uma grande atração ver um antigo xerife ser enforcado. Mas Hamleigh se envolvera no mais notório assassinato de que alguém pudesse se lembrar.

Aliena nunca soubera ou imaginara nada como a reação ao assassinato do arcebispo Tomás. A notícia se espalhara rapidamente por toda a cristandade, de Dublin a Jerusalém e de Toledo a Oslo. O papa guardou luto. A parte continental do império do rei Henrique foi colocada sob interdição, o que significava que as igrejas estavam fechadas e não se realizavam os sacramentos, exceto o batismo. Na Inglaterra o povo começou a fazer peregrinações a Canterbury, exatamente como se fosse um santuário como Santiago de Compostela. E houve milagres. Água com gotas de sangue do mártir e fragmentos do manto que ele usava quando fora assassinado curaram doentes não só em Canterbury como em toda a Inglaterra.

Os homens de William tentaram roubar o corpo da catedral, mas os monges foram alertados e o esconderam; e agora estava seguro, no interior de uma catacumba de pedra, e os peregrinos tinham que enfiar a cabeça num buraco da parede para beijar o caixão de mármore.

Foi o último crime de William. Fugira correndo para Shiring, mas Tommy o prendera e o acusara de sacrilégio. O xerife fora considerado culpado pela corte do bispo Philip. Normalmente ninguém se atreveria a sentenciar um xerife, por se tratar de uma autoridade subordinada à Coroa, mas nesse caso o contrário era verdadeiro; ninguém, nem mesmo o rei, se atreveria a defender um dos assassinos de Becket.

William ia ter um mau fim.

Seus olhos estavam arregalados e descontrolados, a boca aberta e babando. Ele resmungava incoerentemente, e havia uma mancha na parte da frente da túnica, onde ele se molhara.

Aliena observou seu velho inimigo cambalear às cegas na direção do patíbulo. Lembrou-se do rapaz jovem, arrogante e sem coração que a estuprara trinta e cinco anos antes. Era difícil crer que se transformara naquele espécime sub-humano, gemente e aterrorizado que via agora. Nem mesmo o velho cavaleiro gordo, gotoso e desapontado que ele fora no fim da vida nada tinha a ver com o William de agora. Ele começou a lutar e a gritar à medida que se aproximava do cadafalso. Os homens de armas o puxaram como se puxassem um porco indo para o matadouro. Aliena não encontrou piedade no coração: só conseguia sentir alívio. William nunca mais aterrorizaria ninguém.

Ele chutou e gritou quando foi levantado e posto em cima do carro de boi. Parecia um animal – a cara vermelha, selvagem, imundo –, mas o som que produzia era o de uma criança gemendo, chorando e resmungando. Foram precisos quatro homens para segurá-lo, enquanto um quinto passou o laço no seu pescoço. Lutou tanto que o nó apertou antes da hora, e ele começou a se estrangular pelos próprios esforços. Os homens de armas recuaram. William se contorceu, asfixiado, o rosto vermelho ficando roxo.

Aliena estava com os olhos fixos nele, consternada. Nem mesmo no auge do seu ódio desejara uma morte daquelas ao inimigo.

Não houve mais barulho, agora que ele estava asfixiado; e a multidão permaneceu imóvel. Até mesmo os garotos pequenos foram silenciados pela visão horrível.

Alguém deu uma chicotada no flanco do boi e o animal se adiantou. Finalmente William caiu, mas a queda não quebrou seu pescoço, e ele ficou se balançando na ponta da corda, sufocando lentamente. Seus olhos permaneceram abertos. Aliena achou que ele estava olhando para ela. A expressão do seu rosto no momento em que estava se contorcendo em agonia lhe era familiar. Constatou que era assim que ele ficara quando a estuprara, pouco antes de atingir o orgasmo. A lembrança a atingiu como uma punhalada, mas ela não se permitiu desviar os olhos.

Foi preciso um longo tempo, mas a multidão permaneceu quieta até o fim. O rosto dele foi ficando cada vez mais escuro. Suas contorções agônicas tornaram-se meras contrações. Por fim seus olhos rolaram para dentro, as pálpebras se fecharam, ele ficou imóvel e, numa visão repelente, sua língua projetou-se, negra e inchada, por entre os dentes.

Estava morto.

Aliena sentiu-se exausta. William mudara sua vida – houve uma época em que teria dito que ele *arruinara* sua vida –, mas agora estava morto, sem nunca mais poder fazer mal a ela ou a qualquer outra pessoa.

A multidão começou a se dispersar. Os garotos pequenos imitavam as convulsões da agonia uns para os outros, virando os olhos e pondo a língua para fora. Um homem de armas subiu no cadafalso e cortou a corda que prendia o cadáver.

Aliena atraiu a atenção do seu filho. Ele pareceu surpreso por vê-la. Aproximou-se imediatamente e inclinou-se para beijá-la. Meu filho, pensou ela; meu filho. Filho de Jack. Lembrou-se do terror que sentira quando pensara que podia ter tido um filho de William. Bem, algumas coisas haviam dado certo.

– Achei que você não ia querer vir aqui hoje – disse Tommy.

– Eu tinha que vir. Tinha que vê-lo morto.

Ele ficou espantado. Não compreendeu. Aliena ficou satisfeita.

Esperava que ele nunca tivesse de compreender certas coisas.

Tommy passou um braço pelos seus ombros e os dois se retiraram juntos da praça.

Aliena não olhou para trás.

Num dia quente, em pleno verão, Jack almoçou com Aliena e Sally na fresca do transepto norte, na galeria, sentados no gesso riscado do seu chão de desenho.

O som dos monges cantando o serviço da sexta no coro era um murmúrio que lembrava o rumorejar de uma distante queda-d'água. Tinham comido costeletas de carneiro frias com pão fresco de trigo e tomado um jarro de cerveja dourada. Jack passara a manhã esboçando o desenho do novo coro, que começaria a construir no ano seguinte. Sally ficou olhando para o desenho, ao mesmo tempo em que mordiscava a costeleta com seus lindos dentes muito brancos. Em um momento mais, diria qualquer coisa crítica sobre ele, Jack sabia. Olhou para Aliena. Ela também lera a expressão da fisionomia de Sally e sabia o que estava por vir. Trocaram um olhar conhecedor e sorriram.

– Por que você quer que o lado leste seja arredondado? – perguntou Sally.

– Eu me baseei no desenho de Saint-Denis – respondeu Jack.

– Mas há alguma vantagem?

– Sim. Ajuda a conservar os peregrinos em movimento.

– E assim você só tem essa fileira de janelinhas.

Jack achara que o assunto "janelas" viria logo, sendo Sally vidraceira.

– *Janelinhas?* – Fingiu estar indignado. – Essas janelas são imensas! Quando pus pela primeira vez janelas deste tamanho nesta igreja todos pensaram que o prédio cairia por falta de suporte estrutural.

– Se o coro tivesse um acabamento quadrado, você teria uma enorme parede reta – insistiu Sally. – E aí poderia pôr janelas *realmente* grandes.

Sally tinha razão, pensou Jack. Com o desenho arredondado todo o coro era obrigado a ter a mesma elevação, obedecendo à tradicional divisão em três níveis, de arcada, galeria e clerestório em toda a volta. Uma face quadrada proporcionava a chance de mudar o desenho.

– Poderia haver outro modo de fazer os peregrinos não pararem de circular – disse ele pensativamente.

– E o sol nascente brilharia através das grandes janelas – acrescentou Sally.

Jack era capaz de imaginar.

– Poderia haver uma fileira de janelas estreitas e pontiagudas, como lanças num cavalete.

– Ou uma enorme janela redonda, como uma rosa – disse Sally.

Era uma ideia assombrosa. Para quem se encontrasse de pé na nave olhando na extensão da igreja na direção leste, a janela redonda pareceria um imenso sol explodindo em inumeráveis e deslumbrantes cacos coloridos de vidro.

Jack podia visualizar a janela.

– Gostaria de saber qual seria o tema que os monges iriam querer – disse ele.

– A Lei e os Profetas – disse Sally.

Ele franziu a testa para a filha.

– Sua víbora sonsa, você já discutiu essa ideia como o prior Jonathan, não foi?

Sally fez um ar culpado, mas foi salva de responder pela chegada de Peter Cinzel, um jovem cinzelador. Era um homem tímido e desajeitado, cujo cabelo louro vivia caindo sobre os olhos, mas seus trabalhos eram lindos, e Jack se sentia feliz por poder contar com ele.

– O que posso fazer por você, Peter? – perguntou.

– Na verdade eu estava procurando Sally – respondeu o rapaz.

– Pois bem, você a encontrou.

Sally estava se levantando, espanando migalhas de pão da frente da túnica.

– Eu os verei mais tarde – disse ela, saindo com Peter pela porta baixa e descendo a escada em espiral.

Jack e Aliena se olharam.

– Ela estava envergonhada? – perguntou Jack.

– Espero que sim – disse Aliena. – Meu Deus, já está em tempo de ela se apaixonar por alguém! Está com vinte e seis anos!

– Ora, ora, eu já havia desistido de ter esperanças. Pensei que estivesse planejando ser uma velha solteirona.

Aliena sacudiu a cabeça.

– Não Sally. Ela é tão sensual quanto qualquer outra mulher. Só é muito seletiva.

– É mesmo? As garotas do condado não estão fazendo fila para desposar Peter Cinzel.

– As garotas do condado se apaixonam por homens grandes e bonitos como Tommy, que fazem figura em cima de um cavalo e usam capas forradas de seda vermelha. Sally é diferente. Ela quer alguém inteligente e sensível. Peter é exatamente o tipo dela.

Jack aquiesceu. Nunca pensara no caso daquele modo, mas sentia intuitivamente que Aliena estava certa.

– Ela é como a avó – disse. – Minha mãe se apaixonou por um tipo excêntrico.

– Sally é como a sua mãe, e Tommy, como o meu pai – disse Aliena.

Jack sorriu para ela. Estava mais bonita que nunca. Seu cabelo ficava grisalho e a pele do seu pescoço não tinha mais a antiga lisura do mármore, mas à medida que ficava mais velha e perdia a redondez das formas da maternidade, os ossos do seu lindo rosto tornavam-se mais proeminentes e ela assumia uma beleza elegante, quase estrutural. Jack adiantou-se e acompanhou com o dedo o desenho do queixo de Aliena.

– Como meus arcobotantes alados – disse.

Ela sorriu.

Jack desceu a mão pelo seu pescoço e pelos seus seios. Eles também tinham mudado. Lembrava-se de quando se lançavam do peito dela como se fossem leves, os mamilos apontando para cima. Depois, com a gravidez, aumentaram ainda mais e os mamilos se alargaram. Agora estavam mais caídos e macios, e balançavam deliciosamente de um lado para outro quando ela caminhava. Ele os amara em todas as fases. Perguntou-se como seriam quando ela envelhecesse. Ficariam murchos e enrugados? Provavelmente gostarei deles assim mesmo, pensou. Sentiu o mamilo endurecer ao toque de sua mão. Inclinou-se para beijar-lhe os lábios.

– Jack, você está numa igreja – murmurou ela.

– Não faz mal – disse ele, e deslizou a mão da barriga para a virilha.

Ouviram-se passos na escada. Ele se afastou, culposamente.

Ela riu da sua frustração.

– Aí está o julgamento de Deus das suas intenções – disse, irreverente.

– Verificarei isso mais tarde – murmurou Jack, num tom de voz fingidamente ameaçador.

Os passos chegaram ao topo da escada e o prior Jonathan apareceu. Cumprimentou a ambos solenemente. Seu ar era grave.

– Quero que você ouça uma coisa, Jack – disse. – Quer ir até o claustro?

– Claro. – Jack pôs-se de pé.

O prior voltou para a escada em espiral e desceu.

Jack parou junto à porta e apontou um dedo ameaçador para Aliena.

– Mais tarde – disse.

– Promete? – perguntou ela, com um sorriso.

Jack seguiu Jonathan, descendo a escada e atravessando a igreja até a porta no transepto sul que levava ao claustro. Seguiram ao longo do passadiço norte, passaram por garotos com lousas e pararam no canto. Com uma inclinação da cabeça, Jonathan dirigiu a atenção de Jack para um monge sentado sozinho numa saliência de pedra a meio caminho do passadiço oeste. O capuz do monge estava erguido, cobrindo-lhe o rosto, mas quando pararam, ele se virou, levantou a cabeça e rapidamente desviou os olhos.

Jack deu um passo involuntário para trás.

O monge era Waleran Bigod.

– O que esse demônio está fazendo aqui? – perguntou, furioso.

– Preparando-se para ir ao encontro do seu Criador – respondeu Jonathan.

Jack franziu a testa.

– Não entendo.

– É um homem derrotado – disse o prior. – Não tem posição, não tem poder nem amigos. Constatou que Deus não quer que seja um bispo grande e poderoso. Viu o erro dos seus atos. Chegou aqui, a pé, e suplicou-me que o admitisse como um monge humilde, para passar o resto de seus dias pedindo perdão a Deus pelos seus pecados.

— Acho difícil de acreditar — disse Jack.

— Eu também, a princípio — disse Jonathan. — Mas no fim percebi que sempre foi um homem genuinamente temente a Deus.

Jack assumiu uma expressão cética.

— Sinceramente penso que ele era devoto. Cometeu apenas um erro crucial: acreditou que o fim justifica os meios a serviço de Deus. Isso lhe permitia fazer qualquer coisa.

— Inclusive conspirar para assassinar um arcebispo!

Jonathan ergueu ambas as mãos, num gesto defensivo.

— Deus deve puni-lo por isso, não eu!

Jack deu de ombros. Era o tipo de coisa que Philip teria dito.

Não via motivo para deixar Waleran viver no priorado. No entanto, era esse o jeito de ser dos monges.

— Por que você quis que eu viesse vê-lo?

— Ele quer lhe contar por que enforcaram seu pai.

Jack subitamente gelou.

Waleran estava sentado tão imóvel quanto uma pedra, o olhar perdido no espaço. Estava descalço. Os frágeis tornozelos brancos de velho eram visíveis abaixo da bainha do hábito de tecido grosseiro. Jack constatou que ele não era mais assustador. Estava fraco, derrotado e triste.

Adiantou-se vagarosamente e sentou-se num banco a uma jarda de distância de Waleran.

— O velho rei Henrique era forte demais — disse Bigod sem preâmbulo. — Alguns dos barões não gostavam dele: sentiam-se restringidos demais. Desejavam que um rei mais fraco o sucedesse. Mas Henrique tinha um filho, Guilherme.

Aquilo tudo era história antiga.

— Isso aconteceu antes de eu nascer — reclamou Jack.

— Seu pai morreu antes de você nascer — disse Waleran, com um leve resquício da antiga empáfia.

Jack assentiu.

— Continue, então.

— Um grupo de barões decidiu matar o filho de Henrique. Achavam que se houvesse dúvidas quanto à sucessão, teriam mais influência sobre a escolha do novo rei.

O construtor examinou o rosto pálido e magro do monge, procurando uma evidência de falsidade. Mas o velho só parecia fraco, vencido e cheio de remorsos. Se estava com algum objetivo oculto, Jack não conseguiu perceber.

— Mas Guilherme morreu no naufrágio do *White Ship* — disse.

— Aquele naufrágio não foi acidente — disse Waleran.

Jack ficou surpreso. Poderia ser verdade? O herdeiro do trono assassinado só porque um grupo de barões queria uma monarquia fraca? Mas não era mais chocante que o assassinato de um arcebispo.

– Continue – disse.

– Os homens dos barões puseram a pique o navio e fugiram num bote. Todos os outros morreram afogados, exceto um homem que se agarrou a um mastro e foi boiando até a costa.

– Meu pai – disse Jack. Estava começando a ver aonde aquilo ia chegar.

O rosto de Waleran estava muito branco, e os lábios, lívidos.

Falava sem emoção, e não encarou os olhos de Jack.

– Ele deu em terra perto de um castelo que pertencia a um dos conspiradores, e o prenderam. O homem não tinha interesse em denunciá-los. Na verdade, nem sequer percebera que o navio fora afundado. Mas vira coisas que teriam revelado a verdade aos outros, se lhe permitissem recuperar a liberdade e falar sobre sua experiência. Assim, sequestraram-no, levaram-no para a Inglaterra e deixaram-no aos cuidados de algumas pessoas em que podiam confiar.

Jack sentiu-se profundamente triste. Tudo o que seu pai sempre quisera, segundo Ellen, era distrair as pessoas. Mas havia algo de estranho na história de Bigod.

– Por que não o mataram logo? – perguntou.

– Era o que deviam ter feito – respondeu Waleran friamente. – Mas ele era um homem inocente, um menestrel, uma pessoa que só dava prazer aos outros. Não conseguiram matá-lo. – Ele deu um sorriso desconsolado. – Até mesmo as pessoas mais desumanas no fim têm alguns escrúpulos.

– Então por que mudaram de ideia?

– Porque com o tempo ele se tornou perigoso, mesmo aqui. A princípio não ameaçava ninguém, não era capaz sequer de falar inglês. Mas aprendeu, é claro, e começou a fazer amigos. Assim, trancaram-no na cela da prisão sob o dormitório. Então começaram a perguntar por que ele estava preso. Ele se tornou um estorvo. Perceberam que nunca poderiam ter tranquilidade enquanto estivesse vivo. E nos disseram para matá-lo.

Tão fácil, pensou Jack.

– Mas por que vocês obedeceram?

– Éramos ambiciosos, nós três – disse Waleran, e pela primeira vez seu rosto demonstrou emoção, a boca retorcendo-se numa careta de remorso. – Percy Hamleigh, o prior James e eu. Sua mãe falou a verdade: nós três fomos recompensados. Tornei-me arcediago, e minha carreira na Igreja teve um esplêndido início. Percy Hamleigh tornou-se um importante proprietário de terras. O prior James ganhou um útil acréscimo à propriedade do priorado.

– E os barões?

– Após o naufrágio, Henrique foi atacado, nos três anos seguintes, por Fulk de Anjou, William Clito na Normandia e pelo rei da França. Durante algum tempo pareceu muito vulnerável. Mas derrotou seus inimigos e governou por outros dez anos. No entanto, a anarquia que os barões queriam acabou acontecendo, quando Henrique morreu sem um herdeiro masculino e Estêvão subiu ao trono. Enquanto a guerra civil convulsionava o país nas duas décadas seguintes, os barões exerciam sua autoridade como reis em seus territórios, sem nenhum poder central para impor-lhes limites.

– E meu pai morreu por isso.

– E no fim nada deu certo. A maior parte daqueles barões morreu na guerra, e alguns dos seus filhos também. E as pequenas mentiras que dissemos, para conseguir que seu pai fosse morto, acabaram voltando para nos perseguir. Sua mãe nos amaldiçoou após o enforcamento, e a praga dela funcionou. O prior James foi destruído pela consciência, como Remigius disse no julgamento. Percy Hamleigh morreu antes de a verdade vir à tona, mas seu filho William acabou enforcado. E olhe só para mim: meu ato de perjúrio foi atirado de volta sobre minha cabeça quase cinquenta anos mais tarde, terminando com a minha carreira. – Waleran estava pálido e exausto, como se o seu rígido autocontrole fosse resultado de enorme esforço. – Todos nós tínhamos muito medo de sua mãe, porque não estávamos certos do que ela sabia. Afinal nem era muito, mas o pouco que sabia foi o suficiente.

Jack estava tão abatido quanto Waleran. Finalmente soubera a verdade sobre seu pai, algo que quisera toda a sua vida. Mas não sentia nem raiva nem vontade de se vingar. Não chegara a conhecer seu verdadeiro pai, mas tivera Tom, que lhe dera o amor pela construção, a segunda grande paixão da sua vida.

Levantou-se. Tudo aquilo ocorrera há tempo demais para ele chorar agora. Desde então muitas coisas tinham acontecido, a maioria delas boas.

Olhou para o velho contrito sentado no banco. Ironicamente, era Waleran quem sofria agora a amargura do arrependimento. Sentiu pena dele. Como devia ser terrível chegar à velhice e saber que sua vida fora desperdiçada! Waleran ergueu a cabeça, e os olhos dos dois homens se encontraram pela primeira vez. Bigod estremeceu e desviou o rosto, como se tivesse sido esbofeteado. Por um momento Jack pôde ler os seus pensamentos, e teve certeza de que ele vira a piedade nos seus olhos.

E para Waleran, a piedade dos seus inimigos era a pior humilhação de todas.

4

Philip parou no Portão Oeste da antiga cidade cristã de Canterbury, envergando o traje de gala completo, deslumbrantemente colorido, de um bispo inglês e carregando um valiosíssimo báculo incrustado de pedras preciosas. Estava encharcado de água da chuva.

Tinha sessenta e seis anos de idade, e a chuva gelava seus velhos ossos. Era a última vez que se aventurava tão longe de casa. Mas não teria perdido aquele dia por nada neste mundo. De certo modo, tratava-se de uma cerimônia que coroava o trabalho de sua vida.

Tinham se passado três anos e meio do histórico assassinato do arcebispo Tomás. Nesse curto espaço de tempo o culto místico de Tomás Becket empolgara o mundo. Philip não tinha ideia do que estava iniciando quando conduziu aquela pequena procissão, iluminada por velas, pelas ruas de Canterbury. O papa canonizara Tomás com uma rapidez quase indecente. Havia inclusive uma nova ordem de monges-cavaleiros na Terra Santa chamada de Cavaleiros de são Tomás do Acre. O rei Henrique não fora capaz de se contrapor a um movimento popular tão poderoso. Era forte demais para qualquer indivíduo contê-lo.

Para Philip, a importância de todo o fenômeno consistia no que demonstrava a respeito do poder do Estado. A morte de Tomás mostrara que, num conflito entre a Igreja e a Coroa, o monarca sempre poderia fazer prevalecer sua vontade graças à força bruta. O culto de são Tomás, contudo, provava que tal vitória sempre seria sem substância. O poder de um rei não era absoluto, afinal; podia ser limitado pela vontade do povo. Essa mudança tivera lugar no decurso da vida de Philip. E ele não se limitara a testemunhá-la; ajudara a produzi-la. A cerimônia desse dia comemoraria tal fato.

Um homem corpulento, de cabeça grande, caminhava na direção da cidade, no meio da chuva. Não usava botas ou chapéu. A uma certa distância à sua retaguarda, era seguido por um grupo grande de pessoas a cavalo.

O homem era o rei Henrique.

A multidão conservou-se tão silenciosa quanto num funeral, quando o rei, encharcado pela água da chuva, seguiu caminhando pela lama, na direção do portão da cidade.

Philip colocou-se na rua de acordo com o plano combinado antes, e foi andando na frente do rei descalço, liderando o cortejo para a catedral. Henrique seguia com a cabeça baixa, o passo normalmente jovial e desembaraçado rigidamente controlado, a postura como um retrato de penitência. Os atemorizados habitantes da cidade contemplavam em silêncio aquela cena do rei da Inglaterra se humilhando diante de seus olhos. A escolta real seguia a distância.

Philip conduziu o rei lentamente através do portão da catedral.

As portas imponentes da esplêndida igreja estavam inteiramente abertas. Eles entraram, uma solene procissão de duas pessoas que era o ponto culminante da crise política do século. A nave estava lotada. A multidão abriu caminho para deixar que passassem. As pessoas falavam aos sussurros, atônitas com a visão do mais orgulhoso rei da cristandade, encharcado pela chuva, entrando na igreja como um pedinte.

Percorreram devagar a nave e desceram os degraus para entrar na cripta. Ali, ao lado do novo túmulo do mártir, os monges de Canterbury estavam esperando, juntamente com os bispos e abades mais poderosos do reino.

O rei ajoelhou-se no chão.

Seus cortesãos entraram na cripta atrás dele. Na frente de todos, Henrique de Inglaterra, o segundo com esse nome, confessou seus pecados, e disse que tinha sido o involuntário causador do assassinato de são Tomás.

Depois de confessar, tirou a capa. Por baixo usava uma túnica verde e um cilício. Ajoelhou-se de novo, dobrando as costas.

O bispo de Londres flexionou uma vara.

O rei seria açoitado.

Receberia cinco pancadas de cada padre e três de cada monge presente. Os golpes seriam simbólicos, claro: como havia oitenta monges presentes, se batessem de verdade o matariam.

O bispo de Londres tocou nas costas do rei cinco vezes, de leve, com a vara. Depois virou-se e entregou-a a Philip, bispo de Kingsbridge.

Philip adiantou-se para açoitar o rei. Sentia-se feliz por ter vivido até aquele momento. Depois, pensou, o mundo nunca mais seria o mesmo.

Agradecimentos

Devo especiais agradecimentos a Jean Gimpel, Geoffrey Hindley, Warren Hollister e Margaret Wade Labarge por terem me proporcionado o privilégio do seu enciclopédico conhecimento da Idade Média.

Agradeço também a Ian e Marjory Chapman, pela sua paciência, encorajamento e inspiração.

Impressão e Acabamento:
GEOGRÁFICA EDITORA LTDA.